2024年度版

会計税務便覧

日本公認会計士協会東京会 編

清文社

2024年度版の発刊にあたって

　本書は、1979年発刊以来、最新の会計・税務に関する情報を取りまとめたハンドブックとして、毎年改訂を重ねてまいりました。読者の皆様からは厚いご支持をいただき、今日に至っております。

　2024年度版においては、装いも新たにリニューアルし、収録内容については会計・税務ともに2024年6月30日までの改正事項を盛り込むとともに、最新の内容に改訂しております。また、索引を見直し、利便性を高めました。

　この度の本書の出版にあたって、日本公認会計士協会東京会会計監査委員会出版編纂小委員会委員、監査会計ユニット担当役員、事務局及び清文社の関係各位の多大なご尽力に対し心から感謝の意を表します。

　なお、2024年度版の編集にあたった委員は以下の方々です。

　　委　員　長　　伊藤修平
　　副委員長　　神足勝彦　秋山 丈
　　委　　　員　　三條 聡　志村恵美子　寺内 泉　花島宣勝　森山武芳　横見瀬春樹
　　（五十音順）
　　　　　　　　（以上 2023年度会計監査委員会出版編纂小委員会委員）

2024年8月
日本公認会計士協会東京会

会長　八 木 茂 樹

第3章　資産項目

第4章 負債項目

第5章 純資産項目及び株主資本等変動計算書

第6章 損益項目

第7章 その他の会計基準

第8章 財務諸表（計算書類）注記

第9章　連結財務諸表

第10章 中間連結財務諸表

第11章 法人税法

※ 本書の内容は、2024（令和6）年6月30日現在の法令等によっている。

最近の改正事項

　2023（令和5）年7月1日から2024（令和6）年6月30日までに公表された主な改正事項は以下のとおり。

■ 会計編

項目	内容	導入時期
金融商品取引法関係		
金融商品取引法等の一部を改正する法律の成立（2023年11月20日）	〈主な改正内容〉 ・非財務情報の開示の充実に向けた取組（注1）と併せて、企業開示の効率化の観点から、金融商品取引法上の四半期報告書を廃止（金商法第24条の4の7、第24条の4の8の削除）（注2） （注1）府令改正によりサステナビリティ情報の開示の充実を図る。 （注2）第1・第3四半期の開示については、取引所規則に基づく四半期決算短信に一本化 ・半期報告書、臨時報告書の公衆縦覧期間（注）を5年間（課徴金の除斥期間と同様）に延長 （注）現行の公衆縦覧期間は、半期報告書3年、臨時報告書1年	2024（令和6）年4月1日以後の四半期報告書は廃止
「企業内容等の開示に関する内閣府令」等の改正（2023年12月22日）	有価証券報告書等の提出会社が、財務上の特約の付されたローン契約の締結又は社債の発行をした場合（既に締結している契約や既に発行している社債に新たに財務上の特約が付される場合も含む）であって、その元本又は発行額の総額が連結純資産額の10%以上の場合には、契約の概要（契約の相手方の属性、元本総額及び担保の内容等）や財務上の特約の内容を記載した臨時報告書の提出を求めることとしたもの。 　そして、上記の財務上の特約に変更があった場合や財務上の特約に抵触した場合には、財務上の特約の変更内容や抵触事由等を記載した臨時報告書の提出を求めることとした。	令和7（2025）年4月1日以後に提出される臨時報告書から適用 ただし、財務上の特約に変更があった場合等に係る臨時報告書について、施行日前に締結された契約については、2026（令和8）年3月31日以前に提出される臨時報告書までは省略可能
「財務諸表等の用語、様式及び作成方法に関する規則等の一部を改正する内閣府令」の改正（2024年2月19日）	企業会計基準委員会において、実務対応報告書第45号「資金決済法における特定の電子決済手段の会計処理及び開示に関する当面の取扱い」及び企業会計基準第32号「『連結キャッシュ・フロー計算書等の作成基準』の一部改正」を公表したことを受け、財務諸表等の用語、様式及び作成方法に関する規則等について所要の改正を行うもの。	公布の日から施行

令和 5 年金融商品取引法等改正に係る政令・内閣府令の公表（2024年3月27日）	2023（令和 5 ）年11月20日に成立した「金融商品取引法等の一部を改正する法律」（令和 5 年11月29日法律第79号）のうち、四半期報告書制度の廃止に関する規定の施行に伴い、関係政令・内閣府令等の規定の整備を行うもの。 〈主な改正内容〉 四半期報告書制度の廃止に伴う規定の整備 ①　上場会社等が提出する半期報告書に関する規定を整備する。 ②　以下の事項について、臨時報告書の提出事由に追加する。 　・「企業・株主間のガバナンスに関する合意」の締結・変更 　・「企業・株主間の株主保有株式の処分・買増し等に関する合意」の締結・変更 ③　以下の内閣府令を廃止し、「財務諸表等の用語、様式及び作成方法に関する規則」及び「連結財務諸表の用語、様式及び作成方法に関する規則」において、従前の四半期財務諸表を第一種中間財務諸表、従前の中間財務諸表を第二種中間財務諸表として中間財務諸表の作成方法等を含め規定する。 　・中間財務諸表等の用語、様式及び作成方法に関する規則 　・四半期財務諸表等の用語、様式及び作成方法に関する規則 　・中間連結財務諸表の用語、様式及び作成方法に関する規則 　・四半期連結財務諸表の用語、様式及び作成方法に関する規則 ④　その他、関係政令、内閣府令等について所要の改正等を行う。	2024（令和 6 ）年 4 月 1 日施行
企業会計基準委員会（ASBJ）関係		
実務対応報告第45号「資金決済法における特定の電子決済手段の会計処理及び開示に関する当面の取扱い」等の公表（2023年11月17日）	2022（令和 4 ）年 6 月に「資金決済に関する法律」（平成21年法律第59号。以下「資金決済法」という）が改正されたことに伴い、いわゆるステーブルコインのうち、法定通貨の価値と連動した価格で発行され券面額と同額で払戻しを約するもの及びこれに準ずる性質を有するものが新たに「電子決済手段」と定義され、また、これを取り扱う電子決済手段等取引業者について登録制が導入され、必要な規定の整備が行ったもの。	公表日以後適用
企業会計基準第32号「連結キャッシュ・フロー計算書等の作成基準」の一部改正（2023年11月17日）	(1)　キャッシュ・フロー作成基準の「連結キャッシュ・フロー計算書作成基準 第二 作成基準 一 資金の範囲」1 を次のとおり改正するもの。 　1　現金とは、手許現金、要求払預金及び特定の電子決済手段をいう。(注 1)(注10) (2)　キャッシュ・フロー作成基準注解(注10)の定めを次のとおり追加する。 　(注10) 特定の電子決済手段について 　　　特定の電子決済手段は、「資金決済に	実務対応報告第45号「資金決済法における特定の電子決済手段の会計処理及び開示に関する当面の取扱い」の適用時期と同様

	関する法律」(平成21年法律第59号。以下「資金決済法」という。) 第 2 条第 5 項第 1 号から第 3 号に規定される電子決済手段 (外国電子決済手段 (電子決済手段等取引業者に関する内閣府令 (令和 5 年内閣府令第48号) 第30条第 1 項第 5 号) については、利用者が電子決済手段等取引業者 (資金決済法第 2 条第12項) に預託しているものに限る。以下同じ。) が該当する。	
企業会計基準第33号「中間財務諸表に関する会計基準」等の公表 (2024年 3 月22日)	金融商品取引法上の四半期開示義務が廃止されたことによるもの。	改正後の金融商品取引法の規定による半期報告書の提出が求められる最初の中間会計期間から適用
改正企業会計基準適用指針第 2 号「自己株式及び準備金の額の減少等に関する会計基準の適用指針」等の公表 (2024年 3 月22日)	令和 5 年度税制改正において、完全子会社株式について一部の持分を残す株式分配のうち、当該一部の持分が当該完全子会社の株式の発行済株式総数の20%未満となる株式分配について、他の一定の要件を満たす場合には、完全子会社株式のすべてを分配する場合と同様に、課税の対象外とされる特例措置、いわゆるパーシャルスピンオフ税制が新たに設けられたことに伴う改正。	公表日以後適用
改正実務対応報告第44号「グローバル・ミニマム課税制度に係る税効果会計の適用に関する取扱い」の公表 (2024年 3 月22日)	2021年10月に経済協力開発機構 (OECD) /主要20か国・地域 (G20) の「BEPS 包摂的枠組 (Inclusive Framework on Base Erosion and Profit Shifting)」において合意が行われたグローバル・ミニマム課税のルールには、所得合算ルール (IIR)、軽課税所得ルール (UTPR) 及び国内ミニマム課税 (QDMTT) がある。このうち、所得合算ルール (IIR) に係る取扱いが令和 5 年法律第 3 号において定められたことに対応したもの。	公表日以後適用
実務対応報告第46号「グローバル・ミニマム課税制度に係る法人税等の会計処理及び開示に関する取扱い」等の公表 (2024年 3 月22日)	現行の企業会計基準第27号「法人税、住民税及び事業税等に関する会計基準」及び企業会計基準適用指針第28号「税効果会計に係る会計基準の適用指針」等では、グローバル・ミニマム課税制度に係る法人税等 (当期税金) 及び当該法人税等に関する税効果会計についてどのように取り扱うかが明らかでなかったものを明確化したもの。	2024 (令和 6) 年 4 月 1 日以後開始する連結会計年度及び事業年度の期首から適用 また、中間財務諸表における注記の定めについては、上記にかかわらず、2025 (令和 7) 年 4 月 1 日以後開始する連結会計年度及び事業年度の期首から適用する
日本公認会計士協会関係		
会計制度委員会報告第 8 号「連結財務諸表等におけるキャッシュ・フロー計算書の作成に関する実務指針」の改正	実務対応報告第45号「資金決済法における特定の電子決済手段の会計処理及び開示に関する当面の取扱い」及び企業会計基準第32号「『連結キャッシュ・フロー計算書等の作成基準』の一部改正」が公表に伴う改正。	実務対応報告第45号「資金決済法における特定の電子決済手段の会計処理及び開示に関する当面の取扱い」の適用時期と同

	〈主な改正内容〉 (1) 現金の定義の修正 　実務対応報告等では、その適用対象となる電子決済手段が通貨に類似する性格と要求払預金に類似する性格を有する資産であると整理され、特定の電子決済手段を現金に含めることとされた。その定めとの整合を図るため、現金の定義に「特定の電子決済手段」を追加することとした。 (2) 上記(1)の特定の電子決済手段に該当する資産に関する記載の追加 　実務対応報告等の記載と整合させる形で、「特定の電子決済手段」は実務対応報告の適用対象となる第1号電子決済手段、第2号電子決済手段及び第3号電子決済手段が該当し、「外国電子決済手段」は、これらの電子決済手段のうち電子決済手段の利用者が電子決済手段等取引業者に預託しているものに限られる旨の記載を追加することとした。	様
会計制度委員会報告第7号「連結財務諸表における資本連結手続に関する実務指針」の改正（2024年3月22日）	〈主な改正内容〉 (1) 子会社株式を配当した場合の会計処理 　保有する完全子会社株式のすべて又は一部を株式数に応じて比例的に配当（按分型の配当）し子会社に該当しなくなった場合、以下のとおり、連結財務諸表上の会計処理を行うことにした。 ① 配当前の投資の修正額（付随費用及び子会社株式の追加取得等によって生じた資本剰余金を除く）とこのうち配当後の株式に対応する部分との差額 　連結株主資本等変動計算書上の利益剰余金とその他の包括利益累計額の区分に、子会社株式の配当に伴う増減等その内容を示す適当な名称をもって計上する。 ② 個別財務諸表上の取得価額に含まれている付随費用及び子会社株式の追加取得等によって生じた資本剰余金のうち配当した部分に対応する額 　連結財務諸表上、配当により個別財務諸表で計上したその他資本剰余金又はその他利益剰余金（繰越利益剰余金）の減額を修正する。個別財務諸表で計上したその他資本剰余金又はその他利益剰余金（繰越利益剰余金）の減額については、付随費用のうち配当した部分に対応する額を修正する。また、子会社株式の追加取得等によって生じた資本剰余金のうち配当した部分に対応する額を修正する。 ③ 残存する当該被投資会社に対する投資（支配を喪失して関連会社になった場合） 　当該会社の個別貸借対照表はもはや連結されないため、連結貸借対照表上、親会社の個別貸借対照表に計上している当該関連会社株式の帳簿価額は、投資の修正額のうち配当後	公表日より適用。なお、2024年改正の本報告の適用前に行われた自己株式等会計適用指針第10項(2)及び（2‑2）で定められた取引について、2024年改正の本報告の適用日における会計処理の見直し及び遡及的な処理は行わないものとする

持分額が加減されることで、持分法による投資評価額に修正される。この場合、当該持分法による投資評価額には支配喪失以前に費用処理した支配獲得時の取得関連費用を含めない（資本連結実務指針第46-2項）。同様にのれんの未償却額の取扱いは、子会社株式を売却し当該会社に対する支配を喪失して関連会社になった場合ののれんの未償却額の取扱い（資本連結実務指針第45-2項）に準じて行う。

④　残存する当該被投資会社に対する投資（支配を喪失して関連会社にも該当しなくなった場合）

　残存する当該被投資会社に対する投資は、個別貸借対照表上の帳簿価額をもって評価するため、完全子会社株式の一部を配当し当該被投資会社に対する投資が残る場合には、配当後の投資の修正額は取り崩し、当該取崩額を連結株主資本等変動計算書の利益剰余金とその他の包括利益累計額の区分に、連結除外に伴う増減等その内容を示す適当な名称をもって計上する。

■ 税務編

項目	内容	施行時期
法人税関係		
1．構造的な賃上げの実現		
賃上げ促進税制の強化		
継続雇用者給与等支給額が増加した場合	①　次の見直しを行った上、その適用期限を3年延長する。 イ　原則の特別税額控除割合を100分の10（改正前：100分の15）に引き下げる。 ロ　特別税額控除割合の上乗せ措置について、次に掲げる要件を満たす場合には特別税額控除割合にそれぞれ次に定める割合を加算する措置とする。 (イ)　継続雇用者給与等支給増加割合が100分の4以上であること　100分の5（継続雇用者給与等支給増加割合が100分の5以上である場合には100分の10とし、継続雇用者給与等支給増加割合が100分の7以上である場合には100分の15とする） (ロ)　次に掲げる要件のすべてを満たすこと　100分の5 　a　教育訓練費の額から比較教育訓練費の額を控除した金額のその比較教育訓練費の額に対する割合が100分の10以上であること。	2024（令和6）年4月1日以後開始する事業年度から適用

b　教育訓練費の額の雇用者給与等支給
　　　　額に対する割合が100分の0.05以上で
　　　　あること。
　　(ハ)　その事業年度終了の時において次に掲
　　　げる者のいずれかに該当すること　100
　　　分の5
　　　a　次世代育成支援対策推進法に規定す
　　　　る特例認定一般事業主
　　　b　女性の職業生活における活躍の推進
　　　　に関する法律に規定する特例認定一般
　　　　事業主
　ハ　本措置の適用を受けるために「給与等の
　　支給額の引上げの方針、下請事業者その他
　　の取引先との適切な関係の構築の方針等の
　　一定の事項」を公表しなければならない事
　　業者に、その事業年度終了の時において常
　　時使用する従業員の数が2,000人を超える
　　ものを加える。
②　青色申告書を提出する事業者が、2024（令
　和6）年4月1日から2027（令和9）年3月
　31日までの間に開始する各事業年度におい
　て国内雇用者に対して給与等を支給する場合
　で、かつ、その事業年度終了の時において常
　時使用する従業員の数が2,000人以下の事業
　者に該当する場合において、継続雇用者給与
　等支給増加割合が100分の3以上であるとき
　（その事業年度終了の時において、その法人
　の資本金の額又は出資金の額が10億円以上
　であり、かつ、その法人の常時使用する従業
　員の数が1,000人以上である場合には、給与
　等の支給額の引上げの方針、下請事業者その
　他の取引先との適切な関係の構築の方針等の
　一定の事項を公表している場合に限る）は、
　控除対象雇用者給与等支給増加額に100分の
　10（次に掲げる要件を満たす場合には、それ
　ぞれ次に定める割合を加算した割合）を乗じ
　て計算した金額の特別税額控除ができる。た
　だし、特別税額控除額については、当期の税
　額の100分の20相当額を限度とする。
　イ　継続雇用者給与等支給増加割合が100分
　　の4以上であること　100分の15
　ロ　次に掲げる要件のすべてを満たすこと
　　　100分の5
　　(イ)　教育訓練費の額から比較教育訓練費の
　　　額を控除した金額のその比較教育訓練費
　　　の額に対する割合が100分の10以上であ
　　　ること。
　　(ロ)　教育訓練費の額の雇用者給与等支給額
　　　に対する割合が100分の0.05以上である
　　　こと。
　ハ　次に掲げる要件のいずれかを満たすこと
　　　100分の5
　　(イ)　その事業年度終了の時において次世代
　　　育成支援対策推進法に規定する特例認定

一般事業主に該当すること。

　(ロ)　その事業年度において女性の職業生活における活躍の推進に関する法律の認定を受けたこと（女性労働者に対する職業生活に関する機会の提供及び雇用環境の整備の状況が特に良好な一定の場合に限る）。

　(ハ)　その事業年度終了の時において女性の職業生活における活躍の推進に関する法律に規定する特例認定一般事業主に該当すること。

③　中小企業者等の雇用者給与等支給額が増加した場合に係る措置について、次の見直しを行った上、その適用期限を3年延長する。

　イ　教育訓練費に係る上乗せ措置について、教育訓練費の額から比較教育訓練費の額を控除した金額のその比較教育訓練費の額に対する割合が100分の5以上であり、かつ、教育訓練費の額の雇用者給与等支給額に対する割合が100分の0.05以上である場合には、特別税額控除割合に100分の10を加算する措置とする。

　ロ　次に掲げる要件のいずれかを満たす場合には、特別税額控除割合に100分の5を加算する。

　(イ)　その事業年度において次世代育成支援対策推進法の認定を受けたこと（次世代育成支援対策の実施の状況が良好な一定の場合に限る）。

　(ロ)　その事業年度終了の時において次世代育成支援対策推進法に規定する特例認定一般事業主に該当すること。

　(ハ)　その事業年度において女性の職業生活における活躍の推進に関する法律の認定を受けたこと（女性労働者に対する職業生活に関する機会の提供及び雇用環境の整備の状況が良好な一定の場合に限る）。

　(ニ)　その事業年度終了の時において女性の職業生活における活躍の推進に関する法律に規定する特例認定一般事業主に該当すること。

④　青色申告書を提出する事業者の各事業年度において雇用者給与等支給額が比較雇用者給与等支給額を超える場合において、前5年以内に開始した各事業年度における上記③の措置による控除しきれない金額があるときは、その控除しきれない金額の繰越控除ができる。ただし、繰越控除額については、上記①から③までの措置と合計して、当期の税額の100分の20相当額を限度とする。

⑤　給与等の支給額から控除するその給与等に充てるため他の者から支払いを受ける金額から、役務の提供の対価として支払いを受ける金額を除外する。

2．生産性向上・供給力強化に向けた国内投資の促進		
暗号資産の時価評価損益	内国法人が有する市場暗号資産に該当する特定譲渡制限付暗号資産の事業年度終了の時における評価額は、次のいずれかの評価方法のうち、その内国法人が選定した評価方法により計算した金額とされることとなった。 ・原価法 ・時価法	2024（令和6）年4月1日以後終了事業年度より適用
特許権等の譲渡等による所得の課税の特例（イノベーションボックス税制）	1．青色申告書を提出する法人が、2025（令和7）年4月1日から2032（令和14）年3月31日までの間に開始する各事業年度において、特許権譲渡等取引を行った場合には、次に掲げる金額のいずれか少ない金額の30％相当額を損金の額に算入することとされた。 ⑴　次に掲げる場合の区分に応じそれぞれ次に掲げる金額 　①　対象事業年度において行った特許権譲渡等取引に係る特定特許権等のいずれについても、その特定特許権等に直接関連する研究開発費として2025（令和7）年4月1日前に開始した事業年度において生じていない場合、又は対象事業年度が2027（令和9）年4月1日以後に開始する事業年度である場合 　　(ｱ)×((ｳ)／(ｲ)) 　　(ｱ)　特許権譲渡等取引に係る所得金額として一定の金額 　　(ｲ)　対象事業年度及び対象事業年度前の各事業年度（2025（令和7）年4月1日以後に開始する事業年度に限る）に生じた研究開発費のうち、特許権譲渡等取引に係る特定特許権等に直接関連する研究開発に係る金額として一定の金額の合計額 　　(ｳ)　上記(ｲ)に含まれる適格研究開発費の合計額 　②　上記以外の場合 　　(ｱ)×((ｳ)／(ｲ)) 　　(ｱ)　対象事業年度において行った特許権譲渡等取引に係る所得金額として一定の金額の合計額 　　(ｲ)　対象事業年度及び対象事業年度開始の日2年以内に開始した各事業年度の研究開発費の合計額 　　(ｳ)　上記(ｲ)に含まれる適格研究開発費の合計額 ⑵　対象事業年度の所得金額として一定の方法により計算した金額 　①　特定特許権等：次に掲げるもののうち我が国の国際競争力の強化に資する者として一定のものであって、2024（令和6）年4月1日以後に取得等をしたもの 　　・特許権	2025（令和7）年4月1日以後開始する事業年度から適用

	・官民データ活用推進基本法に規定する人工知能関連技術を活用した著作権法に規定する著作物 ② 適格研究開発費：研究開発費のうち、下記に掲げるもの以外の金額 ・特許権譲受等取引によって生じた研究開発費 ・法人の関連者（外国法人に限る）に委託する研究開発に係る研究開発費として一定の金額 ・内国法人である場合の国外事業所等を通じて行う事業に係る研究開発費（①及び②を除く） ２．特許権譲受等取引を行った場合 　上記１の法人が、各事業年度において、法人の関連者との間で特許権譲受等取引を行った場合、その法人が関連者に支払う対価額が独立企業間価格に満たないときは、その特許権譲受等取引は、独立企業間価格で行われたものとみなすこととされた。	
試験研究費の特別税額控除制度の見直し	(1)　一般の試験研究費の額に係る特別税額控除制度について、増減試験研究費割合が零に満たない場合の特別税額控除割合を、100分の8.5から、その満たない部分の割合に25分の8.5（次に掲げる事業年度にあっては、それぞれ次に定める割合）を乗じて計算した割合を減算した割合（零を下限とする）とする。 ①　2029（令和11）年４月１日前に開始する事業年度　30分の8.5 ②　2029（令和11）年４月１日から2031（令和13）年３月31日までの間に開始する事業年度　27.5分の8.5 (2)　試験研究費の額から、事業者が内国法人又は居住者である場合のその事業者の国外事業所等を通じて行う事業に係る費用の額を除外する。	2026（令和８）年４月１日以後開始する事業年度から適用
特定税額控除規定を不適用とする措置について要件の見直しと延長	法人の資本金の額又は出資金の額が10億円以上であり、かつ、その法人の常時使用する従業員の数が1,000人以上である場合及び前事業年度の所得の金額が零を超える一定の場合のいずれにも該当する場合における要件の上乗せ措置を次のとおり見直した上、その適用期限を３年延長することとする。 ①　要件の上乗せ措置の対象に、事業年度終了の時においてその事業者の常時使用する従業員の数が2,000人を超える場合及び前事業年度の所得の金額が零を超える一定の場合のいずれにも該当する場合を加える。 ②　国内設備投資額に係る要件について、イに掲げる金額＞ロに掲げる金額×40／100（改正前：30／100）相当額とする。 イ　その事業者がその事業年度において取得等をした国内資産でその事業年度終了の日	2024（令和６）年４月１日以後開始する事業年度から適用

最近の改正事項　（9）

	において有するものの取得価額の合計額 ロ　その事業者がその有する減価償却資産に つきその事業年度においてその償却費として 損金経理をした金額の合計額	
中小企業事業再編投資損失準備金制度の拡充	次の措置を講じた上、その適用期限を3年延長する。 ①　株式等の取得の日を含む事業年度終了の日においてその事業承継等に係る特定保険契約を締結している場合には、その株式等について中小企業事業再編投資損失準備金として積み立てた金額は、損金の額に算入できないこととする。 ②　準備金の取崩事由に特定保険契約を締結した場合（その特定保険契約に係る事業承継等として特定法人の株式等の取得をしていた場合に限る）を加え、その取崩金額はその締結した日におけるその特定法人に係る中小企業事業再編投資損失準備金の金額とする。 ③　青色申告書を提出する法人で新たな事業の創出及び産業への投資を促進するための産業競争力強化法等の一部を改正する法律の施行の日から2027（令和9）年3月31日までの間に産業競争力強化法の認定を受けた認定特別事業再編事業者であるものが、その認定に係る特別事業再編計画に従って行う特別事業再編のための措置として他の法人の株式等を購入し、かつ、これをその取得の日を含む事業年度終了の日まで引き続き有している一定の場合（以下「特定株式」という）において、その特定株式等の価格の低落による損失に備えるため、その特定株式等の取得価額に次の特定株式等の区分に応じそれぞれ次に定める割合を乗じて計算した金額以下の金額を中小企業事業再編投資損失準備金として積み立てたときは、その積み立てた金額は、その事業年度において損金の額に算入できる。 イ　その認定に係る特別事業再編計画に従って行う最初の特別事業再編のための措置として取得をした株式等　90／100 ロ　イに掲げるもの以外の株式等　100／100 なお、この準備金については、特定株式等の譲渡その他の取崩事由に該当することとなった場合には、その事由に応じた金額を取り崩して益金の額に算入するほか、その積み立てられた事業年度終了の日の翌日から10年を経過したものがある場合には、その経過した準備金の金額×（その事業年度の月数／60）で計算した金額を益金の額に算入する。	①②　2024（令和6）年4月1日以後開始する事業年度から適用 ③　新たな事業の創出及び産業への投資を促進するための産業競争力強化法等の一部を改正する法律（令和6年法律45号）の施行日から適用
事業適応設備を取得した場合等の特別償却又は特別税額控除制度	生産工程効率化等設備等に係る措置について、次の見直しを行う。 ①　適用対象となる事業者を産業競争力強化法の認定に係る同法に規定する認定事業適応事	2024（令和6年）年4月1日以後に取得等する生産工程効率化等設備について適用

	業者であるものとする。 ② 対象資産について、次の見直しを行う。 イ 産業競争力強化法の認定の日から同日以後3年を経過する日までの間に取得等をするものとする。 ロ 需要開拓商品生産設備を除外する。 ハ 2024（令和6）年4月1日前に認定の申請がされた認定エネルギー利用環境負荷低減事業適応計画に記載された生産工程効率化等設備で同日以後に取得等をされたものを除外する。 ③ 中小企業者（適用除外事業者に該当するものを除く）が事業の用に供した生産工程効率化等設備の特別税額控除割合を100分の10（環境負荷の低減に資する一定のものは、100分の14）とする。	
戦略分野国内生産促進税制の創設	(1) 産業競争力基盤強化商品（半導体）の生産設備の新設又は増設をする場合 　青色申告書を提出する産業競争力強化法等の認定産業競争力基盤強化商品生産販売事業者が半導体生産用資産の取得等をして、事業の用に供したときは、その事業の用に供した日からその認定の日以後10年を経過する日までの期間内の日を含む各事業年度（以下「供用中年度」という）において、その半導体生産用資産により生産された半導体の一定の区分に応じた金額と、その事業の用に供したその半導体生産用資産及びこれとともにその半導体を生産するために直接又は間接に使用する減価償却資産に対して投資した金額の合計額として一定の金額（その半導体生産用資産について既に本措置により特別税額控除の対象となった金額等を除く）とのうちいずれか少ない金額の合計額の特別税額控除ができる。ただし、特別税額控除額については、情報技術事業適応設備、事業適応繰延資産及び生産工程効率化等設備に係る特別税額控除措置と合計して当期の法人税額の100分の20相当額を限度とし、税額控除限度超過額については3年間の繰越しができる。 (2) 特定産業競争力基盤強化商品の生産をするための設備の新設又は増設をする場合の税額控除の創設 　青色申告書を提出する認定産業競争力基盤強化商品生産販売事業者が、特定商品生産用資産の取得等をし事業の用に供したときは、その事業の用に供した日からその認定の日以後10年を経過する日までの期間内の日を含む各事業年度（以下「供用中年度」という）において、その特定商品生産用資産により生産された特定産業競争力基盤強化商品に応じて定める金額と、その事業の用に供したその特定商品生産用資産及びこれとともにその特定産業競争力基盤強化商品を生産するために直接又は間接に使用する減	新たな事業の創出及び産業への促進するための産業競争力の一部を改正する法律の施行の日以後に取得等する半導体生産用資産及び特定商品生産用資産について適用

	価償却資産に対して投資した金額の合計額として一定の金額とのうちいずれか少ない金額の合計額の特別税額控除ができる。 　ただし、特別税額控除額については、情報技術事業適応設備、事業適応繰延資産、生産工程効率化等設備及び半導体生産用資産に係る特別税額控除措置と合計して当期の法人税額の40／100相当額を限度とし、税額控除限度超過額については4年間の繰越しができる。 　本措置の適用がある場合には、その特別税額控除額は、地方法人税の課税標準となる法人税額から控除しない。	
3．地域・中小企業の活性化		
交際費等の損金不算入制度	損金不算入となる交際費等の対象から除かれる一定の飲食費に係る金額基準が1人当たり1万円以下に引き上げられ、適用期限が2027（令和9）年3月31日まで3年延長された。	2024（令和6）年4月1日以後に支出する飲食費より適用
中小企業者等の少額減価償却資産の取得価額の損金算入の特例	常時使用する従業員の数が300人を超える特定法人が中小企業者等から除外された上で、適用期限が2年延長された。	2024（令和6）年4月1日以後に取得する少額減価償却資産について適用
地域経済牽引事業の促進区域内において特定事業用機械等を取得した場合の特別償却又は特別税額控除制度（地域未来投資促進税制）	一定の要件を満たすことにつき主務大臣の認定を受けた場合、対象となる機械装置及び器具備品の特別税額控除率が6％に引き上げられた。 　また、要件の一つである労働生産性の伸び率が5％以上に引き上げられた。	2024（令和6）年4月1日以後に取得する特定事業用機械等より適用
地方活力向上地域等において特定建物等を取得した場合の特別償却又は特別税額控除制度（オフィス減税）	以下の措置が講じられた上で、適用期限が2年間延長された。 ①　特定建物等の範囲に特定業務児童福祉施設に該当する建物等及び構築物が加えられた。 ②　中小企業者以外の法人の取得価額の要件が3,500万円以上に引き上げられた。 ③　特定業務施設を構成する建物及びその附属設備並びに構築物の取得価額の合計額のうち、対象となる金額の上限が80億円とされた。	①　地域再生法の一部を改正する法律（令和6年法律17号）附則第1条ただし書きに規定する施行日［2024（令和6）年4月19日］以後に認定を受ける法人が取得等をする特定建物等について適用 ②　改正政令附則において定める日から適用 ③　2024（令和6）年4月1日以後に認定を受ける法人が取得等をする特定建物等について適用
国際戦略総合特別区域において機械等を取得した場合の特別償却又は特別税額控除制度	2024（令和6）年4月1日から2026（令和8）年3月31日までの間に取得等をした特定機械装置等（2024（令和6）年3月31日以前に受けた指定に係る指定法人事業実施計画に同日において記載されているものを除く）につき次の見直しを行った上、その適用期限を2年延長することとする。	2024（令和6）年4月1日以後に取得等する特定機械装置等について適用

	① 機械装置及び開発研究用器具備品の償却割合を100分の30（改正前：100分の 34）に、建物等及び構築物の償却割合を100分の15（改正前：100分の17）、それぞれに引き下げる。 ② 機械装置及び開発研究用器具備品の特別税額控除割合を100分の 8（改正前：100分の10）に、建物等及び構築物の特別税額控除割合を100分の 4（改正前：100分の 5 ）に、それぞれ引き下げる。	

４．新たな国際課税ルールへの対応

グローバルミニマム課税の適用対象範囲の見直し	(1) 最終親会社の範囲から政府関係会社等のうち国等の資産を運用することを主たる目的とする一定のものを除外した上、会社等が最終親会社に該当するかどうかの判定については、その一定の政府関係会社等が直接又は間接に有する支配持分はないものとみなす。 (2) 無国籍構成会社等が自国内最低課税額に係る税を課されている場合には、無国籍構成会社等に係るグループ国際最低課税額の計算においてその自国内最低課税額に係る税の額を控除する。無国籍共同支配会社等に係るグループ国際最低課税額についても、同様とする。 (3) 特定多国籍企業グループ等に属する構成会社等がわが国以外の国又は地域の租税に関する法令において自国内最低課税額に係る税を課することとされている場合において、各対象会計年度のその自国内最低課税額に係る税が一定の要件を満たすときは、その対象会計年度のその構成会社等の所在地国に係るグループ国際最低課税額（その構成会社等が無国籍構成会社等である場合にあっては、その構成会社等に係るグループ国際最低課税額）は、零とすることができる。共同支配会社等に係るグループ国際最低課税額についても、同様とする。 (4) 特定多国籍企業グループ等に属する構成会社等（その構成会社等の所在地国を所在地国とする構成会社等のうちに連結除外構成会社等（企業集団の計算書類において連結の範囲から除かれる一定の構成会社等をいう）が含まれるものに限る）が各対象会計年度において一定の要件を満たす場合には、その対象会計年度のその所在地国に係る当期国別国際最低課税額は、零とすることができる。	2024（令和 6 ）年 4 月 1 日以後に開始する内国法人の対象会計年度の国際最低課税額に対する法人税について適用
特定多国籍企業グループ等報告事項等の提供制度における報告事項等の制定	(1) (2)に掲げる場合以外の場合 特定多国籍企業グループ等の最終親会社等の名称、その特定多国籍企業グループ等に属する構成会社等の所在地国ごとの国別実効税率の水準その他の一定の事項 (2) 特定多国籍企業グループ等報告事項等を提	2024（令和 6 ）年 4 月 1 日以後に開始する対象会計年度に係る特定多国籍企業グループ等報告事項等について適用

	供する内国法人が最終親会社等その他の一定の構成会社等に該当する場合 (1)に定める事項及びその特定多国籍企業グループ等のグループ国際最低課税額に関する事項	
超過利子額の損金算入制度の延長	2022（令和4）年4月1日から2025（令和7）年3月31日までの間に開始した事業年度に係る超過利子額の繰越期間10年（原則：7年）に延長する。	2024（令和6）年4月1日以後開始する事業年度から適用

5．円滑・適正な納税環境整備

現物出資	適格現物出資について以下の見直しが行われた。 ① 内国法人が外国法人に無形資産等の移転を行う現物出資については、適格現物出資の対象から除かれることとなった。 ② 現物出資により移転する資産もしくは負債の内外判定は、内国法人の本店等もしくは外国法人の恒久的施設を通じて行う事業に係る資産もしくは負債又は内国法人の国外事業所等もしくは外国法人の本店等を通じて行う事業に係る資産もしくは負債のいずれに該当するかによることとされた。	2024（令和6）年10月1日以後に実施する現物出資より適用

6．その他

生産方式革新事業活動用資産等の特別償却制度	青色申告書を提出する法人で農業の生産性の向上のためのスマート農業技術の活用の促進に関する法律に規定する認定事業者であるものが、2027（令和9）年3月31日までに生産方式革新事業活動の用に供するために一定の減価償却資産を取得等して生産方式革新事業活動の用に供した場合、区分に応じて特別償却ができることとされた。 ① 農作業の効率化等を通じた生産性の向上に資するもの 取得価額の32％（建物及び附属設備、構築物については16％） ② 生産方式革新事業活動の促進に資するもの 取得価額の25％	農業の生産性の向上のためのスマート農業技術の活用の促進に関する法律（令和6年法律63号）の施行日より適用
環境負荷低減事業活動用資産等の特別償却制度の見直しと延長	適用に関する政令委任規定を設けた上、その適用期限を2年延長する。	2024（令和6）年4月1日以後開始する事業年度から適用
特定地域における工業用機械等の特別償却制度の見直し	(1) 過疎地域等に係る措置の適用期限を3年延長する。 (2) 奄美群島に係る措置を除外する。	2024（令和6）年4月1日以後開始する事業年度から適用
事業再編計画の認定を受けた事業再編促進機械等の割増償却制度の廃止	経過措置を講じた上、廃止する。	2024（令和6）年4月1日以後開始する事業年度から適用
輸出事業用資産の割増償却制度の対象資産の見直しと延長	対象資産から開発研究の用に供されるものを除外した上、その適用期限を2年延長する。	2024（令和6）年4月1日以後に取得等する輸出事業用資産について適用

倉庫用建物等の割増償却制度の見直しと延長	流通業務の省力化に特に資する一定の要件を満たす特定流通業務施設であることにつき証明がされた事業年度のみ本制度の適用ができることとした上、その適用期限を2年延長する。	2024（令和6）年4月1日以後に取得等する倉庫用建物等について適用
特別償却等に関する複数の規定の不適用措置の見直し	事業者の有する減価償却資産につきその事業年度前の各事業年度において特別償却又は特別税額控除の規定のうちいずれか一の規定の適用を受けた場合には、その減価償却資産については、そのいずれか一の規定以外の特別償却又は特別税額控除の規定は、適用しない。	2024（令和6）年4月1日以後開始する事業年度から適用
認定株式分配に係る課税の特例の適用期限延長	適用期限を4年延長する。	2024（令和6）年4月1日以後開始する事業年度から適用
適用期限の延長	以下の租税特別措置の適用期限を2年延長する。 ① 国家戦略特別区域において機械等を取得した場合の特別償却又は特別税額控除制度 ② 海外投資等損失準備金 ③ 中小企業者の欠損金等以外の欠損金の繰戻しによる還付制度の不適用 ④ 特定事業活動として特別新事業開拓事業者の株式の取得をした場合の課税の特例	2024（令和6）年4月1日以後開始する事業年度から適用

所得税関係

1．定額減税

所得税の定額減税の実施	居住者の2024（令和6）年分の所得税について、定額の特別控除が実施される（その者の2024（令和6）年分の合計所得金額が1,805万円以下である場合に限る）。 ・特別控除の額 　次の金額の合計額。ただし、その合計額がその居住者の所得税額（税額控除、住宅借入金等特別控除等の税額控除適用後のもの）を超える場合には、当該所得税額が限度とされる。 ① 本人：3万円 ② 同一生計配偶者又は扶養親族（居住者に限る）：1人につき3万円 なお、同一生計配偶者等に該当するかどうかは、その年の12月31日の現況による（判定に係る者がその当時既に死亡している場合は、その死亡時の現況による）。	2024（令和6）年6月1日から支払いを受ける給与等について適用

2．金融・証券税制

ストックオプション税制の拡充	以下の改正が行われた。 ① 株式保管委託要件 　譲渡制限株式について、発行会社による株式の管理等がされる場合には、証券会社による株式の保管委託に代えて発行会社による株式の管理も可能とされた。	2024（令和6）年分以後の所得税について適用 ③については改正中小企業等経営強化法施行規則の施行日（2024（令和6）年4月1日）より適用

	② 年間権利行使限度額の引き上げ 　設立後5年未満の株式会社：2,400万円に引き上げられた。 　設立後5年以上20年未満である株式会社で、未上場会社又は上場会社のうち上場後5年未満である会社：3,600万円に引き上げられた。 ③ 特定従事者等に係る要件 イ 新規中小企業者等の株式を最初に取得する時において、資本金の額が5億円未満かつ常時使用する従業員数が900人以下の会社である要件が廃止された。 ロ 社外高度人材の要件について以下の見直しが行われた。 　(イ) 3年以上の実務経験があることの要件を会社の役員については1年以上の実務経験があること（その他の者については廃止）とする。 　(ロ) 社外高度人材の範囲に以下の者が加えられた。 ・教授又は准教授 ・重要な使用人として1年以上の実務経験がある者 ・一定の会社の役員又は重要な使用人として、1年以上の実務経験がある者 ・製品又は役務の開発に2年以上従事した者であって一定の要件を満たす者 ・製品又は役務の販売活動に2年以上従事した者であって一定の要件を満たす者 ・資金調達活動に2年以上従事した者であって一定の要件を満たす者	
エンジェル税制	特定中小会社が発行した株式取得金額の控除等、特定新規中小企業者が設立時に発行した株式取得金額の控除等、特定中小企業者の発行株式に係る譲渡損失の繰越控除等、特定新規中小企業者の発行株式を取得した場合の課税の特例について以下の措置が講じられた。 ① 適用対象に一定の新株予約権の行使により取得した株式がある場合における新株予約権の取得に要した金額が加えられた。 ② 適用対象に一定の信託を通じて取得した場合が加えられた。 ③ 同一銘柄株式の取得価額の計算方法について見直しが行われた。 ④ 特定新規中小会社が発行した株式を取得した場合の課税の特例について申請書類及び添付書類の改正が行われた。	2024（令和6）年4月1日から適用
3．子育て支援に関する税制		
子育て世帯等に対する「住宅借入金等特別控除」の拡充	(1) 特例対象個人（40歳未満であって配偶者を有する者、40歳以上であって40歳未満の配偶者を有する者又は19歳未満の扶養親族を有する者）が、認定住宅等の新築等をして	(1)は認定住宅等の新築等をして2024（令和6）年1月1日〜同年12月31日に居住の用に供し

	2024（令和6）年1月1日から同年12月31日までに居住の用に供した場合の住宅借入金等の年末残高の限度額は次のとおりになった。 ① 認定住宅：借入限度額5,000万円 ② 特定エネルギー消費性能向上住宅：借入限度額4,500万円 ③ エネルギー消費性能向上住宅：借入限度額4,000万円 (2) 特例認定住宅等の新築等に係る床面積要件の緩和措置（40㎡以上50㎡未満）について、2024（令和6）年12月31日以前に建築確認を受けた家屋についても適用できることとされた。	た場合に適用 (2)は2024（令和6）年12月31日以前に建築確認を受けた特例認定住宅等について適用
「既存住宅に係る特定の改修工事をした場合の特別控除」の子育て世帯等に対する拡充及びその他の見直し	既存住宅に係る特定の改修工事をした場合の所得税額特別控除について、下記の措置を講じた上で、適用期限が2年（2025（令和7）年12月31日まで）延長された。 ① 適用対象者の合計所得金額要件が2,000万円以下に引き下げられた。 ② 特例対象個人（40歳未満であって配偶者を有する者、40歳以上であって40歳未満の配偶者を有する者又は19歳未満の扶養親族を有する者）が、居住用家屋について子育て対応改修工事をして、2024（令和6）年4月1日から同年12月31日までに居住の用に供した場合を適用対象に追加し、子育て対応改修工事に係る標準的な工事費用相当額（250万円を限度）の10％相当額をその年分の所得税額から控除できることとされた。	①は2024（令和6）年1月1日以後に自己の居住の用に供する場合に適用 ②は2024（令和6）年4月1日～同年12月31日に自己の居住の用に供した場合に適用

4．土地・住宅税制

土地・住宅税制	以下の制度について、見直し・延長が行われた。 ① 既存住宅の耐震改修をした場合の特別控除の延長（2年延長） ② 認定住宅等の新築等をした場合の特別控除（2年延長） 　適用対象者の合計所得金額が2,000万円以下に引き下げられた。 ③ 特定の居住用財産の買換え及び交換の特例（2年延長） ④ 居住用財産の買換え等の場合の譲渡損失の繰越控除（2年延長） ⑤ 特定居住用財産の譲渡損失の繰越控除（2年延長）	2024（令和6）年分以後の所得税について適用

5．その他

所得拡大税制の見直し	以下の見直しが行われ、2027（令和9）年分まで3年延長が行われた。 ① 原則の税額控除率：10％に引き下げられた。	2025（令和7）年分以後の所得税について適用

	② 税額控除率の上乗せ措置についての改正 ・継続雇用者給与等増加率　4％以上：税額控除率＋5％ ・継続雇用者給与等増加率　5％以上：税額控除率＋10％ ・継続雇用者給与等増加率　7％以上：税額控除率＋15％ ・教育訓練費増加割合　10％以上かつ教育訓練費額が雇用者給与等支給額の0.05％以上：税額控除率＋5％ ・プラチナくるみん認定又はプラチナえるぼし認定を受けている場合：税額控除率＋5％ ③ 給与等の支給額の引き上げ方針等を公表しなければならない者に、常時使用する従業員数が2,000人を超えるものが加えられた。	
公益社団法人等に寄附をした場合の所得税額の特別控除	公益法人等に寄附をした場合の所得税額特別控除制度について、以下の措置が講じられた。 (1) 適用対象となる学校法人又は準学校法人の年平均の判定基準寄附者数等により判定する要件について、学校法人等が下記の要件を満たす場合には、その直前に終了した事業年度が2024（令和6）年4月1日から2029（令和11）年4月1日までの間に開始した事業年度である場合の実績判定期間が2年とされるとともに、判定基準寄附者数及びその判定基準寄附金額の要件を、各事業年度の判定基準寄附者数が100人以上であること及び当該寄附金額の各事業年度の金額が30万円以上であることとされた。 ① 学校法人等の直前に終了した事業年度終了日前2年内に終了した各事業年度のうち最も古い事業年度開始日から起算して5年前の日以後に、所轄庁から特例の適用対象であることを証する書類が発行されていないこと ② 私立学校法に規定する事業に関する中期的な計画その他これに準ずる計画であって、当該学校法人等の経営改善に資するものを作成していること (2) 国立大学法人、公立大学法人又は独立行政法人国立高等専門学校機構に対する寄附金のうち、適用対象となるその寄附金が学生等に対する修学の支援のための事業に充てられることが確実であるものの寄附金の使途に係る要件について、その使途の対象となる各法人の行う事業範囲要件について、その使途の対象となる各法人の事業範囲に、次に掲げる事業が加えられた。 ① 障害のある学生等に対して、個々の学生等の障害の状態に応じた合理的な配慮を提供するために必要な事業 ② 外国人留学生と日本人学生が共同生活を	2025（令和7）年4月1日から適用

	営む寄宿舎の寄宿料減額を目的として次に掲げる費用の一部を負担する事業 イ　当該寄宿舎の整備を行う場合における施設整備費 ロ　民間賃貸住宅等を借り上げて当該寄宿舎として運営を行う場合における賃料	
適用期限が延長される措置	①　中小企業者の少額減価償却資産の取得価額の必要経費算入の特例（2年延長） ②　山林所得に係る森林計画特別控除（2年延長） ③　政治活動に関する寄附をした場合の寄附金控除の特例又は所得税額の特別控除（5年延長）	2024（令和6）年分以後の所得税について適用

消費税関係

1．国外事業者に係る課税の適正化

特定期間における給与等の金額による納税義務の免除の特例対象の見直し	給与等の一定の金額の合計額をもって課税売上高とすることができる措置の対象から国外事業者を除外する。	2024（令和6）年10月1日以後に開始する課税期間について適用
新設法人等の納税義務の免除の特例対象の見直し	新設法人及び特定新規設立法人の納税義務の免除の特例について、その事業年度の基準期間がある外国法人が、当該基準期間の末日の翌日以後に国内において課税資産の譲渡等に係る事業を開始した場合には、当該事業年度を基準期間がないものとみなして、特例を適用する。	
特定新規設立法人の納税義務の免除の特例対象の見直し	新規設立法人が他の者により支配される場合における他の者及び当該他の者と特殊な関係にある法人のうち、いずれかの者の基準期間に相当する期間における総収入金額が50億円を超える場合における当該新規設立法人を加える。	
簡易課税適用除外範囲の見直し	課税期間の初日において恒久的施設を有しない国外事業者については、簡易課税制度を適用できないこととする。	
プラットフォーム課税制度の創設	(1)　国外事業者が国内において行う電気通信利用役務の提供（事業者向け電気通信利用役務の提供に該当するものを除く。以下同じ）がデジタルプラットフォームを介して行われるものであって、その対価について(2)の指定を受けたプラットフォーム事業者（以下「特定プラットフォーム事業者」という）を介して収受するものである場合には、特定プラットフォーム事業者が当該電気通信利用役務の提供を行ったものとみなす。 (2)　国税庁長官は、プラットフォーム事業者のその課税期間において、その提供するデジタルプラットフォームを介して国外事業者が国内において行う電気通信利用役務の提供に係る対価の額のうち、当該プラットフォーム事業者を介して収受するものの合計額が50億	2025（令和7）年4月1日以後に国内において行われる電気通信利用役務の提供について適用

	円を超える場合には、当該プラットフォーム事業者を特定プラットフォーム事業者として指定する。 (3) (2)の指定を受けるべき者は、その課税期間に係る確定申告書の提出期限までに、一定の事項を記載した届出書を納税地を所轄する税務署長経由で国税庁長官に提出しなければならない。 (4) 特定プラットフォーム事業者は、確定申告書に(1)の対象となる金額等を記載した明細書を添付しなければならない。	
2．その他		
高額特定資産の課税仕入れの対象範囲拡大	事業者が、金地金等の仕入れ等を行った場合において、その課税期間中の当該金地金等の仕入れ等の金額の合計額が一定の場合に該当するときは、当該課税期間の翌課税期間から当該課税期間の初日以後3年を経過する日の属する課税期間までの各課税期間においては、事業者免税点制度及び簡易課税制度を適用できないこととする。	2024（令和6）年4月1日以後に事業者が行う金地金等の仕入れ等について適用
仕入税額控除の適用除外	事業者が行った課税仕入れに係る資産が、輸出物品販売場制度により消費税が免除された物品に係るものである場合（当該事業者が、当該消費税が免除されたものであることを知っていた場合に限る）には、仕入税額控除制度を適用できないこととする。	2024（令和6）年4月1日以後に国内において事業者が行う課税仕入れについて適用
消費税の不正還付による罰則対象者の拡大	罰則の適用対象に、更正の請求に基づく更正による還付を受けた者を加える。	公布の日（2024（令和6）年3月30日）から起算して10日を経過した日から施行
地方税関係		
外形標準課税の適用対象法人の見直し	(1) 当分の間、前事業年度に外形標準課税の対象であった法人であって、当該事業年度に資本金1億円以下で、資本金と資本剰余金の合計額が10億円を超えるものは、外形標準課税の対象とする。 (2) 資本金と資本剰余金の合計額が50億円を超える法人等の100％子法人等のうち、資本金1億円以下で、資本金と資本剰余金の合計額が2億円を超えるものは、外形標準課税の対象とする。ただし、買収から5年経過する事業年度まで外形標準課税の対象外とする特例措置及び新たに外形標準課税の対象となる法人に係る税負担の激変緩和措置を講ずる。	2025（令和7）年4月1日以後に開始する事業年度から適用 産業競争力強化法等の一部を改正する法律の施行の日から2027（令和9）年3月31日までの間に特別事業再編計画について認定を受けた法人について適用

贈与税		
住宅取得等資金の贈与を受けた場合の贈与税の非課税措置の見直しと期限延長	非課税限度額の上乗せ措置の対象となる住宅用の家屋を次に掲げる要件のいずれかを満たすものとした上、その適用期限を3年延長することとする。 ①　当該住宅用の家屋（新築又は使用されたことのない住宅用の家屋に限る）がエネルギーの使用の合理化に著しく資する住宅用の家屋として一定のものであること。 ②　当該住宅用の家屋がエネルギーの使用の合理化に資する住宅用の家屋（新築又は使用されたことのない住宅用の家屋を除く）、地震に対する安全性に係る基準に適合する住宅用の家屋又は高齢者等が自立した日常生活を営むのに必要な構造及び設備の基準に適合する住宅用の家屋として一定のものであること。	2024（令和6）年1月1日以後に贈与により取得をする住宅取得等資金に係る贈与税について適用
住宅取得等資金の贈与を受けた場合の相続時精算課税の特例の期限延長	適用期限を3年延長する。	2024（令和6）年4月1日から適用

凡例一覧

■ 会計編（第1章〜第10章）

〈法規関係〉

略　称	名　　　称
金商	金融商品取引法
金商令	金融商品取引法施行令
開示府令	企業内容等の開示に関する内閣府令
開示ガ	企業内容等開示ガイドライン
監査証明府令	財務諸表等の監査証明に関する内閣府令
財規	財務諸表等規則
財ガ	財務諸表等規則ガイドライン
連規	連結財務諸表規則
連ガ	連結財務諸表規則ガイドライン
連様	連結財務諸表規則様式
四規	四半期財務諸表等規則
四連規	四半期連結財務諸表規則
内統令	財務計算に関する書類その他の情報の適正性を確保するための体制に関する内閣府令

〈会社法関係〉

略　称	名　　　称
会	会社法
会施規	会社法施行規則
計規	会社計算規則
附則	会社計算規則附則（平成30年10月15日法務省令第27号）

〈税法関係〉

略　称	名　　　称
法法	法人税法
措法	租税特別措置法

〈基本基準関係〉

略　称	名　称
中監基	中間監査基準
四レ基	四半期レビュー基準
企	企業会計原則
企注	企業会計原則注解
連原	連結財務諸表原則
連原注	連結財務諸表原則注解
原基	原価計算基準

〈ASB関係〉

略　称	名　称
ASB 基準 1 号	自己株式及び準備金の額の減少等に関する会計基準（企業会計基準第 1 号）
ASB 基準 2 号	1 株当たり当期純利益に関する会計基準（企業会計基準第 2 号）
ASB 基準 4 号	役員賞与に関する会計基準（企業会計基準第 4 号）
ASB 基準 5 号	貸借対照表の純資産の部の表示に関する会計基準（企業会計基準第 5 号）
ASB 基準 6 号	株主資本等変動計算書に関する会計基準（企業会計基準第 6 号）
ASB 基準 7 号	事業分離等に関する会計基準（企業会計基準第 7 号）
ASB 基準 8 号	ストック・オプション等に関する会計基準（企業会計基準第 8 号）
ASB 基準 9 号	棚卸資産の評価に関する会計基準（企業会計基準第 9 号）
ASB 基準10号	金融商品に関する会計基準（企業会計基準第10号）
ASB 基準12号	四半期財務諸表に関する会計基準（企業会計基準第12号）
ASB 基準13号	リース取引に関する会計基準（企業会計基準第13号）
ASB 基準16号	持分法に関する会計基準（企業会計基準第16号）
ASB 基準17号	セグメント情報等の開示に関する会計基準（企業会計基準第17号）
ASB 基準18号	資産除去債務に関する会計基準（企業会計基準第18号）
ASB 基準20号	賃貸等不動産の時価等の開示に関する会計基準（企業会計基準第20号）
ASB 基準21号	企業結合に関する会計基準（企業会計基準第21号）
ASB 基準22号	連結財務諸表に関する会計基準（企業会計基準第22号）
ASB 基準23号	「研究開発費等に係る会計基準」の一部改正（企業会計基準第23号）
ASB 基準24号	会計方針の開示、会計上の変更及び誤謬の訂正に関する会計基準（企業会計基準第24号）
ASB 基準25号	包括利益の表示に関する会計基準（企業会計基準第25号）
ASB 基準26号	退職給付に関する会計基準（企業会計基準第26号）
ASB 基準27号	法人税、住民税及び事業税等に関する会計基準（企業会計基準第27号）

ASB 基準28号	「税効果会計に係る会計基準」の一部改正（企業会計基準第28号）
ASB 基準29号	収益認識に関する会計基準（企業会計基準第29号）
ASB 基準30号	時価の算定に関する会計基準（企業会計基準第30号）
ASB 基準31号	会計上の見積りの開示に関する会計基準（企業会計基準第31号）
ASB 基準32号	「連結キャッシュ・フロー計算書等の作成基準」の一部改正（企業会計基準第32号）

ASB 指針 1 号	退職給付制度間の移行等に関する会計処理（企業会計基準適用指針第 1 号）
ASB 指針 2 号	自己株式及び準備金の額の減少等に関する会計基準の適用指針（企業会計基準適用指針第 2 号）
ASB 指針 3 号	その他資本剰余金の処分による配当を受けた株主の会計処理（企業会計基準適用指針第 3 号）
ASB 指針 4 号	1 株当たり当期純利益に関する会計基準の適用指針（企業会計基準適用指針第 4 号）
ASB 指針 6 号	固定資産の減損に係る会計基準の適用指針（企業会計基準適用指針第 6 号）
ASB 指針 8 号	貸借対照表の純資産の部の表示に関する会計基準等の適用指針（企業会計基準適用指針第 8 号）
ASB 指針 9 号	株主資本等変動計算書に関する会計基準の適用指針（企業会計基準適用指針第 9 号）
ASB 指針10号	企業結合会計基準及び事業分離等会計基準に関する適用指針（企業会計基準適用指針第10号）
ASB 指針11号	ストック・オプション等に関する会計基準の適用指針（企業会計基準適用指針第11号）
ASB 指針14号	四半期財務諸表に関する会計基準の適用指針（企業会計基準適用指針第14号）
ASB 指針15号	一定の特別目的会社に係る開示に関する適用指針（企業会計基準適用指針第15号）
ASB 指針16号	リース取引に関する会計基準の適用指針（企業会計基準適用指針第16号）
ASB 指針17号	払込資本を増加させる可能性のある部分を含む複合金融商品に関する会計処理（企業会計基準適用指針第17号）
ASB 指針21号	資産除去債務に関する会計基準の適用指針（企業会計基準適用指針第21号）
ASB 指針22号	連結財務諸表における子会社及び関連会社の範囲の決定に関する適用指針（企業会計基準適用指針第22号）
ASB 指針23号	賃貸等不動産の時価等の開示に関する会計基準の適用指針（企業会計基準適用指針第23号）
ASB 指針24号	会計方針の開示、会計上の変更及び誤謬の訂正に関する会計基準の適用指針（企業会計基準適用指針第24号）
ASB 指針25号	退職給付に関する会計基準の適用指針（企業会計基準適用指針第25号）
ASB 指針26号	繰延税金資産の回収可能性に関する適用指針（企業会計基準適用指針第26号）
ASB 指針28号	税効果会計に係る会計基準の適用指針（企業会計基準適用指針第28号）
ASB 指針30号	収益認識に関する会計基準の適用指針（企業会計基準適用指針第30号）
ASB 指針31号	時価の算定に関する会計基準の適用指針（企業会計基準適用指針第31号）

ASB 報告 2 号	退職給付制度間の移行等の会計処理に関する実務上の取扱い（実務対応報告第 2 号）
ASB 報告 6 号	デット・エクイティ・スワップの実行時における債権者側の会計処理に関する実務上の取扱い（実務対応報告第 6 号）
ASB 報告 8 号	コマーシャル・ペーパーの無券面化に伴う発行者の会計処理及び表示についての実務上の取扱い（実務対応報告第 8 号）
ASB 報告 9 号	1 株当たり当期純利益に関する実務上の取扱い（実務対応報告第 9 号）
ASB 報告10号	種類株式の貸借対照表価額に関する実務上の取扱い（実務対応報告第10号）
ASB 報告17号	ソフトウェア取引の収益の会計処理に関する実務上の取扱い（実務対応報告第17号） ※　ASB 基準29号の適用により廃止される。
ASB 報告18号	連結財務諸表作成における在外子会社等の会計処理に関する当面の取扱い（実務対応報告第18号）
ASB 報告19号	繰延資産の会計処理に関する当面の取扱い（実務対応報告第19号）
ASB 報告21号	有限責任事業組合及び合同会社に対する出資者の会計処理に関する実務上の取扱い（実務対応報告第21号）
ASB 報告22号	厚生年金基金に係る交付金の会計処理に関する当面の取扱い（実務対応報告第22号）
ASB 報告24号	持分法適用関連会社の会計処理に関する当面の取扱い（実務対応報告第24号）
ASB 報告27号	電子記録債権に係る会計処理及び表示についての実務上の取扱い（実務対応報告第27号）
ASB 報告30号	従業員等に信託を通じて自社の株式を交付する取引に関する実務上の取扱い（実務対応報告第30号）
ASB 報告33号	リスク分担型企業年金の会計処理等に関する実務上の取扱い（実務対応報告第33号）
ASB 報告34号	債券の利回りがマイナスとなる場合の退職給付債務等の計算における割引率に関する当面の取扱い（実務対応報告第34号）
ASB 報告36号	従業員等に対して権利確定条件付き有償新株予約権を付与する取引に関する取扱い（実務対応報告第36号）
ASB 報告40号	LIBOR を参照する金融商品に関するヘッジ会計の取扱い（実務対応報告第40号）
ASB 報告41号	取締役の報酬等として株式を無償交付する取引に関する取扱い（実務対応報告第41号）
ASB 報告42号	グループ通算制度を適用する場合の会計処理及び開示に関する取扱い（実務対応報告第42号）
ASB 報告43号	電子記録移転有価証券表示権利等の発行及び保有の会計処理及び開示に関する取扱い（実務対応報告第43号）

〈企業会計審議会関係〉

略　称	名　称
連結キャッシュ	連結キャッシュ・フロー計算書等の作成基準（企業会計審議会）
減会	固定資産の減損に係る会計基準
減会注	固定資産の減損に係る会計基準注解
研会	研究開発費等に係る会計基準（企業会計審議会）

研会注	研究開発費等に係る会計基準注解
研会意見	研究開発費等に係る会計基準の設定に関する意見書
外貨	外貨建取引等会計処理基準（企業会計審議会）
外貨注	外貨建取引等会計処理基準注解
税会	税効果会計に係る会計基準（企業会計審議会）
税会注	税効果会計に係る会計基準注解

〈日本公認会計士協会関係〉
• 監査・保証実務委員会実務指針

略　　称	名　　　称
監27号	関係会社間の取引に関する土地・設備等の売却益の計上についての監査上の取扱い（監査委員会報告第27号）
監42号	租税特別措置法上の準備金及び特別法上の引当金又は準備金並びに役員退職慰労引当金等に関する監査上の取扱い（監査・保証実務委員会実務指針第42号）
監43号	圧縮記帳に関する監査上の取扱い（監査第一委員会報告第43号）
監52号	連結の範囲及び持分法の適用範囲に関する重要性の原則の適用等に係る監査上の取扱い（監査・保証実務委員会実務指針第52号）
監56号	親子会社間の会計処理の統一に関する監査上の取扱い（監査・保証実務委員会実務指針第56号）
監61号	債務保証及び保証類似行為の会計処理及び表示に関する監査上の取扱い（監査・保証実務委員会実務指針第61号）
監69号	販売用不動産等の評価に関する監査上の取扱い（監査・保証実務委員会報告第69号）
監71号	子会社株式等に対する投資損失引当金に係る監査上の取扱い（監査委員会報告第71号）
監74号	継続企業の前提に関する開示について（監査・保証実務委員会報告第74号）
監77号	追加情報の注記について（監査・保証実務委員会実務指針第77号）
監81号	減価償却に関する当面の監査上の取扱い（監査・保証実務委員会実務指針第81号）
監90号	特別目的会社を利用した取引に関する監査上の留意点についてのＱ＆Ａ（監査・保証実務委員会実務指針第90号）

• 会計制度委員会報告

略　　称	名　　　称
会制4号	外貨建取引等の会計処理に関する実務指針（会計制度委員会報告第4号）
会制7号	連結財務諸表における資本連結手続に関する実務指針（会計制度委員会報告第7号）
会制7号（追補）	株式の間接所有に係る資本連結手続に関する実務指針（会計制度委員会報告第7号（追補））
会制8号	連結財務諸表等におけるキャッシュ・フロー計算書の作成に関する実務指針（会計制度委員会報告第8号）

会制9号	持分法会計に関する実務指針（会計制度委員会報告第9号）
会制12号	研究開発費及びソフトウェアの会計処理に関する実務指針（会計制度委員会報告第12号）
会制14号	金融商品会計に関する実務指針（会計制度委員会報告第14号）
会制15号	特別目的会社を活用した不動産の流動化に係る譲渡人の会計処理に関する実務指針

金融Q&A	金融商品会計に関するQ&A（会計制度委員会）
研究Q&A	研究開発費及びソフトウェアの会計処理に関するQ&A（会計制度委員会）

• 監査基準報告書関係

略　　称	名　　称
監基報560実1	後発事象に関する監査上の取扱い（監査基準報告書560実務指針第1号）

• リサーチ・センター審理情報関係

略　　称	名　　称
審理6	土地の信託に係る監査上の留意点について（審理室情報No.6）
審理15	未払従業員賞与の財務諸表における表示科目について（リサーチ・センター審理情報No.15）
審理18	退職給付会計における未認識項目の費用処理年数の変更について

〈その他〉

略　　称	名　　称
連続意見	企業会計原則と関係諸法令との調整に関する連続意見書
消費税中間報告	消費税の会計処理について（中間報告）（消費税の会計処理に関するプロジェクトチーム）
企財	企財審査ニュース又は企財審査

■ 税務編（第11章〜第14章）

略　　称	名　　称
法法	法人税法
法令	法人税法施行令
法規	法人税法施行規則
法基通	法人税基本通達
耐年省令	減価償却資産の耐用年数等に関する省令

耐通	耐用年数の適用等に関する取扱通達
通則法	国税通則法
措法	租税特別措置法
措令	租税特別措置法施行令
措規	租税特別措置法施行規則
措通	租税特別措置法関係通達
企注	企業会計原則注解
金商	金融商品取引法
平〇年改正法附則	平成〇年所得税法等の一部を改正する法律附則
会更法	会社更生法

所法	所得税法
所令	所得税法施行令
所規	所得税法施行規則
所基通	所得税基本通達
附則	所得税法等の一部を改正する法律附則
災免法	災害被害者に対する租税の減免、徴収猶予等に関する法律
国外送金法	内国税の適正な課税の確保を図るための国外送金等に係る調書の提出等に関する法律

消法	消費税法
消令	消費税法施行令
消基通	消費税法基本通達
国旅法	国際観光旅客税法

相法	相続税法
相法附則	相続税法附則
相令	相続税法施行令
相基通	相続税法基本通達

地法	地方税法
地令	地方税法施行令
特事法	特別法人事業税及び特別法人事業譲与税に関する法律

第 1 章

会社法の開示制度

1. 会社法の開示制度の概要

（1）開示書類作成の原則

株式会社の会計は、一般に公正妥当と認められる企業会計の慣行に従うものとする。　　　　　　　　　【会431】

株式会社は、法務省令（会社計算規則）で定めるところにより、適時に、正確な会計帳簿を作成しなければならない。　　　　　　　　　　　　【会432①、会施規116一】

会社計算規則の用語の解釈及び規定の適用に関しては、一般に公正妥当と認められる企業会計の基準その他の企業会計の慣行をしん酌しなければならない。　　【計規3】

各事業年度に係る計算書類及びその附属明細書は、当該事業年度に係る会計帳簿に基づき作成しなければならない。　　　　　　　　　　　　　　　　【計規59③】

（2）直接開示

取締役会設置会社においては、取締役は、定時株主総会の招集の通知に際して、株主に対し、取締役会で承認を受けた以下①に示す開示書類を提供しなければならない。
【会437】

① 開示書類

　ア　計算書類（貸借対照表、損益計算書、株主資本等変動計算書、個別注記表）

　　　以下の会社区分に該当する会社は、それぞれ対応する書類を合わせて提供する。

　　㋐　会計監査人設置会社以外の監査役設置会社……監査報告

　　㋑　会計監査人設置会社……会計監査報告及び監査報告　　　　　　　　　　　　　　【計規133①】

　イ　事業報告

　　　以下の会社区分に該当する会社は、それぞれ対応する書類を合わせて提供する。

　　　監査役設置会社、監査等委員会設置会社及び指名委員会等設置会社……事業報告の監査報告
【会施規133①】

　ウ　連結計算書類　　　　　　　　　　　【計規61】

　　　事業年度の末日において大会社であって有価証券報告書を内閣総理大臣に提出しなければならない者は、連結計算書類の作成義務がある。
【会444③、金商24①】

　　　連結計算書類を作成している会計監査人設置会社が取締役会設置会社である場合は以下のいずれかの提供の義務がある。　　　　　　　　　　【会444⑥】

　　㋐　会社計算規則第三編（計規120〜120の3を除く）に従い作成される以下のもの

　　　　連結貸借対照表、連結損益計算書、連結株主資本等変動計算書、連結注記表

　　㋑　計規120の規定（国際会計基準）に従い作成されるもの

　　㋒　計規120の2の規定（修正国際基準）に従い作成されるもの

　　㋓　計規120の3の規定（米国基準）に従い作成されるもの

② 提供方法

　ア　書面の提供

　イ　電磁的方法による提供
【会施規133②、計規133②、134①】

　　　ただし、以下の書類は、招集通知発出日から定時株主総会から3カ月が経過する日までの間、継続して電磁的方法により株主が提供を受けることができる状態に置く措置をとることを定款で定めた場合には、提供したものとみなす。

　　㋐　事業報告の一部　　　　　　　【会施規133③】

　　㋑　計算書類　　　　　　　　　　　【計規133④】

　　㋒　連結計算書類　　　　　　　　　【計規134④】

③ 電子提供措置

　ア　電子提供措置をとる旨の定款の定め

　　　株主総会の招集の手続を行うときは、株主総会参考書類、議決権行使書面、計算書類及び事業報告並びに連結計算書類について、電子提供措置をとる旨を定款で定めることができる。　　　　　【会325の2】

　　　なお、振替株式を発行する上場会社は、電子提供措置をとる旨を定款で定めなければならないが、2022（令和4）年9月1日において振替株式を発行している上場会社については、2022年9月1日を「その定款の変更が効力を生じる日」とする電子提供措置をとる旨の定款の定めを設ける定款の変更の決議をしたものとみなされる。
【社債、株式等の振替に関する法律159の2①、会社法の一部を改正する法律の施行に伴う関係法律の整備等に関する法律（令和元年法律第71号）10②】

　イ　書面交付請求

　　　アの定款の定めのある株式会社の株主は、株式会社に対し、電子提供措置事項を記載した書面の交付を請求することができる。ただし、株式会社は、電子提供措置事項のうち株主総会参考書類の一部及び②イただし書㋐から㋒の全部又は一部については、交付する書面に記載することを要しない旨を定款で定めることができる。

【会325の5、会施規95の4】

（3）間接開示

株式会社は、計算書類等を本店及び支店に備え置かなければならず、株主及び債権者は、営業時間内はいつでもその閲覧、謄本又は抄本の交付を請求することができる。
【会442】

① 開示書類及びその期間

　ア　本店に備置

　　㋐　各事業年度の計算書類及び事業報告並びにこれらの附属明細書（監査役設置会社の場合は監査報告、会計監査人設置会社の場合は監査報告及び会計監査報告を含む）　　　　　【会442①一】

　　　　定時株主総会の1週間前の日から5年間

　　　　ただし、取締役会設置会社では、定時株主総会の2週間前の日から5年間

　　㋑　臨時計算書類（監査役設置会社の場合は監査報告、

会計監査人設置会社の場合は監査報告及び会計監査報告を含む）　　　　　　　　　【会442①二】
　　　臨時計算書類作成日から5年間
　イ　支店に備置
　　㈠　ア㈠の写し　　　　　　　　　【会442②一】
　　　定時株主総会の1週間前の日から3年間
　　　ただし、取締役会設置会社では、定時株主総会の2週間前の日から3年間
　　㈡　ア㈡の写し　　　　　　　　　【会442②二】
　　　臨時計算書類作成日から3年間
　　㈢　電磁的記録で作成され会442③三、四（電磁的記録事項の閲覧、提供、その事項を記載した書面の交付）に掲げる請求を可能とする措置として会施規227三で定めるもの（電気通信で接続）をとっているときはこの限りではない。　【会442②ただし書】

（4）公告

　株式会社は、定時株主総会の終結後遅滞なく、以下の書類を公告しなければならない。　　　　　【会440①】
①　公告書類
　ア　大会社
　　　貸借対照表及び損益計算書
　イ　大会社以外の会社
　　　貸借対照表
　　　ただし、官報又は時事に関する事項を掲載する日刊新聞紙に掲載する方法を公告の方法として定めている場合は、その要旨で足りる。　　　【会440②】
　　　また、有価証券報告書提出会社は公告不要である。
　　　　　　　　　　　　　　　　　　　【会440④】

　　　会440①の規定による公告をする場合には、次の㈠から㈦に掲げる事項を明らかにしなければならない。この場合において、㈠から㈦に掲げる事項は、当該事業年度に係る個別注記表に表示した注記に限る。
　　　　　　　　　　　　　　　　　　　【計規136①】
　　㈠　継続企業の前提に関する注記
　　㈡　重要な会計方針に係る事項に関する注記
　　㈢　貸借対照表に関する注記
　　㈣　税効果会計に関する注記
　　㈤　関連当事者との取引に関する注記
　　㈥　1株当たり情報に関する注記
　　㈦　重要な後発事象に関する注記
　　㈧　当期純損益金額
　　　　損益計算書を公告する場合は㈠から㈦に掲げる事項を明らかにしなければならない。【計規136②】
②　公告の方法
　ア　官報又は時事に関する事項を掲載する日刊新聞紙への掲載　　　　　　　　　　【会939①一、二】
　イ　アに代えて、定時株主総会の終結後遅滞なく、貸借対照表の内容である情報を、定時株主総会終結日後5年を経過する日までの間、継続して電磁的方法により不特定多数の者が提供を受けることができる状態に置く措置をとることができる。　　【会440③】
　ウ　電子公告　　　　　　　　　　【会939①三】
③　要旨の金額の表示単位、表示言語
　　金額の表示単位は百万円単位又は十億円単位をもって

表示する。　　　　　　　　　　　　　【計規144①】
　　ただし、株式会社の財産又は損益の状態を的確に判断することができなくなるおそれがある場合は、適切な単位で表示しなければならない。　【計規144②】
　　表示言語は日本語をもって表示するが、その他の言語で表示することが不当でない場合はこの限りではない。
　　　　　　　　　　　　　　　　　　　【計規145】
④　不適正意見がある場合等における公告事項
　　会計監査人設置会社が以下のいずれかに該当する場合、公告でその旨を明らかにしなければならない。
　　　　　　　　　　　　　　　　　　　【計規148】
　ア　会計監査人が存在しない場合（一時会計監査人の職務を行うべき者が存在する場合を除く）
　イ　会計監査人が計規130③に定める会計監査報告の内容を通知すべき日までに通知しない場合に、会計監査人の監査を受けたものとみなされた場合
　ウ　不適正意見がある場合
　エ　意見不表明の場合

（5）会計参与設置会社

①　会計参与は計算書類、附属明細書、臨時計算書類、会計参与報告を備え置かなければならない。　【会378①】
②　会計参与設置会社の株主及び債権者は原則として会計参与設置会社の営業時間内はいつでも計算書類、附属明細書、臨時計算書類、会計参与報告の閲覧及び謄本又は抄本の交付の請求をすることができる。　【会378②】

2. 決算日程

（1）公開会社

〈公開会社、かつ、取締役会、監査役、監査役会、会計監査人設置会社、監査等委員会設置会社、指名委員会等設置会社の場合〉
①　計算書類及びその附属明細書・連結計算書類を作成し、監査役及び会計監査人に提出（期限の定めなし）
　　　　　　　　　　【会436②一、444④、計規125】
②　事業報告及びその附属明細書を作成し、監査役に提出（期限の定めなし）　　　　　　【会436②二】
③　会計監査人から会計監査報告受領（含連結分）
　　原則として計算書類受領後4週間を経過した日まで
　　　　　　　　　　　　　　　　　　　【計規130】
④　監査役会から事業報告の監査報告受領
　　原則として事業報告受領後4週間を経過した日まで
　　　　　　　　　　　　　　　　　　　【会施規132】
⑤　監査役会から計算書類の監査報告受領（含連結分）
　　原則として会計監査報告受領後1週間を経過した日まで　　　　　　　　　　　　　　　【計規132】
⑥　総会招集通知発送
　　株主総会日の2週間前　　　　　　　【会299①】
⑦　計算書類・事業報告・附属明細書・監査報告・会計監査報告の備置
　　株主総会日の2週間前から　　　　　【会442】
⑧　定時株主総会
　　基準日より3カ月以内　　　【会124②、296①】

（2）非公開会社

〈大会社以外で非公開かつ取締役会、監査役設置会社〉

① 計算書類及びその附属明細書を作成し、監査役に提出（期限の定めなし）　　　　　　　　　　　　【会436①】
② 事業報告及びその附属明細書を作成し、監査役に提出（期限の定めなし）　　　　　　　　　　　　【会436①】
③ 監査役から計算書類並びに事業報告の監査報告受領
　　原則として計算書類、事業報告受領後４週間を経過した日まで　　　　　　　　【計規124、会施規132】
④ 総会招集通知発送
　　株主総会日の１週間前。書面投票制度又は電子投票制度を採用した場合は株式総会日の２週間前【会299①】
⑤ 計算書類・事業報告・附属明細書・監査報告の備置
　　株主総会日の２週間前から　　　　　　　　【会442】
⑥ 定時株主総会
　　基準日より３カ月以内　　　　　【会124②、296①】

イ　臨時決算日に属する事業年度の初日から臨時決算日までの期間に係る損益計算書
④　連結計算書類（次のいずれか）　　　　　　【計規61】
ア　会社計算規則第三編（計規120〜120の３を除く）に従い作成される以下のもの
　　連結貸借対照表、連結損益計算書、連結株主資本等変動計算書、連結注記表
イ　計規120の規定（国際会計基準）に従い作成されるもの
ウ　計規120の２の規定（修正国際基準）に従い作成されるもの
エ　計規120の３の規定（米国基準）に従い作成されるもの
（2）計算書類等　　　　　　　　　　　【会施規2③十二】
　　各事業年度に係る計算書類及び事業報告（監査報告又は会計監査報告を含む）

2 計算関係書類

1. 計算関係書類及び計算書類等の範囲

（1）計算関係書類　　　　　【会施規2③十一、計規2③三】
① 成立の日における貸借対照表
② 各事業年度に係る計算書類及びその附属明細書
　ア　貸借対照表　　　　　　　　　　　　　【会435②】
　イ　損益計算書　　　　　　　　　　　　　【会435②】
　ウ　株主資本等変動計算書　　　　　　　　【計規59①】
　エ　個別注記表　　　　　　　　　　　　　【計規59①】
③ 臨時計算書類（監査報告又は会計監査報告を含む）
　　　　　　　　　　　　　　　　　　　　　【会441】
　ア　臨時決算日における貸借対照表

2. 計算関係書類の表示

　　金額は、一円単位、千円単位又は百万円単位をもって表示する。
　　日本語をもって表示するが、その他の言語をもって表示することが不当でない場合はこの限りではない。
　　　　　　　　　　　　　　　　　　　【計規57①、②】

3. 貸借対照表等（貸借対照表及び連結貸借対照表）の記載方法

〈記載例〉
　　会社法施行規則及び会社計算規則による株式会社の各種書類のひな型（改訂版）（2022年11月１日（2023年１月18日更新）　一般社団法人日本経済団体連合会）

（1）貸借対照表

[記載例]

貸借対照表
（○年○月○日現在）

（単位：百万円）

科　　　目	金　額	科　　　目	金　額
（資産の部）		（負債の部）	
流動資産	×××	流動負債	×××
現金及び預金	×××	支払手形	×××
受取手形	×××	買掛金	×××
売掛金	×××	短期借入金	×××
契約資産	×××	リース債務	×××
有価証券	×××	未払金	×××
商品及び製品	×××	未払費用	×××
仕掛品	×××	未払法人税等	×××
原材料及び貯蔵品	×××	契約負債	×××
前払費用	×××	前受金	×××
その他	×××	預り金	×××
貸倒引当金	△　×××	前受収益	×××

固定資産	×××	○○引当金	×××
有形固定資産	×××	その他	×××
建物	×××	固定負債	×××
構築物	×××	社債	×××
機械装置	×××	長期借入金	×××
車両運搬具	×××	リース債務	×××
工具器具備品	×××	○○引当金	×××
土地	×××	その他	×××
リース資産	×××	負債合計	×××
建設仮勘定	×××	（純資産の部）	
その他	×××	株主資本	×××
無形固定資産	×××	資本金	×××
ソフトウェア	×××	資本剰余金	×××
リース資産	×××	資本準備金	×××
のれん	×××	その他資本剰余金	×××
その他	×××	利益剰余金	×××
投資その他の資産	×××	利益準備金	×××
投資有価証券	×××	その他利益剰余金	×××
関係会社株式	×××	○○積立金	×××
長期貸付金	×××	繰越利益剰余金	×××
繰延税金資産	×××	自己株式	△ ×××
その他	×××	評価・換算差額等	
貸倒引当金	△ ×××	その他有価証券評価差額金	×××
繰延資産	×××	繰延ヘッジ損益	×××
社債発行費	×××	土地再評価差額金	×××
		株式引受権	×××
		新株予約権	×××
		純資産合計	×××
資産合計	×××	負債・純資産合計	×××

〈記載上の注意〉

①　新株式申込証拠金あるいは自己株式申込証拠金がある場合には、純資産の部の株主資本の内訳項目として区分掲記する。

②　ファイナンス・リース取引の貸主側の場合には、リース債権、リース投資資産により表示する。

③　「棚卸資産」として一括表示し、その内訳を示す科目金額を注記することも考えられる。

④　資産除去債務については、1年内に履行されると認められるものは、流動負債において資産除去債務により表示し、それ以外のものは、固定負債において資産除去債務により表示する。

⑤　工事損失引当金の残高は、貸借対照表に流動負債として計上する。ただし、同一の工事契約に係る棚卸資産及び工事損失引当金がある場合には、両者を相殺した差額を棚卸資産又は工事損失引当金として流動資産又は流動負債に表示することができる。

⑥　企業会計基準第29号「収益認識に関する会計基準」を適用する会社については、原則として、契約資産、契約負債又は顧客との契約から生じた債権を、適切な科目を用いて貸借対照表に表示するか、区分して表示しない場合には、それぞれの残高を注記する（会社計算規則第3条、第116条）。

（2）連結貸借対照表

[記載例]

連結貸借対照表
（○年○月○日現在）

(単位：百万円)

科　　目	金　額	科　　目	金　額
（資産の部）		（負債の部）	
流動資産	×××	流動負債	×××
現金及び預金	×××	支払手形及び買掛金	×××
受取手形	×××	短期借入金	×××
売掛金	×××	リース債務	×××
契約資産	×××	未払金	×××
有価証券	×××	未払法人税等	×××
商品及び製品	×××	契約負債	×××
仕掛品	×××	○○引当金	×××
原材料及び貯蔵品	×××	その他	×××
その他	×××	固定負債	
貸倒引当金	△　×××	社債	×××
固定資産		長期借入金	×××
有形固定資産	×××	リース債務	×××
建物及び構築物	×××	繰延税金負債	×××
機械装置及び運搬具	×××	○○引当金	×××
土地	×××	退職給付に係る負債	×××
リース資産	×××	その他	×××
建設仮勘定	×××	負債合計	×××
その他	×××	（純資産の部）	
無形固定資産	×××	株主資本	×××
ソフトウェア	×××	資本金	×××
リース資産	×××	資本剰余金	×××
のれん	×××	利益剰余金	×××
その他	×××	自己株式	△　×××
投資その他の資産	×××	その他の包括利益累計額	×××
投資有価証券	×××	その他有価証券評価差額金	×××
繰延税金資産	×××	繰延ヘッジ損益	×××
その他	×××	土地再評価差額金	×××
貸倒引当金	△　×××	為替換算調整勘定	×××
繰延資産	×××	退職給付に係る調整累計額	×××
社債発行費	×××	株式引受権	×××
		新株予約権	×××
		非支配株主持分	×××
		純資産合計	×××
資産合計	×××	負債・純資産合計	×××

〈記載上の注意〉

① 　新株式申込証拠金あるいは自己株式申込証拠金がある場合には、純資産の部の株主資本の内訳項目として区分掲記する。

② 　ファイナンス・リース取引の貸主側の場合には、リース債権、リース投資資産により表示する。

③ 　「棚卸資産」として一括表示し、その内訳を示す科目及び金額を注記することも考えられる。

④ 　資産除去債務については、１年内に履行されると認められるものは、流動負債において資産除去債務により表示し、それ以外のものは、固定負債において資産除去債務により表示する。

⑤ 　工事損失引当金の残高は、貸借対照表に流動負債として計上する。ただし、同一の工事契約に係る棚卸資産及び工事損失引当金がある場合には、両者を相殺した差額を棚卸資産又は工事損失引当金として流動資産又は流動

負債に表示することができる。

⑥ 純資産の部においては、「評価・換算差額等」又は「その他の包括利益累計額」のいずれかの項目に区分する。

ただし、企業会計基準第25号「包括利益の表示に関する会計基準」が適用される会社については、「その他の包括利益累計額」として区分することが義務付けられることとなる（会社計算規則第3条）。

⑦ 企業会計基準第29号「収益認識に関する会計基準」を適用する会社については、原則として、契約資産、契約負債又は顧客との契約から生じた債権を、適切な科目を用いて連結貸借対照表に表示するか、区分して表示しない場合には、それぞれの残高を注記する（会社計算規則第3条、第116条）。

4. 損益計算書等（損益計算書及び連結損益計算書）の記載方法

〈記載例〉

会社法施行規則及び会社計算規則による株式会社の各種書類のひな型（改訂版）（2022年11月1日（2023年1月18日更新）　一般社団法人日本経済団体連合会）

（1）損益計算書

[記載例]

損益計算書
（自〇年〇月〇日　至〇年〇月〇日）

（単位：百万円）

科　　　　目	金	額
売上高		×××
売上原価		×××
売上総利益		×××
販売費及び一般管理費		×××
営業利益		×××
営業外収益		
受取利息及び配当金	×××	
その他	×××	×××
営業外費用		
支払利息	×××	
その他	×××	×××
経常利益		×××
特別利益		
固定資産売却益	×××	
その他	×××	×××
特別損失		
固定資産売却損	×××	
減損損失	×××	
その他	×××	×××
税引前当期純利益		×××
法人税、住民税及び事業税	×××	
法人税等調整額	×××	×××
当期純利益		×××

〈記載上の注意〉

① 企業会計基準第29号「収益認識に関する会計基準」を適用する会社については、顧客との契約から生じる収益は、適切な科目をもって損益計算書に表示する。なお、顧客との契約から生じる収益については、原則として、それ以外の収益と区分して損益計算書に表示するか、区分して表示しない場合には、顧客との契約から生じる収益の額を注記する（会社計算規則第3条、第116条）。

② 企業会計基準第24号「会計方針の開示、会計上の変更及び誤謬の訂正に関する会計基準」が適用される会社については、前期損益修正益又は前期損益修正損の表示（会社計算規則第88条第2項、第3項参照）は認められないこととなる（会社計算規則第3条）。

（2）連結損益計算書

[記載例]

連結損益計算書
（自○年○月○日　至○年○月○日）

(単位：百万円)

科　　　　目	金　　　額	
売上高		×××
売上原価		×××
売上総利益		×××
販売費及び一般管理費		×××
営業利益		×××
営業外収益		
受取利息及び配当金	×××	
有価証券売却益	×××	
持分法による投資利益	×××	
その他	×××	×××
営業外費用		
支払利息	×××	
有価証券売却損	×××	
その他	×××	×××
経常利益		×××
特別利益		
固定資産売却益	×××	
その他	×××	×××
特別損失		
固定資産売却損	×××	
減損損失	×××	
その他	×××	×××
税金等調整前当期純利益		×××
法人税、住民税及び事業税	×××	
法人税等調整額	×××	×××
当期純利益		×××
非支配株主に帰属する当期純利益		×××
親会社株主に帰属する当期純利益		×××

〈記載上の注意〉
① 企業会計基準第29号「収益認識に関する会計基準」を適用する会社については、顧客との契約から生じる収益は、適切な科目をもって連結損益計算書に表示する。なお、顧客との契約から生じる収益については、原則として、それ以外の収益と区分して連結損益計算書に表示するか、区分して表示しない場合には、顧客との契約から生じる収益の額を注記する（会社計算規則第3条、第116条）。
② 企業会計基準第24号「会計方針の開示、会計上の変更及び誤謬の訂正に関する会計基準」が適用される会社について

は、前期損益修正益又は前期損益修正損の表示（会社計算規則第88条第2項、第3項参照）は認められないこととなる（会社計算規則第3条）。

5. 株主資本等変動計算書等（株主資本等変動計算書及び連結株主資本等変動計算書）の記載方法

〈記載例〉
会社法施行規則及び会社計算規則による株式会社の各種書類のひな型（改訂版）（2022年11月1日（2023年1月18日更新）　一般社団法人日本経済団体連合会）

（1）株主資本等変動計算書

[記載例]

株主資本等変動計算書
（自○年○月○日　至○年○月○日）

（単位：百万円）

	株主資本									
	資本金	資本剰余金			利益剰余金				自己株式	株主資本合計
		資本準備金	その他資本剰余金	資本剰余金合計	利益準備金	その他利益剰余金		利益剰余金合計		
						○○積立金	繰越利益剰余金			
○年○月○日残高	×××	×××	×××	×××	×××	×××	×××	×××	△×××	×××
事業年度中の変動額										
新株の発行	×××	×××		×××						×××
剰余金の配当					×××		△×××	△×××		△×××
当期純利益							×××	×××		×××
自己株式の処分									×××	×××
○○○○○										
株主資本以外の項目の事業年度中の変動額（純額）										
事業年度中の変動額合計	×××	×××	-	×××	×××	-	×××	×××		×××
○年○月○日残高	×××	×××	×××	×××	×××	×××	×××	×××	△×××	×××

	評価・換算差額等				株式引受権	新株予約権	純資産合計
	その他有価証券評価差額金	繰延ヘッジ損益	土地再評価差額金	評価・換算差額等合計			
○年○月○日残高	×××	×××	×××	×××	×××	×××	×××
事業年度中の変動額							
新株の発行							×××
剰余金の配当							△×××
当期純利益							×××
自己株式の処分							×××
○○○○○							
株主資本以外の項目の事業年度中の変動額（純額）	×××	×××	×××	×××	×××		×××
事業年度中の変動額合計	×××	×××	×××	×××	×××		×××
○年○月○日残高	×××	×××	×××	×××	×××	×××	×××

〈記載上の注意〉

① 株主資本等変動計算書の表示区分は、貸借対照表の純資産の部における各項目との整合性に留意する。

② 記載例中の「○年○月○日残高」を「当期首残高」又は「当期末残高」、「事業年度中の変動額」を「当期変動額」と記載することもできる。

③ 会社法上、株主資本等変動計算書の様式は規定されておらず、縦並び形式で作成することも考えられる。

④ 「当期首残高」の記載に際して、遡及適用、誤謬の訂正又は当該事業年度の前事業年度における企業結合に係る暫定的な会計処理の確定をした場合には、下記の記載例のように、当期首残高及びこれに対する影響額を記載する。

　下記の記載例では、遡及適用をした場合に対応して、「会計方針の変更による累積的影響額」及び「遡及処理後当期首残高」を用いているが、会計基準等における特定の経過的な取扱いにより、会計方針の変更による影響額を適用初年度の期首残高に加減することが定められている場合や、企業会計基準第21号「企業結合に関する会計基準」等に従って企業結合に係る暫定的な会計処理の確定が企業結合年度の翌年度に行われ、企業結合年度の翌年度のみの表示が行われる場合には、下記の記載例に準じて、期首残高に対する影響額を区分表示するとともに、当該影響額の反映後の期首残高を記載する。

　例えば、会計基準等において、会計方針の変更による影響額を適用初年度の期首残高に加減することが定められている場合には、「遡及処理後当期首残高」を「会計方針の変更を反映した当期首残高」と記載することも考えられる。

株主資本等変動計算書
(自○年○月○日　至○年○月○日)

(単位：百万円)

		株主資本									
		資本剰余金			利益剰余金						
						その他利益剰余金					
	資本金	資本準備金	その他資本剰余金	資本剰余金合計	利益準備金	○○積立金	繰越利益剰余金	利益剰余金合計	自己株式	株主資本合計
○年○月○日残高	×××	×××	×××	×××	×××	×××	×××	×××	△×××	×××
会計方針の変更による累積的影響額							×××	×××		×××
遡及処理後当期首残高	×××	×××	×××	×××	×××	×××	×××	×××	△×××	×××
事業年度中の変動額										
新株の発行	×××	×××		×××						×××
剰余金の配当					×××		△×××	△×××		△×××
当期純利益							×××	×××		×××
自己株式の処分									×××	×××
○○○○○										
株主資本以外の項目の事業年度中の変動額(純額)										
事業年度中の変動額合計	×××	×××	−	×××	×××	−	×××	×××	×××	×××
○年○月○日残高	×××	×××	×××	×××	×××	×××	×××	×××	△×××	×××

| | 評価・換算差額等 | | | | 株式引受権 | 新株予約権 | 純資産合計 |
	その他有価証券評価差額金	繰延ヘッジ損益	土地再評価差額金	評価・換算差額等合計			
○年○月○日残高	×××	×××	×××	×××	×××	×××	×××
会計方針の変更による累積的影響額							×××
遡及処理後当期首残高	×××	×××	×××	×××	×××	×××	×××
事業年度中の変動額							
新株の発行							×××
剰余金の配当							△×××
当期純利益							×××
自己株式の処分							×××
○○○○○							
株主資本以外の項目の事業年度中の変動額(純額)	×××	×××	×××	×××	×××	×××	×××
事業年度中の変動額合計	×××	×××	×××	×××	×××	×××	×××
○年○月○日残高	×××	×××	×××	×××	×××	×××	×××

(2) 連結株主資本等変動計算書

[記載例]

連結株主資本等変動計算書
(自○年○月○日　至○年○月○日)

(単位：百万円)

| | 株　　主　　資　　本 | | | | |
	資本金	資本剰余金	利益剰余金	自己株式	株主資本合計
○年○月○日残高	×××	×××	×××	△×××	×××
連結会計年度中の変動額					
新株の発行	×××	×××			×××
剰余金の配当			△×××		△×××

親会社株主に帰属する当期純利益			×××		×××
○○○○○					×××
自己株式の処分				×××	×××
株主資本以外の項目の連結会計年度中の変動額(純額)					
連結会計年度中の変動額合計	×××	×××	×××	×××	×××
○年○月○日残高	×××	×××	×××	△×××	×××

	その他の包括利益累計額					
	その他有価証券評価差額金	繰延ヘッジ損益	土地再評価差額金	為替換算調整勘定	退職給付に係る調整累計額	その他の包括利益累計額合計
○年○月○日残高	×××	×××	×××	×××	×××	×××
連結会計年度中の変動額						
新株の発行						
剰余金の配当						
親会社株主に帰属する当期純利益						
○○○○○						
自己株式の処分						
株主資本以外の項目の連結会計年度中の変動額(純額)	×××	×××	×××	×××	×××	×××
連結会計年度中の変動額合計	×××	×××	×××	×××	×××	×××
○年○月○日残高	×××	×××	×××	×××	×××	×××

	株式引受権	新株予約権	非支配株主持分	純資産合計
○年○月○日残高		×××	×××	×××
連結会計年度中の変動額				
新株の発行				×××
剰余金の配当				△×××
親会社株主に帰属する当期純利益				×××
○○○○○				×××
自己株式の処分				×××
株主資本以外の項目の連結会計年度中の変動額(純額)	△×××	△×××	×××	
連結会計年度中の変動額合計	△×××	△×××	×××	×××
○年○月○日残高	×××	×××	×××	×××

〈記載上の注意〉
① 連結株主資本等変動計算書の表示区分は、連結貸借対照表の純資産の部における各項目との整合性に留意する。
② 記載例中の「○年○月○日残高」を「当期首残高」又は「当期末残高」、「連結会計年度中の変動額」を「当期変動額」と記載することもできる。
③ 会社法上、連結株主資本等変動計算書の様式は規定されておらず、縦並び形式で作成することも考えられる。
④ 連結株主資本等変動計算書等においては、「評価・換算差額等」又は「その他の包括利益累計額」のいずれかの項目に区分する。
　ただし、企業会計基準第25号「包括利益の表示に関する会計基準」が適用される会社については、「その他の包括利益累計額」として区分することが義務付けられることとなる（会社計算規則第3条）。
⑤ 「当期首残高」の記載に際して、遡及適用、誤謬の訂正又は当該連結会計年度の前連結会計年度における企業結合に係る暫定的な会計処理の確定をした場合には、下記の記載例のように、当期首残高及びこれに対する影響額を記載する。
　下記の記載例では、遡及適用をした場合に対応して、「会計方針の変更による累積的影響額」及び「遡及処理後当期首残高」を用いているが、会計基準等における特定の経過的な取扱いにより、会計方針の変更による影響額を適用初年度の期首残高に加減することが定められている場合や、企業会計基準第21号「企業結合に関する会計基準」等に従って企業結合に係る暫定的な会計処理の確定が企業結合年度の翌年度に行われ、企業結合年度の翌年度のみの表示が行われる場合には、下記の記載例に準じて、期首残高に対する影響額を区分表示するとともに、当該影響額の反映後の期首残高を記載する。

例えば、会計基準等において、会計方針の変更による影響額を適用初年度の期首残高に加減することが定められている場合には、「遡及処理後当期首残高」を「会計方針の変更を反映した当期首残高」と記載することも考えられる。

[記載例]

連結株主資本等変動計算書
(自○年○月○日　至○年○月○日)

(単位：百万円)

	株　　主　　資　　本				
	資本金	資本剰余金	利益剰余金	自己株式	株主資本合計
○年○月○日残高	××	××	××	△××	××
会計方針の変更による累積的影響額			××		××
遡及処理後当期首残高	××	××	××	△××	××
連結会計年度中の変動額					
新株の発行	××	××			××
剰余金の配当			△××		△××
親会社株主に帰属する当期純利益			××		××
○○○○○					××
自己株式の処分				××	××
株主資本以外の項目の連結会計年度中の変動額(純額)					
連結会計年度中の変動額合計	××	××	××	××	××
○年○月○日残高	××	××	××	△××	××

	その他の包括利益累計額					
	その他有価証券評価差額金	繰延ヘッジ損益	土地再評価差額金	為替換算調整勘定	退職給付に係る調整累計額	その他の包括利益累計額合計
○年○月○日残高	××	××	××	××	××	××
会計方針の変更による累積的影響額						
遡及処理後当期首残高	××	××	××	××	××	××
連結会計年度中の変動額						
新株の発行						
剰余金の配当						
親会社株主に帰属する当期純利益						
○○○○○						
自己株式の処分						
株主資本以外の項目の連結会計年度中の変動額(純額)	××	××	××	××	××	××
連結会計年度中の変動額合計	××	××	××	××	××	××
○年○月○日残高	××	××	××	××	××	××

	株式引受権	新株予約権	非支配株主持分	純資産合計
○年○月○日残高	××	××	××	××
会計方針の変更による累積的影響額				××
遡及処理後当期首残高		××	××	××
連結会計年度中の変動額				
新株の発行				××
剰余金の配当				△××
親会社株主に帰属する当期純利益				××
○○○○○				××
自己株式の処分				××

株主資本以外の項目の連結会計年度中の変動額(純額)	△×××	△×××	×××	×××
連結会計年度中の変動額合計	△×××	△×××	×××	×××
○年○月○日残高	×××	×××	×××	×××

6. 注記表（個別注記表及び連結注記表）

(1) 注記表の区分

① 継続企業の前提に関する注記

② 重要な会計方針に係る事項（連結注記表にあっては、連結計算書類の作成のための基本となる重要な事項及び連結の範囲又は持分法の適用の範囲の変更）に関する注記

③ 会計方針の変更に関する注記

④ 表示方法の変更に関する注記

⑤ 会計上の見積りに関する注記

⑥ 会計上の見積りの変更に関する注記

⑦ 誤謬の訂正に関する注記

⑧ 貸借対照表等に関する注記

⑨ 損益計算書に関する注記

⑩ 株主資本等変動計算書（連結注記表にあっては、連結株主資本等変動計算書）に関する注記

⑪ 税効果会計に関する注記

⑫ リースにより使用する固定資産に関する注記

⑬ 金融商品に関する注記

⑭ 賃貸等不動産に関する注記

⑮ 持分法損益等に関する注記

⑯ 関連当事者との取引に関する注記

⑰ 1株当たり情報に関する注記

⑱ 重要な後発事象に関する注記

⑲ 連結配当規制適用会社に関する注記

⑳ 収益認識に関する注記

㉑ その他の注記

(注)ただし、以下の項目の表示は不要。

ア 会計監査人設置会社以外の株式会社（公開会社を除く）の個別注記表 ①、⑤、⑥、⑧、⑨、⑪～⑲

イ 会計監査人設置会社以外の公開会社の個別注記表 ①、⑤、⑥、⑮、⑲

ウ 会計監査人設置会社であって会444③（大会社であって、有価証券報告書提出会社）に規定する以外の株式会社の個別注記表 ⑮

エ 連結注記表 ⑨、⑪、⑫、⑮、⑯、⑲ 【計規98】

(2) 注記の方法

貸借対照表等、損益計算書等又は株主資本等変動計算書等の特定の項目に関連する注記については、その関連を明らかにしなければならない。 【計規99】

(3) 継続企業の前提に関する注記

継続企業の前提に関する注記は、事業年度の末日において、当該株式会社が将来にわたって事業を継続するとの前提に重要な疑義を生じさせるような事象又は状況が存在する場合であって、当該事象又は状況を解消し、又は改善するための対応をしてもなお継続企業の前提に関する重要な不確実性が認められるときにおける次に掲げる事項とする。なお、当該事業年度の末日後に当該重要な不確実性が認められなくなった場合を除く。

① 当該事象又は状況が存在する旨及びその内容

② 当該事象又は状況を解消し、又は改善するための対応策

③ 当該重要な不確実性が認められる旨及びその理由

④ 当該重要な不確実性の影響を計算書類（連結注記表にあっては、連結計算書類）に反映しているか否かの別 【計規100】

(4) 重要な会計方針に係る事項に関する注記

① 会計方針に関する次に掲げる事項（重要性の乏しいものを除く）

ア 資産の評価基準及び評価方法

イ 固定資産の減価償却の方法

ウ 引当金の計上基準

エ 収益及び費用の計上基準

オ その他計算書類作成のための基本となる重要な事項

② 会社が顧客との契約に基づく義務の履行の状況に応じて当該契約から生ずる収益を認識する場合、①エに掲げる事項には次に掲げる事項を含む。

ア 当該会社の主要な事業における顧客との契約に基づく主な義務の内容

イ アに規定する義務に係る収益を認識する通常の時点

ウ ア、イに掲げるもののほか、当該会社が重要な会計方針に含まれると判断したもの 【計規101】

(5) 連結計算書類の作成のための基本となる重要な事項に関する注記等

① 連結の範囲に関する次に掲げる事項

ア 連結子会社の数及び主要な連結子会社の名称

イ 非連結子会社がある場合には、次に掲げる事項

• 主要な非連結子会社の名称

• 非連結子会社を連結の範囲から除いた理由

ウ 株式会社が議決権の過半数を自己の計算において所有している会社等を子会社としなかったときは、当該会社等の名称及び子会社としなかった理由

エ 計規63①ただし書の規定（支配が一時的等）により連結の範囲から除かれた子会社の財産又は損益に関する事項であって、当該企業集団の財産及び損益の状態の判断に影響を与えると認められる重要なものがあるときは、その内容

オ 開示対象特別目的会社（会施規4に規定する特別目的会社で、同条の規定により当該特別目的会社に資産を譲渡した会社の子会社に該当しないものと推定されるものに限る）がある場合には、次に掲げる事項その他の重要な事項

(ア) 開示対象特別目的会社の概要

㈠　開示対象特別目的会社との取引の概要及び取引金
　　　額
②　持分法の適用に関する次に掲げる事項
　ア　持分法を適用した非連結子会社又は関連会社の数及
　　びこれらのうち主要な会社等の名称
　イ　持分法を適用しない非連結子会社又は関連会社があ
　　るときは、次に掲げる事項
　　㈠　当該非連結子会社又は関連会社のうち主要な会社
　　　等の名称
　　㈡　当該非連結子会社又は関連会社に持分法を適用し
　　　ない理由
　ウ　当該株式会社が議決権の100分の20以上、100分の
　　50以下を自己の計算において所有している会社等を
　　関連会社としなかったときは、当該会社等の名称及び
　　関連会社としなかった理由
　エ　持分法の適用の手続について特に示す必要があると
　　認められる事項がある場合には、その内容
③　会計方針に関する次に掲げる事項
　ア　重要な資産の評価基準及び評価方法
　イ　重要な減価償却資産の減価償却の方法
　ウ　重要な引当金の計上基準
　エ　その他連結計算書類の作成のための重要な事項
　　　　　　　　　　　　　　　　　　　【計規102①】
(6) 連結の範囲又は持分法の適用の範囲の変更に関する注記
　連結の範囲又は持分法の適用の範囲を変更した場合（当
該変更が重要性の乏しいものである場合を除く）における
その旨及び変更の理由　　　　　　　　【計規102②】
(7) 会計方針の変更に関する注記
　一般に公正妥当と認められる会計方針を他の一般に公正
妥当と認められる会計方針に変更した場合における次に掲
げる事項（重要性の乏しいものを除く）。ただし、会計監査
人設置会社以外の株式会社及び持分会社にあっては、④イ
及びウに掲げる事項を省略することができる。
①　当該会計方針の変更の内容
②　当該会計方針の変更の理由
③　遡及適用をした場合には、当該事業年度の期首におけ
　る純資産額に対する影響額
④　当該事業年度より前の事業年度の全部又は一部につい
　て遡及適用をしなかった場合には、次に掲げる事項（当
　該会計方針の変更を会計上の見積りの変更と区別するこ
　とが困難なときは、イに掲げる事項を除く）
　ア　計算書類又は連結計算書類の主な項目に対する影響
　　額
　イ　当該事業年度より前の事業年度の全部又は一部につ
　　いて遡及適用をしなかった理由並びに当該会計方針の
　　変更の適用方法及び適用開始時期
　ウ　当該会計方針の変更が当該事業年度の翌事業年度以
　　降の財産又は損益に影響を及ぼす可能性がある場合で
　　あって、当該影響に関する事項を注記することが適切
　　であるときは、当該事項　　　　　【計規102の2①】
　個別注記表に注記すべき事項（③並びに④イ及びウに掲
げる事項に限る）が連結注記表に注記すべき事項と同一で
ある場合において、個別注記表にその旨を注記するとき
は、個別注記表における当該事項の注記を要しない。

　　　　　　　　　　　　　　　　　　　【計規102の2②】
(8) 表示方法の変更に関する注記
　一般に公正妥当と認められる表示方法を他の一般に公正
妥当と認められる表示方法に変更した場合における次に掲
げる事項（重要性の乏しいものを除く）とする。
①　当該表示方法の変更の内容
②　当該表示方法の変更の理由　　　　【計規102の3①】
　個別注記表に注記すべき事項（②に掲げる事項に限る）が
連結注記表に注記すべき事項と同一である場合において、
個別注記表にその旨を注記するときは、個別注記表におけ
る当該事項の注記を要しない。　　　　【計規102の3②】
(9) 会計上の見積りに関する注記
①　会計上の見積りにより当該事業年度に係る計算書類又
　は連結計算書類にその額を計上した項目であって、翌事
　業年度に係る計算書類又は連結計算書類に重要な影響を
　及ぼす可能性があるもの
②　当該事業年度に係る計算書類又は連結計算書類の①に
　掲げる項目に計上した額
③　②に掲げるもののほか、①に掲げる項目に係る会計上
　の見積りの内容に関する理解に資する情報
　　　　　　　　　　　　　　　　　　　【計規102の3の2①】
　個別注記表に注記すべき事項（③に掲げる事項に限る）が
連結注記表に注記すべき事項と同一である場合において、
個別注記表にその旨を注記するときは、個別注記表におけ
る当該事項の注記を要しない。　　　【計規102の3の2②】
(10) 会計上の見積りの変更に関する注記
　会計上の見積りの変更をした場合における次に掲げる事
項（重要性の乏しいものを除く）とする。
①　当該会計上の見積りの変更の内容
②　当該会計上の見積りの変更の計算書類又は連結計算書
　類の項目に対する影響額
③　当該会計上の見積りの変更が当該事業年度の翌事業年
　度以降の財産又は損益に影響を及ぼす可能性があるとき
　は、当該影響に関する事項　　　　　【計規102の4】
(11) 誤謬の訂正に関する注記
　誤謬の訂正をした場合における次に掲げる事項（重要性
の乏しいものを除く）とする。
①　当該誤謬の内容
②　当該事業年度の期首における純資産額に対する影響額
　　　　　　　　　　　　　　　　　　　【計規102の5】
(12) 貸借対照表等に関する注記
①　資産が担保に供されている場合における次に掲げる事
　項
　ア　資産が担保に供されていること
　イ　アの資産の内容及びその金額
　ウ　担保に係る債務の金額
②　資産に係る引当金を直接控除した場合における各資産
　の資産項目別の引当金の金額（一括して注記することが
　適当な場合にあっては、各資産について流動資産、有形
　固定資産、無形固定資産、投資その他の資産又は繰延資
　産ごとに一括した引当金の金額）
③　資産に係る減価償却累計額を直接控除した場合におけ
　る各資産の資産項目別の減価償却累計額（一括して注記
　することが適当な場合にあっては、各資産について一括

した減価償却累計額）

④　資産に係る減損損失累計額を減価償却累計額に合算して減価償却累計額の項目をもって表示した場合にあっては、減価償却累計額に減損損失累計額が含まれている旨

⑤　保証債務、手形遡求債務、重要な係争事件に係る損害賠償義務その他これらに準ずる債務（負債の部に計上したものを除く）があるときは、当該債務の内容及び金額

⑥　関係会社に対する金銭債権又は金銭債務をその金銭債権又は金銭債務が属する項目ごとに、他の金銭債権又は金銭債務と区分して表示していないときは、当該関係会社に対する金銭債権又は金銭債務の当該関係会社に対する金銭債権又は金銭債務が属する項目ごとの金額又は2以上の項目について一括した金額

⑦　取締役、監査役及び執行役との間の取引による取締役、監査役及び執行役に対する金銭債権があるときは、その総額

⑧　取締役、監査役及び執行役との間の取引による取締役、監査役及び執行役に対する金銭債務があるときは、その総額

⑨　当該株式会社の親会社株式の各表示区分別の金額

（注）ただし、連結注記表にあっては、⑥～⑨を除く。

【計規103】

（13）損益計算書に関する注記

関係会社との営業取引による取引高の総額及び営業取引以外の取引による取引高の総額　　　　　　【計規104】

（14）株主資本等変動計算書に関する注記

連結注記表を作成する株式会社は、②に掲げる事項以外の事項は、省略することができる。

①　当該事業年度の末日における発行済株式の数（種類株式発行会社にあっては、種類ごとの発行済株式の数）

②　当該事業年度の末日における自己株式の数（種類株式発行会社にあっては、種類ごとの自己株式の数）

③　当該事業年度中に行った剰余金の配当（当該事業年度の末日後に行う剰余金の配当のうち剰余金の配当を受ける者を定めるための会124①に規定する基準日が当該事業年度中のものを含む）に関する次に掲げる事項その他の事項

ア　配当財産が金銭である場合における当該金銭の総額

イ　配当財産が金銭以外の財産である場合における当該財産の帳簿価額（当該剰余金の配当をした日においてその時の時価を付した場合にあっては、当該時価を付した後の帳簿価額）の総額

④　当該事業年度の末日における株式引受権に係る当該株式会社の株式の数（種類株式発行会社にあっては、種類及び種類ごとの数）

⑤　当該事業年度の末日における当該株式会社が発行している新株予約権（会236①四の期間の初日が到来していないものを除く）の目的となる当該株式会社の株式の数（種類株式発行会社にあっては、種類及び種類ごとの数）　　　　　　　　　　　　　　　　　【計規105】

（15）連結株主資本等変動計算書に関する注記

①　当該連結会計年度の末日における当該株式会社の発行済株式の総数（種類株式発行会社にあっては、種類ごとの発行済株式の総数）

②　当該連結会計年度中に行った剰余金の配当（当該連結会計年度の末日後に行う剰余金の配当のうち、剰余金の配当を受ける者を定めるための会124①に規定する基準日が当該連結会計年度中のものを含む）に関する次に掲げる事項その他の事項

ア　配当財産が金銭である場合における当該金銭の総額

イ　配当財産が金銭以外の財産である場合における当該財産の帳簿価額（当該剰余金の配当をした日においてその時の時価を付した場合にあっては、当該時価を付した後の帳簿価額）の総額

③　当該連結会計年度の末日における株式引受権に係る当該株式会社の株式の数（種類株式発行会社にあっては、種類及び種類ごとの数）

④　当該連結会計年度の末日における当該株式会社が発行している新株予約権（会236①四の期間の初日が到来していないものを除く）の目的となる当該株式会社の株式の数（種類株式発行会社にあっては、種類及び種類ごとの数）　　　　　　　　　　　　　　　　　【計規106】

（16）税効果会計に関する注記

次に掲げるもの（重要でないものを除く）の発生の主な原因

①　繰延税金資産（その算定にあたり繰延税金資産から控除された金額がある場合における当該金額を含む）

②　繰延税金負債　　　　　　　　　　　　　　【計規107】

（17）リースにより使用する固定資産に関する注記

ファイナンス・リース取引の借主である株式会社が当該ファイナンス・リース取引について通常の売買取引に係る方法に準じて会計処理を行っていない場合におけるリース物件（固定資産に限る）に関する事項

当該リース物件の全部又は一部に係る次に掲げる事項（各リース物件について一括して注記する場合にあっては、一括して注記すべきリース物件に関する事項）を含めることを妨げない。

①　当該事業年度の末日における取得原価相当額

②　当該事業年度の末日における減価償却累計額相当額

③　当該事業年度の末日における未経過リース料相当額

④　①～③に掲げるもののほか、当該リース物件に係る重要な事項　　　　　　　　　　　　　　　　【計規108】

（18）金融商品に関する注記

①　金融商品の状況に関する事項

②　金融商品の時価等に関する事項

③　金融商品の時価の適切な区分ごとの内訳等に関する事項（大会社であって有価証券報告書提出会社以外は省略することができる）

ただし、重要性のないものについては、注記を省略できる。　　　　　　　　　　　　　　　　　　【計規109①】

連結注記表を作成する株式会社は個別注記表に注記を要しない。　　　　　　　　　　　　　　　　　【計規109②】

（19）賃貸等不動産に関する注記

①　賃貸等不動産の状況に関する事項

②　賃貸等不動産の時価に関する事項

ただし、重要性のないものについては、注記を省略できる。　　　　　　　　　　　　　　　　　　【計規110①】

連結注記表を作成する株式会社は個別注記表に注記を要

しない。　　　　　　　　　　　　　　【計規110②】

（20）持分法損益等に関する注記

① 関連会社がある場合には関連会社に対する投資の金額並びに当該投資に対して持分法を適用した場合の投資の金額及び投資利益又は投資損失の金額

　　ただし、損益及び利益剰余金からみて重要性の乏しい関連会社を除外することができる。　　　　　【計規111①】

② 開示対象特別目的会社がある場合には開示対象特別目的会社の概要、開示対象特別目的会社との取引の概要及び取引金額その他の重要な事項　　　　　　　【計規111①】

③ 連結計算書類を作成する株式会社は個別注記表に注記を要しない。　　　　　　　　　　　　　　【計規111②】

（21）関連当事者との取引に関する注記

① 関連当事者とは、次に掲げる者をいう。【計規112④】

　ア　当該株式会社の親会社

　イ　当該株式会社の子会社

　ウ　当該株式会社の親会社の子会社（当該親会社が会社でない場合にあっては当該親会社の子会社に相当するものを含む）

　エ　当該株式会社のその他の関係会社（当該株式会社が他の会社の関連会社である場合における当該他の会社をいう。以下同じ）並びに当該その他の関係会社の親会社（当該その他の関係会社が株式会社でない場合にあっては、親会社に相当するもの）及び子会社（当該その他の関係会社が会社でない場合にあっては、子会社に相当するもの）

　オ　当該株式会社の関連会社及び当該関連会社の子会社（当該関連会社が会社でない場合にあっては、子会社に相当するもの）

　カ　当該株式会社の主要株主（自己又は他人の名義をもって当該株式会社の総株主の議決権の総数の100分の10以上の議決権（次に掲げる株式に係る議決権を除く）を保有している株主をいう）及びその近親者（二親等内の親族をいう。以下同じ）

　　(ア)　信託業（信託業法（平成16年法律第154号）2①に規定する信託業をいう）を営む者が信託財産として所有する株式

　　(イ)　有価証券関連業（金商28⑧に規定する有価証券関連業をいう）を営む者が引受け又は売出しを行う業務により取得した株式

　　(ウ)　金商156の24①に規定する業務を営む者がその業務として所有する株式

　キ　当該株式会社の役員及びその近親者

　ク　当該株式会社の親会社の役員又はこれらに準ずる者及びその近親者

　ケ　カ、キ、クに掲げる者が他の会社等の議決権の過半数を自己の計算において所有している場合における当該会社等及び当該会社等の子会社（当該会社等が会社でない場合にあっては、子会社に相当するもの）

　コ　従業員のための企業年金（当該株式会社と重要な取引（掛金の拠出を除く）を行う場合に限る）

② 関連当事者との取引に関し以下の事項であって重要なものを注記する（当該株式会社と第三者との間の取引で当該株式会社と当該関連当事者との間の利益が相反する

ものを含む）。　　　　　　　　　　　【計規112①】

　ア　当該関連当事者が会社等であるときは、次に掲げる事項

　　(ア)　その名称

　　(イ)　当該関連当事者の総株主の議決権の総数に占める株式会社が有する議決権の数の割合

　　(ウ)　当該株式会社の総株主の議決権の総数に占める当該関連当事者が有する議決権の数の割合

　イ　当該関連当事者が個人であるときは、次に掲げる事項

　　(ア)　その氏名

　　(イ)　当該株式会社の総株主の議決権の総数に占める当該関連当事者が有する議決権の数の割合

　ウ　当該株式会社と当該関連当事者との関係

　エ　取引の内容

　オ　取引の種類別の取引金額

　カ　取引条件及び取引条件の決定方針

　キ　取引により発生した債権又は債務に係る主な項目別の当該事業年度の末日における残高

　ク　取引条件の変更があったときは、その旨、変更の内容及び当該変更が計算書類に与えている影響の内容

③ 関連当事者との取引に関する注記は、②に掲げる区分に従い、関連当事者ごとに表示しなければならない。

　　　　　　　　　　　　　　　　　　【計規112③】

④ 会計監査人設置会社以外の株式会社にあっては、上記エ、オ、カ、クに掲げる事項を省略することができる。

　　　　　　　　　　　　　【計規112①ただし書】

⑤ 以下の事項に関しては注記を要しない。【計規112②】

　ア　一般競争入札による取引並びに預金利息及び配当金の受取りその他取引の性質からみて取引条件が一般の取引と同様であることが明白な取引

　イ　役員（取締役、会計参与、監査役又は執行役）に対する報酬等の給付

　ウ　ア、イに掲げる取引のほか、当該取引に係る条件につき市場価格その他当該取引に係る公正な価格を勘案して一般の取引の条件と同様のものを決定していることが明白な取引

（22）1株当たり情報に関する注記

① 1株当たりの純資産額

② 1株当たりの当期純利益金額又は当期純損失金額（連結計算書類にあっては、1株当たりの親会社株主に帰属する当期純利益金額又は当期純損失金額）

③ 株式会社が当該事業年度（連結計算書類にあっては、当該連結会計年度）又は当該事業年度の末日後において株式の併合又は株式の分割をした場合において、当該事業年度の期首に株式の併合又は株式の分割をしたと仮定して①、②に掲げる額を算定したときは、その旨。

　　　　　　　　　　　　　　　　　　　【計規113】

（23）重要な後発事象に関する注記

① 個別注記表における記載内容

　　当該株式会社の事業年度の末日後、当該株式会社の翌事業年度以降の財産又は損益に重要な影響を及ぼす事象が発生した場合における当該事象　　　【計規114①】

② 連結注記表における記載内容

当該株式会社の事業年度の末日後、連結会社並びに持分法が適用される非連結子会社及び関連会社の翌事業年度以降の財産又は損益に重要な影響を及ぼす事象が発生した場合における当該事象

ただし、当該株式会社の事業年度の末日と異なる日をその事業年度の末日とする子会社及び関連会社については、当該子会社及び関連会社の事業年度の末日後に発生した場合における当該事象　　　　　　　　　　　【計規114②】

（24）連結配当規制適用会社に関する注記

当該事業年度の末日が最終事業年度の末日となる時後、連結配当規制適用会社となる旨　　　　　　　　　　【計規115】

（25）収益認識に関する注記

① 収益認識に関する注記は、会社が顧客との契約に基づく義務の履行の状況に応じて当該契約から生ずる収益を認識する場合における次に掲げる事項（重要性の乏しいものを除く）とする。ただし、会444③（大会社であって、有価証券報告書提出会社）に規定する株式会社以外の株式会社にあっては、ア及びウに掲げる事項を省略することができる。

ア 当該事業年度に認識した収益を、収益及びキャッシュ・フローの性質、金額、時期及び不確実性に影響を及ぼす主要な要因に基づいて区分をした場合における当該区分ごとの収益の額その他の事項

イ 収益を理解するための基礎となる情報

ウ 当該事業年度及び翌事業年度以降の収益の金額を理解するための情報

② ①に掲げる事項が計規101の規定により注記すべき事項と同一であるときは、①の規定による当該事項の注記を要しない。

③ 連結計算書類を作成する株式会社は、個別注記表における①（イを除く）の注記を要しない。

④ 個別注記表に注記すべき事項（①イに掲げる事項に限る）が連結注記表に注記すべき事項と同一である場合において、個別注記表にその旨を注記するときは、個別注記表における当該事項の注記を要しない。
　　　　　　　　　　　　　　　　　　　　【計規115の2】

（26）その他の注記

その他の注記は、（3）〜（25）のほか、貸借対照表等、損益計算書等及び株主資本等変動計算書等により会社（連結注記表にあっては、企業集団）の財産又は損益の状態を正確に判断するために必要な事項とする。　【計規116】

7. 会社法以外の法令の規定による準備金等

(1) 会社法以外の法令の規定により準備金又は引当金の名称をもって計上しなければならない準備金又は引当金であって、資産の部又は負債の部に計上することが適当でないもの（準備金等）は、固定負債の次に別の区分を設けて表示しなければならない。

この場合において、当該準備金等については、当該準備金等の設定目的を示す名称を付した項目をもって表示しなければならない。　　　　　　　　　　　　【計規119①】

(2) 会社法以外の法令の規定により準備金又は引当金の名称をもって計上しなければならない準備金又は引当金がある場合には、次に掲げる事項（②の区別をすることが

困難である場合にあっては、①に掲げる事項）を注記表に表示しなければならない。

① 当該法令の条項

② 当該準備金又は引当金が一年内に使用されると認められるものであるかどうかの区別　　　　　　　　【計規119②】

8. 事業報告

（1）事業報告の内容

① 株式会社の状況に関する重要な事項（計算書類及びその附属明細書並びに連結計算書類の内容となる事項を除く）

② 内部統制の整備についての決定又は決議の内容の概要及び当該体制の運用状況の概要

③ 株式会社が当該株式会社の財務及び事業の方針の決定を支配する者の在り方に関する基本方針を定めているときは、次に掲げる事項

ア 基本方針の内容の概要

イ 次に掲げる取組みの具体的な内容の概要

(ア) 当該株式会社の財産の有効な活用、適切な企業集団の形成その他の基本方針の実現に資する特別な取組み

(イ) 基本方針に照らして不適切な者によって当該株式会社の財務及び事業の方針の決定が支配されることを防止するための取組み

ウ イの取組みの次に掲げる要件への該当性に関する当該株式会社の取締役（取締役会設置会社にあっては、取締役会）の判断及びその理由（当該理由が社外役員の存否に関する事項のみである場合における当該事項を除く）

(ア) 当該取組みが基本方針に沿うものであること

(イ) 当該取組みが当該株式会社の共同の利益を損なうものではないこと

(ウ) 当該取組みが当該株式会社の会社役員の地位の維持を目的とするものではないこと

④ 当該株式会社（当該事業年度の末日において、その完全親会社等があるものを除く）に特定完全子会社（当該事業年度の末日において、当該株式会社及びその完全子会社等（会847の3③の規定により当該完全子会社等とみなされるものを含む）における当該株式会社のある完全子会社等（株式会社に限る）の株式の帳簿価額が当該株式会社の当該事業年度に係る貸借対照表の資産の部に計上した額の合計額の5分の1（会847の3④の規定により5分の1を下回る割合を定款で定めた場合にあっては、その割合）を超える場合における当該ある完全子会社等をいう）がある場合には、次に掲げる事項

ア 当該特定完全子会社の名称及び住所

イ 当該株式会社及びその完全子会社等における当該特定完全子会社の株式の当該事業年度の末日における帳簿価額の合計額

ウ 当該株式会社の当該事業年度に係る貸借対照表の資産の部に計上した額の合計額

⑤ 当該株式会社とその親会社等との間の取引（当該株式会社と第三者との間の取引で当該株式会社とその親会社等との間の利益が相反するものを含む）であって、当該

株式会社の当該事業年度に係る個別注記表において計規112①に規定する注記を要するもの（同項ただし書の規定により同項四から六まで及び八に掲げる事項を省略するものを除く）があるときは、当該取引に係る次に掲げる事項

ア　当該取引をするにあたり当該株式会社の利益を害さないように留意した事項（当該事項がない場合にあっては、その旨）

イ　当該取引が当該株式会社の利益を害さないかどうかについての当該株式会社の取締役（取締役会設置会社にあっては、取締役会。ウにおいて同じ）の判断及びその理由

ウ　社外取締役を置く株式会社において、イの取締役の判断が社外取締役の意見と異なる場合には、その意見　　　　　　　　　　　　　　　　　【会施規118】

（2）公開会社の特則

株式会社が当該事業年度の末日において公開会社である場合には、次に掲げる事項を事業報告の内容に含めなければならない。

① 株式会社の現況に関する事項
② 株式会社の会社役員に関する事項
③ 株式会社の役員等賠償責任保険契約に関する事項
④ 株式会社の株式に関する事項
⑤ 株式会社の新株予約権等に関する事項　【会施規119】

（3）株式会社の現況に関する事項

① 会施規119一の「株式会社の現況に関する事項」とは、次に掲げる事項（当該株式会社の事業が二以上の部門に分かれている場合にあっては、部門別に区別することが困難である場合を除き、その部門別に区別された事項）とする。

ア　当該事業年度の末日における主要な事業内容

イ　当該事業年度の末日における主要な営業所及び工場並びに使用人の状況

ウ　当該事業年度の末日において主要な借入先があるときは、その借入先及び借入額

エ　当該事業年度における事業の経過及びその成果

オ　当該事業年度における次に掲げる事項についての状況（重要なものに限る）
　㋐　資金調達
　㋑　設備投資
　㋒　事業の譲渡、吸収分割又は新設分割
　㋓　他の会社（外国会社を含む）の事業の譲受け
　㋔　吸収合併（会社以外の者との合併（当該合併後当該株式会社が存続するものに限る）を含む）又は吸収分割による他の法人等の事業に関する権利義務の承継
　㋕　他の会社（外国会社を含む）の株式その他の持分又は新株予約権等の取得又は処分

カ　直前3事業年度（当該事業年度の末日において3事業年度が終了していない株式会社にあっては、成立後の各事業年度）の財産及び損益の状況

キ　重要な親会社及び子会社の状況（当該親会社と当該株式会社の重要な財務及び本業の方針に関する契約等が存在する場合には、その内容の概要を含む）

ク　対処すべき課題

ケ　ア～クに掲げるもののほか、当該株式会社の現況に関する重要な事項

② 株式会社が当該事業年度に係る連結計算書類を作成している場合には、①に掲げる事項については、当該株式会社及びその子会社から成る企業集団の現況に関する事項とすることができる。この場合において、当該事項に相当する事項が連結計算書類の内容となっているときは、当該事項を事業報告の内容としないことができる。

③ ①カに掲げる事項については、当該事業年度における過年度事項（当該事業年度より前の事業年度に係る貸借対照表、損益計算書又は株主資本等変動計算書に表示すべき事項をいう）が会計方針の変更その他の正当な理由により当該事業年度より前の事業年度に係る定時株主総会において承認又は報告をしたものと異なっているときは、修正後の過年度事項を反映した事項とすることを妨げない。　　　　　　　　　　　　　　【会施規120】

（4）株式会社の会社役員に関する事項

会施規119二の「株式会社の会社役員に関する事項」とは、次に掲げる事項とする。ただし、当該事業年度の末日において監査役会設置会社（公開会社であり、かつ、大会社であるものに限る）であって金商24①の規定によりその発行する株式について有価証券報告書を内閣総理大臣に提出しなければならないもの、監査等委員会設置会社又は指名委員会等設置会社でない株式会社にあっては、⑬に掲げる事項を省略することができる。

① 会社役員の氏名（会計参与にあっては、氏名又は名称）

② 会社役員の地位及び担当

③ 会社役員（取締役又は監査役に限る）と当該株式会社との間で会427①の責任限定契約を締結しているときは、当該契約の内容の概要（当該契約によって当該会社役員の職務の執行の適正性が損なわれないようにするための措置を講じている場合にあっては、その内容を含む）

④ 会社役員（取締役、監査役又は執行役に限る）と当該株式会社との間で補償契約を締結しているときは、次に掲げる事項
　ア　当該会社役員の氏名
　イ　当該補償契約の内容の概要（当該補償契約によって当該会社役員の職務の執行の適正性が損なわれないようにするための措置を講じている場合にあっては、その内容を含む）

⑤ 当該株式会社が会社役員（取締役、監査役又は執行役に限り、当該事業年度の前事業年度の末日までに退任した者を含む）に対して補償契約に基づき会430の2①一に掲げる費用を補償した場合において、当該株式会社が、当該事業年度において、当該会社役員が同号の職務の執行に関し法令の規定に違反したこと又は責任を負うことを知ったときは、その旨

⑥ 当該株式会社が会社役員に対して補償契約に基づき会430の2①二に掲げる損失を補償したときは、その旨及び補償した金額

⑦ 当該事業年度に係る会社役員の報酬等について、次のアからウまでに掲げる場合の区分に応じ、当該アからウ

までに定める事項

ア　会社役員の全部につき取締役（監査等委員会設置会社にあっては、監査等委員である取締役又はそれ以外の取締役）、会計参与、監査役又は執行役ごとの報酬等の総額（当該報酬等が業績連動報酬等又は非金銭報酬等を含む場合には、業績連動報酬等の総額、非金銭報酬等の総額及びそれら以外の報酬等の総額）を掲げることとする場合　取締役、会計参与、監査役又は執行役ごとの報酬等の総額及び員数

イ　会社役員の全部につき当該会社役員ごとの報酬等の額（当該報酬等が業績連動報酬等又は非金銭報酬等を含む場合には、業績連動報酬等の額、非金銭報酬等の額及びそれら以外の報酬等の額）を掲げることとする場合　当該会社役員ごとの報酬等の額

ウ　会社役員の一部につき当該会社役員ごとの報酬等の額を掲げることとする場合　当該会社役員ごとの報酬等の額並びにその他の会社役員についての取締役、会計参与、監査役又は執行役ごとの報酬等の総額及び員数

⑧　当該事業年度において受け、又は受ける見込みの額が明らかとなった会社役員の報酬等（⑦の規定により当該事業年度に係る事業報告の内容とする報酬等及び当該事業年度前の事業年度に係る事業報告の内容とした報酬等を除く）について、⑦アからウまでに掲げる場合の区分に応じ、当該アからウまでに定める事項

⑨　⑦及び⑧の会社役員の報酬等の全部又は一部が業績連動報酬等である場合には、次に掲げる事項

ア　当該業績連動報酬等の額又は数の算定の基礎として選定した業績指標の内容及び当該業績指標を選定した理由

イ　当該業績連動報酬等の額又は数の算定方法

ウ　当該業績連動報酬等の額又は数の算定に用いたアの業績指標に関する実績

⑩　⑦及び⑧の会社役員の報酬等の全部又は一部が非金銭報酬等である場合には、当該非金銭報酬等の内容

⑪　会社役員の報酬等についての定款の定め又は株主総会の決議による定めに関する次に掲げる事項

ア　当該定款の定めを設けた日又は当該株主総会の決議の日

イ　当該定めの内容の概要

ウ　当該定めに係る会社役員の員数

⑫　取締役又は執行役等の個人別の報酬等の内容についての決定に関する方針（会361⑦、409①）を定めているときは、次に掲げる事項

ア　当該方針の決定の方法

イ　当該方針の内容の概要

ウ　当該事業年度に係る取締役（監査等委員である取締役を除き、指名委員会等設置会社にあっては、執行役等）の個人別の報酬等の内容が当該方針に沿うものであると取締役会（指名委員会等設置会社にあっては、報酬委員会）が判断した理由

⑬　各会社役員の報酬等の額又はその算定方法に係る決定に関する方針（⑫の方針を除く）を定めているときは、当該方針の決定の方法及びその方針の内容の概要

⑭　株式会社が当該事業年度の末日において取締役会設置会社（指名委員会等設置会社を除く）である場合において、取締役会から委任を受けた取締役その他の第三者が当該事業年度に係る取締役（監査等委員である取締役を除く）の個人別の報酬等の内容の全部又は一部を決定したときは、その旨及び次に掲げる事項

ア　当該委任を受けた者の氏名並びに当該内容を決定した日における当該株式会社における地位及び担当

イ　アの者に委任された権限の内容

ウ　アの者にイの権限を委任した理由

エ　アの者によりイの権限が適切に行使されるようにするための措置を講じた場合にあっては、その内容

⑮　辞任した会社役員又は解任された会社役員（株主総会又は種類株主総会の決議によって解任されたものを除く）があるときは、次に掲げる事項（当該事業年度前の事業年度に係る事業報告の内容としたものを除く）

ア　当該会社役員の氏名（会計参与にあっては、氏名又は名称）

イ　会342の２①もしくは④又は345①（345④において読み替えて準用する場合を含む）の選任もしくは解任又は辞任についての意見があるときは、その意見の内容

ウ　会342の２②又は345②（345④において読み替えて準用する場合を含む）の辞任理由があるときは、その理由

⑯　当該事業年度に係る当該株式会社の会社役員（会計参与を除く）の重要な兼職の状況

⑰　会社役員のうち監査役、監査等委員又は監査委員が財務及び会計に関する相当程度の知見を有しているものであるときは、その事実

⑱　次のア又はイに掲げる場合の区分に応じ、当該ア又はイに定める事項

ア　株式会社が当該事業年度の末日において監査等委員会設置会社である場合　常勤の監査等委員の選定の有無及びその理由

イ　株式会社が当該事業年度の末日において指名委員会等設置会社である場合　常勤の監査委員の選定の有無及びその理由

⑲　①～⑱に掲げるもののほか、株式会社の会社役員に関する重要な事項　　　　　　　　　　　【会施規121】

（5）株式会社の役員等賠償責任保険契約に関する事項

　会施規119二の二に規定する「株式会社の役員等賠償責任保険契約に関する事項」とは、当該株式会社が保険者との間で役員等賠償責任保険契約を締結しているときにおける次に掲げる事項とする。

①　当該役員等賠償責任保険契約の被保険者の範囲

②　当該役員等賠償責任保険契約の内容の概要（被保険者が実質的に保険料を負担している場合にあってはその負担割合、填補の対象とされる保険事故の概要及び当該役員等賠償責任保険契約によって被保険者である役員等（当該株式会社の役員等に限る）の職務の執行の適正性が損なわれないようにするための措置を講じている場合にあってはその内容を含む）　【会施規121の２】

(6) 株式会社の株式に関する事項

会施規119三に規定する「株式会社の株式に関する事項」とは、次に掲げる事項とする。

① 当該事業年度の末日において発行済株式（自己株式を除く）の総数に対するその有する株式の数の割合が高いことにおいて上位となる十名の株主の氏名又は名称、当該株主の有する株式の数（種類株式発行会社にあっては、株式の種類及び種類ごとの数を含む）及び当該株主の有する株式に係る当該割合

② 当該事業年度中に当該株式会社の会社役員（会社役員であった者を含む）に対して当該株式会社が交付した当該株式会社の株式（職務執行の対価として交付したものに限り、当該株式会社が会社役員に対して職務執行の対価として募集株式と引換えにする払込みに充てるための金銭を交付した場合において、当該金銭の払込みと引換えに当該株式会社の株式を交付したときにおける当該株式を含む）があるときは、次に掲げる者（次に掲げる者であった者を含む）の区分ごとの株式の数（種類株式発行会社にあっては、株式の種類及び種類ごとの数）及び株式の交付を受けた者の人数

　ア　当該株式会社の取締役（監査等委員である取締役及び社外役員を除き、執行役を含む）

　イ　当該株式会社の社外取締役（監査等委員である取締役を除き、社外役員に限る）

　ウ　当該株式会社の監査等委員である取締役

　エ　当該株式会社の取締役（執行役を含む）以外の会社役員

③ ①及び②に掲げるもののほか、株式会社の株式に関する重要な事項

④ 当該事業年度に関する定時株主総会において議決権を行使することができる者を定めるための会124①に規定する基準日を定めた場合において、当該基準日が当該事業年度の末日後の日であるときは、①に掲げる事項については、当該基準日において発行済株式の総数に対するその有する株式の数の割合が高いことにおいて上位となる十名の株主の氏名又は名称、当該株主の有する株式の数（種類株式発行会社にあっては、株式の種類及び種類ごとの数を含む）及び当該株主の有する株式に係る当該割合とすることができる。この場合においては、当該基準日を明らかにしなければならない。　　【会施規122】

(7) 株式会社の新株予約権等に関する事項

会施規119四に規定する「株式会社の新株予約権等に関する事項」とは、次に掲げる事項とする。

① 当該事業年度の末日において当該株式会社の会社役員（当該事業年度の末日において在任している者に限る）が当該株式会社の新株予約権等（職務執行の対価として当該株式会社が交付したものに限り、当該株式会社が会社役員に対して職務執行の対価として募集新株予約権と引換えにする払込みに充てるための金銭を交付した場合において、当該金銭の払込みと引換えに当該株式会社の新株予約権を交付したときにおける当該新株予約権を含む）を有しているときは、次に掲げる者の区分ごとの当該新株予約権等の内容の概要及び新株予約権等を有する者の人数

　ア　当該株式会社の取締役（監査等委員であるもの及び社外役員を除き、執行役を含む）

　イ　当該株式会社の社外取締役（監査等委員であるものを除き、社外役員に限る）

　ウ　当該株式会社の監査等委員である取締役

　エ　当該株式会社の取締役（執行役を含む）以外の会社役員

② 当該事業年度中に次に掲げる者に対して当該株式会社が交付した新株予約権等があるときは、次に掲げる者の区分ごとの当該新株予約権等の内容の概要及び交付した者の人数

　ア　当該株式会社の使用人（当該株式会社の会社役員を兼ねている者を除く）

　イ　当該株式会社の子会社の役員及び使用人（当該株式会社の会社役員又はアに掲げる者を兼ねている者を除く）

③ ①及び②に掲げるもののほか、当該株式会社の新株予約権等に関する重要な事項　　　　　　【会施規123】

(8) 社外役員等に関する特則

① 会社役員のうち社外役員である者が存する場合には、株式会社の会社役員に関する事項には、会施規121に規定する事項のほか、次に掲げる事項を含むものとする。

　ア　社外役員（直前の定時株主総会の終結の日の翌日以降に在任していた者に限る。イ～エまでにおいて同じ）が他の法人等の業務執行者であることが、会施規121八に定める重要な兼職に該当する場合は、当該株式会社と当該他の法人等との関係

　イ　社外役員が他の法人等の社外役員その他これに類する者を兼任していることが、会施規121八に定める重要な兼職に該当する場合は、当該株式会社と当該他の法人等との関係

　ウ　社外役員が次に掲げる者の配偶者、三親等以内の親族その他これに準ずる者であることを当該株式会社が知っているときは、その事実（重要でないものを除く）

　　(ア)　当該株式会社の親会社等（自然人であるものに限る）

　　(イ)　当該株式会社又は当該株式会社の特定関係事業者の業務執行者又は役員（業務執行者であるものを除く）

　エ　各社外役員の当該事業年度における主な活動状況（次に掲げる事項を含む）

　　(ア)　取締役会（当該社外役員が次に掲げる者である場合にあっては、次に定めるものを含む。(イ)において同じ）への出席の状況

　　　A　監査役会設置会社の社外監査役　監査役会

　　　B　監査等委員会設置会社の監査等委員　監査等委員会

　　　C　指名委員会等設置会社の監査委員　監査委員会

　　(イ)　取締役会における発言の状況

　　(ウ)　当該社外役員の意見により当該株式会社の事業の方針又は事業その他の事項に係る決定が変更されたときは、その内容（重要でないものを除く）

　　(エ)　当該事業年度中に当該株式会社において法令又は定款に違反する事実その他不当な業務の執行（当該

社外役員が社外監査役である場合にあっては、不正な業務の執行)が行われた事実(重要でないものを除く)があるときは、各社外役員が当該事実の発生の予防のために行った行為及び当該事実の発生後の対応として行った行為の概要

　(オ) 当該社外役員が社外取締役であるときは、当該社外役員が果たすことが期待される役割に関して行った職務の概要((ア)から(エ)までに掲げる事項を除く)

オ　当該事業年度に係る社外役員の報酬等について、次の(ア)から(ウ)までに掲げる場合の区分に応じ、当該(ア)から(ウ)までに定める事項

　(ア) 社外役員の全部につき報酬等の総額を掲げることとする場合　社外役員の報酬等の総額及び員数

　(イ) 社外役員の全部につき当該社外役員ごとの報酬等の額を掲げることとする場合　当該社外役員ごとの報酬等の額

　(ウ) 社外役員の一部につき当該社外役員ごとの報酬等の額を掲げることとする場合　当該社外役員ごとの報酬等の額並びにその他の社外役員についての報酬等の総額及び員数

カ　当該事業年度において受け、又は受ける見込みの額が明らかとなった社外役員の報酬等(オにより当該事業年度に係る事業報告の内容とする報酬等及び当該事業年度前の事業年度に係る事業報告の内容とした報酬等を除く)について、前記オ(ア)から(ウ)までに掲げる場合の区分に応じ、当該(ア)から(ウ)までに定める事項

キ　社外役員が次の(ア)又は(イ)に掲げる場合の区分に応じ当該(ア)又は(イ)に定めるものから当該事業年度において役員としての報酬等を受けているときは、当該報酬等の総額(社外役員であった期間に受けたものに限る)

　(ア) 当該株式会社に親会社等がある場合　当該親会社等又は当該親会社等の子会社等(当該株式会社を除く)

　(イ) 当該株式会社に親会社等がない場合　当該株式会社の子会社

ク　社外役員についてのア〜キに掲げる事項の内容に対して当該社外役員の意見があるときは、その意見の内容　　　　　　　　　　　　　　　【会施規124】

(9) 会計参与設置会社における事業報告の内容

株式会社が当該事業年度の末日において会計参与設置会社である場合には、次に掲げる事項を事業報告の内容としなければならない。

①　会計参与と当該株式会社との間で会427①の責任限定契約を締結しているときは、当該契約の内容の概要(当該契約によって当該会計参与の職務の執行の適正性が損なわれないようにするための措置を講じている場合にあっては、その内容を含む)

②　会計参与と当該株式会社との間で補償契約を締結しているときは、次に掲げる事項

ア　当該会計参与の氏名又は名称

イ　当該補償契約の内容の概要(当該補償契約によって当該会計参与の職務の執行の適正性が損なわれないようにするための措置を講じている場合にあっては、その内容を含む)

③　当該株式会社が会計参与(当該事業年度の前事業年度の末日までに退任した者を含む)に対して補償契約に基づき会430の2①一に掲げる費用を補償した場合において、当該株式会社が、当該事業年度において、当該会計参与が会430の2①一の職務の執行に関し法令の規定に違反したこと又は責任を負うことを知ったときは、その旨

④　当該株式会社が会計参与に対して補償契約に基づき会430の2①二に掲げる損失を補償したときは、その旨及び補償した金額　　　　　　　　　　　【会施規125】

(10) 会計監査人設置会社における事業報告の内容

株式会社が当該事業年度の末日において会計監査人設置会社である場合には、次に掲げる事項(株式会社が当該事業年度の末日において、公開会社でない場合にあっては、②から④までに掲げる事項を除く)を事業報告の内容としなければならない。

①　会計監査人の氏名又は名称

②　当該事業年度に係る各会計監査人の報酬等の額及び当該報酬等について監査役(監査役会設置会社にあっては監査役会、監査等委員会設置会社にあっては監査等委員会、指名委員会等設置会社にあっては監査委員会)が会399①の同意をした理由

③　会計監査人に対して公認会計士法2①の業務以外の業務(非監査業務)の対価を支払っているときは、その非監査業務の内容

④　会計監査人の解任又は不再任の決定の方針

⑤　会計監査人が現に業務の停止の処分を受け、その停止の期間を経過しない者であるときは、当該処分に係る事項

⑥　会計監査人が過去2年間に業務の停止の処分を受けた者である場合における当該処分に係る事項のうち、当該株式会社が事業報告の内容とすることが適切であるものと判断した事項

⑦　会計監査人と当該株式会社との間で会427①の責任限定契約を締結しているときは、当該契約の内容の概要(当該契約によって当該会計監査人の職務の適正性が損なわれないようにするための措置を講じている場合にあっては、その内容を含む)

⑧　会計監査人と当該株式会社との間で補償契約を締結しているときは、次に掲げる事項

ア　当該会計監査人の氏名又は名称

イ　当該補償契約の内容の概要(当該補償契約によって当該会計監査人の職務の執行の適正性が損なわれないようにするための措置を講じている場合にあっては、その内容を含む)

⑨　当該株式会社が会計監査人(当該事業年度の前事業年度の末日までに退任した者を含む)に対して補償契約に基づき会430の2①一に掲げる費用を補償した場合において、当該株式会社が、当該事業年度において、当該会計監査人が同号の職務の執行に関し法令の規定に違反したこと又は責任を負うことを知ったときは、その旨

⑩　当該株式会社が会計監査人に対して補償契約に基づき会430の2①二に掲げる損失を補償したときは、その旨及び補償した金額

⑪　株式会社が会444③に規定する大会社であるときは、次に掲げる事項

　ア　当該株式会社の会計監査人である公認会計士（公認会計士法16の2⑤に規定する外国公認会計士を含む）又は監査法人に当該株式会社及びその子会社が支払うべき金銭その他の財産上の利益の合計額（当該事業年度に係る連結損益計算書に計上すべきものに限る）

　イ　当該株式会社の会計監査人以外の公認会計士（公認会計士法16の2⑤に規定する外国公認会計士を含む）又は監査法人（外国におけるこれらの資格に相当する資格を有する者を含む）が当該株式会社の子会社（重要なものに限る）の計算関係書類の監査をしているときは、その事実

⑫　辞任した会計監査人（公認会計士法16の2⑤に規定する外国公認会計士を含む）又は解任された会計監査人（公認会計士法16の2⑤に規定する外国公認会計士を含み、株主総会の決議によって解任されたものを除く）があるときは、次に掲げる事項（当該事業年度前の事業年度に係る事業報告の内容としたものを除く）

　ア　当該会計監査人の氏名又は名称

　イ　会340③の解任の理由があるときは、その理由

　ウ　会345⑤において読み替えて準用する同条①の選任等の意見があるときは、その意見の内容

　エ　会345⑤において読み替えて準用する同条②の辞任の理由があるときは、その理由又は意見

⑬　会459①（剰余金の配当等を取締役会が決定）の規定による定款の定めがあるときは、当該定款の定めにより取締役会に与えられた権限の行使に関する方針

【会施規126】

3　附属明細書

1. 計算書類の附属明細書

　次に掲げる事項のほか、計算書類の内容を補足する重要な事項を表示する。　　　　【計規117】

(1)　有形固定資産及び無形固定資産の明細

(2)　引当金の明細

(3)　販売費及び一般管理費の明細

(4)　関連当事者の注記（計規112①ただし書）において、会計監査人設置会社以外の株式会社であって注記を省略した事項

(注) 公開会社でない株式会社は(1)～(3)

会計制度委員会研究報告第9号

計算書類に係る附属明細書のひな型

平成15年11月5日
改正　平成18年6月15日
最終改正　平成26年4月2日
日本公認会計士協会

＜構　成＞

Ⅰ　はじめに

Ⅱ　一般的事項

Ⅲ　ひな型

　1．有形固定資産及び無形固定資産の明細

　2．引当金の明細

　3．販売費及び一般管理費の明細

　4．その他の重要な事項

Ⅰ　はじめに

1．計算書類に係る附属明細書（以下「附属明細書」という。）は、会社法第435条第2項で株式会社においてその作成が求められるとともに、会社計算規則第117条で株式会社の貸借対照表、損益計算書、株主資本等変動計算書及び個別注記表の内容を補足する重要な事項を表示することが求められているものである。

　会社法及び会社計算規則では具体的な作成方法は示されていないため、その作成に当たっては、株式会社の自主的判断を加えて、株主等に正確で、かつ、分かりやすい情報となるよう留意しなければならない。

　本研究報告は、上記の趣旨を踏まえて会社計算規則で定められている附属明細書のひな型の一例を示し、実務の参考に資するものである。

2．本ひな型は、株式会社のうち一般の事業会社に係る附属明細書の作成方法を示したものであるため、その他の業種に属する株式会社においては、本ひな型の趣旨に即して、作成方法に適宜工夫をこらす必要がある。

　　また、本ひな型は、会社法第436条第2項第1号の規定に基づく会計監査人の監査を受ける会計監査人設置会社を主として対象にしたものであり、このため会社計算規則第117条第4号の記載事項についてのひな型は示していないが、その他の株式会社においても、該当する本ひな型を参考にされることが望ましい。

2-2．平成26年改正の本ひな型は、平成26年3月に交付された「財務諸表等の用語、様式及び作成方法に関する規則等の一部を改正する内閣府令」（内閣府令第19号）において、会社法に基づいて作成される計算書類を基に金融商品取引法の財務諸表（比較情報を含む。）として記載できることが規定されたことを踏まえ、所要の改正を行ったものである。

II　一般的事項

1．該当項目のないものは作成を要しない（「該当事項なし」と特に記載する必要はない。）。

2．会社計算規則に規定されている附属明細書の記載項目は最小限度のものであるので、株式会社が、その他の情報について株主等にとり有用であると判断した場合には、項目を適宜追加して記載することが望ましい。

3．金額の記載単位については、貸借対照表、損益計算書、株主資本等変動計算書及び個別注記表の金額の記載単位に合わせて記載するものとする（単位未満の端数の処理を含む。）。

III　ひな型

1．有形固定資産及び無形固定資産の明細

(1)　帳簿価額による記載

区分	資産の種類	期首帳簿価額	当期増加額	当期減少額	当期償却額	期末帳簿価額	減価償却累計額	期末取得原価
		円	円	円	円	円	円	円
有形固定資産								
	計							
無形固定資産								
	計							

(2)　取得原価による記載

区分	資産の種類	期首残高	当期増加額	当期減少額	期末残高	期末減価償却累計額又は償却累計額	当期償却額	差引期末帳簿価額
		円	円	円	円	円	円	円
有形固定資産								
	計							
無形固定資産								
	計							

（記載上の注意）

1．(1)又は(2)のいずれかの様式により作成する。

2．(1)にあっては、「期首帳簿価額」、「当期増加額」、「当期減少額」及び「期末帳簿価額」の各欄は帳簿価額によって記載し、期末帳簿価額と減価償却累計額の合計額を「期末取得原価」の欄に記載する。

3．(2)にあっては、「期首残高」、「当期増加額」、「当期減少額」及び「期末残高」の各欄は取得原価によって記載し、期末残高から期末減価償却累計額又は償却累計額を控除した残高を「差引期末帳簿価額」の欄に記載する。

4．有形固定資産若しくは無形固定資産の期末帳簿価額に重要性がない場合、又は有形固定資産若しくは無形固定資産の当期増加額及び当期減少額に重要性がない場合には、(1)における「期首帳簿価額」又は(2)における「期首残高」、「当期増加額」及び「当期減少額」の各欄の記載を省略した様式により作成することができる。この場合には、その旨を脚注する。

5．「固定資産の減損に係る会計基準の設定に関する意見書」(平成14年8月9日企業会計審議会)に基づき減損損失を認識した場合には、次のように記載する。

貸借対照表上、直接控除形式(減損処理前の取得原価から減損損失を直接控除し、控除後の金額をその後の取得原価とする形式)により表示しているときは、当期の減損損失を「当期減少額」の欄に内書(括弧書)として記載する。

貸借対照表上、独立間接控除形式(減価償却を行う有形固定資産に対する減損損失累計額を取得原価から間接控除する形式)により表示しているときは、当期の減損損失は「当期償却額」の欄に内書(括弧書)として記載し、減損損失累計額については(1)における「期末帳簿価額」又は(2)における「期末残高」の欄の次に「減損損失累計額」の欄を設けて記載する。

貸借対照表上、合算間接控除形式(減価償却を行う有形固定資産に対する減損損失累計額を取得原価から間接控除し、減損損失累計額を減価償却累計額に合算して表示する形式)を採用しているときは、当期の減損損失は「当期償却額」の欄に内書(括弧書)として記載し、減損損失累計額については(1)における「減価償却累計額」又は(2)における「期末減価償却累計額又は償却累計額」の欄に減損損失累計額を含めて記載する。この場合には、いずれの場合も減損損失累計額が含まれている旨を脚注する。

6．合併、会社分割、事業の譲受け又は譲渡、贈与、災害による廃棄、滅失等の特殊な理由による重要な増減があった場合には、その理由並びに設備等の具体的な内容及び金額を脚注する。

7．上記6．以外の重要な増減については、その設備等の具体的な内容及び金額を脚注する。

8．投資その他の資産に減価償却資産が含まれている場合には、当該資産についても記載することが望ましい。この場合には、表題を「有形固定資産及び無形固定資産(投資その他の資産に計上された償却費の生ずるものを含む。)の明細」等に適宜変更する。

2．引当金の明細
　(1)　当期減少額の欄を区分する記載

区　　分	期首残高	当期増加額	当期減少額		期末残高
			目的使用	その他	
	円	円	円	円	円

　(2)　当期減少額の欄を区分しない記載

科　　目	当期首残高	当期増加額	当期減少額	当期末残高
	円	円	円	円

(記載上の注意)
1．(1)又は(2)のいずれかの様式により作成する。
2．期首又は期末のいずれかに残高がある場合にのみ作成する。
3．当期増加額と当期減少額は相殺せずに、それぞれ総額で記載する。
4．(1)の「当期減少額」の欄のうち、「その他」の欄には、目的使用以外の理由による減少額を記載し、その理由を脚注する。
5．退職給付引当金について、退職給付に関する注記(財務諸表等の用語、様式及び作成方法に関する規則第8条の13に規定された注記事項に準ずる注記)を個別注記表に記載しているときは、附属明細書にその旨を記載し、記載を省略することができる。

３．販売費及び一般管理費の明細

科　目	金　額	摘　要
	円	
計		

（記載上の注意）

　おおむね販売費、一般管理費の順に、その内容を示す適当な科目で記載する。

４．その他の重要な事項

　附属明細書に、上記のほか、貸借対照表、損益計算書、株主資本等変動計算書及び個別注記表の内容を補足する重要な事項を記載する場合、ひな型として一定の様式を示すことはできないため、記載様式は本ひな型との整合性を考慮に入れて適宜工夫する。

以　上

2. 事業報告の附属明細書

(1)　事業報告の附属明細書は、事業報告の内容を補足する重要な事項をその内容とするものでなければならない。
【会施規128①】

(2)　株式会社が当該事業年度の末日において公開会社であるときは、他の法人等の業務執行取締役、執行役、業務を執行する社員又は会598①の職務を行うべき者（法人が業務執行社員である場合の業務執行社員の職務を行うべき者）その他これに類する者を兼ねることが会施規121八の重要な兼職に該当する会社役員（会計参与を除く）についての当該兼職の状況の明細（重要でないものを除く）を事業報告の附属明細書の内容としなければならない。この場合において、当該他の法人等の事業が当該株式会社の事業と同一の部類のものであるときは、その旨を付記しなければならない。　【会施規128②】

(3)　当該株式会社とその親会社等との間の取引（当該株式会社と第三者との間の取引で当該株式会社とその親会社等との間の利益が相反するものを含む）であって、当該株式会社の当該事業年度に係る個別注記表において計規112①に規定する注記を要するもの（同項ただし書の規定により同項四から六まで及び八に掲げる事項を省略するものに限る）があるときは、当該取引に係る以下(4)の

事項を事業報告の附属明細書の内容としなければならない。
【会施規128③】

(4)　当該株式会社とその親会社等との間の取引（当該株式会社と第三者との間の取引で当該株式会社とその親会社等との間の利益が相反するものを含む）であって、当該株式会社の当該事業年度に係る個別注記表において計規112①に規定する注記を要するもの（同項ただし書の規定により同項四から六まで及び八に掲げる事項を省略するものを除く）があるときは、当該取引に係る次の①から③に掲げる事項

①　当該取引をするにあたり当該株式会社の利益を害さないように留意した事項（当該事項がない場合にあっては、その旨）

②　当該取引が当該株式会社の利益を害さないかどうかについての当該株式会社の取締役（取締役会設置会社にあっては、取締役会。③において同じ）の判断及びその理由

③　社外取締役を置く株式会社において、②の取締役の判断が社外取締役の意見と異なる場合には、その意見
【会施規118五イ～ハ】

(5)　上記(2)の会社役員は、直前の定時株主総会の終結の日の翌日以降に在任していた者に限る。　【会施規121一】

金融商品取引法及び
金融商品取引所等の開示制度

1 有価証券報告書

1. 有価証券報告書提出制度

（1）提出義務者

以下の①～④の有価証券の発行者である会社は、事業年度ごとに、有価証券報告書を提出しなければならない。

【金商24①】

また、新たに以下の①～③に該当することとなった有価証券の発行会社（事業年度開始から3カ月以上経過後に③に該当することとなった場合及び有価証券届出書で直前事業年度の財務諸表を開示している場合を除く）は、直前事業年度の有価証券報告書を遅滞なく提出しなければならない。

【金商24③、開示府令16の2】

① 金融商品取引所に上場されている有価証券

【金商24①一】

② 店頭売買有価証券 　　【金商24①二、金商令3】

③ その募集又は売出しにつき届出又は発行登録追補書類を提出した有価証券（①及び②に掲げられるものを除く）

【金商24①三】

④ 最近5年間の各事業年度のいずれかの末日における所有者の数が1,000名以上である株券、金商2②の規定により有価証券とみなされる有価証券投資事業権利等。ただし、発行会社の最近事業年度末日の資本金が5億円未満（有価証券投資事業権利等である場合は資本の額が1億円未満）である場合及び最近事業年度末日における所有者が300名未満であるときを除く。

【金商24①、24①四、金商令3の6③、4の2③、4の11②、③】

（注）合併の場合の有価証券報告書の提出義務

上記③により有価証券報告書を提出していた会社が新設合併し又は有価証券報告書を提出していない会社に吸収合併されたときは、当該新設会社又は存続会社は、上記③の有価証券の発行会社に該当し、有価証券報告書を提出しなければならない。　【開示ガ24-5】

（2）提 出 先

名宛人及び提出先は次による。　　【開示府令20】

どちらに提出すべきかの判定は、提出日現在の状況による。

【開示ガ5-44】

本店所在地を管轄する財務局長（当該所在地が福岡財務支局の管轄区域であるときは福岡財務支局長）

ただし、外国会社、資本金が50億円以上の上場会社は、関東財務局長

なお、提出会社が上場会社又は店頭登録会社の場合は、有価証券報告書を内閣総理大臣に提出した場合は、遅滞なくその写しを以下のものに提出することとされている。訂正報告書が提出された場合も同じ。【金商24⑦、24の2③】

上場有価証券…………上場している金融商品取引所

店頭売買有価証券……登録している認可金融商品取引業協会

（3）提出免除となる場合

上場会社・店頭登録会社以外の有価証券報告書提出会社は、下記①のいずれかに該当する場合には、金融庁長官の承認を得て有価証券報告書を提出しないことができる。

【金商24①ただし書、金商令4②】

① 提出免除が認められる会社

　ア 清算中の会社

　イ 相当の期間事業を休止している会社

　ウ 当該有価証券の所有者の数が著しく少数（申請時又は申請のあった日の属する事業年度の直前事業年度の末日において、25名未満）である会社（提出義務者のうち③の会社）　　　　　　　【開示府令16②】

　エ 当該事業年度の末日及び当該事業年度の開始の日前4年以内に開始した事業年度のすべての末日における有価証券の所有者が300名未満（**（1）提出義務者**のうち③の会社）　　　　　【金商令3の5②】

　オ 資本金の額が5億円未満（集団投資スキーム持分等にあっては資産の額が1億円未満）（**（1）提出義務者**のうち④の会社）

【金商24①、金商令4の2③、4の11②】

　カ 有価証券の所有者が300名未満（**（1）提出義務者**のうち④の会社）　　　　【金商令3の6③、4の11③】

　キ 更生手続開始決定を受け、決定開始後3カ月以内に金融庁長官に申請をした会社　　　　【金商令4④】

② 提出免除の期間

①ア～ウの申請のあった日の属する事業年度（開始後3カ月以内の場合にはその直前事業年度）から該当しないこととなる日の属する事業年度の直前事業年度までの事業年度に係る有価証券報告書。　　【金商令4②】

①キについては更生手続開始の決定後3カ月以内に申請が行われた場合、決定があった日の属する事業年度に係る有価証券報告書。　　　　【金商令4④】

③ 承認申請書の提出

【金商令4①、開示府令15の3、16①】

承認申請書には、会社名、所在地、代表者の氏名及び理由を記載し（開示ガ24-7）、次の書類を添付して提出する。

　ア 内国会社の場合

　　(ア) 定款（財団たる内国会社である場合は寄附行為）

　　(イ) 申請時における株主名簿等の写し

　　(ウ) 清算中の会社……解散を決議した株主総会議事録写し及び解散の登記をした登記簿謄本又は抄本

　　(エ) 相当の期間事業休止している会社……事業休止の経緯及び今後の見通しについて記載した書面

　　(オ) 更生手続開始の決定を受けた者……更生手続開始の公告の写し

　イ 外国会社の場合

　　(ア) 上記(ア)～(エ)

　　(イ) 代表者が正当な権限者であることを証する書面

　　(ウ) 本邦内に住所を有する者に、当該外国会社を代理する権限を付与したことを証する書面

④ 提出免除期間中の提出書類（更生手続開始決定の場合を除く）　　　　【金商令4③、開示府令16⑤】

　ア 当該事業年度末日における株主名簿の写し

　イ 当該事業年度に係る計算書類（会438①）で定時株主総会に報告したもの、又は、その承認を受けたもの（外国会社にあっては、これらに準ずるもの）。

（4）提出部数

3 通　　　　　　　　　　　　　　　　　　【開示府令15】

（5）EDINET による提出

【金商27の30の 2 、27の30の 3 ①➡p.54】

（6）様　式

次の各号に掲げる有価証券の発行者の区分に応じ当該各号に掲げる様式により作成する。

【金商24①、②、③、開示府令15】

① 内国会社の場合

　ア　金商24①の規定による場合……第三号様式（通常様式）

　イ　金商24②の規定による場合……第三号の二様式（少額募集様式）

　ウ　金商24③の規定による場合……第四号様式（新規公開様式：募集、売出しを行わないで株式公開した場合）

② 外国会社の場合

　ア　金商24①の規定による場合……第八号様式（通常様式）

　イ　金商24③の規定による場合……第九号様式（新規公開様式）

（7）監査証明

有価証券報告書に含まれる財務諸表、連結財務諸表については、当該発行会社と特別の利害関係のない公認会計士又は監査法人（特定発行者が上場会社等である場合にあっては、日本公認会計士協会による上場会社等監査人名簿への登録を受けた公認会計士又は監査法人に限る）の監査証明を受けなければならない（ただし、従前において提出された有価証券届出書、有価証券報告書に含まれた財務諸表等と同一のものは除外される）。

【金商193の 2 、監査証明府令 1 】

（8）添付書類

有価証券の発行者の区分に応じ、次に掲げる書類を添付しなければならない。　　【金商24⑥、開示府令17①】

① 内国会社の場合

　ア　定款（財団たる内国会社である場合は、その寄附行為）

　イ　当該事業年度に係る計算書類及び事業報告（会438①）で定時株主総会の承認を受けたもの（定時株主総会前に提出する場合は、その承認を受けようとするもの）

　ウ　募集又は売出しについて内閣総理大臣へ届出又は発行登録した社債又はコマーシャル・ペーパーについて保証が付されている場合は、以下の書面

　　㈠　保証を行っている会社（指定法人を含む）の定款及び当該保証を行うための取締役会の決議等又は株主総会の決議に係る当該取締役会の議事録等の写し又は当該株主総会の議事録の写しその他の当該保証を行うための手続がとられたことを証する書面

　　㈡　保証の内容を記載した書面

　エ　当該有価証券がカバードワラントであって当該カバードワラントに表示されるオプションに係る契約が締結される場合には、契約書の写し

　オ　当該有価証券が有価証券信託受益証券である場合に

は、当該有価証券信託受益証券の発行に関して締結される信託契約その他主要な契約の写し

　カ　当該有価証券が預託証券である場合には、当該預託証券の発行に関して締結された預託契約その他主要な契約の契約書の写し

② 外国会社の場合

　ア　上記①アからカの書類

　イ　代表者が正当な権限者であることを証する書面

　ウ　本邦内に住所を有する者に、当該外国会社を代理する権限を付与したことを証する書面

　エ　法令に関する記載事項が真実かつ正確であることについての法律専門家の法律意見書

　オ　その募集又は売出しについて金商 4 ①本文、②本文もしくは③本文又は23の 8 ①本文の適用を受けた社債等がある場合には、当該外国会社が債権の管理その他債権者のための行為又は当該外国会社のための行為をする職務を委託する契約の契約書及び元利金の支払いに関する契約書の写し

上記の書類が日本語をもって記載したものでないときは、計算書類及び事業報告に準ずる書類に掲げる書類を除きその訳文を付さなければならない。計算書類及び事業報告に準ずる書類に掲げる書類又はその要約についてその訳文を国内の株主、債権者その他関係者に対し送付している場合においても、当該訳文を付さなければならない。

【開示府令17②】

（9）外国会社報告書

有価証券報告書を提出しなければならない外国会社は、公益又は投資者保護に欠けることがないものとして内閣府令で定める場合には、有価証券報告書等の提出に代えて、外国において開示が行われている有価証券報告書等に類する書類であって英語で記載されているもの（外国会社報告書）を提出することができる。

【金商24⑧、開示府令17の 2 】

（10）提出の時期

① 継続開示会社

当該事業年度経過後 3 カ月以内に提出しなければならない（ただし、外国会社については原則 6 カ月以内とする（財務局長等に対する承認申請書の提出による延長可））。

【金商24①、金商令 3 の 4 、開示府令15の 2 、15の 2 の 2 】

② 新規に有価証券届出書を提出した場合

募集又は売出しにつき届出を要することとされた有価証券の発行者は、有価証券届出書の提出日の属する事業年度から（開示ガ24-1 ）、当該事業年度経過後 3 カ月以内に提出しなければならない。　　　【金商24①】

③ 新規に上場された場合又は店頭売買有価証券として登録された場合（上場又は店頭登録に先立って募集又は売出しを行い、有価証券届出書で直前事業年度の財務諸表を開示している場合は、上記②による）

上場又は店頭登録した日の属する事業年度の直前事業年度に係る有価証券報告書を、上場又は店頭登録後遅滞なく提出しなければならない。　　　【金商24③】

（11）有価証券報告書の自発的訂正

　有価証券報告書に訂正を必要とするものがある場合には、訂正報告書を内閣総理大臣に提出しなければならない。　　　　　　　【金商7、24の2①】

（12）内閣総理大臣の訂正命令

① 有価証券報告書及びその添付書類のうちに次のような不備がある場合には、内閣総理大臣は訂正報告書の提出を命ずることができる。　　　　　　【金商24の2①】

　ア 形式上の不備がある場合　　　　　　【金商9①】

　イ 記載すべき重要な事項の記載が不十分である場合
　　　　　　　　　　　　　　　　　　　【金商9①】

　ウ 重要な事項について虚偽の記載がある場合
　　　　　　　　　　　　　　　　　　　【金商10①】

　エ 記載すべき重要な事項もしくは誤解を生じさせないために必要な重要な事実の記載が欠けている場合
　　　　　　　　　　　　　　　　　　　【金商10①】

② 重要事項について虚偽の記載がある場合の処分

　訂正報告書を提出した日又は提出を命ぜられた日から1年以内に提出する有価証券届出書、発行登録書もしくは発行登録追補書類について、公益又は投資者保護のため相当と認められる期間、その届出の効力の停止を命じ又は効力発生期間（金商8①）を延長することができる。　　　　　　　　【金商24の3、11①】

（13）訂正の公告

　有価証券報告書の記載事項のうち重要なものについて訂正報告書を提出したときは、遅滞なく、その旨を電子公告（EDINET）又は日刊新聞紙に掲載して公告しなければならない。　　　　　　【金商24の2②、金商令4の2の4】

（14）課徴金制度

① 課徴金の算定方法

　ア 発行開示書類等の虚偽記載の課徴金の金額水準

　　虚偽記載のある発行開示書類等により有価証券を取得させ、又は売り付けた場合の課徴金の算定方法について、募集・売出し総額の2.25%（株式の場合は4.5%）とすることとする。　　　【金商172の2】

　イ 継続開示書類の虚偽記載の課徴金の金額水準

　　虚偽記載のある有価証券報告書を提出した場合の課徴金の算定方法について、600万円又は時価総額の10万分の6のいずれか高い方（半期・臨時報告書等の場合はその半額）とすることとする。　【金商172の4】

② 課徴金の対象範囲

　ア 発行開示書類の不提出を課徴金の対象に追加

　　届出をせずに有価証券の募集・売出し等を行った場合等について、募集売出し総額の2.25%（株式の場合は4.5%）の額の課徴金の対象とすることとする。
　　　　　　　　　　　　　　　　　　　【金商172】

　イ 継続開示書類の不提出を課徴金の対象に追加

　　有価証券報告書の提出義務に違反した場合には、前事業年度の監査報酬額（前事業年度の監査がない場合等は400万円）（半期報告書の場合はその半額）の課徴金の対象とすることとする。　　【金商172の3】

　ウ 公開買付開始公告の不実施等を課徴金の対象に追加

　　公開買付開始公告を行わずに株券等の買付け等をした場合等について、買付総額の25%の額を課徴金の

対象とすることとする。　　【金商172の5、172の6】

　エ 大量保有報告書等の不提出等を課徴金の対象に追加

　　大量保有報告書等の提出義務に違反した場合等について、対象株券等の発行者の時価総額の10万分の1の額の課徴金の対象とすることとする。
　　　　　　　　　　　　　　　【金商172の7、172の8】

③ 除斥期間、減算加算制度

　ア 除斥期間は5年。　　　　　　　　　【金商178】

　イ 発行開示書類・継続開示書類の虚偽記載等、大量保有報告書等の不提出、自己株取得に係る内部者取引等について、違反者が当局による調査前に申告を行った場合には、課徴金の額を半額とする。
　　　　　　　　　　　　　　　　【金商185の7⑭】

　ウ 違反者が過去5年以内に課徴金納付命令等を受けたことがある場合には、課徴金の額を1.5倍とする。
　　　　　　　　　　　　　　　　【金商185の7⑮】

（15）公衆縦覧の報告書等・場所・期間

① 関東財務局等

　有価証券報告書及びその添付書類並びにこれらの訂正報告書を受理した日から5年間、関東財務局及び提出会社の本店又は主たる事務所（提出会社が外国会社である場合には、代理人）の所在地を管轄する財務局（当該所在地が福岡財務支局の管轄区域にあるときは、福岡財務支局）に備え置き、公衆の縦覧に供しなければならない。　　　　　　　　　【金商25①一、開示府令21】

② 発行会社

　ア 有価証券報告書及びその添付書類並びにこれらの訂正報告書の写しを、本店又は主たる事務所及び主要な支店に備え置き、提出した日から5年間、その営業時間中、公衆の縦覧に供しなければならない。
　　　　　　　　　　　　　　　【金商25②、開示府令22①】

　　主要な支店とは、最近事業年度の末日においてその所在する都道府県に居住する株主の総数が、当該提出会社の株主の総数の100分の5を超える場合における支店をいい、同一の都道府県に二以上ある場合にはそのいずれか一方とし、その本店の同一都道府県に所在する支店を除く。　　　　　　　　　【開示府令22②】

　イ 本邦内に支店を有する外国会社及び当該外国会社の本邦内にある主要な支店について、上記を準用する。
　　　　　　　　　　　　　　　　　　【開示府令22③】

③ 金融商品取引所（又は認可金融商品取引業協会）

　有価証券報告書及びその添付書類並びにこれらの訂正報告書の写しを、その事務所に備え置き、提出があった日から5年間、その業務時間中、公衆の縦覧に供しなければならない。　　　　　　　【金商25③、開示府令23】

④ 内容の一部について公衆縦覧が免除される場合

　有価証券の発行者がその事業上の秘密の保持の必要により有価証券報告書等の一部について公衆の縦覧に供さないことを内閣総理大臣に申請し、承認された場合には、その一部は、公衆の縦覧に供さないものとする。
　　　　　　　　　　　　　　　　　　　【金商25④】

　この場合、金融商品取引所又は認可金融商品取引業協会に提出する有価証券報告書等の写しには、公衆の縦覧に供しないこととされた部分を削除して提出することが

できる。　　　　　　　　　　　【金商25⑤】
⑤　公衆縦覧の期間5年　　　　　　【金商25①】
(16) EDINET による公衆縦覧
【金商27の30の7、27の30の8、27の30の10、金商令14
の12、14の13➡p.55】

2. 監査報告書

(1) 記載事項
①　監査の意見に関する事項
②　継続企業の前提に関する注記に係る事項
③　監査上の主要な検討事項
④　その他の記載内容に関する事項
⑤　追記情報
⑥　経営者及び監査役等の責任
⑦　監査を実施した公認会計士又は監査法人の責任
⑧　監査を実施した公認会計士又は監査法人が被監査会社
　　等又はその連結子会社もしくは非連結子会社から受け
　　取った、又は受け取るべき報酬に関する事項
⑨　利害関係　　　　　　　　【監査証明府令4①一】
(2) 監査の意見に関する事項の記載事項
①　監査の対象
　　監査の対象となった財務諸表等の範囲
②　財務諸表等に対する意見
　　監査の対象となった財務諸表等が、一般に公正妥当と
　　認められる企業会計の基準に準拠して、企業の財政状
　　態、経営成績及びキャッシュ・フローの状況をすべての
　　重要な点において適正に表示しているかどうかについて
　　の意見　　　　　　　　　【監査証明府令4①一イ】
③　意見の根拠　　　　　　　【監査証明府令4①一ロ】
(3) 監査の意見の種類
①　無限定適正意見
②　除外事項を付した限定付適正意見
③　不適正意見　　　　　　　　　【監査証明府令4③】
(4) 監査の意見の根拠
①　無限定適正意見、除外事項を付した限定付適正意見及
　　び不適正意見共通
　　ア　監査が一般に公正妥当と認められる監査の基準に準
　　　　拠して行われた旨
　　イ　監査の結果として入手した監査証拠が意見表明の基
　　　　礎を与える十分かつ適切なものであること。
②　除外事項を付した限定付適正意見の場合、次のア又は
　　イ
　　ア　除外事項及び当該除外事項が監査の対象となった財
　　　　務諸表等に与えている影響並びに意見の根拠
　　イ　実施できなかった重要な監査手続及び当該重要な監
　　　　査手続を実施できなかった事実が影響する事項並びに
　　　　意見の根拠
③　不適正意見
　　監査の対象となった財務諸表等が不適正である理由
　　　　　　　　　　　　　　　　【監査証明府令4④】
(5) 監査上の主要な検討事項
　　次に掲げる事項について記載する。
①　財務諸表等において監査上の主要な検討事項に関連す
　　る開示が行われている場合には、当該開示が記載されて

いる箇所
②　監査上の主要な検討事項の内容
③　監査上の主要な検討事項であると決定した理由
④　監査上の主要な検討事項に対する監査における対応
　　　　　　　　　　　　　　　　【監査証明府令4⑤】
(6) その他の記載内容に関する事項
　　次に掲げる事項について記載する。
①　その他の記載内容の範囲
②　その他の記載内容に対する経営者及び監査役等の責任
③　その他の記載内容に対して公認会計士又は監査法人は
　　意見を表明するものではない旨
④　その他の記載内容に対する公認会計士又は監査法人の
　　責任
⑤　その他の記載内容について公認会計士又は監査法人が
　　報告すべき事項の有無及びその内容
　　　　　　　　　　　　　　　　【監査証明府令4⑥】
(7) 経営者及び監査役等の責任
①　財務諸表等の作成責任は経営者にあること。
②　財務諸表等に重要な虚偽の表示がないように内部統制
　　を整備及び運用する責任は経営者にあること。
③　継続企業の前提に関する評価を行い必要な開示を行う
　　責任は経営者にあること。
④　監査役等には、財務報告に係る過程を監視する責任が
　　あること。　　　　　　　　　【監査証明府令4⑧】
(8) 監査を実施した公認会計士又は監査法人の責任
①　監査を実施した公認会計士又は監査法人の責任は独立
　　の立場から財務諸表等に対する意見を表明することにあ
　　ること。
②　一般に公正妥当と認められる監査の基準は監査を実施
　　した公認会計士又は監査法人に財務諸表等に重要な虚偽
　　の表示がないかどうかの合理的な保証を得ることを求め
　　ていること。
③　監査は財務諸表項目に関する監査証拠を得るための手
　　続を含むこと。
④　監査は経営者が採用した会計方針及びその適用方法並
　　びに経営者によって行われた見積りの評価も含め全体と
　　して財務諸表等の表示を検討していること。
⑤　監査手続の選択及び適用は監査を実施した公認会計士
　　又は監査法人の判断によること。
⑥　財務諸表監査の目的は、内部統制の有効性について意
　　見を表明するためのものではないこと。
⑦　継続企業の前提に関する経営者の評価について検討す
　　ること。
⑧　監査役等と適切な連携を図ること。
⑨　監査上の主要な検討事項を決定して監査報告書に記載
　　すること。　　　　　　　　　【監査証明府令4⑨】
(9) 追記事項
　　監査人は、次に掲げる強調し、又は説明することが適当
　　と判断した事項は、監査報告書にそれらを区分した上で、
　　情報として追記するものとする。
①　正当な理由による会計方針の変更
②　重要な偶発事象
③　その他の事項　　　　　　　　【監査証明府令4⑦】

（10）結論の不表明

重要な監査手続が実施されなかったこと等により、上記（3）①②③の意見を表明するための基礎を得られなかった場合には、結論の表明をしない旨及びその理由を記載しなければならない。　　　　　　【監査証明府令4⑳】

2 有価証券報告書の記載内容に係る確認書

1. 確認書の提出

（1）提出義務者

有価証券報告書の提出会社のうち、次の有価証券の発行者である会社（上場会社又は店頭登録会社）は、有価証券報告書（訂正報告書を含む）の記載内容が金融商品取引法令に基づき適正であることを確認した旨を記載した確認書を有価証券報告書と併せて内閣総理大臣に提出しなければならない。　【金商24の4の2①、④、金商令4の2の5】
① 株券
② 優先出資証券（信用金庫の中央組織である信金中央金庫等の協同組織金融機関の発行するものがこれに該当する）
③ 外国会社の株券又は優先出資証券の性質を有するもの
④ 有価証券信託受益証券で、受託有価証券が①〜③であるもの
⑤ 預託証券又は預託証書で、①〜③に係る権利を表示するもの

なお、上記以外の有価証券報告書提出会社についても、有価証券報告書の記載内容に係る確認書を任意に提出することができる。　　　　　　【金商24の4の2②】

また、確認書は半期報告書についても適用される。　　　　　　【金商24の5の2】

（2）提 出 先

有価証券報告書に同じ。　　　　【開示府令20➡p.28】

また、有価証券報告書の記載内容に係る確認書（訂正確認書を含む）の提出者は、その写しを金融商品取引所又は認可金融商品取引業協会へ提出しなければならない。
【金商24の4の2⑤、24の4の3②、金商令4の2の5③、4の2の6②】

（3）提出部数

3 通　　　　　　　【開示府令17の10①】

（4）様 式

内国会社……第四号の二様式
外国会社……第九号の二様式　【開示府令17の10①】

（5）添付書類

外国会社の確認書には以下の添付書類が必要である。また、その書類が日本語で記載されていないときはその訳文を付さなければならない。
① 代表者が正当な権限者であることを証する書面
② 本邦内に住所を有する者に、当該外国会社を代理する権限を付与したことを証する書面　【開示府令17の10②】

（6）確認書の訂正

有価証券報告書の自発的訂正、内閣総理大臣の訂正命令に準ずる。　　　　　【➡p.30、金商24の4の3】

3 内部統制報告制度

1. 内部統制報告制度

（1）提出義務者

金融商品取引所に上場されている有価証券又は店頭売買有価証券市場において売買するものとして認可金融商品取引業協会に登録された店頭売買有価証券のうち、次の有価証券の発行者である会社は、事業年度ごとに、その会社の属する企業集団及びその会社に係る財務計算に関する書類その他の情報の適正性を確保するために必要な財務報告に係る内部統制の有効性の評価に関する内部統制報告書を有価証券報告書と併せて内閣総理大臣に提出しなければならない。
① 株券
② 優先出資証券
③ 外国会社の株券又は優先出資証券の性質を有するもの
④ 有価証券信託受益証券で、受託有価証券が①〜③であるもの
⑤ 預託証券又は預託証書で、①〜③に係る権利を表示するもの
【金商24の4の4①、金商令4の2の7①、内統令3】
ただし、上記以外の有価証券報告書提出会社についても、内部統制報告書を任意に提出できる。
【金商24の4の4②】

（2）提 出 先

有価証券報告書と同様。　　　　　　【内統令4】

写しを金融商品取引所等へ提出することについても有価証券報告書と同様。　　　　【金商24の4の4⑤】

（3）提出部数

3 通　　　　　　　　　　　　【内統令4】

（4）EDINET による提出

【金商法27の30の2、27の30の3①➡p.54】

（5）様 式

内国会社……第一号様式
外国会社……第二号様式　　　　　　【内統令4】

（6）基 準 日

内部統制報告書提出会社は、当該会社の事業年度の末日を基準日として内部統制報告書を作成する。　【内統令5】

（7）記載事項

第一号様式の記載事項は以下のとおり。
① 代表者の役職・氏名
② 最高財務責任者の役職・氏名
会社が、財務報告に関し、代表者に準ずる責任を有する者として、最高財務責任者を定めている場合には、当該者の役職氏名を最高財務責任者の役職氏名に記載する。
③ 財務報告に係る内部統制の基本的枠組みに関する事項

ア 代表者及び最高財務責任者が、財務報告に係る内部統制の整備及び運用の責任を有している旨

イ 財務報告に係る内部統制を整備及び運用する際に準拠した基準の名称

ウ 財務報告に係る内部統制により財務報告の虚偽の記載を完全には防止又は発見することができない可能性がある旨

④ 評価の範囲、基準日及び評価手続に関する事項

ア 評価が行われた基準日

イ 評価は、一般に公正妥当と認められる財務報告に係る内部統制の評価の基準に準拠した旨

ウ 評価手続の概要

エ 評価の範囲

財務報告に係る内部統制の評価範囲及び当該評価範囲を決定した手順、方法、根拠等を簡潔に記載すること。なお、やむを得ない事情により、財務報告に係る内部統制の一部の範囲について十分な評価手続が実施できなかった場合には、その範囲及びその理由を記載すること。

⑤ 評価結果に関する事項

財務報告に係る内部統制の評価結果は、次に掲げる事項のいずれかを記載する。

ア 財務報告に係る内部統制は有効である旨

イ 評価手続の一部が実施できなかったが、財務報告に係る内部統制は有効である旨並びに実施できなかった評価手続及びその理由

ウ 開示すべき重要な不備があり、財務報告に係る内部統制は有効でない旨並びにその開示すべき重要な不備の内容及びそれが事業年度の末日までに是正されなかった理由

エ 重要な評価手続が実施できなかったため、財務報告に係る内部統制の評価結果を表明できない旨並びに実施できなかった評価手続及びその理由

⑥ 付記事項

ア 財務報告に係る内部統制の有効性の評価に重要な影響を及ぼす後発事象

事業年度の末日後、内部統制報告書の提出日までに、財務報告に係る内部統制の有効性の評価に重要な影響を及ぼす事象が発生した場合には、当該事象を記載すること。

イ 事業年度の末日後に開示すべき重要な不備を是正するために実施された措置がある場合には、その内容

事業年度の末日において、開示すべき重要な不備があり、財務報告に係る内部統制が有効でないと判断した場合において、事業年度の末日後内部統制報告書の提出日までに、当該開示すべき重要な不備を是正するために実施された措置があるときは、その内容を記載すること。なお、当該提出日までに当該措置により当該開示すべき重要な不備を是正し、財務報告に係る内部統制が有効であると判断した場合には、当該措置の内容と併せて当該措置が完了した旨を記載することができる。

ウ 当事業年度の直前事業年度に係る内部統制報告書に開示すべき重要な不備を記載している場合において、当事業年度の末日までに当該開示すべき重要な不備を是正するために実施された措置があるときは、その内容及び当該措置による当該開示すべき重要な不備の是正状況を記載すること。ただし、当該是正状況の記載内容が当該内部統制報告書に記載している事項又は当事業年度に係る内部統制報告書に記載する⑤ウに掲げる事項と同一の内容となる場合には、これを記載しないことができる。

⑦ 特記事項

財務報告に係る内部統制の評価について特記すべき事項がある場合には、その旨及び内容を記載すること。

【内統令4第一号様式】

(8) 監査証明

内部統制報告書には、その者と特別の利害関係のない公認会計士又は監査法人の監査証明を受けなければならない。ただし、次に掲げる場合は、この限りではない。

① 外国会社の有価証券等の発行者が、外国監査法人等から監査証明に相当すると認められる証明を受けた場合

② ①の発行者が監査証明に相当すると認められる証明を受けた場合

③ 監査証明を受けなくても公益又は投資者保護に欠けることがないものとして内閣総理大臣の承認を受けた場合

④ 上場会社等（資本金100億円以上又は負債総額1,000億円以上の会社を除く）が、金融商品取引所に上場されている有価証券（特定上場有価証券を除く）の発行者に初めて該当することとなった日（その日が当該発行者の事業年度開始後3カ月以内の日である場合には、その事業年度開始後3カ月を経過した日）以後3年を経過する日までの間に内部統制報告書を提出する場合

【金商193の2②、金商令35の3、内統令10の2】

(9) 添付書類

内部統制報告書には、その会社における財務報告が法令等に従って適正に作成されるための体制に関する事項を記載した書類を添付書類として提出しなければならない。

【金商24の4の4④、内統令3】

(10) 外国会社の内部統制報告書

外国会社が本国等において開示している財務計算に関する書類を財務書類として提出することを、金融庁長官が公益又は投資者保護に欠けることがないものと認める場合であって、その外国会社が本国等で開示している財務報告に係る内部統制を評価した報告書を内部統制報告書として提出することを金融庁長官が公益又は投資者保護に欠けることがないものと認めるときは、その外国会社の作成する内部統制報告書の用語、様式及び作成方法は、金融庁長官が必要と認めて指示する事項を除き、その本国等における用語、様式及び作成方法によることができる。その際、次の事項を追加して記載するものとする。

① 当該内部統制報告書を作成するにあたって準拠している用語、様式及び作成方法

② 内統令12の規定を適用しないで作成する場合との主要な相違点

③ 当該内部統制報告書について、外国監査法人等が金商193の2②一の監査証明に相当すると認められる証明を実施している場合における、内部統制監査との主要な相違点　　　　　　　　　【内統令12～13】

(11) 外国会社報告書を提出している外国会社

　外国会社のうち有価証券報告書の提出に代えて英文による外国会社報告書を提出しているものは、内部統制報告書に代えて、内部統制報告書に記載すべき事項を記載した書類であって英文で記載したものを提出することができる。
【金商24の4の4⑥、24⑧、⑨】

(12) 提出の時期

　有価証券報告書と同様。　　　　　　　　　　　【内統令4】

(13) 内部統制報告書の自発的訂正

　内部統制報告書に記載事項の記載漏れ、記載不十分、重要な事項について虚偽記載等があるときは、発行会社は訂正内部統制報告書を内閣総理大臣に提出しなければならない。　　　　　　　　　　【金商24の4の5①、7①】

(14) 内閣総理大臣の訂正命令

① 　内部統制報告書に形式上の不備があるとき、記載すべき重要な事項の記載が不十分であると認めるときは、内閣総理大臣は、発行会社に対して訂正内部統制報告書の提出を命ずることができる。【金商24の4の5①、9①】
② 　内部統制報告書に重要な事項について虚偽記載があるとき、記載すべき重要な事項又は誤解を生じさせないために必要な重要な事実の記載が欠けているときは、内閣総理大臣は、発行会社に対して訂正内部統制報告書の提出を命じることができる。【金商24の4の5①、10①】

(15) 訂正内部統制報告書の記載事項

① 　訂正の対象となる内部統制報告書の提出日
② 　訂正の理由
③ 　訂正の箇所及び訂正の内容

　①の訂正の対象となる内部統制報告書に財務報告に係る内部統制は有効である旨の記載がある場合において、第1項の訂正報告書に開示すべき重要な不備があり、財務報告に係る内部統制は有効でない旨を記載するときは、②の訂正の理由は、次のアからエに掲げる事項について記載する。
　　ア　当該開示すべき重要な不備の内容
　　イ　当該開示すべき重要な不備を是正するために実施された措置がある場合には、当該措置の内容及び当該措置による当該開示すべき重要な不備の是正の状況
　　ウ　財務報告に係る内部統制の評価結果を訂正した経緯
　　エ　当該訂正の対象となる内部統制報告書に当該開示すべき重要な不備の記載がない理由　　【内統令11の2】

2. 内部統制監査制度

(1) 内部統制の監査

　内部統制報告制度の対象会社が提出する内部統制報告書には、その者と特別の利害関係のない公認会計士又は監査法人の監査を受けなければならない。　　【金商193の2②】

(2) 適用の一般原則

① 　内部統制報告書の監査証明は、内部統制報告書の監査を実施した公認会計士又は監査法人が作成する内部統制監査報告書により行う。　　　　　　　　　【内統令1②】
② 　内部統制監査報告書は、内統令及び一般に公正妥当と認められる財務報告に係る内部統制の監査に関する基準及び慣行に従って実施された監査の結果に基づいて作成されなければならない。　　　　　　　　　　【内統令1④】

③ 　企業会計審議会により公表された財務報告に係る内部統制の評価及び監査に関する基準は、一般に公正妥当と認められる財務報告に係る内部統制の評価の基準及び一般に公正妥当と認められる財務報告に係る内部統制の監査に関する基準に該当する。　　　　　　【内統令1⑤】

3. 内部統制監査報告書

(1) 記載事項

　内部統制監査報告書には、次に掲げる事項を簡潔明瞭に記載し、かつ、公認会計士又は監査法人の代表者が作成の年月日を付して署名しなければならない。この場合において、当該内部統制監査報告書が監査法人の作成するものであるときは、当該監査法人の代表者のほか、業務執行社員が、署名しなければならない。ただし、指定証明又は特定証明であるときは、当該指定証明に係る指定社員又は当該特定証明に係る指定有限責任社員である業務執行社員が作成の年月日を付して署名しなければならない。
① 　内部統制監査の意見に関する事項
② 　経営者及び監査役等の責任
③ 　内部統制監査を実施した公認会計士又は監査法人の責任
④ 　追記情報
⑤ 　公認会計士法25②の規定により明示すべき利害関係
【内統令6①】

(2) 内部統制監査の意見に関する事項の記載事項

① 　内部統制監査の対象となった内部統制報告書の範囲
② 　内部統制報告書が、一般に公正妥当と認められる財務報告に係る内部統制の評価の基準に準拠して、財務報告に係る内部統制の評価結果について、すべての重要な点において適正に表示しているかどうかについての意見
③ 　②の意見の根拠　　　　　　　　　　　【内統令6①】

(3) 経営者及び監査役等の責任の記載事項

① 　経営者には財務報告に係る内部統制の整備及び運用並びに内部統制報告書の作成の責任があること
② 　監査役等には、財務報告に係る内部統制の整備及び運用状況を監視し、かつ、検証する責任があること
③ 　財務報告に係る内部統制により財務報告の虚偽の記載を完全には防止又は発見することができない可能性があること　　　　　　　　　　　　　　　　【内統令6④】

(4) 内部統制監査を実施した公認会計士又は監査法人の責任の記載事項

① 　内部統制監査を実施した公認会計士又は監査法人の責任は、独立の立場から内部統制報告書に対する意見を表明することにあること
② 　財務報告に係る内部統制監査の基準は、公認会計士又は監査法人に内部統制報告書には重要な虚偽表示がないことについて、合理的な保証を得ることを求めていること
③ 　内部統制監査は、内部統制報告書における財務報告に係る内部統制の評価結果に関して監査証拠を得るための手続を含むこと
④ 　内部統制監査は、経営者が決定した評価範囲、評価手続及び評価結果を含め、全体としての内部統制報告書の表示を検討していること

⑤　内部統制監査の監査手続の選択及び適用は、公認会計士又は監査法人の判断によること　【内統令6⑤】

(5) 内部統制監査の意見に関する記載事項

① 無限定適正意見

内部統制監査の対象となった内部統制報告書が、一般に公正妥当と認められる財務報告に係る内部統制の評価の基準に準拠して、財務報告に係る内部統制の評価について、すべての重要な点において適正に表示していると認められる旨

② 除外事項を付した限定付適正意見

内部統制監査の対象となった内部統制報告書が、除外事項を除き一般に公正妥当と認められる財務報告に係る内部統制の評価の基準に準拠して、財務報告に係る内部統制の評価について、すべての重要な点において適正に表示していると認められる旨

③ 不適正意見

内部統制監査の対象となった内部統制報告書が、不適正である旨　【内統令6②】

(6) 内部統制監査の意見の根拠に関する事項

① 無限定適正意見、除外事項を付した限定付適正意見及び不適正意見共通

ア　内部統制監査にあたって、公認会計士又は監査法人が一般に公正妥当と認められる財務報告に係る内部統制の監査の基準に準拠して監査を実施したこと

イ　内部統制監査の結果として入手した監査証拠が意見表明の基礎を与える十分かつ適切なものであること

② 除外事項を付した限定付適正意見

ア　除外した不適切な事項及び当該事項が財務諸表監査に及ぼす影響

イ　実施できなかった重要な監査手続及び当該事実が財務諸表監査に及ぼす影響

③ 不適正意見

ア　内部統制報告書が不適正である理由

イ　内部統制報告書が不適正であることが財務諸表監査に及ぼす影響　【内統令6③】

(7) 追記情報

① 次に掲げる事項その他の内部統制監査を実施した公認会計士又は監査法人が強調すること又はその他説明することが適当であると判断した事項について区分して記載する。

ア　内部統制報告書に財務報告に係る内部統制に開示すべき重要な不備の内容及びそれが是正されない理由を記載している場合は、当該開示すべき重要な不備がある旨及び当該開示すべき重要な不備が財務諸表監査に及ぼす影響

イ　アの場合において、当該事業年度の末日後に、開示すべき重要な不備を是正するために実施された措置がある場合には、その内容

ウ　財務報告に係る内部統制の有効性の評価に重要な影響を及ぼす後発事象

エ　内部統制報告書において、経営者の評価手続の一部が実施できなかったことについて、やむを得ない事情によると認められるとして無限定適正意見を表明する場合において、十分な評価手続を実施できなかった範

囲及びその理由　【内統令6⑥】

② ①の場合において、内部統制報告書に開示すべき重要な不備があり、財務報告に係る内部統制は有効でない旨の記載があるときは、当該記載がある旨を(2)②の意見に含めて記載するものとする。　【内統令6⑦】

(8) 意見不表明

公認会計士又は監査法人は、重要な監査手続が実施されなかった等により、意見を表明するための合理的な基礎を得られなかった場合には、意見の表明をしない旨及びその理由を内部統制監査報告書に記載しなければならない。　【内統令6⑧】

(9) 米国証券取引委員会に登録している会社の追加記載

① 国際会計基準に基づいて作成した連結財務諸表を米国証券取引委員会に登録している特定会社（国際的な財務活動又は事業活動を行う会社として連結財務諸表規則1の2に掲げる要件のいずれかを満たすもの）が提出する場合には、当該会社の提出する内部統制報告書の用語、様式及び作成方法は、金融庁長官が必要と認めて指示した事項を除き、米国において要請されている内部統制報告書の用語、様式及び作成方法によることができる。　【内統令18】

② ①による内部統制報告書には、次の事項を追加して記載するものとする。

ア　当該内部統制報告書を作成するに当たって準拠している用語、様式及び作成方法

イ　①の規定を適用しないで作成する場合との主要な相違点　【内統令20】

(10) 米国証券取引委員会に登録している会社の監査証明

① 特定会社が上記①の規定により内部統制報告書を作成する場合には、当該会社の作成する内部統制報告書に対して実施される監査証明は、金融庁長官が必要と認めて指示する事項を除き、米国における一般に公正妥当と認められる財務報告に係る内部統制の監査に関する基準及び慣行に従って実施することができる。

② ①に規定する内部統制報告書に対して実施される監査証明に係る内部統制監査報告書には、次に掲げる事項を記載しなければならない。

ア　当該内部統制報告書を作成するに当たって準拠している監査の基準

イ　①の規定を適用しないで作成する場合との主要な相違点　【内統令21】

4 半期報告制度

1. 半期報告制度

(1) 提出義務者及び記載事項並びに提出期限

有価証券報告書を提出しなければならない会社は、事業年度ごとに、当該事業年度が開始した日から6カ月が経過したときは、①から③の区分に応じ、それぞれ以下の事項を記載した半期報告書を、期間内に、内閣総理大臣に提出しなければならない。　【金商24の5】

会社区分（内国会社）	記載事項・提出期限
① 上場会社等	当該事業年度が開始した日以後6月間の当該会社の属する企業集団の経理の状況その他の公益又は投資者保護のため必要かつ適当なものとして内閣府令で定める事項（半期報告書共通記載事項）
② 上場会社等のうち金融システムの安定を図るためその業務の健全性を確保する必要がある事業として内閣府令で定める事業を行う会社（銀行、保険会社等）	当該事業年度が開始した日以後6月間の半期報告書共通記載事項及び当該会社に係るこれと同様の事項として内閣府令で定める事項
③ 上場会社等以外の会社（非上場会社）	当該事業年度が開始した日以後6月間の半期報告書共通記載事項及び当該会社に係るこれと同様の事項並びにこれらを補足する事項として内閣府令で定める事項

ただし、非上場会社のうち以下のア、イに掲げる場合は除く。

ア ②の事業を行う会社が、②の記載事項を記載した半期報告書を②の期間内に提出した場合

イ ②の事業を行う会社以外の会社が、①の記載事項を記載した半期報告書を①の期間内に提出した場合

（2）提 出 先

名宛人及び提出先は次による。 【開示府令20】

どちらに提出すべきかの判定は、提出日現在の状況による。 【開示ガ5 -44】

本店所在地を管轄する財務局長（当該所在地が福岡財務支局の管轄区域内にあるときは福岡財務支局長）。ただし、外国会社及び内国会社で資本金が50億円以上の上場会社は関東財務局長。

なお、写しの金融商品取引所等への提出は有価証券報告書に同じ。 【開示府令20】

（3）提 出 部 数

3 通 【開示府令18】

（4）EDINET による提出

【金商27の30の2、27の30の3①➡p.54】

（5）様 式

内国会社……第四号の三様式、第五号様式

外国会社……第九号の三様式 【開示府令18①】

（6）添 付 書 類

内国会社……添付書類はない。

外国会社……以下①及び②を添付しなければならない。

① 外国会社半期報告書に記載されている事項のうち公益又は投資者保護のため必要かつ適当なものとして内閣府令で定めるものの要約の日本語による翻訳文

② 外国会社半期報告書に記載されていない事項のうち公益又は投資者保護のため必要かつ適当なものとして内閣府令で定めるものを記載した書類その他内閣府令で定めるもの 【金商24の5⑧】

（7）中間財務諸表の用語・様式及び作成方法

中間連結財務諸表は連結財務諸表規則により、中間財務諸表は財務諸表等規則により、作成しなければならない。

【金商193、財規1、連規1①二】

（8）監査証明

中間財務諸表には、当該発行会社と特別の利害関係のない公認会計士又は監査法人の監査証明を受けなければならない。 【金商193の2、監査証明府令1①十三、十四】

（9）外国会社報告書

半期報告書を提出しなければならない外国会社は、公益又は投資者保護に欠けないものとして一定の要件を満たす場合には、半期報告書の提出に代えて、外国において開示が行われている半期報告書に類する書類であって英語で記載された外国会社半期報告書を提出することができる。

【金商24の5⑦】

（10）確 認 書

半期報告書を提出する場合には、当該半期報告書（その訂正報告書を含む）の記載内容が金融商品取引法令に基づき適正であることを確認した旨を記載した確認書と併せて提出しなければならない。

【金商24の4の2、24の5の2】

（11）半期報告書の自発的訂正

半期報告書に記載事項の記載漏れ、記載不十分、重要な事項について虚偽記載等があるときは、訂正報告書を提出しなければならない。 【金商24の5⑤】

（12）内閣総理大臣の訂正命令

① 半期報告書に形式上の不備があるとき、記載すべき重要な事項の記載が不十分であると認めるときは、内閣総理大臣は、発行会社に対して訂正報告書の提出を命ずることができる。 【金商9①、24の5⑤】

② 半期報告書に重要な事項について虚偽記載があるとき、記載すべき重要な事項又は誤解を生じさせないために必要な重要な事実の記載が欠けているときは、内閣総理大臣は、発行会社に対して訂正報告書の提出を命じることができる。 【金商10①、24の5⑤】

（13）行政処分等

① 課徴金制度

半期報告書を提出しない発行者や、重要な事項に虚偽の記載のある半期報告書を提出した発行者に対しては、有価証券報告書等に係る課徴金の2分の1に相当する額【➡ p.30】の課徴金の納付が求められる。

【金商172の3②、金商172の4②】

② 損害賠償責任

半期報告書のうちに重要な事項について虚偽記載がある場合には、次の損害賠償責任を負う。

ア 半期報告書の提出会社は、当該発行者の有価証券を取得した者に対し、当該虚偽記載等により生じた損害賠償について賠償責任を負う。 【金商21の2①】

イ 半期報告書の提出会社の役員又は虚偽証明を行った公認会計士又は監査法人は、当該虚偽記載等があることを知らないで当該提出会社の有価証券を取得した者に対して損害賠償責任を負う。 【金商24の5⑤、22】

③ 罰則

ア 重要な事項につき虚偽の記載がある半期報告書を提出した者に対しては、5年以下の懲役もしくは500万円以下の罰金が科され、又はこれが併科され、法人に

対しては 5 億円以下の罰金が科される。

【金商197の 2 六、207①】

イ　半期報告書を提出していない者に対しては、 1 年以下の懲役もしくは100万円以下の罰金が科され、又はこれが併科され、法人に対しては 1 億円以下の罰金が科される。

【金商200、207①】

（14）公衆縦覧の報告書等・場所・期間

半期報告書及びその訂正報告書は、下記において提出から 5 年間、公衆の縦覧に供しなければならない。

【金商25①六、②、③、④】

① 関東財務局等
② 発行会社
③ 金融商品取引所（又は認可金融商品取引業協会）
④ 内容の一部について公衆縦覧が免除される場合

【➡p.30】

（15）EDINET による公衆縦覧

【金商27の30の 7 、27の30の 8 、27の30の10、金商令14の12、14の13➡p.55】

2. 期中レビュー制度

（1）監査証明

中間財務諸表及び中間連結財務諸表には、当該発行会社と特別の利害関係のない公認会計士又は監査法人の監査を受けなければならない。　　　　【金商193の 2 ①】

（2）監査証明の手続

① 第一種中間財務諸表又は第一種中間連結財務諸表の監査証明は、第一種中間財務諸表等の監査を実施した公認会計士又は監査法人が作成する期中レビュー報告書により行うものとする。

② 第二種中間財務諸表又は第二種中間連結財務諸表の監査証明は、第二種中間財務諸表等の監査を実施した公認会計士又は監査法人が作成する中間監査報告書により行うものとする。　　　　【監査証明府令 3 ①】

3. 期中レビュー報告書

（1）記載事項

① 期中レビューを実施した公認会計士又は監査法人の結論に関する次に掲げる事項

ア　当該結論に係る期中レビューの対象となった第一種中間財務諸表等の範囲

イ　期中レビューの対象となった第一種中間財務諸表等が、一般に公正妥当と認められる企業会計の基準に準拠して、当該第一種中間財務諸表等に係る中間（連結）会計期間の財政状態、経営成績及びキャッシュ・フローの状況を適正に表示していないと信じさせる事項がすべての重要な点において認められなかったかどうかについての結論

② ①イの結論の根拠

③ 継続企業の前提の規定による注記に係る事項

④ 追記情報

⑤ 経営者及び監査役等の責任

⑥ 期中レビューを実施した公認会計士又は監査法人の責任

⑦ 公認会計士法25②の規定により明示すべき利害関係

【監査証明府令 4 ①三】

（2）結論の種類

① 無限定の結論
② 除外事項を付した限定付結論
③ 否定的結論　　　　【監査証明府令 4 ⑰】

（3）結論の根拠の記載

① 期中レビューが一般に公正妥当と認められる期中レビューの基準に準拠して行われた旨

② 期中レビューの結果として入手した証拠が結論の表明の基礎を与えるものであること。

③ 限定付結論の区分である場合には、次のア又はイに掲げる事項

ア　除外事項及び当該除外事項が期中レビューの対象となった第一種中間財務諸表等に与えている影響（当該影響を記載することができる場合に限る）並びにこれらを踏まえて限定付結論とした理由

イ　実施できなかった重要な期中レビュー手続及び当該重要な期中レビュー手続を実施できなかった事実が影響する事項並びにこれらを踏まえて限定付結論とした理由

④ 否定的結論の区分である場合には、期中レビューの対象となった第一種中間財務諸表等が、一般に公正妥当と認められる企業会計の基準に準拠して、当該第一種中間財務諸表等に係る中間会計期間の財政状態、経営成績及びキャッシュ・フローの状況を重要な点において適正に表示していないと信じさせる事項が認められた理由

【監査証明府令 4 ⑱】

（4）継続企業の前提

監査人は、継続企業の前提に関する重要な不確実性が認められる場合には、次のとおり結論の表明及び期中レビュー報告書の記載を行わなければならない。

① 継続企業の前提に関する事項が期中財務諸表に適切に記載されていると判断して、無限定の結論を表明する場合には、当該継続企業の前提に関する事項について期中レビュー報告書に記載しなければならない。

② 継続企業の前提に関する事項が期中財務諸表に適切に記載されていないと判断した場合は、当該不適切な記載についての除外事項を付した限定付結論又は否定的結論を表明し、その理由を記載しなければならない。

【期レ基三12】

（5）追記情報

監査人は、次に掲げる強調すること又はその他説明することが適当と判断した事項は、期中レビュー報告書にそれらを区分した上で、情報として追記するものとする。

① 会計方針の変更
② 重要な偶発事象
③ 重要な後発事象
④ 監査人が結論を表明した期中財務諸表を含む開示書類における当該期中財務諸表の表示とその他の記載内容との重要な相違　　　【監査証明府令 4 ⑲、期レ基三13】

（6）経営者及び監査役等の責任

次に掲げる事項について記載する。

① 経営者の責任

ア　第一種中間財務諸表等を作成する責任があること。

イ　第一種中間財務諸表等に重要な虚偽の表示がないように内部統制を整備及び運用する責任があること。
　ウ　継続企業の前提に関する評価を行い必要な開示を行う責任があること。
② 監査役等の責任
　財務報告に係る過程を監視する責任があること。
【監査証明府令4⑳】

（7）期中レビューを実施した公認会計士又は監査法人の責任
　次に掲げる事項について記載する。
① 期中レビューを実施した公認会計士又は監査法人の責任は独立の立場から第一種中間財務諸表等に対する結論を表明することにあること。
② 期中レビューは質問、分析的手続その他の期中レビュー手続により行われ、年度の財務諸表等の監査に比べて限定的な手続により行われたこと。
③ 継続企業の前提に関する経営者の評価について検討すること。
④ 監査役等と適切な連携を図ること。
【監査証明府令4㉑】

（8）結論の不表明
　期中レビュー手続が実施されなかったこと等により、結論の表明ができない場合には、結論の表明をしない旨及びその理由を期中レビュー報告書に記載しなければならない。
【監査証明府令4㉒】

（9）期中レビューに係る概要書
　期中レビュー報告書の作成日の翌月の末日までに財務局長等に提出しなければならない。　【監査証明府令5】

4. 中間監査報告書

（1）記載事項
① 中間監査の意見に関する事項
② 継続企業の前提に関する注記に係る事項
③ 追記情報
④ 経営者及び監査役等の責任
⑤ 中間監査を実施した公認会計士又は監査法人の責任
⑥ 利害関係　　　　　　【監査証明府令4①二】

（2）中間監査の意見に関する事項の記載事項
① 中間監査の対象
　中間監査の対象とした中間財務諸表等の範囲
② 中間財務諸表に対する結論
　中間監査の対象となった中間財務諸表等が、一般に公正妥当と認められる中間財務諸表等の作成基準に準拠して、企業の財政状態、経営成績及びキャッシュ・フローの状況に関する有用な情報を表示しているかどうかについての意見。　　　　　【監査証明府令4①二イ】
③ ②の意見の根拠　　　【監査証明府令4①二ロ】

（3）中間監査の種類
① 無限定適正意見
② 除外事項を付した限定付適正意見
③ 不適正意見　　　　　　【監査証明府令4⑫】

（4）中間監査の根拠
① 無限定適正意見、除外事項を付した限定付適正意見及び不適正意見共通
　ア　中間監査が一般に公正妥当と認められる中間監査の

基準に準拠して行われた旨。
　イ　中間監査の結果として入手した証拠が意見の表明の基礎を与える十分かつ適切なものであること。
② 除外事項を付した限定付意見の場合、次のア又はイ
　ア　除外事項及び当該除外事項が中間監査の対象となった中間財務諸表等に与えている影響並びに意見の根拠
　イ　実施できなかった重要な中間監査手続及び当該重要な中間監査手続を実施できなかった事実が影響する事項並びに意見の根拠
③ 否定的意見
　中間監査の対象となった中間財務諸表が有用な情報を表示していない理由　　　　【監査証明府令4⑬】

（5）経営者及び監査役等の責任
　次に掲げる事項について記載する。
① 中間財務諸表等の作成責任は経営者にあること。
② 中間財務諸表等に重要な虚偽の表示がないように内部統制を整備及び運用する責任は経営者にあること。
③ 継続企業の前提に関する評価を行い必要な開示を行う責任は経営者にあること。
④ 監査役等には、財務報告に係る過程を監視する責任があること。　　　　　　　　【監査証明府令4⑮】

（6）中間監査を実施した公認会計士又は監査法人の責任
　次に掲げる事項について記載する。
① 中間監査を実施した公認会計士又は監査法人の責任は独立の立場から中間財務諸表等に対する意見を表明することにあること。
② 中間監査は分析的手続等を中心とした監査手続に必要に応じて追加の監査手続を適用して行われたこと。
③ 中間監査は経営者が採用した会計方針及びその適用方法並びに経営者によって行われた見積りの評価も含め中間財務諸表等の表示を検討していること。
④ 中間監査手続の選択及び適用は中間監査を実施した公認会計士又は監査法人の判断によること。
⑤ 継続企業の前提に関する経営者の評価について検討すること。
⑥ 監査役等と適切な連携を図ること。
【監査証明府令4⑯】

（7）追記情報に関する記載事項
　監査人は、次に掲げる強調すること又はその他説明することが適当と判断した事項は、中間監査報告書にそれらを区分した上で、情報として追記するものとする。
① 正当な理由による会計方針の変更
② 重要な偶発事象
③ 重要な後発事象
④ 監査人が意見を表明した中間財務諸表を含む開示書類における当該中間財務諸表の表示とその他の記載内容との重要な相違
⑤ その他の事項　　【監査証明府令4⑭、中間基三9】

（8）意見の不表明
　重要な監査手続が実施されなかったこと等により上記（3）①②③の意見が表明できない場合には、意見の表明をしない旨及びその理由を記載しなければならない。
【監査証明府令4㉒】

(9) 継続企業の前提の注記に関する記載事項

監査人は、継続企業の前提に重要な疑義を生じさせる事象又は状況が存在する場合には、次のとおり意見の表明及び中間監査報告書の記載を行わなければならない。

① 継続企業を前提として中間財務諸表を作成することが適切であるが、継続企業の前提に関する重要な不確実性が認められる場合において、継続企業の前提に関する事項が中間財務諸表に適切に記載されていると判断して有用な情報が表示されている旨の件を表明するときには、当該継続企業の前提に関する事項について中間監査報告書に追記しなければならない。

② 継続企業を前提として中間財務諸表を作成することが適切であるが、継続企業の前提に関する重要な不確実性が認められる場合において、継続企業の前提に関する事項が中間財務諸表に適切に記載されていないと判断したときには、当該不適切な記載についての除外事項を付した限定付意見を表明するか、又は、中間財務諸表が有用な情報を表示していない旨の意見を表明し、その理由を記載しなければならない。

③ 継続企業の前提に重要な疑義を生じさせるような事象又は状況に関して経営者が評価及び対応策を示さないときには、継続企業の前提に関する重要な不確実性が認められるか否かを確かめる十分かつ適切な監査証拠を入手できないことがあるため、中間監査に係る監査手続の範囲に制約があった場合に準じて意見の表明の適否を判断しなければならない。

④ 継続企業を前提として中間財務諸表を作成することが適切でない場合には、継続企業を前提とした中間財務諸表は有用な情報を表示していない旨の意見を表明し、その理由を記載しなければならない。　　　【中監基三 8】

(10) 意見に関する除外

監査人は、経営者が採用した会計方針の選択及びその適用方法、中間財務諸表の表示方法に関して不適切なものがある場合において、その影響が無限定意見を表明することができない程度に重要ではあるものの、中間財務諸表を全体として投資者の判断を損なうような虚偽の表示に当たるとするほどではないと判断したときには、除外事項を付した限定付意見を表明しなければならない。この場合には、意見の根拠の区分に、除外した不適切な事項、中間財務諸表に与えている影響及びこれらを踏まえて除外事項を付した限定付適正意見とした理由を記載しなければならない。
【中監基三 4】

(11) 不適正意見

監査人は、経営者が採用した会計方針の選択及びその適用方法、中間財務諸表の表示方法に関して不適切なものがあり、その影響が中間財務諸表全体として投資者の判断を損なうような虚偽の表示に当たるとするほどに重要であると判断した場合には、中間財務諸表が有用な情報の表示をしていない旨の意見を表明しなければならない。この場合には、意見の根拠の区分に、その旨及びその理由を記載しなければならない。　　　　　　　　【中監基三 5】

(12) 監査範囲の制約及び意見不表明

① 監査人は、中間監査に係る重要な監査手続を実施できなかったことにより、無限定意見を表明することができ

ない場合において、その影響が中間財務諸表全体に対する意見表明ができないほどではないと判断したときには、除外事項を付した限定付意見を表明しなければならない。この場合には、意見の根拠の区分に、実施できなかった監査手続、当該事実が影響する事項及びこれらを踏まえて除外事項を付した限定付適正意見とした理由を記載しなければならない。

② 監査人は、中間監査に係る重要な監査手続を実施できなかったことにより、中間財務諸表全体に対する意見表明のための基礎を得ることができなかったときには、意見を表明してはならない。この場合には、別に区分を設けて、中間財務諸表に対する意見を表明しない旨及びその理由を記載しなければならない。　　【中監基三 6、7】

(13) 中間監査概要書

中間監査概要書を中間監査報告書の作成日の翌月の末日までに提出しなければならない。　　　【監査証明府令 5】

5 臨時報告書

1. 臨時報告書提出制度

(1) 提出義務者

有価証券報告書を提出しなければならない会社。
【金商24の 5 ④】

(2) 提 出 先

名宛人及び提出先は次による。　　　【開示府令20】

本店又は主たる事務所の所在地を管轄する財務局長（当該所在地が福岡財務支局の管轄区域であるときは福岡財務支局長）

ただし、外国会社、資本金が50億円以上の上場会社は、関東財務局長

なお、提出会社が上場会社又は店頭登録会社の場合は、臨時報告書を内閣総理大臣に提出した場合は、遅滞なくその写しを以下に提出することとされている。訂正報告書が提出された場合も同じ。　　　　　　【金商24の 5 ⑥】

上場有価証券…………上場している金融商品取引所

店頭売買有価証券……登録している認可金融商品取引業協会

(3) 提出時期と部数

3 通を、遅滞なく、提出しなければならない。
【金商24の 5 ④】、開示府令19②】

(4) EDINET による提出

【金商27の30の 2 、27の30の 3 ①➡p.54】

(5) 様　　式

内国会社……第五号の三様式

外国会社……第十号の二様式　　　【開示府令19②】

(6) 提出すべき要件等

① 海外における有価証券の募集又は売出し
【開示府令19②一】

ア　提出要件及び提出時期

提出会社が発行者である有価証券の募集（50名未満のものを相手方として行うものを除く）又は売出しの

うち発行価額又は売出価額の総額が１億円以上であるものが本邦以外の地域において開始された場合（当該募集又は売出しに係る有価証券と同一の種類の有価証券の募集又は売出しが、本邦以外の地域と並行して本邦において開始された場合であって、その本邦における募集又は売出しに係る有価証券届出書又は発行登録追補書類に本邦以外の地域において開始された募集又は売出しに係る次に掲げる事項を記載したときを除く）、遅滞なく提出する。なお、地域の行政庁等に届出等を要することとされているときは、当該届出等をしたときが本邦以外の地域において開始された場合に該当する。　　　　　　　　　　【開示ガ24の５-８】

　有価証券については、以下のものが除外されている。　　　　　　　　　　　　　　【開示府令19②一】

(ア)　新株予約権付社債券（株式買取権等が付与されている社債券を含む）以外の社債券

(イ)　社会医療法人債券

(ウ)　学校債券

(エ)　学校貸付債権

(オ)　コマーシャル・ペーパー

(カ)　外国譲渡性預金証書

(キ)　有価証券信託受益証券（株券、新株予約権証券、新株予約権付社債券を受託有価証券とするものを除く）

(ク)　預託証券（株券、新株予約権証券、新株予約権付社債券に係る権利を表示するものを除く）

(ケ)　カバードワラント

イ　記載内容

(ア)　有価証券の種類及び銘柄（株券の場合は株式の種類、新株予約権付社債券の場合はその旨を含み、行使価額修正条項付新株予約権付社債券等である場合にはその旨を併せて記載すること）

(イ)　次の有価証券の区分に応じ、定める事項

　A　株券

　(a)　発行数又は売出数

　(b)　発行価格及び資本組入額又は売出価格

　(c)　発行価額の総額及び資本組入額の総額又は売出価額の総額

　(d)　株式の内容

　B　新株予約権証券

　(a)　発行数又は売出数

　(b)　発行価格又は売出価格

　(c)　発行価額の総額又は売出価額の総額

　(d)　新株予約権の目的となる株式の種類、内容及び数

　(e)　新株予約権の行使に際して払い込むべき金額

　(f)　新株予約権の行使期間

　(g)　新株予約権の行使の条件

　(h)　新株予約権の行使により株券を発行する場合のその株券の発行価格のうちの資本組入額

　(i)　新株予約権の譲渡に関する事項

　C　新株予約権付社債券

　(a)　発行価格又は売出価格

　(b)　発行価額の総額又は売出価額の総額

　(c)　券面額の総額

　(d)　利率

　(e)　償還期限

　(f)　新株予約権の目的となる株式の種類、内容及び数

　(g)　新株予約権の総数

　(h)　新株予約権の行使に際して払い込むべき金額

　(i)　新株予約権の行使期間

　(j)　新株予約権の行使の条件

　(k)　新株予約権の行使により株券を発行する場合のその株券の発行価格のうちの資本組入額

　(l)　新株予約権の行使時に社債の全額の償還に代えて新株予約権の行使に際して払い込むべき金額の全額の払込みがあったものとするときはその旨

　(m)　新株予約権の譲渡に関する事項

(ウ)　発行方法

(エ)　引受人又は売出しを行う者の氏名又は名称

(オ)　募集又は売出しを行う地域

(カ)　提出会社が取得する手取金の総額並びに使途ごとの内容、金額及び支出予定時期

(キ)　新規発行年月日又は受渡年月日

(ク)　当該有価証券を金融商品取引所に上場しようとする場合における当該金融商品取引所の名称

(ケ)　行使価額修正条項付新株予約権付社債券等の場合には、(ア)から(ク)までに掲げる事項のほか、次に掲げる事項

　A　当該行使価額修正条項付新株予約権付社債券等の特質（取得請求権付株券等と密接な関係を有するデリバティブ取引その他の取引の内容を当該取得請求権付株券等の内容と一体のものとみなした場合に該当する場合にあっては、取得請求権付株券等の内容とデリバティブ取引その他の取引の内容を一体のものとみなした場合の特質。以下同じ）

　B　提出会社が行使価額修正条項付新株予約権付社債券等の発行又は売付けにより資金の調達をしようとする理由

　C　取得請求権付株券等と密接な関係を有するデリバティブ取引その他の取引の内容を当該取得請求権付株券等の内容と一体のものとみなした場合に該当する場合にあっては、開示府令19⑨に規定するデリバティブ取引その他の取引の内容

　D　当該行使価額修正条項付新株予約権付社債券等に表示された権利の行使に関する事項（その権利の行使を制限するために支払われる金銭その他の財産に関する事項を含む）についての取得者（当該行使価額修正条項付新株予約権付社債券等を取得しようとする者をいう。以下(ケ)において同じ）と提出会社との間の取決めの内容（その取決めがない場合には、その旨）

　E　提出会社の株券の売買（金商令26の２の２①に規定する空売りを含む）に関する事項についての取得者と提出会社との間の取決めの内容（その

取決めがない場合には、その旨)

F 提出会社の株券の貸借に関する事項についての取得者と提出会社の特別利害関係者等との間の取決めがあることを知っている場合には、その内容

G その他投資者の保護を図るため必要な事項

(注) 行使価額修正条項付新株予約権付社債券等とは、会社法2十八に規定する取得請求権付株式に係る株券もしくは金商2①十七に掲げる有価証券でこれと同じ性質を有するもの、新株予約権証券又は新株予約権付社債券であって、当該取得請求権付株式等に表示された権利の行使により引き受けられ、もしくは取得されることとなる株券の数又は当該取得請求権付株式等に表示された権利の行使に際して支払われるべき金銭その他の財産の価額が、当該取得請求権付株券等が発行された後の一定の日又は一定の期間における当該取得請求権付株券等の発行者の株券の価格(金商67の19又は130に規定する最終の価格、当該最終の価格を利用して算出される平均価格その他これらに準ずる価格をいう)を基準として決定され、又は修正されることがある旨の条件が付されたものをいう。

【開示府令19⑧】

㈡ 有価証券信託受益証券の場合には、㈠から㈦までに掲げる事項に準ずる事項のほか当該有価証券信託受益証券に係る受託有価証券の内容(受託有価証券が行使価額修正条項付新株予約権付社債券等である場合にはその受託有価証券の内容及びその受託有価証券に係る㈱の事項)

㈣ 預託証券の場合には、㈠から㈦までに掲げる事項に準ずる事項のほかにその預託証券に表示される権利に係る有価証券の内容(当該有価証券が行使価額修正条項付新株予約権付社債券等である場合には、その有価証券の内容及びその有価証券に係る㈱の事項)

㈷ 当該有価証券(株券、新株予約権証券及び新株予約権付社債券に限る)の募集又は売出しが当該有価証券に係る株式又は新株予約権を特定の者に割り当てる方法(第三者割当)により行われる場合には、㈠から㈦までに掲げる事項のほか、開示府令第二号様式第一部の第3に掲げる事項。

ただし、以下の場合を除く。

A 会202①の規定による株式の割当てによる方法

B 会241①又は同法277の規定による新株予約権の割当てによる方法(外国会社にあっては、これらに準ずる方法)

C 一定の要件(注)に該当する場合において、当該有価証券の募集又は売出しに係る引受人が当該有価証券と同一の種類の有価証券をその募集又は売出しと同一の条件で売出しを行うこととされているときに、当該有価証券をその引受人に割り当てる方法

(注) 「一定の要件」とは、有価証券の募集又は

売出しに際して引受人によるオーバーアロットメントが行われる場合で、引受人が実際に行うオーバーアロットメントの数量を上限としてグリーンシューオプションを行使できることとされている場合をいう。

【開示ガ24の5-29】

D 新株予約権(譲渡が禁止される旨の制限が付されているものに限る)を当該新株予約権に係る新株予約権証券の発行者又はその関係会社の役員、会計参与又は使用人に割り当てる方法

E 提出会社又は関係会社がこれらの会社の役員、会計参与又は使用人(役員等という)から役務の提供を受ける場合において、当該役員等に生ずる債権の給付と引換えに当該役員等に交付される自社株等を当該役員等に割り当てる方法又は当該関係会社の役員等に給付されることに伴って当該債権が消滅する自社株等を当該関係会社の役員等に割り当てる方法

㈽ 当該有価証券の募集又は売出しが当該有価証券をもって対価とする海外公開買付けのために行われる場合には、㈠から㈦までに掲げる事項のほか第二号の六様式第二部の第1の4から6までに掲げる事項

ウ 添付書類

㈠ 当該有価証券の発行、募集又は売出しにつき行政庁の許可、認可又は承認を必要とする場合における当該許可、認可又は承認があったことを知るに足る書面

㈡ 当該有価証券を発行するための取締役会の決議等又は株主総会の決議に係る当該取締役会の議事録の写し又は当該株主総会の議事録の写し又はこれらに類する書面

㈢ 当該募集、売出しに際し目論見書が使用される場合には、その目論見書(提出会社が外国会社である場合を除く)   【開示府令19④一】

目論見書の訳文については、要約されたものであっても、次の要件に該当する場合には、訳文の提出があったものとみなして取り扱うことに留意する。

A 目論見書の表紙(募集又は売出しに係る有価証券の概要を記載した部分)及び目次については、全訳したものであること

B 訳文の余白等に、目論見書の記載事項に係る照会に対し責任をもって回答することができる者の氏名、連絡先(会社名・住所・電話番号)が記載されていること   【開示ガ24の5-16】

エ 当初発行条件が未定のままで臨時報告書を提出したときは、発行価格等が決定されたときに臨時報告書の訂正報告書を提出しなければならない。

【開示ガ24の5-9】

2. 私募による有価証券の発行　【開示府令19②二】

(1) 提出要件及び提出時期

国内における発行価額の総額1億円以上の私募による

第2章

金融商品取引法及び金融商品取引所等の開示制度

2.私募による有価証券の発行　41

有価証券の発行及び海外における50名未満を相手方として発行価額の総額1億円以上の募集が行われた場合、その発行につき取締役会の決議等又は株主総会の決議又は行政庁の認可があった場合（海外における発行の場合は当該発行が行われた場合）遅滞なく提出する。

なお、対象外となる有価証券については【➡p.40】のアの(ア)から(ケ)に同じ。

（2）記載内容

① 海外における有価証券の募集又は売出しの「記載内容」【➡p.40】の(ア)から(ウ)まで及び(カ)から(コ)までに掲げる事項

② 海外における有価証券の募集又は売出しの「記載内容」【➡p.40】の(エ)及び(オ)に掲げる事項に準ずる事項

③ 当該有価証券に金商令1の7に規定する譲渡に関する制限その他の制限が付されている場合にはその内容

④ 株券（準備金の資本組入れ、又は剰余金処分による資本組入れより発行されるものを除く）、新株予約権証券又は新株予約権付社債券の場合には、①及び②に掲げる事項のほか、次に掲げる事項

　ア 当該株券、新株予約権証券又は新株予約権付社債券を取得しようとする者（以下イ、ウにおいて「取得者」という）の名称、住所、代表者の氏名、資本金又は出資の額及び事業の内容（個人の場合においては、その氏名及び住所）

　イ 出資関係、取引関係その他これらに準ずる取得者と提出会社との間の関係

　ウ 保有期間その他の当該株券、新株予約権証券又は新株予約権付社債券の保有に関する事項についての取得者と提出会社との間の取決めの内容

　（注1）「出資関係、取引関係その他これらに準ずる取得者と提出会社との間の関係」とは、取得者と提出会社との間の出資関係及び取引関係のほか、例えば、役員の兼任等の人事関係、資金援助、債務保証等の資金関係等の関係をいう。
【開示ガ24の5-13】

　（注2）「保有期間その他の当該株券、新株予約権証券又は新株予約権付社債券の保有に関する事項についての取得者と提出会社との間の取決め」とは、取得者と提出会社との間の当該株券、新株予約権証券又は新株予約権付社債券の保有期間に係る取決めのほか、例えば、当該株券に関し、譲渡、担保差入れ、株式の不発行等の当該株券の保有に関連する取決めがある場合の当該取決めをいう。
【開示ガ24の5-14】

　エ 提出日現在の資本金の額、発行済株式総数（会社法108①各号に掲げる事項について異なる定めをした内容の異なる2以上の種類の株式を発行している場合には、種類ごとの数）
【開示府令第五号の三様式記載上の注意(5)a】

⑤ 当該有価証券の発行が第三者割当により行われる場合には、第二号様式第一部の第3に掲げる事項

⑥ 当該有価証券の発行が海外公開買付けのために行われる場合には、第二号の六様式第二部の第1の4から6までに掲げる事項

（3）添付書類　　　　　　　　　　　　【開示府令19④二】

① 当該有価証券の発行又は取得につき行政庁の許可、認可又は承認を必要とする場合における当該許可、認可又は承認があったことを知るに足る書面

② 当該有価証券を発行するための取締役会の決議等又は株主総会の決議に係る当該取締役会の議事録の写し又は当該株主総会の議事録の写し又はこれらに類する書面

3. 募集、売出しの届出を要しない株券等又は新株予約権証券（ストック・オプション）等の発行
【開示府令19②二の二】

（1）提出要件及び提出時期

金商4①一の規定により募集又は売出しの届出を要しない株券等又は新株予約権証券（ストック・オプション）等の取得勧誘又は売付け勧誘等のうち発行価額又は売出価額の総額が1億円以上のものについて、取締役会の決議等又は株主総会の決議があった場合、遅滞なく提出する。

（2）記載内容

① 株券等

　ア 銘柄

　イ 発行条件

　　(ア) 発行数又は売出数

　　(イ) 発行価格及び資本組入額又は売出価格

　　(ウ) 発行価額の総額及び資本組入額の総額又は売出価額の総額

　　(エ) 株式の内容

　ウ その取得勧誘又は売付け勧誘等の相手方（勧誘の相手方）の人数及びその内訳

　エ 勧誘の相手方が提出会社に関係する会社として開示府令2①に規定する会社の取締役、会計参与、執行役、監査役又は使用人である場合には、その会社と提出会社との間の関係

　オ 勧誘の相手方と提出会社との間の取決めの内容

　カ その株券が譲渡についての制限がされていない他の株券と分別して管理される方法

② 新株予約権証券等

　ア 銘柄

　イ 発行条件

　　(ア) 発行数又は売出数

　　(イ) 発行価格又は売出価格

　　(ウ) 発行価額の総額又は売出価額の総額

　　(エ) 新株予約権の目的となる株式の種類、内容及び数

　　(オ) 新株予約権の行使に際して払い込むべき金額

　　(カ) 新株予約権の行使期間

　　(キ) 新株予約権の行使の条件

　　(ク) 新株予約権の行使により株券を発行する場合の当該株券の発行価格のうちの資本組入額

　　(ケ) 新株予約権の譲渡に関する事項

　ウ 当該取得勧誘又は売付け勧誘等の相手方（勧誘の相手方）の人数及びその内訳

　エ 勧誘の相手方が提出会社に関係する会社として開示府令2③に規定する会社の取締役、会計参与、執行役、監査役又は使用人である場合には、その会社と提出会社との間の関係

オ　勧誘の相手方と提出会社との間の取決めの内容

4. 親会社又は特定子会社の異動【開示府令19②三】

(1) 提出要件及び提出時期

　親会社の異動とは、提出会社の親会社であった会社が親会社でなくなること又は親会社でなかった会社が親会社となることをいい、特定子会社の異動とは、提出会社の特定子会社であった会社が子会社でなくなること又は子会社でなかった会社が特定子会社となることをいい、いずれも提出会社もしくは連結子会社の業務執行を決定する機関により決定された場合又は異動があった日から遅滞なく提出する。

(注)　特定子会社とは、次に掲げる特定関係のいずれか一以上に該当する子会社をいう。　【開示府令19⑩】
①　当該提出会社の最近事業年度に対応する期間において、当該提出会社に対する売上高の総額又は仕入高の総額が当該提出会社の仕入高の総額又は売上高の総額の100分の10以上である場合

　　この場合の「100分の10」の計算は、当該子会社の有価証券報告書提出会社に対する売上高が当該提出会社の仕入高の総額のうちに占める割合又は当該子会社の当該提出会社からの仕入高が当該提出会社の売上高の総額のうちに占める割合による。　【開示ガ24の5-17】
②　当該提出会社の最近事業年度の末日（当該事業年度と異なる事業年度を採用している会社の場合には、当該会社については、当該末日以前に終了した直近の事業年度の末日）において純資産額が当該提出会社の純資産額の100分の30以上に相当する場合（当該提出会社の負債の総額が資産の総額以上である場合を除く）
③　資本金の額又は出資の額が当該提出会社の資本金の額の100分の10以上に相当する場合

(2) 記載内容

①　親会社又は特定子会社の名称、住所、代表者の氏名、資本金又は出資の額及び事業の内容
②　親会社の異動の場合には、その異動の前後における親会社の所有する提出会社の議決権の数（当該提出会社の親会社の他の子会社が当該提出会社の議決権を所有している場合にはこれらの数を含む）及び提出会社の総株主等の議決権に対する割合
③　特定子会社の異動の場合には、その異動の前後における当該提出会社の所有に係る特定子会社の議決権の数（当該提出会社の他の子会社が当該特定子会社の議決権を所有している場合には、これらの数を含む）及び当該特定子会社の総株主等の議決権に対する割合
④　当該異動の理由(注)及び異動の年月日
(注)　異動の理由とは、異動の起因となった理由（例えば株式の売却、株式の取得、設立、合併、解散、清算等を含む）をいう。　【開示ガ24の5-18】

5. 主要株主の異動　【開示府令19②四】

(1) 提出要件及び提出時期

　提出会社の主要株主であった者が主要株主でなくなること又は主要株主でなかった者が当該提出会社の主要株主になることにより、提出会社の主要株主の異動が提出会社も

しくは連結子会社の業務執行を決定する機関により決定された場合又は提出会社の主要株主の異動があった場合に遅滞なく提出する。

(注)　主要株主とは、自己又は他人（仮設人を含む）の名義を以て総株主等の議決権の100分の10以上の議決権を有している株主をいう。　【金商163①】
　　なお、次に掲げる株式は、主要株主に該当するか否かを判定する際の所有株式に含まれない。
　　　　　　　　　　　　　　　　　　　【開示ガ24の5-19】
①　信託業を営む者が信託財産として所有する株式
②　有価証券関連業を営む者が引受け又は売出しを行う業務により取得した株式
③　証券金融会社がその業務として所有する株式
④　株券の保管及び振替を業とする者の業務により当該者の名義になっている株式

(2) 記載内容

①　異動に係る主要株主の氏名又は名称
②　異動の前後における当該主要株主の所有議決権数及びその総株主等の議決権に対する割合
③　異動の年月日
④　提出日現在の資本金の額、発行済株式総数（会社法108①各号に掲げる事項について異なる定めをした内容の異なる2以上の種類の株式を発行している場合には、種類ごとの数）
　　　　　　【開示府令第五号の三様式　記載上の注意(5) a】

6. 特別支配株主からの株式等売渡請求
【開示府令19②四の二】

(1) 提出要件及び提出時期

　特別支配株主から株式等売渡請求の通知がされた場合又は当該株式等売渡請求を承認するか否かが、当該提出会社の業務執行を決定する機関により決定された場合に遅滞なく提出する。

(2) 記載内容

①　特別支配株主から当該通知がされた場合には、次に掲げる事項
ア　当該通知がされた年月日
イ　当該特別支配株主の商号、本店の所在地及び代表者の氏名（個人の場合においては、その氏名及び住所）
ウ　当該通知の内容
②　当該株式等売渡請求を承認するか否かの決定がされた場合には、次に掲げる事項
ア　当該通知がされた年月日
イ　当該決定がされた年月日
ウ　当該決定の内容
エ　当該決定の理由及び当該決定に至った過程（売渡株式等の対価の支払いの確実性に関する判断の内容を含む）

7. 全部取得条項付種類株式の全部の取得
【開示府令19②四の三】

(1) 提出要件及び提出時期

　全部取得条項付種類株式の全部の取得を目的とする株主総会を招集することが、提出会社の業務執行を決定する機

関により決定された場合（当該取得により当該提出会社の株主の数が25名未満となることが見込まれる場合に限る）に遅滞なく提出する。

(2) 記載内容
① 当該取得の目的
② 取得対価の内容
③ 当該取得対価の内容の算定根拠
④ 会234の規定により1に満たない端数の処理をすることが見込まれる場合における当該処理の方法、当該処理により株主に交付されることが見込まれる金銭の額及び当該額の算定根拠
⑤ 当該取得対価の内容が当該提出会社の株式、社債、新株予約権又は新株予約権付社債以外の有価証券に係るものである場合は、当該有価証券の発行者についての次に掲げる事項
　ア 商号、本店の所在地、代表者の氏名、資本金又は出資の額、純資産の額、総資産の額及び事業の内容
　イ 最近3年間に終了した各事業年度の売上高、営業利益、経常利益及び純利益
　ウ 大株主（上位5名）の氏名又は名称及び発行済株式の総数に占める大株主の持株数の割合（持分会社の場合にあっては、社員の氏名又は名称）
　エ 提出会社との間の資本関係、人的関係及び取引関係
⑥ 当該提出会社が当該全部取得条項付種類株式を取得する日

8. 株式の併合を目的とする株主総会の招集
【開示府令19②四の四】

(1) 提出要件及び提出時期
　株式の併合を目的とする株主総会を招集することが、提出会社の業務執行を決定する機関により決定された場合（当該株式の併合により当該提出会社の株主の数が25名未満となることが見込まれる場合に限る）に遅滞なく提出する。

(2) 記載内容
① 当該株式の併合の目的
② 当該株式の併合の割合
③ 会234の規定により1に満たない端数の処理をすることが見込まれる場合における当該処理の方法、当該処理により株主に交付されることが見込まれる金銭の額及び当該額の算定根拠
④ 当該株式の併合がその効力を生ずる日

9. 重要な災害の発生　【開示府令19②五】

(1) 提出要件及び提出時期
　提出会社に係る重要な災害（注1）（提出会社の当該災害による被害を受けた資産（注2）の帳簿価額が当該提出会社の最近事業年度の末日における純資産額の100分の3以上に相当する額である災害をいう）が発生し、それがやんだ場合（注1）で、当該重要な災害による被害が当該提出会社の事業に著しい影響を及ぼすと認められる場合、遅滞なく提出する。

(2) 記載内容
① 重要な災害の発生年月日

② 重要な災害が発生した場所
③ 重要な災害により被害を受けた資産の種類及び帳簿価額並びにそれに対し支払われた保険金額
④ 重要な災害による被害が当該提出会社の事業に及ぼす影響
　(注1) 災害とは、地震、台風、浸水、火事、火薬類の爆発、航空機の墜落、船舶の沈没等による災害をいう。災害がやんだ場合とは、災害が引続き発生するおそれがなくなり、その復旧に着手できる状態になったときをいう。　【開示ガ24の5-20】
　(注2) 災害による被害を受けた資産とは、その資産が商品、製品等であるときは、その被災部分のほか被災部分と一体となって機能している資産の部分も含むが、その判定に当たっては、被災の状況等を考慮して合理的に決定すべきものであることに留意する。　【開示ガ24の5-21】

10. 訴訟の提起又は解決　【開示府令19②六】

(1) 提出要件及び提出時期
① 提出会社に対して訴訟が提起され、当該訴訟の損害賠償請求金額が当該提出会社の最近事業年度末日における純資産額の100分の15以上に相当する場合、遅滞なく提出する。
② 提出会社に対する訴訟が解決し（注）、当該訴訟の解決による損害賠償支払金額（注）が当該提出会社の最近事業年度末日における純資産額の100分の3以上に相当する場合、遅滞なく提出する。
　(注) 「訴訟が解決し」の解決には、判決のほか和解、示談等による解決が含まれ、「損害賠償支払金額」には判決による賠償支払金額のほか、和解、示談等により支払うこととなった金額が含まれる。
【開示ガ24の5-22】

(2) 記載内容
① 当該訴訟の提起があった年月日
② 当該訴訟を提起した者の名称、住所、代表者の氏名（個人の場合においては、その氏名及び住所）
③ 当該訴訟の内容及び損害賠償請求金額
④ 当該訴訟の解決の場合には、次に掲げる事項
　ア 当該訴訟の解決があった年月日
　イ 訴訟の解決の内容及び損害賠償支払金額

11. 株式交換

(1) 提出要件及び提出時期　【開示府令19②六の二】
　提出会社が株式交換完全親会社となる株式交換で、株式交換により株式交換完全子会社となる会社の最近事業年度の末日における資産の額が当該提出会社の最近事業年度の末日における純資産額の100分の10以上に相当する場合、又は、株式交換により株式交換完全子会社となる会社の最近事業年度の売上高が当該提出会社の最近事業年度の売上高の100分の3以上に相当する場合、又は、当該提出会社が株式交換完全子会社となる株式交換の場合
　株式交換が行われることが当該提出会社の業務執行を決定する機関により決定された場合に遅滞なく提出する。

（2）記載内容

① 当該株式交換の相手会社についての次に掲げる事項

　ア　商号、本店の所在地、代表者の氏名、資本金又は出資の額、純資産の額、総資産の額及び事業の内容

　イ　最近3年間に終了した各事業年度の売上高、営業利益、経常利益及び純利益

　ウ　大株主（上位5名）の氏名又は名称及び発行済株式の総数に占める大株主の持株数の割合（合同会社の場合にあっては、社員（定款で会社の業務を執行する社員を定めた場合には、当該社員）の氏名又は名称）

　エ　提出会社との間の資本関係、人的関係及び取引関係

② 当該株式交換の目的

③ 当該株式交換の方法、株式交換完全子会社となる会社の株式1株に割り当てられる株式交換完全親会社となる会社の株式の数その他の財産の内容（株式交換に係る割当ての内容）、その他の株式交換契約の内容

④ 株式交換に係る割当ての内容の算定根拠（提出会社又は当該株式交換の相手会社以外の者が当該株式交換に係る割当ての内容の算定を行い、かつ、当該提出会社が当該算定を踏まえて当該株式交換に係る割当ての内容を決定したときは、当該株式交換に係る割当ての内容の算定を行った者の氏名又は名称を含む）

⑤ 当該株式交換の後の株式交換完全親会社となる会社の商号、本店の所在地、代表者の氏名、資本金又は出資の額、純資産の額、総資産の額及び事業の内容

⑥ 株式交換に係る割当ての内容が当該株式交換完全親会社の株式、社債、新株予約権、新株予約権付社債又は持分以外の有価証券に係るものである場合、当該有価証券の発行者について①に掲げる事項

12. 株式移転　　　　　　【開示府令19②六の三】

（1）提出要件及び提出時期

　株式移転が行われることが、提出会社の業務執行を決定する機関により決定された場合、遅延なく提出する。

（2）記載内容

① 当該株式移転において、提出会社の他に株式移転完全子会社となる会社がある場合は、当該他の株式移転完全子会社となる会社についての次に掲げる事項

　ア　商号、本店の所在地、代表者の氏名、資本金の額、純資産の額、総資産の額及び事業の内容

　イ　最近3年間に終了した各事業年度の売上高、営業利益、経常利益及び純利益

　ウ　大株主の氏名又は名称及び発行済株式の総数に占める大株主の持株数の割合

　エ　提出会社との間の資本関係、人的関係及び取引関係

② 当該株式移転の目的

③ 当該株式移転の方法、株式移転完全子会社となる会社の株式1株に割り当てられる株式移転設立完全親会社となる会社の株式の数その他の財産の内容（株式移転に係る割当ての内容）、その他の株式移転計画の内容

④ 株式移転に係る割当ての内容の算定根拠（提出会社又は当該他の株式移転完全子会社となる会社以外の者が当該株式移転に係る割当ての内容の算定を行い、かつ、当該提出会社が当該算定を踏まえて当該株式移転に係る割

当ての内容を決定したときは、当該株式移転に係る割当ての内容の算定を行った者の氏名又は名称を含む）

⑤ 当該株式移転の後の株式移転設立完全親会社となる会社の商号、本店の所在地、代表者の氏名、資本金の額、純資産の額、総資産の額及び事業の内容

13. 吸収分割　　　　　　　【開示府令19②七】

（1）提出要件及び提出時期

　提出会社の資産の額が、当該提出会社の最近事業年度の末日における純資産額の100分の10以上減少し、もしくは増加することが見込まれる吸収分割又は提出会社の売上高が、当該提出会社の最近事業年度の売上高の100分の3以上減少し、もしくは増加することが見込まれる吸収分割が当該提出会社の業務執行を決定する機関により決定された場合に遅延なく提出する。

（2）記載内容

① 当該吸収分割の相手会社についての次に掲げる事項

　ア　商号、本店の所在地、代表者の氏名、資本金又は出資の額、純資産の額、総資産の額及び事業の内容

　イ　最近3年間に終了した各事業年度の売上高、営業利益、経常利益及び純利益

　ウ　大株主の氏名又は名称及び発行済株式の総数に占める大株主の持株数の割合（合同会社の場合にあっては、社員（定款で会社の業務を執行する社員を定めた場合には、当該社員）の氏名又は名称）

　エ　提出会社との間の資本関係、人的関係及び取引関係

② 当該吸収分割の目的

③ 当該吸収分割の方法、吸収分割会社となる会社に割り当てられる吸収分割承継会社となる会社の株式の数その他の財産の内容（吸収分割に係る割当ての内容）、その他の吸収分割契約の内容

④ 吸収分割に係る割当ての内容の算定根拠（提出会社又はその吸収分割の相手会社以外の者が当該吸収分割に係る割当ての内容の算定を行い、かつ、当該提出会社が当該算定を踏まえて当該吸収分割に係る割当ての内容を決定したときは、当該吸収分割に係る割当ての内容の算定を行った者の氏名又は名称を含む）

⑤ 当該吸収分割の後の吸収分割承継会社となる会社の商号、本店の所在地、代表者の氏名、資本金又は出資の額、純資産の額、総資産の額及び事業の内容

⑥ 吸収分割に係る割当ての内容が当該吸収分割承継会社の株式、社債、新株予約権、新株予約権付社債又は持分以外の有価証券に係るものである場合、当該有価証券の発行者について①に掲げる事項

14. 新設分割　　　　　　【開示府令19②七の二】

（1）提出要件及び提出時期

　提出会社の資産の額が、当該提出会社の最近事業年度の末日における純資産額の100分の10以上減少することが見込まれる新設分割又は提出会社の売上高が、当該提出会社の最近事業年度の売上高の100分の3以上減少することが見込まれる新設分割が、当該提出会社の業務執行を決定する機関により決定された場合、遅延なく提出する。

（2）記載内容

① 当該新設分割において、提出会社の他に新設分割会社となる会社がある場合は、当該他の新設分割会社となる会社についての次に掲げる事項

　ア　商号、本店の所在地、代表者の氏名、資本金又は出資の額、純資産の額、総資産の額及び事業の内容

　イ　最近3年間に終了した各事業年度の売上高、営業利益、経常利益及び純利益

　ウ　大株主の氏名又は名称及び発行済株式の総数に占める大株主の持株数の割合（合同会社の場合にあっては、社員（定款で会社の業務を執行する社員を定めた場合には、当該社員）の氏名又は名称）

　エ　提出会社との間の資本関係、人的関係及び取引関係

② 当該新設分割の目的

③ 当該新設分割の方法、新設分割会社となる会社に割り当てられる新設分割設立会社となる会社の株式の数その他の財産の内容（新設分割に係る割当ての内容）、その他の新設分割計画の内容

④ 新設分割に係る割当ての内容の算定根拠（提出会社又は当該他の新設分割会社となる会社以外の者が当該新設分割に係る割当ての内容の算定を行い、かつ、当該提出会社が当該算定を踏まえて当該新設分割に係る割当ての内容を決定したときは、当該新設分割に係る割当ての内容の算定を行った者の氏名又は名称を含む）

⑤ 当該新設分割の後の新設分割設立会社となる会社の商号、本店の所在地、代表者の氏名、資本金又は出資の額、純資産の額、総資産の額及び事業の内容

15. 吸収合併　　　　　　　【開示府令19②七の三】

（1）提出要件及び提出時期

　提出会社の資産の額が、当該提出会社の最近事業年度の末日における純資産額の100分の10以上増加することが見込まれる吸収合併もしくは提出会社の売上高が、当該提出会社の最近事業年度の売上高の100分の3以上増加することが見込まれる吸収合併又は提出会社が消滅することとなる吸収合併が当該提出会社の業務執行を決定する機関により決定された場合、遅滞なく提出する。

（2）記載内容

① 当該吸収合併の相手会社についての次に掲げる事項

　ア　商号、本店の所在地、代表者の氏名、資本金又は出資の額、純資産の額、総資産の額及び事業の内容（医療法人及び学校法人等の場合にあっては、名称、主たる事務所の所在地、理事長の氏名、純資産の額、総資産の額及び事業の内容）

　イ　最近3年間に終了した各事業年度の売上高、営業利益、経常利益及び純利益

　ウ　大株主の氏名又は名称及び発行済株式の総数に占める大株主の持株数の割合（持分会社の場合にあっては、社員（定款で会社の業務を執行する社員を定めた場合には、当該社員）の氏名又は名称。医療法人及び学校法人等の場合にあっては、理事の氏名）

　エ　提出会社との間の資本関係、人的関係及び取引関係

② 当該吸収合併の目的

③ 当該吸収合併の方法、吸収合併消滅会社となる会社の株式1株又は持分に割り当てられる吸収合併存続会社となる会社の株式の数又はその他の財産の内容（吸収合併に係る割当ての内容）、その他の吸収合併契約の内容（医療法人の場合にあっては、合併後存続する医療法人の定款又は寄附行為の内容。学校法人等の場合にあっては、合併後存続する学校法人等の寄附行為の内容）

④ 吸収合併に係る割当ての内容の算定根拠（提出会社又は当該吸収合併の相手会社以外の者が当該吸収合併に係る割当ての内容の算定を行い、かつ、当該提出会社が当該算定を踏まえて当該吸収合併に係る割当ての内容を決定したときは、当該吸収合併に係る割当ての内容の算定を行った者の氏名又は名称を含む）

⑤ 当該吸収合併の後の吸収合併存続会社となる会社の商号、本店の所在地、代表者の氏名、資本金又は出資の額、純資産の額、総資産の額及び事業の内容（医療法人の場合にあっては、合併後存続する医療法人の名称、主たる事務所の所在地、理事長の氏名、純資産の額、総資産の額及び事業の内容。学校法人等の場合においても同様とする）

⑥ 吸収合併に係る割当ての内容が当該吸収合併存続会社となる会社の株式、社債、新株予約権、新株予約権付社債又は持分以外の有価証券に係るものである場合、当該有価証券の発行者について①に掲げる事項

16. 新設合併　　　　　　　【開示府令19②七の四】

（1）提出要件及び提出時期

　新設合併が行われることが、提出会社の業務執行を決定する機関により決定された場合、遅滞なく提出する。

（2）記載内容

① 当該新設合併における提出会社以外の新設合併消滅会社となる会社についての次に掲げる事項

　ア　商号、本店の所在地、代表者の氏名、資本金又は出資の額、純資産の額、総資産の額及び事業の内容（医療法人及び学校法人等の場合にあっては、名称、主たる事務所の所在地、理事長の氏名、純資産の額、総資産の額及び事業の内容）

　イ　最近3年間に終了した各事業年度の売上高、営業利益、経常利益及び純利益

　ウ　大株主の氏名又は名称及び発行済株式の総数に占める大株主の持株数の割合（持分会社の場合にあっては、社員（定款で会社の業務を執行する社員を定めた場合には、当該社員）の氏名又は名称。医療法人、学校法人等の場合にあっては、理事の氏名）

　エ　提出会社との間の資本関係、人的関係及び取引関係

② 当該新設合併の目的

③ 当該新設合併の方法、新設合併消滅会社となる会社の株式1株又は持分に割り当てられる新設合併設立会社となる会社の株式の数その他の財産の内容（新設合併に係る割当ての内容）、その他の新設合併契約の内容（医療法人の場合にあっては、当該新設合併によって設立される医療法人の定款又は寄附行為の内容。学校法人等の場合にあっては、当該新設合併によって設立される学校法人等の寄附行為の内容）

④ 新設合併に係る割当ての比率の算定根拠（提出会社又

は当該提出会社以外の新設合併消滅会社となる会社以外の者が当該新設合併に係る割当ての内容の算定を行い、かつ、当該提出会社が当該算定を踏まえて当該新設合併に係る割当ての内容を決定したときは、当該新設合併に係る割当ての内容の算定を行った者の氏名又は名称を含む)

⑤　当該新設合併の後の新設合併設立会社となる会社の商号、本店の所在地、代表者の氏名、資本金又は出資の額、純資産の額、総資産の額及び事業の内容(医療法人の場合にあっては、当該新設合併によって設立される医療法人の名称、主たる事務所の所在地、理事長の氏名、純資産の額、総資産の額及び事業の内容。学校法人等の場合においても同様とする)

17. 事業の譲渡又は譲受け　　　【開示府令19②八】

(1) 提出要件及び提出時期

　提出会社の資産の額が、当該提出会社の最近事業年度の末日における純資産額の100分の30以上減少し、もしくは増加することが見込まれる事業の譲渡もしくは譲受け又は提出会社の売上高が、当該提出会社の最近事業年度の売上高の100分の10以上減少し、もしくは増加することが見込まれる事業の譲渡もしくは譲受けが当該提出会社の業務執行を決定する機関により決定された場合に遅滞なく提出する。

(2) 記載内容

①　当該事業の譲渡先又は譲受け先の名称、住所、代表者の氏名、資本金又は出資の額及び事業の内容(個人の場合においては、その氏名、住所及び事業の内容)

②　当該事業の譲渡又は譲受けの目的

③　当該事業の譲渡又は譲受けの契約の内容

18. 子会社取得　　　【開示府令19②八の二】

(1) 提出要件及び提出時期

　提出会社による子会社取得が行われることが、当該提出会社の業務執行を決定する機関により決定された場合であって、当該子会社取得に係る対価の額(子会社取得の対価として支払った、又は支払うべき額(注１)の合計額)に当該子会社取得の一連の行為として行った、又は行うことが当該機関により決定された当該提出会社による子会社取得(注２)(近接取得)に係る対価の額の合計額を合算した額が当該提出会社の最近事業年度の末日における純資産額の100分の15以上に相当する額であるとき、遅滞なく提出する。

(2) 記載内容

①　子会社取得(近接取得を除く)に係る子会社及び近接取得に係る子会社(取得対象子会社)について、それぞれ次に掲げる事項

　ア　商号、本店の所在地、代表者の氏名、資本金又は出資の額、純資産の額、総資産の額及び事業の内容

　イ　最近３年間に終了した各事業年度の売上高、営業利益、経常利益及び純利益

　ウ　提出会社との間の資本関係、人的関係及び取引関係

②　取得対象子会社に関する子会社取得の目的

③　取得対象子会社に関する子会社取得の対価の額

(注１)　「子会社取得の対価として支払った、又は支払うべき額」には、株式又は持分の売買代金、子会社取得に当たって支払う手数料、報酬その他の費用等の額が含まれる。　　【開示ガ24の５-22-２】

(注２)　「当該子会社取得の一連の行為として行った、又は行うことが当該機関により決定された当該提出会社による子会社取得」とは、子会社取得の目的、意図を含む諸状況に照らし、当該子会社取得と実質的に一体のものと認められる子会社取得が該当する。　　【開示ガ24の５-22-３】

19. 代表取締役の異動　　　【開示府令19②九】

(1) 提出要件及び提出時期

　提出会社の代表取締役(協同組織金融機関を代表すべき役員を含み、指名委員会等設置会社である場合は代表執行役、持分会社である場合は持分会社を代表する社員、医療法人及び学校法人等である場合は理事長。以下同じ)の異動(提出会社の代表取締役であった者が代表取締役でなくなること又は代表取締役でなかった者が代表取締役になること。以下同じ)があった場合、異動の日(取締役会の決議の日が適当である)後遅滞なく提出する。

　ただし、定時株主総会(普通出資者総会、定時社員総会等を含む)終了後有価証券報告書提出時までに異動があり、その内容が有価証券報告書に記載されている場合は除く。

(2) 記載内容

①　当該異動に係る代表取締役の氏名、職名及び生年月日

②　当該異動の年月日

③　当該異動の日における当該代表取締役の所有株式数

④　新たに代表取締役になる者については主要略歴

20. 株主総会決議　　　【開示府令19②九の二】

(1) 提出要件及び提出時期

　提出会社の株主総会において決議事項が決議された場合、(金商24①一〔上場有価証券〕又は二〔店頭売買有価証券〕に掲げる有価証券に該当する株券の発行者である場合に限る)遅滞なく提出する。

(2) 記載内容

①　当該株主総会が開催された年月日

②　当該決議事項の内容

③　当該決議事項(役員の選任又は解任に関する決議事項である場合には、その選任又は解任の対象とする者ごとの決議事項)に対する賛成、反対及び棄権の意思表示に係る議決権数、その決議事項が可決されるための要件、その決議の結果(注)

④　③の議決権数に株主総会に出席した株主の議決権の数(株主の代理人による代理行使に係る議決権の数並びに会311②(書面による議決権の行使)、312③(電磁的方法による議決権の行使)の規定により出席した株主の議決権の数に算入する議決権の数を含む)の一部を加算しなかった場合にはその理由

(注)　「その決議の結果」には、決議事項が可決されたか否か及びその根拠となる賛成又は反対の意思の表示に係る議決権数の割合を記載することに留意する。　　【開示ガ24の５-30】

21. 株主総会決議事項の修正又は否決
【開示府令19②九の三】

(1) 提出要件及び提出時期

　提出会社が有価証券報告書をその有価証券報告書に係る事業年度の定時株主総会前に提出した場合であって、その定時株主総会において、その有価証券報告書に記載したその定時株主総会における決議事項が修正され、又は否決されたとき遅滞なく提出する。

(2) 記載内容

① 　その有価証券報告書を提出した年月日

② 　その定時株主総会が開催された年月日

③ 　決議事項（注）が修正され、又は否決された旨及びその内容

　(注) 　決議事項には、有価証券報告書に係る事業年度の定時株主総会の直後に開催が予定される取締役会の決議事項を記載することができるものとする。

【開示ガ24の5 -23】

22. 監査公認会計士等の異動【開示府令19②九の四】

(1) 提出要件及び提出時期

　提出会社において、監査公認会計士等の異動（財務書類監査公認会計士等であった者が財務書類監査公認会計士等でなくなることもしくは財務書類監査公認会計士等でなかった者が財務書類監査公認会計士等になること又は内部統制監査公認会計士等であった者が内部統制監査公認会計士等でなくなることもしくは内部統制監査公認会計士等でなかった者が内部統制監査公認会計士等になることをいい、初めて内部統制報告書を提出することとなった場合において、財務書類監査公認会計士等である者が内部統制監査公認会計士等を兼ねることを除く。以下同じ）が当該提出会社の業務執行を決定する機関により決定された場合又は監査公認会計士等の異動があった場合（当該異動が当該提出会社の業務執行を決定する機関により決定されたことについて臨時報告書を既に提出した場合を除く）遅滞なく提出する。

(2) 記載内容

① 　当該異動に係る監査公認会計士等（異動監査公認会計士等）の氏名又は名称

② 　当該異動の年月日

③ 　財務書類監査公認会計士等であった者が財務書類監査公認会計士等でなくなる場合又は内部統制監査公認会計士等であった者が内部統制監査公認会計士等でなくなる場合には、次に掲げる事項

　ア 　当該異動に係る財務書類監査公認会計士等が直近において当該財務書類監査公認会計士等となった年月日又は当該異動に係る内部統制監査公認会計士等が直近において当該内部統制監査公認会計士等となった年月日

　イ 　当該異動に係る財務書類監査公認会計士等が作成した監査報告書等に次に掲げる事項の記載がある場合には、その旨及びその内容

　　(ア) 　財務諸表等について除外事項を付した限定付適正意見又は不適正意見及びその理由

　　(イ) 　第二種中間財務諸表等について除外事項を付した限定付意見又は中間財務諸表等が有用な情報を表示していない旨の意見及びその理由

　　(ウ) 　第一種中間財務諸表等について除外事項を付した限定付結論又は否定的結論及びその理由

　　(エ) 　意見又は結論の表明をしない旨及びその理由

　ウ 　当該異動に係る内部統制監査公認会計士等が作成した内部統制監査報告書に次に掲げる事項の記載がある場合には、その旨及びその内容

　　(ア) 　除外事項を付した限定付適正意見又は不適正意見

　　(イ) 　意見の表明をしない旨及びその理由

　エ 　当該異動の決定又は当該異動に至った理由及び経緯

　オ 　エの理由及び経緯に対する次の内容

　　(ア) 　異動監査公認会計士等の意見

　　(イ) 　監査役（監査役会設置会社にあっては監査役会、監査等委員会設置会社にあっては監査等委員会、指名委員会等設置会社にあっては監査委員会）の意見

　カ 　異動監査公認会計士等がオ(ア)の意見を表明しない場合には、その旨及びその理由（当該提出会社が当該異動監査公認会計士等に対し、当該意見の表明を求めるために講じた措置の内容を含む）

23. 破産手続開始の申立て等　　　【開示府令19②十】

(1) 提出要件及び提出時期

　提出会社に係る民事再生法の規定による再生手続開始の申立て、会社更生法の規定による更生手続開始の申立て、破産法の規定による破産手続開始の申立てがあった場合又はこれらに準ずる事実があった場合、遅滞なく提出する。

(2) 記載内容

① 　当該破産手続開始の申立て等を行った者の名称、住所及び代表者の氏名（個人の場合においては、その氏名及び住所とし、当該破産手続開始の申立て等を行った者が当該提出会社である場合を除く）

② 　当該破産手続開始の申立て等を行った年月日

③ 　当該破産手続開始の申立て等に至った経緯

④ 　当該破産手続開始の申立て等の内容

24. 多額の取立不能債権等の発生
【開示府令19②十一】

(1) 提出要件及び提出時期

　提出会社に債務を負っている者及び提出会社から債務の保証を受けている者（債務者等）について手形もしくは小切手の不渡り、破産手続開始の申立て等又はこれらに準ずる事実が生じ、当該提出会社の最近事業年度末日における純資産額の100分の3以上に相当する額の当該債務者等に対する売掛金、貸付金その他の債権（注）につき取立不能又は取立遅延のおそれが生じた場合、遅滞なく提出する。

　(注) 　その他の債権には、保証債務の履行による求償権（保証債務の履行額を損失として処理するため資産として計上されないものを含む）が含まれる。

【開示ガ24の5 -24】

(2) 記載内容

① 　当該債務者等の名称、住所、代表者の氏名、資本金又は出資の額（個人の場合においてはその氏名及び住所）

② 当該債務者等に生じた事実及びその事実が生じた年月日

③ 当該債務者等に対する債権の種類及び金額並びに保証債務の内容及び金額

④ 当該事実が当該提出会社の事業に及ぼす影響

25. 財政状態、経営成績及びキャッシュ・フローの状況に著しい影響を与える事象の発生

【開示府令19②十二】

(1) 提出要件及び提出時期

提出会社の財政状態、経営成績及びキャッシュ・フローの状況に著しい影響を与える事象（財規8の4に規定する重要な後発事象に相当する事象であって、当該事象の損益に与える影響額が当該提出会社の最近事業年度末日における純資産額の100分の3以上かつ最近5事業年度における当期純利益の平均額の100分の20以上の額になる事象）が発生した場合、遅滞なく提出する。

(2) 記載内容

① 当該事象の発生年月日

② 当該事象の内容

③ 当該事象の損益に与える影響額

26. ガバナンスに関する合意 【開示府令19②十二の二】

(注) 2025（令和7）年4月1日以後適用

(1) 提出要件及び提出時期

提出会社の株主（当該提出会社の完全親会社を除く）と当該提出会社（当該提出会社が子会社の経営管理を行う業務を主たる業務とする会社である場合にあっては、当該提出会社又はその連結子会社）との間で、当該提出会社の役員について候補者を指名する権利を当該株主が有する旨の合意、当該株主による議決権の行使に制限を定める旨の合意又は当該提出会社の株主総会もしくは取締役会において決議すべき事項について当該株主の事前の承諾を要する旨の合意を含む契約（重要性の乏しいものを除く）を締結した場合（既に締結しているこれらの合意を含む契約について、当該合意の内容に変更）があった場合、遅滞なく提出する。

(2) 記載内容

（当該合意の内容に変更があった場合にあっては、①から③までに掲げる事項）

① 当該契約を締結し、又は当該合意の内容に変更があった年月日

② 当該契約の相手方の氏名又は名称及び住所

③ 当該合意の内容（当該合意の内容に変更があった場合にあっては、当該変更の内容）

④ 当該合意の目的

⑤ 取締役会における検討状況その他の当該提出会社における当該合意に係る意思決定に至る過程

⑥ 当該合意が当該提出会社の企業統治に及ぼす影響（影響を及ぼさないと考える場合には、その理由）

27. 株主保有株式の処分・買増し等に関する合意

【開示府令19②十二の三】

(注) 2025（令和7）年4月1日以後適用

(1) 提出要件及び提出時期

提出会社が、当該提出会社の株主（当該提出会社の完全親会社を除き、大量保有報告書を提出した者に限る）との間で、当該株主による当該提出会社の株式の譲渡その他の処分について当該提出会社の事前の承諾を要する旨の合意、当該株主が当該提出会社との間で定めた株式保有割合を超えて当該提出会社の株式を保有することを制限する旨の合意、当該提出会社による株式の発行その他の行為が当該株主の株式保有割合の減少を伴うものである場合に当該株主がその株式保有割合に応じて当該株式を引き受けることができる旨の合意又は当該契約が終了した場合に当該提出会社が当該株主に対しその保有する当該提出会社の株式を当該提出会社に売り渡すことを請求することができる旨の合意を含む契約を締結した場合（既に締結しているこれらの合意を含む契約について、当該合意の内容に変更があった場合を含む）、遅滞なく提出する。

(2) 記載内容

（当該合意の内容に変更があった場合にあっては、①から③までに掲げる事項）

① 当該契約を締結し、又は当該合意の内容に変更があった年月日

② 当該契約の相手方の氏名又は名称及び住所

③ 当該合意の内容（当該合意の内容に変更があった場合にあっては、当該変更の内容）

④ 当該合意の目的

⑤ 取締役会における検討状況その他の当該提出会社における当該合意に係る意思決定に至る過程

28. 財務上の特約が付された金銭消費貸借契約の締結又は社債の発行

【開示府令19②十二の四、十二の二十】

(注) 2025（令和7）年4月1日以後に提出される臨時報告書から適用

(1) 提出要件及び提出時期

提出会社及び連結子会社が、財務上の特約が付された金銭消費貸借契約（当該金銭消費貸借契約に係る債務の元本の額が当該提出会社の最近事業年度の末日における（連結）純資産額の100分の10以上に相当する額であるものに限る）の締結をした場合又は財務上の特約が付された社債（当該社債の発行価額の総額が当該提出会社の最近事業年度の末日における純資産額の100分の10以上に相当する額であるものに限る）の発行をした場合、遅滞なく提出する。

(2) 記載内容

① 財務上の特約が付された金銭消費貸借契約の締結をした場合には、次に掲げる事項

ア 連結子会社の場合、当該連結子会社の名称、住所及び代表者の氏名

イ 金銭消費貸借契約の締結をし、又は新たに財務上の特約が付された年月日

ウ 金銭消費貸借契約の相手方の属性

エ 金銭消費貸借契約に係る債務の元本の額及び弁済期限並びに当該債務に付された担保の内容

オ 財務上の特約の内容

② 財務上の特約が付された社債の発行をした場合には、

21. 株主総会決議事項の修正又は否決／22. 監査公認会計士等の異動／23. 破産手続開始の申立て等／24. 多額の取立不能債権等の発生／25. 財政状態、経営成績及びキャッシュ・フローの状況に著しい影響を与える事象の発生／26. ガバナンスに関する合意／27. 株主保有株式の処分・買増し等に関する合意／28. 財務上の特約が付された金銭消費貸借契約の締結又は社債の発行

49

次に掲げる事項

ア　連結子会社の場合、当該連結子会社の名称、住所及び代表者の氏名

イ　社債の発行をし、又は新たに財務上の特約が付された年月日

ウ　社債の発行価額の総額及び償還期限並びに社債に付された担保の内容

エ　財務上の特約の内容

29. 財務上の特約が付された金銭消費貸借契約又は社債の内容の変更等

【開示府令19②十二の五、十二の二十一】

（注）　2025（令和7）年4月1日以後に提出される臨時報告書から適用

　　　　ただし、財務上の特約に変更があった場合等に係る臨時報告書について、施行日前に締結された契約については、2026（令和8）年3月31日以前に提出される臨時報告書までは省略可能

（1）提出要件及び提出時期

　提出会社及び連結子会社が締結又は発行をした財務上の特約が付された金銭消費貸借契約又は社債について、弁済期限もしくは償還期限の変更、財務上の特約の内容の変更又は財務上の特約に定める事由の発生があった場合、遅滞なく提出する。

（2）記載内容

①　上記28.（2）①イからエまで又は②イ及びウに掲げる事項

②　弁済期限もしくは償還期限又は財務上の特約の内容の変更があった場合には、当該変更の内容及び年月日

③　財務上の特約に定める事由の発生があった場合には、その事由の内容及び当該事由が発生した年月日並びに当該事由を解消し、又は改善するための対応策

30. 連結子会社に係る重要な災害の発生

【開示府令19②十三】

（1）提出要件及び提出時期

　連結子会社に係る重要な災害（連結子会社の当該災害による被害を受けた資産の帳簿価額が当該提出会社を連結財務諸表提出会社とする連結会社（当該連結会社）の最近連結会計年度の末日における連結財務諸表における純資産額の100分の3以上に相当する額である災害）が発生し、それがやんだ場合で、当該重要な災害による被害が当該連結会社の事業に著しい影響を及ぼすと認められる場合、遅滞なく提出する。

（2）記載内容

①　当該連結子会社の名称、住所及び代表者の氏名

②　当該重要な災害の発生年月日

③　当該重要な災害が発生した場所

④　当該重要な災害により被害を受けた資産の種類及び帳簿価額並びにそれに対し支払われた保険金額

⑤　当該重要な災害（注）による被害が当該連結会社の事業に及ぼす影響

（注）　重要な災害の発生については単体と同様の留意事項【➡p.44】がある。【開示ガ24の5-20、24の5-21】

31. 連結子会社に対する訴訟の提起又は解決

【開示府令19②十四】

（1）提出要件及び提出時期

　連結子会社に対し訴訟が提起され、当該訴訟の損害賠償請求金額が、当該連結会社に係る最近連結会計年度の末日における連結純資産額の100分の15以上に相当する額である場合又は連結子会社に対する訴訟が解決し、当該訴訟の解決による損害賠償支払金額が、当該連結会社に係る最近連結会計年度の末日における連結純資産額の100分の3以上に相当する額である場合、遅滞なく提出する。

（2）記載内容

①　当該連結子会社の名称、住所及び代表者の氏名

②　当該訴訟の提起があった年月日

③　当該訴訟を提起した者の名称、住所及び代表者の氏名（個人の場合においては、その氏名及び住所）

④　当該訴訟の内容及び損害賠償請求金額

⑤　当該訴訟の解決（注）の場合には、次に掲げる事項

ア　訴訟の解決があった年月日

イ　訴訟の解決の内容及び損害賠償支払金額

（注）　「訴訟の解決」には単体と同様の留意事項【➡p.44】がある。　　　　　　　　【開示ガ24の5-22】

32. 連結子会社の株式交換【開示府令19②十四の二】

（1）提出要件及び提出時期

　当該連結会社の資産の額が、当該連結会社の最近連結会計年度の末日における連結純資産額の100分の30以上減少し、もしくは増加することが見込まれる連結子会社の株式交換又は当該連結会社の売上高が、当該連結会社の最近連結会計年度の売上高の100分の10以上減少し、もしくは増加することが見込まれる連結子会社の株式交換が行われることが、提出会社又は当該連結子会社の業務執行を決定する機関により決定された場合、遅滞なく提出する。

（2）記載内容

①　当該連結子会社の商号、本店の所在地及び代表者の氏名

②　当該株式交換の相手会社についての次に掲げる事項

ア　商号、本店の所在地、代表者の氏名、資本金又は出資の額、純資産の額、総資産の額及び事業の内容

イ　最近3年間に終了した各事業年度の売上高、営業利益、経常利益及び純利益

ウ　大株主の氏名又は名称及び発行済株式の総数に占める大株主の持株数の割合（合同会社の場合にあっては、社員（定款で会社の業務を執行する社員を定めた場合には、当該社員）の氏名又は名称）

エ　当該連結子会社との間の資本関係、人的関係及び取引関係

③　当該株式交換の目的

④　当該株式交換の方法、株式交換に係る割当ての内容その他の株式交換契約の内容

⑤　株式交換に係る割当ての内容の算定根拠（提出会社、当該連結子会社又は当該株式交換の相手会社以外の者が当該株式交換に係る割当ての内容の算定を行い、かつ、当該提出会社、当該連結子会社又は当該株式交換の相手

会社が当該算定を踏まえて当該株式交換に係る割当ての内容を決定したときは、当該株式交換に係る割当ての内容の算定を行った者の氏名又は名称を含む）

⑥　当該株式交換の後の株式交換完全親会社となる会社の商号、本店の所在地、代表者の氏名、資本金又は出資の額、純資産の額、総資産の額及び事業の内容

⑦　株式交換に係る割当ての内容が当該株式交換完全親会社の株式、社債、新株予約権、新株予約権付社債又は持分以外の有価証券（提出会社が発行者である有価証券を除く）に係るものである場合、当該有価証券の発行者について②に掲げる事項

33. 連結子会社の株式移転【開示府令19②十四の三】

（1）提出要件及び提出時期

当該連結子会社の資産の額が、当該連結会社の最近連結会計年度の末日における連結純資産額の100分の30以上減少し、もしくは増加することが見込まれる連結子会社の株式移転又は当該連結会社の売上高が、当該連結会社の最近連結会計年度の売上高の100分の10以上減少し、もしくは増加することが見込まれる連結子会社の株式移転が行われることが、提出会社又は当該連結子会社の業務執行を決定する機関により決定された場合、遅滞なく提出する。

（2）記載内容

①　当該連結子会社の商号、本店の所在地及び代表者の氏名

②　当該株式移転において、当該連結子会社の他に株式移転完全子会社となる会社がある場合は、当該他の株式移転完全子会社となる会社についての次に掲げる事項

　ア　商号、本店の所在地、代表者の氏名、資本金の額、純資産の額、総資産の額及び事業の内容

　イ　最近3年間に終了した各事業年度の売上高、営業利益、経常利益及び純利益

　ウ　大株主の氏名又は名称及び発行済株式の総数に占める大株主の持株数の割合

　エ　当該連結子会社との間の資本関係、人的関係及び取引関係

③　当該株式移転の目的

④　当該株式移転の方法、株式移転に係る割当ての内容その他の株式移転計画の内容

⑤　株式移転に係る割当ての内容の算定根拠（提出会社、当該連結子会社又は当該他の株式移転完全子会社となる会社以外の者が当該株式移転に係る割当ての内容の算定を行い、かつ、当該提出会社、当該連結子会社又は当該他の株式移転完全子会社となる会社が当該算定を踏まえて当該株式移転に係る割当ての内容を決定したときは、当該株式移転に係る割当ての内容の算定を行った者の氏名又は名称を含む）

⑥　当該株式移転の後の株式移転設立完全親会社となる会社の商号、本店の所在地、代表者の氏名、資本金の額、純資産の額、総資産の額及び事業の内容

34. 連結子会社の吸収分割　【開示府令19②十五】

（1）提出要件及び提出時期

当該連結子会社の資産の額が、当該連結会社の最近連結会

計年度の末日における連結純資産額の100分の30以上減少し、もしくは増加することが見込まれる連結子会社の吸収分割又は当該連結会社の売上高が、当該連結会社の最近連結会計年度の売上高の100分の10以上減少し、もしくは増加することが見込まれる連結子会社の吸収分割が行われることが、提出会社又は当該連結子会社の業務執行を決定する機関により決定された場合、遅滞なく提出する。

（2）記載内容

①　当該連結子会社の商号、本店の所在地及び代表者の氏名

②　当該吸収分割の相手会社についての次に掲げる事項

　ア　商号、本店の所在地、代表者の氏名、資本金又は出資の額、純資産の額、総資産の額及び事業の内容

　イ　最近3年間に終了した各事業年度の売上高、営業利益、経常利益及び純利益

　ウ　大株主の氏名又は名称及び発行済株式の総数に占める大株主の持株数の割合（合同会社の場合にあっては、社員（定款で会社の業務を執行する社員を定めた場合には、当該社員）の氏名又は名称）

　エ　当該連結子会社との間の資本関係、人的関係及び取引関係

③　当該吸収分割の目的

④　当該吸収分割の方法、吸収分割に係る割当ての内容その他の吸収分割契約の内容

⑤　吸収分割に係る割当ての内容の算定根拠（提出会社、当該連結子会社又は当該吸収分割の相手会社以外の者が当該吸収分割に係る割当ての内容の算定を行い、かつ、当該提出会社、当該連結子会社又は当該吸収分割の相手会社が当該算定を踏まえて当該吸収分割に係る割当ての内容を決定したときは、当該吸収分割に係る割当ての内容の算定を行った者の氏名又は名称を含む）

⑥　当該吸収分割の後の吸収分割承継会社となる会社の商号、本店の所在地、代表者の氏名、資本金又は出資の額、純資産の額、総資産の額及び事業の内容

⑦　吸収分割に係る割当ての内容が当該吸収分割承継会社となる会社の株式、社債、新株予約権、新株予約権付社債又は持分以外の有価証券（提出会社が発行者である有価証券を除く）に係るものである場合、当該有価証券の発行者について②に掲げる事項

35. 連結子会社の新設分割【開示府令19②十五の二】

（1）提出要件及び提出時期

当該連結子会社の資産の額が、当該連結会社の最近連結会計年度の末日における連結純資産額の100分の30以上減少し、もしくは増加することが見込まれる連結子会社の新設分割又は当該連結会社の売上高が、当該連結会社の最近連結会計年度の売上高の100分の10以上減少し、もしくは増加することが見込まれる連結子会社の新設分割が行われることが、提出会社又は当該連結子会社の業務執行を決定する機関により決定された場合、遅滞なく提出する。

（2）記載内容

①　当該連結子会社の商号、本店の所在地及び代表者の氏名

②　当該新設分割において、当該連結子会社の他に新設分

割会社となる会社がある場合は、当該他の新設分割会社となる会社についての次に掲げる事項

ア　商号、本店の所在地、代表者の氏名、資本金又は出資の額、純資産の額、総資産の額及び事業の内容

イ　最近3年間に終了した各事業年度の売上高、営業利益、経常利益及び純利益

ウ　大株主の氏名又は名称及び発行済株式の総数に占める大株主の持株数の割合（合同会社の場合にあっては、社員（定款で会社の業務を執行する社員を定めた場合には、当該社員）の氏名又は名称）

エ　当該連結子会社との間の資本関係、人的関係及び取引関係

③　当該新設分割の目的

④　当該新設分割の方法、新設分割に係る割当ての内容その他の新設分割計画の内容

⑤　新設分割に係る割当ての内容の算定根拠（提出会社、当該連結子会社又は当該他の新設分割会社となる会社以外の者が当該新設分割に係る割当ての内容の算定を行い、かつ、当該提出会社、当該連結子会社又は当該他の新設分割会社となる会社が当該算定を踏まえて当該新設分割に係る割当ての内容を決定したときは、当該新設分割に係る割当ての内容の算定を行った者の氏名又は名称を含む）

⑥　当該新設分割の後の新設分割設立会社となる会社の商号、本店の所在地、代表者の氏名、資本金又は出資の額、純資産の額、総資産の額及び事業の内容

36. 連結子会社の吸収合併【開示府令19②十五の三】

（1）提出要件及び提出時期

　当該連結会社の資産の額が、当該連結会社の最近連結会計年度の末日における連結純資産額の100分の30以上減少し、もしくは増加することが見込まれる連結子会社の吸収合併又は当該連結会社の売上高が、当該連結会社の最近連結会計年度の売上高の100分の10以上減少し、もしくは増加することが見込まれる連結子会社の吸収合併が行われることが、提出会社又は当該連結子会社の業務執行を決定する機関により決定された場合、遅滞なく提出する。

（2）記載内容

①　当該連結子会社の商号、本店の所在地及び代表者の氏名

②　当該吸収合併の相手会社についての次に掲げる事項

ア　商号、本店の所在地、代表者の氏名、資本金又は出資の額、純資産の額、総資産の額及び事業の内容

イ　最近3年間に終了した各事業年度の売上高、営業利益、経常利益及び純利益

ウ　大株主の氏名又は名称及び発行済株式の総数に占める大株主の持株数の割合（持分会社の場合にあっては、社員（定款で会社の業務を執行する社員を定めた場合には、当該社員）の氏名又は名称）

エ　当該連結子会社との間の資本関係、人的関係及び取引関係

③　当該吸収合併の目的

④　当該吸収合併の方法、吸収合併に係る割当ての内容その他の吸収合併契約の内容

⑤　吸収合併に係る割当ての内容の算定根拠（提出会社、当該連結会社又は当該吸収合併の相手会社以外の者が当該吸収合併に係る割当ての内容の算定を行い、かつ、当該提出会社、当該連結会社又は当該吸収合併の相手会社が当該算定を踏まえて当該吸収合併に係る割当ての内容を決定したときは、当該吸収合併に係る割当ての内容の算定を行った者の氏名又は名称を含む）

⑥　当該吸収合併の後の吸収合併存続会社となる会社の商号、本店の所在地、代表者の氏名、資本金又は出資の額、純資産の額、総資産の額及び事業の内容

⑦　吸収合併に係る割当ての内容が当該吸収合併存続会社となる会社の株式、社債、新株予約権、新株予約権付社債又は持分以外の有価証券（提出会社が発行者である有価証券を除く）に係るものである場合、当該有価証券の発行者について②に掲げる事項

37. 連結子会社の新設合併【開示府令19②十五の四】

（1）提出要件及び提出時期

　当該連結会社の資産の額が、当該連結会社の最近連結会計年度の末日における連結純資産額の100分の30以上減少し、もしくは増加することが見込まれる連結子会社の新設合併又は当該連結会社の売上高が、当該連結会社の最近連結会計年度の売上高の100分の10以上減少し、もしくは増加することが見込まれる連結子会社の新設合併が行われることが、提出会社又は当該連結子会社の業務執行を決定する機関により決定された場合、遅滞なく提出する。

（2）記載内容

①　当該連結子会社の商号、本店の所在地及び代表者の氏名

②　当該新設合併における当該連結子会社以外の新設合併消滅会社となる会社についての次に掲げる事項

ア　商号、本店の所在地、代表者の氏名、資本金又は出資の額、純資産の額、総資産の額及び事業の内容

イ　最近3年間に終了した各事業年度の売上高、営業利益、経常利益及び純利益

ウ　大株主の氏名又は名称及び発行済株式の総数に占める大株主の持株数の割合（持分会社の場合にあっては、社員（定款で会社の業務を執行する社員を定めた場合には、当該社員）の氏名又は名称）

エ　当該連結子会社との間の資本関係、人的関係及び取引関係

③　当該新設合併の目的

④　当該新設合併の方法、新設合併に係る割当ての内容その他の新設合併契約の内容

⑤　新設合併に係る割当ての内容の算定根拠（提出会社、当該連結子会社又は当該連結子会社以外の新設合併消滅会社となる会社以外の者が当該新設合併に係る割当ての内容の算定を行い、かつ、当該提出会社、当該連結子会社又は当該連結子会社以外の新設合併消滅会社となる会社が当該算定を踏まえて当該新設合併に係る割当ての内容を決定したときは、当該新設合併に係る割当ての内容の算定を行った者の氏名又は名称を含む）

⑥　当該新設合併の後の新設合併設立会社となる会社の商号、本店の所在地、代表者の氏名、資本金又は出資の

と認められる子会社取得が該当する。

【開示ガ24の5-22-3】

38. 連結子会社の事業の譲渡又は譲受け

【開示府令19②十六】

（1）提出要件及び提出時期

当該連結会社の資産の額が、当該連結会社の最近連結会計年度の末日における連結純資産額の100分の30以上減少し、もしくは増加することが見込まれる連結子会社の事業の譲渡もしくは譲受け又は当該連結会社の売上高が、当該連結会社の最近連結会計年度の売上高の100分の10以上減少し、もしくは増加することが見込まれる連結子会社の事業の譲渡もしくは譲受けが行われることが、提出会社又は当該連結子会社の業務執行を決定する機関により決定された場合、遅滞なく提出する。

（2）記載内容

① 当該連結子会社の名称、住所及び代表者の氏名
② 当該事業の譲渡先又は譲受け先の名称、住所、代表者の氏名、資本金又は出資の額及び事業の内容（個人の場合においては、その氏名、住所及び事業の内容）
③ 当該事業の譲渡又は譲受けの目的
④ 当該事業の譲渡又は譲受けの契約の内容

39. 子会社取得

【開示府令19②十六の二】

（1）提出要件及び提出時期

連結子会社による子会社取得が行われることが、当該連結子会社の業務執行を決定する機関により決定された場合であって、当該子会社取得に係る対価の額に当該子会社取得の一連の行為として行った、又は行うことが提出会社又は連結子会社の業務を執行する機関により決定された提出会社又は連結子会社による子会社取得（注）（近接取得）に係る対価の額の合計額を合算した額が当該連結会社の最近連結会計年度の末日における連結純資産額の100分の15以上に相当する額であるとき

（2）記載内容

① 子会社取得（近接取得を除く）に係る子会社及び近接取得に係る子会社（取得対象子会社）について、それぞれ次に掲げる事項
　ア　取得対象子会社に関する子会社取得を提出会社が決定した場合にはその旨、連結子会社が決定した場合にはその旨並びに当該連結子会社の名称、住所及び代表者の氏名
　イ　商号、本店の所在地、代表者の氏名、資本金又は出資の額、純資産の額、総資産の額及び事業の内容
　ウ　最近3年間に終了した各事業年度の売上高、営業利益、経常利益及び純利益
　エ　提出会社及び当該連結子会社との間の資本関係、人的関係及び取引関係
② 取得対象子会社に関する子会社取得の目的
③ 取得対象子会社に関する子会社取得の対価の額
（注）「当該子会社取得の一連の行為として行った、又は行うことが提出会社又は連結子会社の業務を執行する機関により決定された提出会社又は連結子会社による子会社取得」とは、子会社取得の目的、意図を含む諸状況に照らし、当該子会社取得と実質的に一体のもの

40. 連結子会社の破産手続開始の申立て等

【開示府令19②十七】

（1）提出要件及び提出時期

当該連結子会社に係る最近事業年度の末日における純資産額又は債務超過額が当該連結会社に係る最近連結会計年度の末日における連結純資産額の100分の3以上に相当する額であるものに係る破産手続開始の申立て等があった場合、遅滞なく提出する。

（2）記載内容

① 当該連結子会社の名称、住所及び代表者の氏名
② 当該破産手続開始の申立て等を行った者の名称、住所及び代表者の氏名（個人の場合においては、その氏名及び住所とし、当該破産手続開始の申立て等を行った者が当該連結子会社である場合を除く）
③ 当該破産手続開始の申立て等を行った年月日
④ 当該破産手続開始の申立て等に至った経緯
⑤ 当該破産手続開始の申立て等の内容

41. 連結子会社の多額の取立不能債権等の発生

【開示府令19②十八】

（1）提出要件及び提出時期

連結子会社に債務を負っている者及び連結子会社から債務の保証を受けている者について手形もしくは小切手の不渡り、破産手続開始の申立て等又はこれらに準ずる事実があり、当該連結会社の最近連結会計年度の末日における連結純資産額の100分の3以上に相当する額の当該債務者等に対する売掛金、貸付金、その他の債権（注）につき取立不能又は取立遅延のおそれが生じた場合、遅滞なく提出する。

（注）「その他の債権」には単体と同様の留意事項【➡p.48】がある。
【開示ガ24の5-24】

（2）記載内容

① 当該連結子会社の名称、住所及び代表者の氏名
② 当該債務者等の名称、住所、代表者の氏名及び資本金又は出資の額（個人の場合においては、その氏名及び住所）
③ 当該債務者等に生じた事実及びその事実が生じた年月日
④ 当該債務者等に対する債権の種類及び金額並びに保証債務の内容及び金額
⑤ 当該事実が当該連結会社の事業に及ぼす影響

42. 連結子会社の財政状態、経営成績及びキャッシュ・フローの状況に著しい影響を与える事象の発生

【開示府令19②十九】

（1）提出要件及び提出時期

当該連結会社の財政状態、経営成績及びキャッシュ・フローの状況に著しい影響を与える事象（連規14の9に規定する重要な後発事象に相当する事象であって、当該事象の連結損益に与える影響額が、当該連結会社の最近連結会計年度の末日における連結純資産額の100分の3以上かつ最

近5連結会計年度に係る連結財務諸表における親会社株主に帰属する当期純利益の平均額の100分の20以上に相当する額になる事象をいう）が発生した場合、遅滞なく提出する。

（2）記載内容

① 当該事象の発生年月日

② 当該事象の内容

③ 当該事象の連結損益に与える影響額（注）

(注)「当該事象の連結損益に与える影響額」とは、経常損益、税金等調整前当期純損益等の主要な損益項目に与える影響額をいうものとする。ただし、その金額を正確に算定することが困難な場合には、適当な方法による概算額とすることができる。【開示ガ24の5-25】

「当該事象の連結損益に与える影響額」を算定するに当たり、当該事象が発生した連結子会社に係る当該事象の発生時における持分比率によることができない場合には、当該連結会社の最近連結会計年度に係る連結財務諸表を作成する際に用いた割合比率によることができるものとする。　【開示ガ24の5-26】

43. 株式公開情報の発生又は変更【開示府令19の2】

（1）提出要件及び提出時期

第二号の四様式又は第二号の七様式の有価証券届出書を提出した場合で、当該有価証券届出書の提出日後発行株式が当該金融商品取引所に上場される日の前日又は当該金融商品取引業協会に店頭売買有価証券として登録される日の前日までの間に、有価証券届出書の株式公開情報に記載すべき事項が生じたとき又は記載された内容に変更が生じた場合、その内容を記載して遅滞なく提出する。

（2）記載内容

① 特別利害関係者等の株式等の移動状況

② 第三者割当等の概況

③ 株主の状況

44. 連動子会社の場合　　　【開示府令19③】

開示府令19①及び②の規定は、提出会社が発行する株式であって、その剰余金の配当が特定の子会社（以下「連動子会社」という）の剰余金の配当又は会454⑤に規定する中間配当に基づき決定される旨が当該提出会社の定款で定められた株式を発行している場合における当該連動子会社に関する臨時報告書の作成及び提出について準用する。

（1）訂　　正

① 自発的訂正の場合

臨時報告書に訂正を必要とするものがあると認めたときは、訂正報告書を内閣総理大臣に提出しなければならない。　　　　　　　　　【金商24の5⑤、7①】

② 訂正命令がある場合

臨時報告書のうちに次のような不備がある場合には、内閣総理大臣は訂正報告書の提出を命ずることができる。　　　　　　　　　　　【金商24の5⑤】

ア　形式上の不備がある場合　　　【金商9①】

イ　記載すべき重要な事項の記載が不十分である場合
　　　　　　　　　　　　　　　　　　　　【金商9①】

ウ　重要な事項について虚偽の記載がある場合

　　　　　　　　　　　　　　　　　　　　【金商10①】

エ　記載すべき重要な事項もしくは誤解を生じさせないために必要な重要な事実の記載が欠けている場合
　　　　　　　　　　　　　　　　　　　　【金商10①】

（2）外国会社の臨時報告書

有価証券報告書を開示しなければならない外国会社は、内国会社と同様、開示府令19②の要件に該当するときは、臨時報告書を提出しなければならないが、内国会社が提出する添付書類に加えて以下の書類を添付しなければならない。　　　　　　【開示府令19①、②、⑤、⑥】

① 当該臨時報告書に記載された当該外国会社の代表者が当該臨時報告書の提出に関し正当な権限を有する者であることを証する書面

② 当該外国会社が、本邦内に住所を有する者に、当該臨時報告書の提出に関する一切の行為につき当該外国会社を代理する権限を付与したことを証する書面

③ 上記書類が日本語をもって記載したものでないときは、その訳文を付さなければならない。

（3）課徴金制度　　　　　　　　　　　【➡p.30】

（4）公衆縦覧の場所と期間

臨時報告書（添付書類を含む）及びその訂正報告書は、下記において、提出から5年間公衆の縦覧に供しなければならない。　　　　　　　【金商25①八、②、③】

① 関東財務局等

② 発行会社（本店及び主要な支店）

③ 金融商品取引所（又は認可金融商品取引業協会）

※ 内容の一部について公衆縦覧が免除される場合
　　　　　　　　　　　　　　　　　　　　【➡p.30】

（5）EDINETによる公衆縦覧
【金商27の30の7、27の30の8、27の30の10、金商令14の12、14の13➡p.55】

6

ディスクロージャー制度の電子化

1. 有価証券報告書等の開示書類の提出、受理等の手続のオンライン化

（1）制度の概要

有価証券報告書等の開示書類の提出者は、従来の紙媒体による提出に代えて開示書類に記載すべき必要な情報を財務局に設置された「開示用電子情報処理組織」（以下、EDINET：Electronic Disclosure for Investors'NETwork）にインターネットを利用したオンラインで送信し提出する。財務局ではオンラインで送信されたこれらの情報を受理・審査するほか、財務局及び金融商品取引所、認可金融商品取引業協会（以下「証券取引所等」）の閲覧室に設置するモニター画面に当該情報を映し出すことで公衆縦覧に供する。

（2）電子開示手続の定義等

① 電子開示手続　　【金商27の30の2、27の30の3①】

以下の開示書類の提出に係る手続を「電子開示手続」といい、これらはすべてEDINETで行わなければなら

ない。

　ア　有価証券届出書及び訂正届出書

　イ　発行登録書及び訂正発行登録書、発行登録取下届出書、発行登録追補書類

　ウ　有価証券報告書及び訂正報告書

　エ　有価証券報告書の記載内容に係る確認書及び訂正確認書

　オ　内部統制報告書及び訂正報告書

　カ　半期報告書及び訂正報告書

　キ　半期報告書の記載内容に係る確認書及び訂正確認書

　ク　臨時報告書及び訂正報告書

　ケ　自己株券買付状況報告書及び訂正報告書

　コ　親会社等状況報告書及び訂正報告書

　サ　アからコに関する秘密事項の非縦覧申請書

　シ　公開買付届出書、意見表明報告書、対質問回答報告書、公開買付撤回届出書、公開買付報告書及びこれらの訂正届出書・訂正報告書

　ス　大量保有報告書及び変更報告書並びにこれらの訂正報告書

② 任意電子開示手続【金商27の30の2、27の30の3②】

　以下の開示書類の提出に係る手続を「任意電子開示手続」といい、これらはEDINETで行うことができるが、従来どおり書面による提出によることもできる。

　ア　有価証券通知書、発行登録通知書、これらの変更通知書

　イ　特別関係者による別途買付禁止の特例を受けるための申請書

（3）金融商品取引所及び認可金融商品取引業協会との連結
【金商27の30の6】

　財務局の電子計算機（ホストコンピュータ）と金融商品取引所等の入出力装置（端末）を専用回線で連結するので、提出者はEDINETにより開示書類を提出すれば、同時にその写しの金融商品取引所等への提出、送付を行うことができる。

（4）財務局への到達と手続の完了　【金商27の30の3③】

　有価証券報告書等の開示書類に記載すべき情報は、手続をする者の入出力装置からインターネットを利用したオンラインで発信したのみでは手続が完了するわけではなく、財務局に備えられたホストコンピュータのファイルに書き込まれた時に財務局に到達し、手続が完了したものとみなす。

（5）電子的に提出された場合の公衆縦覧

① 財務局及び金融商品取引所等での公衆縦覧
【金商27の30の7、27の30の8、金商令14の12、14の13】

　財務局及び金融商品取引所等の閲覧室に設置するモニター画面にファイルに記録されている開示情報を映し出すことで公衆縦覧に供する。

② 提出企業での公衆縦覧　　　　【金商27の30の10】

　提出企業の本店及び主要な支店において、パソコン等のモニター画面に有価証券報告書等の開示書類に記載すべき情報を映し出すことで公衆縦覧に供する。

（6）EDINETによる提出ができない場合の取扱い

　いったんEDINETで開示書類を提出した者は、原則として以後はすべてEDINETで書類を提出しなければなら

ないが、以下の例外規定が設けられている。

① 磁気ディスクによる提出
【金商27の30の4、金商令14の11】

　電気通信回線の故障その他の理由によりEDINETで提出することができない場合は、磁気ディスクで提出することができる。この場合、事前の承認が必要となる。また、磁気ディスクに記録されている情報をEDINETのファイルに記録した時をもって、財務局に到達し手続が完了したものとみなす。

② 紙媒体による提出
【金商27の30の5、金商令14の11の2】

　財務局のホストコンピュータの故障等のため、開示書類の情報はEDINETで受理できない状況で、磁気ディスクで提出されたとしてもホストコンピュータのファイルに磁気ディスク内の情報を書き込むことができない場合は、紙媒体による提出が認められる。

（7）EDINETのXBRL化

　2008（平成20）年4月1日以降に開始する事業年度に係る提出書類より、財務諸表部分をXBRL（eXtensible Business Reporting Language：財務情報等を効率的に作成・流通・利用できるよう、国際的に標準化されたコンピュータ言語）化して提出することが義務づけられた。

7 会社情報の適時開示

1. 適時開示が要請される会社情報

　金融商品取引所等の規則により公開企業について公正価格形成と投資家保護をはかるため、以下の重要な会社情報が生じた場合、適時に開示することが要請されている。なお、既に開示された重要な会社情報の内容の重大な変更、中止についても重要な会社情報となる。
【日本取引所グループホームページ（適時開示が求められる会社情報）。詳細は、有価証券上場規程（東京証券取引所）402条〜420条、有価証券上場規程施行規則（東京証券取引所）401条〜415条参照】

2. 上場会社の情報
【有価証券上場規程（東京証券取引所）402】

（1）上場会社の決定事実

① 発行する株式、処分する自己株式、発行する新株予約権、処分する自己新株予約権を引き受ける者の募集又は株式、新株予約権の売出し

② ①に規定する募集もしくは売出しに係る発行登録及び需要状況調査の開始

③ 資本金の額の減少

④ 資本準備金又は利益準備金の額の減少

⑤ 自己株式の取得

⑥ 株式無償割当て又は新株予約権無償割当て、新株予約権無償割当てに係る発行登録又は需要状況もしくは権利行使の見込み調査の開始

⑦ 株式の分割又は併合

⑧　剰余金の配当
⑨　株式交換
⑩　株式移転
⑪　株式交付
⑫　合併
⑬　会社分割
⑭　事業の全部又は一部の譲渡又は譲受け
⑮　解散（合併による解散を除く）
⑯　新製品又は新技術の企業化
⑰　業務上の提携又は業務上の提携の解消
⑱　子会社等の異動を伴う株式又は持分の譲渡又は取得その他の子会社等の異動を伴う事項
⑲　固定資産の譲渡又は取得
⑳　リースによる固定資産の賃貸借
㉑　事業の全部又は一部の休止又は廃止
㉒　上場廃止又は登録の取消しの申請
㉓　破産手続開始、再生手続開始又は更生手続開始の申立て
㉔　新たな事業の開始
㉕　公開買付け又は自己株式の公開買付け
㉖　公開買付けに関する意見表明等
㉗　代表取締役又は代表執行役の異動
㉘　人員削減等の合理化
㉙　商号又は名称変更
㉚　単元株式数の変更又は単元株式数の定めの廃止もしくは新設
㉛　決算期変更（事業年度の末日の変更）
㉜　債務超過又は預金払戻の停止のおそれがある旨の内閣総理大臣への申出（預金保険法74⑤の規定による申出）
㉝　特定調停法に基づく特定調停手続による調停の申立て
㉞　上場債券等の繰上償還又は社債権者集会の招集その他上場債券等に関する権利に係る重要な事項
㉟　普通出資の総口数の増加を伴う事項
㊱　公認会計士等の異動
㊲　継続企業の前提に関する事項の注記
㊳　開示府令15の2①、15の2の2①、17の4①又は17の15の2①の規定に基づく当該各項に規定する承認申請書の提出
㊴　株式事務代行機関への株式事務の委託の取止め
㊵　開示すべき重要な不備又は評価結果不表明の旨を記載する内部統制報告書の提出
㊶　定款の変更
㊷　上場無議決権株式、上場議決権付株式又は上場優先株等に係る株式の内容その他のスキームの変更
㊸　全部取得条項付種類株式の全部の取得
㊹　株式等売渡請求に係る承認又は不承認
㊺　その他上場会社の運営、業務、もしくは財産又は上場株券等に関する重要な事項であって投資者の投資判断に著しい影響を及ぼすもの

（2）上場会社の発生事実

①　災害に起因する損害又は業務遂行の過程で生じた損害
②　主要株主又は主要株主である筆頭株主の異動
③　特定有価証券又は特定有価証券に係るオプションの上場廃止の原因となる事実
④　訴訟の提起又は判決等
⑤　仮処分命令の申立て又は決定等
⑥　免許の取消し、事業の停止その他これらに準ずる行政庁による法令等に基づく処分又は行政庁による法令違反に係る告発
⑦　親会社の異動、支配株主（親会社を除く）の異動又はその他の関係会社の異動
⑧　破産手続開始、再生手続開始、更生手続開始又は企業担保権の実行の申立て
⑨　手形等の不渡り又は手形交換所による取引停止処分
⑩　親会社等に係る破産手続開始の申立て等
⑪　債権の取立不能又は取立遅延
⑫　主要取引先との取引停止等
⑬　債務免除等の金融支援
⑭　資源の発見
⑮　特別支配株主が当該上場会社に係る株式等売渡請求を行うことについての決定をしたこと又は当該特別支配株主が当該決定に係る株式等売渡請求を行わないことを決定したこと
⑯　株主による株式又は新株予約権の発行又は自己株式の処分の差止請求
⑰　株主による株主総会の招集請求
⑱　保有有価証券の含み損
⑲　社債に係る期限の利益の喪失
⑳　上場債券等の社債権者集会の招集その他上場債券等に関する権利に係る重要な事実
㉑　公認会計士等の異動
㉒　有価証券報告書又は四半期報告書の提出遅延、提出延長承認
㉓　開示府令15の2③、15の2の2④、17の4④又は17の15の2④に規定する承認を受けたこと又は受けられなかったこと
㉔　財務諸表等の監査報告書又は四半期レビュー報告書における不適正意見又は否定的結論、意見不表明又は結論不表明、継続企業の前提に関する事項を除外事項とした限定付適正意見又は限定付結論
㉕　内部統制監査報告書における不適正意見、意見不表明
㉖　株式事務代行委託契約の解除通知の受領等
㉗　その他上場会社の運営、業務、財産又は上場株券等に関する重要な事実であって投資者の投資判断に著しい影響を及ぼすもの

（3）上場会社の決算情報

　　上場会社は、事業年度もしくは四半期累計期間又は連結会計年度もしくは四半期連結累計期間に係る決算の内容が定まった場合は、直ちにその内容を開示しなければならない。　　　【有価証券上場規程（東京証券取引所）404】

（4）上場会社の業績予想、配当予想の修正等

①　業績予想の修正、予想値と決算値の差異等
②　配当予想、配当予想の修正
　　　　　　　　　　　　【有価証券上場規程（東京証券取引所）405】

（5）その他の情報

①　上場廃止等に関する開示
②　債務超過の解消に向けた計画等の開示
③　流通株式等の改善に向けた計画の開示

④ 事業計画及び成長可能性に関する事項
⑤ 投資単位の引下げに関する開示
⑥ 財務会計基準機構への加入状況等に関する開示
⑦ MSCB等の転換又は行使の状況に関する開示
⑧ 支配株主等に関する事項の開示
【有価証券上場規程（東京証券取引所）408～411】

3. 子会社等の情報
【有価証券上場規程（東京証券取引所）403】

（1）子会社等の決定事実
① 子会社等の株式交換
② 子会社等の株式移転
③ 子会社等の株式交付
④ 子会社等の合併
⑤ 子会社等の会社分割
⑥ 子会社等における事業の全部又は一部の譲渡又は譲受け
⑦ 子会社等の解散（合併による解散を除く）
⑧ 子会社等における新製品又は新技術の企業化
⑨ 子会社等における業務上の提携又は業務上の提携の解消
⑩ 子会社等における孫会社の異動を伴う株式又は持分の譲渡又は取得その他の孫会社の異動を伴う事項
⑪ 子会社等における固定資産の譲渡又は取得
⑫ 子会社等におけるリースによる固定資産の賃貸借
⑬ 子会社等における事業の全部又は一部の休止又は廃止
⑭ 子会社等における破産手続開始、再生手続開始又は更生手続開始の申立て
⑮ 子会社等における新たな事業の開始
⑯ 子会社等における公開買付け又は自己株式の公開買付け
⑰ 子会社等の商号又は名称の変更
⑱ 子会社等における債務超過又は預金等の払戻しの停止

のおそれがある旨の内閣総理大臣への申出（預金保険法74⑤の規定による申出）
⑲ 子会社等における特定調停法に基づく特定調停手続による調停の申立て
⑳ その他上場会社の子会社等の運営、業務又は財産に関する重要な事項であって投資者の投資判断に著しい影響を及ぼすもの

（2）子会社等の発生事実
① 子会社等における災害に起因する損害又は業務遂行の過程で生じた損害
② 子会社等における訴訟の提起又は判決等
③ 子会社等における仮処分命令の申立て又は決定等
④ 子会社等における免許の取消し、事業の停止その他これらに準ずる行政庁による法令に基づく処分又は行政庁による法令違反に係る告発
⑤ 子会社等における破産手続開始の申立て等
⑥ 子会社等における手形等の不渡り又は手形交換所による取引停止処分
⑦ 子会社等における孫会社に係る破産手続開始の申立て等
⑧ 子会社等における債権の取立不能又は取立遅延等
⑨ 子会社等における主要取引先との取引停止等
⑩ 子会社等における債務免除等の金融支援
⑪ 子会社等における資源の発見
⑫ その他子会社等の運営、業務又は財産に関する重要な事実であって投資者の投資判断に著しい影響を及ぼすもの

（3）連動子会社の決定事実
① 連動子会社において、（1）①から⑪、⑬から⑮、⑱に該当する場合
② 連動子会社における剰余金の配当

（4）連動子会社の発生事実
① 連動子会社において、（2）①から⑪に該当する場合

資産項目

1 資産の分類／表示

1. 資産の分類

　資産は、流動資産、固定資産及び繰延資産に分類し、更に、固定資産に属する資産は、有形固定資産、無形固定資産及び投資その他の資産に分類して記載しなければならない。　　　　　　　　　　　　　　　　【財規14】

2. 流動資産

　次に掲げる資産は、流動資産に属するものとする。流動資産に属する資産は、次に掲げる項目の区分に従い、当該資産を示す名称を付した科目をもって掲記しなければならない。　　　　　　　　　　　【財規15 〜 17、19】
- (1)　現金及び預金
- (2)　受取手形（※）
- (3)　売掛金（※）
- (4)　契約資産（※）
- (5)　リース債権（通常の取引に基づいて発生したものに限り、破産更生債権等で1年内に回収されないことが明らかなものを除く）
- (6)　リース投資資産（通常の取引に基づいて発生したものに限り、破産更生債権等で1年内に回収されないことが明らかなものを除く）
- (7)　有価証券
- (8)　商品及び製品（半製品を含む）
- (9)　仕掛品
- (10)　原材料及び貯蔵品
- (11)　前渡金
- (12)　前払費用
- (13)　その他
　「その他」のうち、未収収益、短期貸付金（金融手形を含む）、株主、役員若しくは従業員に対する短期債権又はその他の資産で、その金額が資産の総額の100分の5を超えるものについては、当該資産を示す名称を付した科目をもって掲記しなければならない。
- （※）　顧客との契約から生じた債権、契約資産のそれぞれについて、他の項目に属する資産と一括して表示する場合には、資産の科目及びその金額をそれぞれ注記しなければならない。

3. 有形固定資産

　次に掲げる資産（ただし、(1)から(8)までに掲げる資産については、営業の用に供するものに限る）は、有形固定資産に属するものとする。有形固定資産に属する資産は、次に掲げる項目の区分に従い、当該資産を示す名称を付した科目をもって掲記しなければならない。【財規22 〜 24】
- (1)　建物（その付属設備を含む）
- (2)　構築物
- (3)　機械及び装置（その付属設備を含む）
- (4)　船舶（水上運搬具を含む）
- (5)　車両及びその他の陸上運搬具
- (6)　工具、器具及び備品

- (7)　土地
- (8)　リース資産
- (9)　建設仮勘定
- (10)　その他
　「その他」のうち、資産の総額の100分の5を超えるものについては、当該資産を示す名称を付した科目をもって掲記しなければならない。

4. 無形固定資産

　次に掲げる資産は、無形固定資産に属するものとする。無形固定資産に属する資産は、次に掲げる項目の区分に従い、当該資産を示す名称を付した科目をもって掲記しなければならない。　　　　　　【財規27 〜 29】
- (1)　のれん
- (2)　特許権
- (3)　借地権（地上権を含む）
- (4)　商標権
- (5)　実用新案権
- (6)　意匠権
- (7)　鉱業権
- (8)　漁業権（入漁権を含む）
- (9)　ソフトウエア
- (10)　リース資産
- (11)　公共施設等運営権
- (12)　その他
　「その他」のうち、資産の総額の100分の5を超えるものについては、当該資産を示す名称を付した科目をもって掲記しなければならない。

5. 投資その他の資産

　次に掲げる資産は、投資その他の資産に属するものとする。投資その他の資産に属する資産は、次に掲げる項目の区分に従い、当該資産を示す名称を付した科目をもって掲記しなければならない。　　　　　　【財規31 〜 33】
- (1)　投資有価証券
- (2)　関係会社株式
- (3)　関係会社社債
- (4)　その他の関係会社有価証券
- (5)　出資金
- (6)　関係会社出資金
- (7)　長期貸付金
- (8)　株主、役員又は従業員に対する長期貸付金
- (9)　関係会社長期貸付金
- (10)　破産更生債権等
- (11)　長期前払費用
- (12)　前払年金費用
- (13)　繰延税金資産
- (14)　その他
　「その他」のうち、投資不動産、1年内に期限の到来しない預金又はその他の資産で、その金額が資産の総額の100分の5を超えるものについては、当該資産を示す名称を付した科目をもって掲記しなければならない。

6. 繰延資産

　次に掲げる資産は、繰延資産に属するものとする。繰延資産に属する資産は、次に掲げる項目の区分に従い、当該資産を示す名称を付した科目をもって掲記しなければならない。　　　　　　　　　　　　　　【財規36 ～ 37】
(1)　創立費
(2)　開業費
(3)　株式交付費
(4)　社債発行費
(5)　開発費

2　現金預金

1. 現　　金

(1)　現金には、小口現金、手元にある当座小切手、送金小切手、送金為替手形、預金手形、郵便為替証書及び振替貯金払出証書等を含むものとする。ただし、未渡小切手は、預金として処理するものとする。
　なお、期限の到来した公社債の利札その他金銭と同一の性質をもつものは、現金に含めることができるものとする。　　　　　　　　　　　　　　【財ガ15- 1 ①】
(2)　キャッシュ・フロー計算書における現金及び現金同等物　　　　　　　　　　　　　　【➡p.206】

2. 預　　金

　預金は、契約者にとって金融機関から現金を引き出す契約上の権利である。　　　　　　【会制14号214】
　預金は、金融機関に対する預金、貯金及び掛金、郵便貯金並びに郵便振替貯金に限るものとする。なお、預金には、契約期間が 1 年を超える預金で 1 年内に期限の到来するものを含むものとする。　　　　　　【財ガ15- 1 ②】

3. 外国通貨

　外国通貨については、決算時の為替相場による円換算額を付する。　　　　　　　　　　【外貨一 2 (1)①】

4. 表　　示

　流動資産に属する資産として、現金及び預金（1 年内に期限の到来しない預金を除く）として区分掲記する。
　　　　　　　　　　　　【財規17①、計規74③一イ】

3　受取手形

1. 受取手形の内容

(1)　得意先との間に発生した営業取引に関する手形債権をいう。ただし、破産更生債権等で 1 年内に回収されないことが明らかなものを除く。【財ガ15- 2 、財規15二】

(2)　固定資産又は有価証券の売却その他通常の取引以外の取引に基づいて発生した手形債権は、その他の資産に属するものとする。　　　　　　　　　【財ガ15-12②】
(3)　受取手形は、その割引又は裏書譲渡時に消滅を認識する。また、輸出荷代金取立てのための荷為替手形（DP手形又は DA手形）は、外国為替取扱銀行においてその買取りを受けた時に、手形債権の発生と消滅を同時に認識する。　　　　　　　　　　　　【会制14号34】
(4)　受取手形の貸借対照表価額は、取得価額から貸倒見積高に基づいて算定された貸倒引当金を控除した金額とする。ただし、債権を債権金額より低い価額又は高い価額で取得した場合において、取得価額と債権金額との差額の性格が金利の調整と認められるときは、償却原価法に基づいて算定された価額から貸倒見積高に基づいて算定された貸倒引当金を控除した金額としなければならない。　　　　　　　　　　　　　　【ASB 基準10号14】
　償却原価法とは、金融資産又は金融負債を債権額又は債務額と異なる金額で計上した場合において、当該差額に相当する金額を弁済期又は償還期に至るまで毎期一定の方法で取得価額に加減する方法をいう。なお、この場合、当該加減額を受取利息又は支払利息に含めて処理する。　　　　　　　　　　　　【ASB 基準10号注 5 】
(5)　流動資産に属する資産として、受取手形として区分掲記する。　　　　　　【財規17①二、計規74③一ロ】
(6)　通常の取引以外の取引に基づいて発生した手形債権の金額が資産の総額の100分の 5 以下である場合には、当該手形債権については、受取手形の科目に含めて記載することができる。　　　　　　　　　【財ガ17- 1 - 2 】
(7)　期末日が休日で、期末日満期手形残高が重要な場合は、期間比較の観点から、次のいずれの方法により会計処理を行ったか及びその金額を、当該科目との関連を明らかにして財務諸表に追加情報として記載する。
①　満期日に入出金があったものとして処理する方法
②　交換日に入出金の処理をする方法
　　　　　　　　　　　　　　【監77号Ⅲ 4 (1)13】

2. 割引手形・裏書譲渡手形

(1)　手形割引は、手形の所持人が満期前に第三者に手形を譲渡し、その対価として譲渡の日以後満期に至るまでの金利相当額（割引料と呼ばれる）を手形額面金額から差し引いた金額を受け取る取引である。手形を譲り受けた金融機関は、満期日まで所持し手形債務者から手形代金を取り立てることもできるし、また、満期前に当該手形を他の金融機関に譲渡（再割引という）して、資金を回収することもできる。このような場合、手形行為そのものとしては、通常、裏書譲渡が行われる。
　　　　　　　　　　　　　　【会制14号251】
(2)　割引手形及び裏書譲渡手形については、原則として新たに生じた二次的責任である保証債務を時価評価して認識するとともに、割引による入金額又は裏書による決済額から保証債務の時価相当額を差し引いた譲渡金額から、譲渡原価である帳簿価額を差し引いた額を手形売却損益として処理する。　　　　　　　【会制14号136】
(3)　会社法計算書類上、手形遡求債務があるときは、当該

債務の内容及び金額を注記する。　　　【計規103五】

(4) 輸出取引に係る為替手形を為替銀行へ取り組んだ時点で手形債権の発生と消滅の認識を同時に行う。

【会制14号253】

3. 関係会社に対する資産の注記

　関係会社との取引に基づいて発生した受取手形、売掛金及び契約資産の合計額が資産の総額の100分の5を超える場合には、当該受取手形、売掛金及び契約資産の金額をそれぞれ注記しなければならない。ただし、関係会社に対する受取手形、売掛金及び契約資産のいずれかの金額が資産の総額の100分の5以下である場合には、これらの合計額のみを注記することができる。　　　　　　　【財規39①】

　関係会社との取引に基づいて発生した受取手形には、関係会社が裏書した手形を含むものとする。　【財ガ39-1】

　特例財務諸表提出会社については、会社計算規則の注記によることができる。　　　　　　　　　【財規127②五】

4. 特例財務諸表提出会社に関する注記

　特例財務諸表提出会社が会社計算規則の規定により作成した財務諸表には、次に掲げる事項を注記しなければならない。

(1) 特例財務諸表提出会社に該当する旨
(2) 財規127の規定により財務諸表を作成している旨

【財規128】

4 電子記録債権

1. 電子記録債権の内容

(1) 電子記録債権とは、その発生又は譲渡について、電子記録（磁気ディスク等をもって電子債権記録機関が作成する記録原簿への記録事項の記録）を要件とする金銭債権である。　　　　　　　　　　【ASB報告27号】

(2) 通常の取引に基づいて発生した電子記録債権は流動資産に属する資産として、電子記録債権を示す科目をもって区分掲記する。ただし、重要性が乏しい場合には、電子記録債権を区分掲記ではなく手形債権に含めて表示することができる。【財規15二の二、ASB報告27号注3】

(3) 譲渡記録により電子記録債権を譲渡する際に、保証記録も行っている場合には、受取手形の割引高又は裏書譲渡高と同様に、財務諸表に注記するものとする。

【ASB報告27号】

(4) 通常の取引に基づいて発生した電子記録債権以外のもので1年内に現金化できると認められるもの以外については、投資その他の資産に属するものとする。

【財規31の4】

2. 電子記録債権に係る債務

　電子記録債権に係る債務に関しては、第4章③**電子記録債権に係る債務【➡p.92】**を参照。　　　【財規51の4】

5 契約資産

1. 契約資産の内容

(1) 契約資産とは、顧客との契約に基づく財貨の交付又は役務の提供の対価として当該顧客から支払を受ける権利のうち、受取手形及び売掛金以外のものをいう。ただし、破産更生債権等で1年内に回収されないことが明らかなものを除く。　　　　　　　　　【財規15三の二】

(2) 流動資産に属する資産として、契約資産として区分掲記する。　　　　　　　　　　　【財規17①三の二】

6 売 掛 金

1. 売掛金の内容

(1) 顧客との契約から生じた債権その他の通常の取引に基づいて発生した営業上の未収金をいう。ただし、破産更生債権等で1年内に回収されないことが明らかなものを除く。　　　　　　　　　　　　　　　【財規15三】

(2) 流動資産に属する資産として、売掛金として区分掲記する。　　　　　　【財規17①三、計規74③一ハ】

(3) 売掛金の貸借対照表価額は、取得価額から貸倒見積高に基づいて算定された貸倒引当金を控除した金額とする。ただし、債権を債権金額より低い価額又は高い価額で取得した場合において、取得価額と債権金額との差額の性格が金利の調整と認められるときは、償却原価法に基づいて算定された価額から貸倒見積高に基づいて算定された貸倒引当金を控除した金額としなければならない。　　　　　　　　　　　　　【ASB基準10号14】

2. 外貨建金銭債権

(1) 決算時の為替相場による円換算額を付する。

【外貨一2(1)②】

(2) 外貨建金銭債権と為替予約等との関係が金融商品に係る会計基準における「ヘッジ会計の要件」を充たしている場合には、その外貨建金銭債権についてヘッジ会計を適用することができる。　　　　　　　【外貨一2(1)】

(3) ヘッジ会計を適用する場合には、金融商品に係る会計基準における「ヘッジ会計の方法」によるほか、当分の間、為替予約等により確定する決済時における円貨額により外貨建取引及び金銭債権債務等を換算し直物為替相場との差額を期間配分する方法（振当処理）によることができる。　　　　　　　　　　　　　【外貨注6】

3. 関係会社に対する資産の注記　　　【財規39①】

4. 特例財務諸表提出会社に関する注記【財規128】

7 有価証券

1. 有価証券の内容

⑴ 有価証券とは、金融商品取引法第2条第1項及び第2項（第1号及び第2号を除く）に規定する有価証券及び申込証拠金額収証をいう。

⑵ 新株申込受付票は、申込証拠金額収証に準じて、有価証券として取り扱う。

⑶ 信託受益権及び内国法人の発行する譲渡性預金（CD）の預金証書等で有価証券として会計処理することが適当と認められるものは、有価証券に含める。

【財ガ8の2-3⑴①】

⑷ 会社が役員、従業員又はその他の者の名義をもって所有する有価証券を含む。 【財ガ15-4】

2. 有価証券の表示

⑴ 流動資産に属する有価証券

① 次の有価証券は流動資産に属するものとする。

ア 売買目的有価証券及び1年内に満期の到来する有価証券 【財規15四、計規74③一ヘ】

イ 1年内に満期の到来するCD及びコマーシャル・ペーパー（CP）

契約型投信、会社型投信及び貸付信託のうち、以下のもの。

㋐ 1年以内に償還されるもの

㋑ キャッシュ・フロー計算書において資金の範囲に含めているもの

㋒ 預金と同様の性格を持つもの（MMF（マネー・マネジメント・ファンド）、MRF（マネー・リザーブ・ファンド）、中期国債ファンド、利金ファンド、フリー・フィナンシャル・ファンド、信託銀行が一般顧客に一律の条件で発行する貸付信託の受益証券） 【金融Q&A19、67】

② 流動資産たる有価証券で営業の必要のため担保に提供し又は、差入保証金の代用として提供しているものは、その他の流動資産に属する。ただし、その金額を有価証券に含めて記載することができる。この場合には、その旨及びその金額を注記する。

預り有価証券又は借入有価証券の対照勘定は、その他の資産に属する。 【財ガ15-12④】

③ 親会社株式のうち貸借対照表日後1年内に処分されると認められるものは、流動資産に親会社株式の科目をもって別に掲記しなければならない。ただし、金額が僅少である場合には、注記によることができる。

【財規18】

④ 会社法計算書類上は、親会社株式の各表示区分別の金額を注記する。 【計規103九】

⑤ 特例財務諸表提出会社については、会社計算規則の注記によることができる。 【財規127②四】

⑵ 特例財務諸表提出会社に関する注記 【➡p.62】

⑶ 投資その他の資産に属する有価証券

① 関係会社株式その他流動資産に属さない有価証券は投資その他の資産の部に、次に掲げる項目の区分に従い、その資産を示す名称を付した科目をもって掲記しなければならない。

投資有価証券（ただし、関係会社株式、関係会社社債及びその他の関係会社有価証券を除く）、関係会社株式、関係会社社債、その他の関係会社有価証券

【財規31、32】

② 親会社株式のうち貸借対照表日後1年内に処分されると認められるもの以外のものは、投資その他の資産に親会社株式の科目をもって別に掲記しなければならない。ただし、その金額が僅少である場合には、注記によることができる。 【財規32の2】

③ 会社法計算書類上は、親会社株式の各表示区分別の金額を注記する。 【計規103九】

④ 特例財務諸表提出会社については、会社計算規則の注記によることができる。 【財規127②四】

3. 有価証券の会計処理

⑴ 有価証券の取得原価

原則として購入代価に手数料等の付随費用を加算し、これに平均原価法等の方法を適用して算定した額とする。

贈与その他無償で取得した資産については、公正な評価額をもって取得原価とする。 【企第三5B、F】

⑵ 有価証券の区分と評価基準

有価証券の区分	評価基準	評価差額の取扱い	備考
売買目的有価証券	時価	損益に計上	
満期保有目的の債券	取得原価又は償却原価	―	（注1）（注3）
子会社株式及び関連会社株式	取得原価	―	（注3）
その他有価証券	時価	その他有価証券評価差額金として純資産の部に直接計上（部分純資産直入法の損失は損益に計上）	（注2）（注3）（注4）

① 売買目的有価証券……時価の変動により利益を得ることを目的として保有する有価証券であり、通常同一銘柄に対し相当程度に反復的な購入と売却が行われるものをいう。 【ASB基準10号15、会制14号65】

② 満期保有目的の債券…一定の償還日に額面で償還されることが予定されている社債その他の債券であり企業が満期まで所有する積極的な意思と能力を有しなければならない。 【ASB基準10号16、会制14号68、69】

満期保有目的の債券の保有目的を変更した場合、当該債券は変更後の保有目的に係る評価基準に従って処理する。 【ASB基準10号注6】

③ その他有価証券………売買目的有価証券、満期保有目的の債券、子会社株式及び関連会社株式以外の有価証券 【ASB基準10号18、会制14号72】

なお、親会社株式及びその他の関係会社株式は売買目的有価証券又はその他有価証券に分類され時価評価されるが、連結上、子会社が所有する親会社株式は取得原価で評価される。　　　　　　　　　　　　　【金融Q&A16】

（注１）　償却原価とは、債券を債券金額より低い価額又は高い価額で取得した場合において、取得価額と債券金額との差額の性格が金利の調整である場合にその差額を償還期に至るまで毎期一定の方法で有価証券利息として取得原価に加算又は減算したものである。　　　　　　　　　　　　　　　【ASB基準10号注５】

（注２）　市場価格のない株式は、取得原価をもって貸借対照表価額とする。市場価格のない株式とは、市場において取引されていない株式とする。また、出資金など株式と同様に持分の請求権を生じさせるものは、同様の取扱いとする。　　　　　　【ASB基準10号19】

（注３）　時価のあるものについて時価が著しく下落したときは、回復する見込みがあると認められる場合を除き、時価をもって貸借対照表価額とし、評価差額は当期の損失として処理しなければならない。　　　　　　　　　　　　　　　　【ASB基準10号20】

（注４）　純資産の部に計上されるその他有価証券の評価差額については、税効果会計を適用しなければならない。

また、当該評価差額に課される当事業年度の所得に対する法人税、住民税及び事業税等がある場合には、ASB基準27号⑤から⑤-5の処理を行う。　　　　　　　　　　　　　【ASB基準10号18】

（3）外貨建有価証券の評価

①　満期保有目的の外貨建債券については、決算時の為替相場による円換算額を付する。

　　　　　　　　　　【外貨一2(1)③イ、会制4号13】

②　売買目的有価証券及びその他有価証券については、外国通貨による時価を決算時の為替相場により円換算した額を付する。　【外貨一2(1)③ロ、会制4号12、15】

③　子会社株式及び関連会社株式については、取得時の為替相場による円換算額を付する。

　　　　　　　　　　【外貨一2(1)③ハ、会制4号17】

④　外貨建有価証券について時価の著しい下落又は実質価額の著しい低下により評価額の引下げが求められる場合には、当該外貨建有価証券の時価又は実質価額は、外国通貨による時価又は実質価額を決算時の為替相場により円換算した額による。

　　　　　　　　【外貨一2(1)③ニ、会制4号18、19】

（4）有価証券の売却損益の表示区分

区　　分	売却損益の表示区分	備　　考
売買目的 有価証券	有価証券の売買を主たる事業としている場合には営業損益、それ以外の場合には営業外損益	損と益の純額表示
満期保有目的の債券	合理的な理由による売却に伴う損益は営業外損益、それ以外は特別損益	合理的な理由による売却は損と益の純額表示

子会社株式及び関連会社株式	特別損益	損と益の総額表示
その他有価証券	臨時的なものは特別損益、それ以外の場合には営業外損益	－

　　　　　　　　　　　　　　　　【金融Q&A68】

（5）有価証券の減損処理

①　時価のある有価証券

売買目的有価証券以外の有価証券のうち時価のあるものについて、時価が著しく下落したときは、回復する見込みがあると認められる場合を除き、当該時価をもって貸借対照表価額とし、評価差額を当期の損失として処理しなければならない。

　　　　　　【計規5③一、会制14号91、ASB基準10号20】

時価の下落について「回復する見込みがある」とは、株式の場合、時価の下落が一時的なものであり、期末日後おおむね１年以内に時価が取得原価にほぼ近い水準にまで回復する見込みのあることを合理的な根拠をもって予測できる場合をいう。ただし、株式の時価が過去２年間にわたり著しく下落した状態にある場合や、株式の発行会社が債務超過の状態にある場合又は2期連続で損失を計上しており、翌期もそのように予想される場合には、通常は回復する見込みがあるとは認められない。　　　　　　　　　　　　　　【会制14号91】

下落の程度	判　　断
50％程度以上下落	著しく下落したときに該当し、合理的な反証がない限り減損処理を行う必要あり。
おおむね30％以上50％程度未満	個々の企業において時価が著しく下落したと判断するための合理的な基準を設けて判断する。
おおむね30％未満	一般的には著しく下落したときに該当しない。

②　市場価格のない株式等の減損処理

当該株式の発行会社の財政状態の悪化により実質価額が著しく低下したときは、相当の減額を行い、評価差額は当期の損失として処理しなければならない。

　　　　　　【計規5③二、会制14号92、ASB基準10号21】

なお、会社の超過収益力や経営権等を反映して、1株当たり純資産額より相当高い価額で当該会社の株式を取得した場合において、超過収益力等が減少したために実質価額が大幅に低下した場合には、発行会社の財政状態の悪化がないとしても、将来の期間にわたってその状態が続くと予想され、超過収益力が見込めなくなった場合には、実質価額が取得原価の50％程度を下回っている限り、減損処理を行う必要がある。　　　　　　　【金融Q&A33】

（6）有価証券の未収配当金・利息等

区　　分	会計処理
市場価格のある株式	各銘柄の配当落ち日をもって、前回の配当実績又は公表予想配当額に基づいて未収配当金を見積計上し、実際配当額と差異があることが判明した場合は、判明した事業年度に当該差異を修正する。 継続適用を条件として市場価格のない株式と同様の処理を行うことも認められる。

市場価格のない株式	発行会社の株主総会、取締役会、その他決定権限を有する機関において行われた配当金に関する決議があった日の属する事業年度に計上する。ただし、決議があった日の後、通常要する期間内に支払いを受けるものであれば、支払日の属する事業年度に認識することも、継続適用を条件に認められる。
債券の利息	債券の利息計算期間（約定日ではなく受渡日から起算する期間）に応じて算定し、当該事業年度に属する利息額を計上する。なお、未収利息不計上の判定と処理は債権に準ずる。
投資信託の収益分配金	追加型証券投資信託のうち下記に該当する場合を除き、その収益に係る計算期間が終了する日の属する事業年度に計上する。ただし、その支払いを受けた日の属する事業年度に計上することも、継続適用を条件として認められる。
	追加型証券投資信託のうち、購入後短期間に計算期間の末日が到来するものについて、収益分配金のうち払込資金からの払戻しに相当するものとして区分されている場合、又は区分されていなくてもそのほとんどが払込資金からの払戻しと認められる場合には、払込資金の払戻し相当額については当該投資信託の取得原価を減額処理する。

【会制14号94、95、96、119】

（7）その他資本剰余金の処分による配当等を受けた株主の処理

配当等を受けた有価証券の種類	会計処理	備　考
売買目的有価証券	受取配当金（売買目的有価証券運用損益）として処理	
売買目的有価証券以外	有価証券の帳簿価額から減額処理	（注1）（注2）

（注1）　以下の例のように配当受領額を収益として計上することが明らかに合理的である場合は、受取配当金に計上できるものとする。
　　①　配当の対象となる時価のある有価証券を時価まで減額処理した期における配当
　　②　投資先企業を結合当事企業とした企業再編が行われた場合において、結合後企業からの配当に相当する留保利益が当該企業再編直前に投資先企業において存在し、当該留保利益を原資とするものと認められる配当（ただし、配当を受領した株主が、当該企業再編に関して投資先企業の株式の交換損益を認識していない場合に限る）
　　③　配当の対象となる有価証券が優先株であって、払込額による償還額が約定されており、一定の時期に償還されることが確実に見込まれる場合の当該優先株式に係る配当
（注2）　配当金の認識は株式配当金と同様とする。配当金を計上する際に、その他利益剰余金の処分によるものか、その他資本剰余金の処分によるものかが不明な場合は、受取配当金に計上できるものとする。その後、その他資本剰余金の処分によるものである

ことが判明した場合は、その金額に重要性が乏しい場合を除きその時点で修正する会計処理を行う。

【ASB指針3号3〜6】

（8）種類株式の貸借対照表価額について

種類株式の種類		貸借対照表価額	減損処理の方法
債券と同等の性格をもつと考えられる種類株式	形式的には株式であっても、発行会社が一定の時期に一定額で償還すると定めている場合や発行会社や保有者が一定額で償還する権利を有し、取得時点において一定の時期に償還されることが確実に見込まれるもの	債券の貸借対照表価額と同様に扱う。	―
債券と同様の性格をもつと考えられるもの以外の種類株式	市場価格のある種類株式	市場価格に基づく価額をもって貸借対照表価額とする。時価が著しく下落したときは、回復する見込みがあると認められる場合を除き減損処理する。	時価をもって貸借対照表価額とし、評価差額は当期の損失として処理される。【ASB基準10号20、会制14号91】
	市場価格のない種類株式	取得原価をもって貸借対照表価額とする。当該株式の発行会社の財政状態の悪化により実質価額が著しく下落したときは、減損処理する。	①評価モデルを利用する方法②1株当たりの純資産を基礎とする方法③優先的な残余財産分配請求額を基礎とする方法【ASB基準10号21、会制14号92】

【ASB報告10号】

（9）注記事項

①　金融商品に関する注記事項に定める事項のほか、有価証券については、次の各号に掲げる有価証券の区分に応じ、当該各号に定める事項を注記しなければならない。ただし、重要性の乏しいものについては、注記を省略することができる。
ア　売買目的有価証券：当該事業年度（特定有価証券の内容等の開示に関する内閣府令（平成5年大蔵省令第22号）第23条第2号に規定する特定有価証券であって、計算期間の終了の時における当該有価証券の評価額を翌計算期間における期首の帳簿価額として記載する方法を採用している場合にあっては、最終の計算期間）の損益に含まれた評価差額　　　　　【財規8の7①一】

イ　満期保有目的の債券：当該債券を貸借対照表日における時価が貸借対照表日における貸借対照表計上額を超えるもの及び当該時価が当該貸借対照表計上額を超えないものに区分し、その区分ごとの次に掲げる事項

(ア)　貸借対照表日における貸借対照表計上額

(イ)　貸借対照表日における時価

(ウ)　貸借対照表日における貸借対照表計上額と貸借対照表日における時価との差額　【財規8の7①二】

上記の記載にあたっては、債券の種類ごとに区分して記載することができる。　【財ガ8の7-1①】

ウ　子会社株式（売買目的有価証券に該当する株式を除く）及び関連会社株式（売買目的有価証券に該当する株式を除く）

(ア)　貸借対照表日における貸借対照表計上額

(イ)　貸借対照表日における時価

(ウ)　貸借対照表日における貸借対照表計上額と貸借対照表日における時価との差額　【財規8の7①三】

上記の記載にあたっては、子会社株式及び関連会社株式のそれぞれに区分して記載するものとする。
【財ガ8の7-1②】

エ　その他有価証券：有価証券（株式、債券及びその他の有価証券をいう。カにおいて同じ）の種類ごとに当該有価証券を貸借対照表日における貸借対照表計上額が取得原価を超えるもの及び当該貸借対照表計上額が取得原価を超えないものに区分し、その区分ごとの次に掲げる事項

(ア)　貸借対照表日における貸借対照表計上額

(イ)　取得原価

(ウ)　貸借対照表日における貸借対照表計上額と取得原価との差額　【財規8の7①四】

上記の記載にあたっては、債券について債券の種類ごとに区分して記載することができる。
【財ガ8の7-1③】

また、(イ)の取得原価には、償却原価法に基づいて算定された価額を含むものとする。【財ガ8の7-1④】

オ　当該事業年度中に売却した満期保有目的の債券：債券の種類ごとの売却原価、売却額、売却損益及び売却の理由　【財規8の7①五】

カ　当該事業年度中に売却したその他有価証券：有価証券の種類ごとの売却額、売却益の合計額及び売却損の合計額　【財規8の7①六】

上記の記載にあたっては、債券について債券の種類ごとに記載することができる。　【財ガ8の7-1⑤】

②　当該事業年度中に売買目的有価証券、満期保有目的の債券、子会社株式及び関連会社株式並びにその他有価証券の保有目的を変更した場合には、その旨、変更の理由（満期保有目的の債券の保有目的を変更した場合に限る）及び当該変更が財務諸表に与えている影響の内容を注記しなければならない。ただし、重要性の乏しいものについては、注記を省略することができる。
【財規8の7②】

③　当該事業年度中に有価証券の減損処理を行った場合には、その旨及び減損処理額を注記しなければならない。ただし、重要性の乏しいものについては、注記を省略す

ることができる。　　　　　　　　　　【財規8の7③】

④　①から③（①ウを除く）に定める事項は、財務諸表提出会社が連結財務諸表を作成している場合には、記載することを要しない。　　　　　　　　　【財規8の7④】

(10) 時　　価

金融資産及び金融負債の「時価」の定義は、ASB基準30号5に従い、算定日において市場参加者間で秩序ある取引が行われると想定した場合の、当該取引における資産の売却によって受け取る価格又は負債の移転のために支払う価格とする。　　　　　　【ASB基準10号6、会制14号47】

市場には、公設の取引所及びこれに類する市場のほか、随時、売買・換金等を行うことができる取引システム等も含まれる。　　　　　　　　　　【ASB基準10号注2】

4. 有価証券に関するその他の留意点

(1) 有限責任事業組合に対する出資者の会計処理

有限責任事業組合への出資は、民法上の組合等への出資と同様に、有限責任事業組合の財産の持分相当額を出資金（金融商品取引法に基づいて有価証券とみなされる場合については有価証券）として計上し、当該有限責任事業組合の営業により獲得した損益の持分相当額を、有限責任の範囲内で、当期の損益として計上する。

ただし、他の組合等への出資と同様に、その契約内容の実態及び経営者の意図を考慮し、組合財産のうち持分割合に相当する部分を出資者の資産及び負債等として貸借対照表に計上し、損益計算書についても同様に処理することも考えられる。また、状況によっては貸借対照表について持分相当額を純額で、損益計算書については損益項目の持分相当額を計上する方法も認められる。【ASB報告21号Q1】

(2) 合同会社に対する出資者の会計処理

合同会社への出資については、有価証券として取得原価をもって貸借対照表価額とし、当該合同会社の財政状態の悪化により実質価額が著しく低下したときには、相当の減額を行い、当該評価差額は当期の損失として処理（減損処理）する。　　　　　　　　　　　【ASB報告21号Q3】

(3) 有価証券の消費貸借等

以下について注記が必要である。

有価証券の貸手：その旨、貸借対照表価額

有価証券の借手：その旨、貸借対照表日の時価（自己保有部分と担保差入部分とに区分する。ただし、借り入れた有価証券の担保差入部分と担保受入有価証券の再担保差入部分とを区分困難な場合は合計額で注記可）。売却による返還義務が貸借対照表に計上されたものについては、その旨、時価は注記不要。【会制14号27、77、241-2、277】

(4) 自由処分権を有する担保受入金融資産

以下について注記が必要である。

担保の差入側：その旨、貸借対照表価額

担保の受入側：その旨、貸借対照表日の時価（自己保有部分と再担保差入部分とに区分する。ただし、担保受入有価証券の再担保差入部分について借入有価証券の担保差入部分と区分困難な場合は合計額で注記可）。売却により担保受入金融資産の返還義務が貸借対照表に計上されたものについては、注記不要。【会制14号28、128、242、304】

（5）現先取引及び現金担保付債券貸借取引

以下について注記が必要である。

担保の差入側：その旨、貸借対照表価額

担保の受入側：その旨、貸借対照表日の時価（売却して返還義務を貸借対照表計上した場合を除く）

【会制14号129、305】

5. デット・エクイティ・スワップ 【ASB報告6号】

〈デット・エクイティ・スワップの実行時における債権者側の会計処理に関する実務上の取扱い〉

（1）考 え 方

債権者はその債権の消滅を認識するとともにその対価としての受取額との差額を、当期の損益として処理することとなる。 【ASB基準10号11】

（2）取得した株式の取扱い

債権者が取得する株式の取得時の時価が対価としての受取額（譲渡金額）となり、消滅した債権の帳簿価額と取得した株式の時価の差額を当期の損益として処理し、当該株式は時価で計上。

【ASB基準10号11、12、13、会制14号29、37】

ここでいう消滅した債権の帳簿価額は、取得原価又は償却原価から貸倒引当金を控除した後の金額をいう。

【会制14号57(4)】

（3）取得した株式の取得時の時価 【➡ p.66】

6. 金銭の信託

金銭の信託の保有目的	信託財産の評価	備　　考
運用目的	売買目的有価証券として時価評価し、評価差額は当期の損益として処理する	一般的には運用目的として推定される
満期保有目的	満期保有目的の債券として取得原価又は償却原価法により評価	信託契約において原則として受託者に財産の売却を禁止しかつ信託期日と債券の償還期日が一致していること等が明確であることが必要
その他	その他有価証券として時価評価し、評価差額は純資産の部に直接計上	信託契約により運用目的又は満期保有目的のいずれにも該当しないという積極的な証拠と信託財産構成物である有価証券の売買を頻繁に繰り返していないことが必要

【会制14号97】

（1）金銭の信託の会計処理

①　信託財産の運用損益は、信託の計算期間にかかわらず、企業の各事業年度に属する損益を、当該事業年度に計上しなければならない。

②　信託財産構成物の取得原価は、企業の保有する同一資産から簿価分離された取得原価に基づき算出する。

【会制14号98】

（2）信託財産の貸借対照表価額

①　信託財産の運用を目的とする金銭の信託については、当該金銭の信託に係る信託財産を構成する金融資産及び金融負債に付されるべき評価額を合計した額をもって貸借対照表価額とし、評価差額は当期の損益として処理する。 【ASB基準10号24、86】

②　金銭の信託により生じる正味の債権で、それぞれの合計額が資産の総額の100分の5を超えるものについては、当該金銭の信託の内容を示す名称を付した科目をもって掲記する。 【財ガ19⑤】

7. 新株予約権、新株予約権付社債

（1）新株予約権の取得者側の会計処理 【➡p.128】

（2）新株予約権付社債の取得者側の会計処理 【➡p.132】

8. 電子記録移転有価証券表示権利等の会計処理

		金融商品会計基準上の有価証券	
		該当する場合	該当しない場合
発行	発行に伴う払込金額が負債に区分される場合	ASB基準10号又はASB指針17号に従い、契約上の義務を生じさせる契約を締結したときに発生の認識を行い、その金額を金融負債として会計処理	ASB報告43号の対象外
	発行に伴う払込金額が株主資本又は新株予約権に区分される場合	ASB基準5号に従い、資本金、資本剰余金などその内訳項目に区分し、会社法の規定又はASB基準及びASB指針17号に従って払込金額を計上	
保有	発生及び消滅の認識	ASB基準10号及び会制14号に従い、契約上の権利を生じさせる契約を締結したときに発生を認識し、契約上の権利を行使したとき、権利を喪失したとき又は権利に対する支配が他に移転したときは、当該金融資産の消滅を認識 ただし、契約締結時点から権利等が移転した時点までの期間が短期間である場合は、契約を締結した時点で認識	会制14号及びASB報告23号の定めに従う
	貸借対照表価額の算定及び評価差額の会計処理	ASB基準10号における有価証券の保有にかかる定め、及び、会制14号に従い、会計処理	会制14号及びASB報告23号の定めに従う

【ASB報告43号4～12】

第3章　資産項目

8 デリバティブ

1. デリバティブ取引

(1) デリバティブ取引の会計処理

① 原則

デリバティブ取引により生じる正味の債権及び債務は、時価をもって貸借対照表価額とし、評価差額は、原則として、当期の損益として処理する。

【ASB 基準10号25】

② 例外

ヘッジ手段たるデリバティブ取引

ヘッジ会計の要件を満たすデリバティブ取引はヘッジ会計を適用する。

③ デリバティブ取引により生じる正味の債権で、それぞれの合計額が資産の総額の100分の5を超えるものについては、当該デリバティブ取引の内容を示す名称を付した科目をもって掲記する。

【財ガ19⑤】

(2) デリバティブ取引に関する注記

金融商品に関する注記事項に規定する事項のほか、デリバティブ取引については、次に定める事項を注記しなければならない。

【財規8の8】

① ヘッジ会計が適用されていないデリバティブ取引

取引の対象物（通貨、金利、株式、債券、商品及びその他の取引の対象物をいう）の種類ごとの次に掲げる事項

ア 貸借対照表日における契約額又は契約において定められた元本相当額

イ 貸借対照表日における時価及び評価損益

当該事項は、取引（先物取引、オプション取引、先渡取引、スワップ取引及びその他のデリバティブ取引をいう）の種類、市場取引又は市場取引以外の取引、買付約定に係るもの又は売付約定に係るもの、貸借対照表日から取引の決済日又は契約の終了時までの期間及びその他の項目に区分して記載しなければならない。

② ヘッジ会計が適用されているデリバティブ取引

取引の対象物（通貨、金利、株式、債券、商品及びその他の取引の対象物をいう）の種類ごとの次に掲げる事項

ア 貸借対照表日における契約額又は契約において定められた元本相当額

イ 貸借対照表日における時価

当該事項は、ヘッジ会計の方法、取引（先物取引、オプション取引、先渡取引、スワップ取引及びその他のデリバティブ取引をいう）の種類、ヘッジ対象及びその他の項目に区分して記載しなければならない。

(注) 「金融商品に関する会計基準」(ASB 基準10号) により、金利スワップの特例処理を行っているデリバティブ取引及び「外貨建取引等会計処理基準」（外貨）により外貨建金銭債権債務等に振り当てたデリバティブ取引（予定取引をヘッジ対象としている場合を除く）については、ヘッジ対象と一体として取り扱い、当該デリバティブ取引の時価をヘッジ対象の時価に含めて記載することができる。 【財ガ8の6の2-1-2③】

ヘッジ会計が適用されているデリバティブ取引の貸借対照表日における時価の記載に当たっては、上記の取扱いを行うデリバティブ取引についての時価の記載を行わないことができる。 【財ガ8の8】

2. ヘッジ会計

(1) 意 義

ヘッジ会計とはヘッジ取引のうち一定の要件を充たすものについて、ヘッジ対象に係る損益とヘッジ手段に係る損益を同一の会計期間に認識し、ヘッジの効果を会計に反映させるための特殊な会計処理をいう。 【ASB基準10号29】

(2) ヘッジ対象

ヘッジ会計が適用されるヘッジ対象は相場変動等による損失の可能性がある資産又は負債で、当該資産又は負債に係る相場変動等が評価に反映されていないもの、相場変動等が評価に反映されているが評価差額が損益として処理されないものもしくは当該資産又は負債に係るキャッシュ・フローが固定されその変動が回避されるものである。なお、ヘッジ対象には、予定取引により発生が見込まれる資産又は負債も含まれる。 【ASB基準10号30】

(3) ヘッジ会計の要件

ヘッジ取引にヘッジ会計が適用されるのは、次の要件がすべて充たされた場合とする。 【ASB基準10号31】

① ヘッジ取引時の要件

ヘッジ取引が企業のリスク管理方針に従ったものであることが、取引時に、次のいずれかによって客観的に認められること。

ア 当該取引が企業のリスク管理方針に従ったものであることが、文書により確認できること

イ 企業のリスク管理方針に関して明確な内部規定及び内部統制組織が存在し、当該取引がこれに従って処理されることが期待されること

② ヘッジ取引時以降の要件

ヘッジ取引時以降において、ヘッジ対象とヘッジ手段の損益が高い程度で相殺される状態又はヘッジ対象のキャッシュ・フローが固定されその変動が回避される状態が引き続き認められることによって、ヘッジ手段の効果が定期的に確認されていること

(4) ヘッジ会計の方法

① ヘッジ取引に係る損益認識時点

ヘッジ会計は、原則として、時価評価されているヘッジ手段に係る損益又は評価差額を、ヘッジ対象に係る損益が認識されるまで純資産の部において繰り延べる方法による。

ただし、ヘッジ対象である資産又は負債に係る相場変動等を損益に反映させることにより、その損益とヘッジ手段に係る損益とを同一の会計期間に認識することもできる。

なお、純資産の部に計上されるヘッジ手段に係る損益又は評価差額については、税効果会計を適用しなければならない。 【ASB 基準10号32】

② ヘッジ会計の要件が充たされなくなったときの会計処理

ヘッジ会計の要件が充たされなくなったときには、ヘッジ会計の要件が充たされていた間のヘッジ手段に係る損益又は評価差額は、ヘッジ対象に係る損益が認識されるまで引き続き繰り延べる。

ただし、繰り延べられたヘッジ手段に係る損益又は評価差額について、ヘッジ対象に係る含み益が減少することによりヘッジ会計の終了時点で重要な損失が生じるおそれがあるときは、当該損失部分を見積り当期の損失として処理しなければならない。　【ASB基準10号33】

③　ヘッジ会計の終了

ヘッジ会計は、ヘッジ対象が消滅したときに終了し、繰り延べられているヘッジ手段に係る損益又は評価差額は当期の損益として処理しなければならない。また、ヘッジ対象である予定取引が実行されないことが明らかになったときにおいても同様に処理する。

【ASB基準10号34】

（5）包括的長期為替予約によるヘッジ

① 原則的会計処理

外貨建輸入取引に係る為替予約については、過去の取引実績等から考えて長期的に予定取引が発生し得る場合においても、1年以上のものは、輸入見合いの長期の円建売契約がある場合を除き原則として会計処理上は投機目的と考えられ、為替予約の時価評価差額を損益に計上する必要がある。

② ヘッジ会計の対象と認められる場合

1年以上の予定取引については、以下の場合にのみ、ヘッジ対象とすることが妥当と認められる場合も考えられる。

ア　為替相場の合理的な予測に基づく売上と輸入（輸入品目を特定する必要がある）に係る合理的な経営計画（通常3年程度）があり、かつ、損失が予想されない場合

イ　輸入予定取引に対応する円建売上に係る解約不能の契約があり、かつ、損失とならない場合

③ 振当処理の可否

同一の契約レートの包括的な長期為替予約は、通常、振当処理の対象とはならない【会制4号6】。したがって、為替予約の振当処理を行った場合との差異の重要性が乏しい場合を除き、契約レートで月々一定額を交換する包括的長期為替予約等のうちヘッジ手段となる部分については、契約レートを契約締結時の理論先物相場に引き直してヘッジ手段に係る損益又は評価差額に税効果会計を適用し、繰延税金資産又は繰延税金負債を計上した上で、これを控除した金額を純資産の部に繰延ヘッジ損益として計上し、繰り延べることになる。

【会制14号162、金融Q&A55-2、会制14号169～171】

3. 複合金融商品

（1）払込資本を増加させる可能性のある部分を含む複合金融商品

① 契約の一方の当事者の払込資本を増加させる可能性のある部分を含む複合金融商品である新株予約権付社債の発行又は取得については、以下の②及び③により会計処理する。　【ASB基準10号35】

② 転換社債型新株予約権付社債

発行者側の会計処理：転換社債型新株予約権付社債の発行に伴う払込金額は、社債の対価部分と新株予約権の対価部分とに区分せず普通社債の発行に準じて処理する方法、又は転換社債型新株予約権付社債以外の新株予約権付社債に準じて処理する方法のいずれかにより会計処理する。　【ASB基準10号36】

取得者側の会計処理：転換社債型新株予約権付社債の取得価額は、社債の対価部分と新株予約権の対価部分とに区分せず普通社債の取得に準じて処理し、権利を行使したときは株式に振り替える。　【ASB基準10号37】

③ 転換社債型新株予約権付社債以外の新株予約権付社債

発行者側の会計処理：転換社債型新株予約権付社債以外の新株予約権付社債の発行に伴う払込金額は、社債の対価部分と新株予約権の対価部分とに区分する。

ア　社債の対価部分は、普通社債の発行に準じて処理する。

イ　新株予約権の対価部分は、純資産の部に計上し、権利が行使され、新株を発行したときは資本金又は資本金及び資本準備金に振り替え、権利が行使されずに権利行使期間が満了したときは利益として処理する。

【ASB基準10号38】

取得者側の会計処理：転換社債型新株予約権付社債以外の新株予約権付社債の取得価額は、社債の対価部分と新株予約権の対価部分とに区分する。

ア　社債の対価部分は、普通社債の取得に準じて処理する。

イ　新株予約権の対価部分は、有価証券の取得として処理し、権利を行使したときは株式に振り替え、権利を行使せずに権利行使期間が満了したときは損失として処理する。　【ASB基準10号39】

（2）その他の複合金融商品

契約の一方の当事者の振込資本を増加させる可能性のある部分を含まない複合金融商品は、原則として、それを構成する個々の金融資産又は金融負債とに区分せず一体として処理する。　【ASB基準10号40】

9 コマーシャル・ペーパー（CP）

1. 資金調達側の処理と表示

（1）貸借対照表上の表示

電子CPは原則として償却原価法に基づいて算定された価額をもって貸借対照表価額とし、流動負債の「短期社債」又は「コマーシャル・ペーパー」等の科目で区分掲記する。その金額に重要性がない場合には、流動負債の「その他」に含めて表示することができる。　【ASB報告8号】

（2）損益計算書上の表示

電子CPの場合は、「短期社債利息」又は「コマーシャル・ペーパー利息」等の科目で区分掲記する。その金額に重要性がない場合には、「その他」に含めて表示する。なお、債

務額よりも低い価額で発行したことによる差額は、「前払費用」として計上した場合には、発行日から償還期限までを計算期間として当該発行差額を定額法により按分する。

【ASB報告8号】

2. 資金運用側の処理と表示

(1) 貸借対照表上の表示

① 金融商品に関する会計基準（ASB基準10号）に従って区分し、売買目的有価証券及び満期保有目的の債券、その他有価証券のうち1年内に満期が到来するものは財規17①六の「有価証券」として表示する。

② 上記以外は投資その他の資産に属する資産として区分掲記する。

【ASB基準10号23、会制14号68、金融Q&A19】

(2) 損益計算書上の表示

金融商品に関する会計基準に従って、売買目的有価証券、満期保有目的の債券、その他有価証券のうちいずれの区分に分類されるかに応じて表示する。

3. 海外コマーシャル・ペーパー

海外コマーシャル・ペーパーも国内コマーシャル・ペーパーと同様、金商2において「有価証券」として定義されているため、同様の取扱いとなる。

---

10 棚卸資産・売上原価

1. 棚卸資産の内容

(1) 商　　品

① 商品とは、商業を営む会社が販売の目的をもって所有する物品であって、当該企業の営業主目的に係るものをいう。　　　　　　　　　　　　　　　　【財ガ15-5】

② 商品には、販売目的をもって所有する土地、建物その他の不動産を含む。　【財規15五、計規74③一ト】

販売目的をもって所有する土地、建物その他の不動産とは不動産の売買、あっ旋等を業とする会社が販売の目的をもって所有する土地、建物その他の不動産をいう。

【財ガ15-5】

(2) 製　　品

① 製品とは、工業、鉱業その他商業以外の事業を営む会社が販売の目的をもって所有する製造品その他の生産品であって、その会社の営業主目的に係るものをいう。

【財ガ15-6①】

② 商業を営む会社で製造部門をもつものが製造する物品を販売の目的をもって所有する場合は、当該物品を製品とすることができる。　　　　　　【財ガ15-6②】

③ 副産物とは、主産物の製造過程から必然的に派生する物品をいい、主産物たる製品との区分は、企業における会計処理の慣習によるものとする。　【財ガ15-6③】

④ 作業くずとは、皮革くず、裁断くず、落綿、その他原材料、部分品又は貯蔵品を製造に使用したために残存するくず物をいう。　　　　　　　　【財ガ15-6④】

⑤ 仕損品は次のいずれかに属させる。
ア　副産物
イ　作業くず
ウ　原料
エ　材料

ただし、製品、半製品又は部分品に含めることが適当と認められる場合は、それらの項目に含めることができる。　　　　　　　　　　　　　　　【財ガ15-6⑤】

(3) 半 製 品

① 半製品とは、中間的製品として既に加工を終り、現に貯蔵中のもので販売できる状態にあるものをいう。

【財ガ15-7】

② 半製品には、自製部分品を含む。

【財規15七、計規74③一リ】

自製部分品とは、製品又は半製品の組成部分としてその製品又は半製品に取り付けられる物品で、企業自身によって製作されたものをいう。

自製部分品の一部を直接販売に供する場合は、その自製部分品は「商品」又は「製品」とすることができる。

【財ガ15-7】

(4) 原料及び材料

① 原料及び材料とは、製品の製造目的で費消される物品で未だその用に供されないものをいう。

ただし半製品、部分品又は貯蔵品に属するものを除く。　　　　　　　　　　　　　　　　　【財ガ15-8】

② 原料及び材料には、購入部分品を含む。

【財規15八、計規74③一ヌ】

購入部分品とは、製品又は半製品の組成部分としてその製品又は半製品にとり付けられる物品で他から購入したものをいう。　　　　　　　【財ガ15-8】

③ 燃料、油等で製品の生産のために補助的に使用されるもの（補助材料）は、原則として原料及び材料に含めるが、貯蔵品に含めることができる。　【財ガ15-10】

(5) 仕掛品及び半成工事

① 仕掛品とは、製品・半製品・部分品の生産のため現に仕掛中のものをいう。　　　　　　【財ガ15-9】

② 半成工事とは、長期にわたる注文生産又は請負作業について仕掛中のもので仕掛品以外のものをいう。

【財ガ15-9、計規74③一ル】

(6) 貯 蔵 品

消耗品等の貯蔵品とは、次に掲げるもので取得のときに経費又は材料費として処理されなかったもので貯蔵中のものをいう。

① 燃料・油・釘・包装材料その他事務用品等の消耗品

② 耐用年数1年未満の工具、器具、備品

③ 耐用年数1年以上で相当価額未満の工具、器具、備品　　　　　　　　　　　　　　　【財ガ15-10】

④ 建設又はその他の目的に充てられる資材で、取得の際に建設に充てるものとその他の目的に充てるものとの区分が困難なものは、「貯蔵品」に含めることができる。

【財ガ22-9②】

(7) 棚卸資産に関する注記

市場価格の変動により利益を得る目的をもって所有する棚卸資産については、財規8の6の2①三の規定に準じ

て注記しなければならない。ただし、重要性の乏しいものについては、注記を省略することができる。

【財規 8 の33①】

2. 棚卸資産・売上原価の表示

(1) 棚卸資産の表示

棚卸資産は次の項目を表示する科目をもって掲記しなければならない。

① 商品及び製品（半製品を含む）

……副産物、作業くず及び自製部分品を含む

【財規17①七、財ガ17-1-7①】

② 仕掛品

……半成工事を含む 【財規17①八、財ガ17-1-7②】

③ 原材料及び貯蔵品

……購入部分品及び補助材料を含む

【財規17①九、財ガ17-1-7③】

④ 上記①から③までに掲げる項目に属する資産については、棚卸資産の科目をもって一括して掲記することができる。この場合においては、当該項目に属する資産の科目及びその金額を注記しなければならない。【財規17③】

(2) 工事損失引当金

① 同一の工事契約に係る棚卸資産及び工事損失引当金がある場合には、両者を相殺した差額を棚卸資産又は工事損失引当金として流動資産又は流動負債に表示することができる。

② 同一の工事契約に係る棚卸資産及び工事損失引当金がある場合には、次のア、イに掲げる場合の区分に応じ、ア、イに定める事項を注記しなければならない。ただし、重要性の乏しいものについては、注記を省略することができる。

ア 同一の工事契約に係る棚卸資産及び工事損失引当金を相殺しないで表示している場合 その旨及び当該工事損失引当金に対応する当該棚卸資産の金額

イ ①の規定により同一の工事契約に係る棚卸資産及び工事損失引当金を相殺した差額を表示している場合 その旨及び相殺表示した棚卸資産の金額

【財規54の4】

(3) 売上原価の表示

① 売上原価は、次の項目を表示する科目をもって掲記しなければならない。

ア 商品又は製品（半製品、副産物、作業くず等を含む）の期首棚卸高

イ 当期商品仕入高又は当期製品製造原価

ウ 商品又は製品の期末棚卸高 【財規75①】

② 商品又は製品について販売、生産又は仕入以外の理由による増減高がある場合、その他売上原価の項目として付加すべきものがある場合には、当該項目の内容を示す科目をもって別に掲記しなければならない。 【財規76】

例えば、商品又は製品について合併、営業譲渡、災害、贈与、自家消費等による増減高がある場合又は製造費以外の費用で売上原価に賦課したものがある場合等をいう。 【財ガ76】

③ 売上原価に含まれている工事損失引当金繰入額については、その金額を注記しなければならない。

なお、財務諸表提出会社が連結財務諸表を作成している場合には、記載することを要しない。 【財規76の2】

(4) 商品仕入高の表示方法

① 上記(3) 売上原価の表示の①イの当期商品仕入高は当期商品仕入高の名称を付した科目をもって掲記しなければならない。

ただし、商品の総仕入高（仕入運賃及び直接購入諸掛を含む）を示す名称を付した科目及びその控除科目としての仕入値引、戻し高等の項目を示す名称を付した科目をもって掲記してもよい。 【財規79】

② 仕入値引とは、仕入品の量目不足、品質不良、破損等の理由により代価から控除される額をいい、代金支払期日前の支払いに対する買掛金の一部免除等の仕入割引と区別すべきものとする。

仕入割戻は仕入値引に準じて取り扱うものとする。

【財ガ79】

(5) 製造原価報告書の添付

① 当期製品製造原価については、その内訳を記載した明細書を損益計算書に添付しなければならない（ただし、連結財務諸表において、セグメント情報を記載している場合を除く）。 【財規75②】

② 当期製品製造原価については、当期の総製造原価を材料費、労務費、間接費（又は経費）に区分して期首仕掛品原価に加え、これから期末仕掛品原価を控除する等の方式により表示する。 【財ガ75-2①】

間接費（又は経費）のうち外注加工費等金額の大きいものについては、注記又は間接費（又は経費）の項目に内書するものとする。 【財ガ75-2②】

原価差額を仕掛品、製品等に賦課している場合には総製造原価又は売上原価の内訳項目として、当該原価差額を示す科目を付加する等の方式により表示するものとする。 【財ガ75-2①】

(6) 売上原価明細書の添付

① 売上原価を財規75①の項目に区分（(3) 売上原価の表示の①を参照）して記載することが困難であると認められる場合又は不適当と認められる場合には、財規75①の規定によらず、代わりに売上原価の内訳を記載した明細書を損益計算書に添付しなければならない。【財規77】

② 売上原価については、当該売上品の製造原価を材料費、労務費、間接費（又は経費）に区分する等の方式により表示する。 【財ガ75-2①】

(7) 棚卸資産の評価についての表示

棚卸資産の評価基準及び評価方法は重要な会計方針に注記しなければならない。債務の担保に供している棚卸資産等企業の財務内容を判断するために重要な事項は、貸借対照表に注記しなければならない。【企第三1C、企注1-2】

(8) 原価差額の表示

① 原価差額は、売上原価又は棚卸資産の期末棚卸高に含めて記載しなければならない。

ただし、原価性を有しないと認められるものについては、営業外収益もしくは営業外費用として、又は特別利益もしくは特別損失として記載する。 【財規96】

② 原価差額を売上原価に賦課した場合には、次の形式で表示する。

```
売上原価
  期首製品棚卸高         ×××
  当期製品製造原価       ×××
      合    計         ×××
  期末製品棚卸高         ×××
  標準（予定）売上原価   ×××
  原価差額               ×××      ×××
```

原価差額を棚卸資産の科目別に配賦した場合には、これを貸借対照表上の棚卸資産の科目別に各資産の価額に含めて記載する。　　　　　　　　　　　【企注9】

3. 棚卸資産・売上原価の会計処理

（1）取得原価の決定

　商品・製品・半製品・原材料・仕掛品等の棚卸資産の取得原価は、原則として、購入代価又は製造原価に引取費用等の付随費用を加算した額とする。　　　　【企第三5A】

　資産については、会社計算規則又は会社法以外の法令に別段の定めがある場合を除き、会計帳簿にその取得価額を付さなければならない。　　　　　　　　　【計規5①】

　棚卸資産の取得原価に含められる引取費用、関税、買入事務費、移管費、保管費等の付随費用のうち、重要性の乏しいものについては、取得原価に算入しないことができる。　　　　　　　　　　　　　　　　　【企注1(4)】

　購入代価は、送状価額から値引額、割戻し額等を控除した金額とする。割戻し額が確実に予定され得ない場合には、これを控除しない送状価額を購入代価とすることができる。

　現金割引額は、理論的にはこれを送状価額から控除すべきであるが、わが国では現金割引制度が広く行われていない関係もあり、現金割引額は控除しないでさしつかえないものとする。

　副費として加算する項目は、

① 引取運賃、購入手数料、関税等容易に加算し得る外部副費（引取費用）に限る場合
② 外部副費の全体とする場合
③ 購入事務費、保管費その他の内部副費をも取得原価に含める場合がある。　　　　　　【連続意見第4第1五1】

（2）購入品の取得原価

　加算する副費の範囲を一律に定めることは困難であり、各企業の実情に応じ、収益費用対応の原則、重要性の原則、継続性の原則等を考慮して、これを適正に決定することが必要である。

　副費を加算しないで、購入代価とは別途に処理し、期末手持品に負担させる金額を繰り越す場合、これを貸借対照表上棚卸資産に含めて記載することが妥当である。

　購入に要した負債利子あるいは棚卸資産を取得してから処分するまでの間に生ずる資金利子を取得原価に含めるかどうかは問題であるが、利子は期間費用とすることが一般の慣行であるから、これを含めないことを建前とすべきである。

　　　【連続意見第4第1五1、(10)販売用不動産 ➡p.74】

　贈与、交換、債権の代物弁済、現物出資、合併等によって取得した棚卸資産については、適正時価（現金買入価格、現金売却価格等）、相手方の帳簿価額等を基準にしてその取得原価を決定する。　　　　　　　【連続意見第四注10】

（3）生産品の取得原価

　製品等の製造原価は、適正な原価計算基準に従って算定しなければならない。　　　　　　　　　【企注8】

　ただし、適正な原価計算基準に従って、予定価格又は標準原価を適用して算定した原価によることができるが、原価差額が生じたときは、差額が合理的に僅少な場合を除き、貸借対照表に記載する原価は、差額調整を行ったのちの原価とする。

【企注21(2)、連続意見第4第1五2、(8)原価差額の処理 ➡p.74】

　販売費及び一般管理費は取得原価に含めないのが通例であるが、例えば長期請負工事を営む業種にあっては、半成工事への賦課又は配賦を通じて、販売費及び一般管理費を完成工事の取得原価に算入することも認められる。また、製品の完成後から販売までの間に多額の移管費を要する場合には、これを取得原価に含めてもさしつかえない。

　連産品については、正常市価等を基準として定めた等価係数によってジョイント・コストを各製品に分割してそれぞれの取得原価とする。【連続意見第4第1五2、原基29】

（4）副産物等の取得原価

　副産物の価額は、次のような方法によって算定した額とする。場合によっては主副製品分離後の副産物加工費、又は名目的評価額をもって取得原価とすることも認められる。くずの取得原価は副産物に準ずる。

① そのまま外部に売却できるもの
　見積売却価額－販売費及び一般管理費
　又は見積売却価額－（販売費及び一般管理費＋通常の利益の見積額）
② 加工の上売却できるもの
　加工製品の見積売却価額－（加工費＋販売費及び一般管理費）
　又は加工製品の見積売却価額－（加工費＋販売費及び一般管理費＋通常の利益の見積額）
③ そのまま自家消費されるもの
　これによって節約されるべき物品の見積購入価額
④ 加工の上自家消費されるもの
　これによって節約されるべき物品の見積購入価額－加工費の見積額
⑤ 軽微な副産物
　売却して得た収入を、原価計算外の収益とすることができる。　　　　【原基28、連続意見第4第1五2】

（5）仕掛品の取得原価

　個別原価計算の手続を適用する場合は、当該指図書に集計された製造原価を取得原価とし、総合原価計算の手続を適用する場合は、完成品換算量に基づき、先入先出法、平均法等を適用することによって算定された製造原価をもって取得原価とする。　　　　　【連続意見第4第1五2】

（6）棚卸資産の評価方法

　棚卸資産については、原則として購入代価又は製造原価に引取費用等の付随費用を加算して取得原価とし、次の評価方法の中から選択した方法を適用して売上原価等の払出原価と期末棚卸資産の価額を算定するものとする。

【ASB基準9号6-2】

① 個別法

　　取得原価の異なる棚卸資産を区別して記録し、その個々の実際原価によって期末棚卸資産の価額を算定する方法。

　　個別法は、個別性が強い棚卸資産の評価に適した方法である。　　　　　　　　　　　【ASB基準9号6-2(1)】

② 先入先出法

　　最も古く取得されたものから順次払出しが行われ、期末棚卸資産は最も新しく取得されたものからなるとみなして期末棚卸資産の価額を算定する方法。

　　　　　　　　　　　　　　　　【ASB基準9号6-2(2)】

③ 平均原価法

　　取得した棚卸資産の平均原価を算出し、この平均原価によって期末棚卸資産の価額を算定する方法。

　　なお、平均原価は、総平均法又は移動平均法によって算出する。　　　　　　　　　　【ASB基準9号6-2(3)】

④ 売価還元法

　　値入率等の類似性に基づく棚卸資産のグループごとの期末の売価合計額に、原価率を乗じて求めた金額を期末棚卸資産の価額とする方法。

　　売価還元法は、取扱品種の極めて多い小売業等の業種における棚卸資産の評価に適用される。

　　　　　　　　　　　　　　　　【ASB基準9号6-2(4)】

　棚卸資産の評価方法は、事業の種類、棚卸資産の種類、その性質及びその使用方法等を考慮した区分ごとに選択し、継続して適用しなければならない。

　　　　　　　　　　　　　　　　　【ASB基準9号6-3】

（7）棚卸資産の評価に関する会計基準

① 通常の販売目的で保有する棚卸資産の会計処理

　ア　正味売却価額への簿価の切下げ

　　　通常の販売目的（販売するための製造目的を含む）で保有する棚卸資産は、取得原価をもって貸借対照表価額とし、期末における正味売却価額が取得原価よりも下落している場合には、当該正味売却価額をもって貸借対照表価額とする。

　　　この場合において、取得原価と当該正味売却価額との差額は、当期の費用として処理する。

　　　「正味売却価額」＝「売価」－「見積追加製造原価」－「見積販売直接経費」

　　　売却市場において、市場価格が観察できないときには、合理的に算定された価額を売価とする。これには、期末前後での販売実績に基づく価額を用いる場合や、契約により取り決められた一定の売価を用いる場合を含む。

　　　また、売価について、複数の売却市場が存在し売価が異なる場合であって、棚卸資産をそれぞれの市場向けに区別できないときには、それぞれの市場の販売比率に基づいた加重平均売価等を用いる。

　　　　　　　　　　　　【ASB基準9号5、7、8、11】

　イ　再調達原価の使用

　　　製造業における原材料等のように再調達原価の方が把握しやすく、正味売却価額が当該再調達原価に歩調を合わせて動くと想定される場合には、継続適用を条件として、再調達原価（最終仕入原価を含む）による

ことができる。　　　　　　　　　　　【ASB基準9号10】

　ウ　営業循環過程から外れた滞留棚卸資産等

　　　営業循環過程から外れた滞留又は処分見込等の棚卸資産について、合理的に算定された価額によることが困難な場合には、正味売却価額まで切り下げる方法に代えて、次のような方法によることができる。

　　(ｱ)　帳簿価額を処分見込価額（ゼロ又は備忘価額含む）まで切り下げる方法

　　(ｲ)　一定の回転期間を超える場合、規則的に帳簿価額を切り下げる方法　　　　　　【ASB基準9号9】

　エ　収益性低下の判定の単位

　　　収益性の低下の有無に係る判断及び簿価切下げは、原則として個別品目ごとに行う。ただし、複数の棚卸資産を一括りとした単位で行うことが適切と判断されるような場合には、継続適用を条件として、複数の棚卸資産を一括りとして取り扱うことができる。

　　　　　　　　　　　　　　　　　【ASB基準9号12】

　オ　売価還元法

　　　売価還元法を採用している場合においても、期末における正味売却価額が帳簿価額よりも下落している場合には、当該正味売却価額をもって貸借対照表価額とする。　　　　　　　　　　　　　【ASB基準9号13】

　カ　簿価切下額の戻入れ

　　　前期に計上した簿価切下額の戻入れに関しては、洗替え法（当期に戻入れを行う方法）と切放し法（行わない方法）のいずれかの方法を棚卸資産の種類ごとに選択適用できる。

　　　ただし、いったん採用した方法は、原則として、継続適用しなければならない。　【ASB基準9号14】

② トレーディング目的で保有する棚卸資産の評価基準

　　トレーディング目的で保有する棚卸資産については、市場価格に基づく価額をもって貸借対照表価額とし、帳簿価額との差額は、当期の損益として処理する。

　　トレーディング目的で保有する棚卸資産として分類するための留意点や保有目的の変更の処理は、「金融商品に関する会計基準」における売買目的有価証券に関する取扱いに準じる。　　　　　【ASB基準9号15、16】

③ 開　示

　ア　通常の販売目的で保有する棚卸資産に係る損益の表示

　　　収益性の低下による簿価切下額（前期の簿価切下額を戻し入れる場合には戻入額相殺後）は売上原価とする。ただし、棚卸資産の製造に関連し不可避的に発生すると認められるときには製造原価として処理する。

　　　また、収益性低下による簿価切下額が、臨時の事象に起因し、かつ多額であるときには特別損失に計上する。　　　　　　　　　　　　　　　【ASB基準9号17】

　イ　通常の販売目的で保有する棚卸資産の収益性の低下に係る損益の注記

　　　収益性の低下による簿価切下額は注記による方法又は売上原価等の内訳項目として独立掲記する方法により示さなければならない。ただし、金額の重要性が乏しい場合には、この限りではない。

　　　　　　　　　　　　【財規80①、②、ASB基準9号18】

なお、財務諸表提出会社が、連結財務諸表を作成している場合には、区分掲記又は注記を要しない。【財規80③】

ウ　トレーディング目的で保有する棚卸資産に係る損益の表示

トレーディング目的で保有する棚卸資産に係る損益は、原則として、純額で売上高に表示する。

【財規72の2、ASB基準9号19】

④　注記

市場価格の変動により利益を得る目的をもって所有する棚卸資産については、財規8の6の2①三の規定に準じて注記しなければならない。ただし、重要性の乏しいものについては、注記を省略することができる。また、財務諸表提出会社が連結財務諸表を作成している場合には、記載することを要しない。【財規8の33】

（8）原価差額の処理

①　製品等の製造原価については、適正な原価計算基準に従って、予定価格又は標準原価を適用して算定した原価によることができる。【企注21(2)】

②　原価差異の会計処理

ア　実際原価計算制度

原則：材料受入価格差異を除き、当年度の売上原価に賦課する。

材料受入価格差異

当年度の材料の払出高と期末在高に配賦する。

この場合、材料の期末在高については、材料の適当な種類群別に配賦する。

予定価格等が不適当なため、比較的多額の原価差異が生ずる場合、直接材料費、直接労務費、直接経費及び製造間接費に関する原価差異の処理は次による。

〈個別原価計算の場合〉

次の方法のいずれかによる。

(ア)　当年度の売上原価と期末棚卸資産に指図書別に配賦する。

(イ)　当年度の売上原価と期末における棚卸資産に科目別に配賦する。

〈総合原価計算の場合〉

上記(イ)による。

イ　標準原価計算制度

原則として、実際原価計算制度における処理方法に準じて処理する。

ただし数量差異、作業時間差異、能率差異等であって異常な状態に基づくと認められるものは、非原価項目として処理する。【原基47】

（9）内部利益の除去

①　同一企業の各経営部門の間における商品等の移転によって発生した内部利益は、売上高及び売上原価を算定するにあたって除去しなければならない。【企第二3E】

②　内部利益の除去は、本支店等の合併損益計算書において売上高から内部売上高を控除し、仕入高（又は売上原価）から内部仕入高（又は内部売上原価）を控除するとともに、期末棚卸高から内部利益の額を控除する方法による。これらの控除に際しては、合理的な見積概算額に

よることも差し支えない。【企注11】

（10）販売用不動産

①　販売の目的をもって所有する土地、建物その他の不動産（販売用不動産）とは、不動産の売買、あっ旋等を業とする会社が販売の目的をもって所有する土地、建物その他の不動産をいう。【財ガ15-5】

②　取得時の支払利子の取扱い

不動産開発事業の特性から、支払利子は期間費用として処理することを原則とするが、次に述べるすべての条件を備えているものについては、これを原価に算入する処理も認められる。

ア　所要資金が特別の借入金によって調達されていること

イ　適用される利率は一般的に妥当なものであること

ウ　原価算入の終期は開発の完了までとすること

エ　正常な開発期間の支払利子であること

オ　開発の着手から完了までに相当の長期間を要するもので、かつ、その金額の重要なものであること

カ　財務諸表に原価算入の処理について具体的に注記すること

キ　継続性を条件とし、みだりに処理方法を変更しないこと

【業種別監査研究部会「不動産開発事業を行う場合の支払利子の監査上の取扱いについて」】

③　販売用不動産の評価に関する考え方

販売用不動産については、ASB基準9号が適用されるため、通常の販売目的で保有する棚卸資産について、取得原価をもって貸借対照表価額とし、期末における正味売却価額が取得原価よりも下落している場合には、収益性が低下しているとみて、当該正味売却価額をもって貸借対照表価額とするとともに、取得原価と当該正味売却価額との差額は当期の費用として処理することとなる。【監69号2(1)】

④　簿価切下額の戻入れについて

ASB基準9号においては、前期に計上した簿価切下額の戻入れに関して、当期に戻入れを行う方法（洗替え法）と行わない方法（切放し法）の選択適用が認められている。

洗替え法を採用した場合、土地については、収益性低下は物理的・経年劣化以外の要因に求められることが多いため、長期に保有する場合には、簿価切下げ後に正味売却価額が回復して簿価切下額の戻入れが生じることも想定される。【監69号6】

⑤　販売用不動産等の保有目的変更への対応

従来、販売目的で保有していた不動産を、合理的な理由に基づき賃貸事業目的あるいは自社使用目的で保有することに変更する場合には、保有目的の変更に該当するため、ASB基準9号適用後の当該不動産の帳簿価額を流動資産としての販売用不動産等から、固定資産としての投資不動産あるいは有形固定資産に振り替えることとなる。

また、これとは逆に、賃貸事業目的あるいは自社使用目的で保有していた不動産を、合理的な理由に基づき販売目的で保有することに変更する場合は、保有目的の変

更自体が当該固定資産の減損の兆候に該当する可能性があるので、「固定資産の減損に係る会計基準」に従い、減損の認識及び測定の手続を実施した後の帳簿価額により、固定資産から流動資産に振り替えることになる。また、流動資産としての販売用不動産等に振替え後は、当然に ASB 基準 9 号が適用されることに留意する。

監査人は、販売用不動産等及び固定資産の保有目的の変更に際しては、変更時点において取締役会等によって承認された具体的かつ確実な事業計画が存在していることを確かめるとともに、その変更理由に経済的合理性があるか否かを検討する必要がある。

なお、販売用不動産等及び固定資産の保有目的の変更が、会社の財務諸表に重要な影響を与える場合は、追加情報として、その旨及びその金額を貸借対照表に注記することが必要である。　　　　　　　　　　【監69号 7】

11　その他流動資産

1. 前 渡 金

(1) 商品・原材料の購入のための前渡金をいう。ただし、破産更生債権等で 1 年内に回収されないことが明らかなものを除く。　　　　　【財規15十一、計規74③一ワ】

(2) 製品の外注加工のための前渡金を含む。【財ガ15-11】

(3) 設備の建設のために支出した手付金、前渡金は、「建設仮勘定」に含める。　　　　　　　【財ガ22-9①】

ただし、資材購入のための前渡金で、その資材を建設に充てるものとその他の目的に充てるものとに区分することが困難な場合には、流動資産の部の前渡金に含めることができる。　　　　　　　　　　　【財ガ22-9③】

2. 外貨による前渡金及びこれに係る外貨建取引の換算

(1) 外貨によって授受された前渡金

金銭授受時の為替相場による円換算額を付す。前渡金は将来、財又はサービスの提供を受ける費用性資産であるから、外貨建金銭債権ではない。

(2) 前渡金に係る外貨建取引高の換算

外貨建取引のうち、前渡金が充当される部分については、前渡金の金銭授受時の為替相場による円換算額を付し、残りの部分については、取引発生時の為替相場により換算する。ただし、営業利益および経常利益に重要な影響を及ぼさないと認められるときは、当該取引高の全額を取引発生時の為替相場により換算し、この金額を取引高に計上するとともに、前渡金の金銭授受時の為替相場と取引発生時の為替相場との相違から生ずる換算差額は為替差損益として処理することができる。　　　【会制 4 号25、26】

3. 未収入金

通常の取引に基づいて発生した未収入金で売掛金以外のもの及び通常の取引以外の取引に基づいて発生した未収入金で 1 年内に回収されると認められるもの。

4. 前払費用

前払費用は、一定の契約に従い、継続して役務の提供を受ける場合、未だ提供されていない役務に対し支払われた対価をいう。

従って、このような役務に対する対価は、時間の経過とともに次期以降の費用となるものであるから、これを当期の損益計算から除去するとともに貸借対照表の資産の部に計上しなければならない。また、前払費用は、かかる役務提供契約以外の契約等による前払金とは区別しなければならない。　　　　　　　【企注 5 (1)、計規74③一カ】

重要性の乏しいものについては、経過勘定項目として処理しないことができる。　　　　　　　　　　【企注 1】

5. 未収収益

未収収益は、一定の契約に従い、継続して役務の提供を行う場合、既に提供した役務に対して未だその対価の支払いを受けていないものをいう。したがって、このような役務に対する対価は時間の経過に伴い既に当期の収益として発生しているものであるから、これを当期の損益計算に計上するとともに貸借対照表の資産の部に計上しなければならない。また、未収収益は、係る役務提供契約以外の契約等による未収金とは区別しなければならない。

　　　　　　　　　　　　【企注 5 (4)、計規74③一ヨ】

重要性の乏しいものについては、経過勘定項目として処理しないことができる。　　　　　　　　　　【企注 1】

6. 外貨建未収収益の換算

外貨建未収収益は、為替換算上、外貨建金銭債権に準ずるものとして扱う。　　　　　　　　　【会制 4 号27】

7. 未収消費税

未収消費税等その内容を示す適当な名称を付した科目で貸借対照表に表示する。ただし、その金額が重要でない場合は未収金等に含めて表示することができる。

　　　　　　　　　　　　　　　　【消費税中間報告】

8. そ の 他

(1) その他流動資産に属する資産のうち、未収収益、短期貸付金（金融手形を含む）、株主、役員もしくは従業員に対する短期債権又はその他の資産で、その金額が資産の総額の100分の 5 を超えるものについては、当該資産を示す名称を付した科目をもって掲記しなければならない。　　　　　　　　　　　　　　　　【財規19】

(2) (1)の適用に関しては、以下の点に留意する。

① 短期貸付金に含まれる金融手形は、手形貸付金をいう。

② 株主、役員もしくは従業員に対する短期債権を区分掲記しなければならない場合とは、株主、役員もしくは従業員に対する短期債権の合計額が資産の総額の100分の 5 を超える場合をいう。

③ 仮払金その他の未決算勘定でその金額が資産の総額の100分の 5 を超えるものについては、当該未決算勘

定の内容を示す名称を付した科目をもって掲記する。

④ 通常の取引以外の取引に基づいて発生した手形債権について、区分掲記する場合には、固定資産、有価証券等物品の売却により発生した手形債権、営業保証金の代用として受け取った手形債権等の区別を示す名称を付した科目をもって掲記する。

⑤ 金銭の信託及びデリバティブ取引により生じる正味の債権で、それぞれの合計額が資産の総額の100分の5を超えるものについては、当該金銭の信託等の内容を示す名称を付した科目をもって掲記する。

⑥ 通常の取引以外の取引に基づいて発生したリース債権又はリース投資資産で1年内に期限が到来するものについて、それぞれの合計額が資産の総額の100分の5を超える場合には、リース債権又はリース投資資産の科目をもって掲記する。　　　　【財ガ19】

(3) 契約資産及び債権

① 契約資産

契約資産とは、企業が顧客に移転した財又はサービスと交換に受け取る対価に対する企業の権利(ただし、債権を除く)をいう。　　　　【ASB基準29号10】

② 債権

債権とは、企業が顧客に移転した財又はサービスと交換に受け取る対価に対する企業の権利のうち無条件のもの(すなわち、対価に対する法的な請求権)をいう。　　　　【ASB基準29号12】

12 有形固定資産

1. 有形固定資産の内容

(1) 有形固定資産と投資その他の資産との区分

① 有形固定資産に属する資産は財規22①～⑧については営業の用に供するものに限られる。　　　　【財規22】

営業の用に供する資産には、貸借対照表日において現に営業の用に供している資産のほか、将来営業の用に供する目的をもって所有する資産、例えば、遊休施設、未稼働設備等が含まれるものとする。　　　　【財ガ22①】

② 同一の資産について、営業の用に供しているほか、賃貸等他の用途に供している場合には、適正な計算方式に基づき、当該資産部分の用途に従い、有形固定資産及び投資その他の資産に区分するものとする。ただし、営業の用に供している部分又は他の用途に供している部分の額が他の部分の額に比して僅少である場合は、この限りでない。　　　　【財ガ22②】

③ 当該会社の営業目的のために他の会社に貸与している建物、機械等の設備、例えば、当該会社の製品の加工又は部品の製作等の下請を専業としている会社等に対し当該作業に必要な設備を貸与している場合又は製品の販売会社として設立されている関係会社に対し、当該販売設備として使用させるために貸与している場合における当該設備は、営業の用に供するものに含まれるものとする。　　　　【財ガ22③】

(2) 有形固定資産の範囲

① 建物及び暖房、照明、通風等の付属設備
　　　　【財規22一、計規74③ニイ】

② 構築物(ドック、橋、岸壁、さん橋、軌道、貯水池、坑道、煙突、その他土地に定着する土木設備又は工作物)　　　　【財規22二、計規74③ニロ】

③ 機械及び装置並びにコンベヤー、ホイスト、起重機等の搬送設備その他の付属設備
　　　　【財規22三、計規74③ニハ】

④ 船舶及び水上運搬具　　　　【財規22四、計規74③ニニ】

⑤ 鉄道車両、自動車その他の陸上運搬具
　　　　【財規22五、計規74③ニホ】

⑥ 工具、器具及び備品。耐用年数1年以上で相当額以上のものに限る。
　　　　【財規22六、財ガ22-6、計規74③ニヘ】

容器(耐用年数1年以上で相当額以上のものに限る)を含む。　　　　【財ガ22-6】

⑦ 土地　　　　【財規22七、計規74③ニト】

工場及び事務所の敷地のほか、社宅敷地、運動場、農園等の経営付属用の土地を含む。　　　　【財ガ22-7】

⑧ リース資産(財務諸表提出会社がファイナンス・リース取引におけるリース物件の借主である資産であって、当該リース資産が①～⑦及び⑩に掲げるものである場合に限る)　　　　【財規22八、計規74③ニチ】

⑨ 建設仮勘定

①～⑦までに掲げる資産で事業の用に供するものを建設した場合における支出及び当該建設の目的のために充当した材料をいう。　　　　【財規22九、計規74③ニリ】

設備の建設のために支出した手付金もしくは前渡金又は設備の建設のために取得した機械等で保管中のものは、建設仮勘定に属するものとする。　　　　【財ガ22-9①】

この場合、建設仮勘定の名称を用いないで、建設前渡金、その他の名称を付した科目をもって掲記することができるものとする。　　　　【財ガ22-9⑤】

取得の際に建設に充てるものとその他の目的に充てるものとの区分が困難な資材は「流動資産」の部の「貯蔵品」に含めることができる。　　　　【財ガ22-9②】

資材購入のための前渡金で、その資材を建設に充てるものとその他の目的に充てるものとに区分することが困難な場合は、「流動資産」の部の「前渡金」に含めることができる。　　　　【財ガ22-9③】

⑩ その他の有形固定資産

その他の有形資産であって、有形固定資産に属する資産とすべきもの、山林及び植林(付属する土地を除く)は、これに属する。

　　　　【財規22十、財ガ22-10、計規74③ニヌ】

2. 有形固定資産の表示

(1) その他の有形固定資産

その他の有形固定資産のうち、その金額が資産の総額の100分の5を超えるものについては、当該資産を示す名称を付した科目をもって掲記しなければならない。【財規24】

(2) 建設仮勘定

建設仮勘定は、建設目的ごとに区分しないで一括して掲

記するものとする。ただし、長期にわたる巨額の資産の建設については、建設目的物ごとに掲記できるものとする。
【財ガ22-9④】

（3）減価償却累計額の表示

有形固定資産に対する減価償却累計額は、原則として、その資産が属する科目ごとに取得原価から控除する形式で記載する。

ただし、次の方法によることも妨げない。

① 二以上の科目について、減価償却累計額を一括して記載する方法

② 有形固定資産について、減価償却累計額を控除した残額のみを記載し、その減価償却累計額を資産科目別又は一括して注記する方法

③ ②に規定する事項は、財務諸表提出会社が連結財務諸表を作成している場合には、記載することを要しない。
【財規25、26、計規79、103三】

（4）減損損失累計額の表示

① 各有形固定資産に対する減損損失累計額は、次の②、③の規定による場合のほか、当該各資産の金額（有形固定資産に対する減価償却累計額を、当該資産の金額から直接控除しているときは、その控除後の金額）から直接控除し、その控除残高を当該各資産の金額として表示しなければならない。

② 減価償却を行う有形固定資産に対する減損損失累計額は、当該各資産科目に対する控除科目として、減損損失累計額の科目をもって掲記することができる。

ただし、これらの固定資産に対する控除科目として一括して掲記することを妨げない。

③ 減価償却累計額及び減損損失累計額を控除科目として掲記する場合には、減損損失累計額を減価償却累計額に合算して、減価償却累計額の科目をもって掲記することができる。

④ ③の場合には、減価償却累計額に減損損失累計額が含まれている旨を注記しなければならない。なお、③の場合において、減価償却累計額及び減損損失累計額の科目をもって掲記した場合は、当該注記を要しない。

⑤ ④に規定する事項は、財務諸表提出会社が連結財務諸表を作成している場合には、記載することを要しない。
【財規26の2、財ガ26の2-3、計規80、103四】

（5）リースにより使用する固定資産に関する注記
【計規108➡p.15】

（6）事業用土地の再評価に関する注記

① 土地再評価法の規定により事業用土地の再評価を行った場合には、その旨、同法3③に規定する再評価の方法、当該再評価を行った年月日、当該事業用土地の再評価前及び再評価後の帳簿価額を注記しなければならない。

② 土地再評価法の規定により再評価されている事業用土地がある場合には、その旨、同法3③に規定する再評価の方法、当該再評価年月日及び同法10に規定する差額を注記しなければならない。なお、賃貸等不動産のうち土地に係る再評価差額がある場合には、重要性が乏しい場合を除き、これらの関係が明確となるように記載する必要があることに留意する。

③ ①②に規定する事項は、財務諸表提出会社が連結財務諸表を作成している場合には、記載することを要しない。
【財規42、財ガ42-2】

（7）担保資産の注記

資産が担保に供されているときは、その旨を注記しなければならない。
【財規43、計規103一】

注記は、次のものを記載しなければならない。

① 当該資産の全部又は一部が、担保に供されている旨

② 当該担保資産が担保に供されている債務を示す科目の名称及びその金額（当該債務の一部に担保が付されている場合には、その部分の金額）。なお、当該資産の一部が担保に供されている場合には、当該部分の金額

資産が財団抵当に供されている場合には、その旨、資産の種類、金額の合計、当該債務を示す科目の名称及び金額を注記するものとする。
【財ガ43】

③ 特例財務諸表提出会社は、財規43の注記を計規103①に定める事項の注記に代えることができる。
【財規127②六】

（8）耐用年数等の変更

有形固定資産に関する減価償却期間（耐用年数）について、生産性向上のための合理化や改善策が策定された結果、従来の減価償却期間と使用可能予測期間との乖離が明らかとなったことに伴い、新たな耐用年数を採用した場合などは、会計上の見積りの変更に該当する。
【ASB基準24号17、18、40】

（9）会計上の見積りの変更に関する注記
【➡（単体）p.176、（連結）p.220】

（10）固定資産の減損に係る開示

① 貸借対照表における表示方法 【➡p.85】

② 損益計算書における表示方法 【➡p.85】

③ 減損損失に関する注記 【➡p.85】

④ その他

ア 報告セグメントごとの固定資産の減損損失に関する情報 【財規8の29③一、様式第4号】

イ 有形固定資産等明細表【財規121①二、様式第11号】
特例財務諸表提出会社は、様式11号の2で作成することができる。 【財規127①四】

（11）賃貸等不動産の時価等の開示 【➡p.184】

3. 有形固定資産の会計処理

（1）取得原価と残存価額

① 有形固定資産の取得原価には、原則としてその資産の引取費用等の付随費用を含める。現物出資として受け入れた固定資産については、出資者に対して交付された株式の発行価額をもって取得原価とする。償却済みの有形固定資産は、除却されるまで残存価額又は備忘価額で記載する。 【企第三5D】

② 固定資産の取得形態とその取得原価

ア 購入：固定資産を購入によって取得した場合には、購入代金に買入手数料、運送費、荷役費、据付費、試運転費等の付随費用を加えて取得原価とする。

ただし、正当な理由がある場合には、付随費用の一部又は全部を加算しない額をもって

取得原価とすることができる。

値引又は割戻額は、これを購入代金から控除する。

イ　自家建設：適正な原価計算基準に従って製造原価を計算し、これに基づいて取得原価を計算する。

建設に要する借入資本の利子で稼働前の期間に属するものは、これを取得原価に算入することができる。

ウ　現物出資：株式を発行しその対価として固定資産を受け入れた場合には、出資者に対して交付された株式の発行価額をもって取得原価とする。

エ　交換：自己所有の固定資産と交換に固定資産を取得した場合には、交換に供された自己資産の適正な簿価をもって取得原価とする。

自己所有の株式ないし社債等と固定資産を交換した場合には、当該有価証券の時価又は適正な簿価をもって取得原価とする。

オ　贈与：時価等を基準として公正に評価した額をもって取得原価とする。

③　残存価額

残存価額は、固定資産の耐用年数到来時に予想される当該資産の売却価格又は利用価格である。解体、撤去、処分等のために費用を要するときには、これを売却価格又は利用価格から控除した額をもって残存価額とする。

④　再評価

固定資産の取得時以後において著しい貨幣価値の変動があった場合及び会社更生、合併等の場合には、その固定資産の再評価を行い、これによって減価償却の適正化を図ることが認められることがある。

【連続意見第3第一、4】

（2）減価償却の方法

①　定額法：固定資産の耐用期間中、毎期均等額の減価償却費を計上する方法

②　定率法：固定資産の耐用期間中、毎期期首未償却残高に一定率を乗じた減価償却費を計上する方法

③　級数法：固定資産の耐用期間中、毎期一定の額を算術級数的に逓減した減価償却費を計上する方法

④　生産高比例法：固定資産の耐用期間中、毎期当該資産による生産又は用役の提供の度合に比例した減価償却費を計上する方法

この方法は、当該固定資産の総利用可能量が物理的に確定でき、かつ、減価が主として固定資産の利用に比例して発生するもの、例えば、鉱業用設備、航空機、自動車等について適用することが認められる。　【企注20】

⑤　注記

採用した減価償却の方法を会計方針の開示として注記しなければならない。

【企注1-2ハ、財規8の2、財ガ8の2②(3)、計規101二】

（3）取　替　法

同種の物品が多数集まって一つの全体を構成し、老朽品の部分的取替を繰り返すことにより全体が維持されるよう

な固定資産については、部分的取替に要する費用を収益的支出として処理する方法（取替法）を採用することができる。　【企注20】

（4）法人税法上の減価償却、増加償却、特別償却

①　法人税法に規定する普通償却限度額（耐用年数の短縮による場合及び通常の使用時間を超えて使用する場合の増加償却額を含む）を正規の減価償却費として処理する場合においては、企業の状況に照らし、耐用年数又は残存価額に不合理と認められる事情のない限り、当面、監査上妥当なものとして取り扱うことができる。

【監81号24】

②　租税特別措置法に規定する特別償却（一時償却及び割増償却）については、一般に正規の減価償却に該当しない。　【監81号28】

③　割増償却については、正規の減価償却費として処理することが不合理でない限り、当面、監査上妥当なものとして取り扱うことができる。　【監81号29】

（5）特別償却

租税特別措置法上の特別償却は積立金方式が妥当であり、税法上の直接減額方式は企業会計上適当ではない。

なお、会社法の下では、法人税等の税額計算を含む決算手続として会計処理することになり、具体的には、当期末の個別貸借対照表に税法上の積立金の積立て及び取崩しを反映させるとともに、個別株主資本等変動計算書に税法上の積立金の積立額と取崩額を記載（注記により開示する場合を含む）し、株主総会又は取締役会で当該財務諸表を承認することになる。　【企財26号、ASB指針9号25】

（6）遊休資産、休止固定資産

減損処理を行った遊休資産について、減損処理後の減価償却費は、原則として、営業外費用として処理する。なお、減損処理を行うこととはされなかった遊休資産についても減価償却を行うこととなるが、当該遊休資産の減価償却費についても原則として、営業外費用として処理する。

【ASB指針6号56、138】

固定資産に含め表示した休止固定資産の金額が重要である場合には、その旨及び金額を注記する。

【第8章⑤追加情報➡p.178】

（7）土地信託の留意点

①　信託受益権の売買取引処理の妥当性の検証

ア　当該売買取引に買戻し条件又は再売買の予約が付されていないかどうかの確認を行う。

イ　買戻し条件又は再売買の予約が付されていない場合には将来当該受益権の買戻しがないかどうかの吟味を行う。

㋐　売主の受益権売却理由の吟味・分析

㋑　買主の受益権取得の目的、信託終了時における当該受益権に係る土地所有の可能性などの吟味・分析

②　受益権の売却により売却益を計上し、その信託終了までの間に当該受益権の買戻しが行われた場合の監査上の取扱いは、おおむね「関係会社間の取引に係る土地・設備等の売却益の計上についての監査上の取扱い」（監27号）の2(2)を参考とする。

③　受益権の貸借対照表における科目表示は、「投資その他の資産」の区分において、不動産信託に係る資産であ

ることを示す名称を付した科目、例えば「信託土地」「信託建物」又は「不動産信託受益権」等として表示する。

【審理6】

(8) 圧縮記帳
① 経理方法
　ア　積立金方式
　　確定決算又は決算確定の日までに剰余金の処分により圧縮積立金を積み立てる方法
　イ　直接減額方式
　　国庫補助金、工事負担金等で取得した資産については、国庫補助金等に相当する金額をその取得原価から控除することができる。
　　この場合においては、貸借対照表の表示は、次のいずれかの方法によるものとする。
　　(ア)　取得原価から国庫補助金等に相当する金額を控除する形式で記載する方法
　　(イ)　取得原価から国庫補助金等に相当する金額を控除した残額のみを記載し、その国庫補助金等の金額を注記する方法　【企注24】
② 圧縮記帳に関する監査上の取扱い
　固定資産の圧縮記帳に関する税法の規定を適用して行う会計処理について、次の場合は、監査上妥当なものとして取り扱う。
　ア　交換により譲渡資産と同一種類、同一用途の固定資産を取得し、取得資産の取得価額として、譲渡資産の帳簿価額を付した場合
　イ　収用等により資産を譲渡し新たに取得した資産が、譲渡資産と同一種類、同一用途である等取得資産の価額として譲渡資産の帳簿価額を付すことが適当と認められるときに、譲渡益相当額をその取得価額から控除した場合
　ウ　国庫補助金、工事負担金等により取得した固定資産について、国庫補助金、工事負担金等に相当する金額をその取得価額から控除した場合

【監43号、第8章 ⑤ 追加情報➡p.178】

13　無形固定資産

1. 無形固定資産の内容

(1) 無形固定資産の範囲及び表示
① 無形固定資産に属する資産は、次に掲げる項目の区分に従い、当該資産を示す名称を付した科目をもって掲記しなければならない。
　のれん、特許権、借地権（地上権を含む）、商標権、実用新案権、意匠権、鉱業権、漁業権（入漁権を含む）、ソフトウェア、リース資産、公共施設等運営権、その他（水利権、版権、著作権、映画会社の原画権、公共施設等運営事業における更新投資に係る資産等）
　その他これらに準ずる資産のうち、その金額が資産の総額の100分の5を超えるものについては、その資産を示す名称を付した科目をもって掲記しなければならな

い。　【財規27、28、29、財ガ27-14】
② 各無形固定資産に対する減価償却累計額及び減損損失累計額は、当該無形固定資産の金額から直接控除し、その控除残高を各無形固定資産の金額として表示しなければならない。　【財規30、計規81】

(2) のれんの会計処理　【➡p.159】

2. ソフトウェアの会計処理

(1) ソフトウェアの内容
　コンピュータを機能させるように指令を組み合わせて表現したプログラム等をいう。なお、コンテンツはソフトウェアとは別個のものとして扱うが、ソフトウェアとコンテンツが経済的・機能的に一体不可分と認められるような場合には、両者を一体として取り扱うことができる。

【研会一2、会制12号7】

(2) ソフトウェア制作費の会計処理
① 研究開発目的のソフトウェア……研究開発費として処理する。
【研究開発費等に係る会計基準の設定について三3(2)】
② 受注制作のソフトウェア……請負工事の会計処理に準じて処理する。　【研会四1、ASB基準15号5】
③ 市場販売目的のソフトウェア……市場販売目的のソフトウェアである製品マスターの制作費は、研究開発費に該当する部分を除き、資産として計上しなければならない。ただし、製品マスターの機能維持に要した費用は、資産として計上してはならない。　【研会四2】
　市場販売目的のソフトウェアの制作に係る研究開発の終了時点は、製品番号を付すこと等により販売の意思が明らかにされた製品マスター、すなわち「最初に製品化された製品マスター」の完成時点である。この時点までの制作活動は研究開発と考えられるため、ここまでに発生した費用は研究開発費として処理する。「最初に製品化された製品マスター」の完成時点は、具体的には次の2点によって判断する。
　ア　製品性を判断できるプロトタイプが完成していること
　イ　プロトタイプを制作しない場合には、製品として販売するための重要な機能が完成しており、かつ重要な不具合を解消していること　【会制12号8】
　研究開発が終了した時点以後のソフトウェアの制作費は、以下のように取り扱う。

種　　類	内　　容	会計処理
製品マスター又は購入したソフトウェアの著しい改良に要した費用	機能の改良・強化を行うために主要なプログラムの過半部分を再制作するような場合、ソフトウェアが動作する環境を変更・追加するために大幅な修正が必要になる場合など、新しいマスターの制作のためのコストとみなされるような費用	研究開発費

製品マスター又は購入したソフトウェアの機能の改良及び強化に要した費用（著しいものを除く）	ソフトウェアの機能の追加又は操作性の向上等のための費用	製品マスターの取得原価（無形固定資産）
ソフトウェアの機能維持に要した費用	バグ取り、ウイルス防止等の修繕・維持・保全のための費用	発生時の費用
製品としてのソフトウェアの制作原価	ソフトウェアの保存媒体のコスト、製品マスターの複写に必要なコンピュータ利用等の経費等、製品としてのソフトウェアの制作原価	製造原価（棚卸資産）

【研究Q&A11】

④　自社利用のソフトウェア

　　そのソフトウェアの利用により将来の収益獲得又は費用削減が確実と認められる場合は無形固定資産に計上し、確実であると認められない場合又は確実であるかどうか不明な場合には、費用処理する。

　　ソフトウェアが資産計上される一般的な例は以下のとおりである。

ア　通信ソフトウェア又は第三者への業務処理サービスの提供に用いるソフトウェア等を利用することにより、会社（ソフトウェアを利用した情報処理サービスの提供者）が契約に基づいて情報等の提供を行い、受益者からその対価を得ることとなる場合

イ　自社で利用するためにソフトウェアを制作し、当初意図した使途に継続して利用することにより、当該ソフトウェアを利用する前と比較して会社（ソフトウェアの利用者）の業務を効率的又は効果的に遂行することができると明確に認められる場合

ウ　市場で販売しているソフトウェアを購入し、かつ、予定した使途に継続して利用することによって、会社（ソフトウェアの利用者）の業務を効率的又は効果的に遂行することができると認められる場合

【会制12号11】

　　自社利用のソフトウェアに係る資産計上の開始時点は、将来の収益獲得又は費用削減が確実であると認められる状況になった時点であり、そのことを立証できる証憑に基づいて決定する。そのような証憑としては、例えば、ソフトウェアの制作予算が承認された社内稟議書、ソフトウェアの制作原価を集計するための制作番号を記入した管理台帳等が考えられる。　　【会制12号12】

　　自社利用のソフトウェアに係る資産計上の終了時点は、実質的にソフトウェアの制作作業が完了したと認められる状況になった時点であり、そのことを立証できる証憑に基づいて決定する。そのような証憑としては、例えば、ソフトウェア作業完了報告書、最終テスト報告書等が考えられる。　　　　　　　　【会制12号13】

（3）その他

①　ソフトウェア導入費用の取扱い

　　外部から購入したソフトウェアについて、そのソフトウェア導入にあたって必要とされる設定作業及び自社の仕様に合わせるために行う付随的な修正作業等の費用は、購入ソフトウェアを取得するための費用として当該ソフトウェアの取得価額に含める。ただし、これらの費用について重要性が乏しい場合には、費用処理することができる。

　　新しいシステムでデータを利用するために旧システムのデータをコンバートするための費用及びソフトウェアの操作をトレーニングするための費用は発生した事業年度の費用とする。　　　　　　　【会制12号14、16】

②　機器組込みソフトウェアの取扱い

　　有機的一体として機能する機器組込みソフトウェア（機械、器具備品等に組み込まれているソフトウェア）は独立した科目として区分するのではなく、当該機械等の取得原価に算入し、「機械及び装置」等の科目を用いて処理する。　　　　　　　　　　　　　【会制12号17】

（4）ソフトウェアの計上区分

　　市場販売目的のソフトウェア及び自社利用のソフトウェアを資産として計上する場合には、無形固定資産の区分に計上しなければならない。

　　制作途中のソフトウェアの制作費については、無形固定資産の仮勘定として計上することとする。

【研会四4、研会注4】

（5）ソフトウェアの減価償却方法

①　市場販売目的のソフトウェア

　　合理的な償却方法としては、見込販売数量に基づく方法のほか、見込販売収益に基づく償却方法も認められる。ただし、毎期の減価償却額は、残存有効期間に基づく均等配分額を下回ってはならない。したがって、毎期の減価償却額は、見込販売数量（又は見込販売収益）に基づく償却額と残存有効期間に基づく均等配分額とを比較し、いずれか大きい額を計上することになる。この場合、当初における販売可能な有効期間の見積りは、原則として3年以内の年数とし、3年を超える年数とするときには、合理的な根拠に基づくことが必要である。

【会制12号18】

　　無形固定資産として計上したソフトウェアの取得原価を見込販売数量（又は見込販売収益）に基づき減価償却を実施する場合、適宜行われる見込販売数量（又は見込販売収益）の見直しの結果、販売開始時の総見込販売数量（又は総見込販売収益）を変更することがある。例えば、新たに入手可能となった情報に基づいて当事業年度末において見込販売数量（又は見込販売収益）を変更した場合には、当事業年度の減価償却については当期首における変更前の見込販売数量（又は見込販売収益）に基づき、翌事業年度以降の減価償却については、翌期の期首における変更後の見込販売数量（又は見込販売収益）に基づき減価償却額を算定する。　　　【会制12号19】

②　自社利用のソフトウェア

　　その利用の実態に応じて最も合理的と考えられる減価償却の方法を採用すべきであるが一般的には定額法による償却が合理的である。償却の基礎となる耐用年数としては、当該ソフトウェアの利用可能期間によるべきであるが、原則として5年以内の年数とし、5年を超える

年数とするときには、合理的な根拠に基づくことが必要である。

利用可能期間については、適宜見直しを行う。利用可能期間の見直しの結果、例えば新たに入手可能となった情報に基づいて当事業年度末において耐用年数を変更した場合には、当事業年度の減価償却額については当期首における変更前の残存耐用年数に基づき、翌事業年度の減価償却額については翌期首における変更後の残存耐用年数に基づき減価償却額を算定する。　【会制12号21】

14 リース取引

1. 用語の定義

（1）リース取引

「リース取引」とは、特定の物件の所有者たる貸手（レッサー）が、当該物件の借手（レッシー）に対し、合意された期間（リース期間）にわたりこれを使用収益する権利を与え、借手は、合意された使用料（リース料）を貸手に支払う取引をいう。　【ASB基準13号4】

（2）ファイナンス・リース取引

リース契約に基づくリース期間の中途において当該契約を解除することができないリース取引又はこれに準ずるリース取引で、借手が、当該契約に基づき使用する物件（リース物件）からもたらされる経済的利益を実質的に享受することができ、かつ、当該リース物件の使用に伴って生じるコストを実質的に負担することとなるリース取引をいう。　【ASB基準13号5】

（3）オペレーティング・リース取引

ファイナンス・リース取引以外のリース取引をいう。
【ASB基準13号6】

（4）リース取引開始日

借手が、リース物件を使用収益する権利を行使することができることとなった日をいう。　【ASB基準13号7】

（5）所有権移転ファイナンス・リース取引

リース契約上の諸条件に照らしてリース物件の所有権が借手に移転すると認められるリース取引をいう。
【ASB基準13号8】

（6）所有権移転外ファイナンス・リース取引

所有権移転ファイナンス・リース取引以外の取引をいう。　【ASB基準13号8】

2. リース取引の分類

（1）借手側

リース取引の分類		会計処理
ファイナンス・リース取引	所有権移転ファイナンス・リース取引	売買処理【ASB指針16号36〜46参照】 ・リース資産及びリース債務の計上にあたっては、原則として、リース料総額から利息相当額の合理的な見積額を控除し、利息相当額は利息法により配分する。
		・減価償却費は、自己所有の固定資産に適用する減価償却方法と同一の方法による。
	所有権移転外ファイナンス・リース取引	売買処理【ASB指針16号21〜35参照】 ・リース資産及びリース債務の計上にあたっては、原則として、リース料総額から利息相当額の合理的な見積額を控除し、利息相当額は利息法により配分する。 ・原則として、減価償却費はリース期間を耐用年数とし、残存価額をゼロとして算定する。
オペレーティング・リース取引		賃貸借処理

【ASB基準13号11、12、15】

（2）貸手側

リース取引の分類		会計処理
ファイナンス・リース取引	所有権移転ファイナンス・リース取引	売買処理（リース債権として計上） ・利息相当額は、リース料総額及び見積残存価額の合計額から、これに対応するリース資産の取得価額を控除することによって算定。利息相当額は、利息法により配分する。【ASB指針16号61〜68参照】
	所有権移転外ファイナンス・リース取引	売買処理（リース投資資産として計上） ・利息相当額は、リース料総額及び見積残存価額の合計額から、これに対応するリース資産の取得価額を控除することによって算定。利息相当額は、利息法により配分する。【ASB指針16号51〜60参照】
オペレーティング・リース取引		賃貸借処理

【ASB基準13号13 〜 15】

3. セール・アンド・リースバック取引

所有する物件を貸手に売却し、貸手から当該物件のリースを受ける取引をセール・アンド・リースバック取引という。　【ASB指針16号48】

（1）ファイナンス・リース取引に該当する場合の会計処理（借手側）

リースの対象となる物件の売却に伴う損益を長期前払費用又は長期前受収益等として繰延処理し、リース資産の減価償却費の割合に応じ減価償却費に加減して損益に計上する。ただし、当該物件の売却損失が、当該物件の合理的な見積市価価額が帳簿価額を下回ることにより生じたものであることが明らかな場合は、売却損を繰延処理せずに売却時の損失として計上する。

当該リースバック取引がファイナンス・リース取引に該当する場合の会計処理は、リースの対象となる物件の売却損益に係る処理を除き、通常のファイナンス・リース取引と同様とする。

なお、セール・アンド・リースバック取引によるリース物件を、さらにおおむね同一の条件で第三者にリースした場合で、当該転リース取引の貸手としてのリース取引がファイナンス・リース取引に該当し、かつ、その取引の実態から判断して当該物件の売買損益が実現していると判断されるときは、その売買損益は繰延処理せずに損益に計上することができる。　　　　　　【ASB指針16号49、50】

(2) ファイナンス・リース取引に該当する場合の会計処理(貸手側)

通常のファイナンス・リース取引と同様とする。
【ASB指針16号70】

4. 開　　示

(1) ファイナンス・リース取引

① 借手側の表示

リース資産については、原則として、有形固定資産、無形固定資産の別に、一括してリース資産として表示する。ただし、有形固定資産又は無形固定資産に属する各科目に含めることもできる。

【財規22①八、23①八、③、27①十二、28①十、③、計規74③二、三、ASB基準13号16】

リース債務については、貸借対照表日後1年以内に支払いの期限が到来するものは流動負債に属するものとし、貸借対照表日後1年を超えて支払いの期限が到来するものは固定負債に属するものとする。

【財規49①四、52①四、計規75②一チ、二ト、ASB基準13号17】

② 貸手側の表示

所有権移転ファイナンス・リース取引におけるリース債権及び所有権移転外ファイナンス・リース取引におけるリース投資資産については、当該企業の主目的たる営業取引により発生したものである場合には流動資産に表示する。また、当該企業の営業の主目的以外の取引により発生したものである場合には、貸借対照表日の翌日から起算して1年以内に入金の期限が到来するものは流動資産に表示し、入金の期限が1年を超えて到来するものは固定資産に表示する。

【財規17①四、五、計規74③ニ、ホ、ASB基準13号18】

③ 財務諸表等規則に基づく注記

ア　借手側の注記

リース資産について、その内容(主な資産の種類等)及び減価償却の方法を注記する。ただし、重要性が乏しい場合には、当該注記を要しない。

【財規8の6①一、ASB基準13号19】

イ　貸手側の注記

リース投資資産について、将来のリース料を収受する権利部分及び見積残存価額部分の金額(各々、利息相当額控除前)並びに受取利息相当額を注記する。ただし、重要性が乏しい場合には、当該注記を要しない。　　　　　【財規8の6①二、ASB基準13号20】

リース債権及びリース投資資産に係るリース料債権部分について、貸借対照表日後5年以内における1年ごとの回収予定額及び5年超の回収予定額を注記する。ただし、重要性が乏しい場合には、当該注記を要しない。　　　【財規8の6①二、ASB基準13号21】

ウ　借手における注記を省略できる判断基準

リース資産総額に重要性が乏しく、注記の省略が認められる場合とは、未経過リース料の期末残高が当該期末残高、有形固定資産及び無形固定資産の期末残高の合計額に占める割合が10パーセント未満である場合とする。　　　　　　【ASB指針16号71、32】

エ　貸手における注記を省略できる判断基準

貸手としてのリース取引に重要性が乏しく、注記の省略が認められる場合とは、未経過リース料及び見積残存価額の合計額の期末残高が当該期末残高及び営業債権の期末残高の合計額に占める割合が10パーセント未満である場合とする。　　【ASB指針16号71、60】

また、貸手の行ったリース取引がファイナンス・リース取引と判定された場合には、貸手は、重要な会計方針において、通常の売買取引に係る方法に準じていずれの方法を採用したかを注記する。

【ASB指針16号72、51】

オ　既存のリース取引について例外規定を適用した場合の注記　　　　　　　【ASB指針16号79、82】

(ア)　借手側

引き続き通常の賃貸借取引に係る方法に準じた会計処理を適用する場合、引き続き通常の賃貸借取引に係る方法に準じた会計処理を適用している旨及び改正前会計基準で必要とされていた事項を注記する。

(イ)　貸手側

引き続き通常の賃貸借取引に係る方法に準じた会計処理を適用する場合、引き続き通常の賃貸借取引に係る方法に準じた会計処理を適用している旨及び改正前会計基準で必要とされていた事項を注記する。

④　会社計算規則に基づく注記　　　　　【➡p.15】

(2) 転リース取引

借手としてのリース取引及び貸手としてのリース取引がともにファイナンス・リース取引に該当する場合において、財務諸表提出会社が転リース取引に係るリース債権もしくはリース投資資産又はリース債務について利息相当額を控除する前の金額で貸借対照表に計上しているときには、当該リース債権もしくはリース投資資産又はリース債務の金額を注記しなければならない。

【財規8の6③、ASB指針16号73】

(3) オペレーティング・リース取引

① 注記

オペレーティング・リース取引のうち解約不能のものに係る未経過リース料は、貸借対照表日後1年以内のリース期間に係るものと、貸借対照表日後1年を超えるリース期間に係るものとに区分して注記する。ただし、重要性が乏しい場合には、当該注記を要しない。

【財規8の6②、ASB基準13号22】

② リース期間の一部分の期間について契約解除できないもの

リース期間の一部分の期間について契約解除をできないこととされているものも解約不能のリース取引として取り扱い、その場合には当該リース期間の一部分に係る

未経過リース料を注記する。　　　【ASB 指針16号74】
　注記を要しないとされる重要性が乏しい場合とは、次のいずれかに該当する場合をいう。
③　注記を要しないとされる重要性が乏しい場合
　ア　重要性が乏しい減価償却資産について、購入時に費用処理する方法が採用されている場合で、リース料総額が当該基準額以下のリース取引
　イ　リース期間が１年以内のリース取引
　ウ　契約上数か月程度の事前予告をもって解約できるものと定められているリース契約で、その予告した解約日以降のリース料の支払いを要しない事前解約予告期間（すなわち、解約不能期間）に係る部分のリース料
　エ　企業の事業内容に照らして重要性の乏しいリース取引で、リース契約１件当たりのリース料総額が300万円以下のリース取引（１つのリース契約に科目の異なる有形固定資産又は無形固定資産が含まれている場合は、異なる科目ごとに、その合計金額により判定することができる）　　　　　　　【ASB 指針16号75】
（4）財務諸表提出会社が連結財務諸表を作成している場合の取扱い
　ファイナンス・リース取引、転リース取引、オペレーティング・リース取引に関する各々の注記については、記載することを要しない。　　　　　　　【財規８の６④】

15 減損会計

1. 減損会計の手順

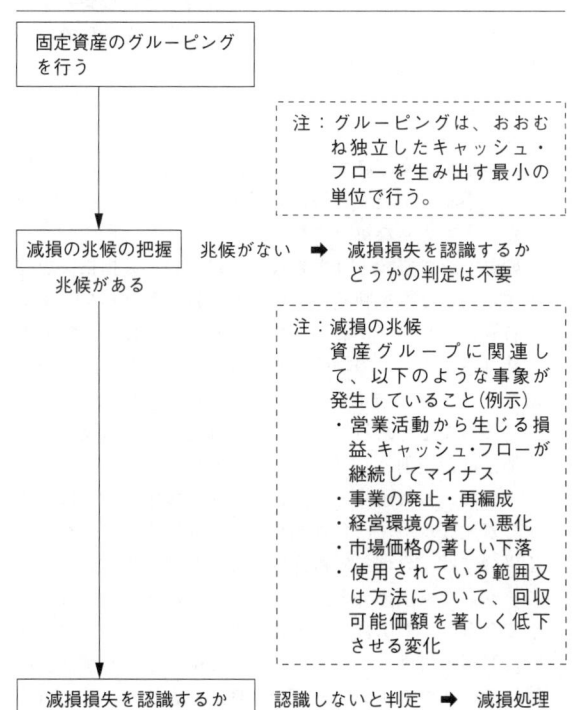

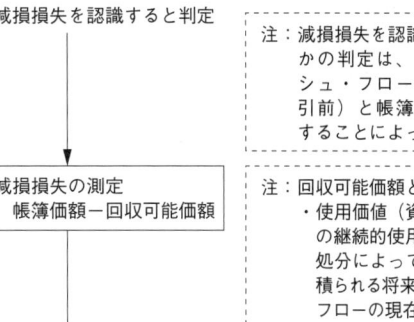

注：減損損失を認識するかどうかの判定は、将来キャッシュ・フローの総額（割引前）と帳簿価額を比較することによって行う。

注：回収可能価額とは、
・使用価値（資産グループの継続的使用と使用後の処分によって生じると見積られる将来キャッシュ・フローの現在価値）と
・正味売却価額（資産グループの時価から処分費用見込額を控除して算定される金額）のいずれか高い方の金額

（「減損意見書」の主な内容より）

2. 減損会計の内容

（1）減損の兆候
　資産又は資産グループ（（6）資産のグルーピング参照）に減損が生じている可能性を示す事象（以下「減損の兆候」という）がある場合には、当該資産又は資産グループについて、減損損失を認識するかどうかの判定を行う。減損の兆候としては、例えば、次の事象が考えられる。
　　　　　　　【減会二１、ASB指針６号11】
①　資産又は資産グループが使用されている営業活動から生ずる損益又はキャッシュ・フローが、継続してマイナスとなっているか、又は、継続してマイナスとなる見込みである場合
②　資産又は資産グループが使用されている範囲又は方法について、当該資産又は資産グループの回収可能価額を著しく低下させる変化が生じたか、又は、生ずる見込みである場合
③　資産又は資産グループが使用されている事業に関連して、経営環境が著しく悪化したか、又は悪化する見込みである場合
④　資産又は資産グループの市場価格が著しく下落した場合

（2）減損損失の認識
①　減損の兆候がある資産又は資産グループについての減損損失を認識するかどうかの判定は、資産又は資産グループから得られる割引前将来キャッシュ・フローの総額と帳簿価額を比較することによって行い、資産又は資産グループから得られる割引前将来キャッシュ・フローの総額が帳簿価額を下回る場合には、減損損失を認識する。　　　　　　　【減会二２(1)】
②　減損損失を認識するかどうかを判定するために割引前将来キャッシュ・フローを見積る期間は、資産の経済的残存使用年数又は資産グループ中の主要な資産（注１）の経済的残存使用年数と20年のいずれか短い方とする（注２）。　　　　　　　【減会二２(2)】
（注１）　主要な資産とは、資産グループの将来キャッシュ・フロー生成能力にとって最も重要な構成資産をいう。　　　　　　　【減会注３】
（注２）　資産又は資産グループ中の主要な資産の経済的

残存使用年数が20年を超える場合には、20年経過時点の回収可能価額を算定し、20年目までの割引前将来キャッシュ・フローに加算する。
【減会注4】

（3）減損損失の測定

減損損失を認識すべきであると判定された資産又は資産グループについては、帳簿価額を回収可能価額まで減額し、当該減少額を減損損失として当期の損失とする。
【減会二3】

（4）将来キャッシュ・フロー

① 減損損失を認識するかどうかの判定に際して見積られる将来キャッシュ・フロー及び使用価値の算定において見積られる将来キャッシュ・フローは、企業に固有の事情を反映した合理的で説明可能な仮定及び予測に基づいて見積る。
【減会二4(1)】

② 将来キャッシュ・フローの見積りに際しては、資産又は資産グループの現在の使用状況及び合理的な使用計画等を考慮する（注1）。
【減会二4(2)】

（注1） 計画されていない将来の設備の増強や事業の再編の結果として生ずる将来キャッシュ・フローは、見積りに含めない。また、将来の用途が定まっていない遊休資産については、現在の状況に基づき将来キャッシュ・フローを見積る。
【減会注5】

③ 将来キャッシュ・フローの見積金額は、生起する可能性の最も高い単一の金額又は生起し得る複数の将来キャッシュ・フローをそれぞれの確率で加重平均した金額とする（注2）。
【減会二4(3)】

（注2） 将来キャッシュ・フローが見積値から乖離するリスクについては、将来キャッシュ・フローの見積りと割引率のいずれかに反映させる。ただし、減損損失を認識するかどうかを判定する際に見積られる割引前将来キャッシュ・フローの算定においては、このリスクを反映させない。
【減会注6】

④ 資産又は資産グループに関連して間接的に生ずる支出は、関連する資産又は資産グループに合理的な方法により配分し、当該資産又は資産グループの将来キャッシュ・フローの見積りに際し控除する。 【減会二4(4)】

⑤ 将来キャッシュ・フローには、利息の支払額並びに法人税等の支払額及び還付額を含めない。 【減会二4(5)】

（5）使用価値の算定に際して用いられる割引率

使用価値の算定に際して用いられる割引率は、貨幣の時間価値を反映した税引前の利率とする。

資産又は資産グループに係る将来キャッシュ・フローがその見積値から乖離するリスクが、将来キャッシュ・フローの見積りに反映されていない場合には、割引率に反映させる。
【減会二5】

（6）資産のグルーピング

① 資産のグルーピングの方法

減損損失を認識するかどうかの判定と減損損失の測定において行われる資産のグルーピングは、他の資産又は資産グループのキャッシュ・フローからおおむね独立したキャッシュ・フローを生み出す最小の単位で行う。

② 資産グループについて認識された減損損失の配分

資産グループについて認識された減損損失は、帳簿価額に基づく比例配分等の合理的な方法により、当該資産グループの各構成資産に配分する。 【減会二6】

（7）共用資産の取扱い

① 減損の兆候がある場合

減損損失を認識するかどうかの判定は、共用資産が関連する複数の資産又は資産グループに共用資産を加えた、より大きな単位で行う。

② 減損損失の認識の判定

共用資産を含む、より大きな単位について減損損失を認識するかどうかを判定するに際しては、共用資産を含まない各資産又は資産グループにおいて算定された減損損失控除前の帳簿価額に共用資産の帳簿価額を加えた金額と、割引前将来キャッシュ・フローの総額とを比較する。この場合に、共用資産を加えることによって算定される減損損失の増価額は、原則として、共用資産に配分する。

③ 減損損失の配分

共用資産の帳簿価額を当該共用資産に関連する資産又は資産グループに合理的な基準で配分することができる場合には、共用資産の帳簿価額を各資産又は資産グループに配分したうえで減損損失を認識するかどうかを判定することができる。この場合に、資産グループについて認識された減損損失は、帳簿価額に基づく比例配分等の合理的な方法により、共用資産の配分額を含む当該資産グループの各構成資産に配分する。 【減会二7】

（8）のれんの取扱い

① のれんの帳簿価額の分割

のれんを認識した取引において取得された事業の単位が複数である場合には、のれんの帳簿価額を合理的な基準に基づき分割する。

② 減損損失の認識の判定

分割されたそれぞれののれんに減損の兆候がある場合に、減損損失を認識するかどうかの判定は、のれんが帰属する事業に関連する複数の資産グループにのれんを加えた、より大きな単位で行う。

のれんを含む、より大きな単位について減損損失を認識するかどうかを判定するに際しては、のれんを含まない各資産グループにおいて算定された減損損失控除前の帳簿価額にのれんの帳簿価額を加えた金額と、割引前将来キャッシュ・フローの総額とを比較する。この場合に、のれんを加えることによって算定される減損損失の増加額は、原則として、のれんに配分する。

のれんの帳簿価額を当該のれんが帰属する事業に関連する資産グループに合理的な基準で配分することができる場合には、のれんの帳簿価額を各資産グループに配分したうえで減損損失を認識するかどうかを判定することができる。この場合に、各資産グループについて認識された減損損失は、のれんに優先的に配分し、残額は、帳簿価額に基づく比例配分等の合理的な方法により、当該資産グループの各構成資産に配分する。 【減会二8】

（9）減損処理後の会計処理

① 減損損失の戻入れ

減損損失の戻入れは行わない。

② 減価償却

減損損失を控除した帳簿価額から残存価額を控除した金額を、企業が採用している減価償却の方法に従って、規則的、合理的に配分する。　【ASB指針6号55】

③ 減損処理を行った遊休資産

減損処理後の遊休資産の減価償却費は、原則として、営業外費用として処理する。　【ASB指針6号56】

(10) 財務諸表における開示

① 貸借対照表における表示

減損処理を行った資産の貸借対照表における表示は、下記ア、イ、ウのいずれかで行うが、減価償却累計額の表示形式と同じものである必要はない。

【ASB指針6号57、財規26の2】

ア　直接控除形式…………取得原価から減損損失を直接控除しその後の取得原価とする

イ　独立間接控除形式……減損損失累計額を取得原価から間接控除

ウ　合算間接控除形式……イの場合、減損損失累計額を減価償却累計額に合算して表示し、減価償却累計額に減損損失累計額が含まれている旨を注記。

ウに規定する事項は、財務諸表提出会社が連結財務諸表を作成している場合には、記載することを要しない。

【財規26の2⑤】

② 損益計算書における表示　　　【財規95の3】

減損損失は原則として、特別損失とする。

(11) 注　　記

重要な減損損失を認識した場合には、損益計算書(特別損失)に係る注記事項として、資産グループごとに以下を注記する。　【ASB指針6号58、財規95の3の2】

① 減損損失を認識した資産又は資産グループについては、その用途、種類、場所などの概要

② 減損損失の認識に至った経緯

③ 減損損失の金額については、特別損失に計上した金額と主な固定資産の種類ごとの減損損失の内訳

④ 資産グループについて減損損失を認識した場合には、当該資産グループの概要と資産をグルーピングした方法

⑤ 回収可能価額が正味売却価額の場合には、その旨及び時価の算定方法、回収可能価額が使用価値の場合にはその旨及び割引率

上記①から⑤に掲げる事項は、財務諸表提出会社が連結財務諸表を作成している場合には、記載することを要しない。　【財規95の3の2②】

ただし、減損会計基準を初めて適用した事業年度においては、減損損失を計上していなくとも、全般的な資産のグルーピングの方針等を注記することができる。

【ASB指針6号58】

16 特別目的会社を活用した不動産の流動化

1. 特別目的会社を活用した不動産の流動化の内容

特別目的会社に不動産を譲渡することにより、不動産を資金化すること。

固定資産としての土地建物等のほか、販売用不動産等の棚卸資産を含む。　【会制15号2】

(注)特別目的会社……資産の流動化に関する法律2③に規定する特定目的会社等をいう。

2. 特別目的会社を活用した不動産の流動化に係る会計処理

(1) 売却の認識

不動産が法的に譲渡され、譲渡人に資金が流入していることを前提に、譲渡不動産のリスクと経済価値のほとんどすべてが他の者に移転しているか否かで判断する(リスク・経済価値アプローチ)。　【会制15号3】

(2) リスクと経済価値　　　　【会制15号4】

・不動産のリスク……不動産の価値が下落すること

・不動産の経済価値……不動産を保有、使用又は処分することによって生じる経済的利益を得る権利に基づく価値

(3) 不動産の流動化に係る会計処理

・不動産が特別目的会社に適正な価額で譲渡されており、不動産のリスクと経済価値のほとんどすべてが、特別目的会社を通じて他の者に移転している場合➡売却取引として会計処理

・不動産が特別目的会社に適正な価額で譲渡されているが、不動産のリスクと経済価値のほとんどすべてが、特別目的会社を通じて他の者に移転していると認められない場合➡金融取引として会計処理　【会制15号5】

3. リスクと経済価値の移転についての判断に関する考え方

(1) 不動産のリスクと経済価値のほとんどすべてが特別目的会社を通じて他の者に移転しているか否かは、スキーム全体の構成内容等を踏まえて実質的に判断すべきである。　【会制15号6】

(2) 不動産の譲渡後において譲渡人が当該不動産に継続的に関与している場合は、リスクと経済価値が他の者に移転していない可能性がある。　【会制15号7】

・譲渡人が継続的に関与している場合の具体例

① 譲渡人が譲渡した不動産の管理業務を行っている場合

② 譲渡人が不動産を買戻し条件付で譲渡している場合

③ 特別目的会社が譲渡人に対して売戻しの権利を保有している場合

④ 譲渡人が譲渡不動産からのキャッシュ・フローや残存価額を実質的に保証している場合

⑤ 譲渡人が特別目的会社の発行する証券等を有しており、形式的には金融資産であるが実質的には譲渡不動産の持分を保有している場合

⑥ 譲渡人が譲渡不動産の開発を行っている場合

⑦ 譲渡人が譲渡不動産の価格上昇利益を直接又は間接的に享受している場合

⑧ 譲渡人が譲受人の不動産購入に関して融資又は債務保証を行っている場合

⑨ 譲渡人がセール・アンド・リースバック取引により、継続的に譲渡不動産を使用している場合

(3) 譲渡人が譲渡した不動産について、通常の契約条件による不動産の管理業務を行っている場合には、その限りにおいて、リスクと経済価値のほとんどすべてが他の者に移転していると認められる。　【会制15号8】

(4) 譲渡人が不動産を買戻し条件付で譲渡している場合には、実質的に金融取引と同様となり、リスクと経済価値のほとんどすべてが他の者に移転していると認められないため、売却処理を行うことができない。【会制15号9】

(5) 流動化された不動産が、特別な仕様により建設された建物等であり、市場性に乏しくそのまま他に転用することが困難である等の特殊性を有する不動産であり、かつ、何らかの継続的関与がある場合には、原則として、リスクと経済価値のほとんどすべてが他の者に移転していると認められないため、売却処理を行うことができない。　　　　　　　　　　　　　　　　【会制15号10】

(6) 不動産の流動化がセール・アンド・リースバック取引となっており、当該リースバック取引がオペレーティング・リース取引であって、適正な賃借料を支払うことになっている場合には、その限りにおいて、リスクと経済価値のほとんどすべてが他の者に移転していると認められる。　　　　　　　　　　　　【会制15号11】

(7) 特別目的会社が譲渡人の子会社である場合には、譲渡人は売却処理を行うことができない。　【会制15号12】

4. リスクと経済価値の移転についての具体的な判断基準及びその算定方法

(1) リスクと経済価値の移転についての具体的な判断基準

リスク負担の金額の割合がおおむね5%以内であれば、リスクと経済価値のほとんどすべてが他の者に移転していると認められる。

リスク負担割合

$$= \frac{\text{リスク負担の金額}}{\text{流動化する不動産の譲渡時の適正な価額（時価）}}$$

【会制15号13】

(2) リスクを負担する場合の継続的関与に係るリスク負担の金額の算定

① 譲渡人が不動産を買戻し条件付で譲渡している場合は、売却処理を行うことができない。

② 特別目的会社が譲渡人に対して売戻しの権利を保有している場合は、売却処理を行うことができない。

③ 譲渡人が譲渡不動産からのキャッシュ・フローもしくは残存価額を実質的に保証している場合は、保証しているキャッシュ・フローの額又は残存価額の保証額がリスク負担の金額となる。

④ 譲渡人が特別目的会社の発行する証券等を有しており、形式的には金融資産であるが実質的には譲渡不動産の持分を保有している場合は、当該持分の取得価額がリ

スク負担の金額となる。

⑤ 譲渡人が譲渡不動産の開発を行う場合は、開発コストのうち譲渡人が負担すべき金額がリスク負担の金額となる。

⑥ 譲渡人が譲渡不動産の価格上昇利益を享受している場合は、享受する権利を得るための対価がリスク負担の金額となる。

⑦ 譲渡人が譲受人の不動産購入に関して融資又は債務保証を行っている場合は、融資額又は保証額がリスク負担の金額となる。

⑧ セール・アンド・リースバック取引（オペレーティング・リース取引であるものに限る）における適正な賃借料の支払額は、リスク負担額に含めない。【会制15号14】

5. リスク負担割合の算定における留意事項

(1) リスク負担の金額は、流動化スキーム全体を考慮し、実質的なリスク負担に基づいて算定する。

契約書上追加出資を行う可能性がある場合には、これに伴うリスク負担額も考慮しリスク負担割合を算定する。　　　　　　　　　　　　　　　　　【会制15号15】

(2) 譲渡人の子会社又は関連会社が当該不動産に関する何らかのリスクを負っている場合には、これに伴うリスクを譲渡人が負担するリスクに加えてリスク負担割合を算定して判断する。　　　　　　　　　　【会制15号16】

(3) 譲渡人が、譲渡した不動産の対価の全部又は一部として特別目的会社により発行された証券を譲渡人の退職給付信託に拠出した場合は、当該証券を年金資産とすることはできない。

譲渡した不動産の対価の全部又は一部として特別目的会社により発行された証券等が、譲渡人の年金資産（退職給付信託としての拠出を除く）に含まれている場合には、原則として、リスク負担の金額に当該証券等を含めないものとする。　　　　　　　　　　【会制15号17】

(4) リスク負担割合は、リスクと経済価値のほとんどすべてが移転しているか否かの判断基準として適用する趣旨で算定する。　　　　　　　　　　　　【会制15号18】

6. 不動産信託受益権による流動化に係る会計処理

(1) 不動産信託受益権の譲渡についても、不動産を特別目的会社に譲渡することによる流動化の場合と同様に、リスク・経済価値アプローチに基づいて会計処理を行う。

譲渡した信託受益権に含まれている不動産のリスクと経済価値の状況に基づいて、売却取引として会計処理を行うべきか否か判断する。　　　　【会制15号19】

(2) 質的に単一な不動産信託受益権に分割されている場合には、リスクと経済価値のほとんどすべてが他の者が取得した信託受益権に移転していると考えられるので、移転した部分について売却取引として会計処理を行う。　　　　　　　　　　　　　　【会制15号20】

(3) 優先部分と劣後部分のように質的に異なる信託受益権に分割されている場合には、リスクと経済価値のほとんどすべてが他の者に移転しているときに限り、売却取引として会計処理を行う。　　【会制15号21】

7. 金融取引として会計処理を行った場合の開示

担保資産の注記に準じて、その旨並びに関連する債務を示す科目の名称及び金額を記載しなければならない。

【会制15号22】

8. 更新（リファイナンス）時の適用及び会計処理

特別目的会社が発行する証券等の期限到来に伴う更新（リファイナンス）時においては、更新時の適正な価額に基づきリスク負担割合を算定し、リスクと経済価値のほとんどすべてが移転していると認められない場合には、更新時に適正な価額によって買戻しが行われたものとして処理する。

ただし、更新が、譲渡人の当初のリスク負担の金額の増加を伴わないものである場合には、会制15号に従って行われた当初の会計処理を見直す必要はない。

【会制15号21-2】

17 資産除去債務に関する会計基準

1. 資産除去債務の定義

（1）資産除去債務
「資産除去債務」とは、有形固定資産の取得、建設、開発又は通常の使用によって生じ、当該有形固定資産の除去に関して法令又は契約で要求される法律上の義務及びそれに準ずるものをいう。この場合の法律上の義務及びそれに準ずるものには、有形固定資産を除去する義務のほか、有形固定資産の除去そのものは義務でなくとも、有形固定資産を除去する際に当該有形固定資産に使用されている有害物質等を法律等の要求による特別の方法で除去するという義務も含まれる。

【財規8㊷、計規2③六十、ASB基準18号3(1)】

（2）除　去
有形固定資産の「除去」とは、有形固定資産を用役提供から除外することをいう（一時的に除外する場合を除く）。除去の具体的な態様としては、売却、廃棄、リサイクルその他の方法による処分等が含まれるが、転用や用途変更は含まれない。

また、当該有形固定資産が遊休状態になる場合は除去に該当しない。　　　　　　　　　　　　【ASB基準18号3(2)】

2. 会計処理

（1）資産除去債務の負債計上
資産除去債務は、有形固定資産の取得、建設、開発又は通常の使用によって発生した時に負債として計上する。

【ASB基準18号4】

資産除去債務の発生時に、当該債務の金額を合理的に見積ることができない場合には、これを計上せず、当該債務額を合理的に見積ることができるようになった時点で負債として計上する。その場合の負債の計上の処理は、**3.資産**

除去債務の見積りの変更 に準じる。　　　【ASB基準18号5】

（2）資産除去債務の算定
資産除去債務はそれが発生したときに、有形固定資産の除去に要する割引前の将来キャッシュ・フローを見積り、割引後の金額（割引価値）で算定する。

① 割引前の将来キャッシュ・フローは、合理的で説明可能な仮定及び予測に基づく自己の支出見積りによる。その見積金額は、生起する可能性の最も高い単一の金額又は生起し得る複数の将来キャッシュ・フローをそれぞれの発生確率で加重平均した金額とする。将来キャッシュ・フローには、有形固定資産の除去に係る作業のために直接要する支出のほか、処分に至るまでの支出（例えば、保管や管理のための支出）も含める。

② 割引率は、貨幣の時間価値を反映した無リスクの税引前の利率とする。　　　　　　　　　　【ASB基準18号6】

（3）資産除去債務に対応する除去費用の資産計上と費用配分
資産除去債務に対応する除去費用は、資産除去債務を負債として計上した時に、当該負債の計上額と同額を、関連する有形固定資産の帳簿価額に加える。

資産計上された資産除去債務に対応する除去費用は、減価償却を通じて、当該有形固定資産の残存耐用年数にわたり、各期に費用配分する。　　　　　　　　【ASB基準18号7】

① 資産除去債務が使用の都度発生する場合の費用配分の方法

資産除去債務が有形固定資産の稼動等に従って、使用の都度発生する場合には、資産除去債務に対応する除去費用を各期においてそれぞれ資産計上し、関連する有形固定資産の残存耐用年数にわたり、各期に費用配分する。

なお、この場合には、上記の処理のほか、除去費用をいったん資産に計上し、当該計上時期と同一の期間に、資産計上額と同一の金額を費用処理することもできる。

【ASB基準18号8】

② 時の経過による資産除去債務の調整額の処理

時の経過による資産除去債務の調整額は、その発生時の費用として処理する。当該調整額は、期首の負債の帳簿価額に当初負債計上時の割引率を乗じて算定する。

【ASB基準18号9】

③ 賃借建物等に係る有形固定資産（内部造作等）の除去などの原状回復が契約で要求されている場合

賃借契約に関連する敷金が資産計上されているときは、当該計上額に関連する部分について、当該資産除去債務の負債計上及びこれに対応する除去費用の資産計上に代えて、敷金の回収が最終的に見込めないと認められる金額を合理的に見積り、そのうち当期の負担に属する金額を費用に計上する方法によることができる。

【ASB指針21号9】

（4）履行時の会計処理
4.開示参照。

3. 資産除去債務の見積りの変更

（1）割引前将来キャッシュ・フローの見積りの変更
割引前の将来キャッシュ・フローに重要な見積りの変更が生じた場合の当該見積りの変更による調整額は、資産除

去債務の帳簿価額及び関連する有形固定資産の帳簿価額に加減して処理する。資産除去債務が法令の改正等により新たに発生した場合も、見積りの変更と同様に取り扱う。

【ASB基準18号10】

（2）割引前将来キャッシュ・フローの見積りの変更による調整額に適用する割引率

割引前の将来キャッシュ・フローに重要な見積りの変更が生じ、当該キャッシュ・フローが増加する場合、その時点の割引率を適用する。これに対し、当該キャッシュ・フローが減少する場合には、負債計上時の割引率を適用する。

なお、過去に割引前の将来キャッシュ・フローの見積りが増加した場合で、減少部分に適用すべき割引率を特定できないときは、加重平均した割引率を適用する。

【ASB基準18号11】

4. 開　　示

（1）貸借対照表上の表示

① 表示区分と科目名

資産除去債務は、貸借対照表日後1年以内にその履行が見込まれる場合を除き、固定負債の区分に資産除去債務等の適切な科目名で表示する。

② ワンイヤー・ルール

貸借対照表日後1年以内に資産除去債務の履行が見込まれる場合には、流動負債の区分に表示する。

【ASB基準18号12、財規48の3、49①十二、51の3、52①七、計規75②一リ及び二チ】

（2）損益計算書上の表示

① 資産除去債務に対応する除去費用に係る費用配分額

当該資産除去債務に関連する有形固定資産の減価償却費と同じ区分に含めて計上する。

② 時の経過による資産除去債務の調整額

当該資産除去債務に関連する有形固定資産の減価償却費と同じ区分に含めて計上する。

③ 資産除去債務の履行時における資産除去債務残高と実際支払額との差額

原則として、当該資産除去債務に対応する除去費用に係る費用配分額と同じ区分に含めて計上する。

なお、当初の除去予定の時期よりも早期に除去することとなった場合等、当該差額が異常な原因により生じたものである場合には、特別損益として処理することに留意する。　　　　　　【ASB基準18号13、14、15、158】

（3）注記事項

資産除去債務については、次の各号に掲げる資産除去債務の区分に応じ、当該各号に定める事項を注記しなければならない。ただし、重要性の乏しいものについては、注記を省略することができる。

① 資産除去債務のうち貸借対照表に計上しているもの　次のアからエまでに掲げる事項

ア 当該資産除去債務の概要

資産除去債務の発生原因となっている法的規制又は契約等の概要（法令等の条項及び契約条件等）を簡潔に記載する。この場合において、多数の有形固定資産について資産除去債務が生じているときには、有形固定資産の種類及び場所等に基づいて、各号に規定する

事項をまとめて記載することができる。また、当該概要には、特別の法令等に基づく資産除去債務に対応する除去費用を適切に計上する方法を用いている場合には、当該方法についての記載が含まれる。

イ 当該資産除去債務の金額の算定方法

支出発生までの見込期間及び適用した割引率その他の前提条件を記載する。

ウ 当該事業年度における当該資産除去債務の総額の増減

エ 当該資産除去債務の金額の見積りを変更したときは、その旨、変更の内容及び影響額

② 前号に掲げる資産除去債務以外の資産除去債務　次のアからウまでに掲げる事項

ア 当該資産除去債務の金額を貸借対照表に計上していない旨

イ 当該資産除去債務の金額を貸借対照表に計上していない理由

当該資産除去債務の金額を合理的に見積ることができない理由を含めて記載する。

ウ 当該資産除去債務の概要

【ASB基準18号16、財規8の28、財ガ8の28】

上記①、②の事項は、財務諸表提出会社が連結財務諸表を作成している場合には、記載することを要しない。

18　投資その他の資産

1. ゴルフ会員権

(1) 取得価額をもって計上する。

(2) 市場価格があるものについて著しい市場価格の下落が生じた場合、又は市場価格がないものについて当該株式の発行会社の財政状態が著しく悪化した場合には有価証券に準じて減損処理を行う。

(3) 預託保証金の回収可能性に疑義が生じた場合にはまず、帳簿価格のうち、預託保証金を超える額を直接評価減し、さらに市場価格が預託保証金の額を下回る場合には、当該部分について、貸倒引当金を設定する。

【会制14号135、金融Q&A46】

2. 建設協力金

(1) 将来返還される建設協力金等の差入預託保証金（敷金を除く）に係る当初認識時の時価は、返済期日までのキャッシュ・フローを割り引いた現在価値である。支払額と当該時価との差額は、長期前払家賃として計上し、契約期間にわたって各期の損益に合理的に配分する。

(2) 建設協力金等の差入預託保証金は返済期日に回収されるため、当初時価と返済金額との差額を契約期間にわたって配分し受取利息として計上する。

(3) 現在価値に割り引くための利子率は、原則としてリスク・フリーの利子率を使用する。

(4) 影響額に重要性のないものは、現在価値に割り引かないことができる。

(5) 差入預託保証金のうち、将来返還されない額は、賃借予定期間にわたって定額法により償却する。

【会制14号133】

3. 敷　　金

取得時……取得原価で計上する。

決算時……建物等の賃借契約において、返還されないことが明示されている部分については、賃借期間にわたって償却する。また、建物等の賃借契約において、当該賃借建物等に係る有形固定資産（内部造作等）の除去などの原状回復が要求されている場合には、当該契約条項により敷金の回収が最終的に見込めないと認められる金額を合理的に見積り、賃借期間にわたって償却する処理を採用している場合には、これに従って処理する。なお、賃貸人の支払能力から回収不能と見込まれる金額がある場合には貸倒引当金を設定する必要がある。

【会制14号133、ASB 指針21号 9 】

4. 商品ファンド

短期運用目的のもの……売買目的有価証券に準じて処理する。

中長期運用目的のもの……その他有価証券に準じて処理する。

商品ファンドの構成資産が金融資産に該当する場合にはASB基準10号に従って評価し、商品ファンドの保有者における会計処理の基礎とする。　【会制14号134】

5. 任意組合、匿名組合、パートナーシップ、リミテッド・パートナーシップ等への出資の会計処理

原則として、組合等の財産の持分相当額を出資金（金商2②により有価証券とみなされるものについては有価証券）として計上し、組合等の営業により獲得した純損益の持分相当額を当期の純損益として計上する。ただし、任意組合、パートナーシップに関し有限責任の特約がある場合にはその範囲内で純損益を認識する。なお、組合等の構成資産が金融商品に該当する場合にはASB基準10号に従って評価し、組合等への出資者の会計処理の基礎とする。

【会制14号132】

6. 保険積立金

生命保険料、長期の損害保険料等で満期日等に返戻を受けるものについて、支払った保険料のうち返戻分等を資産計上したものである。

支払保険料のうち、どの部分を積立金として資産計上するかは通常、保険契約及び税務上の取扱いで決定される。

7. 長期貸付金

(1) 支配目的・影響力保持目的のもの（関係会社長期貸付金）と取引上の関係維持目的のもの（長期貸付金）等がある。　【財規32①七、八、九】
(2) 契約期間が 1 年を超えるもので 1 年内に期限の到来するものであっても、その金額の僅少なものについては、投資その他の資産として記載することができる。

【財ガ15-12⑤】

(3) 利息の支払時期又は支払額が不規則なものについては、元本と利息の合計額の将来キャッシュ・フローの現在価値が取得価額又は調達価額に一致するような割引率（実効利子率）に基づいて、債務者からの入金額を元本と利息とに区分する。　【会制14号131】

---

19 繰延資産

1. 繰延資産の定義

将来の期間に影響する特定の費用をいう。すなわち、すでに対価の支払いが完了し又は支払義務が確定し、これに対応する役務の提供を受けたにもかかわらず、その効果が将来にわたって発現するものと期待される費用をいう。

【企注15】

2. 繰延資産の範囲

(1) 創　立　費

会社の負担に帰すべき設立費用、例えば、定款及び諸規則作成のための費用、株式募集その他のための広告費、目論見書・株券等の印刷費、創立事務所の賃借料、設立事務に使用する使用人の手当給料等、金融機関の取扱手数料、金融商品取引業者の取扱手数料、創立総会に関する費用その他会社設立事務に関する必要な費用、発起人が受ける報酬で定款に記載して創立総会の承認を受けた金額並びに設立登記の登録税等をいう。　【財規36、財ガ36①】

(2) 開　業　費

会社成立後営業開始までに支出した開業準備のための費用をいう。例えば、土地、建物等の賃借料、広告宣伝費、通信交通費、事務用消耗品費、支払利子、使用人の給料、保険料、電気・ガス・水道料等をいう。

【財規36、財ガ36②】

(3) 株式交付費

株式の交付等のため直接支出した費用をいう。例えば、株式募集のための広告費、金融機関の取扱手数料、金融商品取引業者の取扱手数料、目論見書・株券等の印刷費、変更登記の登録免許税等をいう。　【財規36、財ガ36③】

(4) 社債発行費

社債発行費とは、社債発行のため直接支出した費用をいう。例えば、社債募集のための広告費、金融機関の取扱手数料、金融商品取引業者の取扱手数料、目論見書・社債券等の印刷費、社債の登記の登録免許税等をいう。なお、資金調達などの財務活動に係るものとして、繰延資産に計上された新株予約権の発行等に係る費用についても、社債発行費に含まれることに留意する。　【財規36、財ガ36④】

(5) 開　発　費

新技術又は新経営組織の採用、資源の開発、市場の開拓等のため支出した費用、生産能率の向上又は生産計画の変更等により、設備の大規模な配置替えを行った場合等の費用をいう。ただし、経常費の性格をもつものは含まれないものとする。　【財規36、財ガ36⑤】

3. 繰延資産の表示

(1) 繰延資産の処理方法（償却の基準）の注記
【財規8の2、財ガ8の2(4)、③(3)】

(2) 各繰延資産に対する償却累計額は、当該繰延資産の金額から直接控除し、その控除残高を各繰延資産の金額として表示しなければならない。　【財規38、計規84】

4. 会 社 法

会社計算規則では、繰延資産として計上することが適当であると認められるものを繰延資産として計上することを認めている。　【計規74③五】

5. 繰延資産の会計処理

(1) 創 立 費

創立費は、原則として、支出時に費用（営業外費用）として処理する。ただし、創立費を繰延資産に計上することができる。この場合には、会社の成立のときから5年以内のその効果の及ぶ期間にわたって、定額法により償却をしなければならない。　【ASB報告19号3(3)】

(2) 開 業 費

開業費は、原則として、支出時に費用（営業外費用）として処理する。ただし、開業費を繰延資産に計上することができる。この場合には、開業のときから5年以内のその効果の及ぶ期間にわたって、定額法により償却をしなければならない。なお、「開業のとき」には、その営業の一部を開業したときも含むものとする。また、開業費を販売費及び一般管理費として処理することができる。

【ASB報告19号3(4)】

(3) 株式交付費

株式交付費（新株の発行又は自己株式の処分に係る費用）は、原則として、支出時に費用（営業外費用）として処理する。ただし、企業規模の拡大のためにする資金調達などの財務活動（組織再編の対価として株式を交付する場合を含む）に係る株式交付費については、繰延資産を計上することができる。この場合には、株式交付のときから3年以内のその効果の及ぶ期間にわたって、定額法により償却しなければならない。なお、株式の分割や株式無償割当てなどに係る費用は、繰延資産には該当せず、支出時に費用として処理することになる。また、この場合には、これらの費用を販売費及び一般管理費に計上することができる。

【ASB報告19号3(1)】

(4) 社債発行費

社債発行費は、原則として、支出時に費用（営業外費用）として処理する。ただし、社債発行費を繰延資産に計上することができる。この場合には、社債の償還までの期間にわたり利息法により償却をしなければならない。なお、償却方法については、継続適用を条件として、定額法を採用することができる。

また、新株予約権の発行に係る費用についても、資金調達などの財務活動（組織再編の対価として新株予約権を交付する場合を含む）に係るものについては、社債発行費と同様に繰延資産として会計処理することができる。この場合には、新株予約権の発行のときから、3年以内のその効果の及ぶ期間にわたって、定額法により償却をしなければならない。ただし、新株予約権が社債に付されている場合で、当該新株予約権付社債を一括法により処理するときは、当該新株予約権付社債の発行に係る費用は、社債発行費として処理する。　【ASB報告19号3(2)】

(5) 開 発 費

開発費は、原則として、支出時に費用（売上原価又は販売費及び一般管理費）として処理する。ただし、開発費を繰延資産に計上することができる。この場合には、支出のときから5年以内のその効果の及ぶ期間にわたって、定額法その他の合理的な方法により規則的に償却しなければならない。　【ASB報告19号3(5)】

(6) 支出の効果が期待されなくなった繰延資産の会計処理

支出の効果が期待されなくなった繰延資産は、その未償却残高を一時に償却しなければならない。

【ASB報告19号3(6)】

(7) 繰延資産に係る会計処理の継続性

① 基本的な考え方

同一の繰延資産項目については、繰延資産に適用する会計処理方法は、原則として、同一の方法によらなければならない。

② 同一の繰延資産項目に関する継続性の取扱い

ア 同一の繰延資産項目についての会計処理が前事業年度にも行われている場合において、当事業年度の会計処理方法が前事業年度の会計処理方法と異なるときは、原則として、会計方針の変更として取り扱うものとする。

ただし、支出内容に著しい変化がある場合には新たな会計事実の発生とみて、直近の会計処理方法とは異なる会計処理方法を選択することができる。この場合、会計処理方法を変更した場合に記載することが要求されている事項と同様の事項及び会計方針の変更として取り扱わなかった理由（新たな会計事実の発生として判断した理由）を追加情報として注記する。

イ 前事業年度において同一の繰延資産項目がないため、会計処理が前事業年度において行われていない場合には、会計方針の変更として取り扱わないこととする。　【ASB報告19号3(7)】

第 4 章

負債項目

1 負債の分類／表示

1. 負債の分類

負債は、流動負債及び固定負債に分類して記載しなければならない。　【財規45】

2. 流動負債

流動負債に属する負債は、次に掲げる項目の区分に従い、当該負債を示す名称を付した科目をもって掲記しなければならない。ただし、未払配当金又は期限経過の未償還社債で、その金額が負債及び純資産の合計額の100分の5を超えるものについては、当該負債を示す名称を付した科目をもって別に掲記しなければならない。【財規47〜50】
(1)　支払手形
(2)　電子記録債権に係る債務
(3)　買掛金
(4)　短期借入金（金融手形及び当座借越を含む。以下同じ）。ただし、株主、役員又は従業員からの短期借入金を除く。
(5)　リース債務
(6)　未払金
(7)　未払費用
(8)　未払法人税等
(9)　契約負債（※）
(10)　前受金
(11)　預り金。ただし、株主、役員又は従業員からの預り金を除く。
(12)　前受収益
(13)　引当金（引当金は、修繕引当金その他当該引当金の設定目的を示す名称を付した科目をもって掲記しなければならない）
(14)　資産除去債務
(15)　公共施設等運営権に係る負債
(16)　その他
　　「その他」のうち、株主、役員もしくは従業員からの短期借入金等の短期債務又はその他の負債で、その金額が負債及び純資産の合計額の100分の5を超えるものについては、当該負債を示す名称を付した科目をもって掲記しなければならない。
（※）　「契約負債」については、他の項目に属する負債と一括して表示することができる。この場合においては科目及びその金額を注記しなければならない。ただし、財務諸表提出会社が連結財務諸表を作成しているときは、当該注記を省略することができる。
　　【財規49⑤】

3. 固定負債

固定負債に属する負債は、次に掲げる項目の区分に従い、当該負債を示す名称を付した科目をもって掲記しなければならない。　【財規51〜53】
(1)　社債
(2)　長期借入金（金融手形を含む。以下同じ）。ただし、株主、役員、従業員又は関係会社からの長期借入金を除く。
(3)　関係会社長期借入金
(4)　リース債務
(5)　繰延税金負債
　　ただし、土地再評価法第7条第1項に規定する再評価に係る繰延税金負債は、再評価に係る繰延税金負債の科目をもって別に掲記しなければならない。
(6)　引当金（引当金は、退職給付引当金その他当該引当金の設定目的を示す名称を付した科目をもって掲記しなければならない）
(7)　資産除去債務
(8)　公共施設等運営権に係る負債
(9)　その他
　　「その他」のうち、株主、役員もしくは従業員からの長期借入金又はその他の負債で、その金額が負債及び純資産の合計額の100分の5を超えるものについては、当該負債を示す名称を付した科目をもって掲記しなければならない。

2 支払手形

1. 支払手形

(1)　支払手形とは、通常の取引に基づいて仕入先との間に発生した手形債務をいう。　【財規47一、財ガ47-1】
(2)　設備の建設、固定資産又は有価証券の購入その他通常の取引以外の取引に基づいて発生した手形債務は、「その他の負債」に属するものとする。　【財ガ47-6①】
(3)　上記に掲げる通常の取引以外の取引に基づいて発生した手形上の債務の金額が負債及び純資産の合計額の100分の5以下である場合には、当該手形債務については、「支払手形」の科目に含めて記載することができる。
　　【財ガ49-1-1】
(4)　支払手形は、債務額をもって貸借対照表価額とする。
　　【ASB基準10号26】
(5)　支払手形は、流動負債に属する負債として区分掲記し、「その他の負債」は流動負債、固定負債に区分して掲記する。　【財規47、51】

2. 金融手形

金融手形とは、手形借入金をいい、短期借入金、長期借入金に含めて表記する。

3 電子記録債権に係る債務

1. 電子記録債権に係る債務

(1)　電子記録債権に関しては、第3章 4 電子記録債権を

参照。　　　　　　　　　　　　　　【➡p.62】

（2）　通常の取引に基づいて発生した電子記録債権に係る債務に限り、流動負債に属するものとする。
　　　　　　　　　　　　　　　　　　　【財規47一の二】

（3）　上記⑵以外のもので1年内に支払われると認められるもの以外については、固定負債に属するものとする。
　　　　　　　　　　　　　　　　　　　【財規51の4】

4 買 掛 金

1. 買 掛 金

（1）　仕入先との間の通常の取引に基づいて発生した営業上の未払金をいい、役務の受入れによる営業上の未払金を含むものとする。
　　　　　　　　　【財規47二、財ガ47-2、計規75②一ロ】

（2）　買掛金には、通常の取引に基づいて発生した役務の提供による営業上の未払金、例えば電気・ガス・水道料、外注加工賃等の未払額を含めることができる。
　　　　　　　　　　　　　　　　　　　【財ガ47-2】

（3）　買掛金は、債務額をもって貸借対照表価額とする。
　　　　　　　　　　　　　　　　　　【ASB基準10号26】

（4）　流動負債に属する負債として、買掛金として区分掲記する。　　　　　　　　　【財規49①二、計規75②一ロ】

2. 関係会社に対する負債の注記

（1）　関係会社との取引に基づいて発生した支払手形及び買掛金の合計額が負債及び純資産の合計額の100分の5を超える場合には、当該支払手形及び買掛金の金額をそれぞれ注記しなければならない。ただし、関係会社に対する支払手形又は買掛金のいずれかの金額が負債及び純資産の合計額の100分の5以下である場合には、これらの合計額のみを注記することができる。　　　　【財規55①】

（2）　特例財務諸表提出会社については、会社計算規則の注記によることができる。　　　　　　　　　【財規127②五】

3. 特例財務諸表提出会社に関する注記

特例財務諸表提出会社が会社計算規則の規定により作成した財務諸表には、次に掲げる事項を注記しなければならない。
（1）　特例財務諸表提出会社に該当する旨
（2）　財規127の規定により財務諸表を作成している旨
　　　　　　　　　　　　　　　　　　　【財規128】

5 借 入 金

1. 借 入 金

（1）　金融手形（手形借入金）及び当座借越を含む。
　　　　　　【財規49①三、52①二、財ガ49-1-3、52-1-2】

（2）　株主、役員又は従業員からの借入金はその他の負債に属する。　　　　　　　　　　　【財規49①三、52①二】

（注）　金銭債務について、収入に基づく金額と債務額とが異なる場合には、償却原価法に基づいて算定された価額をもって、貸借対照表価額としなければならない。
　　　　　　　　　　　　　　　　　　【ASB基準10号26】

（3）　当座貸越契約及び貸出コミットメントの借手においては、将来の借入余力を示すキャッシュ・フロー情報として有用であることから、その旨及び借入枠から実行残高を差し引いた額を注記するのが望ましい。
　　　　　　　　　　　　　　　　　【会制14号311-2】

（4）　短期借入金、長期借入金、関係会社からの長期借入金は、当該負債を示す名称を付した科目をもって掲記する。　　　　　　　　　　　　　　　　【財規49、52】

（5）　株主、役員もしくは従業員からの短期借入金等の短期債務又は長期借入金等の長期債務又はその他の負債で、その金額が負債及び純資産の合計額の5％を超えるものについては、当該負債を示す名称を付した科目をもって掲記する。　　　　　　　　　　　【財規50、53】

6 引 当 金

1. 引当金の内容

将来の特定の費用又は損失であって、その発生が当期以前の事象に起因し、発生の可能性が高く、かつ、その金額を合理的に見積ることができる場合には、当期の負担に属する金額を当期の費用又は損失として引当金に繰入れ、当該引当金の残高を貸借対照表の負債の部又は資産の部に記載する。

製品保証引当金、売上割戻引当金（※）、返品調整引当金（※）、賞与引当金、工事補償引当金、退職給付引当金、修繕引当金、特別修繕引当金、債務保証損失引当金、損害補償損失引当金、貸倒引当金等がこれに該当する。

発生の可能性の低い偶発事象に係る費用又は損失については、引当金を計上することはできない。　　【企注18】

（※）　収益認識基準の適用後は、売上割戻引当金、返品調整引当金は返金負債として処理されるため、引当金としての処理から外れる。

2. 引当金の表示・設定

（1）会計原則

①　受取手形、売掛金その他の債権に対する貸倒引当金は、原則として、その債権が属する科目ごとに債権金額又は取得価額から控除する形式で記載する。
　　　　　　　　　　　　　　　　【企第三4（一）D】

②　引当金のうち、賞与引当金、工事補償引当金、修繕引当金のように、通常1年以内に使用される見込みのものは流動負債に属する。　　　　　【企第三4（二）A】

③　引当金のうち、退職給付引当金、特別修繕引当金のように、通常1年を超えて使用される見込みのものは、固定負債に属する。　　　　　【企第三4（二）B】

（2）財務諸表等規則

① 貸倒引当金は、その債権が属する科目ごとに控除する形式で表示することを原則とするが、次の方法によることを妨げない。
　ア　2以上の科目について、貸倒引当金を一括して記載する方法
　イ　債権について、貸倒引当金を控除した残額のみを記載し、その貸倒引当金を注記する方法
　ウ　イにおける注記は、財務諸表提出会社が連結財務諸表を作成している場合には、記載することを要しない。　【財規20、34】
② 1年内に使用されると認められる引当金は流動負債の部に修繕引当金その他その引当金の設定目的を示す名称を付した科目をもって掲記しなければならない。
【財規47四、49①十一、④】
③ 1年内に使用されないと認められる引当金は固定負債の部に退職給付引当金その他その引当金の設定目的を示す名称を付した科目をもって掲記しなければならない。
【財規51、52①六、③】
④ 引当金について、1年内にその一部の金額の使用が見込まれるものであっても、1年内の使用額を正確に算定できないものについては、その全額を固定負債として記載する。ただし、その全部又は大部分が1年内に使用されることが確実に見込まれる場合には、その全部について又は1年内の使用額を適当な方法によって算定し、その金額を流動負債として記載する。
【財ガ52-1-6】

（3）会社計算規則

各資産に係る引当金は、当該各資産の項目に対する控除項目として、貸倒引当金その他当該引当金の設定目的を示す名称を付した項目をもって表示しなければならない。ただし、流動資産、有形固定資産、無形固定資産、投資その他の資産又は繰延資産の区分に応じ、これらの資産に対する控除項目として一括して表示することを妨げない。また、各資産に対する引当金は、当該各資産の金額から直接控除し、その控除残高を当該各資産の金額として表示することもできる。
【計規78】

次に掲げる負債については、事業年度の末日においてその時の時価又は適正な価格を付すことができる。
　一　退職給付引当金（使用人が退職した後に当該使用人に退職一時金、退職年金その他これらに類する財産の支給をする場合における事業年度の末日において繰り入れるべき引当金をいう）その他の将来の費用又は損失の発生に備えて、その合理的な見積額のうち当該事業年度の負担に属する金額を費用又は損失として繰り入れることにより計上すべき引当金（株主等に対して役務を提供する場合において計上すべき引当金を含む）
【計規6②一】

7　貸倒引当金

1. 債権評価

受取手形、売掛金その他の債権の貸借対照表価額は、債権金額又は取得価額から正常な貸倒見積高を控除した金額とする。　【企第三5C】

2. 債権の区分

債務者の財政状態及び経営成績等に応じて、債権を次のように区分する。
(1) 一般債権：経営状態に重大な問題が生じていない債務者に対する債権
(2) 貸倒懸念債権：経営破綻の状態には至っていないが、債務の弁済に重大な問題が生じているか又は生じる可能性の高い債務者に対する債権
(3) 破産更生債権等：経営破綻又は実質的に経営破綻に陥っている債務者に対する債権　【ASB基準10号27】

3. 貸倒見積高の算定

(1) 一般債権：債権全体又は同種・同類の債権ごとに、債権の状況に応じて求めた過去の貸倒実績率等合理的な基準により貸倒見積高を算定する。
(2) 貸倒懸念債権：債権の状況に応じて、次のいずれかの方法により貸倒見積高を算定する。ただし、同一の債権については、債務者の財政状態及び経営成績の状況等が変化しない限り、同一の方法を継続して適用する。
① 債権額から担保の処分見込額及び保証による回収見込額を減額し、その残額について債務者の財政状態及び経営成績を考慮して貸倒見積高を算定する方法
② 債権の元本の回収及び利息の受取りに係るキャッシュ・フローを合理的に見積ることができる債権については、債権の元本及び利息について元本の回収及び利息の受取りが見込まれるときから当期末までの期間にわたり当初の約定利子率で割り引いた金額の総額と債権の帳簿価額との差額を貸倒見積高とする方法
(3) 破産更生債権等：債権額から担保の処分見込額及び保証による回収見込額を減額し、その残額を貸倒見積高とする。　【ASB基準10号28】
破産更生債権等の貸倒見積高は、原則として、貸倒引当金として処理する。ただし、債権金額又は取得価額から直接減額することもできる。　【ASB基準10号注10】
なお、債務者から契約上の利払日を相当期間経過しても利息の支払いを受けていない債権及び破産更生債権等については、すでに計上されている未収利息を当期の損失として処理するとともに、それ以後の期間に係る利息を計上してはならない。　【ASB基準10号注9】

4. 貸倒引当金の会計処理

（1）貸倒見積高の引当方法

債権の貸倒見積高を算出する方法には、個々の債権ごとに見積もる方法と債権をまとめて過去の貸倒実績率により見積もる方法とがあるが、貸倒引当金の繰入れ及び取崩し

の処理は、引当の対象となった債権の区分ごとに行わなければならない。　　　　　　　　　　　【会制14号122】

（2）直接減額による取崩し

　債権の回収可能性がほとんどないと判断された場合には、貸倒損失額を債権から直接減額して、当該貸倒損失額と当該債権に係る前期貸倒引当金残高のいずれか少ない金額まで貸倒引当金を取り崩し、当期貸倒損失額と相殺しなければならない。なお、この場合に、当該債権に係る前期末の貸倒引当金が当期貸倒損失額に不足する場合、当該不足額をそれぞれの債権の性格により原則として営業費用又は営業外費用に計上する。　　　　　【会制14号123】

（3）直接減額後の回収

　貸倒見積高を債権から直接減額した後に、残存する帳簿価額を上回る回収があった場合には、原則として営業外収益として当該期間に認識する。　　　　　【会制14号124】

（4）繰入額と取崩額の相殺表示

　当事業年度末における貸倒引当金のうち直接償却により債権額と相殺した後の不要となった残額があるときは、これを取り崩さなければならない。ただし、当該取崩額はこれを当期繰入額と相殺し、繰入額の方が多い場合にはその差額を繰入額算定の基礎となった対象債権の割合等合理的な按分基準によって営業費用（対象債権が営業上の取引に基づく債権である場合）又は営業外費用（対象債権が営業外の取引に基づく債権である場合）に計上するものとする。また、取崩額の方が大きい場合には、原則として営業費用又は営業外費用から控除するか営業外収益として当該期間に認識する。　　　　　　　　　　　　　【会制14号125】

5. 表　　示

（1）貸倒引当金の表示方法

　資産に係る貸倒引当金は、当該各資産科目に対する控除科目として、当該各資産科目別に貸倒引当金の名称を付した科目をもって掲記する。ただし、次に掲げる方法によることを妨げない。
① 当該引当金を、当該各資産科目に対する控除科目として一括して掲記する方法
② 当該引当金を当該各資産の金額から直接控除し、その控除残高を当該各資産の金額として表示する方法
　　この場合、当該引当金は当該各資産科目別に又は一括して注記しなければならない。
　　当該注記は、財務諸表提出会社が連結財務諸表を作成している場合には、記載することを要しない。
　　　　　　　　　　　　　　　　　【財規20、34】

（2）貸倒引当金繰入額の表示方法

① 通常の取引に基づいて発生した債権に対する貸倒引当金繰入額
　　異常なものを除き販売費として、当該費用を示す名称を付した科目をもって別に掲記する。通常の取引に基づいて発生した債権に対する貸倒引当金繰入額には、売上債権又は前渡金に対するもののほか、当該会社の営業の必要に基づいて経常的に発生する得意先又は仕入先に対する貸付金、立替金等の債権に対するものを含むものとする。
② 通常の取引以外の取引に基づいて発生した債権に対する貸倒引当金繰入額

　営業外費用として、当該費用を示す名称を付した科目をもって別に掲記する。ただし、金額が僅少な場合には、①の貸倒引当金繰入額に含めて記載することができる。　　　　　　　　　【財規87、93、財ガ87】

8　その他の負債

1. 未 払 金

(1) 通常の取引に関連して発生する広告料・販売手数料等の未払額（未払費用に属するものを除く）で一般の取引慣行として発生後短期間に支払われるものは、流動負債の未払金に属する。　　　　　【財規47五、財ガ47-5】
(2) 設備の建設、固定資産又は有価証券の購入その他通常の取引以外の取引により発生した未払金で1年内に支払われると認められるものは、流動負債のその他の負債に属する。　　　　　　　【財規47六、財ガ47-6①】
　　ただし、表示上は(1)と合わせて未払金とする。
　　　　　　　　　　　　　　　　【財ガ49-1-5】

2. 未払費用

　未払費用は、一定の契約に従い、継続して役務の提供を受ける場合、すでに提供された役務に対していまだその対価の支払いが終らないものをいう。したがって、このような役務に対する対価は、時間の経過に伴いすでに当期の費用として発生しているものであるから、これを当期の損益計算に計上するとともに貸借対照表の負債の部に計上しなければならない。また、未払費用は、かかる役務提供契約以外の契約等による未払金とは区別しなければならない。
　　　　　　　　　　　　　　　　　【企注5(3)】

　重要性の乏しいものについては、これを計上しないことができる。　　　　　　　　　　　　　　【企注1】
　未払費用は、流動負債に属する。　　　　【財規48】

3. 外貨建未払費用の換算

　外貨建未払費用は、為替換算上、外貨建金銭債務に準ずるものとして扱う。　　　　　　　　　【会制4号27】

4. 契約負債

(1) 財又はサービスを顧客に移転する前に顧客から対価を受け取る場合、顧客から対価を受け取った時又は対価を受け取る期限が到来した時のいずれか早い時点で、顧客から受け取る対価について契約負債を貸借対照表に計上する。　　　　　　　　　　　【ASB基準29号78】
(2) 企業が履行している場合又は企業が履行する前に顧客から対価を受け取る場合には、企業の履行と顧客の支払いとの関係に基づき、契約資産、契約負債又は顧客との契約から生じた債権を適切な科目をもって貸借対照表に表示する。　　　　　　　　　　　【ASB基準29号79】
(3) 顧客との契約に基づいて財貨もしくは役務を交付又は提供する義務に対して、当該顧客から支払いを受けた対

価又は当該対価を受領する期限が到来しているもので
あって、かつ、未だ顧客との契約から生じる収益を認識
していないものをいう。　　　　　　　　【財規47二の二】

(4)　不動産業、倉庫業、映画業、その他役務の給付を営業
目的とするものの営業収益（例えば、不動産賃貸料、倉
庫保管料、映画配給料等）の前受額は、契約負債に属す
るものとする。　　　　　　　　　　　　【財ガ47-2の2】

5. 前 受 金

受注工事・受注品・受注サービス等に対する前受金をい
う。　　　　　　　　　　　　　　　　　　　【財規47三】

6. 外貨による前受金及びこれに係る外貨建取引の換算

(1) 外貨によって授受された前受金

金銭授受時の為替相場による円換算額を付す。前受金は
将来、財又はサービスの提供を行う収益性負債であるか
ら、外貨建金銭債務ではない。　　　　　　【会制4号25】

(2) 前受金に係る外貨建取引高の換算

外貨建取引高のうち、前受金が充当される部分について
は、前受金の金銭授受時の為替相場による円換算額を付
し、残りの部分については、取引発生時の為替相場により
換算する。ただし、営業利益及び経常利益に重要な影響を
及ぼさないと認められるときは、当該取引高の全額を取引
発生時の為替相場により換算し、この金額を取引高に計上
するとともに、前受金の金銭授受時の為替相場と取引発生
時の為替相場との相違から生ずる換算差額は為替差損益と
して処理することができる。　　　　　　　【会制4号26】

7. 預 り 金

(1)　通常の取引に関連して発生する預り金、例えば営業取
引に関連する預り保証金で入札保証金その他一般の取引
慣行において短期間に返済されるものは、流動負債の預
り金に属する。　　　　　　　　　【財規47五、財ガ47-5】

(2)　株主、役員又は従業員からの預り金は表示上預り金か
ら除かれ、流動負債のその他の負債に属する。当該預り
金には役員又は従業員の社内預金等が含まれる。
　　　　　　　　　　　　【財規49①九ただし書、財ガ49-1-9】

(3)　(1)の預り金及び通常の取引以外の取引に基づいて発生
した預り金で1年内に支払われると認められるもの並
びに会社が源泉徴収した役員又は従業員の所得税等は流
動負債の預り金として表示する。　　　　　【財ガ49-1-9】

8. 前受収益

前受収益は、一定の契約に従い、継続して役務の提供を
行う場合、いまだ提供していない役務に対し支払いを受け
た対価をいう。従って、このような役務に対する対価は、
時間の経過とともに次期以降の収益となるものであるか
ら、これを当期の損益計算から除去するとともに貸借対照
表の負債の部に計上しなければならない。また、前受収益
は、かかる役務提供契約以外の契約等による前受金とは区
別しなければならない。　　　　　　　　　　【企注5(2)】

重要性の乏しいものについては、これを計上しないこと
ができる。　　　　　　　　　　　　　　　　【企注1】

前受収益は、流動負債に属する。　　　　　　【財規48】

9. 未払消費税

未払消費税等その内容を示す適当な名称を付した科目で
貸借対照表に表示する。ただし、その金額が重要でない場
合は未払金等に含めて表示することができる。
　　　　　　　　　　　　　　　　　　　【消費税中間報告】

10. その他の流動負債

(1)　預り有価証券（保護預りとして受け入れた有価証券又
は担保物件として受け入れて保管している有価証券のよ
うに、その有価証券を直接営業の用に供しておらず、貸
借対照表に計上することが適当でないと認められるもの
を除く）及び借入有価証券は、その他の負債に属するも
のとする。　　　　　　　　　　　　　　【財ガ47-6②】

(2)　仮受金その他の未決算勘定は、貸借対照表日において
その受入額等の属すべき勘定又は金額の確定しないもの
に限り、流動負債の部のその他の負債に属するものとし
て計上できる。　　　　　　　　　　　　　【財ガ47-6④】

(3)　返金負債
顧客から受け取った又は受け取る対価の一部あるいは
全部を顧客に返金すると見込む場合、受け取った又は受
け取る対価の額のうち、企業が権利を得ると見込まない
額について返金負債を認識する。返金負債の額は、各決
算日に見直す。　　　　　　　　　　　【ASB基準29号53】

９ 社　　　債

1.　会社が行う割当てにより発生する当該会社を債務者と
する金銭債権であって、あらかじめ定められた方法及び
期限等に従い償還されるものをいう。
　　　　　　　　　　　　　　　　　　【会2二十三、676】

2.　債務額を貸借対照表価額とする。ただし、社債金額
よりも低い価額又は高い価額で発行した場合など、収入
に基づく金額と債務額とが異なる場合には、償却原価法
に基づいて算定された価額をもって、貸借対照表価額と
しなければならない。　　　　　　　　【ASB基準10号26】

3.　1年内に償還されると認められる金額を除き固定負
債に属するものとして、社債として表示する。
　　　　　　　　　　　　　　　　　　【財規51、52一①】

4.　期限経過の未償還社債で、その金額が負債及び純資産
の合計額の100分の5を超えるものについては、その負
債を示す名称を付した科目をもって別に掲記しなければ
ならない。　　　　　　　　　　　　　　　　【財規49】

１０ その他の負債（固定）

1.　その他の負債（社債、掲記すべき借入金等、リース債

務、繰延税金負債、引当金、資産除去債務、公共施設等運営権に係る負債以外の負債）で流動負債に属しないものは、固定負債に属するものとする。　【財規51】

2．流動負債に属する負債以外の負債で、敷金その他契約に返済期日の定めがなく短期間に返却されないことが明らかなものは、固定負債に属するものとする。【財ガ51】

11 退職給付引当金

1. 用語の定義

（1）退職給付
一定の期間にわたり労働を提供したこと等の事由に基づいて、退職以後に支給される給付をいう。
【ASB基準26号3】

（2）確定拠出制度
一定の掛金を外部に積み立て、事業主である企業が、当該掛金以外に退職給付に係る追加的な拠出義務を負わない退職給付制度をいう。　【ASB基準26号4】

（3）確定給付制度
確定拠出制度以外の退職給付制度をいう。
【ASB基準26号5】

（4）退職給付債務
退職給付のうち、認識時点までに発生していると認められる部分を割り引いたものをいう。　【ASB基準26号6】

（5）年金資産
特定の退職給付制度のために、その制度について企業と従業員との契約（退職金規程等）等に基づき積み立てられた、次のすべてを満たす特定の資産をいう。
① 退職給付以外に使用できないこと
② 事業主及び事業主の債権者から法的に分離されていること
③ 積立超過分を除き、事業主への返還、事業主からの解約・目的外の払出し等が禁止されていること
④ 資産を事業主の資産と交換できないこと
【ASB基準26号7】

（6）勤務費用
1期間の労働の対価として発生したと認められる退職給付をいう。　【ASB基準26号8】

（7）利息費用
割引計算により算定された期首時点における退職給付債務について、期末までの時の経過により発生する計算上の利息をいう。　【ASB基準26号9】

（8）期待運用収益
年金資産の運用により生じると合理的に期待される計算上の収益をいう。　【ASB基準26号10】

（9）数理計算上の差異
年金資産の期待運用収益と実際の運用成果との差異、退職給付債務の数理計算に用いた見積数値と実績との差異及び見積数値の変更等により発生した差異をいう。
【ASB基準26号11、ASB指針25号34】

（10）未認識数理計算上の差異
数理計算上の差異のうち当期純利益を構成する項目として費用処理（費用の減額処理又は費用を超過して減額した場合の利益処理を含む）されていないものをいう。
【ASB基準26号11】

（11）過去勤務費用
退職給付水準の改訂等に起因して発生した退職給付債務の増加又は減少部分をいう。　【ASB基準26号12】

（12）未認識過去勤務費用
過去勤務費用のうち当期純利益を構成する項目として費用処理されていないものをいう。　【ASB基準26号12】

2. 確定給付制度の会計処理

（1）貸借対照表
退職給付債務から年金資産の額を控除した額（以下「積立状況を示す額」という）を負債として計上する。
ただし、年金資産の額が退職給付債務を超える場合には、資産として計上する。　【ASB基準26号13】
上記にかかわらず、個別貸借対照表上、退職給付債務に未認識数理計算上の差異及び未認識過去勤務費用を加減した額から、年金資産の額を控除した額を負債として計上する。ただし、年金資産の額が退職給付債務に未認識数理計算上の差異及び未認識過去勤務費用を加減した額を超える場合には、資産として計上する。　【ASB基準26号39(1)】
複数の退職給付制度を採用している場合において、1つの退職給付制度に係る年金資産が当該退職給付制度に係る退職給付債務を超えるときは、当該年金資産の超過額を他の退職給付制度に係る退職給付債務から控除してはならない。　【ASB基準26号注1】

（2）損益計算書及び包括利益計算書（又は損益及び包括利益計算書）
次の項目の当期に係る額は、退職給付費用として、当期純利益を構成する項目に含めて計上する。
① 勤務費用
② 利息費用
③ 期待運用収益
④ 数理計算上の差異に係る当期の費用処理額
⑤ 過去勤務費用に係る当期の費用処理額
【ASB基準26号14】
数理計算上の差異の当期発生額及び過去勤務費用の当期発生額のうち、費用処理されない部分（未認識数理計算上の差異及び未認識過去勤務費用となる）については、その他の包括利益に含めて計上する。その他の包括利益累計額に計上されている未認識数理計算上の差異及び未認識過去勤務費用のうち、当期に費用処理された部分については、その他の包括利益の調整（組替調整）を行う。ただし、個別財務諸表においては適用しない。
【ASB基準26号15、39(2)】
臨時に支給される退職給付であってあらかじめ予測できないもの及び退職給付債務の計算にあたって考慮されていたもの以外の退職給付の支給については、支払時の退職給付費用として処理する。　【ASB基準26号注2】

（3）退職給付見込額の見積り
退職給付見込額は、合理的に見込まれる退職給付の変動

要因を考慮して見積る。　　　　【ASB基準26号18】

　退職給付見込額の見積りにおいて合理的に見込まれる退職給付の変動要因には、予想される昇給等が含まれる。また、臨時に支給される退職給付等であってあらかじめ予測できないものは、退職給付見込額に含まれない。
　　　　　　　　　　　　　　　　　　【ASB基準26号注5】

　退職給付見込額は、予想退職時期ごとに、従業員に支給されると見込まれる退職給付額に退職率及び死亡率を加味して見積る。

　退職給付見込額の計算において、退職事由(自己都合退職、会社都合退職等)や支給方法(一時金、年金)により給付率が異なる場合には、原則として、退職事由及び支給方法の発生確率を加味して計算する。

　なお、期末時点において受給権を有していない従業員についても、退職給付見込額の計算の対象となる。
　　　　　　　　　　　　　　　　　　　【ASB指針25号7】

　退職給付見込額の見積りにおいては、「合理的に見込まれる退職給付の変動要因には、予想される昇給等が含まれる」ため、予想昇給率等を見積ることが必要である。したがって、退職給付額が給与に比例して(給与の一定部分に比例している場合も含む)定められている退職給付制度の場合には、給与が将来どのように上昇するかを推定し、それに基づき算定された昇給額を反映して退職給付見込額を見積る。　　　　　　　　　　　　【ASB指針25号8】

(4) 退職給付見込額の期間帰属

　退職給付見込額のうち期末までに発生したと認められる額は、次のいずれかの方法を選択適用して計算する。この場合、いったん採用した方法は、原則として、継続して適用しなければならない。
① 期間定額基準：退職給付見込額について全勤務期間で除した額を各期の発生額とする方法
② 給付算定式基準：退職給付制度の給付算定式に従って各勤務期間に帰属させた給付に基づき見積った額を、退職給付見込額の各期の発生額とする方法
　なお、この方法による場合、勤務期間の後期における給付算定式に従った給付が、初期よりも著しく高い水準となるときには、当該期間の給付が均等に生じるとみなして補正した給付算定式に従わなければならない。
　　　　　　　　　　　　　　　　　　　【ASB基準26号19】

　給付算定式基準を適用する場合、給付算定式に基づく退職給付の支払いが将来の一定期間までの勤務を条件としているときであっても、当期までの勤務に対応する債務を認識するために、当該給付を各期に期間帰属させる。なお、この場合には、従業員が当該給付の支払いに必要となる将来の勤務を提供しない可能性を退職給付債務及び勤務費用の計算に反映しなければならない。　　【ASB指針25号12】

　給付算定式基準を適用する場合における「当該期間」とは、次の期間をいうものとする。
① 従業員の勤務により、はじめて退職給付を生じさせる日から(当該給付の支払いが、将来のさらなる勤務を条件としているか否かに関係しない)
② それ以降の勤務により、それ以降の昇給の影響を除けば、重要な追加の退職給付が生じなくなる日まで
　　　　　　　　　　　　　　　　　　　【ASB指針25号13】

(5) 退職給付債務の計算

　退職給付債務は、退職により見込まれる退職給付の総額(以下「退職給付見込額」という)のうち、期末までに発生していると認められる額を割り引いて計算する。
　　　　　　　　　　　　　　　　　　　【ASB基準26号16】

(6) 勤務費用の計算

　勤務費用は、退職給付見込額のうち当期に発生したと認められる額を割り引いて計算する。　【ASB基準26号17】

　勤務費用の計算には、退職給付債務の計算に準じて次を含む。なお、勤務費用の計算においては、期首時点で当期の勤務費用を計算する手法を用いる。
① 退職給付見込額の見積り
　退職給付見込額は、退職給付債務の計算において見積った額である。
② 退職給付見込額のうち当期において発生すると認められる額の計算
　予想退職時期ごとの退職給付見込額のうち、当期において発生すると認められる額を計算する。
　当期において発生すると認められる額は、退職給付債務の計算において用いた方法と同一の方法により、当期分について計算する。
③ 勤務費用の計算
　予想退職時期ごとの退職給付見込額のうち当期に発生すると認められる額を、割引率を用いて割り引く。当該割り引いた金額を合計して、勤務費用を計算する。
　　　　　　　　　　　　　　　　　　　【ASB指針25号15】

　従業員からの拠出がある企業年金制度を採用している場合には、勤務費用の計算にあたり、従業員からの拠出額を勤務費用から差し引く。　　　　　【ASB基準26号注4】

(7) 利息費用の計算

　利息費用は、期首の退職給付債務に割引率を乗じて計算する。　　　　　　　　　　　　　　　　　【ASB基準26号21】

　利息費用は、期首の退職給付債務に割引率を乗じて計算することを原則とするが、期中に退職給付債務の重要な変動があった場合には、これを反映させる。
　　　　　　　　　　　　　　　　　　　【ASB指針25号16】

3. 年金資産

(1) 年金資産の範囲

　厚生年金基金制度及び確定給付企業年金制度において保有する資産は年金資産にあたるが、年金資産として適格な資産とは、退職給付の支払いに充当できる資産であるため、厚生年金基金制度及び確定給付企業年金制度における業務経理に係る資産は年金資産に含まれない。また、企業年金制度において計上されている未収掛金は、事業主が未払掛金を計上した場合、その金額を限度として、年金資産に含める(この場合、未払掛金と同額、退職給付に係る負債を減額する)。

　なお、企業年金制度における剰余金に相当する資産は、事業主に返還されるまでは年金資産に含まれる。
　　　　　　　　　　　　　　　　　　　【ASB指針25号17】

(2) 退職給付信託

　退職給付(退職一時金及び退職年金)目的の信託(以下「退職給付信託」という)を用いる場合、退職給付に充てるため

に積み立てる資産は、下記のすべての要件を満たしているときは、年金資産に該当する。

① 当該信託が退職給付に充てられるものであることが退職金規程等により確認できること

　年金資産は退職給付制度を前提として退職給付債務に対応するものである。したがって、信託から支払われる退職給付も退職給付制度の枠組みの中にあることが退職金規程等により確認できれば、当該信託財産と退職給付債務との対応関係が認められることになる。

② 当該信託は信託財産を退職給付に充てることに限定した他益信託であること

　信託財産を複数の退職給付に充てることとする場合には、信託受益権の内容等により支払いの対象となる退職給付や処理方法の明確化が必要である。

③ 当該信託は事業主から法的に分離されており、信託財産の事業主への返還及び事業主による受益者に対する詐害的な行為が禁止されていること

　事業主の倒産時において、事業主の債権者に対抗できること及び信託財産の信託の目的に従った処分が実行できる仕組みとなっていることが必要である。

④ 信託財産の管理・運用・処分については、受託者が信託契約に基づいて行うこと

　ア 事業主との分離の実効性を確保するため、例えば、信託管理人を置く方法があるが、その場合は、当該信託管理人が事業主から独立するための措置が必要である。

　イ 信託財産の管理・運用・処分について事業主と分離することが必要であり、したがって、信託の設定に伴い、信託財産の所有権は受託者に移転すること（信託財産が株式の場合、その名義も受託者に移転すること）及び受託者は事業主からの信託財産の処分等の指示について拒否できないような内容を含まないこと、などの契約であることが必要である。

　ウ 信託は退職給付に充てる目的で設定されるものであり、信託した資産を事業主の意思により、基本的に、事業主の資産と交換することはできないことが必要である。

　なお、退職給付信託は、退職一時金制度及び企業年金制度における退職給付債務の積立不足額を積み立てるために設定するものであり、資産の信託への拠出時に、退職給付信託財産及びその他の年金資産の時価の合計額が対応する退職給付債務を超える場合には、当該退職給付信託財産は退職給付会計上の年金資産として認められない。

　退職給付信託は、現金による払込みを主とする企業年金制度の年金掛金とは相違し、事業主の保有資産を退職給付に充てる目的で直接受託機関に信託するものである。信託財産を会計基準のもとで年金資産とするには、事業主から当該資産が時価で拠出されたと同様の会計処理を行うこととなる。　　　　　　　　　　【ASB指針25号18、19】

（3）年金資産の評価

　年金資産の額は、期末における時価（公正な評価額）により計算する。時価とは、公正な評価額をいい、資産取引に関して十分な知識と情報を有する売り手と買い手が自発的に相対取引するときの価格によって資産を評価した額をい

う。なお、厚生年金基金制度等における数理的評価額は、会計基準における時価には該当しない。

【ASB基準26号22、ASB指針25号20】

（4）期待運用収益の計算

　期待運用収益は、期首の年金資産の額に合理的に期待される収益率（長期期待運用収益率）を乗じて計算することを原則とするが、期中に年金資産の重要な変動があった場合には、これを反映させる。

【ASB基準26号23、ASB指針25号21】

4. 数理計算において用いる計算基礎

（1）複数の退職給付制度における計算基礎

　同一事業主が複数の退職給付制度を採用している場合における各計算基礎は、同一でなければならない。ただし、単一の加重平均割引率、年金資産のポートフォリオ又は運用方針等が異なる場合の長期期待運用収益率等、退職給付制度ごとに異なる計算基礎を採用することに合理的な理由がある場合を除く。　　　　　　　　　【ASB指針25号23】

（2）割　引　率

　退職給付債務の計算における割引率は、安全性の高い債券の利回りを基礎として決定する。　　【ASB基準26号20】

　割引率の基礎とする安全性の高い債券の利回りとは、期末における国債、政府機関債及び優良社債の利回りをいう。優良社債には、例えば、複数の格付機関による直近の格付けがダブルA格相当以上を得ている社債等が含まれる。

　割引率は、退職給付支払ごとの支払見込期間を反映するものでなければならない。当該割引率としては、例えば、退職給付の支払見込期間及び支払見込期間ごとの金額を反映した単一の加重平均割引率を使用する方法や、退職給付の支払見込期間ごとに設定された複数の割引率を使用する方法が含まれる。　　　　　【ASB基準26注6、ASB指針25号24】

（3）長期期待運用収益率

　長期期待運用収益率は、年金資産が退職給付の支払いに充てられるまでの時期、保有している年金資産のポートフォリオ、過去の運用実績、運用方針及び市場の動向等を考慮して設定する。　　　　　　　　【ASB指針25号25】

（4）退　職　率

　退職率とは、在籍する従業員が自己都合や定年等により生存退職する年齢ごとの発生率のことであり、在籍する従業員が今後どのような割合で退職していくかを推計する際に使用する計算基礎である。したがって、将来の予測を適正に行うために、計算基礎は、異常値（リストラクチャリングに伴う大量解雇、退職加算金を上乗せした退職の勧誘による大量退職等に基づく値）を除いた過去の実績に基づき、合理的に算定しなければならない。

　退職率は個別企業ごとに算定することを原則とするが、事業主が連合型厚生年金基金制度等において勤務環境が類似する企業集団に属する場合には、当該集団の退職率を用いることができる。　　　　　　　　　　【ASB指針25号26】

（5）死　亡　率

　死亡率とは、従業員の在職中及び退職後における年齢ごとの死亡発生率をいう。年金給付は、通常、退職後の従業員が生存している期間にわたって支払われるものであるこ

とから、生存人員数を推定するために年齢ごとの死亡率を使うのが原則である。この死亡率は、事業主の所在国における全人口の生命統計表等を基に合理的に算定する。

【ASB指針25号27】

(6) 予想昇給率

予想昇給率は、個別企業における給与規程、平均給与の実態分布及び過去の昇給実績等に基づき、合理的に推定して算定する。過去の昇給実績は、過去の実績に含まれる異常値（急激な業績拡大に伴う大幅な給与加算額、急激なインフレによる給与テーブルの改訂等に基づく値）を除き、合理的な要因のみを用いる必要がある。

なお、予想昇給率等には、勤務期間や職能資格制度に基づく「ポイント」により算定する場合が含まれる。

予想昇給率は個別企業ごとに算定することを原則とするが、連合型厚生年金基金制度等において給与規程及び平均給与の実態等が類似する企業集団に属する場合には、当該集団の予想昇給率を用いることができる。

【ASB指針25号28】

(7) 割引率変更の要否

割引率は期末における安全性の高い債券の利回りを基礎として決定されるが、各事業年度において割引率を再検討し、その結果、少なくとも、割引率の変動が退職給付債務に重要な影響を及ぼすと判断した場合にはこれを見直し、退職給付債務を再計算する必要がある。

重要な影響の有無の判断にあたっては、前期末に用いた割引率により算定した場合の退職給付債務と比較して、期末の割引率により計算した退職給付債務が10%以上変動すると推定されるときには、重要な影響を及ぼすものとして期末の割引率を用いて退職給付債務を再計算しなければならない。 【ASB指針25号30】

(8) 長期期待運用収益率変更の要否

当年度の退職給付費用の計算に用いられる長期期待運用収益率は、当期損益に重要な影響があると認められる場合のほかは、見直さないことができる。 【ASB指針25号31】

(9) その他の計算基礎の変更の要否

予想昇給率や退職率等その他の計算基礎の重要性の判断にあたっては、それぞれの企業固有の実績等に基づいて退職給付債務等に重要な影響があると認められる場合は、各計算基礎を再検討し、それ以外の事業年度においては、見直さないことができる。 【ASB指針25号32】

5. 未認識数理計算上の差異及び未認識過去勤務費用の会計処理

未認識数理計算上の差異及び未認識過去勤務費用は、次のように会計処理する。

(1) 当期に発生した数理計算上の差異及び過去勤務費用のうち、当期に費用処理された部分については、退職給付費用として、当期純利益を構成する項目に含めて計上する。

(2) 当期に発生した数理計算上の差異及び過去勤務費用のうち、当期に費用処理されない部分（未認識数理計算上の差異及び未認識過去勤務費用となる）については、その他の包括利益で認識した上で、純資産の部のその他の包括利益累計額に計上する。

(3) その他の包括利益累計額に計上されている未認識数理計算上の差異及び未認識過去勤務費用のうち、当期に費用処理された部分について、その他の包括利益の調整（組替調整）を行う。

(2)のその他の包括利益の処理にあたっては、その他の包括利益に関する、法人税その他利益に関連する金額を課税標準とする税金（以下「法人税等」という）及び税効果を調整する。また、(3)のその他の包括利益累計額の処理にあたっては、これに関する、当期までの期間に課税された法人税等及び税効果を調整する。

なお、当該その他の包括利益に対する法人税等については、ASB基準27号5③(2)の対象となる。【ASB指針25号33】

個別財務諸表においては、退職給付債務に未認識数理計算上の差異及び未認識過去勤務債務費用を加減した額から、年金資産の額を控除した額を負債として計上する。ただし、年金資産の額が退職給付債務に未認識数理計算上の差異及び未認識過去勤務費用を加減した額を超える場合には、資産として計上する。 【ASB基準26号39(1)】

連結財務諸表を作成する会社については、個別財務諸表において、未認識数理計算上の差異及び未認識過去勤務費用の貸借対照表における取扱いが連結財務諸表と異なる旨を注記する。 【ASB基準26号39(4)】

6. 数理計算上の差異

(1) 数理計算上の差異の内容

数理計算上の差異には、あらかじめ定めた計算基礎に基づく数値と各事業年度における実際の数値との差異及び計算基礎を変更した場合に生じる差異が含まれる。

【ASB指針25号34】

(2) 数理計算上の差異の費用処理方法

① 費用処理方法の選択

　ア 原則

　　㋐ 各年度の発生額について発生年度に費用処理する方法

　　㋑ 定額法：平均残存勤務期間以内の一定の年数で按分する方法

　イ 容認

　　㋒ 定率法：未認識数理計算上の差異の残高の一定割合を費用処理する方法

定額法と定率法とは選択適用できるが、いったん採用した費用処理方法は、正当な理由により変更する場合を除き、継続的に適用しなければならない。

数理計算上の差異については、当期の発生額を翌期から費用処理する方法を用いることができる。

割引率等の計算基礎に重要な変動が生じていない場合には、これを見直さないことができる。

また、当期に発生した未認識数理計算上の差異は、これらに関する、法人税その他利益に関連する金額を課税標準とする税金（以下「法人税等」という）及び税効果を調整の上、その他の包括利益を通じて純資産の部に計上する。ただし、個別財務諸表においては適用しない。

【ASB基準26号24、39(2)、注7、注8、ASB指針25号35】

② 定率法による費用処理

定率法では、数理計算上の差異を発生年度ごとに管理せ

ず、その残高に一定年数に基づく定率を乗じた金額が当年度の費用処理額となる。

一定年数に基づく定率は、数理計算上の差異の費用処理期間以内で、当該発生金額のおおむね90%が費用処理されるように決定する。　　　　　　　　　　【ASB指針25号36】

③　平均残存勤務期間の算定方法

平均残存勤務期間は、在籍する従業員が貸借対照表日から退職するまでの平均勤務期間であり、原則として、退職率と死亡率を加味した年金数理計算上の脱退残存表を用いて算定するが、標準的な退職年齢から貸借対照表日現在の平均年齢を控除して算定することもできる。標準的な退職年齢は、定年年齢、退職給付算定上の終了年齢及び退職者の平均年齢等、実態に即した年齢を用いる。

平均残存勤務期間は原則として毎年度末に算定する。ただし、従業員の退職状況に大きな変化がみられない場合は、直近時点で算定した平均残存勤務期間を用いることもできる。他方、従業員の年齢構成が大きく変化した場合や企業年金制度において財政再計算時の計算基礎を見直した場合には、平均残存勤務期間についても見直しの要否を検討しなければならない。　　　　　　【ASB指針25号37、38】

④　数理計算上の差異に係る費用処理年数の変更

数理計算上の差異の費用処理年数は、発生した年度における平均残存勤務期間以内の一定の年数を継続的に適用する必要がある。したがって、一度採用した費用処理年数を変更する場合には合理的な変更理由が必要となる。
　　　　　　　　　　　　　　　　　　　　【ASB指針25号39】

未認識項目の費用処理年数（費用処理開始年度を含む）については、リストラクチャリングによる大量退職等により平均残存勤務期間が延長又は短縮したことにより変更する場合を除き、いったん採用した費用処理年数は継続して適用しなければならない。　　　　　　　　　　【審理18】

⑤　平均残存勤務期間を費用処理年数として採用する場合の変更

平均残存勤務期間を費用処理年数として採用する場合で、リストラクチャリングによる従業員の大量退職などにより平均残存勤務期間の再検討を行った結果、平均残存勤務期間が短縮又は延長されたことにより、再検討後の年数が従来の費用処理年数を下回る又は上回ることとなったときには、費用処理期間を短縮又は延長する。

ア　定額法による場合の費用処理年数の短縮

未認識数理計算上の差異の期首残高は「短縮後の平均残存勤務期間－既経過期間」にわたって費用処理する。なお、「短縮後の平均残存勤務期間－既経過期間」がゼロ又はマイナスとなる場合は、当期に残高のすべてを一括して費用処理する。

イ　定率法による場合の費用処理年数の短縮

未認識数理計算上の差異の期首残高に、短縮後の費用処理年数に基づく定率を乗じた額を費用処理する。

ウ　費用処理年数の延長

定額法による場合及び定率法による場合ともに、未認識数理計算上の差異の期首残高については、変更前の平均残存勤務期間に基づく費用処理年数を継続して適用し、変更後の費用処理年数は当年度発生の数理計算上の差異から適用する。　　　　　　【ASB指針25号40】

7. 過去勤務費用

（1）過去勤務費用の内容

退職金規程等の改訂に伴い退職給付水準が変更された結果生じる、改訂前の退職給付債務と改訂後の退職給付債務の改訂時点における差額を意味する。「退職給付水準の改訂等」の「等」には、初めて退職給付制度を導入した場合で、給付計算対象が現存する従業員の過年度の勤務期間にも及ぶときが含まれる。　　　　　　　　　　【ASB指針25号41】

（2）過去勤務費用の費用処理方法

ア　原則

　(ア)　各年度の発生額について発生年度に費用処理する方法

　(イ)　定額法：平均残存勤務期間以内の一定の年数で按分した額を毎期費用処理する方法

イ　容認

　(ウ)　定率法：未認識過去勤務費用の残高の一定割合を費用処理する方法

定率法の場合の一定割合は、過去勤務費用の発生額が平均残存勤務期間以内におおむね費用処理される割合としなければならない。

退職金規程等の改訂による過去勤務費用については頻繁に発生するものでない限り、発生年度別に一定の年数にわたって定額法による費用処理を行うことが望ましい。

過去勤務費用と数理計算上の差異は発生原因又は発生頻度が相違するため、費用処理年数はそれぞれ別個に設定することができる。

退職従業員に係る過去勤務費用は、他の過去勤務費用と区分して発生時に全額を費用処理することができる。

また、当期に発生した未認識過去勤務費用は、これらに関する、法人税等及び税効果を調整の上、その他の包括利益を通じて純資産の部に計上する。ただし、個別財務諸表においては適用しない。

【ASB基準26号25、39(2)、注9、注10、ASB指針25号42、43】

8. 年金資産の返還に伴う会計処理

年金資産が退職給付債務を超過した場合、その制度上、年金財政計算による年金掛金の減少又は剰余金として企業に返還される場合があるが、返還にあたっては、返還される予定の資産及び返還されなかった資産とも、年金資産としてのすべての要件を満たすことが必要である。

年金資産が事業主へ返還された場合には、返還額を事業主の資産の増加と退職給付に係る資産の減少（又は退職給付に係る負債の増加）として処理する。

また、返還前の年金資産に占める返還額の割合が重要な場合には、返還時点における年金資産に係る未認識数理計算上の差異のうち、当該返還額に対応する金額については、一時の費用としない理由は失われているものと考えられることから、当該差異の重要性が乏しい場合を除き、返還時に損益として認識する。この場合、返還された年金資産に個別に対応する未認識数理計算上の差異が明らかであれば、当該対応額を損益に計上し、返還された年金資産に個別に対応する未認識数理計算上の差異を特定することが

困難であれば、返還時の年金資産の比率等により合理的に按分した金額を損益に計上する（その他の包括利益の組替調整となる）。　　　　　　　　　　【ASB指針25号44、45】

9. 代行返上があった場合の会計処理

確定給付企業年金法に基づき、厚生年金基金制度を確定給付企業年金制度へ移行し、厚生年金基金制度の代行部分（以下「代行部分」という）を返上（以下「代行返上」という）した場合、代行部分に係る退職給付債務は、当該返還の日にその消滅を認識する。

また、将来分返上認可、過去分返上認可及び返還に関して、それぞれ次のとおりに会計処理する。

(1) 将来分返上認可を受けたときは、当該認可の直前の代行部分に係る退職給付債務と将来分支給義務免除を反映した退職給付債務との差額を、代行部分に係る過去勤務費用として認識し、将来分返上認可の日以後は、将来分支給義務免除を反映した退職給付債務の金額に基づき退職給付費用を算定するとともに、当該過去勤務費用を企業が採用する方法及び期間で費用処理する。

(2) 過去分返上認可を受けたときは、次による。

① 過去分返上認可の直前の代行部分に係る退職給付債務を国への返還相当額（最低責任準備金）まで修正し、その差額を損益に計上する。

② 未認識過去勤務費用、未認識数理計算上の差異及び会計基準変更時差異の未処理額のそれぞれの残高のうち、過去分返上認可の日における代行部分に対応する金額を、退職給付債務に占める代行部分の比率その他合理的な方法により算定し、損益に計上する（その他の包括利益の組替調整となる）。

(3) 返還の日において、過去分返上認可により修正された退職給付債務と実際返還額との間に差額が生じた場合には、原則として、当該差額を損益に計上する。

なお、上記(2)①及び②において認識される損益は、代行返上という特別な同一事象に伴って生じたものであるため、特別損益に純額で計上する。　　　　【ASB指針25号46】

10. 厚生年金基金に係る交付金の会計処理

(1) 交付金の会計処理

厚生年金基金が政府（厚生年金本体）から受け取ることとなった交付金は、交付される都度、退職給付費用から控除する。

(2) 交付金の開示

厚生年金基金が政府（厚生年金本体）から受け取ることとなった交付金は、退職給付費用の内訳のその他として、当該交付金の額を記載する。　　　　　　　【ASB報告22号】

11. 小規模企業等における簡便な方法

従業員数が比較的少ない小規模な企業等において、高い信頼性をもって数理計算上の見積りを行うことが困難である場合又は退職給付に係る財務諸表項目に重要性が乏しい場合には、期末の退職給付の要支給額を用いた見積計算を行う等の簡便な方法を用いて、退職給付に係る負債及び退職給付費用を計算することができる。【ASB基準26号26】

(1) 小規模企業等における簡便法の適用範囲

簡便法を適用できる小規模企業等とは、原則として従業員数300人未満の企業をいうが、従業員数が300人以上の企業であっても年齢や勤務期間に偏りがあるなどにより、原則法による計算の結果に一定の高い水準の信頼性が得られないと判断される場合には、簡便法によることができる。なお、この場合の従業員数とは退職給付債務の計算対象となる従業員数を意味し、複数の退職給付制度を有する事業主にあっては制度ごとに判断する。

従業員数は毎期変動することが一般的であるので、簡便法の適用は一定期間の従業員規模の予測を踏まえて決定する。　　　　　　　　　　　　　　　　【ASB指針25号47】

(2) 簡便法による退職給付に係る負債の計算

小規模企業等において簡便法を適用する場合、次の金額を退職給付に係る負債（又は退職給付に係る資産）とする。

① 非積立型の退職給付制度については、退職給付債務の額

② 積立型の退職給付制度（退職一時金制度に退職給付信託を設定したものを含む。以下同じ）については、①の金額から年金資産の額を控除した金額

期末日における年金資産の額については、時価を入手する代わりに、直近の年金財政決算における時価を基礎として合理的に算定された金額（例えば、直近の時価に期末日までの拠出額及び退職給付の支払額を加減し、当該期間の見積運用収益を加算した金額）を用いることができる。
　　　　　　　　　　　　　　　　　　【ASB指針25号48】

(3) 簡便法による退職給付費用の計算

小規模企業等において簡便法を適用する場合、次の差額を当年度の退職給付費用とする。

① 非積立型の退職給付制度については、期首の退職給付に係る負債残高から当期退職給付の支払額を控除した後の残高と、期末の退職給付に係る負債との差額

② 積立型の退職給付制度については、期首の退職給付に係る負債残高から当期拠出額を控除した後の残高（事業主が退職給付額を直接支払う場合、当該給付の支払額も控除する）と、期末の退職給付に係る負債との差額
　　　　　　　　　　　　　　　　　　【ASB指針25号49】

(4) 簡便法による退職給付債務の計算

小規模企業等において簡便法を適用する場合、次の方法のうち、各事業主の実態から合理的と判断される方法を選択して退職給付債務を計算する。いったん選択した方法は、原則として継続して適用する。

① 退職一時金制度

ア いったん、退職給付債務の額を原則法に基づき計算し、当該退職給付債務の額と自己都合要支給額との比（比較指数）を求め、期末時点の自己都合要支給額に比較指数を乗じた金額を退職給付債務とする方法

イ 退職給付に係る期末自己都合要支給額に、平均残存勤務期間に対応する割引率及び昇給率の各係数を乗じた額を退職給付債務とする方法

ウ 退職給付に係る期末自己都合要支給額を退職給付債務とする方法

② 企業年金制度

ア いったん、退職給付債務の額を原則法に基づき計算し、当該退職給付債務の額と年金財政計算上の数理債

務との比（比較指数）を求め、直近の年金財政計算における数理債務の額に比較指数を乗じた金額を退職給付債務とする方法

イ　在籍する従業員については上記①イ又は①ウの方法により計算した金額を退職給付債務とし、年金受給者及び待期者については直近の年金財政計算上の数理債務の額を退職給付債務とする方法

ウ　直近の年金財政計算上の数理債務をもって退職給付債務とする方法　　　　　　　　【ASB指針25号50】

③　退職一時金制度の一部を企業年金制度に移行している事業主においては、次のいずれかの方法で退職給付債務を計算する。

ア　退職一時金制度の未移行部分に係る退職給付債務と企業年金制度に移行した部分に係る退職給付債務を、上記①及び②の方法によりそれぞれ計算する方法

イ　在籍する従業員については企業年金制度に移行した部分も含めた退職給付制度全体としての自己都合要支給額を基に計算した額を退職給付債務とし、年金受給者及び待期者については年金財政計算上の数理債務の額をもって退職給付債務とする方法
　　　　　　　　　　　　　　　【ASB指針25号51】

12. 退職給付制度間の移行等に関する会計処理

（1）目　　的

　退職給付制度間の移行等に関する会計処理は、ASB基準26号「退職給付に関する会計基準」を踏まえ、退職給付制度間の移行又は退職給付制度の改訂等により退職給付債務が増加又は減少した場合に必要となる会計処理であり、ASB指針1号は、確定給付型の退職給付制度から移行した場合に適用される。　　　　　　　【ASB指針1号1、2】

（2）退職給付制度への移行や確定拠出型の退職給付

①　退職給付制度間の移行

　退職給付制度間の移行には、ある確定給付型の退職給付制度から他の確定給付型の制度への移行がある。
　　　　　　　　　　　　　　　　【ASB指針1号3】

②　退職給付制度の改訂

　退職給付制度の改訂には、退職金規程や年金規約等の改訂がある。　　　　　　　　【ASB指針1号3】

③　確定給付型の退職給付制度

　確定給付型の退職給付制度には、厚生年金基金、規約型確定給付企業年金、基金型確定給付企業年金及び退職一時金制度が含まれ、以下、退職一時金制度を除いて「確定給付年金制度」という。　　【ASB指針1号1注】

④　確定拠出型の退職給付制度

　確定拠出型の退職給付制度には、確定拠出年金制度やASB基準26号4項に定める確定拠出制度に分類されるリスク分担型企業年金が含まれる。
　　　　　　　　【ASB報告33号3、ASB指針1号1注】

（3）退職給付制度の終了

①　退職給付制度の終了

　退職給付制度の「終了」とは、退職金規程の廃止、厚生年金基金の解散、基金型確定給付企業年金の解散又は規約型確定給付企業年金の終了のように退職給付制度が廃止される場合や、退職給付制度間の移行又は制度の改

訂により退職給付債務がその減少分相当額の支払等を伴って減少する場合をいう。なお、「支払等」には、以下のものが該当する。

ア　年金資産からの支給又は分配

イ　事業主からの支払い又は現金拠出額の確定

ウ　退職給付会計基準第4項に定める確定拠出制度に分類される退職給付制度への資産の移換
　　　　　　　　　　　　　　　　【ASB指針1号4】

②　退職給付制度の全部終了、又は一部終了

　退職給付制度の終了には、退職給付制度の全部終了のみならず、退職給付制度間の移行又は制度の改訂により、退職給付債務の一部に相当する額の支払等を伴って該当部分が減少する場合（退職給付制度の一部終了）も含まれる。　　　　　　　　　　　【ASB指針1号5】

③　確定給付型の退職給付制度間の移行

　ある確定給付型の退職給付制度を他の確定給付型の退職給付制度に移行した場合には、会計処理上は原則として移行前後の制度を一体のものとみなし、移行前の退職給付制度については退職給付制度の終了には含めない。ただし、移行前の制度が移行後の制度に名目的にしか引継がれていない場合には、移行前の制度の終了と移行後の制度の導入とする。　　　　　　　【ASB指針1号6】

④　確定給付型の退職給付制度から複数の他の退職給付制度への移行

　ある確定給付型の退職給付制度を複数の他の退職給付制度に移行した場合には、それぞれの移行ごとに制度の終了を判断する。例えば、ある確定給付型の退職給付制度の一部について確定拠出年金制度へ資産を移換し、残りを他の確定給付型の退職給付制度へ移行した場合、移行前の制度のうち前者については退職給付制度の終了となり、後者については退職給付制度の終了には含めない。　　　　　　　　　　　　　　　　【ASB指針1号7】

⑤　大量退職

　工場の閉鎖や営業の停止等により、従業員が予定より早期に退職する場合であって、退職給付制度を構成する相当数の従業員が一時に退職した結果、相当程度の退職給付債務が減少する場合をいう。このような大量退職における退職給付の支払等を伴う減少部分の会計処理については、退職給付制度の一部終了に準ずる。
　　　　　　　　　　　　　　　　【ASB指針1号8】

（4）退職給付債務の増額又は減額

　退職給付制度間の移行又は制度の改訂による退職給付債務の支払等を伴わない増加部分又は減少部分をいい、退職給付会計基準上の過去勤務費用に該当する。ただし、退職給付制度の終了部分は、これに該当しない。
　　　　　　　　　　　　　　　　【ASB指針1号9】

（5）退職給付制度の終了の会計処理

①　退職給付制度の終了においては、当該退職給付債務が消滅すると考えられるため、次の会計処理を行う。

ア　退職給付制度の終了の時点で、終了した部分に係る退職給付債務と、その減少分相当額の支払等の額との差額を、損益として認識する。終了した部分に係る退職給付債務は、終了前の計算基礎に基づいて数理計算した退職給付債務と、終了後の計算基礎に基づいて数

理計算した退職給付債務との差額として算定する。
イ　未認識過去勤務費用、未認識数理計算上の差異及び会計基準変更時差異の未処理額は、終了部分に対応する金額を、終了した時点における退職給付債務の比率その他合理的な方法により算定し、損益として認識する。
ウ　上記ア及びイで認識される損益は、退職給付制度の終了という同一の事象に伴って生じたものであるため、原則として、特別損益に純額で表示する。
【ASB指針1号10】
②　退職給付制度の終了の会計処理が適用される具体例
ア　退職金規程を廃止する場合
イ　厚生年金基金又は基金型確定給付企業年金を解散する場合
ウ　規約型確定給付企業年金を終了する場合
エ　確定給付年金制度の給付減額を行い、年金資産からの分配が行われる場合
オ　確定給付年金制度の全部又は一部について確定拠出年金制度へ資産を移換する場合
カ　退職一時金制度の全部又は一部について確定拠出年金制度へ資産を移換する場合
キ　退職一時金制度の全部又は一部を給与として支払う方法への変更等に伴って、過去勤務期間分の全部又は一部を支払う場合
ク　大量退職
ケ　ASB基準26号5項に定める確定給付制度からASB基準26号4項に定める確定拠出制度に分類されるリスク分担型企業年金への移行
【ASB指針1号11、ASB報告33号9】
(6) 退職給付債務の増額又は減額の会計処理
①　退職給付債務の増額又は減額は、退職給付会計基準上の過去勤務費用に該当するため、原則として、各期の発生額について、平均残存勤務期間以内の一定の年数で按分した額を毎期費用処理することとなる。
なお、当該増額又は減額が行われる前に発生した未認識過去勤務費用、未認識数理計算上の差異及び会計基準変更時差異の未処理額については、従前の費用処理方法及び費用処理年数を継続して適用する。
【ASB指針1号12、ASB基準26号25】
②　退職給付債務の増額又は減額の会計処理が適用される具体例
ア　確定給付型の退職給付制度の将来勤務に係る部分を改訂し、将来勤務に係る部分を確定拠出年金制度へ移行する場合
イ　確定給付型の退職給付制度を改訂し、他の確定給付型の退職給付制度へ移行する場合【ASB指針1号13】
(7) 経過措置
退職一時金制度から確定拠出年金制度へ全部又は一部移行する場合、退職一時金制度の終了した部分に係る会計基準変更時差異については、前述した終了時の会計処理にかかわらず、当面の間、残存の費用処理年数又は分割拠出年数のいずれか短い年数で定額法により費用処理することができるものとする。ただし、この場合において、終了した部分に係る退職給付債務が、その減少分相当額の移換額を

超過するときは、その利益相当額を当該終了部分に係る会計基準変更時差異の未処理額から控除した残額について、当該費用処理を行うこととする。
なお、この経過措置を適用する場合には、その旨並びに貸借対照表及び損益計算書に与える影響額を注記する。
【ASB指針1号15】

13. リスク分担型企業年金の会計処理等に関する実務上の取扱い

(1) リスク分担型企業年金
確定給付企業年金法に基づいて実施される企業年金のうち、確定給付企業年金法施行規則に規定するリスク分担型企業年金は、給付額の算定に関して、同年金法施行規則に規定される調整率が規約に定められる企業年金である。
なお、調整率とは、積立金の額、掛金額の予想額の現価、通常予測給付額の現価及び財政悪化リスク相当額(通常の予測を超えて財政の安定が損なわれる危険に対応する額)に応じて定まる数値である。　【ASB報告33号2】
(2) 会計上の退職給付制度の分類
①　リスク分担型企業年金のうち、企業の拠出義務が、給付に充当する各期の掛金として、規約に定められた標準掛金相当額(注1)、特別掛金相当額(注2)及びリスク対応掛金相当額(注3)の拠出に限定され、企業が当該掛金相当額の他に拠出義務を実質的に負っていないものは、ASB基準26号に定める確定拠出制度に分類する。
【ASB報告33号3】
(注1)　標準掛金相当額　給付に要する費用に充てるため、事業主が将来にわたって平準的に拠出する掛金に相当する額。
(注2)　特別掛金相当額　年金財政計算における過去勤務債務の額に基づき計算される掛金に相当する額。
(注3)　リスク対応掛金相当額　財政悪化リスク相当額に対応するために拠出する掛金に相当する額。
【ASB報告33号3】
②　①以外のリスク分担型企業年金は、ASB基準26号に定める確定給付制度に分類する。　【ASB報告33号4】
③　ASB基準26号に定める確定拠出制度に分類されるリスク分担型企業年金については、直近の分類に影響を及ぼす事象が新たに生じた場合、ASB報告33号に従い、会計上の退職給付制度の分類を再判定する。
【ASB報告33号5】
(3) 会計処理
確定拠出制度に分類されるリスク分担型企業年金については、規約に基づきあらかじめ定められた各期の掛金の金額を、各期において費用として処理する。**15.確定拠出制度の会計処理及び開示**を参照。　【ASB報告33号7】
(4) 退職給付制度間の移行
12.退職給付制度間の移行等に関する会計処理を参照。
①　リスク分担型企業年金への移行の時点で、移行した部分に係る退職給付債務と、その減少分相当額に係るリスク分担型企業年金に移行した資産の額との差額を、損益として認識する。
②　移行した部分に係る未認識過去勤務費用及び未認識数

理計算上の差異は、損益として認識する。

③ 規約に定める各期の掛金に特別掛金相当額が含まれる場合、当該特別掛金相当額の総額を未払金等として計上する。

④ 上記①から③で認識される損益は、原則として、特別損益に純額で表示する。　　　　　【ASB 報告33号10】

（5）開　　示

確定拠出制度に分類されるリスク分担型企業年金については、ASB基準26号に定められている注記事項として、次の事項を記載する。**15.確定拠出制度の会計処理及び開示**を参照。

① 企業の採用するリスク分担型企業年金の概要

確定拠出制度に分類されるリスク分担型企業年金の概要として、例えば、次の内容を記載する。

ア　標準掛金相当額のほかに、リスク対応掛金相当額があらかじめ規約に定められること

イ　毎事業年度におけるリスク分担型企業年金の財政状況に応じて給付額が増減し、年金に関する財政の均衡が図られること

② 確定拠出制度に分類されるリスク分担型企業年金に係る退職給付費用の額

確定拠出制度に分類されるリスク分担型企業年金に係る退職給付費用の額については、ASB報告33号に基づき費用処理した額を確定拠出制度に係る退職給付費用の額として注記する。

③ 翌期以降に拠出することが要求されるリスク対応掛金相当額及び当該リスク対応掛金相当額の拠出に関する残存年数

規約に定められる所定の方法によりあらかじめ定められた、翌期以降に拠出することが要求されるリスク対応掛金相当額及び当該リスク対応掛金相当額の拠出に関する残存年数を注記する。　　　　【ASB 報告33号12】

14. 確定給付制度の開示

（1）表　　示

積立状況を示す額について、負債となる場合は「退職給付に係る負債」等の適当な科目をもって固定負債に計上し、資産となる場合は「退職給付に係る資産」等の適当な科目をもって固定資産に計上する。未認識数理計算上の差異及び未認識過去勤務費用については、これらに関する、当期までの期間に課税された法人税等及び税効果を調整の上、純資産の部におけるその他の包括利益累計額に「退職給付に係る調整累計額」等の適当な科目をもって計上する。
　　　　　　　　　　　　　　　　　【ASB基準26号27】

上記にかかわらず、個別貸借対照表に負債として計上される額については「退職給付引当金」の科目をもって固定負債に計上し、資産として計上される額については「前払年金費用」等の適当な科目をもって固定資産に計上する。
　　　　　　　　　　　　　　　　【ASB基準26号39(3)】

退職給付費用については、原則として売上原価又は販売費及び一般管理費に計上する。

ただし、新たに退職給付制度を採用したとき又は給付水準の重要な改訂を行ったときに発生する過去勤務費用を発生時に全額費用処理する場合などにおいて、その金額が重要であると認められるときには、当該金額を特別損益として計上することができる。　　　　【ASB基準26号28】

当期に発生した未認識数理計算上の差異及び未認識過去勤務費用並びに当期に費用処理された組替調整額については、その他の包括利益に「退職給付に係る調整額」等の適当な科目をもって、一括して計上する。ただし、個別財務諸表においては適用しない。　【ASB基準26号29、39(2)】

（2）注記事項

① 会計方針に係る注記

会計方針に係る注記には、次の項目が含まれる。

ア　退職給付見込額の期間帰属方法

イ　数理計算上の差異及び過去勤務費用の費用処理方法並びに会計基準変更時差異の費用処理方法
　　　　　　　　　　　　　　　　【ASB 指針25号52】

② 退職給付に係る注記

確定給付制度については、次の事項を連結財務諸表及び個別財務諸表に注記する。なお、イからサについて、連結財務諸表において注記している場合には、個別財務諸表において記載することを要しない。

ア　退職給付の会計処理基準に関する事項

イ　企業の採用する確定給付制度の概要

ウ　退職給付債務の期首残高と期末残高の調整表

エ　年金資産の期首残高と期末残高の調整表

オ　退職給付債務及び年金資産と貸借対照表に計上された退職給付に係る負債及び資産の調整表

カ　退職給付に関連する損益

キ　その他の包括利益に計上された数理計算上の差異及び過去勤務費用の内訳

ク　貸借対照表のその他の包括利益累計額に計上された未認識数理計算上の差異及び未認識過去勤務費用の内訳

ケ　年金資産に関する事項（年金資産の主な内訳を含む）

コ　数理計算上の計算基礎に関する事項

サ　その他の事項　　　　　　【ASB 基準26号30】

（3）代行返上があった場合の注記

代行返上に関して、将来分返上認可の日の属する事業年度から返還の日の属する事業年度までの各事業年度の財務諸表に次の注記を行う。

① 将来分返上認可を受けたときは、当該認可の日の属する事業年度から過去分返上認可の日の属する事業年度の直前事業年度までの各事業年度に係る財務諸表に、

ア　将来分返上認可の日

イ　期末日現在において測定された返還相当額（最低責任準備金）

ウ　期末日現在において測定された返還相当額（最低責任準備金）の支払いが期末日に行われたと仮定した場合に生じる損益の見込額

② 過去分返上認可を受けたとき又は現金納付が完了したときは、当該認可の日又は当該返還の日の属する事業年度に係る財務諸表に、その旨及び損益に与えている影響額　　　　　　　　　　　　　　　【ASB 指針25号61】

なお、将来分返上認可と過去分返上認可又は現金納付の完了が同一事業年度内にあった場合は、上記①のイ及びウの記載を要しない。

（4）小規模企業等における簡便法の注記

簡便法を適用した退職給付制度がある場合、次の事項を注記する。

① 退職給付の会計処理基準に関する事項として、適用した退職給付債務の計算方法

② 退職給付制度の概要として、簡便法を適用した制度の概要

③ 簡便法を適用した制度の、退職給付に係る負債（又は資産）の期首残高と期末残高の調整表（退職給付費用、退職給付の支払額、拠出額の内訳を示す）

④ 退職給付債務及び年金資産と貸借対照表に計上された退職給付に係る資産及び負債の調整表（簡便法を適用した退職給付制度以外の制度について ASB 指針25号56の注記をする場合、その内訳に合算することができる）

⑤ 退職給付費用（簡便法を適用した退職給付制度以外の制度について ASB 指針25号57の注記をする場合、その内訳に追加することができる）　　　【ASB 指針25号62】

15. 確定拠出制度の会計処理及び開示

（1）確定拠出制度の会計処理

確定拠出制度については、当該制度に基づく要拠出額をもって費用処理する。この費用は、退職給付費用に含めて計上する。また、当該制度に基づく要拠出額をもって費用処理するため、未拠出の額は未払金として計上する。

【ASB基準26号31、32】

（2）注記事項

確定拠出制度については、次の事項を連結財務諸表及び個別財務諸表に注記する。なお、連結財務諸表において注記している場合には、個別財務諸表において記載することを要しない。

① 企業の採用する確定拠出制度の概要

② 確定拠出制度に係る退職給付費用の額

③ その他の事項　　　　　　　　　【ASB 基準26号32- 2 】

リスク分担型企業年金が導入され、複数の制度が会計上の確定拠出制度に分類されることを受けて、財務諸表利用者が確定拠出制度に分類される制度の内容を理解できるようにするために、上記②③を注記事項として追加した。　　　　　　　　　　　　　【ASB 基準26号78- 3 】

16. 複数事業主制度の会計処理及び開示

退職給付に関し、複数の事業主である会社等により設立された確定給付制度（以下「複数事業主制度」という）を採用している場合には、次の各号に掲げる場合の区分に応じ、当該各号に定める事項を注記しなければならない。

⑴ 財務諸表提出会社の年金資産の額を合理的に算定できる場合

複数事業主制度の概要及び財規 8 の13に掲げる事項

⑵ 財務諸表提出会社の年金資産の額を合理的に算定できない場合

① 複数事業主制度の概要

② 複数事業主制度に係る退職給付費用の額

③ 複数事業主制度の直近の積立状況

④ 複数事業主制度の掛金、加入人数又は給与総額に占める財務諸表提出会社のこれらの割合

【財規 8 の13の 3 、ASB 基準26号33】

複数事業主制度に係る制度間移行等の会計処理に関してはASB 報告 2 号を参照。

17. 適用時期等当面の取扱い

（1）個別財務諸表における当面の取扱い

個別財務諸表上、所定の事項については、当面の間、次のように取り扱う。

① ASB 基準26号13にかかわらず、個別貸借対照表上、退職給付債務に未認識数理計算上の差異及び未認識過去勤務費用を加減した額から、年金資産の額を控除した額を負債として計上する。ただし、年金資産の額が退職給付債務に未認識数理計算上の差異及び未認識過去勤務費用を加減した額を超える場合には、資産として計上する。

② ASB 基準26号15、24また書き、25また書き、29、30⑺⑻については適用しない。

③ ASB 基準26号27にかかわらず、個別貸借対照表に負債として計上される額（①参照）については「退職給付引当金」の科目をもって固定負債に計上し、資産として計上される額（①参照）については「前払年金費用」等の適当な科目をもって固定資産に計上する。

④ 連結財務諸表を作成する会社については、個別財務諸表において、未認識数理計算上の差異及び未認識過去勤務費用の貸借対照表における取扱いが連結財務諸表と異なる旨を注記する。

⑤ ASB 基準26号等で使用されている「退職給付に係る負債」、「退職給付に係る資産」という用語は、個別財務諸表上は「退職給付引当金」、「前払年金費用」と読み替えるものとする。　　　　　　　　　【ASB 基準26号39】

個別財務諸表上、当面の間、ASB指針25号33②③及び58については適用しない。　　　　　【ASB指針25号70】

（2）債券の利回りがマイナスとなる場合の退職給付債務等の計算における割引率に関する当面の取扱い

① 目的

ASB 報告34号は、退職給付債務、勤務費用及び利息費用（以下あわせて「退職給付債務等」という）の計算において、割引率の基礎とする安全性の高い債券の支払見込期間における利回りがマイナスとなる場合の割引率に関する当面の取扱いを示すことを目的とする。

【ASB 報告34号 1 】

② 会計処理／適用時期

利回りの下限としてゼロを利用する方法とマイナスの利回りを利用する方法のいずれも認めることを当面の取扱いとして定めたものであり、2017（平成29）年 3 月31日に終了する事業年度からこのいずれの方法によっても退職給付債務の計算に重要な影響を及ぼさず、当該取扱いを変更する必要がないと ASBJ が認める当面の間、適用する。

【ASB 報告34号 2 、 3 、17、同報告37号】

12 その他引当金

1. 投資損失引当金

(1) 当面の監査上の取扱い

① 引当金を計上できる場合

次のいずれかの場合に該当するときには、投資損失引当金を計上することができる。なお、ASB基準10号等により減損処理の対象となる子会社株式等については、投資損失引当金による会計処理は認められない。

ア 子会社株式等の実質価額が著しく低下している状況には至っていないものの、実質価額がある程度低下したときに、健全性の観点から、これに対応して引当金を計上する場合

イ 子会社株式等の実質価額が著しく低下したものの、会社はその回復可能性が見込めると判断して減損処理を行わなかったが、回復可能性の判断はあくまでも将来の予測に基づいて行われるものであり、その回復可能性の判断を万全に行うことは実務上困難なときがあることに鑑み、健全性の観点から、このリスクに備えて引当金を計上する場合

② 引当金の計上額

子会社等の財政状態が悪化し、その株式の実質価額が低下した場合には、その低下に相当する額を投資損失引当金に計上する。

③ 引当金の取崩し

ア 引当金計上後、子会社等の財政状態が更に悪化して株式の実質価額が著しく低下した場合、又は株式の実質価額の回復可能性が見込めないこととなった場合には、引当金を取り崩し、当該子会社株式等を減損処理する。

イ 子会社等の財政状態が改善し、株式の実質価額が回復した場合には、回復部分に見合う額の投資損失引当金を取り崩す。ただし、子会社等の事業計画等により財政状態の改善が一時的と認められる場合には、当該投資損失引当金を取り崩してはならない。

(2) 市場価格のない子会社株式等以外の株式の取扱い

① 市場価格のある子会社株式等

市場価格のある子会社株式等についても、市場価格がある程度以上下落している場合には、下落期間及び実質価額等を考慮して同様に取り扱う。

② 特定のプロジェクトのために設立された会社等の株式

子会社等と同程度に株式の実質価額の回復可能性等を判定できる会社の株式について準用する。

(3) 注 記

投資損失引当金を計上している場合には、その計上基準を重要な会計方針に注記する必要がある。　　　　【監71号】

2. 賞与引当金及び未払賞与

(1) 表 示

① 支給額が確定している場合の未払従業員賞与

ア 賞与支給額が支給対象期間に対応して算出されている場合

財務諸表の作成時において従業員への賞与支給額が確定しており、当該支給額が支給対象期間に対応して算定されている場合には、当期に帰属する額を「未払費用」として計上する。

イ 賞与支給額が支給対象期間以外の基準に基づいて算定されている場合

財務諸表の作成時において従業員への賞与支給額が確定しているが、当該支給額が支給対象期間以外の臨時的な要因に基づいて算定されたもの(例えば、成功報酬的賞与等)である場合には、その額を「未払金」として計上する。

(注) 従業員への賞与支給額が確定している場合としては、個々の従業員への賞与支給額が確定している場合のほか、例えば、賞与の支給率、支給月数、支給総額が確定している場合等が含まれる。

② 支給額が確定していない場合の未払従業員賞与

財務諸表の作成時において従業員への賞与支給額が確定していない場合には、支給見込額のうち当期に帰属する額を「賞与引当金」として計上する。　　　【審理15】

3. 役員賞与引当金

役員賞与は、発生した期間の費用として処理する。

当事業年度の職務に係る役員賞与を期末後に開催される株主総会の決議事項とする場合には、当該支給は株主総会の決議が前提となるので、当該決議事項とする額又はその見込額(当事業年度の職務に係る額に限るものとする)を、原則として、引当金に計上する。

なお、子会社が支給する役員賞与のように、株主総会の決議はなされていないが、実質的に確定債務と認められる場合には、未払役員報酬等の適当な科目をもって計上することができる。　　　　　　　　　　【ASB基準4号】

4. 役員退職慰労引当金

(1) 役員退職慰労引当金の定義と性質

役員退職慰労引当金は、会社の役員(取締役・監査役・執行役等)の将来における退職慰労金の支払いに備えて設定され、当該支給見積額のうち各事業年度の負担相当額は原則として、営業費用に計上される。

役員退職慰労金の経済的性質に関しては様々な見解があるが、いずれも退職する役員の在任期間中の役務の提供に関わる性質を持つ点では共通している。また、その支給は株主総会による承認決議を前提とするため、株主総会の承認決議前の段階では、法律上は債務ではないが、会計上は企注18に示されるいわゆる負債性引当金の性格を有するものである。

(2) 役員退職慰労引当金の計上

企注18の要件を踏まえ、以下の留意事項を満たす場合には、各事業年度の負担相当額を役員退職慰労引当金に繰り入れなければならない。

① 役員退職慰労金の支給に関する内規に基づき(在任期間・担当職務等を勘案して)支給見込額が合理的に算出されること

② 当該内規に基づく支給実績があり、このような状況が将来にわたって存続すること(設立間もない会社等のよ

うに支給実績がない場合においては、内規に基づいた支給額を支払うことが合理的に予測される場合を含む）

（3）役員退職慰労金制度廃止の場合の会計処理

既存の役員退職慰労引当金設定会社が役員退職慰労制度の廃止をする場合、任期中又は重任予定の役員に対する廃止時点までの内規に基づく支給額につき、①制度の廃止に伴い、株主総会において承認決議を行う場合と、②制度は廃止するものの、当該廃止時点においては株主総会での承認決議を行わず、当該役員の退任時に承認決議を行う場合とが考えられる。

①の場合で、当該役員の退任時まで承認済の慰労金の支給を留保するケースにおいては、当該支払留保金額は、退任時点に支払うという条件付きの（金額確定）債務であると考えられるため、株主総会での承認決議後、実際に支払われるまでの間は、原則として長期未払金として表示されるものと考えられる。ただし、1年以内に支給されることが確実である場合には、未払金として表示される。

②においては株主総会決議を得ていないことから法律上は債務となっていないため、引き続き役員退職慰労引当金として表示される。

（4）執行役員に対する退職慰労金

①　執行役員が従業員としての地位を失っておらず、通常の従業員の退職給付金制度に含めて取り扱われる場合は、従業員に対する退職給付引当金として会計処理されるものと考えられる。

②　従業員に対するものとは別の内規を定めて運用している場合は、退職給付引当金若しくは役員退職慰労引当金に含めて開示する方法、又は、執行役員退職慰労引当金として区分表示する方法が考えられる。他の科目に含めて開示した場合で金額に重要性がある場合は、執行役員に対するものを含めている旨注記することが望ましい。

【監42号】

5. 負債計上を中止した項目に係る引当金

法律上の債務性が残っている可能性があるものでも、債務履行の可能性を考慮して一定の要件を満たす場合に負債計上を中止（利益計上）する会計処理を行う場合がある。この場合、債権者から返還（支払）請求を受けた場合は、それに応じて返還（支払）している実務がある。これについては、最終的に債権者から返還（支払）請求されず、債務を履行する可能性が低い場合も想定されるため、負債計上の中止自体を否定する必要はないと考えられる。しかし、負債計上の中止処理後、将来返還（支払）請求に応じた場合費用が発生することになるため、引当金の要件を満たしている可能性がある。このような会計事象については、将来の返還（支払）リスクに対する備えとして引当金計上の要否を検討する必要がある。なお、当該金額に重要性がない場合はこの限りではない。

また、過去の返還（支払）実績が把握されていないなど、金額が合理的に算定できない場合は、返還（支払）請求時に費用計上することもやむを得ないと判断されるが、その場合でも、合理的な算定が可能となるよう、早期に対応することが必要である。

【監42号】

13 表示／表記等

1. 表　　示

(1)　借入金、受入保証金、当該企業の主目的以外の取引によって発生した未払金等の債務で、貸借対照表日の翌日から起算して1年内に支払いの期限が到来するものは流動負債に属するものとし、支払いの期限が1年を超えて到来するものは固定負債に属するものとする。

【企第三4（二）B、企注16、財規47六、51、計規75】

(2)　他の項目とは別に表示することが適当であると認められるものについては、当該負債を示す名称を付した科目をもって掲記することができる。なお、契約負債については他の項目に属する負債と一括して表示することができる。この場合、科目とその金額を注記しなければならない。

【財規49②、⑤、52②】

(3)　分割返済の定めのある長期の債務のうち、期限が1年内に到来するもので重要性の乏しいものについては固定負債として表示できる。　　　　　　　　　【企注1(5)】

返済期限が1年後に到来する債務で分割返済の定めがあるものについても、1年内の返済予定額が負債及び純資産の合計額の100分の5以下である場合には、その全額を固定負債とすることができる。

返済期限が1年後に到来する債務で分割返済の定めがあっても、1年内の返済予定額を正確に算定できないものについては、その全額を固定負債とする。ただし、適当な方法によって1年内に返済が見込まれる額を算定し、流動負債とすることができる。

【財ガ47-6③】

(4)　その他の流動負債に属する仮受金その他の未決算勘定でその金額が負債及び純資産の合計額の100分の5を超えるものについては、その未決算勘定の内容を示す名称を付した科目をもって掲記するものとする。

【企第三4（二）、財ガ50③】

(5)　その他の固定負債で、その金額が負債及び純資産の合計額の100分の5を超えるものについては、その負債を示す名称を付した科目をもって掲記しなければならない。　　　　　　　　　　　　　　　【財規53】

(6)　同一の工事契約に係る棚卸資産及び工事損失引当金がある場合には、以下の事項を注記しなければならない。

①　棚卸資産と工事損失引当金を相殺していない場合：その旨及び工事損失引当金に対応する棚卸資産の金額

②　棚卸資産と工事損失引当金を相殺している場合：その旨及び相殺表示した棚卸資産の金額

2. 関係会社に対する負債の注記

(1)　関係会社との取引に基づいて発生した支払手形及び買掛金に関する注記

【4 買掛金➡ p.93】　　　　　　　　　　　　【財規55①】

(2)　関係会社との取引に基づいて発生した債務（支払手形、買掛金及び財規52①の規定により区分掲記されるものを除く）、未払費用又は前受収益で、その金額が負債及び純資産の合計額の100分の5を超えるものについて

は、その金額を注記しなければならない。　【財規55②】

(3)　(1)、(2)に規定する関係会社に対する負債で、(1)、(2)の規定により注記したもの以外のものの金額の合計額が、負債及び純資産の合計額の100分の5を超える場合には、その旨及びその金額を注記しなければならない。

【財規55③】

(4)　特例財務諸表提出会社については、(1)から(3)に規定する注記を、計規103六に掲げる注記に代えることができる。　【財規127②5】

3. 特別法上の準備金等

(1)　法令の規定により準備金又は引当金の名称をもって計上しなければならない準備金又は引当金で、資産の部又は負債の部に計上することが適当でないものは、固定負債の次に別の区分を設けて記載しなければならない。

【財規54の3①】

(2)　準備金等については、当該準備金等の設定目的を示す名称を付した科目をもって掲記し、その計上を規定した法令の条項を注記しなければならない。

【財規54の3②】

(3)　準備金等については、1年内に使用されると認められるものであるかどうかの区別を注記しなければならない。ただし、その区別をすることが困難なものについては、この限りでない。　【財規54の3③】

4. 特例財務諸表提出会社に関する注記

特例財務諸表提出会社が会社計算規則の規定により作成した財務諸表には、次に掲げる事項を注記しなければならない。

(1)　特例財務諸表提出会社に該当する旨

(2)　財規127の規定により財務諸表を作成している旨

【財規128】

第 5 章

純資産項目及び
株主資本等変動計算書

1 純資産総論

1.（貸借対照表）純資産の表示

（1）表　　示

① 貸借対照表における純資産の部の区分表示

すべての株式会社の貸借対照表は、資産の部、負債の部及び純資産の部に区分し、純資産の部は、株主資本と株主資本以外の各項目に区分する。

【ASB基準5号3、4、財規12、連規18】

② 個別財務諸表上の純資産の部

純資産は、株主資本、評価・換算差額等、株式引受権及び新株予約権に分類して記載しなければならない。

【財規59】

③ 連結財務諸表上の純資産の部

純資産は、株主資本、その他の包括利益累計額、株式引受権、新株予約権及び非支配株主持分に分類して記載しなければならない。

【連規42】

（2）株主資本

株主資本は、資本金、資本剰余金及び利益剰余金に区分する。

【ASB基準5号5、財規60】

① 資本金

資本金は、資本金の科目をもって掲記しなければならない。

【財規61】

② 新株式申込証拠金

申込期日経過後における新株式申込証拠金は、財規60の規定にかかわらず、資本金の次に区分を設け、新株式申込証拠金の科目をもって掲記しなければならない。

【財規62①】

この場合には、当該株式の発行数、資本金増加の日及び当該金額のうち資本準備金に繰り入れられることが予定されている金額を注記しなければならない。

【財規62②】

③ 資本剰余金

個別貸借対照表上、資本剰余金は、資本準備金及び資本準備金以外の資本剰余金（以下「その他資本剰余金」という）に区分する。　　【ASB基準5号6(1)】

④ 利益剰余金

個別貸借対照表上、利益剰余金は、利益準備金及び利益準備金以外の利益剰余金（以下「その他利益剰余金」という）に区分し、その他利益剰余金のうち、任意積立金のように、株主総会又は取締役会の決議に基づき設定される項目については、その内容を示す科目をもって表示し、それ以外については繰越利益剰余金にて表示する。　　【ASB基準5号6(2)】

（3）株主資本以外の各項目

① 株主資本等以外の各項目は、次の区分とする。

ア 個別貸借対照表上、評価・換算差額等、株式引受権及び新株予約権に区分する。

イ 連結貸借対照表上、評価・換算差額等、株式引受権、新株予約権及び非支配株主持分に区分する。

【ASB基準5号7、22、32】

② 評価・換算差額等

評価・換算差額等には、その他有価証券評価差額金や繰延ヘッジ損益のように、資産又は負債は時価をもって貸借対照表価額としているが当該資産又は負債に係る評価差額を当期の損益としていない場合の当該評価差額や、為替換算調整勘定、退職給付に係る調整累計額等が含まれる。当該評価・換算差額等は、その他有価証券評価差額金、繰延ヘッジ損益、退職給付に係る調整累計額等その内容を示す科目をもって表示する。

なお、当該評価・換算差額等については、これらに関する、当期までの期間に課税された、法人税その他利益に関連する金額を課税標準とする税金の額及び繰延税金資産又は繰延税金負債の額を控除した金額を記載することとなる。　　【ASB基準5号8】

（4）貸借対照表純資産の部の表示

個別貸借対照表	連結貸借対照表
純資産の部	純資産の部
Ⅰ　株主資本	Ⅰ　株主資本
1　資本金	1　資本金
2　新株式申込証拠金	2　新株式申込証拠金
3　資本剰余金	3　資本剰余金
(1)　資本準備金	
(2)　その他資本剰余金	
資本剰余金合計	
4　利益剰余金	4　利益剰余金
(1)　利益準備金	
(2)　その他利益剰余金	
××積立金	
繰越利益剰余金	
利益剰余金合計	
5　自己株式	5　自己株式
6　自己株式申込証拠金	6　自己株式申込証拠金
株主資本合計	株主資本合計
Ⅱ　評価・換算差額等	Ⅱ　その他の包括利益累計額
1　その他有価証券評価差額金	1　その他有価証券評価差額金
2　繰延ヘッジ損益	2　繰延ヘッジ損益
3　土地再評価差額金	3　土地再評価差額金
	4　為替換算調整勘定
評価・換算差額等合計	5　退職給付に係る調整累計額
	その他の包括利益累計額合計
Ⅲ　株式引受権	Ⅲ　株式引受権
Ⅳ　新株予約権	Ⅳ　新株予約権
	Ⅴ　非支配株主持分
純資産合計	純資産合計

【ASB指針8号3】

2. 株主資本等変動計算書

（1）会社法等の規定

① 株式会社は、株主資本等変動計算書を作成しなければならない。　　【計規59①、財規1】

② 企業会計基準委員会基準

本会計基準は、株主資本等変動計算書を作成することとなるすべての会社に適用する。　　【ASB基準6号3】

株主資本等変動計算書は、貸借対照表の純資産の部の一会計期間における変動額のうち、主として、株主（連結上は親会社株主）に帰属する部分である株主資本の各項目の変動事由を報告するために作成するものである。

【ASB基準6号1】

（2）表　　示
① 表示区分

株主資本等変動計算書の表示区分は、貸借対照表の純資産の部の表示区分に従うことをいい、株主資本、評価・換算差額等、株式引受権及び新株予約権に分類して記載しなければならない。

【ASB 基準 6 号 4、財規100①】

なお、連結財務諸表上の、連結株主資本等変動計算書の表示区分・表示方法に関しては、第 9 章③3.連結株主資本等変動計算書の記載方法に委ねる。

② 当期首残高及び当期末残高

株主資本等変動計算書に表示される各項目の当期首残高及び当期末残高は、前期及び当期の貸借対照表の純資産の部における各項目の期末残高と整合したものでなければならない。　　　　　　　　　　　　　【ASB 基準 6 号 5】

（3）訂正処理
① 会計上の変更及び誤謬の訂正に関する遡及処理

ASB 基準24号「会計方針の開示、会計上の変更及び誤謬の訂正に関する会計基準」に従って遡及処理を行った場合には、表示期間のうち最も古い期間の株主資本等変動計算書の期首残高に対する、表示期間より前の期間の累積的影響額を区分表示するとともに、遡及処理後の期首残高を記載する。　　　【ASB 基準 6 号 5 なお書き】

② 会計方針の変更による影響額を適用初年度の期首残高に加減

会計基準等における特定の経過的な取扱いとして、会計方針の変更による影響額を適用初年度の期首残高に加減することが定められている場合には、上記①に準じて、期首残高に対する影響額を区分表示するとともに、当該影響額の反映後の期首残高を記載する。

【ASB 基準 6 号 5 - 2】

③ 企業結合時の暫定的な会計処理の確定が翌年度に行われる場合

ASB 基準21号「企業結合に関する会計基準」に従って暫定的な会計処理の確定が企業結合年度の翌年度に行われ、当該年度の株主資本等変動計算書のみの表示が行われる場合には、上記①に準じて、期首残高に対する影響額を区分表示するとともに、当該影響額の反映後の期首残高を記載する。　　　　　【ASB 基準 6 号 5 - 3】

（4）項　　目
① 株主資本の各項目

貸借対照表の純資産の部における株主資本の各項目は、当期首残高、当期変動額及び当期末残高に区分し、当期変動額は変動事由ごとにその金額を表示する。

【ASB 基準 6 号 6】

② 剰余金の配当／当期純利益の取扱い

剰余金の配当は、その他資本剰余金又はその他利益剰余金の変動事由として表示しなければならない。

【財規101③】

損益計算書の当期純利益（又は当期純損失）は、その他利益剰余金又はその内訳科目である繰越利益剰余金の変動事由として表示する。　　　　【ASB 基準 6 号 7】

③ その他利益剰余金

その他利益剰余金は、科目ごとの記載に代えて、その他利益剰余金の合計額を当期首残高、当期変動額及び当期末残高に区分して記載することができる。この場合には、科目ごとのそれぞれの金額を注記する。

【財規102、ASB 指針 9 号 4】

④ 株主資本以外の各項目

当期首残高、当期変動額及び当期末残高に区分し、当期変動額は純額で表示する。ただし、当期変動額について主な変動事由ごとにその金額を表示（注記による開示を含む）することができる。

【ASB 基準 6 号 8、ASB 指針 9 号10、財規103、104】

⑤ 個別貸借対照表の評価・換算差額等

個別貸借対照表の評価・換算差額等は、科目ごとの記載に代えて、評価・換算差額等の合計額を当期首残高、当期変動額及び当期末残高に区分して記載することができる。この場合には、科目ごとのそれぞれの金額を注記するものとする。　　　　【財規104、ASB 指針 9 号 5】

（5）注記事項

株主資本等変動計算書には、次に掲げる事項を注記する。

① 連結株主資本等変動計算書の注記事項
　ア 発行済株式の種類及び総数に関する事項
　イ 自己株式の種類及び株式数に関する事項
　ウ 新株予約権及び自己株式予約権に関する事項
　エ 配当に関する事項
② 個別株主資本等変動計算書の注記事項
　〈自己株式の種類及び株式数に関する事項〉

個別株主資本等変動計算書には、上記の事項に加え、①ア、ウ及びエに準ずる事項を注記することを妨げない。

また、連結財務諸表を作成しない会社においては、②の事項に変えて、①に準ずる事項を個別株主資本等変動計算書に注記する。　　　　　　　【ASB 基準 6 号 9】

（6）財務諸表等規則の規定

財務諸表等規則では、株主資本等変動計算書に関する注記事項として以下のように規定している。

① 発行済株式に関する注記

発行済株式の種類及び総数については、次の各号に掲げる事項を注記しなければならない。

　ア 発行済株式の種類ごとに、当事業年度期首及び当事業年度末の発行済株式総数並びに当事業年度に増加又は減少した発行済株式数
　イ 発行済株式の種類ごとの変動事由の概要
　ウ 上記ア、イは、財務諸表提出会社が連結財務諸表を作成している場合には、記載することを要しない。

【ASB 指針 9 号13、財規106】

② 自己株式に関する注記

自己株式の種類及び株式数については、次の各号に掲げる事項を注記しなければならない。

　ア 自己株式の種類ごとに、当事業年度期首及び当事業年度末の自己株式数並びに当事業年度に増加又は減少した自己株式数
　イ 自己株式の種類ごとの変動事由の概要
　ウ 上記ア、イは、財務諸表提出会社が連結財務諸表を作成している場合には、記載することを要しない。

【ASB 指針 9 号13、財規107】

③ 新株予約権等に関する注記

新株予約権については、次の各号に掲げる事項を注記しなければならない。

ア 新株予約権の目的となる株式の種類
イ 新株予約権の目的となる株式の数
ウ 新株予約権の事業年度末残高

新株予約権がストック・オプション又は自社株式オプションとして付与されている場合には、上記ア及びイの記載を要しない。

上記イの株式の数は、新株予約権の目的となる株式の種類ごとに、新株予約権の目的となる株式の当事業年度期首及び当事業年度末の数、当事業年度に増加及び減少する株式の数並びに変動事由の概要を記載しなければならない。ただし、新株予約権が権利行使されたものと仮定した場合の増加株式数の、当事業年度末の発行済株式総数（自己株式を保有しているときは、当該自己株式の株式数を控除した株式数）に対する割合に重要性が乏しい場合には、注記を省略することができる。

自己新株予約権についても上記同様の注記を要する。

上記は、財務諸表提出会社が連結財務諸表を作成している場合には、記載することを要しない。

【ASB 指針9号13、財規108】

上記イに掲げる事項の記載において、新株予約権を行使することができる期間の初日が到来していない新株予約権については、それが明らかになるように記載することに留意する。 【財ガ108-1-2】

④ 配当に関する注記

配当については、次の各号に掲げる事項を注記しなければならない。

ア 配当財産が金銭の場合には、株式の種類ごとの配当金の総額、1株当たり配当額、基準日及び効力発生日
イ 配当財産が金銭以外の場合には、株式の種類ごとの配当財産の種類及び帳簿価額（剰余金の配当をした日においてその時の時価を付した場合にあっては、その時価を付した後の帳簿価額）、1株当たり配当額、基準日並びに効力発生日
ウ 基準日が当事業年度に属する配当のうち、配当の効力発生日が翌事業年度となるものについては、配当の原資及び前2号に準ずる事項
エ 上記ア〜ウは、財務諸表提出会社が連結財務諸表を作成している場合には、記載することを要しない。

【ASB 指針9号13、財規109】

なお、会社法計算書類の株主資本等変動計算書の注記については、第1章 ②計算関係書類に委ねる。

2 資 本 金

1. 資本金とすべき金額

(1) 資本金の額

① 株式会社の資本金の額は、会社法に別段の定めがある

場合を除き、設立・株式の発行に際して株主となる者が会社に対して払込み又は給付をした財産の額とする。

【会445①】

② 払込み又は給付を受けた財産の額のうち2分の1を超えない額は、資本金として計上しないことができる。この場合資本金として計上しないこととした額は、資本準備金として計上しなければならない。【会445②、③】

(2) 設立時の払込金額

株式会社を設立する場合における株式会社の設立時に行う株式の発行に係る株主となる者が当該株式会社に対して払込み又は給付をした財産の額とは、次の①及び②に掲げる額の合計額から③に掲げる額を減じて得た額とする。

① 払込みを受けた金銭の額（次のア又はイに掲げる場合における金銭にあっては、ア又はイに定める額）

ア 外貨をもって金銭の払込みを受けた場合にあっては、払込みがあった日の為替相場に基づき算出された金額
イ 払込みを受けた金銭の額により資本金又は資本準備金の額として計上すべき額を計算することが適切でない場合は、払込みをした者における払込み直前の帳簿価額

② 現物出資財産の給付を受けた場合にあっては、当該現物出資財産の給付があった日における価額（次のア又はイに掲げる場合における現物出資財産にあっては、ア又はイに定める額）

ア 会社と現物出資財産の給付をした者が共通支配下関係となる場合は、現物出資財産の給付をした者における給付の直前の帳簿価額（現物出資財産に時価を付すべき場合を除く）
イ アに掲げる場合以外の場合であって、当該給付を受けた現物出資財産の価額により資本金又は資本準備金の額として計上すべき額を計算することが適切でないときはアに規定する帳簿価額

③ 設立に要した費用の額のうち設立に際して資本金又は資本準備金の額として計上すべき額から減ずるべき額と定めた額 【計規43①】

2. 資本金の増加

(1) 会社成立後の株式の交付による資本金等増加限度額

① 成立後に行う株式の交付

会社成立後に行う株式の交付は、次に掲げる場合における株式の発行及び自己株式の処分である。

ア 募集株式を引き受ける者の募集を行う場合
イ 取得請求権付株式、取得条項付株式又は全部取得条項付種類株式の取得をする場合
ウ 株式無償割当てをする場合
エ 新株予約権の行使があった場合
オ 取得条項付新株予約権の取得をする場合
カ 単元未満株式売渡請求を受けた場合
キ 配当等の制限に違反して自己株式を取得したことにより生じた支払義務を履行する株主に対して当該株主から取得した株式に相当する株式を交付すべき場合
ク 吸収合併後当該株式会社が存続する場合
ケ 吸収分割による他の会社がその事業に関して有する

権利義務の全部又は一部の承継をする場合

コ　吸収分割により吸収分割会社が自己株式を吸収分割承継会社に承継させる場合

サ　株式交換による他の株式会社の発行済株式の全部の取得をする場合

シ　株式交換に際して自己株式を株式交換完全親会社に取得される場合

ス　株式移転に際して自己株式を株式移転設立完全親会社に取得される場合

セ　株式交付に際して他の株式会社の株式又は新株予約権等の譲受けをする場合　　　　【計規13②】

②　資本金等増加限度額等の算定方法

資本金等増加限度額とは、会445①に規定する株主となる者が会社に対して払込又は給付をした財産の額のことであり、2.(1) ①のそれぞれの場合についてその算定方法が定められている。　　　　　　　　【計規13①】

2.(1) ①のアからキにおける資本金等増加限度額等の算定方法は以下のとおりである。なお、①のクからスについては第7章 ① 企業結合及び事業分離等会計基準に委ねる。

ア　募集株式を引き受ける者の募集を行う場合

㈠　資本金等増加限度額

募集株式を引き受ける者の募集を行う場合には、資本金等増加限度額は、A及びBに掲げる額の合計額からCに掲げる額を減じて得た額に株式発行割合を乗じて得た額からDに掲げる額を減じて得た額とする（零未満の場合は零）。

具体的な算式を示すと次のとおりである。

（A＋B－C）×株式発行割合－D

株式発行割合：発行株式数÷（発行株式数＋処分自己株式数）

A　払込みを受けた金銭の金額（次の(a)又は(b)に掲げる場合における金銭にあっては、(a)又は(b)に定める額）

(a)　外貨をもって金銭の払込みを受けた場合にあっては、払込みがあった日の為替相場に基づき算出された金額

(b)　払込みを受けた金銭の額により資本金等増加限度額を計算することが適切でない場合は、払込みをした者における払込み直前の帳簿価額

B　現物出資財産の給付を受けた場合にあっては、当該現物出資財産の給付があった日における価額（次の(a)又は(b)に掲げる場合における現物出資財産にあっては、(a)又は(b)に定める額）

(a)　会社と現物出資財産の給付をした者が共通支配下関係となる場合は、現物出資財産の給付をした者における給付の直前の帳簿価額（現物出資財産に時価を付すべき場合を除く）

(b)　(a)に掲げる場合以外の場合であって、当該給付を受けた現物出資財産の価額により資本金等増加限度額を計算することが適切

でないときは(a)に規定する帳簿価額

C　募集株式の交付に係る費用の額のうち資本金等増加限度額から減ずるべき額と定めた額

D　(a)に掲げる額から(b)に掲げる額を減じて得た額が零以上であるときはその金額

(a)　当該募集に際して処分する自己株式の帳簿価額

(b)　A及びBに掲げる額の合計額からCに掲げる額を減じて得た額（零未満の場合は零）に自己株式処分割合を乗じて得た額

自己株式処分割合：1－株式発行割合

【計規14①】

㈡　その他資本剰余金

募集株式により株式を交付した後のその他資本剰余金の額は株式の交付直前の額にA及びBに掲げる額の合計額からCに掲げる額を減じた額を加えて得た額とする。

A　上記㈠A及び㈠Bに掲げる額の合計額から㈠Cに掲げる額を減じて得た額に自己株式処分割合を乗じて得た額

B　次のうちいずれか少ない額

(a)　上記㈠Dに掲げる額

(b)　上記㈠A及び㈠Bに掲げる額の合計額から㈠Cに掲げる額を減じて得た額に株式発行割合を乗じて得た額（零未満の場合は零）

C　当該募集に際して処分する自己株式の帳簿価額

【計規14②一】

㈢　その他利益剰余金

募集株式により株式を交付した後のその他利益剰余金の額は株式の交付直前の額に上記の㈠A及び㈠Bに掲げる額の合計額から㈠Cに掲げる額を減じて得た額がマイナスである場合における当該額に株式発行割合を乗じて得た額を加えて得た額とする。

この場合、その他利益剰余金の額は株式の交付直前の額より減少することになる。　　　【計規14②二】

イ　取得請求権付株式、取得条項付株式又は全部取得条項付種類株式の取得をする場合

取得請求権付株式、取得条項付株式又は全部取得条項付種類株式の取得に伴う株式の発行等をする場合の資本金等増加限度額は、零とする。この場合の自己株式対価額は処分する自己株式の帳簿価額とする。

【計規15】

ウ　株式無償割当てをする場合

株式無償割当てをする場合には、資本金等増加限度額は、零とする。

株式無償割当て後のその他資本剰余金の額は、その直前の額から当該株式無償割当てに際して処分する自己株式の帳簿価額を減じて得た額とする。【計規16】

エ　新株予約権の行使があった場合

㈠　資本金等増加限度額

新株予約権の行使があった場合には、資本金等増加限度額は、AからCに掲げる額の合計額からDに掲げる額を減じて得た額に株式発行割合を乗じて得た額からEに掲げる額を減じて得た額とする（零未

満の場合は零）。

　　　具体的な算式を示すと次のとおりである。

　　　｛（Ａ＋Ｂ＋Ｃ）－Ｄ｝×株式発行割合－Ｅ

　　株式発行割合：発行株式数÷（発行株式数＋処分
　　自己株式数）

　　Ａ　行使時における当該新株予約権の帳簿価額

　　Ｂ　払込みを受けた金銭の金額（次の(a)又は(b)
　　　に掲げる場合における金銭にあっては、(a)又
　　　は(b)に定める額）

　　　(a)　外貨をもって金銭の払込みを受けた場合
　　　　は、当該外貨につき行使時の為替相場に基
　　　　づき算出された金額

　　　(b)　払込みを受けた金銭の額により資本金等
　　　　増加限度額を計算することが適切でない場
　　　　合は、払込みをした者における払込み直前
　　　　の帳簿価額

　　Ｃ　現物出資財産の給付を受けた場合にあって
　　　は、当該現物出資財産の行使時における価額
　　　（次の(a)又は(b)に掲げる場合における現物出
　　　資財産にあっては、(a)又は(b)に定める額）

　　　(a)　会社と現物出資財産の給付をした者が共
　　　　通支配下関係にある場合は、現物出資財産
　　　　の給付をした者における給付の直前の帳簿
　　　　価額（現物出資財産に時価を付すべき場合
　　　　を除く）

　　　(b)　(a)に掲げる場合以外の場合であって、当
　　　　該給付を受けた現物出資財産の価額により
　　　　資本金等増加限度額を計算することが適切
　　　　でないときは(a)に規定する帳簿価額

　　Ｄ　新株予約権の行使に応じて行う株式の交付
　　　にかかる費用の額のうち、資本金等増加限度
　　　額から減ずるべき額と定めた額

　　Ｅ　(a)に掲げる額から(b)に掲げる額を減じて得
　　　た額が零以上であるときはその金額

　　　(a)　当該行使に際して処分する自己株式の帳
　　　　簿価額

　　　(b)　ＡからＣまでに掲げる額の合計額からＤ
　　　　に掲げる額を減じて得た額（零未満の場合
　　　　は零）に自己株式処分割合を乗じて得た額

　　　自己株式処分割合：１－株式発行割合

　　　　　　　　　　　　　　　　　　　【計規17①】

　(イ)　その他資本剰余金

　　　新株予約権の行使後のその他資本剰余金の額は当
　　該行使の直前の額にＡ及びＢに掲げる額の合計額か
　　らＣに掲げる額を減じて得た額を加えて得た額とす
　　る。

　　Ａ　上記のエ(ア)Ａからエ(ア)Ｃまでに掲げる額の合計
　　　額からエ(ア)Ｄに掲げる額を減じて得た額に自己株
　　　式処分割合を乗じて得た額

　　Ｂ　次のうちいずれか少ない額

　　　(a)　上記のエ(ア)Ｅに掲げる額

　　　(b)　上記のエ(ア)Ａからエ(ア)Ｃまでに掲げる額の合
　　　　計額からエ(ア)Ｄに掲げる額を減じて得た額に株
　　　　式発行割合を乗じて得た額（零未満の場合は零）

　　Ｃ　当該行使に際して処分する自己株式の帳簿価額

　　　　　　　　　　　　　　　　　　　【計規17②一】

　(ウ)　その他利益剰余金

　　　新株予約権の行使後のその他利益剰余金の額は株
　　式の交付直前の額に上記のエ(ア)Ａからエ(ア)Ｃに掲げ
　　る額の合計額からエ(ア)Ｄに掲げる額を減じて得た額
　　がマイナスである場合における当該額に株式発行割
　　合を乗じて得た額を加えて得た額とする。

　　　この場合、その他利益剰余金の額は新株予約権の
　　行使の直前の額より減少することになる。

　　　　　　　　　　　　　　　　　　　【計規17②二】

オ　取得条項付新株予約権の取得をする場合

　(ア)　資本金等増加限度額

　　　取得条項付新株予約権の取得をする場合には、資
　　本金等増加限度額は、Ａに掲げる額からＢ及びＣに
　　掲げる額の合計額を減じて得た額に株式発行割合を
　　乗じて得た額からＤに掲げる額を減じて得た額とす
　　る（零未満の場合は零）。

　　　具体的な算式を示すと次のとおりである。

　　　｛Ａ－（Ｂ＋Ｃ）｝×株式発行割合－Ｄ

　　Ａ　取得時における当該取得条項付新株予約権の
　　　価額（当該取得条項付新株予約権が新株予約権
　　　付社債に付されたものである場合は、当該社債
　　　を含む）

　　Ｂ　取得条項付新株予約権の取得と引換えに行う
　　　株式の交付に係る費用の額のうち、資本金等増
　　　加限度額から減ずるべき額と定めた額

　　Ｃ　取得条項付新株予約権の取得と引換えに交付
　　　する財産（自己株式を除く）の帳簿価額（社債、
　　　新株予約権にあっては会計帳簿に付すべき額）
　　　の合計額

　　Ｄ　(a)に掲げる額から(b)に掲げる額を減じた額が
　　　零以上であるときはその金額

　　　(a)　当該行使に際して処分する自己株式の帳簿
　　　　価額

　　　(b)　Ａに掲げる額からＢ及びＣに掲げる額の合
　　　　計額を減じて得た額（零未満の場合は零）に
　　　　自己株式処分割合を乗じて得た額

　　　　　　　　　　　　　　　　　　　　【計規18①】

　(イ)　その他資本剰余金

　　　取得条項付新株予約権の取得後のその他資本剰余
　　金の額は取得条項付新株予約権の取得の直前の額に
　　Ａ及びＢに掲げる額の合計額からＣに掲げる額を減
　　じて得た額を加えて得た額とする。

　　Ａ　上記のオ(ア)Ａに掲げる額からオ(ア)Ｂ及びオ(ア)Ｃ
　　　に掲げる額の合計額を減じて得た額に自己株式処
　　　分割合を乗じて得た額

　　Ｂ　次のうちいずれか少ない額

　　　(a)　上記のオ(ア)Ｄに掲げる額

　　　(b)　上記のオ(ア)Ａに掲げる額からオ(ア)Ｂ及びオ(ア)
　　　　Ｃに掲げる額の合計額を減じて得た額に株式発
　　　　行割合を乗じて得た額（零未満の場合は零）

　　Ｃ　当該取得に際して処分する自己株式の帳簿価額

　　　　　　　　　　　　　　　　　　　【計規18②一】

（ウ）その他利益剰余金

取得条項付新株予約権の取得後のその他利益剰余金の額は取得条項付新株予約権の取得の直前の額に上記のオ（ア）Aに掲げる額からオ（ア）B及びオ（ア）Cに掲げる額の合計額を減じて得た額がマイナスである場合における当該額に株式発行割合を乗じて得た額を加えて得た額とする。

この場合、その他利益剰余金の額は取得条項付新株予約権の取得の直前の額より減少することになる。　　　　　　　　　　　　　　　　【計規18②二】

カ　単元未満株式売渡請求を受けた場合

（ア）資本金等増加限度額

単元未満株式売渡請求を受けた場合には、資本金等増加限度額は、零とする。

（イ）その他資本剰余金

単元未満株式売渡請求後のその他資本剰余金の額は単元未満株式売渡請求の直前の額にAの額を加算しBの額を減じて得た額とする。

A　当該単元未満株式売渡請求に係る代金の額

B　当該単元未満株式売渡請求に応じて処分する自己株式の帳簿価額　　　　　　　　【計規19】

キ　配当等の制限に違反して自己株式を取得したことにより生じた支払義務を履行する株主に対して当該株主から取得した株式に相当する株式を交付する場合

（ア）資本金等増加限度額

配当等の制限に違反して自己株式を取得したことにより生じた支払義務を履行する株主に対して当該株主から取得した株式に相当する株式を交付する場合には、資本金等増加限度額は、零とする。

（イ）その他資本剰余金

配当等の制限に違反して自己株式を取得したことにより生じた支払義務を履行する株主に対して当該株主から取得した株式に相当する株式の交付後のその他資本剰余金の額はその行為の直前の額にAの額を加算しBの額を減じて得た額とする。

A　支払義務を履行する株主が会社に対して支払った金銭の額

B　当該交付に際して処分する自己株式の帳簿価額　　　　　　　　　　　　　　　【計規20】

（2）その他の資本金の増加

資本金の額は、上述した場合のほか以下の場合に増加する。

①　株主総会決議により準備金を減少して資本金を増加する場合

②　株主総会決議により剰余金を減少して資本金を増加する場合　　　　　　【計規25①、会448、450】

3. 資本金の減少

（1）資本金減少の決議

株式会社は、資本金の額の範囲内で資本金の額を減少することができる。この場合においては、株主総会の決議によって、次に掲げる事項を定めなければならない。

①　減少する資本金の額

②　減少する資本金の全部又は一部を準備金とするとき

は、その旨及び準備金とする金額

③　資本金の額の減少がその効力を生ずる日

【会447①、②】

資本金の額の減少は、債権者保護手続が完了し、株主総会決議で定められた日に効力が生ずるが、効力発生日前はいつでも当該日を変更することができる。

【会449⑥、⑦】

3　準備金

1. 準備金の定義

準備金とは資本準備金と利益準備金の総称である。

【会445④】

準備金を直接株主への配当に充てることはできず、準備金を財源に配当する場合、あらかじめ剰余金（会446に規定する剰余金。④剰余金参照）に振り替える必要がある。

2. 準備金の増加

（1）会社設立時、成立後の株式の発行に伴う増加

設立又は株式の発行に際して株主となる者がした払込み又は給付に係る額の2分の1を超えない額は、資本金としないことができるが、この場合資本金として計上しないこととした額は、資本準備金としなければならない。

【会445②、③】

（2）剰余金の配当に伴う増加

①　剰余金の配当をする場合には、会社計算規則で定めるところにより、当該剰余金の配当により減少する剰余金の額に10分の1を乗じて得た額を資本準備金又は利益準備金として計上しなければならない。　　　【会445④】

②　剰余金の配当をする場合には、当該剰余金の配当後の準備金の額は、当該剰余金の配当の直前の準備金の額に次の額を加えて得た額とする。なお、基準資本金額とは資本金の額に4分の1を乗じて得た額、資本剰余金配当割合及び利益剰余金配当割合とは配当総額に対する配当の財源とした各剰余金の額の割合をいう。

ア　剰余金の配当日の準備金の額が基準資本金額以上である場合　零

イ　剰余金の配当日の準備金の額が基準資本金額未満である場合

（ア）又は（イ）に掲げる額のうちいずれか少ない額に、資本準備金については資本剰余金配当割合を、利益準備金については利益剰余金配当割合を乗じて得た額。

（ア）剰余金の配当日の準備金計上限度額（基準資本金額から準備金の額を減じて得た額）

（イ）配当総額に10分の1を乗じて得た額　　【計規22】

（3）準備金の減少による増加

株式会社は、株主総会の決議により、資本金の額を減少することができる。この場合減少する資本金の額の全部又は一部を資本準備金とすることができる。

【会447①、計規26①一】

（4）剰余金からの振り替えによる増加

① 株式会社は、剰余金の額の範囲内で剰余金の額を減少して、準備金の額を増加することができる。この場合、株主総会の決議によって、次に掲げる事項を定めなければならない。

　ア　減少する剰余金の額

　イ　準備金の額の増加がその効力を生ずる日　【会451】

② 会451の規定により剰余金の額を減少する場合、資本準備金の額は減少するその他資本剰余金の額として決定した額が、利益準備金の額は減少するその他利益剰余金の額として決定した額が増加する。【計規26①二、28①】

3. 準備金の減少

（1）株主総会の決議事項

株式会社は、準備金の額の範囲内で準備金の額を減少することができる。この場合、株主総会の決議によって、次の事項を定めなければならない。

① 減少する準備金の額

② 減少する準備金の額の全部又は一部を資本金とするときは、その旨及び資本金とする額

③ 準備金の額の減少がその効力を生ずる日　【会448】

準備金の額の減少は、債権者保護手続が完了し、株主総会決議で定められた日に効力が生ずるが、効力発生日前はいつでも当該日を変更することができる。

【会449⑥、⑦】

4 剰　余　金

1. 剰余金の定義

（1）会社法による規定

会453で、「株式会社は、その株主（当該株式会社を除く）に対し、剰余金の配当をすることができる」と規定している。会446で剰余金の額を定義しているが、会社法における剰余金とは配当源資となり得るものであり、準備金（資本準備金及び利益準備金）は含まない。

会社法において剰余金の額は、①から④までに掲げる額の合計額から⑤から⑦までに掲げる額の合計額を減じて得た額とする。

① 最終事業年度の末日におけるア及びイに掲げる額の合計額からウからオまでに掲げる額の合計額を減じて得た額

　ア　資産の額

　イ　自己株式の帳簿価額の合計額

　ウ　負債の額

　エ　資本金及び準備金の額の合計額

　オ　ウ及びエに掲げるもののほか、計規149で定める各勘定科目に計上した額の合計額　【会446一】

② 最終事業年度の末日後に自己株式の処分をした場合における当該自己株式の対価の額から当該自己株式の帳簿価額を控除して得た額　【会446二】

③ 最終事業年度の末日後に資本金の額を減少した場合に

おける当該減少額（減少する資本金の額の全部又は一部を準備金とする場合において準備金とする額を除く）

【会446三】

④ 最終事業年度の末日後に準備金の額を減少した場合における当該減少額（減少する準備金の額の全部又は一部を資本金とする場合において資本金とする額を除く）

【会446四】

⑤ 最終事業年度の末日後に会178①の規定により自己株式の消却をした場合における当該自己株式の帳簿価額

【会446五】

⑥ 最終事業年度の末日後に剰余金の配当をした場合における次に掲げる額の合計額

　ア　会454①一の配当財産の帳簿価額の総額（同条④一に規定する金銭分配請求権を行使した株主に割り当てた当該配当財産の帳簿価額を除く）

　イ　会454④一に規定する金銭分配請求権を行使した株主に交付した金銭の額の合計額

　ウ　会456に規定する基準未満株式の株主に支払った金銭の額の合計額　【会446六】

⑦ ⑤、⑥に掲げるもののほか、計規150で定める各勘定科目に計上した額の合計額　【会446七】

（2）会計基準による規定

① 株主資本は、資本金、資本剰余金及び利益剰余金に区分され、資本金以外は剰余金となる。【ASB 基準 5 号 5 】

② 資本剰余金の各項目は、利益剰余金の各項目と混同してはならない。したがって、資本剰余金の利益剰余金への振替は原則として認められない。【ASB 基準 1 号19】

2. 資本剰余金

（1）その他資本剰余金の増加

① 株式会社のその他資本剰余金の額は、株式の交付等及び組織再編行為に伴う場合以外に、次のアからウのケースに限り増加する。なお、株式の交付等に伴う自己株式処分差額の計上については②資本金に、組織再編行為に伴う増加の詳細は第 7 章①企業結合及び事業分離等会計基準に委ねる。

　ア　資本金を減少する場合、減少額のうち準備金としない額

　イ　資本準備金を減少する場合、減少額のうち資本金としない額

　ウ　上記以外のその他資本剰余金を増加すべき場合、増加する額として適切な金額　【計規27①】

② 資本金及び資本準備金の額の減少によって生ずる剰余金は、減少の法的効力が発生したときに、その他資本剰余金に計上する。　【ASB 基準 1 号20】

（2）その他資本剰余金の減少

① 株式会社のその他資本剰余金の額は、自己株式の消却及び組織再編行為に伴う場合以外に、次のアからウのケースに限り減少する。なお、自己株式の消却については⑤自己株式に、組織再編行為に伴う減少の詳細は第 7 章①企業結合及び事業分離等会計基準に委ねる。

　ア　その他資本剰余金を減少して資本金を増加する場合、当該減少額

　イ　その他資本剰余金を減少して資本準備金を増加する

場合、当該減少額

ウ　上記以外のその他資本剰余金を減少すべき場合、減少する額として適切な金額　　　　　　　【計規27②】

②　上記の場合において、減少すべきその他資本剰余金の額の全部又は一部を減少させないこととすることが必要かつ適当であるときは減少させないことが適当な額についてはその他資本剰余金の額を減少させないことができる。　　　　　　　　　　　　　　　【計規27③】

3. 利益剰余金

（1）その他利益剰余金の増加

①　株式会社のその他利益剰余金の額は、組織再編行為に伴う場合以外に、次のアからウのケースに限り増加する。なお、組織再編行為に伴う増加の詳細は第7章 **1** **企業結合及び事業分離等会計基準**に委ねる。

ア　利益準備金を減少する場合、その減少額のうち資本金とする額を除いた額

イ　当期純利益の金額

ウ　上記以外のその他利益剰余金を増加すべき場合、増加する額として適切な金額　　　　　　　【計規29①】

②　利益準備金の額の減少によって生ずる剰余金は、減少の法的効力が発生したときに、その他利益剰余金（繰越利益剰余金）に計上する。　　　　【ASB基準1号21】

（2）その他利益剰余金の減少

①　株式会社のその他利益剰余金の額は、自己株式の消却及び組織再編行為に伴う場合以外に、次のアからエのケースに限り減少する。なお、自己株式の消却については **5** **自己株式**に、組織再編行為に伴う増加の詳細は第7章 **1** **企業結合及び事業分離等会計基準**に委ねる。

ア　その他利益剰余金を減少して資本金を増加する場合、当該減少額

イ　その他利益剰余金を減少して利益準備金を増加する場合、当該減少額

ウ　当期純損失の額

エ　上記以外のその他利益剰余金を減少すべき場合、減少する額として適切な額　　　　　　　【計規29②】

②　その他資本剰余金の額を減少する場合においてその他資本剰余金の額を減少させないこととすることが必要かつ適当であるとした金額については、その他利益剰余金の額を減少させる。　　　　　　　　　【計規29③】

4. 剰余金の処分と配当

（1）剰余金の処分

株式会社は、株主総会の決議によって、上述した項目及び剰余金の配当その他株式会社の財産を処分するもの以外に損失の処理、任意積立金の積立てその他の剰余金の処分をすることができる。　　　　　　　　　　　　　【会452】

（2）剰余金の配当

①　株式会社は、剰余金の配当をしようとするときは、その都度、株主総会の決議によって次に掲げる事項を定めなければならない。

ア　配当財産の種類（当該株式会社の株式等を除く）及び帳簿価額の総額

イ　株主に対する配当財産の割当てに関する事項

ウ　当該剰余金の配当がその効力を生ずる日【会454①】

②　剰余金の配当について内容の異なる二以上の種類の株式を発行しているときは、株式会社は、当該種類の株式の内容に応じ、上記①イの事項として、ある種類の株式の株主については配当財産の割当てをしないこと、配当財産の割当てについて株式の種類ごとに異なる取扱いを行うこととすることを定めることができる。【会454②】

③　配当財産の割当てに関する定めは、株主（前述の割当てをしない種類の株式の株主を除く）の有する株式の数に応じて配当財産を割り当てることを内容とするものでなければならない。ただし、配当財産の割当てについて異なる取扱いを行うこととした種類株式については各種類の株式の数に応じて配当財産を割り当てることを内容とするものでなければならない。　　　　　　【会454③】

④　配当財産が金銭以外の財産であるときは、株式会社は、株主総会の決議によって次に掲げる事項を定めることができる。

ア　株主に対して金銭分配請求権（当該配当財産に代えて金銭を交付することを株式会社に対して請求する権利）を与えるときは、その旨及び金銭分配請求権を行使することができる期間

イ　一定の数未満の数の株式を有する株主に対して配当財産の割当てをしないこととするときは、その旨及びその数

　　アの金銭分配請求権の行使期間は①ウの剰余金の配当の効力発生日以前の日でなければならない。

【会454④】

⑤　株主に対して金銭分配請求権を与えることとした場合には、その行使期間の末日の20日前までに、株主に対し、④アに掲げる事項を通知しなければならない。

【会455①】

株式会社は、金銭分配請求権を行使した株主に対し、当該株主が割当てを受けた配当財産に代えて、当該配当財産の価額に相当する金銭を支払わなければならない。この場合において、配当財産の金銭への換算は次による。

ア　配当財産が市場価格のある財産である場合

　　次のいずれか高い価格とする。

　（ア）行使期限日における最終の価格（行使期限日に取引がない場合又は休日である場合は、その後最初になされた取引の成立価格）

　（イ）行使期限日において公開買付等の対象である場合は、公開買付等の契約における配当財産の価格

イ　アに掲げる場合以外の場合

　　株式会社の申立てにより裁判所が定める額

【会455②、計規154】

⑥　④の場合において、一定の数未満の数の株式を有する株主に対して配当財産の割当てをしないこととするときは、基準株式数未満の株式数を有する株主に対し、基準株式数の株式を有する株主が割当てを受けた配当財産の価額に基準未満株式の数の基準株式数に対する割合を乗じて得た額に相当する金銭を支払わなければならない。

【会456】

（3）中間配当

　取締役会設置会社は、1事業年度の途中において1回に限り取締役会の決議によって剰余金の配当をすることができる旨を定款で定めることができる。この場合における配当財産は金銭に限る。　　　　　　　　　【会454⑤】

（4）配当に関する規程の適用除外

　株式会社の純資産額が300万円を下回る場合には、剰余金の配当及び中間配当の規定は適用しない。すなわち、この場合、配当はできない。　　　　　　　　　　【会458】

（5）剰余金の配当等を決定する機関の特則

①　以下の条件を満たす株式会社は剰余金の配当に関する事項について取締役会が定めることができる旨を定款に定めることができる。ただし、配当財産が金銭以外の財産であり、かつ、株主に対して金銭分配請求権を与えないこととする場合を除く。

　ア　会計監査人設置会社であること

　イ　取締役の任期の末日が選任後1年以内に終了する事業年度のうち最終のものに関する定時株主総会の終結の日以前であること

　ウ　監査役会設置会社であること

　なお、この特則は株主との合意による自己株式の取得（特定の株主からのみ取得する場合を除く）に関する事項、減少後なお分配可能な剰余金が生じない準備金の減少に関する事項、その他の剰余金の処分（資本金又は準備金の額の増加、剰余金の配当その他株式会社の財産を処分するものを除く）に関する事項にも適用される。

　　　　　　　　　　　　　　　　　　　　　【会459①】

②　上記の定款の定めがある場合には、上記の事項を株主総会の決議によっては定めない旨を定款で定めることができる。　　　　　　　　　　　　　　　　【会460①】

③　これらの定款の定めは、最終事業年度に係る計算書類が法令及び定款に従い株式会社の財産及び損益の状況を正しく表示しているものとして計規155で定める要件に該当する場合に限り、その効力を有する。

　　　　　　　　　　　　　　　　【会459②、460②】

（6）配当等の制限

①　次に掲げる行為により株主に対して交付する金銭等（自己株式を除く）の帳簿価額の総額は、当該行為がその効力を生ずる日における分配可能額を超えてはならない。

　ア　株式譲渡制限会社の株式譲渡承認請求に関して、株式会社が当該株式を買い取る場合

　イ　子会社の有する当該株式会社の株式を取得する場合

　ウ　市場取引又は株式公開買付の方法により自己株式を取得する場合

　エ　株式会社が株主との合意により自己株式を取得する場合でイ及びウ以外の場合

　オ　全部取得条項付種類株式の全部を取得する場合

　カ　相続人等に対する当該株式会社の株式の売渡請求により取得する場合

　キ　5年以上連絡のつかない株主の所有株式の取得

　ク　1株に満たない端数株式の処理に伴う取得

　ケ　剰余金の配当　　　　　　　　　　　　　【会461①】

②　分配可能額は、次のア及びイに掲げる額の合計額から

ウからカまでに掲げる額の合計額を減じて得た額をいう。

　ア　剰余金の額

　イ　臨時計算書類につき、株主総会の承認（会441④ただし書に規定する場合にあっては取締役会の承認）を受けた場合における次に掲げる額

　　㋐　臨時計算書類における下記の合計

　　　Ａ　臨時計算書類の損益計算書に計上された当期純利益金額（零以上の額に限る）

　　　Ｂ　計規21の規定により増加したその他資本剰余金の額

　　㋑　臨時計算書類の対象期間内に自己株式を処分した場合におけるその自己株式の対価の額

　ウ　自己株式の帳簿価額

　エ　最終事業年度の末日後に自己株式を処分した場合におけるその自己株式の対価の額

　オ　臨時計算書類の損失の額

　カ　その他減ずるべき額　【会461②、計規156～158】

③　上記カのその他減ずるべき額は、次のアからクまでに掲げる額の合計額からケ及びコに掲げる額の合計額を減じて得た額とする。

　ア　最終事業年度の末日におけるのれん等調整額（資産の部に計上したのれんの額を2で除して得た額及び繰延資産の部に計上した額の合計額）が次の㋐から㋒までに掲げる場合に該当する場合における当該㋐から㋒に定める額

　　㋐　当該のれん等調整額が資本等金額（最終事業年度の末日における資本金の額及び準備金の額の合計額）以下である場合　零

　　㋑　当該のれん等調整額が資本等金額及び最終事業年度の末日におけるその他資本剰余金の額の合計額以下である場合（㋐に掲げる場合を除く）　当該のれん等調整額から資本等金額を減じて得た額

　　㋒　当該のれん等調整額が資本等金額及び最終事業年度の末日におけるその他資本剰余金の額の合計額を超えている場合　次に掲げる場合の区分に応じ、次に定める額

　　　Ａ　最終事業年度の末日におけるのれんの額を2で除して得た額が資本等金額及び最終事業年度の末日におけるその他資本剰余金の額の合計額以下の場合　当該のれん等調整額から資本等金額を減じて得た額

　　　Ｂ　最終事業年度の末日におけるのれんの額を2で除して得た額が資本等金額及び最終事業年度の末日におけるその他資本剰余金の額の合計額を超えている場合　最終事業年度の末日におけるその他資本剰余金の額及び繰延資産の部に計上した額の合計額

　イ　最終事業年度の末日における貸借対照表のその他有価証券評価差額金が評価差損である場合の当該金額を零から減じて得た額（評価差益である場合、零）

　ウ　最終事業年度の末日における貸借対照表の土地再評価差額金が評価差損である場合の当該金額を零から減じて得た額（評価差益である場合、零）

エ　株式会社が連結配当規制適用会社であるときは(ｱ)に掲げる額から(ｲ)及び(ｳ)に掲げる額の合計額を減じて得た金額（当該額が零未満である場合にあっては、零）

　　(ｱ)　最終事業年度の末日における貸借対照表のAからCまでに掲げる額の合計額からDに掲げる額を減じて得た額

　　　　A　株主資本の額

　　　　B　その他有価証券評価差額金の項目に計上した額（当該額が零以上である場合にあっては、零）

　　　　C　土地再評価差額金の項目に計上した額（当該額が零以上である場合にあっては、零）

　　　　D　のれん等調整額（当該のれん等調整額が資本金の額、資本剰余金の額及び利益準備金の額の合計額を超えている場合にあっては、資本金の額、資本剰余金の額及び利益準備金の額の合計額）

　　(ｲ)　最終事業年度の末日後に子会社から当該株式会社の株式を取得した場合における当該株式の取得直前の当該子会社における帳簿価額のうち、当該株式会社の当該子会社に対する持分に相当する額

　　(ｳ)　最終事業年度の末日における連結貸借対照表のAからCまでに掲げる額の合計額からDに掲げる額を減じて得た額

　　　　A　株主資本の額

　　　　B　その他有価証券評価差額金の項目に計上した額（当該額が零以上である場合にあっては、零）

　　　　C　土地再評価差額金の項目に計上した額（当該額が零以上である場合にあっては、零）

　　　　D　のれん等調整額（当該のれん等調整額が資本金の額及び資本剰余金の額の合計額を超えている場合にあっては、資本金の額及び資本剰余金の額の合計額）

オ　最終事業年度の末日後に2以上の臨時計算書類を作成した場合における最終の臨時計算書類以外の臨時計算書類に係る当期純利益金額から損失の額を減じて得た額

カ　300万円に相当する額から次に掲げる額の合計額を減じて得た額（当該額が零未満である場合にあっては、零）

　　(ｱ)　資本金の額及び準備金の額の合計額

　　(ｲ)　株式引受権の額

　　(ｳ)　新株予約権の額

　　(ｴ)　最終事業年度の末日の貸借対照表の評価・換算差額等の各項目に計上した額（当該項目に計上した額が零未満である場合にあっては、零）の合計額

キ　最終事業年度の末日後臨時計算書類の対象期間内に株式会社が吸収型再編受入行為又は特定募集に際して自己株式を処分した場合におけるその自己株式の対価の額

ク　次に掲げる額の合計額

　　(ｱ)　最終事業年度の末日後に計規21の規定により増加したその他資本剰余金の額

　　(ｲ)　最終事業年度がない株式会社が成立の日後に自己株式を処分した場合における当該自己株式の対価の額

ケ　最終事業年度の末日後に自己株式を取得した場合における当該取得した株式の帳簿価額から次に掲げる額の合計額を減じて得た額

　　(ｱ)　株主に交付する当該株式会社の株式以外の財産の帳簿価額

　　(ｲ)　株主に交付する当該株式会社の社債等に付すべき帳簿価額

コ　最終事業年度の末日後に株式会社が吸収型再編受入行為又は特定募集に際して自己株式を処分した場合におけるその自己株式の対価の額【会461②、計規158】

(7) 現物配当を行う会社の会計処理

　配当財産が金銭以外の財産である場合、配当の効力発生日における配当財産の時価と適正な帳簿価額との差額は、配当の効力発生日の属する期の損益として、配当財産の種類等に応じた表示区分に計上し、配当財産の時価をもって、その他資本剰余金又はその他利益剰余金（繰越利益剰余金）を減額する。

　ただし、以下の場合には、配当の効力発生日における配当財産の適正な帳簿価額をもって、その他資本剰余金又はその他利益剰余金（繰越利益剰余金）を減額する。

①　分割型の会社分割（按分型）

②　保有する子会社株式のすべてを株式数に応じて比例的に配当（按分型の配当）する場合

③　保有する完全子会社株式の一部を株式数に応じて比例的に配当（按分型の配当）し子会社株式に該当しなくなった場合

④　企業集団内の企業へ配当する場合

⑤　市場価格がないことなどにより公正な評価額を合理的に算定することが困難と認められる場合

　　なお、減額するその他資本剰余金又はその他利益剰余金（繰越利益剰余金）については、取締役会等の会社の意思決定機関で定められた結果に従うこととする。

【ASB指針2号10】

5　自己株式

1. 会社法による定め

(1) 自己株式の取得

　株式会社は、次に掲げる場合に限り、自己株式を取得することができる。

①　取得条項付株式の取得

②　譲渡制限株式の譲渡等を承認しなかった場合の、株式会社の譲渡等承認請求者からの買取り

③　株主との合意による有償取得

④　取得請求権付株式の株主からの取得請求に基づく取得

⑤　全部取得条項付種類株式の株主総会決議に基づく取得

⑥　相続人又は一般承継により株式を取得した者に対して、売渡しの請求をすることができる旨を定款で定めた株式会社における売渡請求に基づく自己株式の取得

⑦　単元未満株式の買取請求に基づく買取り

⑧　所在不明株主の株式について競売に代えて売却を行う

場合の、その株式の全部又は一部の買取り
⑨　1株に満たない端数の合計数に相当する数の株式につ
　いて競売に代えて売却を行う場合の、その株式の全部又
　は一部の買取り
⑩　他の会社（外国会社を含む）の事業の全部を譲り受け
　る場合において当該他の会社が有する当該株式会社の株
　式を取得する場合
⑪　合併後消滅する会社から当該株式会社の株式を承継す
　る場合
⑫　吸収分割をする会社から当該株式会社の株式を承継す
　る場合
⑬　①から⑫に掲げる場合のほか、会施規27で定める以
　下の場合
　ア　株式の無償取得
　イ　他の法人等からの剰余金の配当又は残余財産の分配
　　による取得
　ウ　当該株式会社が有する他の法人等の株式につき当該
　　他の法人等が行う次に掲げる行為に際して当該他の法
　　人等の株式と引換えにより交付を受ける場合
　　㋐　組織の変更
　　㋑　合併
　　㋒　株式交換
　　㋓　取得条項付株式の取得
　　㋔　全部取得条項付種類株式の取得
　エ　当該株式会社が有する他の法人等の新株予約権等を
　　当該他の法人等が当該新株予約権等の定めに基づき取
　　得することと引換えに当該株式会社の株式の交付を受
　　ける場合
　オ　定款変更等の株主総会決議反対株主の株式買取請求
　　に応じてする取得
　カ　会社でない合併後消滅する法人等との合併により当
　　該他の法人等から承継する場合
　キ　会社及び外国会社以外の他の法人等の事業の全部を
　　譲り受ける場合において、当該他の法人等の有する当
　　該株式会社の株式を譲り受ける場合
　ク　前各号に掲げる場合以外で、その権利の実行に当た
　　り目的を達成するために当該株式会社の株式を取得す
　　ることが必要かつ不可欠である場合
　　　　　　　　　　　　　　　【会155、会施規27】

（2）自己株式の処分

　株式会社は、次の場合に自己株式を処分することが想定
される。
①　募集株式の発行等において自己株式を移転する場合
　　　　　　　　　　　　　　　　　　　　　【会199】
②　取得条項付株式、取得請求権付株式又は全部取得条項
　付種類株式の取得の対価として自己株式を移転する場合
　　　　　　　　　　　　　　　　　　　　【計規15②】
③　新株予約権の行使に際して新株発行に代えて移転する
　場合　　　　　　　　　　　　　　　　　　【計規17】
④　取得条項付新株予約権の取得の対価として自己株式を
　移転する場合　　　　　　　　　　　　　　【計規18】
⑤　吸収合併の存続会社、吸収分割の承継会社又は株式交
　換により完全親会社となる会社が新株発行に代えて自己
　株式を移転する場合　　　　　　　　【計規35、37、39等】

⑥　吸収分割に際して分割会社の株式を承継会社が承継す
　る場合
⑦　単元未満株式の買増制度を採用している会社が単元未
　満株主の請求に応ずる場合　　　　　　　　【会194③】
⑧　取締役の報酬等として自己株式を処分する場合
　　　　　　　　　　　【計規42の2④、⑦、42の3④】

（3）自己株式の消却

　株式会社は、自己株式を消却することができる。この場
合においては、消却する自己株式の数（種類株式発行会社
にあっては、自己株式の種類及び種類ごとの数）を決定し
なければならない。取締役会設置会社においては当該決定
は取締役会決議によらなければならない。　　　【会178】

2. 自己株式の会計処理

（1）自己株式の取得

①　取得の会計処理
　　取得した自己株式は、取得原価をもって純資産の部の
　株主資本から控除する。　　　　　　【ASB基準1号7】
　　自己株式の取得に関する付随費用は、損益計算書の営
　業外費用に計上する。　　　　　　【ASB基準1号14】
②　取得の認識時点
　　金銭を対価として自己株式を取得する場合、対価を支
　払うべき日に取得を認識する。また、対価が金銭以外の
　場合は対価が引き渡された日に認識する。
　　　　　　　　　　　　　　　　　　【ASB指針2号5】
③　対価が金銭以外の場合の取得原価の算定
　ア　企業集団内の企業から自己株式を取得する場合
　　　企業集団内の企業から、金銭以外の財産を対価とし
　　て自己株式を取得する場合、当該自己株式の取得原価
　　は、移転された資産及び負債の適正な帳簿価額により
　　算定する。　　　　　　　　　　　【ASB指針2号7】
　イ　自社の他の種類の株式を交付する場合
　　㋐　他の種類の新株を発行する場合
　　　　自己株式の取得価額は、零とする。
　　㋑　他の種類の自己株式を処分する場合
　　　　自己株式の取得価額は、処分した自己株式の帳簿
　　　価額とする。　　　　　　　　　【ASB指針2号8】
　ウ　その他の場合
　　　取得の対価となる金銭以外の財産の時価と取得した
　　自己株式の時価のうち、より高い信頼性をもって測定
　　可能な時価で算定する。取得の対価となる金銭以外の
　　財産及び取得した自己株式に市場価格がないこと等に
　　より公正な評価額を合理的に算定することが困難と認
　　められる場合には、移転された資産及び負債の適正な
　　帳簿価額により自己株式の取得原価を算定する。
　　　取得の対価となる金銭以外の財産又は自己株式が市
　　場価格のある株式の場合、原則として、時価は当該取
　　引の合意日の時価により算定する。ただし、当該時価
　　と株式の受渡日の時価が大きく異ならない場合（その
　　価格の差異から生ずる取得原価の差額が、財務諸表に
　　重要な影響を与えないと認められる場合）には、受渡
　　日の時価によることができる。
　　　自己株式の取得原価と取得の対価となる金銭以外の
　　財産の帳簿価額との差額は、取得の対価となる金銭以

外の財産の種類等に応じた表示区分の損益に計上する。　　　　　　　　　　　　　　【ASB 指針 2 号 9】

エ　無償取得の場合

　　自己株式を無償で取得した場合、自己株式の数のみの増加として処理する。無償で取得した自己株式の数に重要性があり、かつ、連結又は個別株主資本等変動計算書の注記事項として自己株式の種類及び株式数に関する事項を記載する場合は、その旨及び株式数を当該事項に併せて注記する。　　【ASB 指針 2 号14、15】

(2) 自己株式の処分及び消却

① 処分の認識時点

　　募集株式の発行等の手続による自己株式の処分については、対価の払込期日（払込期間を定めた場合は出資が履行された日）に認識する。　　　【ASB 指針 2 号 5】

　　払込期日前日までに受領した自己株式処分対価相当額は、純資産の部の自己株式の次に自己株式申込証拠金の科目をもって表示する。　　　　【ASB 指針 2 号 6】

② 自己株式処分差額の処理

　　自己株式処分差額とは、自己株式の処分の対価から自己株式の帳簿価額を控除した額をいう。

　　　　　　　　　　　　　　　　　　　【ASB 基準 1 号 4】

　　自己株式処分差益（自己株式処分差額が正の値の場合における当該差額）は、その他資本剰余金に計上する。

　　　　　　　　　　　　　　　　　【ASB 基準 1 号 5 、 9 】

　　自己株式処分差損（自己株式処分差額が負の値の場合における当該差額）は、その他資本剰余金から減額する。

　　　　　　　　　　　　　　　　　【ASB 基準 1 号 6 、10】

③ 消却の認識時点

　　自己株式を消却した場合には、消却手続が完了したときに、消却の対象となった自己株式の帳簿価額をその他資本剰余金から減額する。　　　　【ASB 基準 1 号11】

④ その他資本剰余金の残高が負の値になった場合の取扱い

　　自己株式の処分及び消却の会計処理の結果、その他資本剰余金の残高が負の値となった場合には、会計期間末において、その他資本剰余金を零とし、当該負の値をその他利益剰余金（繰越利益剰余金）から減額する。

　　　　　　　　　　　　　　　　　　　【ASB 基準 1 号12】

⑤ 自己株式の処分及び消却時の帳簿価額の算定

　　自己株式の処分及び消却時の帳簿価額は、会社の定めた計算方法に従って、株式の種類ごとに算定する。ただし、2001（平成13）年改正前商法により付与されたストック・オプションの行使に備えるために取得した自己株式に関しては、区別して算定できるものとする。

　　　　　　　　　【ASB 基準 1 号13、ASB 指針 2 号13】

⑥ 自己株式の処分及び消却に関する付随費用

　　自己株式の処分及び消却に関する付随費用は、損益計算書の営業外費用に計上する。　　　【ASB 基準 1 号14】

⑦ 自己株式消却決議がされ消却手続が完了していない場合の開示

　　取締役会等による会社の意思決定によって自己株式を消却する場合に、決議後消却手続を完了していない自己株式が貸借対照表日にあり、当該自己株式の帳簿価額又は株式数に重要性があるときであって、かつ、連結又は

個別株主資本等変動計算書の注記事項として自己株式の種類又は株式数に関する事項を記載する場合には、消却していない自己株式の帳簿価額、種類及び株式数を当該事項に併せて注記する。　　　　【ASB 基準 1 号22】

(3) 連結財務諸表における子会社及び関連会社が保有する親会社株式等の取扱い

① 連結子会社が保有する親会社株式

　　連結子会社が保有する親会社株式は、親会社が保有している自己株式と合わせ、純資産の部の株主資本に対する控除項目として表示する。株主資本から控除する金額は親会社株式の親会社持分相当額とし、非支配株主持分から控除する金額は非支配株主持分相当額とする。

　　　　　　　　　　　　　　　　　　　【ASB 基準 1 号15】

　　連結子会社における親会社株式の売却損益（内部取引によるものを除いた親会社持分相当額）の会計処理は、親会社における自己株式処分差額の会計処理と同様とする。非支配株主持分相当額は非支配株主利益（又は損失）に加減する。この売却損益は、関連する法人税、住民税及び事業税を控除後のものとする。

　　　　　　　　　【ASB 基準 1 号16、ASB 指針 2 号16】

② 持分法適用会社が保有する親会社株式等

　　持分法の適用対象となっている子会社及び関連会社が親会社株式等を保有する場合は、親会社等の持分相当額を自己株式として純資産の部の株主資本から控除し、当該会社に対する投資勘定を同額減額する。

　　　　　　　　　　　　　　　　　　　【ASB 基準 1 号17】

　　持分法の適用対象となっている子会社及び関連会社における親会社株式等の売却損益（内部取引によるものを除いた親会社等の持分相当額）は、親会社における自己株式処分差額の会計処理と同様とし、また、当該会社に対する投資勘定を同額加減する。この売却損益は、関連する法人税、住民税及び事業税を控除後のものとする。

　　　　　　　　　【ASB 基準 1 号18、ASB 指針 2 号16】

③ 連結子会社が保有する当該連結子会社の自己株式

　　連結子会社による当該連結子会社の自己株式の非支配株主からの取得及び少数株主への処分は、それぞれ親会社による子会社株式の追加取得及び一部売却に準じて処理する。　　　　　　　　　　【ASB 指針 2 号17】

　　連結子会社による当該連結子会社の自己株式の非支配株主からの取得を、親会社による子会社株式の追加取得に準じて処理する場合、自己株式の取得の対価と非支配株主持分の減少額との差額を資本剰余金として処理する。　　　　　　　　　　　　　　【ASB 指針 2 号18】

　　連結子会社による当該連結子会社の自己株式の非支配株主への処分を、親会社による子会社株式の一部売却に準じて処理する場合、連結子会社による非支配株主への第三者割当増資に準じて処理する。【ASB 指針 2 号19】

　　連結子会社が、保有する自己株式を消却した場合、連結貸借対照表上、資産の部、負債の部及び純資産の部に変動は生じない。　　　　　　　　【ASB 指針 2 号20】

④ 持分法適用会社が保有する当該持分法適用会社の自己株式

　　持分法適用会社による当該持分法適用会社の自己株式の親会社等以外からの取得及び親会社等以外への処分

は、連結子会社の場合と同様に、それぞれ親会社等による持分法適用会社の株式の追加取得及び一部売却に準じて処理する。　　　　　　　　　　　【ASB指針2号21】

持分法適用会社が、保有する自己株式を消却した場合、持分法上の会計処理は生じない。
　　　　　　　　　　　　　　　　　【ASB指針2号22】

（4）自己株式等の表示

① 期末に保有する自己株式は、純資産の部の株主資本の末尾に自己株式として一括して控除する形式で表示する。　　　　　　　　　　　　　　　　【ASB基準1号8】

② 自己株式は、株主資本に対する控除項目として利益剰余金の次に自己株式の科目をもって掲記しなければならない。　　　　　　　　　　　　　　　　　　　【財規66】

自己株式の処分に係る申込期日経過後における申込証拠金は、自己株式の次に自己株式申込証拠金の科目をもって掲記しなければならない。　　　　【財規66の2】

3. 従業員等に信託を通じて自社の株式を交付する取引の会計処理

（1）概　　要

従業員又は従業員持株会に信託を通じて自社の株式を交付する取引（Employee Stock Ownership Plan：ESOP）について、委託者である企業が信託の変更をする権限を有しており、信託財産の経済的効果が企業に帰属しないことが明らかであるとは認められない場合には、会計上、信託の財産を企業の財産として処理する。【ASB報告30号5、27】

（2）対象となる取引

① 従業員への福利厚生を目的として、従業員持株会に信託を通じて自社の株式を交付する取引

② 従業員への福利厚生を目的として、自社の株式を受け取ることができる権利（受給権）を付与された従業員に信託を通じて自社の株式を交付する取引
　　　　　　　　　　　　　　　　【ASB報告30号3、4】

（3）従業員持株会に信託を通じて自社の株式を交付する取引に関する会計処理

① 総額法の適用

対象となる信託が、以下のア及びイの要件をいずれも満たす場合には、企業は期末において総額法を適用し、信託の財産を企業の個別財務諸表に計上する。

ア 委託者が信託の変更をする権限を有している場合

イ 企業に信託財産の経済的効果が帰属しないことが明らかであるとは認められない場合【ASB報告30号5】

一般的に、総額法は、信託の資産及び負債を企業の資産及び負債として貸借対照表に計上し、信託の損益を企業の損益として損益計算書に計上することを意味する。　　　　　　　　　　　【ASB報告30号脚注6】

② 自己株式処分差額の認識時点

信託による企業の株式の取得が、企業による自己株式の処分により行われる場合、ASB指針2号5に従い、信託からの対価の払込期日に自己株式の処分を認識する。　　　　　　　　　　　　　　　【ASB報告30号7】

③ 総額法による会計処理

期末における総額法等の適用に際して、以下に留意する。

ア 信託に残存する自社の株式は帳簿価額により自己株式として計上する。帳簿価額に含められていた付随費用はイの信託に関する損益に含める。

イ 信託における損益の純額が、正の値となる場合には負債に、負の値となる場合には資産に、それぞれ適当な科目を用いて計上する。

ウ 信託終了時に企業が信託の資金不足を負担する可能性がある場合には、負債性の引当金の計上の要否を判断する。

エ 自己株式の処分及び消却時の帳簿価額は株式の種類ごとに算定するが、自己株式と信託が保有する自社の株式は法的な保有者が異なるため、それらの帳簿価額は通算しない。

オ 企業と信託との間の取引は相殺消去を行わない。
　　　　　　　　　　　　　　　　　【ASB報告30号8】

④ 連結財務諸表における処理

信託について子会社又は関連会社に該当するか否かの判定を要しない。個別財務諸表における総額法の処理は、連結財務諸表作成上、そのまま引き継ぐ。
　　　　　　　　　　　　　　　　　【ASB報告30号9】

（4）受給権を付与された従業員に信託を通じて自社の株式を交付する取引に関する会計処理

① 総額法の適用と自己株式処分差額の認識時点

従業員持株会に信託を通じて自社の株式を交付する取引と同様に取り扱う。　　　【ASB報告30号10、11】

② 従業員へのポイントの割当等に関する会計処理

企業は、受給権の算定の基礎となるポイントを従業員に割り当てるが、割り当てられたポイントに応じた株式数に、信託が自社の株式を取得したときの株価を乗じた金額を基礎として、費用及びこれに対応する引当金を計上する。

信託から従業員に株式が交付される場合、企業はポイントの割当時に計上した引当金を取り崩す。引当金の取崩額は、信託が自社の株式を取得したときの株価に交付された株式数を乗じて算定する。

信託による自社の株式の取得が複数回にわたって行われる場合、従業員に割り当てられたポイントに関する費用、これに対応する引当金及び引当金の取崩額は、平均法又は先入先出法により算定する。
　　　　　　　　　　　　　　　　【ASB報告30号12、13】

③ 総額法による会計処理

期末における総額法の適用に際して、以下に留意する。

ア 信託に残存する自社の株式は帳簿価額により自己株式として計上する。帳簿価額に含められていた付随費用はイの信託に関する損益に含める。

イ 信託における損益の純額が、正の値となる場合には負債に、負の値となる場合には資産に、それぞれ適当な科目を用いて計上する。

ウ 自己株式の処分及び消却時の帳簿価額は株式の種類ごとに算定するが、自己株式と信託が保有する自社の株式は法的な保有者が異なるため、それらの帳簿価額は通算しない。

エ 企業と信託との間の取引については、相殺消去を行

わない。　　　　　　　　　　　【ASB 報告30号14】

④　連結財務諸表における処理

　　信託について子会社又は関連会社に該当するか否かの判定を要しない。個別財務諸表における総額法の処理は、連結財務諸表作成上、そのまま引き継ぐ。

　　　　　　　　　　　　　　　　　【ASB 報告30号15】

(5) 開 示 等

① 注記

　　連結財務諸表及び個別財務諸表において、以下を注記する。連結財務諸表における注記と個別財務諸表における注記の内容が同一となる場合には、個別財務諸表の注記は、連結財務諸表に当該注記がある旨の記載をもって代えることができる。

　ア　取引の概要

　イ　信託に残存する自社の株式に関して計上された自己株式について、純資産の部に自己株式として表示している旨、帳簿価額及び株式数

　ウ　従業員持株会に信託を通じて自社の株式を交付する取引において、総額法の適用により計上された借入金の帳簿価額　　　　　　　　　　【ASB 報告30号16】

② 1株当たり情報への影響

　　信託に残存する自社の株式に関して計上された自己株式については、1株当たり当期純利益の算定上、期中平均株式数の計算において控除する自己株式に含める。また、1株当たり純資産額の算定上、期末発行済株式総数から控除する自己株式に含める。なお、1株当たり情報に関する注記を記載する場合には、信託に残存する自社の株式に関して計上された自己株式を、控除する自己株式に含めている旨並びに期末及び期中平均の自己株式の数を注記する。　　　　　【ASB 報告30号17】

③ 株主資本等変動計算書への注記

　　従業員又は従業員持株会に信託を通じて自社の株式を交付する取引を行っており、かつ連結又は個別株主資本等変動計算書の注記事項として自己株式の種類及び株式に関する事項を記載する場合には、当該事項に併せて以下を注記する。

　ア　当期首及び当期末の自己株式数に含まれる信託が保有する自社の株式数

　イ　当期に増加又は減少した自己株式数に含まれる信託が取得又は売却、交付した自社の株式数

　ウ　配当金の総額に含まれる信託が保有する自社の株式に対する配当金額　　　　　　　　　【ASB 報告30号18】

4. 取締役の報酬等として株式を無償交付する取引に関する会計処理及び開示

(1) 事前交付型の会計処理

① 「事前交付型」とは、取締役の報酬等として株式を無償交付する取引のうち、対象勤務期間の開始後速やかに、契約上の譲渡制限が付された株式の発行等が行われ、権利確定条件が達成された場合には譲渡制限が解除されるが、権利確定条件が達成されない場合には企業が無償で株式を取得する取引をいう。【ASB 報告41号4(7)】

② 取締役等の報酬等として「新株の発行」を行う場合の会計処理

　ア　割当日における取扱い

　　割当日（会202の2①二に基づいて株式の発行等が行われる日）においては、資本を増加させる財産等の増加は生じていないため、払込資本を増加させない。

　　　　　　　　　　【ASB 報告41号4(6)、ASB 報告41号40】

　イ　対象勤務期間における取扱い

　㈠　費用計上

　　　取締役等に対して新株を発行し、これに応じて企業が取締役等から取得するサービスは、その取得に応じて費用として計上する。

　　　各会計期間における費用計上額は、株式の公正な評価額のうち、対象勤務期間を基礎とする方法その他の合理的な方法に基づき当期に発生したと認められる額である。株式の公正な評価額は、公正な評価単価に株式数を乗じて算定する。

　　　株式の公正な評価単価は、付与日において算定し、原則として、その後は見直さない。

　　　また、失効等の見込みについては株式数に反映させるため、公正な評価単価の算定上は考慮しない。

　　　株式数の算定及びその見直しによる会計処理は、次のように行う。

　　A　株式数は、付与された株式数（失効等を見込まない場合の株式数）から、権利確定条件（勤務条件や業績条件）の不達成による失効等の見積数を控除して算定する。

　　B　付与日から権利確定日の直前までの間に、権利確定条件（勤務条件や業績条件）の不達成による失効等の見積数に重要な変動が生じた場合には、原則として、これに応じて株式数を見直す。

　　　株式数を見直した場合には、見直し後の株式数に基づく株式の公正な評価額に基づき、その期までに費用として計上すべき額と、これまでに計上した額との差額を見直した期の損益として計上する。

　　C　権利確定日には、株式数を権利の確定した株式数（以下「権利確定数」という）と一致させる。

　　　これにより株式数を修正した場合には、修正後の株式数に基づく株式の公正な評価額に基づき、権利確定日までに費用として計上すべき額と、これまでに計上した額との差額を権利確定日の属する期の損益として計上する。

　　　　　　　　　　　　　　　　【ASB 報告41号5～8】

　㈡　費用に対応する金額

　　　㈠の会計処理により年度通算で費用が計上される場合は対応する金額を資本金又は資本準備金に計上し、年度通算で過年度に計上した費用を戻し入れる場合は対応する金額をその他資本剰余金から減額する。

　　　当該会計処理の結果、会計期間末においてその他資本剰余金の残高が負の値となった場合には、ASB 基準1号12により会計処理を行う。

　【ASB 報告41号9、ASB 基準1号12、計規42の2①～③】

　　　なお、四半期会計期間においては、㈠の会計処理

により計上される損益に対応する金額はその他資本剰余金の計上又は減額として処理する。当該会計処理の結果、四半期会計期間末においてその他資本剰余金の残高が負の値となった場合、上記と同様に処理し、翌四半期会計期間の期首に戻入れを行う。また、年度の財務諸表においては、上記の処理に置き換える。　　　　　　　　　【ASB報告41号10】

ウ　没収時の取扱い

　　没収（権利確定条件が達成されなかったことによって、企業が無償で株式を取得することが確定すること）によって無償で株式を取得した場合は、ASB指針2号14の定めによる自己株式の無償取得として、自己株式の数のみの増加処理を行う。

【ASB報告41号4⑯、ASB報告41号11、ASB指針2号14】

③　取締役等の報酬等として「自己株式を処分」する場合の会計処理

ア　割当日における取扱い

　　割当日においては、処分した自己株式の帳簿価額を減額するとともに、同額のその他資本剰余金を減額する。なお、当該会計処理の結果、会計期間末においてその他資本剰余金の残高が負の値となった場合には、ASB基準1号12により会計処理を行う。

【ASB報告41号12、ASB基準1号12、計規42の2④⑦】

イ　対象勤務期間における取扱い

　　取締役等に対して自己株式を処分し、これに応じて企業が取締役等から取得するサービスは、上記4.(1)②イ(ア)と同様にサービスの取得に応じて費用を計上し、対応する金額をその他資本剰余金として計上する。

【ASB報告41号13、計規42の2⑤】

ウ　没収時の取扱い

　　没収によって無償で株式を取得した場合は、ASB指針2号14の定めによらず、上記③アにより減額した自己株式の帳簿価額のうち、無償取得した部分に相当する額の自己株式を増額し、同額のその他資本剰余金を増額する。　　　【ASB報告41号14】

(2) 事後交付型の会計処理

①　「事後交付型」とは、取締役の報酬等として株式を無償交付する取引のうち、契約上、株式の発行等について権利確定条件が付されており、権利確定条件が達成された場合に株式の発行等が行われる取引をいう。

【ASB報告41号4(8)】

②　取締役等の報酬等として「新株の発行」を行う場合の会計処理

ア　対象勤務期間における取扱い

　　取締役の報酬等として株式を無償交付する取引に関する契約を締結し、これに応じて企業が取締役等から取得するサービスは、上記4.(1)②イ(ア)と同様にサービスの取得に応じて費用を計上し、対応する金額は、株式の発行等が行われるまでの間、貸借対照表の純資産の部の株主資本以外の項目に「株式引受権」として計上する。

【ASB報告41号15、計規42の3①～③、計規54の2①】

イ　割当日における取扱い

　　割当日において、新株を発行した場合には、株式引受権として計上した額を資本金又は資本準備金に振り替える。　　　　　【ASB報告41号16、計規54の2②】

③　取締役等の報酬等として「自己株式を処分」する場合の会計処理

ア　対象勤務期間における取扱い

　　上記(2)②アと同様に処理する。

イ　割当日における取扱い

　　割当日において、自己株式を処分した場合には、自己株式の取得原価と、株式引受権の帳簿価額との差額を、自己株式処分差額としてその他の資本剰余金を増額させる。

【ASB指針2号9、10、12、ASB報告41号18、計規42の3④】

(3) その他の会計処理

　ASB報告41号に定めのないその他の会計処理については、類似する取引又は事象に関する会計処理が、ASB基準8号（ストック・オプション会計基準）又はASB指針11号（ストック・オプション適用指針）に定められている場合には、これに準じて会計処理を行う。　　【ASB報告41号19】

(4) 開　　示

①　注記

ア　年度の財務諸表において、次の事項を注記する。

(ア)　事前交付型について、取引の内容、規模及びその変動状況（各会計期間において権利未確定株式数が存在したものに限る）

①　付与対象者の区分（取締役、執行役の別）及び人数

②　当該会計期間において計上した費用の額とその科目名称

③　付与された株式数（当該企業が複数の種類の株式を発行している場合には、株式の種類別に記載を行う。④において同じ）

④　当該会計期間中に没収した株式数、当該会計期間中に権利確定した株式数並びに期首及び期末における権利未確定残株式数

⑤　付与日

⑥　権利確定条件

⑦　対象勤務期間

⑧　付与日における公正な評価単価

(イ)　事後交付型について、取引の内容、規模及びその変動状況（各会計期間において権利未確定株式数が存在したものに限る。ただし、⑤を除く）

①　与対象者の区分（取締役、執行役の別）及び人数

②　当該会計期間において計上した費用の額とその科目名称

③　付与された株式数（当該企業が複数の種類の株式を発行している場合には、株式の種類別に記載を行う。④、⑤において同じ）

④　当該会計期間中に失効した株式数、当該会計期

間中に権利確定した株式数並びに期首及び期末における権利未確定残株式数

⑤ 権利確定後の未発行株式数
⑥ 付与日
⑦ 権利確定条件
⑧ 対象勤務期間
⑨ 付与日における公正な評価単価
(ウ) 付与日における公正な評価単価の見積方法
(エ) 権利確定数の見積方法
(オ) 条件変更の状況　　　　　　　【ASB報告41号20】

イ　上記(4)①アの注記事項に関する具体的な内容や記載方法の他、ASB報告41号に会計処理の定めのない事項に係る注記については、ASB指針11号27、28(2)、29、30、33、35の定めに準じて注記を行う。
【ASB報告41号21】

② 　1株当たり情報に関する注記
ア　事後交付型におけるすべての権利確定条件を達成した場合に株式が交付されることとなる契約は、ASB基準2号9の「潜在株式」として取り扱い、潜在株式調整後1株当たり当期純利益の算定において、ストック・オプションと同様に取り扱う。

イ　株式引受権の金額は1株当たり純資産の算定上、ASB指針4号35の期末の純資産額の算定にあたっては、貸借対照表の純資産の部の合計額から控除する。
【ASB報告41号22】

6　その他有価証券評価差額金 【➡ p.63、p.152】

1. 定　義

その他有価証券評価差額金とは、純資産の部に計上されるその他有価証券の評価差額をいう。　　　【財規67①一】

7　土地再評価差額金

1. 定　義

土地再評価差額金とは、金融の円滑に資すること等を目的として制定された「土地の再評価に関する法律」(1998(平成10)年3月31日法律第34号、最終改正2005(平成17)年7月26日法律第87号)(以下「土地再評価法」という)に基づき、大会社等の一定の会社が、事業用土地について時価による評価を行い(土地再評価法第3条第1項)、当該事業用土地の帳簿価額を改定することにより計上されたものである。　　　　　　　　　　　　　【土地Q&A Q1】

2. 会計処理及び表示

土地再評価差額金は、再評価を行った事業用土地の再評価額から当該事業用土地の再評価の直前の帳簿価額を控除

した金額再評価差額から、再評価に係る繰延税金負債の額又は再評価に係る繰延税金資産の額を控除して算定され(土地再評価法第7条第1項)、貸借対照表の「純資産の部」に土地再評価差額金の科目で計上しなければならない。
【土地Q&A Q1、財規67①三】

再評価に係る繰延税金資産又は再評価に係る繰延税金負債は通常の税効果会計から生ずる繰延税金資産又は繰延税金負債とは区別して、再評価に係る繰延税金資産は投資その他の資産に「再評価に係る繰延税金資産」の科目をもって記載し、再評価に係る繰延税金負債は固定負債に「再評価に係る繰延税金負債」の科目をもって記載する。
【財規32の3、52の2】

また、土地再評価法の規定により再評価されている事業用土地がある場合には、その旨、同法第3条第3項に規定する再評価の方法、当該再評価年月日及び同法10条に規定する差額を注記しなければならない。ただし、財務諸表提出会社が連結財務諸表を作成している場合には、記載することを要しない。　　　　　　　　　【財規42②、③】

8　繰延ヘッジ損益

1. 定　義

繰延ヘッジ損益とは、ヘッジ対象に係る損益が認識されるまで繰り延べられるヘッジ手段に係る損益又は時価評価差額をいう。　　　　　　　　　　【財規67①二➡p.68】

9　新株引受権

1. 定　義

取締役又は執行役がその職務の執行として株式会社に対して提供した役務の対価として当該株式会社の株式の交付を受けることができる権利(新株予約権を除く)をいう。
【計規2③三十四】

2. 新株引受権の計上

① 　取締役等が株式会社に対し会202の2①(同条③の規定により読み替えて適用する場合を含む)の募集株式に係る割当日前にその職務の執行として当該募集株式を対価とする役務を提供した場合には、当該役務の公正な評価額を、増加すべき株式引受権の額とする。
【計規54の2①】

② 　株式会社が①の取締役等に対して募集株式を割り当てる場合には、当該募集株式に係る割当日における同項の役務に対応する株式引受権の帳簿価額を、減少すべき株式引受権の額とする。　　　　　　　　　【計規54の2②】

10 新株予約権

1. 新株予約権

（1）定　義
新株予約権とは、株式会社に対して行使することにより当該株式会社の株式の交付を受けることができる権利をいう。　　　　　　　　　　　　　　　　【会2二十一】

（2）発行者側の会計処理
① 発行時
発行に伴う払込金額を純資産の部に「新株予約権」として計上する。

② 権利行使時
ア　新株を発行する場合
新株予約権の発行に伴う払込金額と新株予約権の行使に伴う払込金額を資本金又は資本金及び資本準備金に振り替える。

イ　自己株式を処分する場合
自己株式を募集株式の発行等の手続により処分する場合に準じて取り扱う。自己株式処分差額を計算する際の自己株式の処分の対価は、当該新株予約権の発行に伴う払込金額と新株予約権の行使に伴う払込金額との合計額とする。なお、権利行使時に交付する株式の数に1株に満たない端数がある場合で、当該端数に相当する金銭を交付するときは、当該端数部分についてもア又はイの処理を行った後、交付する金銭の額をその他資本剰余金から減額する。

③ 失効時
失効が確定した会計期間の利益（原則として特別利益）として処理する。

④ 外貨建新株予約権
ア　発行時
外貨建自社発行新株予約権の発行時の円貨への換算は、発行時の為替相場による。ただし、外貨建新株予約権発行による入金外貨額に本邦通貨による為替予約等が締結され、振当処理を採用している場合には、為替予約等により確定した円貨額により記録する。

イ　決算時及び行使時の会計処理
外貨建自社発行新株予約権の決算時の円貨への換算は、発行時の為替相場による。ただし、外貨建新株予約権発行による入金外貨額に本邦通貨による為替予約等が締結され、振当処理を採用している場合には、為替予約等により確定した円貨額により記録する。外貨建自社発行新株予約権の行使時の円貨への換算は、発行時に記帳された為替相場による。
【ASB指針17号4〜6、会制4号19-2〜19-3】

（3）取得者側の会計処理（新株予約権の発行者以外が取得者となる場合）
① 取得時
有価証券の取得として処理する。

② 権利行使時
新株予約権の保有目的区分に応じて、売買目的有価証券の場合には権利行使時の時価で、その他有価証券の場合には帳簿価額で株式に振り替える。

③ 譲渡時
新株予約権の消滅を認識するとともに、移転した新株予約権の帳簿価額とその対価としての受取額との差額を当期の損益として処理する。発行者に譲渡した場合においても同様に処理する。なお、新株予約権の発行者が一定の事由が生じたことを条件として当該新株予約権を取得できることとする条項（取得条項）が付された新株予約権について、発行者が当該取得条項に基づき自己新株予約権を取得した場合には、取得条項付の転換社債型新株予約権付社債における転換社債型新株予約権付社債権者側の会計処理に準じて処理する。

④ 失効時
新株予約権の帳簿価額を当期の損失として処理する。

⑤ 外貨建新株予約権
ア　取得時
外貨建保有新株予約権の取得時の円貨への換算は、取得時の為替相場による。ただし、保有目的がその他有価証券である外貨建新株予約権取得のための支払外貨額に本邦通貨による為替予約等が締結され、振当処理を採用している場合には、為替予約等により確定した円貨額により記録する。

イ　決算時及び行使時
外貨建保有新株予約権の決算時の円貨への換算は決算時の為替相場による。外貨建保有新株予約権の行使時の円貨への換算は、売買目的有価証券の場合、行使時の為替相場により、その他有価証券の場合、取得時に記帳された為替相場による。
【ASB指針17号7〜10、会制4号19-4〜19-5】

2. ストック・オプション

（1）定　義
① ストック・オプションとは、自社株式オプションのうち、特に企業がその従業員等に、報酬として付与するものをいう。　　【財規8㉖、ASB基準8号2(2)】
② 自社株式オプションとは、自社の株式（財務諸表を報告する企業の株式）を原資産とするコール・オプション（一定の金額の支払いにより、原資産である自社の株式を取得する権利）をいう。新株予約権はこれに該当する。
【財規8㉕、ASB基準8号2(1)】

（2）権利確定日以前の場合
ア　会計処理
ストック・オプションを付与し、これに応じて企業が従業員等から取得するサービスは、その取得に応じて費用として計上し、対応する金額を、ストック・オプションの権利の行使又は失効が確定するまでの間、貸借対照表の純資産の部に新株予約権として計上する。

各会計期間においては、ストック・オプションの公正な評価額のうち、対象勤務期間を基礎とする方法その他の合理的な方法に基づき当期に発生したと認められる額を費用として計上する。【ASB基準8号4〜5】
〈仕訳〉
（借）株式報酬費用　×××　（貸）新株予約権　×××

【ASB 指針11号設例】

イ　ストック・オプションの公正な評価額

　　ストック・オプションの公正な評価額は、公正な評価単価にストック・オプション数を乗じて算定する。

㋐　ストック・オプションの公正な評価単価の算定

　　A　付与日現在で算定し、条件変更の場合を除き、その後の見直しは行わない。

　　B　ストック・オプションは、通常、市場価格を観察することができないため、株式オプションの合理的な価額の見積りに広く受け入れられている算定技法（二項モデル、ブラック・ショールズモデル等）を利用する。

　　C　算定技法の利用に当たっては、付与するストック・オプションの特性や条件等を適切に反映するよう必要に応じて調整を加える。ただし、失効の見込みについてはストック・オプション数に反映させるため、公正な評価単価の算定上は考慮しない。

㋑　ストック・オプション数の算定及び見直し

　　A　付与されたストック・オプション数（付与数）から、権利不確定による失効の見積数を控除して算定する。

　　B　付与日から権利確定日の直前までの間に、権利不確定による失効の見積数に重要な変動が生じた場合（条件変更による場合を除く）には、これに応じてストック・オプション数を見直す。これにより見直した場合には、見直し後のストック・オプション数に基づくストック・オプションの公正な評価額に基づき、その期までに費用として計上すべき額と、これまでに計上した額との差額を見直した期の損益として計上する。

　　C　権利確定日には、ストック・オプション数を権利の確定したストック・オプション数（権利確定数）と一致させる。これにより、ストック・オプション数を修正した場合には、修正後のストック・オプション数に基づくストック・オプションの公正な評価額に基づき、権利確定日までに費用として計上すべき額と、これまでに計上した額との差額を権利確定日の属する期の損益として計上する。　　　　　　　　　　　　　【ASB 基準 8 号 5 ～ 7、48】

（3）権利確定日後の場合

① 会計処理

　　ストック・オプションが権利行使され、これに対して新株を発行した場合には、新株予約権として計上した額のうち、当該権利行使に対応する部分を払込資本に振り替える。なお、新株予約権の行使に伴い、当該企業が自己株式を処分した場合には、自己株式の取得原価と、新株予約権の帳簿価額及び権利行使に伴う払込金額の合計額との差額は、自己株式処分差額として処理する。

　　権利不行使による失効が生じた場合には、新株予約権として計上した額のうち、当該失効に対応する部分を利益として計上する。この会計処理は、当該失効が確定した期に行う。　　　　　　　　　　【ASB 基準 8 号 8 ～ 9】

（4）ストック・オプションに係る条件変更

① ストック・オプションの公正な評価単価を変動させる条件変更（行使価格を変更する等の条件変更）の会計処理

　ア　条件変更日におけるストック・オプションの公正な評価単価が、付与日における公正な評価単価を上回る場合には、条件変更前から行われてきた付与日におけるストック・オプションの公正な評価単価に基づく公正な評価額による費用計上を継続して行うことに加え、条件変更日におけるストック・オプションの公正な評価単価が付与日における公正な評価単価を上回る部分に見合うストック・オプションの公正な評価額の増加額につき、以後追加的に費用計上を行う。

　イ　条件変更日におけるストック・オプションの公正な評価単価が付与日における公正な評価単価以下となる場合には、条件変更日以後においても、条件変更前から行われてきた、ストック・オプションの付与日における公正な評価単価に基づく公正な評価額による費用計上を継続する。なお、新たな条件のストック・オプションの付与と引換えに、当初付与したストック・オプションを取り消す場合には、実質的に当初付与したストック・オプションの条件変更と同じ経済実態を有すると考えられる限り、ストック・オプションの条件変更とみなして会計処理を行う。

② ストック・オプション数を変動させる条件変更の会計処理

　　権利確定条件を変更する等の条件変更により、ストック・オプション数を変動させた場合には、条件変更前から行われてきた費用計上を継続して行うことに加え、条件変更によるストック・オプション数の変動に見合うストック・オプションの公正な評価額の変動額を、以後、合理的な方法に基づき、残存期間にわたって計上する。

③ 費用の合理的な計上期間を変動させる条件変更の会計処理

　　対象勤務期間の延長又は短縮に結びつく勤務条件の変更等により、費用の合理的な計上期間を変動させた場合には、当該条件変更前の残存期間に計上すると見込んでいた金額を、以後、合理的な方法に基づき、新たな残存期間にわたって費用計上する。【ASB 基準 8 号10～12】

（5）未公開企業における取扱い

　　未公開企業については、ストック・オプションの公正な評価単価に代え、ストック・オプションの単位当たりの本源的価値の見積りに基づいて会計処理を行うことができる。

　　単位当たりの本源的価値とは、算定時点においてストック・オプションが権利行使されると仮定した場合の単位当たりの価値であり、当該時点におけるストック・オプションの原資産である自社の株式の評価額と行使価格との差額をいう。　　　　　　　　　　　　　【ASB 基準 8 号13】

3. 財貨又はサービスの取得の対価として自社株式オプションを付与する取引の会計処理

　　企業が従業員等からサービスを取得する対価としてストック・オプションを用いる取引について定めた上記の会

計処理は、取引の相手方や取得する財貨又はサービスの内容にかかわらず、原則として、取得の対価として自社株式オプションを用いる取引一般に適用される。ただし、次の点に留意する必要がある。

(1) 取得した財貨又はサービスが、他の会計基準に基づき資産とされる場合には、当該他の会計基準に基づき会計処理を行う。

(2) 取得した財貨又はサービスの取得価額は、対価として用いられた自社株式オプションの公正な評価額若しくは取得した財貨又はサービスの公正な評価額のうち、いずれかより高い信頼性をもって測定可能な評価額で算定する。

(3) 自社株式オプションの付与日における公正な評価単価の算定につき、市場価格が観察できる場合には、当該市場価格による。　　　　　　　　　　【ASB 基準 8 号 14】

4. 財貨又はサービスの取得の対価として自社の株式を交付する取引の会計処理

　企業が財貨又はサービスの取得の対価として、自社の株式を用いる取引については、次のように会計処理を行う。

(1) 取得した財貨又はサービスを資産又は費用として計上し、対応額を払込資本として計上する。

(2) 取得した財貨又はサービスの取得価額は、対価として用いられた自社の株式の契約日における公正な評価額もしくは取得した財貨又はサービスの公正な評価額のうち、いずれかより高い信頼性をもって測定可能な評価額で算定する。　　　　　　　　　　　　　　　　【ASB 基準 8 号 15】

5. 従業員等に対して権利確定条件付き有償新株予約権を付与する取引の会計処理

　企業がその従業員等に対して権利確定条件が付されている新株予約権を付与する場合にその付与に伴い当該従業員等が一定の額の金銭を企業に払い込む取引の新株予約権（以下「権利確定条件付き有償新株予約権」という）は、ストック・オプションに該当するとされた。
　　　　　　　　　　【ASB基準 8 号 2、ASB報告36号 4、10】

(1) 会計処理

　従業員等に対して権利確定条件付き有償新株予約権を付与する取引の会計処理は、基本的にASB基準 8 号 4 から 9 に準拠する。　　　　　　　　　　【ASB報告36号 5 ～ 8】

① 権利確定日以前の会計処理

　ア　権利確定条件付き有償新株予約権の付与に伴う従業員等からの払込金額を、純資産の部に新株予約権として計上する。　　　　　　　　　　　【ASB 報告36号 5(1)】

　イ　権利確定条件付き有償新株予約権の付与に伴い企業が従業員等から取得するサービスは、その取得に応じて費用として計上し、対応する金額を、当該権利確定条件付き有償新株予約権の権利の行使又は失効が確定するまでの間、純資産の部に新株予約権として計上する（ストック・オプション会計基準第 4 項）。
　　　　　　　　　　【ASB 基準 8 号 2、ASB 報告36号 5(2)】

　ウ　各会計期間における費用計上額として、権利確定条件付き有償新株予約権の公正な評価額から上記ア払込金額を差し引いた金額のうち、対象勤務期間を基礎と

する方法その他の合理的な方法に基づき当期に発生したと認められる額を算定する。当該権利確定条件付き有償新株予約権の公正な評価額は、公正な評価単価に権利確定条件付き有償新株予約権数を乗じて算定する。　　　　　　　　　　　　　　　【ASB 報告36号 5(3)】

　エ　権利確定条件付き有償新株予約権の公正な評価単価は付与日において算定し、ASB 基準 8 号10(1)に定める条件変更の場合を除き見直さない。権利確定条件付き有償新株予約権の公正な評価単価における算定技法の利用については、ASB 基準 8 号 6(2)に従う。なお、失効の見込みについては権利確定条件付き有償新株予約権数に反映させるため、公正な評価単価の算定上は考慮しない。　　　　　　　　　　【ASB 報告36号 5(4)】

② 権利確定条件付き有償新株予約権数の算定及びその見直しによる会計処理

　ア　権利確定条件付き有償新株予約権数は、付与日において、付与された権利確定条件付き有償新株予約権数（以下「付与数」という）から、権利不確定による失効の見積数を控除して算定する。

　イ　付与日から権利確定日の直前までの間に、権利不確定による失効の見積数に重要な変動が生じた場合、権利確定条件付き有償新株予約権数を見直す。見直し後の権利確定条件付き有償新株予約権数に基づく権利確定条件付き有償新株予約権の公正な評価額から払込金額を差し引いた金額のうち合理的な方法に基づき見直しを行った期までに発生したと認められる額と、これまでに費用計上した額との差額を、見直しを行った期の損益として計上する。

　ウ　権利確定日には、権利確定条件付き有償新株予約権数を権利の確定した権利確定条件付き有償新株予約権数に修正する。修正後の権利確定条件付き有償新株予約権数に基づく権利確定条件付き有償新株予約権の公正な評価額から払込金額を差し引いた金額と、これまでに費用計上した額との差額を、権利確定日の属する期の損益として計上する。　　　　　【ASB 報告36号 5(5)】

③ 新株予約権として計上した払込金額のうち、権利不確定による失効に対応する部分を利益として計上する。
　　　　　　　　　　　　　　　　【ASB 報告36号 5(6)】

(2) 権利確定日後の会計処理

① 権利確定条件付き有償新株予約権が権利行使され、これに対して新株を発行した場合、新株予約権として計上した額のうち、当該権利行使に対応する部分を払込資本に振り替える。　　　　　　　　　　【ASB 報告36号 6(1)】

② 権利不行使による失効が生じた場合、新株予約権として計上した額のうち、当該失効に対応する部分を利益として計上する。この会計処理は、当該失効が確定した期に行う。　　　　　　　　　　　【ASB 報告36号 6(2)】

(3) 実務対応報告に定めのないその他の会計処理

　ストック・オプション会計基準及びストック・オプション等に関する会計基準の適用指針の定めに従う。
　　　　　　　　　【ASB基準 8 号、ASB指針11号、ASB報告36号 8】

(4) 開　示

　従業員等に対して権利確定条件付き有償新株予約権を付与する取引に関する注記は、ASB基準 8 号16及びASB指

針1号24から35に従って行うこととされた。

【ASB基準8号16、ASB指針11号24〜35、ASB報告36号9】

6. 開　　示

（1）ストック・オプション等に関する注記

① ストック・オプションもしくは自社株式オプションを付与又は自社の株式を交付している場合、次の事項を注記しなければならない。

ア 役務の提供を受けた場合には、当該事業年度における費用計上額及び科目名

イ 財貨を取得した場合には、その取引における当初の資産計上額又は費用計上額及び科目名

ウ 権利不行使による失効が生じた場合には、利益として計上した金額

② ①のほか、ストック・オプションの内容、規模及びその変動状況として次の事項を注記しなければならない。

ア 付与対象者の役員、従業員などの区分ごとの人数

イ 株式の種類別のストック・オプションの数

　（ア）付与数

　（イ）当事業年度における権利不確定による失効数

　（ウ）当事業年度における権利確定数

　（エ）前事業年度末及び当事業年度末における権利未確定残数

　（オ）当事業年度における権利行使数

　（カ）当事業年度における権利不行使による失効数

　（キ）前事業年度末及び当事業年度末における権利確定後の未行使残数

ウ 付与日

エ 権利確定条件（権利確定条件が付されていない場合にはその旨）

オ 対象勤務期間（対象勤務期間の定めがない場合にはその旨）

カ 権利行使期間

キ 権利行使価格

ク 付与日における公正な評価単価

ケ 当事業年度において権利行使されたストック・オプションの権利行使時の株価の平均値

③ ②の注記は、次のいずれかの方法で記載しなければならない。

ア 契約単位で記載する方法

イ 複数契約を集約して記載する方法

　　ただし、次のストック・オプションは、複数契約を集約して記載してはならない。

　（ア）付与対象者の区分、権利確定条件の内容、対象勤務期間及び権利行使期間がおおむね類似しているとはいえないストック・オプション

　（イ）株式の公開前に付与したストック・オプションと公開後に付与したストック・オプション

　（ウ）権利行使価格の設定方法が著しく異なるストック・オプション

④ 当事業年度に付与されたストック・オプション及び当事業年度の条件変更により公正な評価単価が変更されたストック・オプションについては、公正な評価単価の見

積方法として使用した算定技法並びに使用した主な基礎数値及びその見積方法を記載しなければならない。ただし、使用した算定技法及び使用した主な基礎数値の見積方法の内容が同一のものについては集約して記載できる。

⑤ ストック・オプションの権利確定数の見積方法として、勤務条件や業績条件の不達成による失効数の見積方法を記載しなければならない。

⑥ 未公開企業がストック・オプションを付与している場合には、公正な評価単価の見積方法として、その価値を算定する基礎となる自社の株式の評価方法について記載しなければならない。

⑦ ストック・オプションの単位当たりの本源的価値（ストック・オプションが権利行使されると仮定した場合の単位当たりの価値であり、当該時点におけるストック・オプションの原資産である自社の株式の評価額と行使価格との差額）による算定を行った場合には、事業年度末における本源的価値の合計額及び当該事業年度において権利行使されたストック・オプションの権利行使日における本源的価値の合計額を注記しなければならない。

⑧ ストック・オプションの条件変更を行った結果、ストック・オプションの内容として注記した事項に変更が生じた場合は、その変更内容について注記しなければならない。条件変更日におけるストック・オプションの公正な評価単価が付与日の公正な評価単価以下となったため、公正な評価単価の見直しを行わなかった場合には、その旨を注記しなければならない。

⑨ 役務の受領又は財貨の取得の対価として自社株式オプションを付与又は自社の株式を交付している場合には、②ア〜ケに掲げる事項のうち該当する事項について、②に準じて記載しなければならない。この場合において、提供を受けた役務又は取得した財貨の内容及び役務の対価又は財貨の取得価額の算定を当該役務又は財貨の公正な評価額によったときには、その旨を注記しなければならない。自社株式オプションの付与又は自社の株式の交付に対価性がない場合には、その旨及び対価性がないと判断した根拠を記載しなければならない。

【ASB基準8号16、財規8の14〜8の16、連規15の9〜15の11、財ガ8の14-1-1、8の15-1-7、8の15-1-9①②、8の15-7】

7. 自己新株予約権の会計処理

（1）定　　義

　自己新株予約権とは、新株予約権を発行した株式会社が一定の事由が生じたことを条件として取得することになった当該新株予約権をいう。　　　　【会236①七】

（2）取得時の会計処理

① 自己新株予約権の取得時の取得原価は時価（取得した自己新株予約権の時価よりも支払対価の時価の方がより高い信頼性をもって測定可能な場合には、支払対価の時価）に取得時の付随費用を加算して算定する。

② 取得条項付新株予約権について、発行者が当該取得条項に基づき自己新株予約権を取得し次のすべての要件を満たす場合には、新株予約権が行使された場合の会計処

理に準じて処理するが、それ以外の場合は上記①のとおり処理する。

　ア　取得条項に基づく取得の対価がすべて自社の株式であって、その金額が当該新株予約権の目的である自社の株式の数に基づき算定された時価と行使に際して出資される財産の時価との差額であること

　イ　取得条項に基づいて取得した際に消却することが募集事項等に示されており、かつ、当該募集事項等に基づき取得と同時に消却が行われていること

【ASB指針17号11〜12】

（3）保有時の会計処理

① 　自己新株予約権は、取得原価による帳簿価額を、純資産の部の新株予約権から原則として直接控除する。なお、間接控除する場合には純資産の部において新株予約権の直後に自己新株予約権の科目をもって表示する。

② 　自己新株予約権の帳簿価額が対応する新株予約権の帳簿価額を超える場合において当該自己新株予約権の時価が著しく下落し、回復する見込みがあると認められないときは時価との差額（ただし、自己新株予約権の時価が対応する新株予約権の帳簿価額を下回るときは当該自己新株予約権の帳簿価額と当該新株予約権の帳簿価額との差額）を当期の損失とする。また、自己新株予約権が処分されないものと認められるときは、当該自己新株予約権の帳簿価額と対応する新株予約権の帳簿価額との差額を当期の損失として処理する。

③ 　連結財務諸表上、親会社が発行した新株予約権を親会社が保有している場合及び連結子会社が発行した新株予約権を当該連結子会社が保有している場合は、それぞれの個別財務諸表と同様、自己新株予約権として処理する。親会社又は連結子会社が発行した新株予約権をその他の連結会社が保有している場合には連結会社間の債権債務の相殺消去（ASB基準22号31）に準じて処理する。

【ASB指針17号13〜15】

（4）消却時の会計処理

　消却した自己新株予約権の帳簿価額とこれに対応する新株予約権の帳簿価額との差額を自己新株予約権消却損（又は自己新株予約権消却益）等適切な科目をもって当期の損益として処理する。　　　　　　　　　【ASB指針17号16】

（5）処分時の会計処理

　処分した自己新株予約権の帳簿価額と受取対価との差額を自己新株予約権処分損（又は自己新株予約権処分益）等適切な科目をもって当期の損益として処理する。

【ASB指針17号17】

（6）外貨建自己新株予約権の会計処理

① 　取得時

　外貨建自己新株予約権の取得時の円貨への換算は、取得時の為替相場による。ただし、外貨建自己新株予約権取得のための支払外貨額に本邦通貨による為替予約等が締結され、振当処理を採用している場合には、為替予約等により確定した円貨額により記録する。

② 　決算時

　外貨建自己新株予約権の決算時の円貨への換算は取得時の為替相場による。

　なお、ASB指針17号14では、「自己新株予約権の帳簿

価額が、対応する新株予約権の帳簿価額を超える場合において、当該自己新株予約権の時価が著しく下落し、回復する見込みがあると認められないときは、時価との差額（ただし、自己新株予約権の時価が対応する新株予約権の帳簿価額を下回るときは、当該自己新株予約権の帳簿価額と当該新株予約権の帳簿価額との差額）を当期の損失として処理する。また、自己新株予約権が処分されないものと認められるときは、当該自己新株予約権の帳簿価額と対応する新株予約権の帳簿価額との差額を当期の損失として処理する。」とされているが、外貨建自己新株予約権の帳簿価額が「対応する新株予約権の帳簿価額を超える」かどうかは、両者の円貨換算後の帳簿価額を比較して判断する。また、外貨建自己新株予約権の当該時価が「著しく下落した」かどうかは、外貨建ての時価と外貨建ての取得原価とを比較して判断する。また、外貨建自己新株予約権の帳簿価額と時価との差額を当期の損失として処理する際には、外貨建ての時価を決算時の為替相場により円換算した額をもって当該時価とする。

③ 　消却時及び処分時

　外貨建自己新株予約権を消却した場合、消却した自己新株予約権の取得時の為替相場による円換算額（時価の著しい下落により帳簿価額の引下げが行われた場合には、当該決算時の為替相場による円換算額）とこれに対応する新株予約権の発行時の為替相場による円換算額との差額を、自己新株予約権消却損（又は自己新株予約権消却益）等の適切な科目をもって当期の損益として処理する。

　自己新株予約権を処分した場合、受取対価と処分した自己新株予約権の取得時の為替相場による円換算額（時価の著しい下落により帳簿価額の引下げが行われた場合には、当該決算時の為替相場による円換算額）との差額を、自己新株予約権処分損（又は自己新株予約権処分益）等の適切な科目をもって当期の損益として処理する。

【会制4号19-5-2〜19-5-4】

（7）表　　示

　自己新株予約権は、新株予約権から控除しなければならない。ただし、新株予約権に対する控除項目として新株予約権の次に自己新株予約権の科目をもって掲記することを妨げない。　　　　　　　　　　　　　　　　【財規68②】

8. 新株予約権付社債の会計処理

（1）転換社債型新株予約権付社債の会計処理

① 　発行者側の会計処理

　ア　新株を発行する場合

　発行に伴う払込金額は、以下のいずれかの方法により会計処理する。

　(ア)　転換社債型新株予約権付社債の発行に伴う払込金額を、社債の対価部分と新株予約権の対価部分に区分せず、普通社債の発行に準じて処理する（一括法）。

　(イ)　社債の対価部分と新株予約権の対価部分に区分した上で、社債の対価部分は、普通社債の発行に準じて処理し、新株予約権の対価部分は、新株予約権の

発行者側の会計処理に準じて処理する（区分法）。

　　新株予約権が行使され、新株を発行する場合において、発行時に一括法を採用しているときは、社債の帳簿価額を資本金又は資本金及び資本準備金に振り替える。

　　また、発行時に区分法を採用しているときは、社債の対価部分（帳簿価額）と新株予約権の対価部分（帳簿価額）の合計額を、資本金又は資本金及び資本準備金に振り替える。

イ　自己株式を処分する場合

　　新株予約権が行使され、自己株式を処分する場合の自己株式処分差額の会計処理は、自己株式を募集株式の発行等の手続により処分する場合【➡p.122】に準じて取り扱う。　　　　　　　　　【ASB指針17号18、19】

② 取得者側の会計処理（新株予約権付社債の発行者以外が取得者となる場合）

　　取得価額は、社債の対価部分と新株予約権の対価部分に区分せず、普通社債の取得に準じて処理し、権利を行使したときは株式に振り替える（一括法）。

【ASB指針17号20】

(2) 転換社債型新株予約権付社債以外の新株予約権付社債の会計処理

① 発行者側の会計処理

　　発行に伴う払込金額は、社債の対価部分と新株予約権の対価部分に区分する。社債の対価部分は、普通社債の発行に準じて処理し、新株予約権の対価部分は、新株予約権の発行者側の会計処理に準じて処理する（区分法）。

　　また、新株予約権が行使されたときの会計処理については、転換社債型新株予約権付社債の発行時に区分法を採用している場合に準じて処理する。

【ASB指針17号21】

② 取得者側の会計処理（新株予約権付社債の発行者以外が取得者となる場合）

　　取得価額は、社債の対価部分と新株予約権の対価部分に区分する。社債の対価部分は、普通社債の取得に準じて処理し、新株予約権の対価部分は、新株予約権の取得者側の会計処理に準じて処理する（区分法）。

【ASB指針17号22】

(3) 取得条項付転換社債型新株予約権付社債の会計処理

① 発行者側の会計処理

　　取得条項が付された転換社債型新株予約権付社債について、発行者が、当該取得条項に基づき、自社の株式の市場価格が転換価格を上回る場合において当該転換社債型新株予約権付社債を取得するときの発行者側の会計処理は取得の対価ごとに次のように行う。

　　なお、発行時に区分法を採用している場合、会計処理すべき金額を発行時における払込金額の区分に準じて社債の対価部分と新株予約権の対価部分に区分した上で会計処理する。

取得の対価	取得時に消却するかどうか	会計処理
ア　現金	取得と同時に消却する	繰上償還する場合に準じて処理（注3）
	上記以外	自己社債の取得に準じて処理（注4）区分法の場合、新株予約権の対価部分は自己新株予約権の取得に準じて処理
イ　自社の株式	取得と同時に消却する（注1）	転換社債型新株予約権付社債に付された新株予約権が行使された場合に準じて処理（注5）
	上記以外	自己社債の取得に準じて処理（注4）区分法の場合、新株予約権の対価部分は自己新株予約権の取得に準じて処理
ウ　現金と自己の株式	取得と同時に消却する（注2）	転換社債型新株予約権付社債に付された新株予約権が行使された場合に準じて処理（注5）
	上記以外	自己社債の取得に準じて処理（注4）区分法の場合、新株予約権の対価部分は自己新株予約権の取得に準じて処理

（注1）　(ｱ)　発行者が、当該取得条項に基づき、当該転換社債型新株予約権付社債に付された新株予約権の目的である自社の株式の数を交付することにより取得し、

　　　　(ｲ)　当該取得条項に基づいて取得した際に消却することが募集事項等に示されており、かつ、当該募集事項等に基づき取得と同時に消却が行われた場合

（注2）　次のすべてを満たす場合

　　　　(ｱ)　取得条項に基づく取得の対価の金額は、当該取得条項に基づき、当該転換社債型新株予約権付社債に付された新株予約権の目的である自社の株式の数に基づき算定された時価であること

　　　　(ｲ)　当該取得条項に基づいて取得した際に消却することが募集事項等に示されており、かつ、当該募集事項等に基づき取得と同時に消却が行われていること

　　　　(ｳ)　現金の交付がすべて社債部分の取得に充てられ、自社の株式の交付がすべて新株予約権部分の取得に充てられるように、現金と自社の株式を対価とするそれぞれの部分があらかじめ明確にされ、これらの額が経済的に合理的な額と乖離していないこと

（注3）　取得した転換社債型新株予約権付社債の帳簿価額とその対価としての払出額との差額を当期の損益として処理する。

（注4）　金融商品会計基準における有価証券の会計処理に準ずる。

（注5）　取得した転換社債型新株予約権付社債に付された新株予約権が行使されたときに準じて、帳簿価額に基づき処理する。　　　【ASB指針17号23】

② 転換社債型新株予約権付社債権者側の会計処理

　　取得条項付の転換社債型新株予約権付社債の発行者が、当該取得条項に基づき、発行者の株式の市場価格が転換価格を上回る場合において当該転換社債型新株予約権付社債を取得するときの転換社債型新株予約権付社債権者側の会計処理は次のように行う。

【ASB指針17号24】

発行者による 取得の対価	会計処理
ア　現金	転換社債型新株予約権付社債の譲渡又は償還として処理
イ　発行者の株式	転換社債型新株予約権付社債に付された新株予約権を行使した場合に準じて処理
ウ　現金と発行者の株式	取得の対象となる転換社債型新株予約権付社債の帳簿価額を、交付された現金の額と発行者の株式の時価の比率により按分した上で、現金部分はアに準じて、発行者の株式部分はイに準じて処理

（4）外貨建転換社債型新株予約権付社債の場合

① 発行者側の会計処理

ア　発行時に一括法を採用している場合

㋐　発行時の会計処理

発行時の円貨への換算は、発行時の為替相場による。

㋑　決算時の会計処理

決算時の円貨への換算は、決算時の為替相場による。また、決算時の換算によって生じた換算差額は、当期の為替差損益として処理する。

㋒　新株予約権行使時の会計処理

新株予約権行使時に資本金又は資本金及び資本準備金に振り替える額の円貨への換算は、当該権利行使時の為替相場による。また、権利行使時の換算によって生じた換算差額は、当該権利行使時の属する会計期間の為替差損益として処理する。なお、新株予約権行使時の為替相場については行使日における直物為替相場、又は合理的な基礎に基づいて算定さ

れた平均相場、例えば取引の行われた月又は週の前月又は前週の直物為替相場を平均したもの等、直近の一定期間の直物為替相場に基づいて算出されたものによる。　【外貨注（注2）、ASB指針17号25】

イ　発行時に区分法を採用している場合

㋐　外貨建社債の対価部分

外貨建社債の対価部分の発行時の円貨への換算は発行時の為替相場により、決算時の円貨への換算は決算時の為替相場による。また、新株予約権行使時に資本金又は資本金及び資本準備金に振り替える額の円貨への換算は、当該権利行使時の為替相場による。決算時及び新株予約権行使時の換算によって生じた換算差額は、当該会計期間の為替差損益として処理する。

㋑　外貨建新株予約権の対価部分

外貨建新株予約権の対価部分の発行時及び決算時の円貨への換算並びに新株予約権行使時に資本金又は資本金及び資本準備金に振り替える額の円貨への換算は、発行時の為替相場による。

【ASB指針17号26】

② 取得者側の会計処理

会社法に基づき発行された外貨建転換社債型新株予約権付社債の取得時における円貨への換算は取得時の為替相場による。

ただし、保有目的がその他有価証券である外貨建転換社債型新株予約権付社債取得のための支払外貨額に本邦通貨による為替予約等が締結され、振当処理を採用している場合には、為替予約等により確定した円貨額により記録する。　【会制4号19-9、ASB指針17号27】

第 6 章

損益項目

1 収益及び費用の分類

収益又は費用は、次に掲げる項目を示す名称を付した科目に分類して記載しなければならない。
1. 売上高
2. 売上原価（役務原価を含む）
3. 販売費及び一般管理費
4. 営業外収益
5. 営業外費用
6. 特別利益
7. 特別損失　　　　　　　　　　　　　【財規70】

2 売　上　高

1. 売上高の表示方法

(1) 売上高は、売上高を示す名称を付した科目をもって掲記しなければならない。　　　　　　　【財規72①】
(2) (1)に規定する売上高については、各企業の実態に応じ、適切な名称を付すことに留意する。
　　　　　　　　　　　　　【計規88①、財ガ72-1】
(3) (1)の売上高の記載については、顧客との契約から生じる収益及びそれ以外の収益に区分して記載する（顧客との契約から生じる収益額の注記をもって代えることができる）。
　　　ただし、連結財務諸表を作成しているときは、当該記載及び注記を省略することができる。　【財規72②】
(4) (3)に従い記載する売上高については、顧客との契約に重要な金融要素が含まれる場合には、顧客との契約から生じる収益と金融要素の影響（受取利息又は支払利息）を区分して表示する。　　　　　　【財ガ72-2】
(5) 特例財務諸表提出会社が作成する財務諸表の様式は、様式第六号の二の様式によることができる。
　　　　　　　　　　　　　　　　　【財規127①二】
(6) 兼業会社の売上高等
　　　二以上の種類の事業を営む場合における売上高及び売上原価に関する記載は、事業の種類ごとに区分してすることができる。　　　　　　　　【計規88⑤、財規71】
(7) 棚卸資産の評価差額
　　　市場価格の変動により利益を得る目的をもって所有する棚卸資産の評価差額は、売上高を示す名称を付した科目に含めて記載しなければならない。ただし、当該金額の重要性が乏しい場合には、営業外収益又は営業外費用に含めて記載することができる。　　　【財規72の2】
(8) 関係会社との取引
① 財務諸表等規則に基づく注記
　　　関係会社に対する売上高が売上高の総額の100分の20を超える場合には、その金額を注記しなければならない。関係会社に対する売上高には、前事業年度末において関係会社に該当しない会社が関係会社に該当すること

となった場合における当該会社に対する売上高のすべてを含めることができる。　　【財規74、財ガ74】
　　　特例財務諸表提出会社は、財規74の規定にかかわらず、計規104の注記に代えることができる。
　　　　　　　　　　　　　　　　【財規127②八】
② 会社計算規則に基づく注記
　　　関係会社との営業取引による取引高の総額及び営業取引以外の取引による取引高の総額は損益計算書に注記しなければならない。　　　【計規98①八、104】

2. 収益認識基準

(1) 適用範囲

次の①から⑦を除き、顧客との契約から生じる収益に関する会計処理及び開示に適用される。
① 「金融商品に関する会計基準」（ASB基準10号）の範囲に含まれる金融商品に係る取引
② 「リース取引に関する会計基準」（ASB基準13号）の範囲に含まれるリース取引
③ 保険法における定義を満たす保険契約
④ 顧客又は潜在的な顧客への販売を容易にするために行われる同業他社との商品又は製品の交換取引
⑤ 金融商品の組成又は取得に際して受け取る手数料
⑥ 「特別目的会社を活用した不動産の流動化に係る譲渡人の会計処理に関する実務指針」（会制15号）の対象となる不動産の譲渡
⑦ 「資金決済に関する法律」における定義を満たす暗号資産及び「金融商品取引法」における定義を満たす電子記録移転権利に関連する取引
　　　顧客との契約の一部が上記①から⑦に該当する場合には、①から⑦に適用される方法で処理する額を除いた取引価格について、適用される。　【ASB基準29号3、4】

(2) 会計処理

① 基本となる原則
　　　約束した財又はサービスの顧客への移転を、当該財又はサービスと交換に企業が権利を得ると見込む対価の額で描写するように、収益の認識を行う。
　　　　　　　　　　　　　　　　【ASB基準29号16】
② 5つのステップ
　　　基本となる原則に従って収益を認識するために、次の1から5のステップを適用する。
　　　ステップ1：顧客との契約を識別する。
　　　ステップ2：契約における履行義務を識別する。
　　　ステップ3：取引価格を算定する。
　　　ステップ4：契約における履行義務に取引価格を配分する。
　　　ステップ5：履行義務を充足した時に又は充足するにつれて収益を認識する。【ASB基準29号17】
③ 収益の認識基準
　ア　契約の識別（ステップ1）
　　　　次の(ア)から(オ)の要件のすべてを満たす顧客との契約を識別する。
　　　(ア) 当事者が、書面、口頭、取引慣行等により契約を承認し、それぞれの義務の履行を約束していること
　　　(イ) 移転される財又はサービスに関する各当事者の権

利を識別できること

(ウ) 移転される財又はサービスの支払条件を識別できること

(エ) 契約に経済的実質があること（すなわち、契約の結果として、企業の将来キャッシュ・フローのリスク、時期又は金額が変動すると見込まれること）

(オ) 顧客に移転する財又はサービスと交換に企業が権利を得ることとなる対価を回収する可能性が高いこと 【ASB 基準29号19】

イ 履行義務の識別（ステップ2）

契約における取引開始日に、顧客との契約において約束した財又はサービスを評価し、次の(ア)又は(イ)のいずれかを顧客に移転する約束のそれぞれについて履行義務として識別する。

(ア) 別個の財又はサービス（あるいは別個の財又はサービスの束）

(イ) 一連の別個の財又はサービス（特性が実質的に同じであり、顧客への移転のパターンが同じである複数の財又はサービス） 【ASB 基準29号32】

ウ 履行義務の充足による収益の認識（ステップ5）

企業は約束した財又はサービス（以下「資産」と記載することもある）を顧客に移転することにより履行義務を充足した時に又は充足するにつれて、収益を認識する。資産が移転するのは、顧客が当該資産に対する支配を獲得した時又は獲得するにつれてである。 【ASB 基準29号35】

次の(ア)から(ウ)の要件のいずれかを満たす場合、資産に対する支配を顧客に一定の期間にわたり移転することにより、一定の期間にわたり履行義務を充足し収益を認識する。

(ア) 企業が顧客との契約における義務を履行するにつれて、顧客が便益を享受すること

(イ) 企業が顧客との契約における義務を履行することにより、資産が生じる又は資産の価値が増加し、当該資産が生じる又は当該資産の価値が増加するにつれて、顧客が当該資産を支配すること

(ウ) 次の要件のいずれも満たすこと

A 企業が顧客との契約における義務を履行することにより、別の用途に転用することができない資産が生じること

B 企業が顧客との契約における義務の履行を完了した部分について、対価を収受する強制力のある権利を有していること 【ASB 基準29号38】

上記の(ア)から(ウ)の要件のいずれも満たさず、履行義務が一定の期間にわたり充足されるものではない場合には、一時点で充足される履行義務として、資産に対する支配を顧客に移転することにより当該履行義務が充足される時に、収益を認識する。 【ASB 基準29号39】

④ 収益の額の算定

ア 取引価格に基づく収益の額の算定（ステップ3及び4）

履行義務を充足した時に又は充足するにつれて、取引価格のうち、当該履行義務に配分した額について収益を認識する。 【ASB 基準29号46】

イ 取引価格の算定（ステップ3）

取引価格とは、財又はサービスの顧客への移転と交換に企業が権利を得ると見込む対価の額（ただし、第三者のために回収する額を除く）をいう。 【ASB 基準29号47】

取引価格を算定する際には、次の(ア)から(エ)のすべての影響を考慮する。

(ア) 変動対価

(イ) 契約における重要な金融要素

(ウ) 現金以外の対価

(エ) 顧客に支払われる対価 【ASB 基準29号48】

A 変動対価

(a) 顧客と約束した対価のうち変動する可能性のある部分を変動対価という。

(b) 契約において、顧客と約束した対価に変動対価が含まれる場合、財又はサービスの顧客への移転と交換に企業が権利を得ることとなる対価の額を見積る。

(c) 変動対価の額の見積りにあたっては、発生し得ると考えられる対価の額における最も可能性の高い単一の金額（最頻値）による方法又は発生し得ると考えられる対価の額を確率で加重平均した金額（期待値）による方法のいずれかのうち、企業が権利を得ることとなる対価の額をより適切に予測できる方法を用いる。

(d) (c)に従って見積られた変動対価の額については、変動対価の額に関する不確実性が事後的に解消される際に、解消される時点までに計上された収益の著しい減額が発生しない可能性が高い部分に限り、取引価格に含める。 【ASB 基準29号50、51、54】

ウ 履行義務への取引価格の配分（ステップ4）

それぞれの履行義務（あるいは別個の財又はサービス）に対する取引価格の配分は、財又はサービスの顧客への移転と交換に企業が権利を得ると見込む対価の額を描写するように行う。 【ASB 基準29号65】

エ 特定の状況又は取引における取扱い

(ア) 本人と代理人の区分（ステップ2）

顧客への財又はサービスの提供に他の当事者が関与している場合において、顧客との約束が当該財又はサービスを企業が自ら提供する履行義務であると判断され、企業が本人に該当するときには、当該財又はサービスの提供と交換に企業が権利を得ると見込む対価の総額を収益として認識する。 【ASB 指針30号39】

顧客との約束が当該財又はサービスを当該他の当事者によって提供されるように企業が手配する履行義務であると判断され、企業が代理人に該当するときには、他の当事者により提供されるように手配することと交換に企業が権利を得ると見込む報酬又は手数料の金額を収益として認識する。 【ASB 指針30号40】

企業が本人に該当することの評価に際して、企業が財又はサービスを顧客に提供する前に支配してい

るかどうかを判定するにあたっては、次のAからC
の指標を考慮する。
A　企業が当該財又はサービスを提供するという約
束の履行に対して主たる責任を有していること
B　当該財又はサービスが顧客に提供される前、あ
るいは当該財又はサービスに対する支配が顧客に
移転した後（例えば、顧客が返品権を有している
場合）において、企業が在庫リスクを有している
こと
C　当該財又はサービスの価格の設定において企業
が裁量権を有していること　【ASB指針30号47】
(イ)　追加の財又はサービスを取得するオプションの付
与（ステップ2）
顧客との契約において、既存の契約に加えて追加
の財又はサービスを取得するオプションを顧客に付
与する場合には、当該オプションが当該契約を締結
しなければ顧客が受け取れない重要な権利を顧客に
提供するときにのみ、当該オプションから履行義務
が生じる。
この場合には、将来の財又はサービスが移転する
時、あるいは当該オプションが消滅する時に収益を
認識する。　　　　　　　　　　【ASB指針30号48】
(ウ)　ライセンスの供与（ステップ2及び5）
企業の知的財産に対する顧客の権利を定めるもの
であるライセンスを供与する約束が、顧客との契約
における他の財又はサービスを移転する約束と別個
のものであり、当該約束が独立した履行義務である
場合には、ライセンスを顧客に供与する際の企業の
約束の性質が、顧客に次のA又はBのいずれを提供
するものかを判定する。
A　ライセンス期間にわたり存在する企業の知的財
産にアクセスする権利
B　ライセンスが供与される時点で存在する企業の
知的財産を使用する権利
ライセンスを供与する約束については、ライセン
スを供与する際の企業の約束の性質がAである場合
には、一定の期間にわたり充足される履行義務とし
て処理し、企業の約束の性質がBである場合には、
一時点で充足される履行義務として処理する。
【ASB指針30号61、62】
知的財産のライセンス供与に対して受け取る売上
高又は使用量に基づくロイヤルティが知的財産のラ
イセンスのみに関連している場合、あるいは当該ロ
イヤルティにおいて知的財産のライセンスが支配的
な項目である場合には、次のA又はBのいずれか遅
い方で、当該売上高又は使用量に基づくロイヤル
ティについて収益を認識する。
A　知的財産のライセンスに関連して顧客が売上高
を計上する時又は顧客が知的財産のライセンスを
使用する時
B　売上高又は使用量に基づくロイヤルティの一部
又は全部が配分されている履行義務が充足（ある
いは部分的に充足）される時【ASB指針30号67】

（3）重要性等に関する代替的な取扱い
これまでわが国で行われてきた実務等に配慮し、財務諸
表間の比較可能性を大きく損なわせない範囲で、IFRS第
15号における取扱いとは別に、個別項目に対する重要性
の記載等、代替的な取扱いを定めている。
【ASB指針30号164】
①　契約変更
契約変更による財又はサービスの追加が既存の契約内
容に照らして重要性が乏しい場合には、独立した契約と
して処理する方法、既存の契約を解約して新しい契約を
締結したものと仮定して処理する方法、又は既存の契約
の一部であると仮定して処理する方法のいずれの方法も
適用することができる。　　　【ASB指針30号92、165】
②　履行義務の識別
約束した財又はサービスが、顧客との契約の観点で重
要性が乏しい場合には、当該約束が履行義務であるのか
について評価しないことができる。【ASB指針30号93】
顧客が商品又は製品に対する支配を獲得した後に行う
出荷及び配送活動については、商品又は製品を移転する
約束を履行するための活動として処理し、履行義務とし
て識別しないことができる。　　【ASB指針30号94】
③　一定の期間にわたり充足される履行義務
工事契約について、契約における取引開始日から完全
に履行義務を充足すると見込まれる時点までの期間がご
く短い場合には、一定の期間にわたり収益を認識せず、
完全に履行義務を充足した時点で収益を認識することが
できる。　　　　　　　　　　　【ASB指針30号95】
一定の期間にわたり収益を認識する船舶による運送
サービスについて、一航海の船舶が発港地を出発してか
ら帰港地に到着するまでの期間が通常の期間（運送サー
ビスの履行に伴う空船廻航期間を含み、運送サービスの
履行を目的としない船舶の移動又は待機期間を除く）で
ある場合には、複数の顧客の貨物を積載する船舶の一航
海を単一の履行義務としたうえで、当該期間にわたり収
益を認識することができる。　　【ASB指針30号97】
④　一時点で充足される履行義務
商品又は製品の国内の販売において、出荷時から当該
商品又は製品の支配が顧客に移転される時（例えば、顧
客による検収時）までの期間が通常の期間である場合に
は、出荷時から当該商品又は製品の支配が顧客に移転さ
れる時までの間の一時点（例えば、出荷時や着荷時）に
収益を認識することができる。　【ASB指針30号98】
⑤　履行義務の充足に係る進捗度
一定の期間にわたり充足される履行義務について、契
約の初期段階において、履行義務の充足に係る進捗度を
合理的に見積ることができない場合には、当該契約の初
期段階に収益を認識せず、当該進捗度を合理的に見積る
ことができる時から収益を認識することができる。
【ASB指針30号99】
⑥　履行義務への取引価格の配分
履行義務の基礎となる財又はサービスの独立販売価格
を直接観察できない場合で、当該財又はサービスが、契
約における他の財又はサービスに付随的なものであり、
重要性が乏しいと認められるときには、当該財又はサー

ビスの独立販売価格の見積方法として、残余アプローチ（注）を使用することができる。　【ASB指針30号100】

（注）　契約における取引価格の総額から契約において約束した他の財又はサービスについて観察可能な独立販売価格の合計額を控除して見積る方法。
【ASB指針30号31(3)】

⑦　契約の結合、履行義務の識別及び独立販売価格に基づく取引価格の配分

次のア及びイのいずれも満たす場合には、複数の契約を結合せず、個々の契約において定められている顧客に移転する財又はサービスの内容を履行義務とみなし、個々の契約において定められている当該財又はサービスの金額に従って収益を認識することができる。

ア　顧客との個々の契約が当事者間で合意された取引の実態を反映する実質的な取引の単位であると認められること

イ　顧客との個々の契約における財又はサービスの金額が合理的に定められていることにより、当該金額が独立販売価格と著しく異ならないと認められること
【ASB指針30号101】

工事契約及び受注制作のソフトウエアについて、当事者間で合意された実質的な取引の単位を反映するように複数の契約を結合した際の収益認識の時期及び金額と当該複数の契約について原則的な方法に基づく収益認識の時期及び金額との差異に重要性が乏しいと認められる場合には、当該複数の契約を結合し、単一の履行義務として識別することができる。　【ASB指針30号102、103】

⑧　その他の個別事項

ア　電気事業及びガス事業において、毎月、月末以外の日に実施する検針による顧客の使用量に基づき顧客に対する請求が行われる場合、決算月に実施した検針の日から決算日までに生じた収益を見積る必要がある。
【ASB指針103-2】

イ　有償支給取引において、企業が支給品を買い戻す義務を負っていない場合、企業は当該支給品の消滅を認識することとなるが、当該支給品の譲渡に係る収益は認識しない。

一方、有償支給取引において、企業が支給品を買い戻す義務を負っている場合、企業は支給品の譲渡に係る収益を認識せず、当該支給品の消滅も認識しないこととなるが、個別財務諸表においては、支給品の譲渡時に当該支給品の消滅を認識することができる。

なお、その場合であっても、当該支給品の譲渡に係る収益は認識しない。　【ASB指針30号104】

（4）従来の日本基準又は日本基準における実務の取扱い

本会計基準等では、主に、次の従来の日本基準又は日本基準における実務の取扱いは認められない。

①　顧客に付与するポイントについての引当金処理（ステップ2）

②　返品調整引当金の計上（ステップ3）

③　割賦販売における割賦基準に基づく収益計上（ステップ5）

（5）開　　示

①　財務諸表等規則による注記事項

ア　顧客との契約から生じる収益については、次に掲げる事項であって、投資者その他の財務諸表の利用者の理解に資するものを注記しなければならない。ただし、重要性の乏しいものについては、注記を省略することができる。

㋐　顧客との契約から生じる収益及び当該契約から生じるキャッシュ・フローの性質、金額、時期及び不確実性に影響を及ぼす主要な要因に基づく区分に当該収益を分解した情報

㋑　顧客との契約から生じる収益を理解するための基礎となる情報

㋒　顧客との契約に基づく履行義務の充足と当該契約から生じるキャッシュ・フローとの関係並びに当事業年度末において存在する顧客との契約から翌事業年度以降に認識すると見込まれる収益の金額及び時期に関する情報

イ　上記アに掲げる事項について、財規の規定により注記すべき事項において同一の内容が記載される場合（ウに規定する場合を除く）には、その旨を記載し、上記アに掲げる事項の記載を省略することができる。

ウ　上記アに掲げる事項について、財規8の2の規定により注記すべき事項において同一の内容が記載される場合には、注記を省略することができる。

エ　上記ア㋐及び㋒に掲げる事項は、財務諸表提出会社が連結財務諸表を作成している場合には、注記を省略することができる。

オ　上記ア㋑に掲げる事項は、連結財務諸表において同一の内容が記載される場合には、その旨を記載し、当該事項の記載を省略することができる。【財規8の32】

②　会社計算規則による注記事項　【計規115の2➡p.17】

③　契約資産、契約負債及び顧客との契約から生じた債権

顧客から対価を受け取る前又は対価を受け取る期限が到来する前に、財又はサービスを顧客に移転した場合は、収益を認識し、契約資産又は顧客との契約から生じた債権を貸借対照表に計上する。

本会計基準に定めのない契約資産の会計処理は、ASB基準10号における債権の取扱いに準じて処理する。また、外貨建ての契約資産に係る外貨換算については、外貨建取引等会計処理基準の外貨建金銭債権債務の換算の取扱いに準じて処理する。　【ASB基準29号77】

財又はサービスを顧客に移転する前に顧客から対価を受け取る場合、顧客から対価を受け取った時又は対価を受け取る期限が到来した時のいずれか早い時点で、顧客から受け取る対価について契約負債を貸借対照表に計上する。　【ASB基準29号78】

④　表示

顧客との契約から生じる収益を、適切な科目をもって損益計算書に表示する。なお、顧客との契約から生じる収益については、それ以外の収益と区分して損益計算書に表示するか、又は両者を区分して損益計算書に表示しない場合には、顧客との契約から生じる収益の額を注記する。

顧客との契約から生じる収益については、例えば、売上高、売上収益、営業収益等として表示する。

【ASB 基準29号78-2、ASB 指針30号104-2】
顧客との契約に重要な金融要素が含まれる場合、顧客との契約から生じる収益と金融要素の影響（受取利息又は支払利息）を損益計算書において区分して表示する。
【ASB 基準29号78-3】
企業が履行している場合や企業が履行する前に顧客から対価を受け取る場合等、契約のいずれかの当事者が履行している場合等には、企業は、企業の履行と顧客の支払との関係に基づき、契約資産、契約負債又は顧客との契約から生じた債権を計上する。また、契約資産、契約負債又は顧客との契約から生じた債権を、適切な科目をもって貸借対照表に表示する。

契約資産については、例えば、契約資産、工事未収入金等として表示する。契約負債については、例えば、契約負債、前受金等として表示する。顧客との契約から生じた債権については、例えば、売掛金、営業債権等として表示する。

なお、契約資産と顧客との契約から生じた債権のそれぞれについて、貸借対照表に他の資産と区分して表示しない場合には、それぞれの残高を注記する。また、契約負債を貸借対照表において他の負債と区分して表示しない場合には、契約負債の残高を注記する。
【ASB 基準29号79、ASB 指針30号104-3】

⑤　注記事項
　ア　重要な会計方針の注記
　　　顧客との契約から生じる収益に関する重要な会計方針として、次の項目を注記する。
　　㋐　企業の主要な事業における主な履行義務の内容
　　㋑　企業が当該履行義務を充足する通常の時点（収益を認識する通常の時点）
　　　上記の項目以外にも、重要な会計方針に含まれると判断した内容については、重要な会計方針として注記する。　　　【ASB 基準29号80-2、80-3】
　イ　収益認識に関する注記
　　㋐　開示目的
　　　収益認識に関する注記における開示目的は、顧客との契約から生じる収益及びキャッシュ・フローの性質、金額、時期及び不確実性を財務諸表利用者が理解できるようにするための十分な情報を企業が開示することである。　　【ASB 基準29号80-4】
　　　この開示目的を達成するため、収益認識に関する注記として、次の項目を注記する。ただし、開示目的に照らして重要性に乏しいと認められる注記事項については、記載しないことができる。
　　A　収益の分解情報
　　B　収益を理解するための基礎となる情報
　　C　当期及び翌期以降の収益の金額を理解するための情報　　【ASB 基準29号80-5、財規8の32①】
　　　収益認識に関する注記を記載するにあたり、どの注記事項にどの程度の重点を置くべきか、また、どの程度詳細に記載するのかを ASB 基準29号80-4の開示目的に照らして判断する。
　　　重要性に乏しい詳細な情報を大量に記載したり、特徴が大きく異なる項目を合算したりすることによ

り有用な情報が不明瞭とならないように、注記は集約又は分解する。　　【ASB 基準29号80-6】
　　　収益認識に関する注記を記載するにあたり、ASB 基準29号80-10から80-24において示す注記事項の区分に従って注記事項を記載する必要はない。
【ASB 基準29号80-7】
　　　アに従って重要な会計方針として注記している内容は、収益認識に関する注記として記載しないことができる。　　【ASB 基準29号80-8】
　　　収益認識に関する注記として記載する内容について、財務諸表における他の注記事項に含めて記載している場合には、当該他の注記事項を参照することができる。　　【ASB 基準29号80-9】
　　㋑　収益の分解情報
　　A　当期に認識した顧客との契約から生じる収益を、収益及びキャッシュ・フローの性質、金額、時期及び不確実性に影響を及ぼす主要な要因に基づく区分に分解して注記する。
【ASB 基準29号80-10】
　　B　ASB 基準17号を適用している場合、A に従って注記する収益の分解情報と、ASB 基準17号に従って各報告セグメントについて開示する売上高との間の関係を財務諸表利用者が理解できるようにするための十分な情報を注記する。
【ASB 基準29号80-11】
　　㋒　収益を理解するための基礎となる情報
　　　顧客との契約が、財務諸表に表示している項目又は収益認識に関する注記における他の注記事項とどのように関連しているのかを示す基礎となる情報として、次の事項を注記する。【ASB 基準29号80-12】
　　A　契約及び履行義務に関する情報
　　　収益として認識する項目がどのような契約から生じているのかを理解するための基礎となる情報を注記する。この情報には、次の事項が含まれる。
　　⒜　履行義務に関する情報
　　⒝　重要な支払条件に関する情報
【ASB 基準29号80-13】
　　　履行義務に関する情報を注記するにあたっては、履行義務の内容（企業が顧客に移転することを約束した財又はサービスの内容）を記載する。
　　　また、例えば、次の内容が契約に含まれる場合には、その内容を注記する。
　　⒜　財又はサービスが他の当事者により顧客に提供されるように手配する履行義務（企業が他の当事者の代理人として行動する場合）
　　⒝　返品、返金及びその他の類似の義務
　　⒞　財又はサービスに対する保証及び関連する義務　　【ASB 基準29号80-14】
　　　重要な支払条件に関する情報を注記するにあたっては、例えば、次の内容を記載する。
　　⒜　通常の支払期限
　　⒝　対価に変動対価が含まれる場合のその内容
　　⒞　変動対価の見積りが ASB 基準29号54に従っ

て通常制限される場合のその内容
　　(d)　契約に重要な金融要素が含まれる場合のその
　　　　内容　　　　　　　　【ASB基準29号80-15】
　B　取引価格の算定に関する情報
　　　取引価格の算定方法について理解できるよう、
　　取引価格を算定する際に用いた見積方法、イン
　　プット及び仮定に関する情報を注記する。例え
　　ば、次の内容を記載する。
　　(a)　変動対価の算定
　　(b)　変動対価の見積りがASB基準29号54に従っ
　　　　て制限される場合のその評価
　　(c)　契約に重要な金融要素が含まれる場合の対価
　　　　の額に含まれる金利相当分の調整
　　(d)　現金以外の対価の算定
　　(e)　返品、返金及びその他の類似の義務の算定
　　　　　　　　　　　　　　【ASB基準29号80-16】
　C　履行義務への配分額の算定に関する情報
　　　取引価格の履行義務への配分額の算定方法につ
　　いて理解できるよう、取引価格を履行義務に配分
　　する際に用いた見積方法、インプット及び仮定に
　　関する情報を注記する。例えば、次の内容を記載
　　する。
　　(a)　約束した財又はサービスの独立販売価格の見
　　　　積り
　　(b)　契約の特定の部分に値引きや変動対価の配分
　　　　を行っている場合の取引価格の配分
　　　　　　　　　　　　　　【ASB基準29号80-17】
　D　履行義務の充足時点に関する情報
　　　履行義務を充足する通常の時点（収益を認識す
　　る通常の時点）の判断及び当該時点における会計
　　処理の方法を理解できるよう、次の事項を注記す
　　る。
　　(a)　履行義務を充足する通常の時点（収益を認識
　　　　する通常の時点）
　　(b)　一定の期間にわたり充足される履行義務につ
　　　　いて、収益を認識するために使用した方法及び
　　　　当該方法が財又はサービスの移転の忠実な描写
　　　　となる根拠
　　(c)　一時点で充足される履行義務について、約束
　　　　した財又はサービスに対する支配を顧客が獲得
　　　　した時点を評価する際に行った重要な判断
　　　　　　　　　　　　　　【ASB基準29号80-18】
　E　本会計基準の適用における重要な判断
　　　本会計基準を適用する際に行った判断及び判断
　　の変更のうち、顧客との契約から生じる収益の金
　　額及び時期の決定に重要な影響を与えるものを注
　　記する。　　　　　　　　【ASB基準29号80-19】
　㋑　当期及び翌期以降の収益の金額を理解するための
　　情報
　　A　契約資産及び契約負債の残高等
　　　　履行義務の充足とキャッシュ・フローの関係を
　　　理解できるよう、次の事項を注記する。
　　　(a)　顧客との契約から生じた債権、契約資産及び
　　　　　契約負債の期首残高及び期末残高（区分して表

示していない場合）
　　(b)　当期に認識した収益の額のうち期首現在の契
　　　　約負債残高に含まれていた額
　　(c)　当期中の契約資産及び契約負債の残高の重要
　　　　な変動がある場合のその内容
　　(d)　履行義務の充足の時期が通常の支払時期にど
　　　　のように関連するのか並びにそれらの要因が契
　　　　約資産及び契約負債の残高に与える影響の説明
　　　　　また、過去の期間に充足（又は部分的に充足）
　　　　した履行義務から、当期に認識した収益（例え
　　　　ば、取引価格の変動）がある場合には、当該金
　　　　額を注記する。　　　　【ASB基準29号80-20】
　B　残存履行義務に配分した取引価格
　　　既存の契約から翌期以降に認識することが見込
　　まれる収益の金額及び時期について理解できるよ
　　う、残存履行義務に関して次の事項を注記する。
　　(a)　当期末時点で未充足（又は部分的に未充足）
　　　　の履行義務に配分した取引価格の総額
　　(b)　(a)に従って注記した金額を、企業がいつ収益
　　　　として認識すると見込んでいるのか、次のいず
　　　　れかの方法により注記する。
　　　・残存履行義務の残存期間に最も適した期間に
　　　　よる定量的情報を使用した方法
　　　・定性的情報を使用した方法
　　　　　　　　　　　　　　【ASB基準29号80-21】
　　　次のいずれかの条件に該当する場合には、ASB
　　基準29号80-21の注記に含めないことができる。
　　(a)　履行義務が、当初に予想される契約期間が
　　　　1年以内の契約の一部である。
　　(b)　履行義務の充足から生じる収益をASB指針
　　　　30号19に従って認識している。
　　(c)　次のいずれかの条件を満たす変動対価であ
　　　　る。
　　　・売上高又は使用量に基づくロイヤルティ
　　　・ASB基準29号72の要件に従って、完全に未
　　　　充足の履行義務（あるいはASB基準29号32
　　　　(2)に従って識別された単一の履行義務に含ま
　　　　れる1つの別個の財又はサービスのうち、完
　　　　全に未充足の財又はサービス）に配分される
　　　　変動対価　　　　　　【ASB基準29号80-22】
　　　顧客との契約から受け取る対価の額に、取引価
　　格に含まれない変動対価の額等、取引価格に含ま
　　れず、結果としてASB基準29号80-21の注記に
　　含めていないものがある場合には、その旨を注記
　　する。　　　　　　　　　【ASB基準29号80-23】
　　　ASB基準29号80-22のいずれかの条件に該当す
　　るため、ASB基準29号80-21の注記に含めていな
　　いものがある場合には、ASB基準29号80-22のい
　　ずれの条件に該当しているか、及びASB基準29
　　号80-21の注記に含めていない履行義務の内容を
　　注記する。
　　　上記の定めに加え、ASB基準29号80-22(c)の
　　いずれかの条件に該当するため、ASB基準29号
　　80-21の注記に含めていないものがある場合に

は、次の事項を注記する。

(a) 残存する契約期間

(b) ASB基準29号80-21の注記に含めていない変動対価の概要　【ASB基準29号80-24】

⑥ 連結財務諸表を作成している場合の個別財務諸表における表示及び注記事項

連結財務諸表を作成している場合、個別財務諸表においては、ASB基準29号78-2、78-3及び79の表示及び注記の定めを適用しないことができる。

連結財務諸表を作成している場合、個別財務諸表においては、収益認識に関する注記として掲げているASB基準29号80-5から80-24の定めにかかわらず、80-5に掲げる項目のうち、(1)「収益の分解情報」及び(3)「当期及び翌期以降の収益の金額を理解するための情報」について注記しないことができる。

連結財務諸表を作成している場合、個別財務諸表においては、ASB基準29号80-5(2)「収益を理解するための基礎となる情報」の注記を記載するにあたり、連結財務諸表における記載を参照することができる。

【ASB基準29号80-25〜27】

3 売上原価

(1) 内　容

売上原価は、売上高に対応する商品等の仕入原価又は製造原価であって、商業の場合には、期首商品棚卸高に当期商品仕入高を加え、これから期末商品棚卸高を控除する形式で表示し、製造工業の場合には、期首製品棚卸高に当期製品製造原価を加え、これから期末製品棚卸高を控除する形式で表示する。　【企第二3C】

(2) 表　示

① 売上原価に属する項目は、ア及びイの項目を示す名称を付した科目並びにこれらの科目に対する控除科目としてのウの項目を示す名称を付した科目をもって掲記しなければならない。

ア　商品又は製品(半製品、副産物、作業くず等を含む。以下同じ)の期首棚卸高

イ　当期商品仕入高又は当期製品製造原価

ウ　商品又は製品の期末棚卸高

イの当期商品仕入高は、当期商品仕入高の名称を付した科目をもって掲記しなければならない。ただし、商品の総仕入高(仕入運賃及び直接購入諸掛を含む)を示す名称を付した科目及びその控除科目としての仕入値引、戻し高等の項目を示す名称を付した科目をもって掲記することを妨げない。　【財規75①、79】

商品又は製品について販売、生産又は仕入以外の理由による増減高がある場合、その他売上原価の項目として付加すべきものがある場合(合併、営業譲渡、災害、贈与、自家消費等による増減高がある場合又は製造費以外の費用で売上原価に賦課したものがある場合等)には、ア〜ウの項目を示す科目のほか、当該項目の内容を示す

科目をもって別に掲記しなければならない。

【財規76、財ガ76】

② 製造原価明細書

当期製品製造原価については、その内訳を記載した明細書を損益計算書に添付しなければならない。ただし、連結財務諸表において、連規15の2①に規定するセグメント情報を注記している場合は、この限りでない。

【財規75②】

③ 売上原価明細書

①の規定は、売上原価をア〜ウの項目に区分して記載することが困難であると認められる場合又は不適当と認められる場合には、適用しない。この場合においては、売上原価の内訳を記載した明細書を損益計算書に添付しなければならない。　【財規77】

④ 製造原価明細書及び売上原価明細書の記載方法

製造原価明細書及び売上原価明細書の記載方法は、おおむね次によるものとする。

ア　当期製品製造原価については、当期の総製造原価を材料費、労務費、間接費(又は経費)に区分して期首仕掛品原価に加え、これから期末仕掛品原価を控除する等の方式により表示し、売上原価については、当該売上品の製造原価を材料費、労務費、間接費(又は経費)に区分する等の方式により表示するものとする。

原価差額を仕掛品、製品等に賦課している場合には、総製造原価又は売上原価の内訳項目として当該原価差額を示す科目を付加する等の方式により表示するものとする。

イ　アの間接費(又は経費)のうち外注加工費等金額の大きいものについては、注記又は間接費(又は経費)の項目に内書きするものとする。

【財規75②、77、財ガ75-2】

⑤ 工事損失引当金繰入額の注記　【財規76の2】

⑥ 棚卸資産の帳簿価額の切下げに関する記載

通常の販売の目的をもって所有する棚卸資産について、収益性の低下により帳簿価額を切り下げた場合には、当該切下額(前事業年度末に計上した切下額を当事業年度に戻し入れる場合には、当該戻入額と当事業年度末に計上した当該切下額を相殺した後の金額)は、売上原価その他の項目の内訳項目として、その内容を示す名称を付した科目をもって区分掲記しなければならない。ただし、当該棚卸資産の期末棚卸高を帳簿価額の切下げ後の金額によって計上し、その旨及び当該切下額を注記することを妨げない(当該切下額に重要性が乏しい場合には、区分掲記又は注記を省略することができる)。

財務諸表提出会社が連結財務諸表を作成している場合には、区分掲記又は注記を要しない。　【財規80】

⑦ 特例財務諸表提出会社が作成する財務諸表の様式は、様式第六号の二の様式によることができる。

【財規127①二】

(3) 関係会社との取引　【財規88➡下記④(3)①】

4 販売費・一般管理費

(1) 内　　容

　会社の販売及び一般管理業務に関して発生したすべての費用は、販売費及び一般管理費に属するものとする。

【財規84】

　販売費及び一般管理費に属する費用とは、会社の販売及び一般管理業務に関して発生した費用、例えば販売手数料、荷造費、運搬費、広告宣伝費、見本費、保管費、納入試験費、販売及び一般管理業務に従事する役員、従業員の給料、賃金、手当、賞与、福利厚生費並びに販売及び一般管理部門関係の交際費、旅費、交通費、通信費、光熱費及び消耗品費、租税公課、減価償却費、修繕費、保険料、不動産賃借料及びのれんの償却額をいう。　　【財ガ84】

(2) 表　　示

① 販売費及び一般管理費は適当と認められる費目に分類し、当該費用を示す名称を付した科目をもって掲記しなければならない。

　　ただし、販売費の科目もしくは一般管理費の科目又は販売費及び一般管理費の科目に一括して掲記し、その主要な費目(少額でない場合の減価償却費及び引当金繰入額並びに販売費及び一般管理費の合計額の100分の10を超える費目)、及びその金額を注記する方法によることもできる。

　　販売費及び一般管理費の科目に一括して掲記した場合、販売費に属する費用と一般管理費に属する費用のおおよその割合を併せて注記する。【財規85、財ガ85-1】

② 研究開発費の注記

　　一般管理費及び当期製造費用に含まれている研究開発費については、その総額を注記しなければならない(財務諸表提出会社が連結財務諸表を作成している場合には、記載することを要しない)。　　　　　【財規86】

③ 貸倒引当金繰入額の表示方法　　【財規87、93➡p.95】

④ 特例財務諸表提出会社が作成する財務諸表の様式は、様式第六号の二の様式によることができる。

【財規127①二】

(3) 関係会社との取引

① 財務諸表等規則に基づく注記

　ア　関係会社との取引により発生した商品もしくは原材料の仕入高、委託加工費、不動産賃借料又は経費分担額(関係会社において発生した事業年度中の経費の一定割合を当該会社において負担する契約に基づくものをいう)で、その金額が売上原価と販売費及び一般管理費の合計額の100分の20を超えるものについては、その金額を注記しなければならない。　　【財規88①】

　イ　アに規定する関係会社との取引により発生した費用で、アの規定により注記したもの以外のものの金額の合計額が、売上原価と販売費及び一般管理費の合計額の100分の20を超える場合には、その旨及びその金額を注記しなければならない。　　　　　　【財規88②】

　ウ　特例財務諸表提出会社は、財規88の規定にかかわらず、計規104の注記に代えることができる。

【財規127②八】

② 会社計算規則に基づく注記　　【計規104➡p.136】

5 研究開発費

1. 研究開発費の定義

(1) 研　　究

　研究とは、新しい知識の発見を目的とした計画的な調査及び探究をいう。　　　　　　　　　　　　【研会一1】

(2) 開　　発

　開発とは、新しい製品・サービス・生産方法(以下「製品等」という)についての計画若しくは設計又は既存の製品等を著しく改良するための計画もしくは設計として、研究の成果その他の知識を具体化することをいう。　【研会一1】

　例えば、製造現場で行われる改良研究であっても、それが明確なプロジェクトとして行われている場合には、開発の定義における「著しい改良」に該当するものと考えられる。なお、製造現場で行われる品質管理活動やクレーム処理のための活動は研究開発には含まれないと解される。

【研会意見　三　1】

(3) 研究・開発の典型例

① 従来にはない製品、サービスに関する発想を導き出すための調査・探求

② 新しい知識の調査・探求の結果を受け、製品化、業務化等を行うための活動

③ 従来の製品に比較して著しい違いを作り出す製造方法の具体化

④ 従来と異なる原材料の使用方法又は部品の製造方法の具体化

⑤ 既存の製品、部品に係る従来と異なる使用方法の具体化

⑥ 工具、治具、金型等について、従来と異なる使用方法の具体化

⑦ 新製品の試作品の設計・製作及び実験

⑧ 商業生産化するために行うパイロットプラントの設計、建設等の計画

⑨ 取得した特許を基にして販売可能な製品を製造するための技術的活動　　　　　　　　　　　【会制12号2】

2. 研究開発費を構成する原価要素

　研究開発費には、人件費、原材料費、固定資産の減価償却費及び間接費の配賦額等、研究開発のために費消されたすべての原価が含まれる。

　特定の研究開発目的にのみ使用され、他の目的に使用できない機械装置や特許権等を取得した場合の原価は、取得時の研究開発費とする。　　　【研会二、研会注1】

3. 研究開発費に係る会計処理

(1) 原　　則

　研究開発費は、すべて発生時に費用として処理しなければならない。　　　　　　　　　　　　　　【研会三】

研究開発費は、新製品の計画・設計、既存製品の著しい改良等のために発生する費用であり、一般的には原価性がないと考えられるため、通常、一般管理費として計上する。ただし、製造現場において研究開発活動が行われ、かつ、当該研究開発に要した費用を一括して製造現場で発生する原価に含めて計上しているような場合があることから、研究開発費を当期製造費用に算入することが認められている。

なお、研究開発費は、当期製造費用として処理したものを除き、一般管理費として当該科目名を付して記載する。
【会制12号4】

4. 財務諸表の注記

一般管理費及び当期製造費用に含まれる研究開発費の総額は、財務諸表に注記しなければならない(財務諸表提出会社が連結財務諸表を作成している場合には、記載することを要しない)。　　　　　　　　【研会五、財規86】

(1) ソフトウェアに係る研究開発費の注記について

ソフトウェアに係る研究開発費については、研究開発費の総額に含めて財務諸表に注記する。　【研会注6】

5. 適用範囲

(1) 委託・受託契約

【研会】は、一定の契約のもとに、他の企業に行わせる研究開発については適用するが、他の企業のために行う研究開発については適用しない。　　　　　【研会六1】

(2) 資源の開発

【研会】は、探査、掘削等の鉱業における資源の開発に特有の活動については適用しない。　　　　【研会六2】

(3) 企業結合により被取得企業から受け入れた資産

【研会】は、企業結合により被取得企業から受け入れた資産(受注制作、市場販売目的及び自社利用のソフトウェアを除く)については適用しない。取得企業が取得対価の一部を研究開発費等(ソフトウェアを含む)に配分したときに、従来は当該金額を配分時に費用処理することとされていたが、識別可能性の要件を満たす限り、その企業結合日における時価に基づいて資産として計上する。
【研会六3、ASB基準23号5】

6. ソフトウェア

無形固定資産参照。　　　　　　　　　　【➡p.79】

6 # 営業外損益

(1) 営業外収益

受取利息、有価証券利息、受取配当金、有価証券売却益、有価証券評価益、仕入割引その他の金融上の収益、投資不動産賃貸料、その他の項目の区分に従い、当該収益を示す名称を付した科目をもって掲記しなければならない。

ただし、各収益のうちその金額が営業外収益の総額の100分の10以下のもので一括して表示することが適当であ

ると認められるものについては、当該収益を一括して示す名称を付した科目をもって掲記することができる。
【財規90、財ガ90】

売買目的有価証券の評価損益は、有価証券売却益及び有価証券売却損に含めて掲記することができる。
【財ガ90-2】

特例財務諸表提出会社が作成する財務諸表の様式は、様式第六号の二の様式によることができる。【財規127①二】

(2) 営業外費用

支払利息、社債利息、社債発行費償却、創立費償却、開業費償却、貸倒引当金繰入額又は貸倒損失(販売費として記載されるものを除く)、有価証券売却損、有価証券評価損、原材料評価損その他の項目の区分に従い、当該費用を示す名称を付した科目をもって掲記しなければならない。

ただし、各費用のうちその金額が営業外費用の総額の100分の10以下のもので一括して表示することが適当であると認められるものについては、当該費用を一括して示す名称を付した科目をもって掲記することができる。
【財規93、財ガ93】

特例財務諸表提出会社が作成する財務諸表の様式は、様式第六号の二の様式によることができる。【財規127①二】

(3) 関係会社との取引

① 財務諸表等規則に基づく注記

ア 営業外収益又は営業外費用に属する関係会社との取引により発生した収益又は費用でその金額が営業外収益又は営業外費用の総額の100分の10を超えるものについては、その金額を注記しなければならない。
【財規91①、94①】

イ アにより注記したもの以外の関係会社に係る収益又は費用の合計額が営業外収益又は営業外費用の総額の100分の10を超える場合には、その旨及びその金額を損益計算書に注記しなければならない。
【財規91②、94②】

ウ 特例財務諸表提出会社は、財規91及び94の規定にかかわらず、計規104の注記に代えることができる。
【財規127②八】

② 会社計算規則に基づく注記　【計規104➡p.136】

(4) その他資本剰余金の処分による配当を受けた場合の会計処理　　　　　　　　　　　　　　　　【➡p.65】

7 # 特別損益

(1) 内　容

① 臨時損益

ア 固定資産売却損益

イ 転売以外の目的で取得した有価証券その他の資産の売却損益

ウ 災害による損失

エ 設備の廃棄による損益(その会社において経常的に発生するものを除く)

オ 支出の効果が期待されなくなったことによる繰延資

産の一時的償却額

カ　企業結合に係る特定勘定の取崩益

キ　企業結合における交換損益

ク　事業分離における移転損益

ケ　通常の取引以外の原因に基づいて発生した臨時的損失等

② 特別損益に属する項目であっても金額の僅少なもの又は毎期経常的に発生するものは、経常損益計算に含めることができる。　　　【企第二6、企注12、財ガ95の2】

(2) 表　　示

① 財務諸表等規則に基づく表示

ア　特別利益に属する利益は、固定資産売却益、負ののれん発生益その他の項目の区分に従い、特別損失に属する損失は、固定資産売却損、減損損失、災害による損失その他の項目の区分に従い、当該利益又は損失を示す名称を付した科目をもって掲記しなければならない。

ただし、各利益又は損失のうち、その金額が特別利益又は特別損失の総額の100分の10以下のもので一括して表示することが適当であると認められるものについては、当該利益又は損失を一括して示す名称を付した科目をもって掲記することができる。

【財規95の2、95の3】

イ　固定資産売却損益の記載については、当該固定資産の種類又は内容を、その他の項目については、当該項目の発生原因又は性格を示す名称を付した科目によって掲記する。ただし、当該事項を科目によって表示することが困難な場合には注記することができる。

【財ガ95の2②】

ウ　減損損失に関する注記（財務諸表提出会社が連結財務諸表を作成している場合には、記載することを要しない）　　　　　　【財規95の3の2 ➡ p.85】

エ　企業結合に係る特定勘定の取崩益の注記（連結財務諸表において同一の内容が記載される場合には、記載することを要しない。この場合には、その旨を記載しなければならない）　　　【財規95の3の3 ➡ p.167】

オ　特別法上の準備金等の繰入れ又は取崩しがあるときは、当該繰入額又は取崩額は、特別損失又は特別利益として、当該繰入れ又は取崩しによるものであることを示す名称を付した科目をもって掲記しなければならない。　　　　　　　　　　　【財規98の2】

カ　特例財務諸表提出会社が作成する財務諸表の様式は、様式第六号の二の様式によることができる。

【財規127①二】

② 会社計算規則に基づく表示

特別利益に属する利益は、固定資産売却益、前期損益修正益、負ののれん発生益その他の項目の区分に従い、特別損失に属する損失は、固定資産売却損、減損損失、災害による損失、前期損益修正損その他の項目の区分に従い、細分しなければならない。ただし、その金額が重要でないものについては、当該利益又は損失を細分しないことができる。　　　　　　　【計規88②、③、④】

(3) 関係会社との取引

① 財務諸表等規則に基づく注記

特別利益又は特別損失に記載する項目で、関係会社との取引に基づいて発生したものがある場合、その項目の金額が重要なものについては、注記において、関係会社に係るものであることを明示するものとする。

【財ガ95の2③】

② 会社計算規則に基づく注記　　　【計規104➡p.136】

8 法人税、住民税及び事業税等

1. 会計処理

(1) 当事業年度の所得等に対する法人税、住民税及び事業税等

No.	区　　分	会計処理
①	当事業年度の所得等に対する法人税、住民税及び事業税等	下記②③を除き、法令に従い算定した額（税務上の欠損金の繰戻しにより還付を請求する法人税額及び地方法人税額を含む）を損益に計上する。
②	企業の純資産に対する持分所有者との直接的な取引のうち、損益に反映されないものに対して課される当事業年度の所得に対する法人税、住民税及び事業税等	当事業年度の所得に対する法人税、住民税及び事業税等については、純資産の部の株主資本の区分に計上する。具体的には、当該法人税、住民税及び事業税等を株主資本の対応する内訳項目から控除する。
③	資産又は負債の評価替えにより生じた評価差額等に対して課される当事業年度の所得に対する法人税、住民税及び事業税等	当事業年度の所得に対する法人税、住民税及び事業税等については、個別財務諸表上、純資産の部の評価・換算差額等の区分に計上し、連結財務諸表上、その他の包括利益で認識した上で純資産の部のその他の包括利益累計額の区分に計上する。具体的には、当該法人税、住民税及び事業税等を、個別財務諸表上は評価・換算差額等の対応する内訳項目から控除し、連結財務諸表上はその他の包括利益の対応する内訳項目から控除する。
④	株主資本又はその他の包括利益に対する法人税、住民税及び事業税等の金額に重要性が乏しい場合	該当する法人税、住民税及び事業税等を損益に計上することができる。
⑤	課税の対象となった取引や事象が、損益に加えて、株主資本又はその他の包括利益の区分に関連しており、かつ、株主資本又はその他の包括利益に対する法人税、住民税及び事業税等の金額を算定することが困難である場合	

⑥	②③に従って計上する法人税、住民税及び事業税等	課税の対象となった取引等について、株主資本、評価・換算差額等又はその他の包括利益に計上した額に、課税の対象となる企業の対象期間における法定実効税率を乗じて算定する。この場合、①に従って損益に計上する法人税、住民税及び事業税等の額は、法令に従い算定した額から、法定実効税率に基づいて算定した株主資本、評価・換算差額等又はその他の包括利益に計上する法人税、住民税及び事業税等の額を控除した額となる。ただし、課税所得が生じていないことなどから法令に従い算定した額がゼロとなる場合に②③に従って計上する法人税、住民税及び事業税等についてもゼロとするなど、他の合理的な計算方法により算定することができる。
⑦	(1)②③に従って計上した法人税、住民税及び事業税等	過年度に計上された資産又は負債の評価替えにより生じた評価差額等を損益に計上した時点で、これに対応する税額を損益に計上する。

【ASB 基準27号 5～5-5】

(2) 更正等による追徴及び還付

No.	区　分	会計処理
①	過年度の所得等に対する法人税、住民税及び事業税等について、更正等により追加で徴収される可能性が高く、当該追徴税額を合理的に見積ることができる場合	ASB 基準24号 4(8)に定める誤謬に該当するときを除き、原則として、当該追徴税額を損益に計上する。なお、更正等による追徴に伴う延滞税、加算税、延滞金及び加算金については、当該追徴税額に含めて処理する。
②	過年度の所得等に対する法人税、住民税及び事業税等について、更正等により還付されることが確実に見込まれ、当該還付税額を合理的に見積ることができる場合	ASB 基準24号 4(8)に定める誤謬に該当するときを除き、当該還付税額を損益に計上する。
③	過年度の所得等に対する法人税、住民税及び事業税等について、更正等により追徴税額を納付したが、当該追徴の内容を不服として法的手段を取る場合において、還付されることが確実に見込まれ、当該還付税額を合理的に見積ることができる場合	ASB 基準 24号 4(8)に定める誤謬に該当するときを除き、当該還付税額を損益に計上する。
④	①～③に従って計上する過年度の所得に対する法人税、住民税及び事業税等のうち、ASB 基準27号 第5項に従って損益に計上されない法人税、住民税及び事業税等	ASB 基準24号 第4(8)に定める誤謬に該当する場合を除き、ASB 基準第 5-2 項から第5-5項に準じて処理する。

【ASB 基準27号 6～8-2】

(3) グループ通算制度を適用する場合の会計処理

① 法人税及び地方法人税に関する会計処理は、法人税等会計基準の定めに従う。　　　　【ASB 報告42号 6】

② 個別財務諸表において、通算税効果額は当事業年度の所得に対する法人税及び地方法人税に準ずるものとして取り扱う。　　　　　　　　　　【ASB 報告42号 7】

2. 開　　示

(1) 法人税、住民税及び事業税等

	当事業年度の所得等に対する法人税、住民税及び事業税等	更正等による追徴及び還付
法人税、地方法人税、住民税及び事業税(所得割)	損益計算書の税引前当期純利益(又は損失)の次に、法人税、住民税及び事業税などその内容を示す科目をもって表示する。	左記の法人税、地方法人税、住民税及び事業税(所得割)を表示した科目の次に、その内容を示す科目をもって表示する。ただし、これらの金額の重要性が乏しい場合、法人税、地方法人税、住民税及び事業税(所得割)に含めて表示することができる。
事業税(付加価値割及び資本割)	損益計算書の販売費及び一般管理費として表示する。ただし、合理的な配分方法に基づきその一部を売上原価として表示することができる。	同左
納付されていない税額	貸借対照表の流動負債の区分に、未払法人税等などその内容を示す科目をもって表示する。	左記項目に含めて表示する。
還付税額のうち受領されていない税額	貸借対照表の流動資産の区分に、未収還付法人税等などその内容を示す科目をもって表示する。	左記項目に含めて表示する。

【ASB基準27号 9～12、15～18】

(2) 受取利息及び受取配当金等に課される源泉所得税

　受取利息及び受取配当金等に課される源泉所得税のうち法人税法等に基づき税額控除の適用を受けない税額は、損益計算書の営業外費用として表示する。ただし、当該金額の重要性が乏しい場合、法人税、地方法人税、住民税及び事業税(所得割)に含めて表示することができる。

【ASB基準27号13】

(3) 外国法人税

　外国法人税のうち法人税法等に基づき税額控除の適用を受けない税額は、その内容に応じて適切な科目に表示する。なお、外国子会社(法法23の2)からの受取配当金等に課される外国源泉所得税のうち法人税法等に基づき税額控除の適用を受けない税額は、法人税、地方法人税、住民税及び事業税(所得割)に含めて表示する。

【ASB基準27号14】

(4) グループ通算制度を適用する場合の表示

① 法人税及び地方法人税に関する表示は、ASB 報告42号に定めのあるものを除き法人税等会計基準の定めに従う。　　　　　　　　　　【ASB 報告42号24】

② 通算税効果額を損益に計上する場合には、法人税及び地方法人税を示す科目に含めて個別財務諸表における損

益計算書に表示し、株主資本又は評価・換算差額等に計上する場合には、貸借対照表の純資産の部の対応する内訳項目から控除して表示する。

また、通算税効果額に係る債権及び債務は、未収入金や未払金などに含めて個別財務諸表における貸借対照表に表示する。　　　　　　　　　　【ASB 報告42号25】

3. 適用時期等

(1) 適用時期

本会計基準は、2024（令和6）年 4月1日以後開始する連結会計年度及び事業年度の期首から適用する。ただし、2023（令和5）年4月1日以後開始する連結会計年度及び事業年度の期首から適用することができる。

(2) 経過措置

本会計基準の適用初年度においては、会計基準等の改正に伴う会計方針の変更として取り扱い、原則として、新たな会計方針を過去の期間のすべてに遡及適用する。ただし、適用初年度の期首より前に新たな会計方針を遡及適用した場合の適用初年度の累積的影響額を、適用初年度の期首の利益剰余金に加減するとともに、対応する金額を資本剰余金、評価・換算差額等又はその他の包括利益累計額のうち、適切な区分に加減し、当該期首から新たな会計方針を適用することができる。　　　　　　【ASB 基準27号20-3】

9 税効果会計

1. 税効果会計の目的

税効果会計は、企業会計上の資産又は負債の額と課税所得計算上の資産又は負債の額に相違がある場合において、法人税等の額を適切に期間配分することにより、法人税等を控除する前の当期純利益と法人税等を合理的に対応させることを目的とする手続である。

【税会第一、ASB指針28号6】

2. 一時差異等の認識

(1) 一時差異

貸借対照表に計上されている資産及び負債の金額と課税所得計算上の資産及び負債の金額との差額をいう。

なお、一時差異及び税務上の繰越欠損金等を総称して「一時差異等」という。税務上の繰越欠損金等には、繰越外国税額控除や繰越可能な租税特別措置法上の法人税額の特別控除等が含まれる。

【税会第二 一2、4、ASB指針28号4(3)】

(2) 将来減算一時差異

当該一時差異が解消する時にその期の課税所得を減額する効果を持つものをいう。　　　【ASB指針28号4(4)①】

(例)① 会計上、費用として計上された棚卸資産の評価損のうち、税務上の損金として認められないもの
　　② 未払事業税
　　③ 貸倒引当金の損金算入限度超過額
　　④ 賞与引当金

　　⑤ 退職給付引当金
　　⑥ 資産又は負債の評価替えにより生じた評価差損
　　⑦ 連結会社間における資産の売却に伴い生じた売却損を税務上繰り延べる場合（法法61の11）の当該売却損
　　⑧ 連結子会社間で寄附金の授受を行い、親会社が当該寄附金を受領した子会社の株式の簿価を税務上増額修正する場合（法令9①七）の当該簿価修正額

【ASB 指針28号84】

(3) 将来加算一時差異

当該一時差異が解消する時にその期の課税所得を増額する効果を持つものをいう。　　　【ASB指針28号4(4)②】

(例)① 積立金方式による租税特別措置法上の諸準備金
　　② 税務上の特別償却により生じた個別貸借対照表上の資産の額と課税所得計算上の資産の額の差額
　　③ 資産又は負債の評価替えにより生じた評価差益
　　④ 連結会社間における資産の売却に伴い生じた売却益を税務上繰り延べる場合（法法61の11）の当該売却益
　　⑤ 連結子会社間で寄附金の授受を行い、親会社が当該寄附金を支出した子会社の株式の簿価を税務上減額修正する場合（法令9①七）の当該簿価修正額

【ASB 指針28号85】

3. 繰延税金資産及び繰延税金負債の計上

(1) 繰延税金資産の計上

個別財務諸表における繰延税金資産は、将来の会計期間における将来減算一時差異の解消、税務上の繰越欠損金と課税所得（税務上の繰越欠損金控除前）との相殺及び繰越外国税額控除の余裕額の発生等に係る減額税金の見積額について、ASB指針26号に従って、その回収可能性を判断し計上する。

ただし、組織再編に伴い受け取った子会社株式又は関連会社株式（以下「子会社株式等」という）（事業分離に伴い分離元企業が受け取った子会社株式等を除く（ASB指針10号108））に係る将来減算一時差異のうち、当該株式の受取時に生じていたものについては、予測可能な将来の期間に、その売却等を行う意思決定又は実施計画が存在する場合を除き、繰延税金資産を計上しない。　　【ASB指針28号8(1)】

(2) 繰延税金負債の計上

個別財務諸表における繰延税金負債は、将来の会計期間における将来加算一時差異の解消に係る増額税金の見積額について、次の場合を除き、計上する。

① 企業が清算するまでに課税所得が生じないことが合理的に見込まれる場合
② 子会社株式等（事業分離に伴い分離元企業が受け取った子会社株式等を除く（ASB 指針10号108））に係る将来加算一時差異について、親会社又は投資会社がその投資の売却等を当該会社自身で決めることができ、かつ、予測可能な将来の期間に、その売却等を行う意思がない場合　　　　　　　　【ASB 指針28号8(2)】

(3) 法人税等調整額の計上

繰延税金資産又は繰延税金負債を計上するときは、次の場合を除き、年度の期首における繰延税金資産の額と繰延

税金負債の額の差額と期末における当該差額の増減額を、法人税等調整額を相手勘定として計上する。

① 資産又は負債の評価替えにより生じた評価差額等を直接純資産の部に計上する場合、当該評価差額等に係る一時差異に関する繰延税金資産及び繰延税金負債の差額について、年度の期首における当該差額と期末における当該差額の増減額を、純資産の部の評価・換算差額等を相手勘定として計上する。

② 資産又は負債の評価替えにより生じた評価差額等をその他の包括利益で認識した上で純資産の部のその他の包括利益累計額に計上する場合、当該評価差額等に係る一時差異に関する繰延税金資産及び繰延税金負債の差額について、年度の期首における当該差額と期末における当該差額の増減額を、その他の包括利益を相手勘定として計上する。　【ASB 指針28号9】

（4）グループ通算制度を適用する場合

税効果会計に関する会計処理については、税会及び税会注、ASB基準28号、ASB指針26号、ASB指針28号の定めに従う。　【ASB報告42号 8】

4. 繰延税金資産及び繰延税金負債の計算に用いる税法及び税率

（1）税　　法

繰延税金資産及び繰延税金負債の額は、決算日において国会で成立している税法に規定されている方法に基づきASB指針28号 8 に定める将来の会計期間における減算税金又は増算税金の見積額を計算する。なお、決算日において国会で成立している税法とは、決算日以前に成立した税法を改正するための法律を反映した後の税法をいう。　【ASB指針28号44】

（2）税　　率

① 繰延税金資産又は繰延税金負債の金額は、回収又は支払が行われると見込まれる期の税率に基づいて計算する。　【税会第二 二2】

② 法人税及び地方法人税について、繰延税金資産及び繰延税金負債の計算に用いる税率は、決算日において国会で成立している法人税法等に規定されている税率による。　【ASB 指針28号46】

③ 住民税（法人税割）及び事業税（所得割）について、繰延税金資産及び繰延税金負債の計算に用いる税率は、決算日において国会で成立している地方税法等に基づく税率による。　【ASB 指針28号47】

（3）法定実効税率

「法定実効税率」とは、グループ通算制度を適用する場合を除き、次の算式によるものをいう。【ASB指針28号 4(11)】

$$法定実効税率 = \frac{法人税率 \times (1 + 地方法人税率 + 住民税率) + 事業税率}{1 + 事業税率}$$

（4）税法が改正された場合の取扱い

① 税法の改正に伴い税率が変更されたこと等により繰延税金資産及び繰延税金負債の額が修正された場合、ア及びびイの場合を除き、当該修正差額を当該税率が変更された年度において、法人税等調整額を相手勘定として計上する。

ア　資産又は負債の評価替えにより生じた評価差額等を直接純資産の部に計上する場合、当該評価差額等に係る一時差異に関する繰延税金資産及び繰延税金負債の差額について、税率が変更されたことによる修正差額を、当該税率が変更された年度において、純資産の部の評価・換算差額等を相手勘定として計上する。

イ　資産又は負債の評価替えにより生じた評価差額等をその他の包括利益で認識した上で純資産の部のその他の包括利益累計額に計上する場合、当該評価差額等に係る一時差異に関する繰延税金資産及び繰延税金負債の差額について、税率が変更されたことによる修正差額を、当該税率が変更された年度において、その他の包括利益を相手勘定として計上する。
　【ASB 指針28号51】

② 税法が改正されたことにより土地再評価差額金に係る繰延税金資産又は繰延税金負債の額が修正された場合、当該修正差額は上記②又は③に従って当該税法が改正された年度において、純資産の部の評価・換算差額等（土地再評価差額金）又はその他の包括利益を相手勘定として計上する。　【ASB 指針28号54】

③ 税法が改正されたことにより諸準備金等に係る繰延税金負債の額が修正された場合、当該修正差額は当該税法が改正された年度において、法人税等調整額を相手勘定として処理するとともに、同額の諸準備金等を計上する（又は取り崩す）。　【ASB 指針28号55】

（5）グループ通算制度を適用する場合の税率

通常のケース	利益に関連する金額を課税標準とする税金の種類ごとに適用する税率 【ASB 指針28号45〜49】
繰延税金資産の回収可能性が法人税及び地方法人税と事業税とで異なる場合で、かつ、回収可能性が異なることによる重要な影響がある場合	その影響を考慮した税率
繰延税金資産の回収可能性が住民税と事業税とで異なる場合で、かつ、回収可能性が異なることによる重要な影響がある場合	その影響を考慮した税率

【ASB報告42号 9 】

5. 繰延税金資産の回収可能性

（1）繰延税金資産の回収可能性の判断

将来減算一時差異及び税務上の繰越欠損金に係る繰延税金資産の回収可能性は、次の①から③に基づいて、将来の税金負担額を軽減する効果を有するかどうかを判断する。

① 収益力に基づく一時差異等加減算前課税所得

ア　将来減算一時差異に係る繰延税金資産の回収可能性
　　将来減算一時差異の解消見込年度及びその解消見込年度を基準として税務上の欠損金の繰戻し及び繰越しが認められる期間（以下「繰戻・繰越期間」という）に、一時差異等加減算前課税所得が生じる可能性が高いと見込まれるかどうか。

イ　税務上の繰越欠損金に係る繰延税金資産の回収可能性

税務上の繰越欠損金が生じた事業年度の翌期から繰越期限切れとなるまでの期間（以下「繰越期間」という）に、一時差異等加減算前課税所得が生じる可能性が高いと見込まれるかどうか。

(注) 上記アの解消見込年度及び繰戻・繰越期間に、又は上記イの繰越期間に、一時差異等加減算前課税所得が生じる可能性が高いと見込まれるかどうかを判断するためには、過去の業績や納税状況、将来の業績予測等を総合的に勘案し、将来の一時差異等加減算前課税所得を合理的に見積る必要がある。

② タックス・プランニングに基づく一時差異等加減算前課税所得

将来減算一時差異の解消見込年度及び繰戻・繰越期間又は繰越期間に、含み益のある固定資産又は有価証券を売却する等のタックス・プランニングに基づく一時差異等加減算前課税所得が生じる可能性が高いと見込まれるかどうか。

③ 将来加算一時差異

ア 将来減算一時差異に係る繰延税金資産の回収可能性

将来減算一時差異の解消見込年度及び繰戻・繰越期間に、将来加算一時差異が解消されると見込まれるかどうか。

イ 税務上の繰越欠損金に係る繰延税金資産の回収可能性

繰越期間に税務上の繰越欠損金と相殺される将来加算一時差異が解消されると見込まれるかどうか。

【ASB指針26号6】

(2) 繰延税金資産の回収可能性の判断手順

① 期末における将来減算一時差異の解消見込年度のスケジューリングを行う。

② 期末における将来加算一時差異の解消見込年度のスケジューリングを行う。

③ 将来減算一時差異の解消見込額と将来加算一時差異の解消見込額とを、解消見込年度ごとに相殺する。

④ ③で相殺し切れなかった将来減算一時差異の解消見込額については、解消見込年度を基準として繰戻・繰越期間の将来加算一時差異（③で相殺後）の解消見込額と相殺する。

⑤ ①から④により相殺し切れなかった将来減算一時差異の解消見込額については、将来の一時差異等加減算前課税所得の見積額（タックス・プランニングに基づく一時差異等加減算前課税所得の見積額を含む）と解消見込年度ごとに相殺する。

⑥ ⑤で相殺し切れなかった将来減算一時差異の解消見込額については、解消見込年度を基準として繰戻・繰越期間の一時差異等加減算前課税所得の見積額（⑤で相殺後）と相殺する。

⑦ ①から⑥により相殺し切れなかった将来減算一時差異に係る繰延税金資産の回収可能性はないものとし、繰延税金資産から控除する。

また、期末に税務上の繰越欠損金を有する場合、その繰越期間にわたって、将来の課税所得の見積額（税務上の繰越欠損金控除前）に基づき、税務上の繰越欠損金の控除見込年度及び控除見込額のスケジューリングを行

い、回収が見込まれる金額を繰延税金資産として計上する。

【ASB指針26号11】

(3) スケジューリングが不能な一時差異に係る繰延税金資産の回収可能性に関する取扱い

① スケジューリング不能な一時差異

スケジューリング不能な一時差異とは、次のいずれかに該当する、税務上の益金又は損金の算入時期が明確でない一時差異をいう。

ア 一時差異のうち、将来の一定の事実が発生することによって、税務上の益金又は損金の算入要件を充足することが見込まれるもので、期末に将来の一定の事実の発生を見込めないことにより、税務上の益金又は損金の算入要件を充足することが見込まれないもの

イ 一時差異のうち、企業による将来の一定の行為の実施についての意思決定又は実施計画等の存在により、税務上の益金又は損金の算入要件を充足することが見込まれるもので、期末に一定の行為の実施についての意思決定又は実施計画等が存在していないことにより、税務上の益金又は損金の算入要件を充足することが見込まれないもの

② スケジューリング不能な将来減算一時差異

スケジューリング不能な一時差異のうち、将来減算一時差異については、原則として、税務上の損金の算入時期が明確となった時点で回収可能性を判断し、繰延税金資産を計上する。ただし、期末において税務上の損金の算入時期が明確ではない将来減算一時差異のうち、例えば、貸倒引当金等のように、将来発生が見込まれる損失を見積ったものであるが、その損失の発生時期を個別に特定し、スケジューリングすることが実務上困難なものは、過去の税務上の損金の算入実績に将来の合理的な予測を加味した方法等によりスケジューリングが行われている限り、スケジューリング不能な一時差異とは取り扱わない。

③ スケジューリング不能な将来加算一時差異

スケジューリング不能な一時差異のうち、将来加算一時差異については、将来減算一時差異の解消見込年度との対応ができないため、繰延税金資産の回収可能性の判断にあたって、当該将来加算一時差異を将来減算一時差異と相殺することはできない。ただし、固定資産圧縮積立金等の将来加算一時差異は、企業が必要に応じて当該積立金等を取り崩す旨の意思決定を行う場合、将来減算一時差異と相殺することができるものとする。

【ASB指針26号3(5)、13、14】

(4) 企業の分類

収益力に基づく一時差異等加減算前課税所得等に基づいて繰延税金資産の回収可能性を判断する際に、要件に基づき企業を以下のように分類し、当該分類に応じて、回収が見込まれる繰延税金資産の計上額を決定する。なお、各分類の要件をいずれも満たさない企業は、過去の課税所得又は税務上の欠損金の推移、当期の課税所得又は税務上の欠損金の見込み、将来の一時差異等加減算前課税所得の見込み等を総合的に勘案し、各分類の要件からの乖離度合いが最も小さいと判断されるものに分類する。

企業の分類	要件
（分類1）	次の要件をいずれも満たす企業は、（分類1）に該当する。 (1) 過去（3年）及び当期のすべての事業年度において、期末における将来減算一時差異を十分に上回る課税所得が生じている。 (2) 当期末において、近い将来に経営環境に著しい変化が見込まれない。
（分類2）	次の要件をいずれも満たす企業は、（分類2）に該当する。 (1) 過去（3年）及び当期のすべての事業年度において、臨時的な原因により生じたものを除いた課税所得が、期末における将来減算一時差異を下回るものの、安定的に生じている。 (2) 当期末において、近い将来に経営環境に著しい変化が見込まれない。 (3) 過去（3年）及び当期のいずれの事業年度においても重要な税務上の欠損金が生じていない。
（分類3）	次の要件をいずれも満たす企業は、（分類4）(2)又は(3)の要件を満たす場合を除き、（分類3）に該当する。 (1) 過去（3年）及び当期において、臨時的な原因により生じたものを除いた課税所得が大きく増減している。 (2) 過去（3年）及び当期のいずれの事業年度においても重要な税務上の欠損金が生じていない。 なお、(1)における課税所得から臨時的な原因により生じたものを除いた数値は、負の値となる場合を含む。
（分類4）	次のいずれかの要件を満たし、かつ、翌期において一時差異等加減算前課税所得が生じることが見込まれる企業は、（分類4）に該当する。 (1) 過去（3年）又は当期において、重要な税務上の欠損金が生じている。 (2) 過去（3年）において、重要な税務上の欠損金の繰越期限切れとなった事実がある。 (3) 当期末において、重要な税務上の欠損金の繰越期限切れが見込まれる。 なお、重要な税務上の欠損金が生じた原因、中長期計画、過去における中長期計画の達成状況、過去（3年）及び当期の課税所得又は税務上の欠損金の推移等を勘案して、将来の一時差異等加減算前課税所得を見積る場合、将来において5年超にわたり一時差異等加減算前課税所得が安定的に生じることを企業が合理的な根拠をもって説明するときは（分類2）に該当するものとして取り扱う。 また、重要な税務上の欠損金が生じた原因、中長期計画、過去における中長期計画の達成状況、過去（3年）及び当期の課税所得又は税務上の欠損金の推移等を勘案して、将来の一時差異等加減算前課税所得を見積る場合、将来においておおむね3年から5年程度は一時差異等加減算前課税所得が生じることを企業が合理的な根拠をもって説明するときは（分類3）に該当するものとして取り扱う。 ここでいう中長期計画は、おおむね3年から5年の計画を想定している。
（分類5）	次の要件をいずれも満たす企業は、（分類5）に該当する。 (1) 過去（3年）及び当期のすべての事業年度において、重要な税務上の欠損金が生じている。 (2) 翌期においても重要な税務上の欠損金が生じることが見込まれる。

【ASB指針26号15 ～ 17、19、22、24、26、28 ～ 30】

(5) 将来の一時差異等加減算前課税所得の見積額による繰延税金資産の回収可能性に関する取扱い

企業の分類に応じた繰延税金資産の回収可能性に関する取扱いは、以下のとおりである。

企業の分類	回収可能性があると認められる 繰延税金資産の金額	
	通常の将来減算一時差異に係るもの （税務上の繰越欠損金含む）	将来解消見込年度が長期にわたる将来減算一時差異に係るもの（注3）
（分類1）	原則として、全額	同左
（分類2）	一時差異等のスケジューリングの結果、繰延税金資産を見積る場合はその全額（注1）	全額
（分類3）	将来の合理的な見積可能期間（おおむね5年）以内の一時差異等加減算前課税所得の見積額に基づいて、当該見積可能期間の一時差異等のスケジューリングの結果、繰延税金資産を見積る場合はその全額（注2）	当期末における当該将来減算一時差異の最終解消見込年度までに解消されると見込まれる将来減算一時差異に係る繰延税金資産の全額
（分類4）	翌期の一時差異等加減算前課税所得の見積額に基づいて、翌期の一時差異等のスケジューリングの結果、繰延税金資産を見積る場合はその全額	同左
（分類5）	なし	同左

(注1) 原則として、スケジューリング不能な将来減算一時差異に係る繰延税金資産については、回収可能性がないものとする。ただし、スケジューリング不能な将来減算一時差異のうち、税務上の損金の算入時期が個別に特定できないが将来のいずれかの時点で損金に算入される可能性が高いと見込まれるものについて、当該将来のいずれかの時点で回収できることを企業が合理的な根拠をもって説明する場合、当該スケジューリング不能な将来減算一時差異に係る繰延税金資産は回収可能性があるものとする。

(注2) 臨時的な原因により生じたものを除いた課税所得が大きく増減している原因、中長期計画、過去における中長期計画の達成状況、過去（3年）及び当期の課税所得の推移等を勘案して、5年を超える見積可能期間においてスケジューリングされた一時差異等に係る繰延税金資産が回収可能であることを企業が合理的な根拠をもって説明する場合、当該繰延税金資産は回収可能性があるものとする。

なお、中長期計画は、おおむね3年から5年の計画を想定している。

(注3) 退職給付引当金や建物の減価償却超過額に係る将来減算一時差異のように、スケジューリングの結果、その解消見込年度が長期にわたる将来減算一時差異は、企業が継続する限り、長期にわたるが将来解消され、将来の税金負担額を軽減する効果を有する。

ただし、役員退職慰労引当金に係る将来減算一時差異は、役員在任期間の実績や社内規程等に基づいて役員の退任時期を合理的に見込む方法等によりスケジューリングが行われている場合は、スケジューリングの結果に基づいて繰延税金資産の回収可能性を判断する。一方、スケジューリングが行われていない場合は、役員退職慰労引当金に係る将来減算一時差異は、スケジューリング不能な将来減算一時差異として取り扱う。なお、（分類2）に該当する企業においては、当該スケジューリング不能な将来減算一時差異に係る繰延税金資産について、（注1）ただし書きに従って回収可能性を判断する。

【ASB指針26号18、20、21、23、24、27、31、35、37】

（6）課税所得の見積方法

将来の課税所得又は税務上の欠損金の見積りは、適切な権限を有する機関の承認を得た業績予測の前提となった数値を、経営環境等の企業の外部要因に関する情報や企業が用いている内部の情報（過去における中長期計画の達成状況、予算やその修正資料、業績評価の基礎データ、売上見込み、取締役会資料を含む）と整合的に修正して行う。なお、業績予測は、中長期計画、事業計画又は予算編成の一部等その呼称は問わない。　　　　　　【ASB指針26号32】

（7）タックス・プランニングの実現可能性に関する取扱い

① 前提

タックス・プランニングに基づく一時差異等加減算前課税所得の見積額により繰延税金資産の回収可能性を判断する場合、資産の含み益等の実現可能性を考慮する。具体的には、当該資産の売却等に係る意思決定の有無、実行可能性及び売却される当該資産の含み益等に係る金額の妥当性を考慮する。

② 資産の含み益等の実現可能性に関する取扱い

企業の分類	資産の含み益等の実現可能性に関する取扱い
（分類1）	タックス・プランニングに基づく一時差異等加減算前課税所得の見積額を、将来の一時差異等加減算前課税所得の見積額に織り込んで繰延税金資産の回収可能性を考慮する必要はない。
（分類2）	次の①及び②をいずれも満たす場合、タックス・プランニングに基づく一時差異等加減算前課税所得の見積額を、将来の一時差異等加減算前課税所得の見積額に織り込むことができるものとする。 ① 資産の売却等に係る意思決定の有無及び実行可能性 　資産の売却等に係る意思決定が、事業計画や方針等で明確となっており、かつ、資産の売却等に経済的合理性があり、実行可能である場合 ② 売却される資産の含み益等に係る金額の妥当性 　売却される資産の含み益等に係る金額が、契約等で確定している場合又は契約等で確定していない場合でも、例えば、有価証券については期末の時価、不動産については期末前おおむね1年以内の不動産鑑定評価額等の公正な評価額によっている場合
（分類3）	次の①及び②をいずれも満たす場合、タックス・プランニングに基づく一時差異等加減算前課税所得の見積額を、将来の合理的な見積可能期間（おおむね5年）又は5年を超える見積可能期間によっ

てスケジューリングする企業においては当該5年を超える見積可能期間の一時差異等加減算前課税所得の見積額に織り込むことができるものとする。
① 資産の売却等に係る意思決定の有無及び実行可能性
　将来の合理的な見積可能期間（おおむね5年）又は5年を超える見積可能期間によってスケジューリングする企業においては5年を超える見積可能期間に資産を売却する等の意思決定が事業計画や方針等で明確となっており、かつ、資産の売却等に経済的合理性があり、実行可能である場合
② 売却される資産の含み益等に係る金額の妥当性
　上記（分類2）②と同じ

（分類4）	次の①及び②をいずれも満たす場合、タックス・プランニングに基づく一時差異等加減算前課税所得の見積額を、翌期の一時差異等加減算前課税所得の見積額に織り込むことができるものとする。 ① 資産の売却等に係る意思決定の有無及び実行可能性 　資産の売却等に係る意思決定が、適切な権限を有する機関の承認、決裁権限者による決裁又は契約等で明確となっており、確実に実行されると見込まれる場合 ② 売却される資産の含み益等に係る金額の妥当性 　上記（分類2）②と同じ
（分類5）	原則として、繰延税金資産の回収可能性の判断にタックス・プランニングに基づく一時差異等加減算前課税所得の見積額を織り込むことはできないものとする。 ただし、税務上の繰越欠損金を十分に上回るほどの資産の含み益等を有しており、かつ、上記（分類4）①及び②をいずれも満たす場合、タックス・プランニングに基づく一時差異等加減算前課税所得の見積額を、翌期の一時差異等加減算前課税所得の見積額に織り込むことができるものとする。

【ASB指針26号33、34】

（8）繰延税金資産の計上限度額

将来減算一時差異及び税務上の繰越欠損金に係る繰延税金資産は、回収可能性の判断要件を考慮した結果、当該将来減算一時差異（複数の将来減算一時差異が存在する場合は、それらを合計する）及び税務上の繰越欠損金が将来の一時差異等加減算前課税所得の見積額及び将来加算一時差異の解消見込額と相殺され、税金負担額を軽減することができると認められる範囲内で計上するものとし、その範囲を超える額については控除しなければならない。

【ASB指針26号7、税会注5】

（9）繰延税金資産の回収可能性の見直し

① 繰延税金資産の回収可能性の見直し

繰延税金資産から控除すべき金額は毎期見直し、繰延税金資産の回収可能性を判断した結果、将来減算一時差異及び税務上の繰越欠損金に係る繰延税金資産の全部又は一部が将来の税金負担額を軽減する効果を有さなくなったと判断された場合、計上していた繰延税金資産のうち回収可能性がない金額を取り崩す。

また、過年度に繰延税金資産から控除した金額を見直し、繰延税金資産の回収可能性を判断した結果、将来の税金負担額を軽減する効果を有することとなったと判断された場合、回収が見込まれる金額を繰延税金資産として計上する。

② 繰延税金資産の回収可能性の見直しにより生じた差額

繰延税金資産の回収可能性を見直した場合に生じた差額は、次のいずれかの場合を除き、見直しを行った年度における法人税等調整額に計上する。

ア 資産又は負債の評価替えにより生じた評価差額等をその他の包括利益で認識した上で純資産の部のその他の包括利益累計額に計上する場合、当該評価差額等に係る一時差異に関する繰延税金資産の回収可能性の見直しにより生じた差額は、見直しを行った年度におけるその他の包括利益で認識した上で純資産の部のその他の包括利益累計額に計上する。

イ 資産又は負債の評価替えにより生じた評価差額等を直接純資産の部に計上する場合、当該評価差額等に係る一時差異に関する繰延税金資産の回収可能性の見直しにより生じた差額は、見直しを行った年度における純資産の部の評価・換算差額等に直接計上する。
【ASB 指針26号 8、10】

（10）繰越外国税額控除に係る繰延税金資産

① 繰越外国税額控除に係る繰延税金資産の計上

繰越外国税額控除については、在外支店の税務上の所得が合理的に見込まれる等、国外源泉所得が生じる可能性が高いことにより、翌期以降に外国税額控除の余裕額が生じることが確実に見込まれる場合、繰越外国税額控除の実現が見込まれる額を繰延税金資産として計上する。

② 繰越外国税額控除に係る繰延税金資産の見直し

将来の外国税額控除の余裕額が生じる可能性は毎期見直し、過年度に計上した繰越外国税額控除に係る繰延税金資産の全部又は一部が、繰越外国税額控除に係る繰延税金資産の計上要件を満たさなくなった場合、計上していた繰延税金資産のうち回収可能性がない金額を取り崩す。この見直しにより生じた差額は(9)②に準じて処理する。
【ASB 指針26号47、48】

（11）その他有価証券の評価差額に対する税効果会計の適用

その他有価証券の評価差額に係る一時差異は、原則として、個々の銘柄ごとにスケジューリングを行い、評価差損に係る将来減算一時差異については当該スケジューリングの結果に基づき回収可能性を判断した上で繰延税金資産を計上し、評価差益に係る将来加算一時差異については繰延税金負債を計上する。ただし、個々の銘柄ごとではなく、次のように一括して繰延税金資産又は繰延税金負債を計上することができる。

① その他有価証券の評価差額に係る一時差異がスケジューリング可能な一時差異である場合は、当該評価差額を評価差損が生じている銘柄と評価差益が生じている銘柄とに区分し、評価差損の銘柄ごとの合計額に係る将来減算一時差異についてはスケジューリングの結果に基づき回収可能性を判断した上で繰延税金資産を計上し、評価差益の銘柄ごとの合計額に係る将来加算一時差異については繰延税金負債を計上する。

② その他有価証券の評価差額に係る一時差異がスケジューリング不能な一時差異である場合は、評価差損の銘柄ごとの合計額と評価差益の銘柄ごとの合計額を相殺した後の純額の評価差損に係る将来減算一時差異又は評

価差益に係る将来加算一時差異について、繰延税金資産又は繰延税金負債を次のとおり計上する。

ア 純額で評価差益の場合

その他有価証券の純額の評価差益に係る将来加算一時差異については繰延税金負債を計上する。なお、当該評価差益に係る将来加算一時差異はスケジューリング不能な将来加算一時差異であるため、繰延税金資産の回収可能性の判断にあたっては、その他有価証券の評価差額に係る将来減算一時差異以外の将来減算一時差異とは相殺できない。

イ 純額で評価差損の場合

その他有価証券の純額の評価差損に係る将来減算一時差異はスケジューリング不能な将来減算一時差異であるため、原則として、当該将来減算一時差異に係る繰延税金資産の回収可能性はないものとする。ただし、通常、その他有価証券は随時売却が可能であり、また、長期的には売却されることが想定される有価証券であることを考慮し、純額の評価差損に係る繰延税金資産については、ASB 指針26号15～32に従って判断した企業の分類に応じて、次のように取り扱うことができる。

㋐ （分類1）に該当する企業及び（分類2）に該当する企業（ASB 指針26号28に従って（分類2）に該当するものとして取り扱われる企業を含む。）においては、純額の評価差損に係る繰延税金資産の回収可能性があるものとする。

㋑ （分類3）に該当する企業（ASB 指針26号29に従って（分類3）に該当するものとして取り扱われる企業を含む）においては、将来の合理的な見積可能期間（おおむね5年）又は ASB 指針26号24に従って繰延税金資産を見積る企業においては5年を超える見積可能期間の一時差異等加減算前課税所得の見積額にスケジューリング可能な一時差異の解消額を加減した額に基づき、純額の評価差損に係る繰延税金資産を見積る場合、当該繰延税金資産の回収可能性があるものとする。

③ 減損処理したその他有価証券に関して、期末における時価が減損処理の直前の取得原価に回復するまでは、減損処理後の時価の上昇に伴い発生する評価差益は将来加算一時差異ではなく減損処理により生じた将来減算一時差異の戻入れとなる。このため、原則どおり、個々の銘柄ごとにスケジューリングを行い、当該その他有価証券に係る将来減算一時差異については当該スケジューリングの結果に基づき回収可能性を判断した上で、繰延税金資産を計上する。
【ASB 指針26号38、39】

（12）役員賞与引当金とストック・オプション費用に係る税効果会計の適用

① 会計上役員賞与は発生した期間の費用として処理され役員賞与引当金として計上されるのに対し、税務上、損金に算入される役員給与は一定要件を満たしたものに限られるため（法法34～36）、会計上、費用処理された役員賞与のうち将来にわたって損金算入されないものは、将来減算一時差異には該当せず税効果会計の対象外となる。
【ASB 指針28号78】

② 税制非適格ストック・オプションについては、所定要件を満たせば権利行使時に役務提供に係る費用が損金に算入されるため（法法54①）、ストック・オプションの付与時において将来減算一時差異に該当し、税効果会計の対象となる。一方、税制適格ストック・オプション（措法29の２）については、役務提供に係る費用が損金に算入されないので（法法54②）、将来減算一時差異に該当せず、税効果会計の対象とならない。

【ASB 指針28号83】

（13）固定資産の減損損失に係る将来減算一時差異の取扱い

固定資産の減損損失に係る将来減算一時差異の解消見込年度のスケジューリングは、償却資産と非償却資産ではその性格が異なるため、次のように取り扱う。

① 償却資産

償却資産の減損損失に係る将来減算一時差異は、減価償却計算を通して解消されることから、スケジューリング可能な一時差異として取り扱う。また、償却資産の減損損失に係る将来減算一時差異については、ASB 指針26号35に定める解消見込年度が長期にわたる将来減算一時差異の取扱いを適用しないものとする。

② 非償却資産

土地等の非償却資産の減損損失に係る将来減算一時差異は、売却等に係る意思決定又は実施計画等がない場合、スケジューリング不能な一時差異として取り扱う。

【ASB 指針26号36】

（14）グループ通算制度を適用する場合の回収可能性の判断

ASB 報告42号に定めのあるものを除き、個別財務諸表における将来減算一時差異及び税務上の繰越欠損金に係る繰延税金資産の回収可能性の判断については、ASB指針26号６〜34に従う。

ア 個別財務諸表における繰延税金資産の回収可能性の判断に関する手順

ASB 指針26号11⑤⑥の適用時は、以下のとおり通算税効果額の影響を考慮する。

㋐ ASB 指針26号11①〜④により将来加算一時差異の解消見込額と相殺し切れなかった将来減算一時差異の解消見込額	まず、通算会社単独の将来の一時差異等加減算前通算前所得の見積額と解消見込年度ごとに相殺
	その後、損益通算による益金算入見積額（当該年度の一時差異等加減算前通算前所得の見積額がマイナスの場合には、マイナスの見積額に充当後）と解消見込年度ごとに相殺
㋑ ㋐で相殺し切れなかった将来減算一時差異の解消見込額	解消見込年度の翌年度以降において、特定繰越欠損金以外の繰越欠損金として取り扱われることから、㋒に従って、税務上の繰越欠損金の控除見込年度ごとの損金算入のスケジューリングに従って回収が見込まれる金額と相殺する。
㋒ ASB 指針26号11また書きを適用する際	特定繰越欠損金と特定繰越欠損金以外の繰越欠損金ごとに、その繰越期間にわたって、将来の課税所得の見積額（税務上の繰越欠損金控除前）に基づき、税務上の繰越欠損金の控除見込年度ごとに損金算入限度額計算及び翌期繰越欠損金額の算定手続に従って損金算入のスケジューリングを行い、回収が見込まれる金額を繰延税金資産とし

て計上する。

【ASB 報告42号11・12】

イ 企業の分類に応じた繰延税金資産の回収可能性に関する取扱い

ASB 指針26号15〜32を適用する際には、次のとおり取り扱う。

㋐ 通算グループ内のすべての納税申告書の作成主体を１つに束ねた単位の分類と通算会社の分類をそれぞれ判定する。なお、通算グループ全体の分類は、ASB 報告42号17（連結財務諸表における通算グループ全体の企業の分類の判断）に従って判定し、通算会社の分類は、損益通算や欠損金の通算を考慮せず、自社の通算前所得又は通算前欠損金に基づいて判定する。

㋑ 将来減算一時差異に係る繰延税金資産の回収可能性の判断については、通算グループ全体の分類が、通算会社の分類と同じか上位にある場合は、通算グループ全体の分類に応じた判断を行う。また、通算グループ全体の分類が、通算会社の分類の下位にある場合は、当該通算会社の分類に応じた判断を行う。

㋒ 税務上の繰越欠損金に係る繰延税金資産の回収可能性の判断において、特定繰越欠損金以外の繰越欠損金については通算グループ全体の分類に応じた判断を行う。また、特定繰越欠損金については、損金算入限度額計算における課税所得ごとに、通算グループ全体の課税所得は通算グループ全体の分類に応じた判断を行い、通算会社の課税所得は通算会社の分類に応じた判断を行う。 【ASB 報告42号13】

6. 開 示

（1）表 示

① 繰延税金資産は投資その他の資産の区分に表示し、繰延税金負債は固定負債の区分に表示する。

【ASB 基準28号２、財規31五、32①十三、51、52①五、54、計規74③四ホ、75②二ホ】

② 土地再評価差額金に係る繰延税金資産又は繰延税金負債は、他の繰延税金資産又は繰延税金負債とは区別して、貸借対照表の投資その他の資産又は固定負債の区分に、再評価に係る繰延税金資産など又は再評価に係る繰延税金負債など、その内容を示す科目をもって表示する。 【ASB 指針28号63】

（2）注記事項

① 財務諸表等規則に基づく注記

ア 繰延税金資産及び繰延税金負債の発生の主な原因別の内訳

イ 当該事業年度に係る法人税等の計算に用いられた税率（以下「法定実効税率」という）と法人税等を控除する前の当期純利益に対する法人税等（税効果会計により計上される法人税等調整額を含む）の比率との間に差異があるときは、当該差異の原因となった主な項目別の内訳（ただし、当該差異が法定実効税率の100分の５以下の場合は、注記を省略することができる）

ウ　法人税等の税率の変更により繰延税金資産及び繰延
　　税金負債の金額が修正されたときは、その旨及び修正
　　額
エ　決算日後に法人税等の税率の変更があった場合に
　　は、その内容及び影響
オ　繰延税金資産の算定に当たり繰延税金資産から控除
　　された額（以下「評価性引当額」という）がある場合に
　　は、次に掲げる事項を上記ア〜エに掲げる事項に併せ
　　て注記しなければならない。
　　(ｱ)　当該評価性引当額
　　(ｲ)　当該評価性引当額に重要な変動が生じた場合に
　　　　は、その主な内容
カ　上記アに掲げる事項に繰越欠損金を記載する場合で
　　あって、当該繰越欠損金が重要であるときは、次に掲
　　げる事項を併せて注記しなければならない。
　　(ｱ)　繰越期限別の繰越欠損金に係る次に掲げる事項
　　　　A　繰越欠損金に法定実効税率を乗じた額
　　　　B　繰越欠損金に係る評価性引当額
　　　　C　繰越欠損金に係る繰延税金資産の額
　　(ｲ)　繰越欠損金に係る重要な繰延税金資産を計上して
　　　　いる場合には、当該繰延税金資産を回収することが
　　　　可能と判断した主な理由
キ　上記オ(ｲ)及びカに掲げる事項は、財務諸表提出会社
　　が連結財務諸表を作成している場合には、記載するこ
　　とを要しない。
　　　【税会第四、税会注8、財規8の12、ASB基準28号
　　　4、5】
②　会社計算規則に基づく注記　　　　　　　【➡p.15】

10　消費税の会計処理

(1) 会計処理の基本的考え方
①　各段階の納税義務者である企業においては、税抜方式
　　が適当。
②　非課税取引が主要な部分を占める企業等当該企業が消
　　費税の負担者となると認められる場合、簡易課税制度を
　　採用した場合、その他企業の業種業態等から判断して合
　　理性がある場合には、税込方式を採用することができ
　　る。
(注)　以下の「消費税等」には、消費税と地方消費税が含
　　まれる。

(2) 税抜方式
①　仕入税を仮払消費税等の勘定で、販売税を仮受消費税
　　等の勘定で処理し、課税期間に係る販売税と仕入税とを
　　相殺し、その差額を納付し又は還付を受けるものであ
　　り、企業の損益計算に影響を及ぼさない方式をいう。
②　税抜方式による会計処理
ア　販売税は、売上、雑収入、特別利益等と区分し、仮
　　受消費税等として処理する。
イ　仕入税は、仕入、経費、固定資産等と区分し、仮払
　　消費税等として処理する。

ウ　納付すべき消費税等は、販売税から控除対象消費税
　　等を控除した金額を未払計上し、費用に関係させな
　　い。
エ　還付を受ける消費税等は、控除対象消費税等から販
　　売税を控除した金額を未収計上し、収益に関係させな
　　い。

(3) 資産に係る控除対象外消費税等の処理
①　棚卸資産に係るもの
ア　当該棚卸資産の取得原価に算入する方法
イ　発生事業年度の期間費用とする方法
②　固定資産等に係るもの
ア　資産に計上する方法
　　(ｱ)　当該固定資産等の取得原価に算入する方法
　　(ｲ)　固定資産等に係るものを一括して長期前払消費税
　　　　として費用配分する方法
イ　発生事業年度の期間費用とする方法

(4) 税込方式
①　仕入税を資産の取得原価又は費用に含め、販売税を収
　　益に含める方式をいう。
　　　この方式では、納付税は租税公課勘定に、還付税は収
　　益勘定に計上する。
②　税込方式による会計処理
ア　販売税は、売上、雑収入、特別利益等に含めて計上
　　する。
イ　仕入税は、仕入、経費、固定資産等に含めて計上す
　　る。
ウ　納付税は、租税公課（消費税等）として費用に計上
　　する。
エ　還付税は、雑収入（還付消費税等）として収益に計
　　上する。

(5) 財務諸表における表示
①　消費税等の会計処理は、会計方針として記載する。
ア　税抜方式を採用している場合の記載例
　　(ｱ)　資産に係る控除対象外消費税等がないとき
　　　　消費税等の会計処理は、税抜方式によっている。
　　(ｲ)　資産に係る控除対象外消費税等があるとき
　　　　A　資産に係る控除対象外消費税等を資産の取得原
　　　　　　価に算入することとしているとき
　　　　　　消費税等の会計処理は、税抜方式によってい
　　　　　る。ただし、固定資産に係る控除対象外消費税等
　　　　　は個々の資産の取得原価に算入している。
　　　　B　資産に係る控除対象外消費税等を一括して長期
　　　　　　前払消費税等に計上することとしているとき
　　　　　　消費税等の会計処理は、税抜方式によってい
　　　　　る。ただし、固定資産に係る控除対象外消費税等
　　　　　は長期前払消費税等に計上し、○年間で均等償却
　　　　　を行っている。
　　　　C　資産に係る控除対象外消費税等を発生事業年度
　　　　　　の期間費用とすることとしているとき
　　　　　　消費税等の会計処理は、税抜方式によってい
　　　　　る。ただし、資産に係る控除対象外消費税等は発
　　　　　生事業年度の期間費用としている。
　　　　(注)　資産に係る控除対象外消費税等の金額が重
　　　　　　要でない場合は、上記ただし書の記載を省略

することができる。
イ　税込方式を採用している場合の記載例
　　消費税等の会計処理は、税込方式によっている。
②　消費税関連科目の表示方法
ア　未払消費税等
　　未払消費税等は、「未払消費税等」等その内容を示す適当な名称を付した科目で貸借対照表に表示する。ただし、その金額が重要でない場合は、未払金等に含めて表示することができる。
イ　未収消費税等
　　未収消費税等は、「未収消費税等」等その内容を示す適当な名称を付した科目で貸借対照表に表示する。ただし、その金額が重要でない場合は、未収金等に含めて表示することができる。
ウ　租税公課（消費税等）
　　税抜方式の場合における控除対象外消費税等又は税込方式の場合における納付すべき消費税等は、販売費及び一般管理費の「租税公課」に表示し、その金額が重要な場合は「消費税等」等その内容を示す適当な名

称を付した科目で表示する。
（注）　販売費及び一般管理費として表示することが適当でない場合には、その金額を売上原価、営業外費用等に表示することができる。
エ　雑収入（還付消費税等）
　　税込方式の場合における還付された消費税等は営業外収益の「雑収入」等に表示し、その金額が重要な場合は「還付消費税等」等その内容を示す適当な名称を付した科目で表示する。
（注）　営業外収益の「雑収入」等として表示することが適当でない場合には、その金額を売上原価、販売費及び一般管理費等から控除して表示することができる。
オ　長期前払消費税等
　　長期前払消費税等は、「長期前払消費税等」等その内容を示す適当な名称を付した科目で貸借対照表に表示する。ただし、その金額が重要でない場合は、投資その他の資産の「その他」に含めて表示することができる。　　　　　　　　　　　　　【消費税中間報告】

第**7**章

その他の会計基準

1 企業結合及び事業分離等会計基準

1. 取得の会計処理

（1）取 得
① 「取得」とは、ある企業が他の企業又は企業を構成する事業に対する支配を獲得することをいう。共同支配企業の形成及び共通支配下の取引以外の企業結合は取得となる。
② 「取得企業」とは、ある企業又は企業を構成する事業を取得する企業をいい、当該取得される企業を「被取得企業」という。　　　　　【ASB基準21号9、10、17】

（2）取得企業の決定方法
① 取得とされた企業結合においては、いずれかの結合当事企業を取得企業として決定する。被取得企業の支配を獲得することとなる取得企業を決定する際には、ASB基準22号「連結財務諸表に関する会計基準」（以下「連結会計基準」という）の考え方を用いる。
② 連結会計基準の考え方によってどの結合当事企業が取得企業となるかが明確ではない場合には、下記の要素を考慮して取得企業を決定する。

主な対価の種類	取得企業
現金もしくは他の資産を引き渡す又は負債を引き受けることとなる企業結合の場合	通常、当該現金もしくは他の資産を引き渡す又は負債を引き受ける企業（結合企業）が取得企業となる。
株式（含、出資）である企業結合の場合	通常、当該株式を交付する企業（結合企業）が取得企業となる。 ただし、必ずしも株式を交付した企業が取得企業にならないとき（逆取得）もあるため、この場合の取得企業の決定にあたっては、次のような要素を総合的に勘案しなければならない。 ア　総体としての株主が占める相対的な議決権比率の大きさ 　　ある結合当事企業の総体としての株主が、結合後企業の議決権比率のうち最も大きい割合を占める場合には、通常、当該結合当事企業が取得企業となる。なお、結合後企業の議決権比率を判断するにあたっては、議決権の内容や潜在株式の存在についても考慮しなければならない。 イ　最も大きな議決権比率を有する株主の存在 　　結合当事企業の株主又は株主グループのうち、ある株主又は株主グループが、結合後企業の議決権を過半には至らないものの最も大きな割合を有する場合であって、当該株主又は株主グループ以外には重要な議決権比率を有していないときには、通常、当該株主又は株主グループのいた結合当事企業が取得企業となる。 ウ　取締役等を選解任できる株主の存在 　　結合当事企業の株主又は株主グループのうち、ある株主又は株主グループが、結合後企業の取締役会その他これに準ずる機関（重要な経営事項の意思決定機関）の構成員の過半数を選任又は解任できる場合に

は、通常、当該株主又は株主グループのいた結合当事企業が取得企業となる。
エ　取締役会等の構成
　　結合当事企業の役員もしくは従業員である者又はこれらであった者が、結合後企業の取締役会その他これに準ずる機関（重要な経営事項の意思決定機関）を事実上支配する場合には、通常、当該役員又は従業員のいた結合当事企業が取得企業となる。
オ　株式の交換条件
　　ある結合当事企業が他の結合当事企業の企業結合前における株式の時価を超えるプレミアムを支払う場合には、通常、当該プレミアムを支払った結合当事企業が取得企業となる。

結合当事企業のうち、いずれかの企業の相対的な規模（例えば、総資産額、売上高あるいは純利益）が著しく大きい場合	通常、当該相対的な規模が著しく大きい結合当事企業が取得企業となる。
結合当事企業が3社以上である場合	上記に加えて、いずれの企業がその企業結合を最初に提案したかについても考慮する。

【ASB基準21号18～22】

（3）取得原価の算定
① 基本原則
　　被取得企業又は取得した事業の取得原価は、原則として、取得の対価（支払対価）となる財の企業結合日における時価で算定する。支払対価が現金以外の資産の引渡し、負債の引受け又は株式の交付の場合には、支払対価となる財の時価と被取得企業又は取得した事業の時価のうち、より高い信頼性をもって測定可能な時価で算定する。　　　　　　　　　　　　　　【ASB基準21号23】
② 株式交換の場合の算定方法
　　市場価格のある取得企業等の株式が取得の対価として交付される場合には、取得の対価となる財の時価は、原則として、企業結合日における株価を基礎にして算定する。　　　　　　　　　　　　　【ASB基準21号24】
③ 取得が複数の取引により達成された場合（段階取得）の会計処理
　　取得が複数の取引により達成された場合（以下「段階取得」という）における被取得企業の取得原価の算定は、次のように行う。
ア　個別財務諸表上、支配を獲得するに至った個々の取引ごとの原価の合計額をもって、被取得企業の取得原価とする。なお、企業結合日直前の被取得企業の株式の帳簿価額については、以下の点に留意する必要がある。
　（ア）被取得企業の株式をその他有価証券に分類し、期末に時価による評価替えを行っていても、被取得企業の株式の帳簿価額は、時価による評価前の価額となる。ただし、その他有価証券の評価差額の会計処理として部分純資産直入法を採用しており、当該有価証券について評価差損を計上している場合には、時価による評価後の価額となる。

（イ）　被取得企業の株式に対して投資損失引当金を計上している場合には、当該金額を控除した価額となる。

（ウ）　被取得企業の株式を企業結合日前に減損処理している場合には、減損処理後の帳簿価額を基礎とする。
【ASB 基準21号25、ASB 指針10号46】

イ　連結財務諸表上、支配を獲得するに至った個々の取引すべての企業結合日における時価をもって、被取得企業の取得原価を算定する。なお、当該被取得企業の取得原価と、支配を獲得するに至った個々の取引ごとの原価の合計額（持分法適用関連会社と企業結合した場合には、持分法による評価額）との差額は、当期の段階取得に係る損益として処理する。
【ASB 基準21号25】

④　取得関連費用の会計処理

取得関連費用（外部のアドバイザー等に支払った特定の報酬・手数料等）は、発生した事業年度の費用として処理する。
【ASB 基準21号26】

なお、個別財務諸表における子会社株式の取得原価は、従来と同様に、金融商品会計基準及び会制14号に従って算定することに留意する。
【ASB 基準21号94なお書き、金融 Q&A Q15-2】

⑤　条件付取得対価の会計処理

ア　将来の業績に依存する条件付取得対価

	対価を追加的に交付する又は引き渡すとき	対価の一部が返還されるとき
判断時点	条件付取得対価の交付又は引渡しが確実となり、その時価が合理的に決定可能となった時点	条件付取得対価の返還が確実となり、その時価が合理的に決定可能となった時点
会計処理	支払対価を取得原価として追加的に認識するとともに、のれんを追加的に認識する又は負ののれんを減額する。	返還される対価の金額を取得原価から減額するとともに、のれんを減額する又は負ののれんを追加的に認識する。

イ　特定の株式又は社債の市場価格に依存する条件付取得対価

判断時点	条件付取得対価の交付又は引渡しが確実となり、その時価が合理的に決定可能となった時点
会計処理	（1）追加で交付可能となった条件付所得対価を、その時点の時価に基づき認識する。 （2）企業結合日現在で交付している株式又は社債をその時点の時価に修正し、当該修正により生じた社債プレミアムの減少額又はディスカウントの増加額を将来にわたって規則的に償却する。

【ASB 基準21号27】

（4）取得原価の配分方法

①　取得原価は、被取得企業から受け入れた資産及び引き受けた負債のうち企業結合日時点において識別可能なもの（識別可能資産及び負債）の企業結合日時点の時価を基礎として、当該資産及び負債に対して企業結合日以後1年以内に配分する。【ASB 基準21号28】

②　企業結合日以後の決算において、配分が完了していなかった場合は、その時点で入手可能な合理的な情報等に基づき暫定的な会計処理を行い、その後追加的に入手した情報等に基づき配分額を確定させる。なお、暫定的な会計処理の確定が企業結合年度の翌年度に行われた場合には、企業結合年度に当該確定が行われたかのように会計処理を行う。企業結合年度の翌年度の連結財務諸表及び個別財務諸表（以下合わせて「財務諸表」という）と併せて企業結合年度の財務諸表を表示するときには、当該企業結合年度の財務諸表に暫定的な会計処理の確定による取得原価の配分額の見直しを反映させる。
【ASB 基準21号注6】

③　受け入れた資産に法律上の権利など分離して譲渡可能な無形資産が含まれる場合には、当該無形資産は識別可能なものとして取り扱う。　　【ASB 基準21号29】

④　取得後に発生することが予測される特定の事象に対応した費用又は損失であって、その発生の可能性が取得の対価の算定に反映されている場合には、負債として認識する。当該負債は、原則として、固定負債として表示し、その主な内容及び金額を連結貸借対照表及び個別貸借対照表に注記する。【ASB 基準21号30】

⑤　取得原価が、受け入れた資産及び引き受けた負債に配分された純額を上回る場合には、その超過額はのれんとして会計処理し、下回る場合には、その不足額は負ののれんとして会計処理する。　【ASB 基準21号31】

（5）のれんの会計処理

①　のれんは、資産に計上し、20年以内のその効果の及ぶ期間にわたって、定額法その他の合理的な方法により規則的に償却する。　　　　【ASB 基準21号32】

②　のれんの償却にあたり、次の事項に留意する必要がある。

ア　のれんの償却開始時期は、企業結合日となる。なお、みなし取得日による場合には、当該みなし取得日が四半期首であるときには、償却開始は四半期首からであり、四半期末であるときには翌四半期期首からとなる。

イ　のれんを企業結合日に全額費用処理することはできない（ただしエの場合を除く）。

ウ　のれんの償却額は販売費及び一般管理費に計上することとし、減損処理以外の事由でのれんの償却額を特別損失に計上することはできない。

エ　のれんの金額に重要性が乏しい場合には、当該のれんが生じた事業年度の費用として処理することができる。当該費用の表示区分は販売費及び一般管理費とする。

オ　関連会社と企業結合したことにより発生したのれんは、持分法による投資評価額に含まれていたのれんの未償却部分と区別せず、企業結合日から新たな償却期間にわたり償却する。

カ　のれんの償却期間及び償却方法は、企業結合ごとに取得企業が決定する。
【ASB 基準21号32、ASB 指針10号76】

③　のれんの未償却残高は、減損処理の対象となる。のれんの減損損失を認識すべきであるとされた場合には、減損損失として測定された額を特別損失に計上する。特に、次の場合には、企業結合年度においても減損の兆候が存在すると考えられる。

ア　取得原価のうち、のれんやのれん以外の無形資産に

配分された金額が相対的に多額になる場合

イ　被取得企業の時価総額を超えて多額のプレミアムが支払われた場合や、取得時に明らかに識別可能なオークション又は入札プロセスが存在していた場合
【ASB 指針10号77】

④　在外子会社株式の取得等により生じたのれんは、在外子会社等の財務諸表項目が外国通貨で表示されている場合には、当該外国通貨で把握し、決算日の為替相場により換算する。なお、当該外国通貨で把握されたのれんの当期償却額については、当該在外子会社等の他の費用と同様に換算する。　　　　【ASB 指針10号77-2】

(6) 負ののれんの会計処理

①　負ののれんが生じると見込まれる場合には、次の処理を行う。ただし、負ののれんが生じると見込まれたときにおける取得原価が受け入れた資産及び引き受けた負債に配分された純額を下回る額に重要性が乏しい場合には、次の処理を行わずに、当該下回る額を当期の利益として処理することができる。

ア　取得企業は、すべての識別可能資産及び負債（企業結合における特別勘定の負債を含む）が把握されているか、また、それらに対する取得原価の配分が適切に行われているかどうかを見直す。

イ　アの見直しを行っても、なお取得原価が受け入れた資産及び引き受けた負債に配分された純額を下回り、負ののれんが生じる場合には、当該負ののれんが生じた事業年度の利益として処理する。
【ASB 基準21号33】

②　負ののれんは、原則として、特別利益に計上する。
【ASB 基準21号48】

③　関連会社と企業結合したことにより発生した負ののれんは、持分法による投資評価額に含まれていたのれんの未償却部分と相殺し、のれん（又は負ののれん）が新たに計算される。　　　　　　　　【ASB 指針10号78】

(7) 取得企業の増加資本の会計処理

企業結合の対価として、取得企業が新株を発行した場合には、払込資本（資本金又は資本剰余金）の増加として会計処理する。なお、増加すべき払込資本の内訳項目（資本金、資本準備金又はその他資本剰余金）は、会社法の規定に基づき決定する。　　　　　　　　【ASB 指針10号79】

(8) 吸収合併消滅会社の最終事業年度の会計処理

吸収合併が取得と判定された場合の吸収合併消滅会社の最終事業年度の財務諸表は、吸収合併消滅会社が継続すると仮定した場合の適正な帳簿価額による。
【ASB 指針10号83】

(9) 逆取得における個別財務諸表上の会計処理

①　逆取得とは、法律上存続する会社（存続会社）が議決権のある株式を交付するものの、企業結合会計上、法律上消滅する会社（消滅会社）が取得企業に該当し、存続会社が被取得企業に該当する場合をいう。
【ASB 基準21号79】

②　吸収合併において消滅会社が取得企業となる場合、存続会社の個別財務諸表では当該取得企業（消滅会社）の資産及び負債を合併直前の適正な帳簿価額により計上する。　　　　　　　　　　　　【ASB 基準21号34】

③　現物出資又は吸収分割において、現物出資会社又は吸収分割会社が取得企業となる場合（現物出資又は吸収分割による子会社化の形式をとる場合）、取得企業の個別財務諸表では、移転した事業に係る株主資本相当額に基づいて、被取得企業株式の取得原価を算定する。
【ASB 基準21号35】

④　株式交換において、完全子会社が取得企業となる場合、完全親会社の個別財務諸表では、当該完全子会社の株式交換直前における適正な帳簿価額による株主資本の額に基づいて、取得企業株式（完全子会社株式）の取得原価を算定する。　　　　　　　　【ASB 基準21号36】

(10) 逆取得における連結財務諸表上の会計処理

逆取得となる吸収合併が行われた後に、結合後企業が連結財務諸表を作成する場合には、吸収合併存続会社を被取得企業としてパーチェス法を適用する。具体的には、吸収合併消滅会社（取得企業）の合併期日の前日における連結財務諸表上の金額（吸収合併消滅会社が連結財務諸表を作成していない場合には個別財務諸表上の金額をいう）に、次の手順により算定された額を加算する。

①　取得原価の算定

原則として、取得の対価となる財の企業結合日における時価で算定する。ただし、取得の対価となる財の時価は、吸収合併存続会社（被取得企業）の株主が合併後の会社（結合後企業）に対する実際の議決権比率と同じ比率を保有するのに必要な数の吸収合併消滅会社（取得企業）の株式を、吸収合併消滅会社（取得企業）が交付したものとみなして算定する。

②　取得原価の配分

吸収合併存続会社（被取得企業）から受け入れた資産及び引き受けた負債のうち企業結合日において識別可能なもの（識別可能資産及び負債）に対して、その企業結合日における時価を基礎として配分し、取得原価と取得原価の配分額との差額はのれん（又は負ののれん）とする。

③　増加すべき株主資本の会計処理

①で算定された取得の対価を払込資本に加算する。ただし、連結財務諸表上の資本金は吸収合併存続会社（被取得企業）の資本金とし、これと合併直前の連結財務諸表上の資本金（吸収合併消滅会社の資本金）が異なる場合には、その差額を資本剰余金に振り替える。
【ASB 指針10号85】

2. 共同支配企業の形成の会計処理

(1) 共同支配企業

①　「共同支配企業」とは、複数の独立した企業により共同で支配される企業をいい、「共同支配企業の形成」とは、複数の独立した企業が契約等に基づき、当該共同支配企業を形成する企業結合をいう。

②　「共同支配投資企業」とは、共同支配企業を共同で支配する企業をいう。　　　　　【ASB 基準21号11、12】

(2) 共同支配企業の形成の判定

ある企業結合を共同支配企業の形成と判定するためには、次の要件をすべて満たしていなければならない。

要　件	留意事項
共同支配投資企業となる投資企業は、複数の独立した企業から構成されていること（独立企業要件）	共同支配企業の形成の判定にあたり、投資企業とその子会社、緊密な者及び同意している者は単一企業とみなす。したがって、投資企業がこれらの者のみから構成されている場合には、共同支配企業の形成には該当しない。
共同支配投資企業となる企業が共同支配となる契約等を締結していること（契約要件）	共同支配企業の形成の判定にあたり、契約要件を満たすためには、契約等は文書化されており、次のすべてが規定されていなければならない。 ・共同支配企業の事業目的が記載され、当該事業遂行における各共同支配投資企業の重要な役割分担が取り決められていること ・共同支配企業の経営方針及び財務に係る重要な経営事項の決定は、すべての共同支配投資企業の同意が必要とされていること
企業結合に際して支払われた対価のすべてが、原則として、議決権のある株式であること（対価要件）	議決権のある株式であると認められるためには、同時に次の要件のすべてが満たされなければならない。 ・企業結合が単一の取引で行われるか、又は、原則として、1事業年度内に取引が完了する。 ・交付株式の議決権の行使が制限されない。 ・企業結合日において対価が確定している。 ・交付株式の償還又は再取得の取決めがない。 ・株式の交換を事実上無効にするような結合当事企業の株主の利益となる財務契約がない。 ・企業結合の合意成立日前1年以内に、当該企業結合を目的として自己株式を受け入れていない。
上記以外に支配関係を示す一定の事実が存在しないこと（その他の支配要件）	次のいずれにも該当しない場合には、その他の支配要件を満たすものとされている。 ・いずれかの結合当事企業の役員もしくは従業員である者又はこれらであった者が、結合後企業の取締役会その他これに準ずる機関（重要な経営事項の意思決定機関）の構成員の過半数を占めていること ・重要な財務及び営業の方針決定を支配する契約等により、いずれかの結合当事企業が他の企業より有利な立場にあること ・企業結合日後2年以内にいずれかの結合当事企業が投資した大部分の事業を処分する予定があること

【ASB基準21号37、ASB指針10号175～181】

（3）共同支配企業の形成の会計処理

① 共同支配企業の形成において、共同支配企業は、共同支配投資企業から移転する資産及び負債を、移転直前に共同支配投資企業において付されていた適正な帳簿価額により計上する。

② 共同支配企業の形成において、共同支配企業に事業を移転した共同支配投資企業は次の会計処理を行う。

　ア　個別財務諸表上、当該共同支配投資企業が受け取った共同支配企業に対する投資の取得原価は、移転した事業に係る株主資本相当額に基づいて算定する。

　イ　連結財務諸表上、共同支配投資企業は、共同支配企業に対する投資について持分法を適用する。

【ASB基準21号38、39】

3. 共通支配下の取引等の会計処理

（1）共通支配下の取引

① 意義

　「共通支配下の取引」とは、結合当事企業（又は事業）のすべてが、企業結合の前後で同一の株主により最終的に支配され、かつ、その支配が一時的ではない場合の企業結合をいう。親会社と子会社の合併及び子会社同士の合併は、共通支配下の取引に含まれる。

【ASB基準21号16】

② 個別財務諸表上の会計処理

　ア　共通支配下の取引により企業集団内を移転する資産及び負債は、原則として、移転直前に付されていた適正な帳簿価額により計上する。なお、親会社と子会社が企業結合する場合において、子会社の資産及び負債の帳簿価額を連結上修正しているときは、親会社が作成する個別財務諸表においては、連結財務諸表上の金額である修正後の帳簿価額（のれんを含む）により計上する。

　イ　移転された資産及び負債の差額は、純資産として処理する。ここで、共通支配下の取引により子会社が法律上消滅する場合には、当該子会社に係る子会社株式（抱合せ株式）の適正な帳簿価額とこれに対応する増加資本との差額は、親会社の損益とする。

　ウ　移転された資産及び負債の対価として交付された株式の取得原価は、当該資産及び負債の適正な帳簿価額に基づいて算定する。

【ASB基準21号41～43、注9、注10】

③ 連結財務諸表上の会計処理

　共通支配下の取引は、内部取引としてすべて消去する。　　　　　　　　　　　　　　　　　　【ASB基準21号44】

（2）非支配株主との取引

① 個別財務諸表上の会計処理

　非支配株主から追加取得する子会社株式の取得原価は、追加取得時における当該株式の時価とその対価となる財の時価のうち、より高い信頼性をもって測定可能な時価で算定する。　　　　　　　　【ASB基準21号45】

② 連結財務諸表上の会計処理

　非支配株主との取引については、連結会計基準における子会社株式の追加取得及び一部売却等の取扱いに準じて処理する。　　　　　　　　　　　　【ASB基準21号46】

4. 事業分離における分離元企業の会計処理

（1）事業分離

① 「事業分離」とは、ある企業（分離元企業）を構成する事業を他の企業（分離先企業。新設される企業を含む）に移転することをいう。なお、複数の取引が1つの事業分離を構成している場合には、それらを一体として取り扱う。

② 「事業分離日」とは、分離元企業の事業が分離先企業に移転されるべき日をいい、通常、事業分離を定める契約書等に記載され、会社分割の場合は分割期日、事業譲渡の場合は譲渡期日となる。また、事業分離日の属する事業年度を「事業分離年度」という。

（2）分離元企業の会計処理

① 分離元企業は、事業分離日に、次のように会計処理する。

	投資が清算される場合	投資が継続する場合
判断基準	現金など、移転した事業と明らかに異なる資産を対価として受け取る場合には、投資が清算されたとみなされる（注1）。	子会社株式や関連会社株式となる分離先企業の株式のみを対価として受け取る場合には、当該株式を通じて、移転した事業に関する事業投資を引き続き行っていると考えられることから、当該事業に関する投資が継続しているとみなされる。
受取対価の計上額	受取対価の時価により計上する。	移転した事業に係る株主資本相当額に基づいて計上する。
移転損益の認識	受取対価の時価と、移転した事業に係る株主資本相当額（注2）との差額を移転損益として認識する。	移転損益は認識しない。

（注1） 事業分離後においても、分離元企業の継続的関与（分離元企業が、移転した事業又は分離先企業に対して、事業分離後も引き続き関与すること）があり、それが重要であることによって、移転した事業に係る成果の変動性を従来と同様に負っている場合には、投資が清算されたとみなされず、移転損益は認識されない。

（注2） 株主資本相当額は、移転した事業に係る資産及び負債の移転直前の適正な帳簿価額による差額から、当該事業に係る評価・換算差額等及び新株予約権を控除した額をいう（以下同じ）。【ASB 基準 7 号10】

② いずれの場合においても、分離元企業において、事業分離により移転した事業に係る資産及び負債の帳簿価額は、事業分離日の前日において一般に公正妥当と認められる企業会計の基準に準拠した適正な帳簿価額のうち、移転する事業に係る金額を合理的に区分して算定する。

【ASB 基準 7 号10】

③ 事業分離に要した支出額は、分離元企業において、発生時の事業年度の費用として処理する。

【ASB 基準 7 号11】

④ 移転損益を認識する場合の受取対価となる財の時価は、受取対価が現金以外の資産等の場合には、受取対価となる財の時価と移転した事業の時価のうち、より高い信頼性をもって測定可能な時価で算定する。

【ASB 基準 7 号12】

⑤ 市場価格のある分離先企業の株式が受取対価とされる場合には、受取対価となる財の時価は、事業分離日の株価を基礎にして算定する。【ASB 基準 7 号13】

（3）受取対価が現金等の財産のみである場合における分離元企業の会計処理

分離先企業	個別財務諸表上の会計処理	連結財務諸表上の会計処理
子会社	(1) 受取対価の額 共通支配下の取引として、移転前に付された適正な帳簿価額により計上する。 (2) 移転損益の額 受取対価の額と移転した事業に係る株主資本相当額との差額は、原則として、移転損益として認識する。	移転損益は、連結会計基準における未実現損益の消去に準じて処理する。
関連会社	(1) 受取対価の額 共通支配下の取引に該当しないため、原則として、時価により計上する。 (2) 移転損益の額 受取対価の額と移転した事業に係る株主資本相当額との差額は、原則として、移転損益として認識する。	移転損益は、持分法会計基準における未実現損益の消去に準じて処理する。
その他の会社		―

（4）受取対価が分離先企業の株式のみである場合の分離元企業の会計処理

① 事業分離により分離先企業が子会社となる場合

分離先企業株式の保有状況	個別財務諸表上の会計処理	連結財務諸表上の会計処理
事業分離前に保有していなかった場合	(1) 受取対価の額 分離先企業の株式（子会社株式）の額は、移転した事業に係る株主資本相当額に基づいて算定する。 (2) 移転損益の額 投資が継続しているため移転損益は認識しない。	(1) 分離先企業に対するパーチェス法の適用 分離先企業に対して投資したとみなされる額と、これに対応する分離先企業の事業分離直前の資本との差額をのれん（又は負ののれん）とする。（注） (2) 支配獲得後の資本連結 分離元企業（親会社）の事業が移転したとみなされる額と、移転した事業に係る分離元企業（親会社）の持分の減少額との間に生じる差額については、資本剰余金とする。
事業分離前にその他有価証券又は関連会社株式としていた場合		
事業分離前に子会社株式としていた場合		追加取得により、子会社に係る分離元企業（親会社）の持分の増加額（追加取得持分）と、移転した事業に係る分離元企業（親会社）の持分の減少額との間に生じる差額は、資本剰余金とする。

（注） 事業分離前にその他有価証券又は関連会社株式としていた場合には、分離先企業に対して投資したとみなされる額は、分離元企業が追加的に受け取った分離先

企業の株式の取得原価と事業分離前に有していた分離先企業の株式の支配獲得時（事業分離日）の時価との合計額とする。そのため、当該時価とその適正な帳簿価額との差額（その他有価証券としていた場合）又はその持分法評価額との差額（関連会社株式としていた場合）は、当期の段階取得に係る損益として処理する。
【ASB 基準 7 号 17〜19】

② 分離先企業が関連会社となる場合（共同支配企業の形成の場合は含まれない）

分離先企業株式の保有状況	個別財務諸表上の会計処理	連結財務諸表上の会計処理
事業分離前に保有していなかった場合	(1) 受取対価の額分離先企業の株式（関連会社株式）の額は、移転した事業に係る株主資本相当額に基づいて算定する。(2) 移転損益の額投資が継続しているため移転損益は認識しない。	(1) のれんの処理分離先企業に対して投資又は追加投資したとみなされる額と、これに対応する分離先企業の事業分離直前の資本との差額をのれん（又は負ののれん）とする。(注1)(注2)(2) 持分変動差額の処理分離元企業の事業が移転したとみなされる額と、移転した事業に係る分離元企業の持分の減少額との間に生じる差額については、持分変動差額として取り扱う。(注2)
事業分離前にその他有価証券としていた場合		
事業分離前に関連会社株式としていた場合		

（注1） 事業分離前にその他有価証券としていた場合には、分離先企業株式を受け取った取引ごとに分離先企業に対して投資又は追加投資したとみなされる額と、その取引ごとに対応する分離先企業の資本の合計との間に生じる差額をのれん（又は負ののれん）とする。

（注2） のれんと持分変動差額のいずれかの金額に重要性が乏しいと考えられる場合には、重要性のある他の金額に含めて処理することができる。
【ASB 基準 7 号 20〜22】

③ 分離先企業が子会社や関連会社以外となる場合
原則として、移転損益が認識される。また、分離先企業の株式の取得原価は、移転した事業に係る時価又は当該分離先企業の株式の時価のうち、より高い信頼性をもって測定可能な時価に基づいて算定される。
【ASB 基準 7 号 23】

（5）受取対価が現金等の財産と分離先企業の株式である場合の分離元企業の会計処理

① 分離先企業が子会社となる場合や子会社へ事業分離する場合
ア 個別財務諸表上の処理
共通支配下の取引又はこれに準ずる取引として、分離元企業が受け取った現金等の財産は、移転前に付された適正な帳簿価額により計上する。この結果、当該価額が移転した事業に係る株主資本相当額を上回る場合には、原則として、当該差額を移転利益として認識（受け取った分離先企業の株式の取得原価はゼロとする）し、下回る場合には、当該差額を受け取った分離先企業の株式の取得原価とする。

イ 連結財務諸表上の会計処理
移転利益は、連結会計基準における未実現損益の消去に準じて処理する。また、子会社に係る分離元企業の持分の増加額と、移転した事業に係る分離元企業の持分の減少額との間に生じる差額は、資本剰余金とする。

なお、事業分離前に分離先企業の株式をその他有価証券又は関連会社株式として保有していた場合には、当該分離先企業の株式は、事業分離日における時価をもって受け取った分離先企業の株式の取得原価に加算し、その時価と適正な帳簿価額との差額は当期の段階取得に係る損益として認識する。

② 分離先企業が関連会社となる場合や関連会社へ事業分離する場合
ア 個別財務諸表上の処理
分離元企業で受け取った現金等の財産は、原則として、時価により計上する。この結果、当該時価が移転した事業に係る株主資本相当額を上回る場合には、原則として、当該差額を移転利益として認識（受け取った分離先企業の株式の取得原価はゼロとする）し、下回る場合には、当該差額を受け取った分離先企業の株式の取得原価とする。

イ 連結財務諸表上の処理
移転利益は、持分法会計基準における未実現損益の消去に準じて処理する。また、関連会社に係る分離元企業の持分の増加額と、移転した事業に係る分離元企業の持分の減少額との間に生じる差額は、原則として、のれん（又は負ののれん）と持分変動差額に区分して処理する。

③ 分離先企業が子会社や関連会社以外となる場合
分離先企業の株式のみを受取対価とする場合における分離元企業の会計処理に準じて行う。
【ASB 基準 7 号 24〜26】

（6）資産の現物出資等における移転元の企業の会計処理
資産を移転し移転先の企業の株式を受け取る場合（事業分離に該当する場合を除く）において、移転元の企業の会計処理は、事業分離における分離元企業の会計処理に準じて行う。【ASB 基準 7 号 31】

5. 被結合企業の株主に係る会計処理

（1）結合当事企業
「結合当事企業」とは、企業結合に係る企業をいい、このうち、他の企業又は他の企業を構成する事業を受け入れて対価（現金等の財産や自社の株式）を支払う企業を「結合企業」、当該他の企業を「被結合企業」という。また、企業結合によって統合された1つの報告単位となる企業を「結合後企業」という。【ASB基準 7 号 7】

（2）被結合企業の株主に係る会計処理

	投資が清算される場合	投資が継続する場合
判断基準	現金など、被結合企業の株式と明らかに異なる資産を対価として受け取る場合には、投資が清算されたとみなされる。（注1）	子会社株式や関連会社株式となる結合企業の株式のみを対価として受け取る場合には、当該引き換えられた結合企業の株式を通じて、被結合企業（子会社や関連会社）に関する事業投資を引き続き行っていると考えられることから、当該被結合企業に関する投資が継続しているとみなされる。
受取対価の計上額	受取対価の時価により計上する。（注2）（注3）	被結合企業の株式に係る適正な帳簿価額に基づいて計上する。
交換損益の認識	受取対価の時価と、被結合企業の株式に係る企業結合直前の適正な帳簿価額との差額を交換損益として認識する。	交換損益は認識しない。

（注1） 企業結合後においても、被結合企業の株主の継続的関与（被結合企業の株主が、結合後企業に対して、企業結合後も引き続き関与すること）があり、それが重要であることによって、交換した株式に係る成果の変動性を従来と同様に負っている場合には、投資が清算されたとみなされず、交換損益は認識されない。

（注2） 受取対価が現金以外の資産等の場合には、受取対価となる財の時価と引き換えた被結合企業株式の時価のうち、より高い信頼性をもって測定可能な時価で算定する。

（注3） 市場価格のある結合企業の株式が受取対価とされる場合には、受取対価となる財の時価は、企業結合日の株価を基礎にして算定する。

【ASB 基準 7 号32～34】

（3）受取対価が現金等の財産のみである場合の被結合企業の株主に係る会計処理

被結合企業	個別財務諸表上の会計処理	連結財務諸表上の会計処理
子会社である場合	(1) 受取対価の額　被結合企業の株主の子会社を結合企業とする場合には、共通支配下の取引として、移転前に付された適正な帳簿価額により計上する。また、被結合企業の株主の関連会社又は子会社や関連会社以外の投資先を結合企業とする場合には、原則として、時価により計上する。 (2) 交換損益の額　受取対価の額と引き換えられた被結合企業の株式の適正な帳簿価額との差額は、原則として、交換損益として認識する。	被結合企業の株主の子会社又は他の関連会社を結合企業とする場合、交換損益は、連結会計基準及び持分法会計基準における未実現損益の消去に準じて処理する。
関連会社である場合	(1) 受取対価の額　原則として、時価により計上する。 (2) 交換損益の額　受取対価の額と引き換えられた被結合企業の株式の適正な帳簿価額との差額は、原則として、交換損益として認識する。	
子会社や関連会社以外の投資先である場合		

【ASB 基準 7 号35～37】

（4）受取対価が結合企業の株式のみである場合の被結合企業の株主に係る会計処理

① 子会社を被結合企業とした場合

ア 被結合企業の株主（親会社）の持分比率が減少する場合

事業分離における分離元企業の会計処理に準じて行う。

イ 被結合企業の株主（親会社）の持分比率が増加する場合

(ア) 被結合企業の株主としての持分の増加

追加取得に準じて処理する。

(イ) 結合企業の株主としての持分の減少

分離元企業の会計処理に準じて、被結合企業が移転されたとみなされる額と、移転した被結合企業に係る親会社の持分の減少額との間に生じる差額を、資本剰余金とする。

② 関連会社を被結合企業とした場合

ア 被結合企業の株主の持分比率が減少する場合

(ア) 結合後企業が引き続き当該被結合企業の株主の関連会社である場合

A 個別財務諸表上、交換損益は認識せず、結合後企業の株式（関連会社株式）の取得原価は、引き換えられた被結合企業の株式（関連会社株式）に係る企業結合直前の適正な帳簿価額に基づいて算定する。

B 連結財務諸表上、持分法適用において、関連会社となる結合後企業に係る被結合企業の株主の持分の増加額と、従来の被結合企業に係る被結合企業の株主の持分の減少額との間に生ずる差額は、次のように処理する。

(a) 被結合企業に対する持分が交換されたとみなされる額と、これに対応する企業結合直前の結合企業の資本（関連会社となる結合後企業に係る被結合企業の株主の持分の増加額）との間に生ずる差額については、のれん（又は負ののれん）として処理する。

(b) 被結合企業の株式が交換されたとみなされる額と、従来の被結合企業に係る被結合企業の株主の持分の減少額との間に生ずる差額については、持分変動差額として取り扱う。ただし、(a)と(b)のいずれかの金額に重要性が乏しいと考えられる場合には、重要性のある他の金額に含めて処理することができる。

(イ) 結合後企業が当該被結合企業の株主の関連会社に該当しないこととなる場合

A　個別財務諸表上、原則として、交換損益を認識する。結合後企業の株式の取得原価は、当該結合後企業の株式の時価又は被結合企業の株式の時価のうち、より高い信頼性をもって測定可能な時価に基づいて算定される。

B　連結財務諸表上、これまで関連会社としていた被結合企業の株式は、個別貸借対照表上の帳簿価額をもって評価する。

イ　被結合企業の株主の持分比率が増加（結合企業の株主としての持分比率は減少）する場合

(ア)　被結合企業の株主としての持分の増加
追加取得に準じて処理する。

(イ)　結合企業の株主としての持分の減少

A　結合後企業が子会社となる場合
分離元企業の会計処理に準じて、被結合企業が移転されたとみなされる額と、移転した被結合企業に係る親会社の持分の減少額との間に生じる差額を、資本剰余金とする。

B　結合後企業が関連会社となる場合
子会社の時価発行増資等により支配を喪失して関連会社になる場合における親会社の会計処理又は関連会社の時価発行増資等における投資会社の会計処理に準じて行う。

③　子会社や関連会社以外の投資先を被結合企業とした企業結合の場合

ア　結合後企業が引き続き子会社や関連会社に該当しない場合
個別財務諸表上、交換損益は認識せず、結合後企業の株式の取得原価は、引き換えられた被結合企業の株式に係る企業結合直前の適正な帳簿価額に基づいて算定する。

イ　結合後企業が子会社や関連会社となる場合

(ア)　被結合企業の株主としての持分の増加
段階取得に準じて処理する。

(イ)　結合企業の株主としての持分の減少

A　結合後企業が子会社となる場合
分離元企業の会計処理に準じて、被結合企業が移転されたとみなされる額と、移転した被結合企業に係る親会社の持分の減少額との間に生じる差額を、資本剰余金とする。

B　結合後企業が関連会社となる場合
子会社の時価発行増資等により支配を喪失して関連会社になる場合における親会社の会計処理又は関連会社の時価発行増資等における投資会社の会計処理に準じて行う。【ASB基準7号38～44】

(5)受取対価が現金等の財産と結合企業の株式である場合の被結合企業の株主に係る会計処理

①　子会社を被結合企業とした企業結合の場合

ア　被結合企業の株主の持分比率が減少する場合
現金等の財産と結合企業の株式を対価とする企業結合により、子会社株式である被結合企業の株式が引き換えられ、当該被結合企業の株主（親会社）の持分比率が減少する場合、事業分離における分離元企業の会計処理に準じて行う。

イ　被結合企業の株主の持分比率が増加（結合企業の株主としての持分比率は減少）する場合

(ア)　被結合企業の株主としての持分の増加
追加取得に準じて処理する。

(イ)　結合企業の株主としての持分の減少
分離元企業の会計処理に準じて、被結合企業が移転されたとみなされる額と、移転した被結合企業に係る親会社の持分の減少額との間に生じる差額を、資本剰余金とする。

ウ　交換利益について
連結財務諸表上、交換利益は、連結会計基準及び持分法会計基準における未実現損益の消去に準じて処理する。

②　関連会社を被結合企業とした場合

ア　被結合企業の株主の持分比率が減少する場合

(ア)　結合後企業が引き続き当該被結合企業の株主の関連会社である場合

A　個別財務諸表上、被結合企業の株主が受け取った現金等の財産は、原則として、時価により計上する。この結果、当該時価が引き換えられた被結合企業の株式に係る適正な帳簿価額を上回る場合には、原則として、当該差額を交換利益として認識（受け取った結合企業の株式の取得原価はゼロとする）し、下回る場合には、当該差額を受け取った結合企業の株式の取得原価とする。

B　連結財務諸表上、持分法適用において、交換利益は、持分法会計基準における未実現損益の消去に準じて処理する。また、関連会社となる結合後企業に係る被結合企業の株主の持分の増加額と、従来の被結合企業に係る被結合企業の株主の持分の減少額との間に生じる差額は、原則として、のれん（又は負ののれん）と持分変動差額に区分して処理する。

(イ)　結合後企業が当該被結合企業の株主の関連会社に該当しないこととなる場合

A　個別財務諸表上、交換損益を認識し、結合後企業の株式の取得原価は、その時価又は被結合企業の株式の時価のうち、より高い信頼性をもって測定可能な時価に基づいて算定する。

B　連結財務諸表上、これまで持分法を適用していた被結合企業の株式は、個別貸借対照表上の帳簿価額をもって評価する。

イ　被結合企業の株主の持分比率が増加（結合企業の株主としての持分比率は減少）する場合

(ア)　被結合企業の株主としての持分の増加
追加取得に準じて処理する。

(イ)　結合企業の株主としての持分の減少

A　結合後企業が子会社となる場合
分離元企業の会計処理に準じて、被結合企業が移転されたとみなされる額と、移転した被結合企業に係る親会社の持分の減少額との間に生じる差額を、資本剰余金とする。

B　結合後企業が関連会社となる場合
関連会社の時価発行増資等における投資会社の

会計処理に準じて行う。
ウ　交換利益について
　　連結財務諸表上、交換利益は、連結会計基準及び持分法会計基準における未実現損益の消去に準じて処理する。
③　子会社や関連会社以外の投資先を被結合企業とした場合
ア　被結合企業の株主は、金融商品会計基準に準じて処理する。
イ　被結合企業の株主の持分比率が増加（結合企業の株主としての持分比率は減少）する場合
　⑺　被結合企業の株主としての持分の増加
　　　段階取得に準じて処理する。
　⑷　結合企業の株主としての持分の減少
　　A　結合後企業が子会社となる場合
　　　分離元企業の会計処理に準じて、被結合企業が移転されたとみなされる額と、移転した被結合企業に係る親会社の持分の減少額との間に生じる差額を、資本剰余金とする。
　　B　結合後企業が関連会社となる場合
　　　関連会社の時価発行増資等における投資会社の会計処理に準じて行う。
ウ　連結財務諸表上、交換損益は、連結会計基準及び持分法会計基準における未実現損益の消去に準じて処理する。　　　　　　　　【ASB基準7号45〜47】

(6) 結合企業の株主に係る会計処理

①　企業結合により結合企業の株主の持分比率が減少する場合
ア　子会社を結合企業とする場合
　　子会社を被結合企業とする企業結合における被結合企業の株主の会計処理に準じて処理する。
イ　関連会社を結合企業とする場合
　　関連会社を被結合企業とする企業結合における被結合企業の株主の会計処理に準じて処理する。
ウ　子会社や関連会社以外の投資先を結合企業とする場合
　　結合企業の株主は何も会計処理しない。
②　企業結合により結合企業の株主の持分比率が増加する場合（被結合企業の株主としての持分比率が減少する場合）
ア　有している被結合企業の株式が子会社株式である場合
　　事業分離における分離元企業の会計処理に準じて行う。
イ　有している被結合企業の株式が関連会社株式である場合
　　交換損益は認識せず、結合後企業の株式の取得原価は、引き換えられた被結合企業の株式に係る企業結合直前の適正な帳簿価額に基づいて算定する。
ウ　有している被結合企業の株式が子会社株式及び関連会社株式に該当しない場合
　　結合企業の株主は何も会計処理しない。
　　　　　　　　　　　　　　　　　　【ASB基準7号48】

(7) 分割型の会社分割における分割会社の株主に係る会計処理

①　受取対価が新設会社又は承継会社の株式のみである場合の分割会社の株主に係る会計処理
ア　分割型の会社分割により分割会社の株主が新設会社又は承継会社の株式のみを受け取った場合、当該分割会社の株主は、これまで保有していた分割会社の株式の全部又は一部と実質的に引き換えられたものとみなして、受取対価が結合企業の株式のみである場合の被結合企業の株主の会計処理に準じて行う。
イ　この場合には、被結合企業の株主の会計処理における被結合企業の株式に係る企業結合直前の適正な帳簿価額に代えて、会社分割直前の吸収分割会社等の株式の適正な帳簿価額のうち、合理的に按分する方法によって算定した引き換えられたものとみなされる部分の価額を用いる。合理的に按分する方法には、次のような方法が考えられ、実態に応じて適切に用いる。
　⑺　関連する時価の比率で按分する方法
　　分割された移転事業に係る株主資本相当額の時価と会社分割直前の吸収分割会社等の株主資本の時価との比率により、吸収分割会社等の株式の適正な帳簿価額を按分する。
　⑷　時価総額の比率で按分する方法
　　会社分割直前直後の吸収分割会社等の時価総額の増減額を分割された事業の時価とみなし、会社分割直前の吸収分割会社等の時価総額との比率により、吸収分割会社等の株式の適正な帳簿価額を按分する。
　⑼　関連する簿価の比率で按分する方法
　　分割された移転事業に係る株主資本相当額の適正な帳簿価額と会社分割直前の吸収分割会社等の株主資本の適正な帳簿価額との比率により、吸収分割会社等の株式の適正な帳簿価額を按分する。
②　受取対価が現金等の財産と新設会社又は承継会社の株式である場合の分割会社の株主に係る会計処理
　　分割型の会社分割により分割会社の株主が現金等の財産と新設会社又は承継会社の株式を受け取った場合、当該分割会社の株主は、これまで保有していた分割会社の株式の全部又は一部と実質的に引き換えられたものとみなして、被結合企業の株主に係る会計処理に準じて処理する。
　　　【ASB基準7号49〜51、ASB指針10号294〜296】

(8) 現金以外の財産の分配を受けた場合の株主に係る会計処理

①　株主が現金以外の財産の分配を受けた場合、企業結合に該当しないが、当該株主は、原則として、これまで保有していた株式と実質的に引き換えられたものとみなして、被結合企業の株主に係る会計処理に準じて処理する。
②　この際、これまで保有していた株式のうち実質的に引き換えられたものとみなされる額は、分配を受ける直前の当該株式の適正な帳簿価額を合理的な方法によって按分し算定する。【ASB基準7号52、ASB指針10号297】

6. 開　示

（1）貸借対照表における表示

① のれんは無形固定資産の区分に表示する。

② 共同支配投資企業は、共同支配企業に対する投資（共同支配企業株式）を次のように表示する。

　ア　個別財務諸表上の表示

　　関係会社株式等の適切な科目をもって表示する。なお、共同支配投資企業が連結財務諸表を作成していない場合には、損益等からみて重要性の乏しい共同支配企業に対する投資を除き、当該共同支配企業を形成した事業年度以後において、持分法を適用した場合の投資の金額及び投資損益を個別財務諸表に継続的に注記する。

　イ　連結財務諸表上の表示

　　投資有価証券等の適切な科目をもって表示し、当該投資額を連結貸借対照表に注記する。

【ASB 基準21号47、ASB 指針10号301、財規28、32、計規74③】

（2）損益計算書における表示

① のれんの当期償却額は販売費及び一般管理費の区分に表示する。負ののれんは、原則として、特別利益に表示する。

② 事業分離における移転損益は、原則として、特別損益に計上する。

③ 結合当事企業の株主における交換損益は、原則として、特別損益に計上する。

④ 企業結合に係る特定勘定の取崩益が生じた場合には、原則として、特別利益に計上する。また、重要性が乏しい場合を除き、その内容を連結損益計算書及び個別損益計算書に注記する。なお、連結財務諸表における注記と個別財務諸表における注記が同じとなる場合には、個別財務諸表においては、連結財務諸表に当該注記がある旨の記載をもって代えることができる。

⑤ 連結財務諸表上、段階取得に係る損益は、原則として、特別損益に計上する。

【ASB 基準21号47、48、ASB 基準7号27、53、ASB 指針10号303、305-2、財規95の2、95の3の3①、財規95の3の3②、計規88②】

（3）取得とされた企業結合の注記

① 連結財務諸表において同一の内容が記載される場合には、記載することを要しない。この場合には、その旨を記載しなければならない。

【ASB 基準21号49、49-2、財規8の17⑤】

② 連結財務諸表における注記　　　　　【➡p.226】

（4）逆取得となる企業結合が行われた場合の注記

① 当該事業年度において逆取得となる企業結合が行われた場合には、財規8の17①一から十までに掲げる事項に準ずる事項並びに当該企業結合にパーチェス法を適用したとしたときに貸借対照表及び損益計算書に及ぼす影響額を注記しなければならない。

【ASB 基準21号50、財規8の18①】

② 当該注記は企業結合年度の翌年度以降においても、影響額の重要性が乏しくなった場合を除き、継続的に開示

する。また、企業結合年度の翌年度以降に連結財務諸表を作成することとなった場合には、影響額の重要性が乏しくなった場合を除き、当該企業結合を反映した連結財務諸表を作成する。

【ASB 基準21号50なお書き、財規8の18④】

（5）段階取得となる企業結合が行われた場合の注記

段階取得であって、連結財務諸表を作成しないときには、「取得とされた企業結合の注記事項」の定めにかかわらず、次の事項を注記する。

① 取得とされた企業結合の注記事項に準じた事項

② 個別財務諸表において、当期の段階取得に係る損益として処理された被取得企業の取得原価と支配を獲得するに至った個々の取引ごとの原価の合計額との差額に準じて算定された差額

③ ②に準じて被取得企業の取得原価を算定したとした場合における個別貸借対照表及び個別損益計算書に及ぼす影響額

なお、当該注記は企業結合年度の翌年度以降においても、影響額の重要性が乏しくなった場合を除き、継続的に開示する。また、企業結合年度の翌年度以降に連結財務諸表を作成することとなった場合には、影響額の重要性が乏しくなった場合を除き、当該差額を反映した連結財務諸表を作成する。【ASB 基準21号51、財規8の19】

（6）共通支配下の取引等に係る注記

① 連結財務諸表における注記と個別財務諸表における注記が同じとなる場合には、個別財務諸表においては、連結財務諸表に当該注記がある旨の記載をもって代えることができる。　　　　【ASB 基準21号52、財規8の20③】

② 連結財務諸表における注記　　　　　【➡p.227】

（7）共同支配企業の形成の注記

① 連結財務諸表において同一の内容が記載される場合には、記載することを要しない。この場合には、その旨を記載しなければならない。

【ASB 基準21号54、財規8の22③】

② 連結財務諸表における注記　　　　　【➡p.227】

（8）事業分離における分離元企業の注記事項

① 連結財務諸表において同一の内容が記載される場合には、記載することを要しない。この場合には、その旨を記載しなければならない。

【ASB 基準7号28、財規8の23④】

② 連結財務諸表における注記　　　　　【➡p.227】

（9）事業分離における分離先企業の注記事項

① 連結財務諸表において同一の内容が記載される場合には、記載することを要しない。この場合には、その旨を記載しなければならない。

【ASB 指針10号318、財規8の24②】

② 連結財務諸表における注記　　　　　【➡p.227】

（10）企業結合に関する重要な後発事象等の注記

① 連結財務諸表において同一の内容が記載される場合には、記載することを要しない。この場合には、その旨を記載しなければならない。

【ASB 基準21号55、財規8の25③】

② 連結財務諸表における注記　　　　　【➡p.227】

(11) 事業分離に関する重要な後発事象等の注記

① 連結財務諸表において同一の内容が記載される場合には、記載することを要しない。この場合には、その旨を記載しなければならない。

【ASB 基準 7 号30、財規 8 の26②】

② 連結財務諸表における注記 【➡p.228】

---

2 在外支店の財務諸表項目の換算

（1）在外支店における外貨建取引の換算

	換算方法
原則	本店と同様に処理する。
収益及び費用の換算の特例（注1）	収益及び費用（収益性負債の収益化額及び費用性資産の費用化額を除く。）の換算について、期中平均相場によることができる。なお、期中平均相場には、当該収益及び費用が帰属する月又は半期等を算定期間とする平均相場を用いることができる。
外貨表示の財務諸表項目の換算の特例（注1）	在外支店の外国通貨で表示された財務諸表項目の換算にあたり、非貨幣性項目の額に重要性がない場合には、すべての貸借対照表項目（支店における本店勘定等を除く。）について決算時の為替相場による円換算額を付する方法を適用することができる。この場合、損益項目についても決算時の為替相場によることができる。（注2）

（注1）外国通貨で表示されている在外支店の財務諸表に基づき本支店合併財務諸表を作成する場合には、在外支店の財務諸表の換算について上記特例によることができる。

（注2）在外支店の保有する非貨幣性項目の金額の重要性は、それらを外貨建取引等会計処理基準による原則的な換算方法によって換算した結果と換算の特例によって換算した結果との差額の当期純損益及び利益剰余金に及ぼす影響に基づいて判断する。この重要性は、換算の特例の採用を予定している全在外支店の非貨幣性項目に係る当該差額の合計額によって判断する。

（2）在外支店の棚卸資産に係る低価基準等

在外支店において外国通貨で表示されている棚卸資産について、低価基準を適用する場合又は時価の著しい下落により評価額の引下げが求められる場合には、外国通貨による時価又は実質価額を決算時の為替相場により円換算した額による。

（3）換算差額の処理

本店と異なる方法により換算することによって生じた換算差額は、当期の為替差損益として処理する。

【外貨二、外貨注11、12、会制 4 号30】

---

3 会計方針の開示、会計上の変更及び誤謬の訂正に関する会計基準

1. 目 的

（1）目 的

本会計基準は、会計方針の開示、会計上の変更及び過去の誤謬の訂正に関する会計上の取扱い（開示を含む）を定めることを目的とする。本会計基準で取り扱っている内容に関し、既存の会計基準と異なる取扱いを定めているものについては、本会計基準の取扱いが優先して適用される。

【ASB基準24号 1】

（2）会計上の変更とは

「会計上の変更」とは、会計方針の変更、表示方法の変更及び会計上の見積りの変更をいう。

過去の財務諸表における誤謬の訂正は、会計上の変更には該当しない。 【ASB基準24号 4(4)】

2. 会計方針の開示の取扱い

（1）開示目的

重要な会計方針に関する注記の開示目的は、財務諸表を作成するための基礎となる事項を財務諸表利用者が理解するために、採用した会計処理の原則及び手続の概要を示すことにある。この開示目的は、会計処理の対象となる会計事象や取引（以下「会計事象等」という）に関連する会計基準等（ASB指針24号 5 の会計基準等をいう。以下同じ）の定めが明らかでない場合に、会計処理の原則及び手続を採用するときも同じである。

関連する会計基準等の定めが明らかでない場合とは、特定の会計事象等に対して適用し得る具体的な会計基準等の定めが存在しない場合をいう。【ASB基準24号 4 - 2、4 - 3】

（2）重要な会計方針に関する注記 【➡p.174、p.217】

3. 会計方針の変更の取扱い

（1）会計方針の変更とは

① 「会計方針」とは、財務諸表の作成にあたって採用した会計処理の原則及び手続をいう。

② 「会計方針の変更」とは、従来採用していた一般に公正妥当と認められた会計方針から他の一般に公正妥当と認められた会計方針に変更することをいう。

③ 「遡及適用」とは、新たな会計方針を過去の財務諸表に遡って適用していたかのように会計処理することをいう。

【ASB 基準24号 4(1)、(5)、(9)、計規 2 ③六十二、六十三、財規 8 ㊹㊼㊿】

（2）会計方針の変更の分類

会計方針は、正当な理由により変更を行う場合を除き、毎期継続して適用する。正当な理由により変更を行う場合は、次のいずれかに分類される。

① 会計基準等の改正に伴う会計方針の変更

会計基準等の改正によって特定の会計処理の原則及び手続が強制される場合や、従来認められていた会計処理

の原則及び手続を任意に選択する余地がなくなる場合など、会計基準等の改正に伴って会計方針の変更を行うことをいう。会計基準等の改正には、既存の会計基準等の改正又は廃止のほか、新たな会計基準等の設定が含まれる。

なお、会計基準等に早期適用の取扱いが定められており、これを適用する場合も、会計基準等の改正に伴う会計方針の変更として取り扱う。

② ①以外の正当な理由による会計方針の変更
正当な理由に基づき自発的に会計方針の変更を行うことをいう。

なお、会計基準等の改正に伴う会計方針の変更以外の会計方針の変更を行うための正当な理由がある場合とは、次の要件が満たされているときをいう。

ア 会計方針の変更が企業の事業内容又は企業内外の経営環境の変化に対応して行われるものであること

イ 会計方針の変更が会計事象等を財務諸表に、より適切に反映するために行われるものであること
【ASB基準24号5、ASB指針24号6】

(3) 会計方針の変更の具体的な範囲

① 会計処理の変更に伴って表示方法の変更が行われた場合は、会計方針の変更として取り扱う。
【ASB指針24号7】

② 次の事象は、会計方針の変更に該当しない。

ア 会計処理の対象となる会計事象等の重要性が増したことに伴う本来の会計処理の原則及び手続への変更

イ 会計処理の対象となる新たな事実の発生に伴う新たな会計処理の原則及び手続の採用

ウ 連結財務諸表作成のための基本となる重要な事項のうち、連結又は持分法の適用の範囲に関する変動
【ASB指針24号8】

③ キャッシュ・フロー計算書における資金の範囲の変更は、会計方針の変更として取り扱う。なお、キャッシュ・フローの表示の内訳の変更については、表示方法の変更として取り扱う。 【ASB指針24号9】

(4) 会計方針の変更に関する原則的な取扱い

① 会計基準等の改正に伴う会計方針の変更の場合
会計基準等に特定の経過的な取扱いが定められていない場合には、新たな会計方針を過去の期間のすべてに遡及適用する。会計基準等に特定の経過的な取扱いが定められている場合には、その経過的な取扱いに従う。

② ①以外の正当な理由による会計方針の変更の場合
新たな会計方針を過去の期間のすべてに遡及適用する。 【ASB基準24号6】

(5) 原則的な取扱いの会計処理

原則的な取扱いに従って新たな会計方針を遡及適用する場合には、次の処理を行う。

① 表示期間より前の期間に関する遡及適用による累積的影響額は、表示する財務諸表のうち、最も古い期間の期首の資産、負債及び純資産の額に反映する。

② 表示する過去の各期間の財務諸表には、当該各期間の影響額を反映する。 【ASB基準24号7】

(6) 原則的な取扱いが実務上不可能な場合

遡及適用が実務上不可能な場合とは、次のような状況が該当する。

① 過去の情報が収集・保存されておらず、合理的な努力を行っても、遡及適用による影響額を算定できない場合

② 遡及適用にあたり、過去における経営者の意図について仮定することが必要な場合

③ 遡及適用にあたり、会計上の見積りを必要とするときに、会計事象等が発生した時点の状況に関する情報について、対象となる過去の財務諸表が作成された時点で入手可能であったものと、その後判明したものとに、客観的に区別することが時の経過により不可能な場合
【ASB基準24号8】

(7) 原則的な取扱いが実務上不可能な場合の取扱い

遡及適用の原則的な取扱いが不可能な場合の取扱いは、次のとおりとする。

① 当期の期首時点において、過去の期間のすべてに新たな会計方針を遡及適用した場合の累積的影響額を算定することはできるものの、表示期間のいずれかにおいて、当該期間に与える影響額を算定することが実務上不可能な場合には、遡及適用が実行可能な最も古い期間の期首時点で累積的影響額を算定し、当該期首残高から新たな会計方針を適用する。

② 当期の期首時点において、過去の期間のすべてに新たな会計方針を遡及適用した場合の累積的影響額を算定することが実務上不可能な場合には、期首以前の実行可能な最も古い日から将来にわたり新たな会計方針を適用する。 【ASB基準24号9】

(8) 会計方針の変更に関する注記 【➡p.174、p.218】

4. 表示方法の変更の取扱い

(1) 表示方法の変更とは

① 「表示方法」とは、財務諸表の作成にあたって採用した表示の方法（注記による開示も含む）をいい、財務諸表の科目分類、科目配列及び報告様式が含まれる。

② 「表示方法の変更」とは、従来採用していた一般に公正妥当と認められた表示方法から他の一般に公正妥当と認められた表示方法に変更することをいう。表示方法の変更には、財務諸表における同一区分内での科目の独立掲記、統合あるいは科目名の変更及び重要性の増加に伴う表示方法の変更のほか、財務諸表の表示区分を超えた表示方法の変更も含まれる。

③ 「財務諸表の組替え」とは、新たな表示方法を過去の財務諸表に遡って適用していたかのように表示を変更することをいう。

【ASB基準24号4(2)、(5)、ASB指針24号4、計規2③六十四】

(2) 表示方法の変更に関する原則的な取扱い

表示方法は、次のいずれかの場合を除き、毎期継続して適用する。なお、財務諸表の表示方法を変更した場合には、原則として表示する過去の財務諸表について、新たな表示方法に従い財務諸表の組替えを行う。

① 表示方法を定めた会計基準又は法令等の改正により表示方法の変更を行う場合

② 会計事象等を財務諸表により適切に反映するために表示方法の変更を行う場合 【ASB基準24号13、14】

（3）原則的な取扱いが実務上不可能な場合の取扱い

表示する過去の財務諸表のうち、表示方法の変更に関する原則的な取扱いが実務上不可能な場合には、財務諸表の組替えが実行可能な最も古い期間から新たな表示方法を適用する。なお、財務諸表の組替えが実務上不可能な場合とは、ASB基準24号8に示されたような状況が該当する。

【ASB基準24号15】

（4）表示方法の変更に関する注記 【➡p.176、p.219】

5. 会計上の見積りの変更の取扱い

（1）会計上の見積りの変更とは

① 「会計上の見積り」とは、資産及び負債や収益及び費用等の額に不確実性がある場合において、財務諸表作成時に入手可能な情報に基づいて、その合理的な金額を算出することをいう。

② 「会計上の見積りの変更」とは、新たに入手可能となった情報に基づいて、過去に財務諸表を作成する際に行った会計上の見積りを変更することをいう。

【ASB 基準24号4(4)、(7)、計規2③六十五、六十六】

（2）会計上の見積りの変更に関する原則的な取扱い

会計上の見積りの変更は、当該変更が変更期間のみに影響する場合には、当該変更期間に会計処理を行い、当該変更が将来の期間にも影響する場合には、将来にわたり会計処理を行う。 【ASB基準24号17】

（3）会計方針の変更と会計上の見積りの変更の区別が困難な場合

会計方針の変更を会計上の見積りの変更と区別することが困難な場合については、会計上の見積りの変更と同様に取り扱い、遡及適用は行わない。有形固定資産等の減価償却方法及び無形固定資産の償却方法は、会計方針に該当するが、その変更については区別が困難な場合として取り扱う。 【ASB基準24号19、20】

（4）会計上の見積りの変更に関する注記 【➡p.176、p.220】

6. 過去の誤謬の取扱い

（1）誤謬とは

① 「誤謬」とは、原因となる行為が意図的であるか否かにかかわらず、財務諸表作成時に入手可能な情報を使用しなかったことによる、又はこれを誤用したことによる、次のような誤りをいう。

　ア　財務諸表の基礎となるデータの収集又は処理上の誤り

　イ　事実の見落としや誤解から生じる会計上の見積りの誤り

　ウ　会計方針の適用の誤り又は表示方法の誤り

② 「修正再表示」（誤謬の訂正）とは、過去の財務諸表における誤謬の訂正を財務諸表に反映することをいう。

【ASB 基準24号4(8)、(11)、計規2③六十七、六十八】

（2）過去の誤謬に関する取扱い

過去の財務諸表における誤謬が発見された場合には、次の方法により修正再表示する。

① 表示期間より前の期間に関する修正再表示による累積的影響額は、表示する財務諸表のうち、最も古い期間の期首の資産、負債及び純資産の額に反映する。

② 表示する過去の各期間の財務諸表には、当該各期間の影響額を反映する。

【ASB 基準24号21】

（3）過去の誤謬に関する注記 【➡p.176、p.220】

7. 未適用の会計基準等に関する注記

【➡p.176、p.219】

4 時価の算定に関する会計基準

1. 目　　的

本会計基準は、本会計基準の範囲（2.(1)①）に定める時価の算定について定めることを目的とする。

【ASB基準30号1】

2. 会計基準

（1）範　　囲

① 本会計基準は、次の項目の時価に適用する。

　ア　ASB 基準10号における金融商品

　イ　ASB 基準9号におけるトレーディング目的で保有する棚卸資産 【ASB 基準30号3】

（2）用語の定義

① 本会計基準における用語の定義は、次のとおりとする。

　ア　「市場参加者」とは、資産又は負債に関する主要な市場又は最も有利な市場において、次の要件のすべてを満たす買手及び売手をいう。

　　(ア)　互いに独立しており、関連当事者（ASB 基準11号5(3)）ではないこと

　　(イ)　知識を有しており、すべての入手できる情報に基づき当該資産又は負債について十分に理解していること

　　(ウ)　当該資産又は負債に関して、取引を行う能力があること

　　(エ)　当該資産又は負債に関して、他から強制されるわけではなく、自発的に取引を行う意思があること

　イ　「秩序ある取引」とは、資産又は負債の取引に関して通常かつ慣習的な市場における活動ができるように、時価の算定日以前の一定期間において市場にさらされていることを前提とした取引をいう。他から強制された取引（例えば、強制された清算取引や投売り）は、秩序ある取引に該当しない。

　ウ　「主要な市場」とは、資産又は負債についての取引の数量及び頻度が最も大きい市場をいう。

　エ　「最も有利な市場」とは、取得又は売却に要する付随費用を考慮したうえで、資産の売却による受取額を最大化又は負債の移転に対する支払額を最小化できる市場をいう。

　オ　「インプット」とは、市場参加者が資産又は負債の時価を算定する際に用いる仮定（時価の算定に固有の

リスクに関する仮定を含む)をいう。インプットには、相場価格を調整せずに時価として用いる場合における当該相場価格も含まれる。

インプットは、次の観察可能なインプットと観察できないインプットにより構成される。

(ア) 「観察可能なインプット」とは、入手できる観察可能な市場データに基づくインプットをいう。

(イ) 「観察できないインプット」とは、観察可能な市場データではないが、入手できる最良の情報に基づくインプットをいう。

カ 「活発な市場」とは、継続的に価格情報が提供される程度に十分な数量及び頻度で取引が行われている市場をいう。　　　　　　　　　　　【ASB 基準30号 4 】

3. 時価の算定

(1) 時価の定義

① 「時価」とは、算定日において市場参加者間で秩序ある取引が行われると想定した場合の、当該取引における資産の売却によって受け取る価格又は負債の移転のために支払う価格をいう。　　　　　　　　【ASB 基準30号 5 】

(2) 時価の算定単位

① 資産又は負債の時価を算定する単位は、それぞれの対象となる資産又は負債に適用される会計処理又は開示による。　　　　　　　　　　　　　　【ASB 基準30号 6 】

② 前項の定めにかかわらず、次の要件のすべてを満たす場合には、特定の市場リスク(市場価格の変動に係るリスク)又は特定の取引相手先の信用リスク(取引相手先の契約不履行に係るリスク)に関して金融資産及び金融負債を相殺した後の正味の資産又は負債を基礎として、当該金融資産及び金融負債のグループを単位とした時価を算定することができる。なお、本取扱いは特定のグループについて毎期継続して適用し、重要な会計方針において、その旨を注記する。

ア 企業の文書化したリスク管理戦略又は投資戦略に従って、特定の市場リスク又は特定の取引相手先の信用リスクに関する正味の資産又は負債に基づき、当該金融資産及び金融負債のグループを管理していること

イ 当該金融資産及び金融負債のグループに関する情報を企業の役員(ASB 基準11号 5 (7))に提供していること

ウ 当該金融資産及び金融負債を各決算日の貸借対照表において時価評価していること

エ 特定の市場リスクに関連して本項の定めに従う場合には、当該金融資産及び金融負債のグループの中で企業がさらされている市場リスクがほぼ同一であり、かつ、当該金融資産及び金融負債から生じる特定の市場リスクにさらされている期間がほぼ同一であること

オ 特定の取引相手先の信用リスクに関連して本項の定めに従う場合には、債務不履行の発生時において信用リスクのポジションを軽減する既存の取決め(例えば、取引相手先とのマスターネッティング契約や、当事者の信用リスクに対する正味の資産又は負債に基づき担保を授受する契約)が法的に強制される可能性についての市場参加者の予想を時価に反映すること

(3) 時価の算定方法

① 評価技法

ア 時価の算定にあたっては、状況に応じて、十分なデータが利用できる評価技法(そのアプローチとして、例えば、マーケット・アプローチやインカム・アプローチがある)を用いる。評価技法を用いるにあたっては、関連性のある観察可能なインプットを最大限利用し、観察できないインプットの利用を最小限にする。　　　　　　　　　　　　　　【ASB 基準30号 8 】

イ 時価の算定にあたって複数の評価技法を用いる場合には、複数の評価技法に基づく結果を踏まえた合理的な範囲を考慮して、時価を最もよく表す結果を決定する。　　　　　　　　　　　　　　【ASB 基準30号 9 】

ウ 時価の算定に用いる評価技法は、毎期継続して適用する。当該評価技法又はその適用(例えば、複数の評価技法を用いる場合のウェイト付けや、評価技法への調整)を変更する場合は、会計上の見積りの変更(ASB 基準24号 4 (7))として処理する。この場合、ASB 基準24号18並びに ASB 基準12号19(4)及び25(3)の注記を要しないが、当該連結会計年度及び当該事業年度の年度末に係る連結財務諸表及び個別財務諸表において変更の旨及び変更の理由を注記する(ASB 指針19号 5 - 2 (3)②)。　　　　　　　　【ASB 基準30号10】

② インプット

ア 時価の算定に用いるインプットは、次の順に優先的に使用する(レベル 1 のインプットが最も優先順位が高く、レベル 3 のインプットが最も優先順位が低い)。

(ア) レベル 1 のインプット

レベル 1 のインプットとは、時価の算定日において、企業が入手できる活発な市場における同一の資産又は負債に関する相場価格であり調整されていないものをいう。当該価格は、時価の最適な根拠を提供するものであり、当該価格が利用できる場合には、原則として、当該価格を調整せずに時価の算定に使用する。

(イ) レベル 2 のインプット

レベル 2 のインプットとは、資産又は負債について直接又は間接的に観察可能なインプットのうち、レベル 1 のインプット以外のインプットをいう。

(ウ) レベル 3 のインプット

レベル 3 のインプットとは、資産又は負債について観察できないインプットをいう。当該インプットは、関連性のある観察可能なインプットが入手できない場合に用いる。　　　　　　【ASB 基準30号11】

イ アのインプットを用いて算定した時価は、その算定において重要な影響を与えるインプットが属するレベルに応じて、レベル 1 の時価、レベル 2 の時価又はレベル 3 の時価に分類する。なお、時価を算定するために異なるレベルに区分される複数のインプットを用いており、これらのインプットに、時価の算定に重要な影響を与えるインプットが複数含まれる場合、こ

れら重要な影響を与えるインプットが属するレベルの
うち、時価の算定における優先順位が最も低いレベル
に当該時価を分類する。　　　　　【ASB基準30号12】
③　資産又は負債の取引の数量又は頻度が著しく低下して
いる場合等
　ア　資産又は負債の取引の数量又は頻度が当該資産又は
　　負債に係る通常の市場における活動に比して著しく低
　　下していると判断した場合、取引価格又は相場価格が
　　時価を表しているかどうかについて評価する。
　　　当該評価の結果、当該取引価格又は相場価格が時価
　　を表していないと判断する場合（取引が秩序ある取引
　　ではないと判断する場合を含む）、当該取引価格又は
　　相場価格を時価を算定する基礎として用いる場合に
　　は、当該取引価格又は相場価格について、市場参加者

が資産又は負債のキャッシュ・フローに固有の不確実
性に対する対価として求めるリスク・プレミアムに関
する調整を行う。　　　　　　　【ASB基準30号13】
④　負債又は払込資本を増加させる金融商品の時価
　ア　負債又は払込資本を増加させる金融商品（例えば、
　　企業結合の対価として発行される株式）については、
　　時価の算定日に市場参加者に移転されるものと仮定し
　　て、時価を算定する。　　　　　【ASB基準30号14】
　イ　負債の時価の算定にあたっては、負債の不履行リス
　　クの影響を反映する。負債の不履行リスクとは、企業
　　が債務を履行しないリスクであり、企業自身の信用リ
　　スクに限られるものではない。また、負債の不履行リ
　　スクについては、当該負債の移転の前後で同一である
　　と仮定する。　　　　　　　　　【ASB基準30号15】

第 **8** 章

財務諸表（計算書類）注記

1 重要な会計方針

1. 財規に基づく注記

（1）注記事項

　会計方針については、投資者その他の財務諸表利用者が財務諸表作成のための基礎となる事項の理解に資するもの（例えば①～⑩）をキャッシュ・フロー計算書の次に記載しなければならない。ただし、重要性の乏しいものについては、注記を省略できる。なお、継続企業の前提に関する注記がある場合は当該注記の次に記載する。

【財規8の2の3、9①、④、財ガ8の2の3】

① 有価証券の評価基準及び評価方法
② 棚卸資産の評価基準及び評価方法
③ 固定資産の減価償却の方法
④ 繰延資産の処理方法
⑤ 外貨建の資産及び負債の本邦通貨への換算基準
⑥ 引当金の計上基準
⑦ 収益及び費用の計上基準
⑧ ヘッジ会計の方法
⑨ キャッシュ・フロー計算書における資金の範囲
⑩ その他財務諸表作成のための基本となる重要な事項

　ア　支払利息を資産の取得原価に算入する会計処理の内容等、財務諸表について適正な判断を行うために必要と認められる事項を記載する。【財ガ8の2の3③(8)①】
　イ　退職給付に係る未認識数理計算上の差異、未認識過去勤務費用及び会計基準変更時差異の未処理額の会計処理の方法が連結財務諸表におけるこれらの会計処理の方法と異なる場合には、その旨を記載する。

【財ガ8の2の3③(8)②】

　ウ　特定の市場リスク又は特定の信用リスクに関して金融資産及び金融負債を相殺した後の正味の資産又は負債を基礎として、当該金融資産及び金融負債のグループを単位とした時価を算定する場合には、その旨を記載する。　　　　　【財ガ8の2の3③(8)③】
　エ　会計処理の対象となる会計事象や取引に関連する会計基準等の定めが明らかでない場合に採用した会計処理の原則及び手続　　【財ガ8の2の3③(8)④】
　オ　消費税等の会計処理方法について　　　　【➡ p.154】

（2）特例財務諸表提出会社の場合

　財規8の2の規定にかかわらず、計規101に掲げる規定の注記に代えることができる。　　　　　【財規127②一】

2. 計規に基づく注記 　　　　　　　　　　　　　【➡ p.13】

2 重要な会計上の見積りに関する注記

1. 財規に基づく注記

（1）当事業年度の財務諸表の作成に当たって行った会計上の見積りのうち、当該会計上の見積りが翌事業年度の財務諸表に重要な影響を及ぼすリスクがあるものを識別した場合は、次に掲げる事項で投資者等財務諸表利用者の理解に資するものを注記しなければならない。

【財規8の2の4①】

① 重要な会計上の見積りを示す項目
② 当事業年度の財務諸表に計上した金額
③ ②に掲げる金額の算出方法、重要な会計上の見積りに用いた主要な仮定、重要な会計上の見積りが翌事業年度の財務諸表に与える影響その他の重要な会計上の見積りの内容に関する情報

（2）（1）②及び③については、重要な会計上の見積りの開示以外の注記に含めて財務諸表に記載している場合は、その旨を記載して省略することができる。

【財規8の2の4②】

（3）（1）③に掲げる事項は、連結財務諸表において同一の内容が記載されている場合、その旨を記載して省略することができる。　　　　　　　　　　　　　【財規8の2の4③】

（4）（1）③に掲げる事項は、財務諸表提出会社が連結財務諸表を作成している場合には、（1）②に掲げる金額の算出方法の記載をもって代えることができる。この場合、連結財務諸表に当該算出方法と同一の内容が記載されるときには、その旨を記載して省略することができる。

【財規8の2の4④】

2. 計規に基づく注記 　　　　　　　　　　　　　【➡ p.14】

3 会計方針の変更

1. 財規に基づく注記

（1）会計基準等の改正等に伴う会計方針の変更に関する注記

① 会計基準その他の規則（以下「会計基準等」という）の改正及び廃止並びに新たな会計基準等の作成（以下「会計基準等の改正等」という）に伴い会計方針の変更を行った場合（当該会計基準等に遡及適用に関する経過措置が規定されていない場合に限る）には、次に掲げる事項を注記しなければならない。ただし、ウからオまでに掲げる事項について、連結財務諸表において同一の内容が記載される場合には、その旨を記載し、当該事項の記載を省略することができる。

　ア　当該会計基準等の名称
　イ　当該会計方針の変更の内容
　ウ　財務諸表の主な科目に対する前事業年度における影響額
　エ　前事業年度に係る1株当たり情報（1株当たり純資産額、1株当たり当期純利益金額又は当期純損失金額及び潜在株式調整後1株当たり当期純利益金額（財規95の5の3①に規定する潜在株式調整後1株当たり当期純利益金額をいう）をいう。以下同じ）に対する影響額
　オ　前事業年度の期首における純資産額に対する累積的

影響額　　　　　　　　　　　【財規8の3①】

② ①にかかわらず、遡及適用に係る原則的な取扱い（前事業年度より前のすべての事業年度に係る遡及適用による累積的影響額を前事業年度の期首における資産、負債及び純資産の金額に反映することをいう。以下同じ）が実務上不可能な場合には、ア、イに掲げる場合の区分に応じ、それぞれに定める事項を注記しなければならない。ただし、ア(オ)から(キ)まで及びイ(オ)から(キ)までに掲げる事項について、連結財務諸表において同一の内容が記載される場合には、その旨を記載し、当該事項の記載を省略することができる。

ア　当事業年度の期首における遡及適用による累積的影響額を算定することができ、かつ、前事業年度の期首における累積的影響額を算定することが実務上不可能な場合
(ア)　当該会計基準等の名称
(イ)　当該会計方針の変更の内容
(ウ)　財務諸表の主な科目に対する実務上算定可能な影響額
(エ)　当事業年度に係る1株当たり情報に対する実務上算定可能な影響額
(オ)　当事業年度の期首における純資産額に対する累積的影響額
(カ)　遡及適用に係る原則的な取扱いが実務上不可能な理由
(キ)　当該会計方針の変更の適用方法及び適用開始日

イ　当事業年度の期首における遡及適用による累積的影響額を算定することが実務上不可能な場合
(ア)　当該会計基準等の名称
(イ)　当該会計方針の変更の内容
(ウ)　財務諸表の主な科目に対する実務上算定可能な影響額
(エ)　1株当たり情報に対する実務上算定可能な影響額
(オ)　当事業年度の期首における遡及適用による累積的影響額を算定することが実務上不可能な旨
(カ)　遡及適用に係る原則的な取扱いが実務上不可能な理由
(キ)　当該会計方針の変更の適用方法及び適用開始日
　　　　　　　　　　　　　　　【財規8の3②】

③ 会計基準等に規定されている遡及適用に関する経過措置に従って会計処理を行った場合において、遡及適用を行っていないときは、次に掲げる事項を注記しなければならない。ただし、ウ及びエに掲げる事項について、連結財務諸表において同一の内容が記載される場合には、その旨を記載し、当該事項の記載を省略することができる。
ア　当該会計基準等の名称
イ　当該会計方針の変更の内容
ウ　当該経過措置に従って会計処理を行った旨及び当該経過措置の概要
エ　当該経過措置が当事業年度の翌事業年度以降の財務諸表に影響を与える可能性がある場合には、その旨及びその影響額（当該影響額が不明であり、又は合理的に見積ることが困難な場合には、その旨）

オ　財務諸表の主な科目に対する実務上算定可能な影響額
カ　1株当たり情報に対する実務上算定可能な影響額
　　　　　　　　　　　　　　　【財規8の3③】

④ ①から③の規定にかかわらず、これらの規定により注記すべき事項に重要性が乏しい場合には、注記を省略することができる。　　　　　　　　　　【財規8の3④】

(2) 会計基準等の改正等以外の正当な理由による会計方針の変更に関する注記

① 会計基準等の改正等以外の正当な理由により会計方針の変更を行った場合には、次に掲げる事項を注記しなければならない。ただし、ウからオまでに掲げる事項について、連結財務諸表において同一の内容が記載される場合には、その旨を記載し、当該事項の記載を省略することができる。
ア　当該会計方針の変更の内容
イ　当該会計方針の変更を行った正当な理由
ウ　財務諸表の主な科目に対する前事業年度における影響額
エ　前事業年度に係る1株当たり情報に対する影響額
オ　前事業年度の期首における純資産額に対する累積的影響額
　　　　　　　　　　　　　【財規8の3の2①】

② ①の規定にかかわらず、遡及適用に係る原則的な取扱いが実務上不可能な場合には、ア、イに掲げる場合の区分に応じ、それぞれに定める事項を注記しなければならない。ただし、ア(オ)から(キ)まで及びイ(オ)から(キ)までに掲げる事項について、連結財務諸表において同一の内容が記載される場合には、その旨を記載し、当該事項の記載を省略することができる。

ア　当事業年度の期首における遡及適用による累積的影響額を算定することができ、かつ、前事業年度の期首における累積的影響額を算定することが実務上不可能な場合
(ア)　当該会計方針の変更の内容
(イ)　当該会計方針の変更を行った正当な理由
(ウ)　財務諸表の主な科目に対する実務上算定可能な影響額
(エ)　当事業年度に係る1株当たり情報に対する実務上算定可能な影響額
(オ)　当事業年度の期首における純資産額に対する累積的影響額
(カ)　遡及適用に係る原則的な取扱いが実務上不可能な理由
(キ)　当該会計方針の変更の適用方法及び適用開始日

イ　当事業年度の期首における遡及適用による累積的影響額を算定することが実務上不可能な場合
(ア)　当該会計方針の変更の内容
(イ)　当該会計方針の変更を行った正当な理由
(ウ)　財務諸表の主な科目に対する実務上算定可能な影響額
(エ)　1株当たり情報に対する実務上算定可能な影響額
(オ)　当事業年度の期首における遡及適用による累積的影響額を算定することが実務上不可能な旨

㈎ 遡及適用に係る原則的な取扱いが実務上不可能な理由

㈏ 当該会計方針の変更の適用方法及び適用開始日
【財規8の3の2②】

③ ①～②の規定にかかわらず、これらの規定により注記すべき事項に重要性が乏しい場合には、注記を省略することができる。【財規8の3の2③】

(3) 未適用の会計基準等に関する注記

① 既に公表されている会計基準等のうち、適用していないものがある場合には、次に掲げる事項を注記しなければならない。ただし、重要性の乏しいものについては、注記を省略することができる。

ア 当該会計基準等の名称及びその概要

イ 当該会計基準等の適用予定日（当該会計基準等の適用を開始すべき日前に適用する場合には、当該適用予定日）

ウ 当該会計基準等が財務諸表に与える影響に関する事項（当該会計基準等がもっぱら表示方法及び注記事項を定めた会計基準等である場合を除く）
【財規8の3の3①、②】

② ①に掲げる事項は、財務諸表提出会社が連結財務諸表を作成している場合には、記載することを要しない。
【財規8の3の3③】

(4) 表示方法の変更に関する注記

① 表示方法の変更を行った場合には、次に掲げる事項を注記しなければならない。

ア 財務諸表の組替えの内容

イ 財務諸表の組替えを行った理由

ウ 財務諸表の主な項目に係る前事業年度における金額
【財規8の3の4①】

② ①の規定にかかわらず、財務諸表の組替えが実務上不可能な場合には、その理由を注記しなければならない。
【財規8の3の4②】

③ ①②の規定にかかわらず、これらの規定により注記すべき事項に重要性が乏しい場合には、注記を省略することができる。【財規8の3の4③】

④ ①（イ及びウに係る部分に限る）及び②に掲げる事項について、連結財務諸表において同一の内容が記載される場合には、その旨を記載し、当該事項の記載を省略することができる。【財規8の3の4④】

⑤ 特例財務諸表提出会社の場合には、財規8の3の4の規定にかかわらず、計規102の3①に掲げる規定の注記に代えることができる。【財規127②二】

(5) 会計上の見積りの変更に関する注記

会計上の見積りの変更を行った場合には、次に掲げる事項を注記しなければならない。ただし、重要性の乏しいものについては、注記を省略することができる。

① 当該会計上の見積りの変更の内容

② 当該会計上の見積りの変更が財務諸表に与えている影響額

③ 次のア又はイに掲げる区分に応じ、それぞれに定める事項

ア 当該会計上の見積りの変更が当事業年度の翌事業年度以降の財務諸表に影響を与える可能性があり、か

つ、当該影響額を合理的に見積ることができる場合 当該影響額

イ 当該会計上の見積りの変更が当事業年度の翌事業年度以降の財務諸表に影響を与える可能性があり、かつ、当該影響額を合理的に見積ることが困難な場合 その旨 【財規8の3の5】

④ 特例財務諸表提出会社の場合には、財規8の3の5の規定にかかわらず、計規102の4に掲げる規定の注記に代えることができる。【財規127②三】

(6) 会計方針の変更を会計上の見積りの変更と区別することが困難な場合の注記

会計方針の変更を会計上の見積りの変更と区別することが困難な場合には、次に掲げる事項を注記しなければならない。ただし、重要性の乏しいものについては、注記を省略することができる。

① 当該会計方針の変更の内容

② 当該会計方針の変更を行った正当な理由

③ 当該会計方針の変更が財務諸表に与えている影響額

④ 次のア又はイに掲げる区分に応じ、それぞれに定める事項

ア 当該会計方針の変更が当事業年度の翌事業年度以降の財務諸表に影響を与える可能性があり、かつ、当該影響額を合理的に見積ることができる場合 当該影響額

イ 当該会計方針の変更が当事業年度の翌事業年度以降の財務諸表に影響を与える可能性があり、かつ、当該影響額を合理的に見積ることが困難な場合 その旨
【財規8の3の6】

(7) 修正再表示に関する注記

修正再表示を行った場合には、次に掲げる事項を注記しなければならない。ただし、重要性の乏しいものについては、注記を省略することができる。

① 誤謬の内容

② 財務諸表の主な科目に対する前事業年度における影響額

③ 前事業年度に係る1株当たり情報に対する影響額

④ 前事業年度の期首における純資産額に対する累積的影響額【財規8の3の7】

2. 計規に基づく注記 【➡ p.14】

4 後発事象

1. 財規に基づく注記

(1) 注記事項

貸借対照表日後、財務諸表提出会社の翌事業年度以降の財政状態、経営成績及びキャッシュ・フローの状況に重要な影響を及ぼす事象が発生したときは、当該事象を注記しなければならない。【財規8の4】

(2) 企業結合に関する重要な後発事象等の注記

① 貸借対照表日後に完了した企業結合又は貸借対照表日

後に主要な条件について合意をした企業結合が重要な後発事象に該当する場合には、当該企業結合に関する事項について、取得による企業結合が行われた場合の注記（財規8の17①二、十及び十一を除く）、共通支配下の取引等の注記又は共同支配企業の形成の注記の規定に準じて注記しなければならない。ただし、未確定の事項については、記載することを要しない。

② 貸借対照表日までに主要な条件について合意をした企業結合が同日までに完了していない場合（①に規定する場合を除く）には、当該企業結合に関する事項について、上記①の規定に準じて注記しなければならない。

③ 上記①②に定める事項は、連結財務諸表において同一の内容が記載される場合には、記載することを要しない。この場合には、その旨を記載しなければならない。
【財規8の25】
【第7章①企業結合及び事業分離等会計基準➡p.158】

（3）事業分離に関する重要な後発事象等の注記

① 分離元企業は、次の各号に掲げる場合には、事業分離について、当該各号に定める事項を注記しなければならない。

ア 貸借対照表日後に完了した事業分離が重要な後発事象に該当する場合
事業分離における分離元企業の注記（財規8の23①）に掲げる事項に準ずる事項

イ 貸借対照表日後に主要な条件について合意をした事業分離が重要な後発事象に該当する場合
事業分離における分離元企業の注記（財規8の23①一及び三）に掲げる事項に準ずる事項

ウ 貸借対照表日までに主要な条件について合意をした事業分離が同日までに完了していない場合（上記アに掲げる場合を除く）
事業分離における分離元企業の注記（財規8の23①一及び三）に掲げる事項に準ずる事項

② 上記①ア〜ウに定める事項は、連結財務諸表において同一の内容が記載される場合には、記載することを要しない。この場合には、その旨を記載しなければならない。
【財規8の26】
【第7章①企業結合及び事業分離等会計基準➡ p.158】

2. 計規に基づく注記 【➡ p.16】

3. 後発事象に関する監査上の取扱い
【監基報560実1】

（1）後発事象の分類
後発事象は次のように分類される。

① 修正後発事象
発生した事象の実質的な原因が決算日現在において既に存在しているため、財務諸表の修正を行う必要がある事象

② 開示後発事象
発生した事象が翌事業年度以降の財務諸表に影響を及ぼすため、財務諸表に注記を行う必要がある事象

（2）開示後発事象に関する基本的な考え方
後発事象として開示すべき内容は、計規・財規との間に相違はないと考えられる。なお、開示すべき後発事象を判断するにあたっては、財規の規定の文言から、ア翌事業年度以降の財政状態、経営成績及びキャッシュ・フローの状況に影響を及ぼす事象であること、イ財政状態、経営成績及びキャッシュ・フローの状況に重要な影響を及ぼす事象であること、ウ決算日後に発生した事象であることの3つの要素に留意する必要がある。

ア 「翌事業年度以降の財政状態、経営成績及びキャッシュ・フローの状況に影響を及ぼす事象」であること
「財政状態、経営成績及びキャッシュ・フローの状況に影響を及ぼす事象」であるということから、ここでの後発事象は会計事象であり、翌事業年度以降の財務諸表に直接影響を及ぼす既発生事象のほか影響を及ぼすことが確実に予想される事象を含むと解することが適当である。なお、財務諸表によって開示される財務情報には、財政状態、経営成績及びキャッシュ・フローの状況を補足して説明するための注記事項も含まれる。したがって、翌事業年度以降にこれらに重要な影響を及ぼす事象も開示後発事象の対象になるものと考えられる。

イ 「財政状態、経営成績及びキャッシュ・フローの状況に重要な影響を及ぼす事象」であること
後発事象として開示される事象は、財政状態、経営成績及びキャッシュ・フローの状況に重要な影響を及ぼすものである。この場合、「重要な影響を及ぼす事象」とは、経営活動の中で臨時的、非経常的に生ずる事象であって、その影響が質的・金額的に重要性があるものと解することができる。

ウ 「決算日後に発生した事象」であること
後発事象は「決算日後に発生した事象」であるが、この場合の「発生」の時点は、次のように解する必要がある。

(ア) 新株の発行等のように会社の意思決定により進めることができる事象
……当該意思決定があったとき

(イ) 合併のように会社が他の会社等との合意等に基づいて進めることができる事象
……当該合意等の成立又は事実の公表があったとき

(ウ) 災害事故等のように会社の意思に関係のない事象
……当該事象の発生日又は当該事象を知ったとき
開示後発事象のうち開示の対象となるものは重要な後発事象であるが、これについて開示する事項は、当該事象の内容（事象の概要、事象発生の原因又は目的、その後の進展の見通し又はスケジュール等）及び今後において、これらの事象が会社の財政状態、経営成績及びキャッシュ・フローの状況に及ぼす影響額等である。なお、影響額を見積る場合には、信頼度の高い資料にその根拠を求める等により客観的に見積る必要がある。影響額を客観的に見積ることができない場合には、その旨及び理由等の開示が必要となる。

（3）計算書類又は財務諸表における開示後発事象の取扱い（個別財務諸表）

① 会社法監査

決算日後会計監査人の監査報告書日までの間に重要な開示後発事象が発生した場合には、計算書類において、重要な後発事象に関する注記として記載する。なお、臨時計算書類について臨時決算日後に発生した開示後発事象においても同様に取り扱うものとする。

② 金融商品取引法監査及び四半期レビュー

　ア　財務諸表

　　決算日後監査報告書日までの間に、重要な開示後発事象が発生したときは、当該事象を財務諸表に注記する。

　イ　四半期財務諸表又は中間財務諸表

　　四半期決算日後又は中間決算日後、会社の当該四半期財務諸表に係る四半期会計期間又は当該中間財務諸表に係る中間会計期間が属する事業年度（当該四半期会計期間における四半期累計期間又は当該中間会計期間を除く）以降の財政状態、経営成績及びキャッシュ・フローの状況に重要な影響を及ぼす開示後発事象が発生したときは、当該事象を四半期財務諸表又は中間財務諸表に注記する。

（4）開示後発事象の例示

財務諸表提出会社、子会社及び関連会社

① 会社が営む事業に関する事象

　ア　重要な事業の譲受

　イ　重要な事業の譲渡（＊）

　ウ　重要な合併

　エ　重要な会社分割

　オ　現物出資等による重要な部門の分離（＊）

　カ　重要な事業からの撤退（＊）

　キ　重要な事業部門の操業停止（＊）

　ク　重要な資産の譲渡（＊）

　ケ　重要な契約の締結又は解除（＊）

　コ　大量の希望退職者の募集

　サ　主要な取引先の倒産（＊）

　シ　主要な取引先に対する債権放棄（＊）

　ス　重要な設備投資

　セ　新規事業に係る重要な事象（出資、会社設立、部門設置等）

② 資本の増減等に関する事象

　ア　重要な新株の発行（新株予約権等の行使・発行を含む）

　イ　重要な資本金又は準備金の減少

　ウ　重要な株式交換、株式移転

　エ　重要な自己株式の取得

　オ　重要な自己株式の処分（ストック・オプション等を含む）

　カ　重要な自己株式の消却

　キ　重要な株式併合又は株式分割

③ 資金の調達又は返済等に関する事象

　ア　多額の社債の発行

　イ　多額の社債の買入償還又は繰上償還（デット・アサンプションを含む）

　ウ　借換え又は借入条件の変更による多額な負担の増減

　エ　多額な資金の借入

④ 子会社等に関する事象

　ア　子会社等の援助のための多額な負担の発生（＊）

　イ　重要な子会社等の株式の売却（＊）

　ウ　重要な子会社等の設立

　エ　株式取得による会社等の重要な買収

　オ　重要な子会社等の解散・倒産（＊）

⑤ 会社の意思にかかわりなく蒙ることとなった損失に関する事象

　ア　火災、震災、出水等による重大な損害の発生

　イ　外国における戦争の勃発等による重大な損害の発生

　ウ　不祥事等を起因とする信用失墜に伴う重大な損失の発生

⑥ その他

　ア　重要な経営改善策又は計画の決定（デット・エクイティ・スワップを含む）（＊）

　イ　重要な係争事件の発生又は解決（＊）

　ウ　重要な資産の担保提供

　エ　投資に係る重要な事象（取得、売却等）（＊）

連結財務諸表固有の後発事象

① 重要な連結範囲の変更

② セグメント情報に関する重要な変更

③ 重要な未実現損益の実現

　上に掲げた開示後発事象の例示において、（＊）を付した項目で損失が発生するときは、修正後発事象となることも多いことに留意する必要がある。

5　追加情報

1. 財規に基づく注記

（1）注記事項

　財規において特に定める注記のほか、利害関係人が会社の財政状態、経営成績及びキャッシュ・フローの状況に関する適正な判断を行うために必要と認められる事項があるときは、当該事項を注記しなければならない。

【財規8の5】

2. 計規に基づく注記　　　　　　　【➡ p.17】

3. 追加情報の注記について　　　　【監77号】

（1）定　義

　追加情報とは、会計方針あるいは貸借対照表又は損益計算書等に注記すべきものとして規則等で具体的に規定しているもの以外の注記による情報をいい、利害関係人が企業集団又は会社の財政状態、経営成績及びキャッシュ・フローの状況に関する適正な判断を行うために必要と認められる情報である。

（2）分　類

　財務諸表等に追加情報として注記すべき事項、記載内容及び記載方法については以下の事項を参考とし、企業の実情に即して、個々に決定する必要がある。

① 会計方針の記載に併せて注記すべき追加情報

　　会計方針の記載に併せて注記すべき追加情報は、会計

方針と密接な関連を持つ注記事項であり、会計処理の対象となる新たな事実の発生に伴う新たな会計処理の原則及び手続を採用する場合が考えられる。新たな事実の発生に伴う新たな会計処理の採用は、会計方針の変更に該当しない。当該会計処理の採用に関し、会計方針の記載以外に追加的に開示する必要があると認めた場合は、追加情報として会計方針の記載に併せて注記する（財規9③等参照）。

② 財務諸表等の特定の科目との関連を明らかにして注記すべき追加情報

財規9⑤等の規定により財務諸表上の当該科目に記号を付記する方法その他これに類する方法によって、注記との関連を明らかにする。

ア 資産の使用・運用状況の説明

イ 特殊な勘定科目の説明

ウ 会計基準等で注記を求めている事項（規則等で規定しているものを除く）

③ 連結・中間連結固有の事項

利害関係人が企業集団又は会社の財政状態、経営成績及びキャッシュ・フローの状況に関する適正な判断を行うために必要と認められる事項について注記する（連規15、中連規13、中財規6）。

④ その他

ア 期間比較上説明を要する場合

イ 後発事象に該当しないが説明を要する事項

6 リース取引に関する注記 【→ p.82】

7 金融商品に関する注記

1. 財規に基づく注記

(1) 注記事項

金融商品については、以下の事項を注記しなければならない。ただし、重要性が乏しいものについては、注記を省略することができる。【財規8の6の2①】

また、財務諸表提出会社が連結財務諸表を作成している場合には、記載することを要しない。【財規8の6の2⑩】

① 金融商品の状況に関する次に掲げる事項

ア 金融商品に対する取組方針

イ 金融商品の内容及び当該金融商品に係るリスク

ウ 金融商品に係るリスク管理体制

② 金融商品の時価に関する次に掲げる事項

ア 貸借対照表日における貸借対照表の科目ごとの貸借対照表計上額

イ 貸借対照表日における貸借対照表の科目ごとの時価

ウ 貸借対照表日における貸借対照表の科目ごとの貸借対照表計上額と貸借対照表日における貸借対照表の科

目ごとの時価との差額

エ イ及びウに掲げる事項に関する説明

③ 金融商品の時価の算定に重要な影響を与える時価の算定に係るインプットが属するレベルに応じて分類し、その内訳に関する次に掲げる事項

ア 時価で貸借対照表に計上している金融商品の場合には、当該金融商品を適切な項目に区分し、その項目ごとの次の(ア)から(ウ)までに掲げる事項

(ア) 貸借対照表日におけるレベル1に分類された金融商品の時価の合計額

(イ) 貸借対照表日におけるレベル2に分類された金融商品の時価の合計額

(ウ) 貸借対照表日におけるレベル3に分類された金融商品の時価の合計額

イ 時価で貸借対照表に計上している金融商品以外の金融商品の場合には、当該金融商品を適切な項目に区分し、その項目ごとの次の(ア)から(ウ)までに掲げる事項

(ア) 貸借対照表日におけるレベル1に分類された金融商品の時価の合計額

(イ) 貸借対照表日におけるレベル2に分類された金融商品の時価の合計額

(ウ) 貸借対照表日におけるレベル3に分類された金融商品の時価の合計額

ウ ア(イ)もしくは(ウ)又はイ(イ)若しくは(ウ)の規定により注記した金融商品の場合には、次の(ア)及び(イ)に掲げる事項

(ア) 時価の算定に用いた評価技法及び時価の算定に係るインプットの説明

(イ) 時価の算定に用いる評価技法又はその適用を変更した場合には、その旨及びその理由

エ ア(ウ)の規定により注記した金融商品の場合には、次の(ア)から(オ)までに掲げる事項

(ア) 時価の算定に用いた重要な観察できない時価の算定に係るインプットに関する定量的情報

(イ) 当該金融商品の期首残高から期末残高への調整表

(ウ) レベル3に分類された金融商品の時価についての評価の過程に関する説明

(エ) 時価の算定に用いた重要な観察できない時価の算定に係るインプットの変化によって貸借対照表日における時価が著しく変動する場合における当該時価に対する影響に関する説明

(オ) 時価の算定に用いた重要な観察できない時価の算定に係るインプットと他の重要な観察できない時価の算定に係るインプットとの間に相関関係がある場合には、当該相関関係の内容及び時価に対する影響に関する説明 【財規8の6の2①】

オ ア及びイに規定する適切な項目とは、例えば、金融商品の性質、特性及びリスク並びに時価のレベル等に基づいて決定する項目をいう。また、金融商品を区分するにあたり、貸借対照表の科目を細分化する場合には、貸借対照表の科目への調整が可能となるような情報を記載する必要があることに留意する。

カ ウ(イ)に規定する評価技法の適用とは、例えば、複数の評価技法を用いる場合のウエイト付け及び評価技法

への調整をいう。

キ　エ(ア)に規定する注記については、企業自身が観察できない時価の算定に係るインプットを推計していない場合（例えば、過去の取引価格又は第三者から入手した価格を調整せずに使用している場合）には、注記を要しない。

ク　エ(イ)に規定する注記については、次の点に留意する。

(ア)　調整表は、次のAからEまでに掲げる事項に区別して注記するものとする。

A　当事業年度の損益に計上した額及びその科目

B　当事業年度の評価・換算差額等に計上した額及びその科目

C　購入、売却、発行及び決済のそれぞれの額（ただし、これらの額の純額により記載することができる）

D　レベル1に分類された金融商品の時価又はレベル2に分類された金融商品の時価からレベル3に分類された金融商品の時価への振替額及び当該振替の理由

E　レベル3に分類された金融商品の時価からレベル1に分類された金融商品の時価又はレベル2に分類された金融商品の時価への振替額及び当該振替の理由

(イ)　上記(ア)Aに規定する当該事業年度の損益に計上した額のうち貸借対照表日において保有する金融商品の評価損益及びその科目を注記するものとする。

(ウ)　上記(ア)D及びEの振替時点に関する方針を注記するものとする。

ケ　エ(ウ)に規定する評価の過程には、例えば、企業における評価の方針及び手続の決定方法や各期の時価の変動の分析方法が含まれることに留意する。

コ　エ(オ)に規定する相関関係の内容及び時価に対する影響に関する説明には、当該相関関係を前提とした場合に時価に対する影響が異なる可能性があるかどうかに関する説明が含まれることに留意する。
【財ガ8の6の2-1-3】

④　市場価格のない株式、出資金その他これらに準ずる金融商品については、上記②に掲げる事項の記載を要しない。この場合には、その旨並びに当該金融商品の概要及び貸借対照表計上額を注記しなければならない。
【財規8の6の2②】

⑤　貸借対照表に持分相当額を純額で計上する組合その他これに準ずる事業体（外国におけるこれらに相当するものを含む）への出資については、上記②に掲げる事項の記載を要しない。この場合には、その旨及び当該出資の貸借対照表計上額を注記しなければならない。
【財規8の6の2③】

⑥　投資信託等（注、以下同）について、一般に公正妥当と認められる企業会計の基準に従い、投資信託等の基準価額を時価とみなす場合には、上記②に掲げる事項の記載については、当該投資信託等が含まれている旨を注記しなければならない（当該投資信託等の貸借対照表計上額に重要性が乏しい場合を除く）。【財規8の6の2④】

⑦　投資信託等について、一般に公正妥当と認められる企業会計の基準に従い、投資信託等の基準価額を時価とみなす場合には、上記③に掲げる事項の記載を要しない。この場合には、次に掲げる事項を注記しなければならない。

一　上記③に掲げる事項を注記していない旨

二　当該投資信託等の貸借対照表計上額

三　当該投資信託等の期首残高から期末残高への調整表（当該投資信託等の貸借対照表計上額に重要性が乏しい場合を除く）

四　貸借対照表日における解約又は買戻請求に関する制限の内容ごとの内訳（投資信託等について、信託財産又は資産を主として金融商品に対する投資として運用することを目的としている場合に限り、その投資信託等の貸借対照表計上額に重要性が乏しい場合を除く）
【財規8の6の2⑤】

(注)　金商2①十に掲げる投資信託又は外国投資信託の受益証券、金商2①十一に掲げる投資証券又は外国投資証券その他これらに準ずる有価証券を含む金融商品をいう。

⑧　金銭債権（時価の変動により利益を得ることを目的として保有するものを除く）及び有価証券（売買目的有価証券を除く）のうち満期のあるものについては、償還予定額の合計額を一定の期間に区分した金額を注記しなければならない。【財規8の6の2⑧】

⑨　金融資産及び金融負債の双方がそれぞれ資産の総額及び負債の総額の大部分を占めており、かつ、当該金融資産及び金融負債の双方が事業目的に照らして重要である財務諸表提出会社にあっては、当該金融資産及び金融負債の主要な市場リスクの要因となる当該指標の数値の変動に対する当該金融資産及び金融負債の価値の変動率に重要性がある場合には、次に掲げる金融商品の区分に応じ、次に定める事項を注記しなければならない。
【財規8の6の2⑥、⑦】

ア　そのリスク管理において、市場リスクに関する定量的分析を利用している金融商品　当該分析に基づく定量的情報及びこれに関連する情報

イ　そのリスク管理において、市場リスクに関する定量的分析を利用していない金融商品　次の(ア)及び(イ)に掲げる事項

(ア)　そのリスク管理において、市場リスクに関する定量的分析を利用していない旨

(イ)　市場リスクの要因となる金利、通貨の価格、金融商品市場における相場その他の指標の数値の変動を合理的な範囲で仮定して算定した時価の増減額及びこれに関連する情報

上記⑨イ(イ)に掲げる事項が、財務諸表提出会社の市場リスクの実態を適切に反映していない場合には、その旨及びその理由を注記しなければならない。

⑩　社債、長期借入金、リース債務及びその他の負債であって、金利の負担を伴うものについては、返済予定額の合計額を一定の期間に区分した金額を注記しなければならない。ただし、当該金額が財規121①三に規定する社債明細表又は財規121①四に規定する借入金等明細表に記載されている場合には、その旨の注記をもって代え

ることができる。　　　【財規 8 の 6 の 2 ⑨】

2. 計規に基づく注記　　　【➡ p.15】

8　有価証券に関する注記　【➡ p.65】

9　デリバティブ取引に関する注記　【➡ p.68】

10　持分法損益等に関する注記

1. 財規に基づく注記

(1) 注記事項
連結財務諸表を作成していない会社にあっては、下記に掲げる場合の区分に応じて、各事項を注記しなければならない。ただし、①に定める事項については、損益及び利益剰余金その他の項目からみて重要性の乏しい関連会社を除外することができる。　　　【財規 8 の 9】
① 関連会社がある場合
　関連会社に対する投資の金額並びに当該投資に対して持分法を適用した場合の投資の金額及び投資利益又は投資損失の金額
② 開示対象特別目的会社がある場合
　ア 開示対象特別目的会社の概要
　イ 開示対象特別目的会社との取引の概要
　ウ 取引金額その他の重要な事項

2. 計規に基づく注記　　　【➡ p.16】

11　関連当事者情報

1. 財規に基づく注記　　　【財規 8 の 10】

(1) 関連当事者との取引に関する注記
① 注記すべき事項　　　【財規 8 の 10①】
　財務諸表提出会社が関連当事者との取引（当該関連当事者が第三者のために当該財務諸表提出会社との間で行う取引及び当該財務諸表提出会社と第三者との間の取引で当該関連当事者が当該取引に関して当該財務諸表提出会社に重要な影響を及ぼしているものを含む）を行っている場合には、その重要なものについて、次に掲げる事項を関連当事者ごとに記載しなければならない。ただ

し、財務諸表提出会社が連結財務諸表を作成している場合は、この限りでない（なお、連結財務諸表を作成している場合は、連規15の 4 の 2 に基づいて注記を行う必要がある）。
ア 当該関連当事者が会社等の場合には、その名称、所在地、資本金又は出資金、事業の内容及び当該関連当事者の議決権に対する当該財務諸表提出会社の所有割合又は当該財務諸表提出会社の議決権に対する当該関連当事者の所有割合
イ 当該関連当事者が個人の場合には、その氏名、職業及び当該財務諸表提出会社の議決権に対する当該関連当事者の所有割合
ウ 当該財務諸表提出会社と当該関連当事者との関係
エ 取引の内容
オ 取引の種類別の取引金額
カ 取引条件及び取引条件の決定方針
キ 取引により発生した債権債務に係る主な科目別の期末残高
ク 取引条件の変更があった場合には、その旨、変更の内容及び当該変更が財務諸表に与えている影響の内容
ケ 関連当事者に対する債権が貸倒懸念債権（経営破綻の状態には至っていないが、債務の弁済に重大な問題が生じている、又は生じる可能性の高い債務者に対する債権をいう）又は破産更生債権等（破産債権、再生債権、更生債権その他これらに準ずる債権をいう。以下同じ）に区分されている場合には、次に掲げる事項
　(ｱ) 当事業年度末の貸倒引当金残高
　(ｲ) 当事業年度に計上した貸倒引当金繰入額等
　(ｳ) 当事業年度に計上した貸倒損失等（一般債権（経営状態に重大な問題が生じていない債務者に対する債権をいう）に区分されていた場合において生じた貸倒損失を含む）
コ 関連当事者との取引に関して、貸倒引当金以外の引当金が設定されている場合において、注記することが適当と認められるものについては、ケに準ずる事項
② 注記を要しない取引　　　【財規 8 の 10③】
　関連当事者との取引のうち次に定める取引については、上記①に規定する注記を要しない。
ア 一般競争入札による取引並びに預金利息及び配当の受取りその他取引の性質からみて取引条件が一般の取引と同様であることが明白な取引
イ 役員に対する報酬、賞与及び退職慰労金の支払い
③ 注記の様式　　　【財規 8 の 10④】
　上記①は、様式第一号により注記しなければならない。
〈様式第一号〉
【関連当事者情報】

種類	会社等の名称又は氏名	所在地	資本金又は出資金	事業の内容又は職業	議決権等の所有(被所有)割合	関連当事者との関係	取引の内容	取引金額	科目	期末残高

(2) 親会社又は重要な関連会社に関する注記
財務諸表提出会社について、以下のものが存在する場合には、次に掲げる事項を注記しなければならない。ただ

し、連結財務諸表を作成している場合は、この限りでない。　　　　　　　　　　　　　【財規8の10の2】
　（なお、連結財務諸表を作成している場合は、連規15の4の3に基づいて注記を行う必要がある。）
① 親会社　当該親会社の名称並びにその発行する有価証券を金融商品取引所に上場している場合にあってはその旨及び当該金融商品取引所の名称、その発行する有価証券を金融商品取引所に上場していない場合にあってはその旨
② 重要な関連会社　当該関連会社の名称並びに持分法を適用した場合の投資利益又は投資損失の金額の算定対象となった当該関連会社の貸借対照表及び損益計算書の次に掲げる項目の金額
　ア　貸借対照表項目（流動資産合計、固定資産合計、流動負債合計、固定負債合計、純資産合計その他の重要な項目）
　イ　損益計算書項目（売上高（役務収益を含む）、税引前当期純利益金額又は税引前当期純損失金額、当期純利益金額又は当期純損失金額その他の重要な項目）

2. 計規に基づく注記　　　　　　　　　【➡ p.16】

---

12 税効果会計に関する注記　　【➡ p.153】

13 退職給付に関する注記　　【➡ p.105】

14 ストック・オプション等に関する注記　　【➡ p.131】

15 株式引受権に関する注記　　【➡ p.214】

16 企業結合等に関する注記　　【➡ p.167】

---

17 継続企業の前提に関する注記

1. 財規に基づく注記

（1）注記事項
　貸借対照表日において、企業が将来にわたって事業活動を継続するとの前提に重要な疑義を生じさせるような事象又は状況が存在する場合であって、当該事象又は状況を解消し、又は改善するための対応をしてもなお継続企業の前提に関する重要な不確実性が認められるときは、以下の事項を注記しなければならない。ただし、貸借対照表日後において、当該重要な不確実性が認められなくなった場合は、注記することを要しない。　　　　　【財規8の27】
① 当該事象又は状況が存在する旨及びその内容
② 当該事象又は状況を解消し、又は改善するための対応策
③ 当該重要な不確実性が認められる旨及びその理由
④ 当該重要な不確実性の影響を財務諸表に反映しているか否かの別

（2）継続企業の前提に重要な疑義を生じさせるような事象又は状況の例示
① 財務指標関係
　ア　売上高の著しい減少
　イ　継続的な営業損失の発生又は営業キャッシュ・フローのマイナス
　ウ　重要な営業損失、経常損失又は当期純損失の計上
　エ　重要なマイナスの営業キャッシュ・フローの計上
　オ　債務超過
② 財務活動関係
　ア　営業債務の返済の困難性
　イ　借入金の返済条項の不履行又は履行の困難性
　ウ　社債等の償還の困難性
　エ　新たな資金調達の困難性
　オ　債務免除の要請
　カ　売却を予定している重要な資産の処分の困難性
　キ　配当優先株式に対する配当の遅延又は中止
③ 営業活動関係
　ア　主要な仕入先からの与信又は取引継続の拒絶
　イ　重要な市場又は得意先の喪失
　ウ　事業活動に不可欠な重要な権利の失効
　エ　事業活動に不可欠な人材の流出
　オ　事業活動に不可欠な重要な資産の毀損、喪失又は処分
　カ　法令に基づく重要な事業の制約
④ その他
　ア　巨額な損害賠償金の負担の可能性
　イ　ブランド・イメージの著しい悪化
　通常これらの項目は、複数の事象又は状況が密接に関連して発生又は発現することが多いと考えられるため、上記のような項目が継続企業の前提に重要な疑義を生じさせるような事象又は状況に該当するかどうかについて、総合的に判断する必要がある。

上記項目はあくまでも例示であり、企業の規模や業種等により、金額的重要性や質的重要性を加味して判断すべき事項や上記とは異なる事象又は状況が継続企業の前提に重要な疑義を生じさせるような場合もある。

連結財務諸表を作成する場合には、親会社の個別財務諸表に関する継続企業の前提の評価に加え、連結ベースの財務指標や、子会社において発生又は発現した継続企業の前提に重要な疑義を生じさせるような事象又は状況のうち親会社の継続企業の前提に重要な影響を及ぼす項目も検討する必要がある。　　　　　　　　　　　　【監74号4】

(3) 後発事象に該当する場合について

貸借対照表日後に継続企業の前提に重要な疑義を生じさせるような事象又は状況が発生した場合であって、当該事象又は状況を解消し、又は改善するための対応をしてもなお継続企業の前提に関する重要な不確実性が認められ、翌事業年度以降の財政状態、経営成績及びキャッシュ・フローの状況に重要な影響を及ぼすときは、重要な後発事象として、以下の事項について財務諸表に注記する。

① 当該事象又は状況が発生した旨及びその内容
② 当該事象又は状況を解消し、又は改善するための対応策
③ 継続企業の前提に関する重要な不確実性が認められる旨及びその理由

ただし、このような後発事象のうち、貸借対照表日において既に存在していた状態で、その後その状態が一層明白になったものについては、継続企業の前提に関する注記の要否を検討する必要がある。

なお、貸借対照表日後において、継続企業の前提に重要な疑義を生じさせるような事象又は状況が解消し、又は改善したため、継続企業の前提に関する重要な不確実性が認められなくなったときには継続企業の前提に関する注記を行う必要はない。ただし、この場合には、当該継続企業の前提に重要な疑義を生じさせるような事象又は状況を解消し、又は改善するために実施した対応策が重要な後発事象として注記対象となることも考えられるため、留意する必要がある。　　　　　　　　【監74号7】

(4) 記載場所

キャッシュ・フロー計算書の次に記載する。【財規9④】

2. 計規に基づく注記　　　　　　　　　　　【→ p.13】

18 資産除去債務に関する注記
【→ p.88】

19 セグメント情報等の注記

1. 財規に基づく注記

(1) 注記事項

① 企業を構成する一定の単位（以下「報告セグメント」という）に関する情報については、次に掲げる事項を様式第二号に定めるところにより注記しなければならない。　　　　　　　　　　　【財規8の29①】

ア　報告セグメントの概要
イ　報告セグメントごとの売上高、利益又は損失、資産、負債その他の項目の金額及びこれらの金額の算定方法
ウ　イに掲げる金額の項目ごとの合計額と当該項目に相当する科目ごとの貸借対照表計上額又は損益計算書計上額との差額及び当該差額の主な内容

② 報告セグメントに関連する情報（様式第三号において「関連情報」という）については、次に掲げる事項を同様式に定めるところにより注記しなければならない。
【財規8の29②】

ア　製品及びサービスごとの情報
イ　地域ごとの情報
ウ　主要な顧客ごとの情報

③ 貸借対照表又は損益計算書において、次に掲げる項目を計上している場合には、報告セグメントごとの概要を様式第四号に定めるところにより注記しなければならない。　　　　　　　　　　　　　　【財規8の29③】

ア　固定資産の減損損失
イ　のれんの償却額及び未償却残高
ウ　負ののれん発生益

なお、財務諸表提出会社が連結財務諸表を作成している場合には、上記の①②③を記載することを要しない（連結財務諸表において注記【連規15の2】）。【財規8の29⑤】

また、重要性の乏しいものについては、注記を省略することができる。　　　　　　　　　　　　　【財規8の29④】

20 賃貸等不動産に関する注記

1. 財規に基づく注記

(1) 注記事項

① 賃貸等不動産がある場合には、次に掲げる事項を注記しなければならない。ただし、賃貸等不動産の総額に重要性が乏しい場合には、注記を省略することができる。
【財規8の30①】

ア　賃貸等不動産の概要
イ　賃貸等不動産の貸借対照表計上額及び当該事業年度における主な変動
ウ　賃貸等不動産の貸借対照表日における時価及び当該

時価の算定方法

エ　賃貸等不動産に関する損益

なお、財務諸表提出会社が連結財務諸表を作成している場合には、記載することを要しない（連規15の24）。　【財規8の30②】

2. 計規に基づく注記　【➡ p.15】

3. 賃貸等不動産の時価等の開示に関する会計基準・同適用指針

（1）適用対象

賃貸等不動産を保有する企業に適用する。
【ASB基準20号3】

（2）定　義

① 賃貸等不動産

棚卸資産に分類されている不動産以外のものであって、賃貸収益又はキャピタル・ゲインの獲得を目的として保有されている不動産（ファイナンス・リース取引の貸手における不動産を除く）をいう。したがって、物品の製造や販売、サービスの提供、経営管理に使用されている場合は賃貸等不動産には含まれない。
【ASB基準20号4(2)】

② 時　価

公正な評価額をいう。通常、それは観察可能な市場価格に基づく価額をいい、市場価格が観察できない場合には合理的に算定された価額をいう。
【ASB基準20号4(1)】

（3）賃貸等不動産の範囲

① 賃貸等不動産には、次の不動産が含まれる。

ア　貸借対照表において投資不動産（投資の目的で所有する土地、建物その他の不動産）として区分されている不動産

イ　将来の使用が見込まれていない遊休不動産

ウ　上記以外で賃貸されている不動産

連結財務諸表において賃貸等不動産の時価等の開示を行う場合、賃貸等不動産に該当するか否かの判断は連結の観点から行う。
【ASB基準20号5、ASB指針23号3】

② 賃貸等不動産には、将来において賃貸等不動産として使用される予定で開発中の不動産や継続して賃貸等不動産として使用される予定で再開発中の不動産も含まれる。また、賃貸を目的として保有されているにもかかわらず、一時的に借手が存在していない不動産についても、賃貸等不動産として取り扱う。【ASB基準20号6】

③ 不動産の中には、物品の製造や販売、サービスの提供、経営管理に使用されている部分と賃貸等不動産として使用される部分で構成されるものがあるが、賃貸等不動産として使用される部分については、賃貸等不動産に含める。賃貸等不動産として使用される部分の割合が低いと考えられる場合は、賃貸等不動産に含めないことができる。
【ASB基準20号7】

なお、当該部分を区分するにあたっては、管理会計上の区分方法その他の合理的な方法を用いることとする。
【ASB指針23号7】

当該部分の時価又は損益を、実務上把握することが困難である場合には、賃貸等不動産として使用される部分を含む不動産を区分せず、当該不動産全体を注記の対象とすることができる。この場合には、その旨及び当該不動産全体について ASB 基準20号8の注記事項（連結財務諸表上において当該不動産全体に関する損益の開示を行う場合、連結損益計算書における金額に基づく）を他の賃貸等不動産とは別に記載する。【ASB指針23号17】

④ 賃貸等不動産は、貸借対照表上、通常、次の科目に含まれている。　【ASB指針23号4】

ア　「有形固定資産」に計上されている土地、建物（建物附属設備を含む）、構築物及び建設仮勘定

イ　「無形固定資産」に計上されている借地権

ウ　「投資その他の資産」に計上されている投資不動産

⑤ ファイナンス・リース取引に該当する不動産については、貸手において賃貸等不動産には該当せず、借手において当該不動産が上記の定義①に該当する場合には、賃貸等不動産となる。　【ASB指針23号5】

21　公共施設等運営事業に関する注記　【➡ p.228】

p.228の(1)及び(2)に規定する事項は、財務諸表提出会社が連結財務諸表を作成している場合には、記載することを要しない。　【財規8の31④】

22　収益認識に関する注記　【➡ p.139】

23　棚卸資産に関する注記　【➡ p.73】

p.73の(7)③に規定する事項は、財務諸表提出会社が連結財務諸表を作成している場合には、記載することを要しない。　【財規8の33②】

24　偶発債務

1. 財規に基づく注記

（1）注記事項

偶発債務がある場合には、その内容及び金額を注記しなければならない。ただし、重要性の乏しいものについては注記を省略することができる。　【財規58】

① 偶発債務の内容（債務の保証（債務の保証と同様の効果を有するものを含む）については、その種類及び保証

先等、係争事件に係る賠償義務については、当該事件の概要及び相手方等）を示し、その金額を記載する。

【財ガ58①】

② 特例財務諸表提出会社の場合には、財規58の規定にかかわらず、計規103五に掲げる規定の注記に代えることができる。　　　　　　　　　　【財規127②七】

2. 計規に基づく注記　　　　　　　　　　【➡ p.15】

3. 債務保証及び保証類似行為の注記

（1）注記すべき債務保証の範囲

債務保証とは、主たる債務者が債務を履行しない場合に、保証人が当該債務を履行する責任を負うことを契約することによって債権者の債権を担保するものである。財務諸表において注記の対象とする債務保証には、通常の債務保証のほか、次のものを含めるものとする。なお、財務諸表における債務保証の注記に関しては、原則としてすべての債務保証について保証先ごとに総額で表示する。

【監61号2、3(1)】

① 保証予約　　　　　　　　　　　　　　【監61号2(1)】

保証予約とは、将来において保証契約の成立を約束する契約のことであり、次の形態がある。

ア 停止条件付保証契約

保証先の財政状態が悪化した場合等の一定の事由を停止条件とし、それが生じた場合に自動的に保証契約が発効する契約

イ 予約完結権行使型保証予約

債権者による予約完結権（保証契約を成立させる権利）の行使により、保証予約人の承諾を必要とせずに自動的に保証予約が成立する予約契約

ウ 保証契約締結義務型保証予約

債権者から保証契約締結の請求を受けた場合に、保証予約人が保証契約を締結する義務を負うことになる予約契約

② 経営指導念書等の差入れ　　　　　　　【監61号2(2)】

経営指導念書等とは、一般的に、子会社等が金融機関等から借入れを行う際に、親会社等としての監督責任を認め、子会社等の経営指導などを行うことを約して金融機関等に差し入れる文書のことをいう。

経営指導念書等については文書の記載内容から形式的に、もしくは経営指導念書等の差入れの経緯その他の状況から、実質的に、債務保証義務又は損害担保義務を負っていると認められるもの又は保証予約と同様であると認められるものについては、債務保証に準ずるものとして注記の対象に含める。

③ 債務保証損失引当金と債務保証の関係　【監61号4】

主たる債務者の財政状態の悪化等により、債務不履行となる可能性があり、その結果、保証人が保証債務を履行し、その履行に伴う求償債権が回収不能となる可能性が高い場合で、かつ、これによって生ずる損失額を合理的に見積ることができる場合には、保証人は、当期の負担に属する金額を債務保証損失引当金に計上する必要がある。

債務保証損失引当金は、債務保証の総額から、主たる債務者の返済可能額及び担保により保全される額等の求償債権についての回収見積額を控除した額を計上する。

債務保証損失引当金の計上と債務保証の注記関係については次のとおりである。

損失の発生の可能性の程度	損失金額の見積りが可能な場合	損失金額の見積りが不可能な場合
高い場合	・債務保証損失引当金を計上する。	・債務保証の金額を注記する。 ・損失の発生の可能性が高いが損失金額の見積りが不可能である旨、その理由及び主たる債務者の財政状態等を追加情報として注記する。(注)
ある程度予想される場合	・債務保証の金額を注記する。 ・損失発生の可能性がある程度予想される旨及び主たる債務者の財政状態等を追加情報として注記する。	・債務保証の金額を注記する。 ・損失発生の可能性がある程度予想される旨及び主たる債務者の財政状態等を追加情報として注記する。
低い場合	・債務保証の金額を注記する。	・債務保証の金額を注記する。

（注） 損失の発生の可能性が高く、かつ、その損失金額の見積りが不可能な場合は、通常極めて限られたケースと考えられる。したがって、主たる債務者が経営破綻又は実質的な経営破綻に陥っている場合には、必要額を債務保証損失引当金に計上することになる。

④ 債務保証について債務保証損失引当金を設定した場合において、注記する債務保証の金額は、債務保証の総額から債務保証損失引当金設定額を控除した残額とする。

【監61号4(4)⑤】

⑤ 債務保証の内容別表示及び留意点　　　　【監61号3】

ア 保証予約及び経営指導念書等の差入れ

対象となる債務の額につき、原則として、通常の債務保証に含めて記載する。

イ 複数の保証人がいる場合の連帯保証

債務保証を保証先ごとに総額で表示することに加え、内書等で複数の保証人がいる連帯保証が含まれている旨及び連帯保証額を付記することができる。

ウ 契約上、自己の負担額が明示されている債務保証

原則として、保証先ごとの総額で表示する。なお、債権者への対抗要件を備えた保証契約で、自己の負担額が明示され、かつ、他の保証人の負担能力に関係なく自己の負担額が特定されている場合には、自己の負担額を記載することもできる。

エ 根保証

原則として、開示対象となる事業年度末日現在の債務額又は保証極度額のいずれか少ない金額を記載する。ただし、保証極度額によって記載することもできる。

オ 再保証

自己の債務保証を他者が再保証している場合は原則として、再保証額を控除する前の自己の債務保証額を記載する。この場合、自己の債務保証を他者が再保証している旨、当該他者の氏名又は名称及び金額を付記することができる。

他者による債務保証を自己が再保証している場合は原則として、自己の再保証額を記載する。この場合、他者による債務保証を自己が再保証している旨及び当該他者の氏名又は名称を付記することができる。

カ　その他の留意点

保証人が債務者から担保提供を受けている場合や、債務者が債権者に直接担保提供している場合であっても、総額で債務保証額を記載する。なお、その旨及び当該担保資産の実質的価値を付記することができる。

25　1株当たり情報

1. 財規に基づく注記

（1）1株当たり当期純損益に関する注記事項

① 　1株当たり当期純利益金額又は当期純損失金額及びその算定上の基礎は、注記しなければならない。
【財規95の5の2①】
財務諸表提出会社が連結財務諸表を作成している場合には、記載することを要しない。【財規95の5の2③】
算定上の基礎には以下のものが含まれる。
【財ガ95の5の2③】

ア　損益計算書上の当期純利益金額又は当期純損失金額、1株当たり当期純利益金額又は当期純損失金額の算定に用いられた普通株式に係る当期純利益金額又は当期純損失金額及びこれらの差額（普通株主に帰属しない金額）の主な内訳

イ　1株当たり当期純利益金額又は当期純損失金額の算定に用いられた普通株式及び普通株式と同等の株式の期中平均株式数の種類別の内訳

② 　潜在株式調整後1株当たり当期純利益金額及びその算定上の基礎は1株当たり当期純損益金額に関する注記の次に記載しなければならない。【財規95の5の3①】
財務諸表提出会社が連結財務諸表を作成している場合には、記載することを要しない。【財規95の5の3④】

ア　潜在株式　　　　　　　　【ASB基準2号9】
その保有者が普通株式を取得することができる権利もしくは普通株式への転換請求権又はこれらに準じる権利が付された証券又は契約をいい、例えば、ワラントや転換証券が含まれる。

イ　潜在株式が複数存在する場合　【ASB基準2号22】
最大希薄化効果を反映した潜在株式調整後1株当たり当期純利益を算定する。

ウ　希薄化効果　　　　　　【ASB基準2号20】
潜在株式に係る権利の行使を仮定することにより算定した潜在株式調整後1株当たり当期純利益が、1株当たり当期純利益を下回る場合に、当該潜在株式は

希薄化効果を有するものとする。

エ　算定上の基礎　　　　　　【財ガ95の5の3②】
以下のものが含まれる。

㋐　潜在株式調整後1株当たり当期純利益金額の算定に用いられた当期純利益調整額の主な内訳

㋑　潜在株式調整後1株当たり当期純利益金額の算定に用いられた普通株式増加数の主な内訳

㋒　希薄化効果を有しないため、潜在株式調整後1株当たり当期純利益金額の算定に含まれなかった潜在株式については、その旨、潜在株式の種類及び潜在株式の数

オ　注記の省略　　　　　　　【財規95の5の3③】
以下の場合には、その旨を記載し、潜在株式調整後1株当たり当期純利益金額の記載は要しない。

㋐　潜在株式が存在しない場合

㋑　潜在株式調整後1株当たり当期純利益金額が1株当たり当期純利益金額を下回らない（希薄化効果を有しない）場合

㋒　1株当たり当期純損失金額の場合

③ 　株式併合又は株式分割の取扱い

ア　1株当たり当期純損益金額の注記
【財規95の5の2②】
当事業年度又は貸借対照表日後において株式併合又は株式分割が行われた場合には、①の事項のほか、次に掲げる事項を注記しなければならない。

㋐　株式併合又は株式分割が行われた旨

㋑　前事業年度の期首に株式併合又は株式分割が行われたと仮定して1株当たり当期純利益金額又は当期純損失金額が算定されている旨

イ　潜在株式調整後1株当たり当期純利益金額の注記
【財規95の5の3②】
当事業年度又は貸借対照表日後において株式併合又は株式分割が行われた場合には、②の事項のほか、次に掲げる事項を注記しなければならない。

㋐　株式併合又は株式分割が行われた旨

㋑　前事業年度の期首に株式併合又は株式分割が行われたと仮定して潜在株式調整後1株当たり当期純利益金額が算定されている旨

④ 　会計方針の変更又は過去の誤謬の訂正が行われた場合
【ASB基準2号30-4、30-5】

ア　会計方針の変更又は過去の誤謬の訂正により財務諸表に遡及適用又は修正再表示が行われた場合は、表示期間の1株当たり当期純利益及び潜在株式調整後1株当たり当期純利益を、遡及適用後又は修正再表示後の金額により算定する。

イ　過去の期間の財務諸表に注記された潜在株式調整後1株当たり当期純利益は、その後の期間の転換証券の普通株式への転換又は普通株式の株価の変動などにより、潜在株式に係る権利の行使の際に仮定した事項が変化した場合であっても、遡及的に修正しない。

⑤ 　暫定的な会計処理の確定が行われた場合
【ASB基準2号30-6】
企業結合年度の翌年度の財務諸表と併せて表示する企業結合年度の財務諸表に暫定的な会計処理の確定による

取得原価の配分額の見直しが反映されている場合、当該企業結合年度の翌年度の財務諸表と併せて表示する企業結合年度の財務諸表の1株当たり当期純利益及び潜在株式調整後1株当たり当期純利益は、当該見直しが反映された後の金額により算定する。

⑥ 普通株式以外の株式（いわゆる2種方式の採用）

【ASB指針4号9、10】

以下の場合には普通株式に係る1株当たり当期純利益とともに、普通株式以外の株式に係る1株当たり当期純利益として注記する。ただし、当該株式が非上場株式で、重要性が乏しい場合は注記しないことができる。

ア 非転換型の参加型株式が存在する場合

イ 優先的ではないが異なる配当請求権を有する株式（非参加型の子会社連動株式（いわゆるトラッキング・ストック）や非転換型の配当劣後株式等）が存在する場合

（2）算定方法

① 1株当たり当期純利益の算定

ア 普通株式に係る1株当たり当期純利益

【ASB基準2号12】

$$\text{1株当たり当期純利益} = \frac{\text{普通株式に係る当期純利益}}{\text{普通株式の期中平均株式数}}$$

$$= \frac{\text{損益計算書上の当期純利益} - \text{普通株主に帰属しない金額（注1）}}{\text{普通株式の期中平均発行済株式数} - \text{普通株式の期中平均自己株式数}}$$

（注1） 普通株主に帰属しない金額には、優先配当額などが含まれる。

イ 普通株式に係る1株当たり当期純損失

【ASB指針4号7】

$$\text{1株当たり当期純損失} = \frac{\text{普通株式に係る当期純損失}}{\text{普通株式の期中平均株式数}}$$

$$= \frac{\text{損益計算書上の当期純損失} - \text{普通株主に帰属しない金額}}{\text{普通株式の期中平均発行済株式数} - \text{普通株式の期中平均自己株式数}}$$

ウ 普通株式及び普通株式と同等の株式に係る1株当たり当期純利益の算定

㋐ 普通株式と同等の株式 【ASB指針4号8】

普通株式より配当請求権が優先的ではなく、かつ、普通株式の配当請求権とは異なる内容の配当請求権に基づく金額が、あらかじめ定められた方法により算定できない株式をいう。

㋑ 算式

$$\text{普通株式及び普通株式と同等の株式に係る1株当たり当期純利益} = \frac{\text{普通株式及び普通株式と同等の株式に係る当期純利益}}{\text{普通株式及び普通株式と同等の株式の期中平均株式数}}$$

$$= \frac{\text{損益計算書上の当期純利益} - \text{普通株主及び普通株主と同等の株主に帰属しない金額}}{\text{普通株式及び普通株式と同等の株式の期中平均株式数}}$$

エ 普通株式以外の株式に係る1株当たり当期純利益の算定 【ASB指針4号10】

$$\text{普通株式以外の株式に係る1株当たり当期純利益} = \frac{\text{普通株式以外の株式に係る当期純利益}}{\text{普通株式以外の株式の期中平均株式数}}$$

② 潜在株式調整後1株当たり当期純利益の算定

【ASB基準2号21】

$$\text{潜在株式調整後1株当たり当期純利益} = \frac{\text{普通株式に係る当期純利益} + \text{当期純利益調整額}}{\text{普通株式の期中平均株式数} + \text{普通株式増加数}}$$

ア ワラント（新株予約権、勤務を条件とするストック・オプション等）が存在する場合

【ASB基準2号24～26、ASB指針4号19～23】

各々のワラントが希薄化効果を有する場合、自己株式方式（注2）により算定された普通株式増加数を、普通株式の期中平均株式数に加える。

（注2） 自己株式方式

期中平均株価が行使価格を上回る場合、期首又は発行時にワラントが行使されたと仮定し、また、行使による入金額は、期中平均株価にて自己株式の買受けに用いたと仮定して普通株式増加数を算定する。

イ 転換証券（一括法で処理されている新株予約権付社債や一定の取得請求権付株式等）が存在する場合

【ASB基準2号27～30、ASB指針4号24～27】

各々の転換証券が希薄化効果を有する場合、転換仮定方式（注3）により算定された当期純利益調整額（注4）を普通株式に係る当期純利益に加え、また、普通株式増加数を普通株式の期中平均株式数に加える。

（注3） 転換仮定方式

1株当たり当期純利益が、転換証券に関する増加普通株式1株当たり当期純利益調整額を上回る場合、転換証券が期首に転換されたと仮定する。この結果、転換証券は当期に存在しなかったものとみなす。

（注4） 当期純利益調整額の計算

当期純利益調整額＝転換負債に係る当期の支払利息等－税額相当額

ウ 条件付発行可能普通株式が存在する場合

希薄化効果を有する条件付発行可能普通株式（注5）が期末までに条件を満たさないが、期末を条件期間末としたときに当該条件を満たす場合は、すべて行使されたと仮定して算定した普通株式増加額を普通株式の期中平均株式数に加える。

【ASB指針4号4、28～29】

（注5） 条件付発行可能普通株式

特定の条件（ただし、単に時間の経過により条件が達成される場合を除く）を満たした場合に普通株式を発行することとなる証券又は契約をいう。

エ 条件付発行可能潜在株式が存在する場合（一定の利益水準の達成を条件とするストック・オプション等）

【ASB指針4号5、30～32】

希薄化効果を有する条件付発行可能潜在株式（注6）が期末までに条件を満たさないが、期末を条件期間末としたときに当該条件を満たす場合は、潜在株式に含めて算定した普通株式増加額を普通株式の期中平均株式数に加える。

（注6） 条件付発行可能潜在株式

特定の条件（ただし、単に時間の経過により条件が達成される場合を除く）を満たした場合に潜在株式を発行することとなる証券又は契約

をいう。

③ 損益計算書上の当期純利益、当期純損失は、連結財務諸表においては、それぞれ親会社株主に帰属する当期純利益、親会社株主に帰属する当期純損失とする。
【ASB 基準 2 号 12】

(3) 1株当たり純資産額に関する注記事項

① 1株当たり純資産額は注記しなければならない。
【財規 68 の 4 ①】

財務諸表提出会社が連結財務諸表を作成している場合には、記載することを要しない。 【財規 68 の 4 ③】

② 1株当たり純資産額を開示する場合には、算定上の基礎として以下の事項を注記することを妨げない。
【財ガ 68 の 4 ②】

ア 貸借対照表の純資産の部の合計額と1株当たり純資産額の算定に用いられた普通株式に係る事業年度末の純資産額との差額の主な内訳

イ 1株当たり純資産額の算定に用いられた事業年度末の普通株式の数の種類別の内訳

③ 株式併合又は株式分割の取扱い

当事業年度又は貸借対照表日後において株式併合又は株式分割が行われた場合には、1株当たり純資産額のほか、次に掲げる事項を注記しなければならない。
【財規 68 の 4 ②】

ア 株式併合又は株式分割が行われた旨

イ 前事業年度の期首に株式併合又は株式分割が行われたと仮定して1株当たり純資産額が算定されている旨

④ 純資産額がマイナスの場合の取扱い
【ASB 報告 9 号 Q 6】

普通株式に係る期末の純資産額がマイナスとなる場合であっても、マイナスの純資産額を期末の普通株式数で除した金額を1株当たり純資産額として開示することが適当である。

⑤ 普通株式以外の株式に係る1株当たり純資産額
【ASB 指針 4 号 36】

普通株式よりも配当請求権及び残余財産分配請求権が優先的ではなく、かつ、普通株式の配当請求権及び残余財産分配請求権とは異なる内容の権利に基づく金額が、あらかじめ定められた方法により算定可能な株式が存在する場合には、普通株式に係る1株当たり純資産額とともに普通株式以外の株式に係る1株当たり純資産額も注記する。ただし、当該株式が非上場株式で、重要性が乏しい場合は注記しないことができる。

(4) 算定方法

① 普通株式に係る1株当たり純資産額の算定式
【ASB 指針 4 号 35】

$$1株当たり純資産額 = \frac{貸借対照表の純資産の部の合計額 - 控除する金額(注)}{期末の普通株式の発行済株式数 - 期末の普通株式の自己株式数}$$

(注) 控除する金額
・新株式申込証拠金
・自己株式申込証拠金
・普通株式よりも配当請求権又は残余財産分配請

求権が優先的な株式の払込金額（当該優先的な株式に係る資本金及び資本剰余金の合計額）
・当該会計期間に係る剰余金の配当であって普通株主に関連しない金額
・株式引受権
・新株予約権
・非支配株主持分（連結財務諸表の場合）

② 普通株式以外の株式に係る1株当たり純資産額の算定式 【ASB 指針 4 号 36】

$$普通株式以外の株式に係る1株当たり純資産額 = \frac{普通株式以外の株式に係る期末の純資産額}{普通株式以外の株式の期末の株式数}$$

2. 計規に基づく注記 【➡ p.16】

【➡ p.16】

26 特例財務諸表提出会社の特例

1. 特例財務諸表提出会社

連結財務諸表を作成している会社のうち、会 21 に規定する会計監査人設置会社 【財規 1 の 2】

2. 特例財務諸表提出会社の特例

特例財務諸表提出会社が提出する財務諸表の用語、様式及び作成方法は、財規第 7 章の定めるところによることができる。 【財規 1 の 2】

3. 会社計算規則の注記の準用

特例財務諸表提出会社は、以下の項目については、会社計算規則に規定される注記をもって、財務諸表の注記に代えることができる。 【財規 127 ②】

項 目	財規	会社計算規則
重要な会計方針の注記	8 の 2	101
表示方法の変更に関する注記	8 の 3 の 4	102 の 3 ①
会計上の見積りの変更に関する注記	8 の 3 の 5	102 の 4
親会社株式の表示及び注記	18、32 の 2	103 九
関係会社に対する資産・負債の注記	39、55	103 六
担保資産の注記	43	103 一
偶発債務の注記	58	103 五
関係会社に係る損益計算書項目の注記	74、88、91、94	104

4. 特例財務諸表提出会社に関する注記

特例財務諸表提出会社が財規 127 の規定により作成した財務諸表には、次に掲げる事項を注記しなければならない。

(1) 特例財務諸表提出会社に該当する旨

(2) 財規 127 の規定により財務諸表を作成している旨
【財規 128】

第 **9** 章

連結財務諸表

1 連結財務諸表制度

1. 目的と一般原則

（1）目　的

　連結財務諸表は、支配従属関係にある2つ以上の企業からなる集団（企業集団）を単一の組織体とみなして、親会社が当該企業集団の財政状態、経営成績及びキャッシュ・フローの状況を総合的に報告するために作成するものである。　　　　　　　　　　【ASB基準22号1、連原第一】

（2）連結財務諸表作成における一般原則

① 連結財務諸表は、企業集団の財政状態、経営成績及びキャッシュ・フローの状況に関して真実な報告を提供するものでなければならない。

　　　　　　　　　【ASB基準22号9、連原第二 一】

② 連結財務諸表は、企業集団に属する親会社及び子会社が一般に公正妥当と認められる企業会計の基準に準拠して作成した個別財務諸表を基礎として作成しなければならない。なお、親会社及び子会社の財務諸表が、当該企業の財政状態及び経営成績を適正に示していない場合には、連結財務諸表の作成上これを適正に修正して連結決算を行う。

　　【ASB基準22号10、注2、連規4①二、連原第二 二、注2】

③ 連結財務諸表は、企業集団の状況に関する判断を誤らせないよう、利害関係者に対し必要な財務情報を明瞭に表示するものでなければならない。

　　　　　　　　　【ASB基準22号11、連原第二 三】

④ 連結財務諸表作成のために採用した基準及び手続は、毎期継続して適用し、みだりにこれを変更してはならない。　　　　　　　【ASB基準22号12、連原第二 四】

2. 定　義

（1）親会社・子会社

　親会社とは他の会社等（会社、指定法人、組合その他これらに準ずる事業体（外国におけるこれらに相当するものを含む）をいう。以下同じ）の財務及び営業又は事業の方針を決定する機関（株主総会その他これに準ずる機関をいう。以下「意思決定機関」という）を支配している会社等をいい、子会社とは、当該他の会社等をいう。

　親会社及び子会社又は子会社が、他の会社等の意思決定機関を支配している場合における当該他の会社等も、その親会社の子会社とみなす。

【連規2①二、三、財規8③、ASB基準22号6、連原第三 一2、3】

（注1） 他の会社等の意思決定機関を支配している会社等（ただし、財務上又は営業上もしくは事業上の関係からみて他の会社等の意思決定機関を支配していないことが明らかであると認められる会社等を除く）

① 他の会社等の議決権の過半数を自己の計算において所有している会社等

② ①の他の会社等が、民事再生法の規定による再生手続開始の決定を受けた会社等、会社更生法の規定による更生手続開始の決定を受けた株式会社、破産法の規定による破産手続開始の決定を受けた会社等その他これらに準ずる会社等であって、かつ、有効な支配従属関係が存在しないと認められる会社等である場合には、子会社に該当しない。

③ 他の会社等の議決権の100分の40以上、100分の50以下を自己の計算で所有している会社等であって、かつ、次に掲げるいずれかの要件に該当する会社等

　ア 自己の計算において所有している議決権と自己と出資、人事、資金、技術、取引等において緊密な関係があることにより自己の意思と同一の内容の議決権を行使すると認められる者及び自己の意思と同一の内容の議決権を行使することに同意している者が所有している議決権とを合わせて、他の会社等の議決権の過半数を占めていること

　イ 役員（金商21①一（金商27において準用する場合を含む）に規定する役員をいう。以下同じ）もしくは使用人である者、又はこれらであった者で自己が他の会社等の財務及び営業又は事業の方針の決定に関して影響を与えることができる者が、当該他の会社等の取締役会その他これに準ずる機関の構成員の過半数を占めていること

　ウ 他の会社等の重要な財務及び営業又は事業の方針の決定を支配する契約等が存在すること

　エ 他の会社等の資金調達額（貸借対照表の負債の部に計上されているものに限る）の総額の過半について融資（債務保証及び担保の提供を含む。以下同じ）を行っていること（自己と出資、人事、資金、技術、取引等において緊密な関係のある者が行う融資の額を合わせて資金調達額の総額の過半となる場合を含む）

　オ その他他の会社等の意思決定機関を支配していることが推測される事実が存在すること

④ 自己の計算において所有している議決権と自己と出資、人事、資金、技術、取引等において緊密な関係があることにより自己の意思と同一の内容の議決権を行使すると認められる者及び自己の意思と同一の内容の議決権を行使することに同意している者が所有している議決権とを合わせた場合（自己の計算において議決権を所有していない場合を含む）に他の会社等の議決権の過半数を占めている会社等であって、かつ、③のイからオまでに掲げるいずれかの要件に該当する会社等

　　　　　　　　　【財規8④、ASB基準22号7】

（注2） 子会社の判定にあたっては、議決権のある株式等の所有の名義が役員その他当該会社以外の者となっていても、当該株式等の取得のための資金関係、当該株式等に係る配当その他の損益の帰属関係等を検討し、当該会社が自己の計算において議決権を所有しているか否かについて判断することが必要である。

　　　なお、関連会社の判定にあたっても、同様とする。

　　　　　　　　　　　　　　　　　　　【財ガ8-4】

（注3） 特別目的会社については、適正な価額で譲り受けた資産から生ずる収益を当該特別目的会社が発行する証券の所有者に享受させることを目的として設立

されており、当該特別目的会社の事業がその目的に従って適切に遂行されているときは、当該特別目的会社に資産を譲渡した企業から独立しているものと認め、当該目的会社に資産を譲渡した企業の子会社に該当しないものと推定する。

【財規8⑦、ASB基準22号7-2】

（2）連結子会社

連結の範囲に含められる子会社をいう。　【連規2①四】

（3）連結会社

連結財務諸表提出会社及び連結子会社をいう。

【連規2①五、ASB基準22号8】

（4）非連結子会社

連結の範囲から除かれる子会社をいう。　【連規2①六】

（5）関連会社

関連会社とは、会社等（当該会社等が子会社を有する場合には、当該子会社を含む）が、出資、人事、資金、技術、取引等の関係を通じて、子会社以外の他の会社等の財務及び営業又は事業の方針の決定に対して重要な影響を与えることができる場合における当該子会社以外の他の会社等をいう。　【連規2①七、財規8⑤、ASB基準16号5】

（注）　子会社以外の他の会社等の財務及び営業又は事業の方針の決定に対して重要な影響を与えることができる場合（ただし、財務上又は営業上もしくは事実上の関係からみて子会社以外の他の会社等の財務及び営業又は事業の方針の決定に対して重要な影響を与えることができないことが明らかであると認められるときを除く）

①　子会社以外の他の会社等の議決権の100分の20以上を自己の計算において所有している場合

②　①の他の会社等が、民事再生法の規定による再生手続開始の決定を受けた会社等、会社更生法の規定による更生手続開始の決定を受けた株式会社、破産法の規定による破産手続開始の決定を受けた会社等その他これらに準ずる会社等であって、かつ、当該会社等の財務及び営業又は事業の方針の決定に対して重要な影響を与えることができないと認められる会社等である場合には、関連会社に該当しない。

③　子会社以外の他の会社等の議決権の100分の15以上、100分の20未満を自己の計算において所有している場合であって、かつ、次に掲げるいずれかの要件に該当する場合

ア　役員もしくは使用人である者、又はこれらであった者で自己が子会社以外の他の会社等の財務及び営業又は事業の方針の決定に関して影響を与えることができる者が、当該子会社以外の他の会社等の代表取締役、取締役又はこれらに準ずる役職に就任していること

イ　子会社以外の他の会社等に対して重要な融資を行っていること

ウ　子会社以外の他の会社等に対して重要な技術を提供していること

エ　子会社以外の他の会社等との間に重要な販売、仕入れその他営業上又は事業上の取引があること

オ　その他子会社以外の他の会社等の財務及び営業

又は事業の方針の決定に対して重要な影響を与えることができることが推測される事実が存在すること

④　自己の計算において所有している議決権と自己と出資、人事、資金、技術、取引等において緊密な関係があることにより自己の意思と同一の内容の議決権を行使すると認められる者及び自己の意思と同一の内容の議決権を行使することに同意している者が所有している議決権と合わせた場合（自己の計算において議決権を所有していない場合を含む）に子会社以外の他の会社等の議決権の100分の20以上を占めているときであって、かつ、③のアからオまでに掲げるいずれかの要件に該当する場合

⑤　複数の独立した企業により、契約等に基づいて共同で支配される企業に該当する場合

【財規8⑥、ASB基準16号5-2】

3. 連結の範囲等

（1）原則的考え方

すべての子会社を連結する。

【連規5①、計規63①、ASB基準22号13、連原第三 一①】

（2）連結除外すべき会社

次の子会社は連結の範囲に含めないものとする。

【連規5①、計規63①、ASB基準22号14、連原第三 一④】

①　財務及び営業又は事業の方針を決定する機関（株主総会その他これに準ずる機関をいう）に対する支配が一時的であると認められる子会社

②　連結の範囲に含めることにより利害関係人の判断を著しく誤らせるおそれがあると認められる子会社

（3）小規模子会社の取扱い

①　子会社で、その資産、売上高（役務収益を含む）、損益、利益剰余金及びキャッシュ・フローその他の項目を考慮して連結の範囲から除いても企業集団の財政状態、経営成績及びキャッシュ・フローの状況に関する合理的な判断を妨げない程度に重要性の乏しいものは連結の範囲から除くことができる。

【連規5②、計規63②、ASB基準22号注3、連原注6】

②　①の取扱いにあたっては次のことに留意する。

ア　①の規定は、重要性の乏しい子会社を連結の範囲から積極的に除くことを意図したものでないこと

【連ガ5-2①】

イ　重要性の乏しい子会社を連結の範囲から除くにあたっては、連結の範囲から除こうとする子会社が二以上あるときは、これらの子会社が全体として重要性が乏しいものでなければならないこと　【連ガ5-2②】

ウ　連結の範囲から除かれる子会社が翌連結会計年度以降相当期間にわたり、重要性の乏しい子会社として認められるかどうかをも考慮し、連結の範囲が継続されること　【連ガ5-2③】

エ　①の適用にあたっては、企業集団における個々の子会社の特性並びに、少なくとも資産、売上高、利益及び利益剰余金の4項目に与える影響をもって判断すべきとされる。　【監52号4、4-2、6】

㋐　上記4項目に与える影響度合は、具体的には次

の算式による割合をもって基本的に判断する。

A　資産基準

$$\frac{\text{非連結子会社の総資産額の合計額}}{\underset{\text{提出会社の総資産額}}{\text{連結財務諸表}}+\underset{\text{総資産額の合計額}}{\text{連結子会社の}}}$$

B　売上高基準

$$\frac{\text{非連結子会社の売上高の合計額}}{\underset{\text{提出会社の売上高}}{\text{連結財務諸表}}+\underset{\text{売上高の合計額}}{\text{連結子会社の}}}$$

C　利益基準

$$\frac{\underset{\text{持分に見合う額の合計額}}{\text{非連結子会社の当期純損益の額のうち}}}{\underset{\text{の当期純損益の額}}{\text{連結財務諸表提出会社}}+\underset{\text{うち持分に見合う額の合計額}}{\text{連結子会社の当期純損益の額の}}}$$

D　利益剰余金基準（「利益剰余金」とは、「利益準備金及びその他利益剰余金」のほか、法律で定める準備金で利益準備金に準ずるものをいう。以下同じ）

$$\frac{\underset{\text{持分に見合う額の合計額}}{\text{非連結子会社の利益剰余金のうち}}}{\underset{\text{の利益剰余金の額}}{\text{連結財務諸表提出会社}}+\underset{\text{うち持分に見合う額の合計額}}{\text{連結子会社の利益剰余金の額の}}}$$

(イ)　(ア)の算式を適用する場合の留意事項

A　支配が一時的である子会社及び利害関係者の判断を著しく誤らせるおそれがある子会社等の連結の範囲に含めないこととなる子会社は、上記算式に含めない。

B　非連結子会社の選定にあたっては、資産や売上等の額の小さいものから機械的に順次選定するのではなく、個々の子会社の特性や(ア)の算式で計量できない要件も考慮する。

　例えば、以下のような子会社は原則として非連結子会社とすることはできない。

(a)　中・長期の経営戦略上の重要な子会社

(b)　連結財務諸表提出会社の一業務部門、例えば製造、販売、流通、財務等の業務の全部又は重要な一部を実質的に担っていると考えられる子会社

　なお、地域別販売会社、運送会社、品種別製造会社等の同業部門の複数の子会社は、原則としては、その子会社群全体を1社として判断する。

(c)　セグメント情報の開示に重要な影響を与える子会社

(d)　多額の含み損失や発生の可能性の高い重要な偶発事象を有している子会社

C　(a)　資産基準における総資産額の合計額は会社間における債権と債務及び資産に含まれる未実現損益の消去後の金額によることを原則とする。

(b)　売上高基準における売上高の合計額は会社間における取引の消去後の金額によることを原則とする。

(c)　利益基準における当期純損益の額の合計額

は会社間の取引による資産に含まれる未実現損益の消去後における金額によることを原則とする。

(d)　利益剰余金基準における利益剰余金の合計額は、消去された未実現損益を修正した後の金額によることを原則とする。

D　(a)　総資産の額及び利益剰余金の額は、連結決算日における各会社の貸借対照表のものによる。

(b)　売上高及び当期純損益の額は、連結会計年度に対応した各会社の事業年度に係る損益計算書のものによる。

(c)　(a)、(b)について、子会社の事業年度の末日が連結決算日と異なる場合においてその差異が3カ月を超えないときは、当該事業年度に係るものによることができる。

E　利益基準における連結財務諸表提出会社、連結子会社及び非連結子会社の当期純損益の額が事業の性質等から事業年度ごとに著しく変動する場合などは、当期純損益の額について最近5年間の平均を用いる等適宜な方法で差し支えない。

F　純資産に含まれる評価・換算差額等及び新株予約権について、金額の重要性がある場合には、連結の範囲の決定上、考慮する。

4. 持分法の適用範囲等

(1) 持分法とは

　持分法とは、投資会社が被投資会社の純資産及び損益のうち投資会社に帰属する部分の変動に応じて、その投資の額を連結決算日ごとに修正する方法をいう。

【計規2③二十六、ASB基準16号4、連原注17①】

(2) 持分法の適用範囲

①　非連結子会社及び関連会社に対する投資については、持分法により計算した価額をもって連結貸借対照表に計上しなければならない。

【連規10、計規69①、ASB基準16号6、連原第四 八1】

②　非連結子会社又は関連会社に対する投資について持分法による価額を計算する場合には、原則として、当該非連結子会社又は関連会社がその子会社又は関連会社に対する投資について持分法を適用して認識した損益を当該非連結子会社又は関連会社の損益に含めて計算することに留意する。　　　　　　　　　　　　　　　【連ガ10-1】

③　持分法非適用会社

　次に該当する会社に対する投資については、持分法を適用しないものとする。　　　　【連規10、計規69①】

ア　財務及び営業又は事業の方針の決定に対する影響が一時的であると認められる関連会社

イ　持分法を適用することにより利害関係人の判断を著しく誤らせるおそれがあると認められる非連結子会社及び関連会社

④　持分法適用会社の子会社及び関連会社の取扱い

　関連会社である持分法適用会社が子会社又は関連会社を有する場合の当該子会社又は関連会社は持分法の適用範囲に含まれないが、当該持分法適用会社に持分法を適

用するに際して、当該子会社又は関連会社に対する投資について持分法を適用して認識した損益又は利益剰余金が連結財務諸表に重要な影響を与える場合には、当該損益を当該持分法適用会社の損益に含めて計算する。

非連結子会社である持分法適用会社の子会社又は関連会社は、持分法の適用範囲に含まれる。【会制9号3】

⑤ 持分法適用にあたっての重要性

ア 持分法を適用すべき非連結子会社及び関連会社のうち、その損益及び利益剰余金その他の項目からみて、持分法の適用の対象から除いても連結財務諸表に重要な影響を与えないものは、持分法の適用の対象から除くことができる。【連規10②、計規69②、連原注18】

イ 重要性の乏しい非連結子会社等については持分法の適用範囲から除外することができるが、その重要性の判断にあたっては、個々の非連結子会社等の特性並びに、少なくとも利益及び利益剰余金の2項目に与える影響をもって判断すべきとされる。
【監52号5、5-2、6】

(ア) 上記2項目に与える影響度合は、具体的には次の算式による割合をもって基本的に判断する。

A 利益基準

持分法非適用の非連結子会社等の当期純損益の額のうち持分に見合う額の合計額

連結財務諸表提出会社の当期純損益の額、連結子会社の当期純損益の額のうち持分に見合う額並びに持分法適用の非連結子会社等の当期純損益の額のうち持分に見合う額の合計額

B 利益剰余金基準

持分法非適用の非連結子会社等の利益剰余金の額のうち持分に見合う額の合計額

連結財務諸表提出会社の利益剰余金の額、連結子会社の利益剰余金の額のうち持分に見合う額並びに持分法適用の非連結子会社等の利益剰余金の額のうち持分に見合う額の合計額

(イ) (ア)の算式を適用する場合の留意事項

A 影響が一時的である関連会社及び利害関係者の判断を著しく誤らせるおそれがある関連会社等の持分法を適用しないこととなる非連結子会社等は、上記算式に含めない。

B 持分法非適用の非連結子会社等の選定にあたっては、利益や剰余金の額の小さいものから機械的に順次選定するのではなく、個々の非連結子会社等の特性や(ア)の算式で計量できない要件も非連結子会社の選定に準じて考慮する。

C (a) 利益基準における当期純損益の額は会社等間の取引による資産に含まれる未実現損益の消去後における金額によることを原則とする。

(b) 利益剰余金基準における利益剰余金の合計額は、利益基準の適用に当たって消去された未実現損益を修正した金額によることを原則とする。

D (a) 利益基準における連結財務諸表提出会社の当期純損益の額は、連結決算日に係る損益計算書のものによるものとし、連結子会社及び非連結子会社等の当期純損益の額は連結会計

年度に対応した各会社の事業年度に係る損益計算書による。

(b) 利益剰余金基準における利益剰余金の額は、連結決算日における各会社の貸借対照表のものによる。

(c) (a)、(b)について、連結子会社の事業年度の末日が連結決算日と異なる場合においてその差異が3カ月を超えないときは、当該事業年度に係るものによることができるものとし、非連結子会社等の事業年度の末日が連結決算日と異なる場合には、連結決算日の最近の事業年度に係るものによる。

E 利益基準における連結財務諸表提出会社、連結子会社及び非連結子会社等の当期純損益の額が事業の性質等から事業年度ごとに著しく変動する場合などは、当期純損益の額について最近5年間の平均を用いる等適宜な方法で差し支えない。

F 純資産に含まれる評価・換算差額等及び新株予約権について、金額の重要性がある場合には、持分法の適用範囲の決定上、考慮する。

5. 連結財務諸表における子会社及び関連会社の範囲の決定に関する適用指針

(1) 議決権の所有割合の算定

① 他の会社が子会社又は関連会社に該当するかどうかの判定において用いられる他の会社の議決権の所有割合は、原則として次の算式によって算定する。

$$議決権の所有割合 = \frac{所有する議決権の数}{行使し得る議決権の総数}$$

ア この算定にあたっては、期末における議決権の数によることに留意する。

イ 他の会社が関連会社に該当するかどうかの判定において、持株関係が複雑であり、行使し得る議決権の総数の把握が困難と認められる場合には、上記式の分母を直前期の株主総会招集通知に記載されている総株主の議決権の数に代えて算定することができる。
【ASB指針22号4】

② 行使し得る議決権の総数は、株主総会において行使し得るものと認められている総株主の議決権の数である。自己株式、完全無議決権株式(株主総会のすべての事項について議決権を行使することができない株式)、会308①による相互保有株式に係る議決権については、いずれも行使し得る議決権の総数には含まれない。
【ASB指針22号5】

③ 所有する議決権の数は、行使し得る議決権の総数のうち自己及び子会社の所有する議決権の数による。
【ASB指針22号6】

④ 自己の計算における議決権の所有について

ASB基準22号7及びASB基準16号5-2では、子会社又は関連会社の判定にあたり、他の企業の議決権所有割合を用いる場合には、自己の計算で所有している議決権が前提とされている。このため、議決権の所有割合を算定するにあたっては、議決権のある株式又は出資の所

有の名義が役員等自己以外の者となっていても、議決権のある株式又は出資の所有のための資金関係、当該株式又は出資に係る配当その他の損益の帰属関係を検討し、自己の計算において所有しているか否かについての判断を行う必要がある。　　　　　　【ASB 指針22号7】

⑤　緊密な者及び同意している者がいる場合

ア　緊密な者（自己と出資、人事、資金、技術、取引等において緊密な関係があることにより自己の意思と同一の内容の議決権を行使すると認められる者）及び同意している者（自己の意思と同一の内容の議決権を行使することに同意していると認められる者）が存在している場合には、他の会社が子会社又は関連会社に該当するかどうかの判定について用いられる他の会社の議決権の所有割合は、原則として、次の算式によって算定する。

議決権の所有割合

$$= \frac{\text{所有する議決権の数} + \begin{array}{c}\text{緊密な者及び同意している}\\\text{者が所有する議決権の数}\end{array}}{\text{行使し得る議決権の総数}}$$

この算定にあたっても、期末における議決権の数によることに留意する必要がある。【ASB 指針22号8】

イ　緊密な者に該当するかどうかは、両者の関係に至った経緯、両者の関係状況の内容、過去の議決権の行使の状況、自己の商号との類似性等を踏まえ、実質的に判断する。

例えば、次に掲げる者は一般的に緊密な者に該当するものと考えられる。

(ア)　自己（自己の子会社を含む。以下(キ)までについて同じ）が議決権の100分の20以上を所有している企業

(イ)　自己の役員又は自己の役員が議決権の過半数を所有している企業

(ウ)　自己の役員もしくは使用人である者、又はこれらであった者で自己が他の企業の財務及び営業又は事業の方針の決定に関して影響を与えることができる者が、取締役会その他これに準ずる機関の構成員の過半数を占めている当該他の企業

(エ)　自己の役員もしくは使用人である者、又はこれらであった者で自己が他の企業の財務及び営業又は事業の方針の決定に関して影響を与えることができる者が、代表権のある役員として派遣されており、かつ、取締役会その他これに準ずる機関の構成員の相当数（過半数に満たない場合を含む）を占めている当該他の企業

(オ)　自己が資金調達額（貸借対照表の負債の部に計上されているもの）の総額のおおむね過半について融資（債務保証及び担保の提供を含む。以下同じ）を行っている企業（金融機関が通常の取引として融資を行っている企業を除く）

(カ)　自己が技術援助契約等を締結しており、当該契約の終了により、事業の継続に重要な影響を及ぼすこととなる企業

(キ)　自己との間の営業取引契約に関し、自己に対する事業依存度が著しく大きいこと又はフランチャイズ

契約等により自己に対し著しく事業上の拘束を受けることとなる企業

なお、上記以外の者であっても、出資、人事、資金、技術、取引等における両者の関係状況からみて、自己の意思と同一の内容の議決権を行使すると認められる者は、緊密な者に該当することに留意する必要がある。

また、自己と緊密な関係にあった企業であっても、その後、出資、人事、資金、技術、取引等の関係について見直しが行われ、自己の意思と同一の内容の議決権を行使するとは認められない場合には、緊密な者に該当しない。　　【ASB 指針22号9】

ウ　同意している者は、契約や合意等により、自己の意思と同一内容の議決権を行使することに同意していると認められる者が該当する。【ASB 指針22号10】

（2）子会社の範囲の決定に関する取扱い

①　他の企業の議決権の過半数を自己の計算において所有していないが、当該他の企業の意思決定機関を支配している場合

ア　ASB 基準22号7(2)②では、「役員若しくは使用人である者、又はこれらであった者で自己が他の企業の財務及び営業又は事業の方針の決定に関して影響を与えることができる者が、当該他の企業の取締役会その他これに準ずる機関の構成員の過半数を占めていること」とされている。これには自己の役員、自己の業務を執行する社員もしくは使用人である者又はこれらであった者で、自己の意向に沿って取締役としての業務を執行すると認められる者の員数が、取締役会の構成員の過半数を占めている場合等が該当する。

【ASB 指針22号11】

イ　ASB 基準22号7(2)③では、「他の企業の重要な財務及び営業又は事業の方針の決定を支配する契約等が存在すること」とされている。これには、他の企業との間の契約、協定等により総合的に判断して当該他の企業の財務及び営業又は事業の方針の決定を指示し又は強制し得る力を有すると認められる場合が該当し、例えば、他の会社から会社法上の事業全部の経営の委任（会467①四）を受けている場合が含まれる。

また、以下に掲げるような場合にも、これに準じて取り扱うことが適当と考えられる。

(ア)　原材料の供給・製品の販売に係る包括的契約、一手販売・一手仕入契約等により、当該他の会社にとっての事業依存度が著しく大きい場合

(イ)　営業地域の制限を伴うフランチャイズ契約、ライセンス契約等により、当該他の会社が著しく事業上の拘束を受ける場合

(ウ)　技術援助契約等について、当該契約の終了により、当該他の会社の事業の継続に重要な影響を及ぼすこととなる場合　　　　　　　　【ASB 指針22号12】

ウ　ASB 基準22号7(2)④では、「他の企業の資金調達額（貸借対照表の負債の部に計上されているもの）の総額の過半について融資（債務の保証及び担保の提供を含む）を行っていること（自己と出資、人事、資金、技術、取引等において緊密な関係のある者が行う融資

の額を合わせて資金調達額の総額の過半となる場合を含む）」とされている。これには、他の企業の負債の部に計上されている資金調達額の総額のおおむね過半について融資を行っていることにより、資金の関係を通じて財務の方針決定を支配している場合が該当する。

なお、融資については、金融機関が通常の営業取引として融資を行っている場合は該当しない。また、自己と緊密な者の行う融資を合わせて資金調達額の総額のおおむね過半となる場合も該当することに留意する。　　　　　　　　　　　　　　　　【ASB指針22号13】

エ　ASB基準22号7(2)⑤では、「その他他の企業の意思決定機関を支配していることが推測される事実が存在すること」とされている。これには、例えば、次に掲げる事実が存在することにより、他の企業の意思決定機関を支配していることが推測される場合が含まれる。

(ア)　当該他の企業が重要な財務及び営業又は事業の方針を決定するにあたり、自己の承認を得ることとなっている場合

(イ)　当該他の企業に多額の損失が発生し、自己が当該他の企業に対し重要な経営支援を行っている場合又は重要な経営支援を行うこととしている場合（なお、金融機関の場合は、②のエの取扱いを参照）

(ウ)　当該他の企業の資金調達額（貸借対照表の負債の部に計上されているものに限らない）の総額のおおむね過半について融資及び出資を行っている場合

なお、当該他の会社の株主総会において、議決権を行使しない株主（株主総会に出席せず、かつ委任状による議決権の行使も行わない株主をいう）が存在することにより、その有効議決権に対し、自己が過半数を占める状態が過去相当期間継続しており、当該事業年度に係る株主総会においても同様と考えられるときには、意思決定機関を支配していると推測することを妨げないものとする。
【ASB指針22号14】

オ　ASB基準22号7(3)では、自己の計算において所有している議決権（当該議決権を所有していない場合を含む）と、自己と出資、人事、資金、技術、取引等において緊密な関係があることにより自己の意思と同一の内容の議決権を行使すると認められる者及び自己の意思と同一の内容の議決権を行使することに同意している者が所有している議決権とを合わせて、他の企業の議決権の過半数を占めている企業であって、かつ、ASB基準22号7(2)の②から⑤までのいずれかの要件に該当する企業とされている。

この具体例としては、以下が挙げられる。

(ア)　自己の計算において他の会社の議決権の100分の40未満を所有している場合に、緊密な者及び同意している者が所有する議決権と合わせて当該他の会社の議決権の100分の50超を占めており、かつ、当該他の会社に対して取締役の過半数の派遣、重要な財務及び営業又は事業の方針の決定を支配する契約の締結、負債の部に計上されている資金調達額のお

おむね過半についての融資、その他意思決定機関を支配していることが推測される事実の存在のいずれかの要件に該当しているとき

(イ)　自己の計算において、他の会社の議決権を直接所有していないが、緊密な者及び同意している者を通じて議決権の過半数を間接的に所有している場合で、当該他の会社が債務超過の状況にあり、債務保証を行っていること等により当該債務超過額を負担することとなっているとき　　　　【ASB指針22号15】

② 他の企業の意思決定機関を支配していないことが明らかであると認められる場合

ASB基準22号7ただし書では、他の企業の意思決定機関を支配していることに該当する要件を満たしていても、財務上又は営業上もしくは事業上の関係からみて他の企業の意思決定機関を支配していないことが明らかであると認められる場合、当該他の企業は子会社に該当しないものとしている。これには、例えば、次の場合が該当する。

ア　複数の企業（親子関係にある企業を除く）が、それぞれ当該他の企業を支配していることにはならない。このため、例えば他の会社の議決権の100分の40以上、100分の50以下を自己の計算において所有している会社が、他の会社の意思決定機関を支配していることに該当する事項のいずれかを満たしているものの、ほかに当該他の会社の議決権の過半数を自己の計算において所有している株主が存在している場合には、一般的に子会社に該当しないことにあたる（ただし、関連会社に該当する場合はあり得ることに留意する）。

イ　他の会社に対し共同で出資を行っている合弁会社の場合にも、意思決定機関を支配しているか否かの判定を行うこととなるが、例えば当該他の会社に共同支配企業の形成による処理方法が適用され、その後も共同で支配されている実態にある場合には、当該他の会社は共同で出資を行っている会社のうち特定の会社の子会社には該当せず、それぞれの会社の関連会社として取り扱われる。

ウ　ある会社A社が他の会社P社の緊密な者（関連会社を含み、個人を除く）に該当し、このためP社が、ASB基準22号7にいうA社の子会社S社の意思決定機関を支配していることに該当する要件を満たしていても、例えば、S社がA社の一業務部門を実質的に担っておりA社と一体であることが明らかにされた場合には、A社がP社の子会社になるときを除き、一般的にはS社はP社の子会社に該当しない。これはS社にとってP社及びA社の2社からそれぞれ支配されることはないことによる。

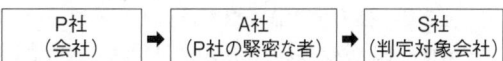

エ　ベンチャーキャピタルなどの投資企業（投資先の事業そのものによる成果ではなく、売却による成果を期待して投資価値の向上を目的とする業務を専ら行う企業）が投資育成や事業再生を図りキャピタルゲイン獲得を目的とする営業取引として、又は銀行などの金融機関が債権の円滑な回収を目的とする営業取引と

して、他の企業の株式や出資を有している場合において、ASB基準22号7にいう他の企業の意思決定機関を支配していることに該当する要件を満たしていても、次のすべてを満たすようなとき（ただし、当該他の企業の株主総会その他これに準ずる機関を支配する意図が明確であると認められる場合を除く）には、子会社に該当しないことに当たる。

　㋐　売却等により当該他の企業の議決権の大部分を所有しないこととなる合理的な計画があること
　㋑　当該他の企業との間で、当該営業取引として行っている投資又は融資以外の取引がほとんどないこと
　㋒　当該他の企業は、自己の事業を単に移転したり自己に代わって行うものとはみなせないこと
　㋓　当該他の企業との間に、シナジー効果も連携関係も見込まれないこと
　　　なお、他の企業の株式や出資を有している投資企業や金融機関は、実質的な営業活動を行っている企業であることが必要である。また、当該投資企業や金融機関が含まれる企業集団に関する連結財務諸表にあっては、当該企業集団内の他の連結会社（親会社及びその連結子会社）においても上記㋑から㋓の事項を満たすことが適当である。

【ASB指針22号16】

③　いわゆる孫会社の場合
　　親会社及び子会社又は子会社が、他の企業の意思決定機関を支配している場合における当該他の企業も、その親会社の子会社とみなす。具体例としては、以下が挙げられる。
　ア　親会社と子会社が一体となって他の会社を支配している場合
　　　例えば、親会社と子会社の所有する議決権を合算して他の会社の議決権の過半数の所有となる場合や、親会社と子会社の所有する議決権を合算すると他の会社の議決権の100分の40以上、100分の50以下の所有に該当し、かつ、親会社と子会社とを合わせて他の会社の取締役会の構成員の過半数を派遣している場合が該当する。
　イ　子会社が1社で他の会社を支配している場合
　　　例えば、子会社が1社で他の会社の議決権の過半数を所有している場合や、子会社が1社で他の会社の議決権の100分の40以上、100分の50以下を所有しており、かつ、他の会社の取締役会の構成員の過半数を派遣している場合が該当する。
　ウ　複数の子会社が一体となって支配している場合
　　　例えば、子会社2社の所有する議決権を合算して他の会社の議決権の過半数の所有となる場合や、子会社2社の所有する議決権を合算すると他の会社の議決権の100分の40以上、100分の50以下の所有に該当し、かつ、子会社2社で合わせて他の会社の取締役会の構成員の過半数を派遣している場合が該当する。

【ASB指針22号17】

（3）支配が一時的であるため連結の範囲に含めない子会社
　ASB基準22号14(1)では、子会社のうち、支配が一時的であると認められる企業は、連結の範囲に含めないものと

している。これは、当連結会計年度において支配に該当しているものの、直前連結会計年度において支配に該当しておらず、かつ、翌連結会計年度以降相当の期間にわたって支配に該当しないことが確実に予定されている場合をいう。
　例えば、直前連結会計年度末において、所有する議決権が100分の50以下で支配に該当しておらず、かつ、翌連結会計年度以降その所有する議決権が相当の期間にわたって100分の50以下となり支配に該当しないことが確実に予定されている場合は、当連結会計年度における支配が一時的であると認められる。
　また、議決権の過半数を占めていないが、支配に該当している場合の議決権の一時的所有やその他の支配の要件の一時的充足についても同様に取り扱う。【ASB指針22号18】

（4）利害関係者の判断を著しく誤らせるおそれがあるため連結の範囲に含めない子会社
　ASB基準22号14(2)では、支配が一時的と認められる企業以外の企業であって、子会社のうち、連結することにより利害関係者の判断を著しく誤らせるおそれのある企業は、連結の範囲に含めないものとしているが、一般に、それは限定的であると考えられる。
　なお、他の企業が子会社に該当しても、例えば、当該子会社がある匿名組合事業の営業者となり、当該匿名組合の事業を含む子会社の損益のほとんどすべてが匿名組合員に帰属し、当該子会社及びその親会社には形式的にも実質的にも帰属せず、かつ、当該子会社との取引がほとんどない場合には、当該子会社を連結することにより利害関係者の判断を著しく誤らせるおそれがあると認められるときに該当するものと考えられる。　　　　【ASB指針22号19】

（5）子会社に該当しない企業
　ASB基準22号7では、更生会社、破産会社その他これらに準ずる企業であって、かつ、有効な支配従属関係が存在しないと認められる企業は、子会社に該当しないものとするとされている。このため、民事再生法の規定による再生手続開始の決定を受けた会社、会社更生法の規定による更生手続開始の決定を受けた株式会社、破産法の規定による破産手続開始の決定を受けた会社その他これらに準ずる企業であって、かつ、有効な支配従属関係が存在しないと認められる企業である場合には、子会社に該当しない。
　一方、清算株式会社のように、継続企業と認められない企業であっても、その意思決定機関を支配していると認められる場合には、子会社に該当し、原則として連結の範囲に含められることとなる。　　　　【ASB指針22号20】

（6）関連会社の範囲の決定に関する取扱い
①　他の企業の議決権の100分の20以上を自己の計算において所有していないが、当該他の企業の財務及び営業又は事業の方針の決定に対して重要な影響を与えることができる場合
　ア　ASB基準16号5-2(2)④では、「子会社以外の他の企業との間に重要な販売、仕入その他の営業上又は事業上の取引があること」とされている。これには、例えば、次のような取引が該当する。
　　　㋐　当該他の企業にとって、商品又は製品等の売上、仕入・経費取引について、自己との取引の割合が相

当程度を占める関係にあること

(イ) 代理店、専売店もしくは特約店等又はフランチャイズ契約によるチェーン店等であって、契約による取引金額が当該店における売上高又は仕入高・経費取引のおおむね過半を占め、かつ他の契約店等に比して取引条件が特に優遇されていること又はそれへの加盟が極めて限定的であること

(ウ) 業種における取引の特性からみて、極めて重要な原材料・部品・半製品等を供給していること

(エ) 製品等の特性からみて、極めて重要な設備を継続的に発注していること

(オ) 当該他の企業の重要な事業場用地を貸与していること

(カ) 当該他の企業の主要な営業設備又は生産設備等を貸与していること　　　　　　　　　【ASB指針22号21】

イ　ASB基準16号5-2(2)⑤では、「その他子会社以外の他の企業の財務及び営業又は事業の方針の決定に対して重要な影響を与えることができることが推測される事実が存在すること」とされている。これには、他の企業の財務及び営業又は事業の方針の決定に重要な影響を与える契約が存在する場合等が該当し、例えば、共同出資事業契約等に基づいて、当該他の企業に対して多額の出捐及び債務負担を行っていることにより、総合的に判断して財務及び営業又は事業の方針の決定に相当程度関与し得る力を有することが認められる場合が含まれる。　　　　　　【ASB指針22号22】

ウ　ASB基準16号5-2(3)では、自己の計算において所有する議決権（当該議決権を所有していない場合を含む）と、自己と出資、人事、資金、技術、取引等において緊密な関係があることにより自己の意思と同一の内容の議決権を行使すると認められる者及び自己の意思と同一の内容の議決権を行使することに同意している者が所有している議決権と合わせて、子会社以外の他の企業の議決権の100分の20以上を占めているときであって、かつ、ASB基準16号5-2項の(2)の①から⑤までのいずれかの要件に該当する場合とされている。
これには、例えば自己の計算において子会社以外の他の会社等の議決権の100分の15未満を所有している場合に、緊密な者及び同意している者が所有する議決権を合わせて当該子会社以外の他の会社の議決権の100分の20以上を占めており、かつ、当該子会社以外の他の会社に対して取締役の派遣、重要な融資、重要な技術提供、重要な営業上又は事業上の取引、その他財務及び営業又は事業の方針の決定に対して重要な影響を与えることができることが推測される事実のいずれかの要件に該当しているときが挙げられる。
　　　　　　　　　　　　　　　【ASB指針22号23】

② 他の企業に重要な影響を与えることができないことが明らかであると認められる場合
ASB基準16号5-2では子会社以外の他の企業の財務及び営業又は事業の方針の決定に対して重要な影響を与えることができる場合に該当する事項を満たしていても、財務上又は営業上もしくは事業上の関係からみて子会社以外の他の企業の財務及び営業又は事業の方針の決

定に対して重要な影響を与えることができないことが明らかであると認められる場合、当該他の企業は関連会社に該当しないものとしている。

これには、例えば、ベンチャーキャピタルなどの投資企業が投資育成や事業再生を図りキャピタルゲイン獲得を目的とする営業取引として、又は銀行などの金融機関が債権の円滑な回収を目的とする営業取引として、他の企業の株式や出資を有している場合において、次のすべてを満たすようなときが該当する（ただし、当該他の企業の株主総会その他これに準ずる機関を通じて、財務及び営業又は事業の方針の決定に対し重要な影響を与える意図が明確であると認められる場合を除く）。

ア　売却等により当該他の企業の議決権の大部分を所有しないこととなる合理的な計画があること

イ　当該他の企業との間で、当該営業取引として行っている投資又は融資以外の取引がほとんどないこと

ウ　当該他の企業は、自己の事業を単に移転したり自己に代わって行うものとはみなせないこと

エ　当該他の企業との間に、シナジー効果も連携関係も見込まれないこと

なお、他の企業の株式や出資を有している投資企業や金融機関は、実質的な営業活動を行っている企業であることが必要である。また、当該投資企業や金融機関が他の会社（親会社）の子会社である場合には、当該親会社の連結財務諸表にあっては、当該親会社及びその連結子会社においても上記イからエの事項を満たすことが適当である。　　　　　　　　　　　　　　【ASB指針22号24】

(7) 影響が一時的であるため持分法を適用しない関連会社

子会社の場合と同様に、財務及び営業又は事業の方針の決定に対する影響が一時的であると認められる関連会社に対する投資については、持分法を適用しないものとする。これは、当連結会計年度において財務及び営業又は事業の方針の決定に対して重要な影響を与えているものの、直前連結会計年度において重要な影響を与えておらず、かつ、翌連結会計年度以降相当の期間にわたって重要な影響を与えないことが確実に予定されている場合が該当する。

例えば、直前連結会計年度末において所有する議決権が100分の20未満で重要な影響を与えておらず、かつ、翌連結会計年度以降その所有する議決権が相当の期間にわたって100分の20未満となり重要な影響を与えないことが確実に予定されている場合は、影響が一時的であると認められる。

また、議決権の100分の20以上を所有していないが、重要な影響を与えている場合の議決権の一時的所有やその他の影響を与えている要件の一時的充足についても同様に取り扱う。　　　　　　　　　　　　　　【ASB指針22号25】

(8) 利害関係者の判断を著しく誤らせるおそれがあるため持分法を適用しない関連会社

子会社の場合と同様に、持分法を適用することにより利害関係者の判断を著しく誤らせるおそれのある関連会社（非連結子会社を含む。）に対する投資については、持分法を適用しないものとするが、一般に、それは限定的であると考えられる。　　　　　　　　　　　　　【ASB指針22号26】

（9）関連会社に該当しない企業

　ASB基準16号5-2では、更生会社、破産会社その他これらに準ずる企業であって、かつ、当該企業の財務及び営業又は事業の方針の決定に対して重要な影響を与えることができないと認められる企業は、関連会社に該当しないものとされている。このため、民事再生法の規定による再生手続開始の決定を受けた会社、会社更生法の規定による更生手続開始の決定を受けた株式会社、破産法の規定による破産手続開始の決定を受けた会社その他これらに準ずる企業であって、かつ、当該企業の財務及び営業又は事業の方針の決定に対して重要な影響を与えることができないと認められる企業である場合には、関連会社に該当しない。

　一方、清算株式会社のように、継続企業と認められない企業であっても、その財務及び営業又は事業の方針の決定に対して重要な影響を与えることができると認められる場合には、関連会社に該当することとなる。

【ASB指針22号27】

6. 連結会計年度・連結決算日

（1）会計期間と連結決算日
① 連結財務諸表の会計期間…… 1年間

【連規3②、計規62、ASB基準22号15、連原第三 二1】

② 連結決算日……親会社の決算期に基づき、年1回一定の日とする。

【連規3①、連ガ3-1、計規62、ASB基準22号15、連原第三 二1】

（2）決算日に差異がある場合の取扱い
① 仮決算を要する場合

　子会社の決算日が連結決算日と3カ月を超えて異なる場合。

【連規12①、計規64①、ASB基準22号16、連原第三 二2】

② ①については、相当の理由がある場合には、連結決算日から3カ月を超えない範囲の一定の日において、決算を行うことができる。この場合においては、当該決算日と連結決算日が異なることから生ずる連結会社相互間の取引に係る会計記録の重要な不一致についての調整又は当該決算日と連結決算日との間に生じた当該子会社と連結会社以外の会社との取引、債権、債務等に係る重要な変動の調整をしなければならないことに留意する。

【連ガ12-1、ASB基準22号注4】

③ 仮決算を要しない場合

　決算日の差異が3カ月を超えない場合には、子会社の正規の決算を基礎として連結決算を行うことができる。

　この場合、決算日が異なることから生ずる連結会社間の取引に係る会計記録の重要な不一致について必要な調整を行う。

【連規12①ただし書、12②、計規64①ただし書、64②、ASB基準22号注4、連原注7】

④ 仮決算の手続

　連結決算日に正規の決算に準ずる合理的な手続による。　　　　　　　　　　　【ASB基準22号16、連原第三 二2】

（3）持分法適用における決算日の相違

　投資会社と持分法適用会社との決算日に差異があり、その差異の期間内に重要な取引又は事象が発生しているときは、必要な修正又は注記を行う。

【ASB基準16号10、連原注17④】

7. 親会社・子会社の会計処理及び手続

（1）処理の統一
　同一環境下で行われた同一の性質の取引等について親会社及び子会社が採用する会計方針は、原則として統一する。　　　　　　　　　　【ASB基準22号17、連原第三 三】

（2）親子会社間の会計処理の統一に関する監査上の取扱い
① 親子会社間の会計処理の統一の意義　　　　　【監56号】

　親子会社間の会計処理の統一に関しては、原則として統一する。この場合、「原則として統一する」とは、統一しないことに合理的な理由がある場合又は重要性がない場合を除いて、統一しなければならないことを意味する。

　なお、持分法の適用対象となる非連結子会社についても、連結子会社と同様に原則として統一することとされている。

② 会計処理の統一方法

ア 同一環境下で行われた同一の性質の取引等の識別

　㋐ 営業目的に直接関連する取引については、事業セグメントの単位又は事業セグメント内における製造・販売等の機能別単位その他適当なグループごとに判断する。

　㋑ 営業目的に直接関連しない取引については、それぞれの取引目的等ごとに判断する。

　㋒ 引当金については、各連結会社の状況を踏まえて、企業集団全体として判断する。

イ 企業集団としての会計処理の選択と統一

　企業集団として会計処理の統一を必要とする取引等が識別された場合には、当該取引等については、企業集団の財政状態、経営成績及びキャッシュ・フローの状況をより適切に表示すると判断される会計方針を選択する必要がある。

ウ 個別財務諸表段階での会計処理の統一

　親子会社間の会計処理の統一は、各個別財務諸表の作成段階で行うのが原則である。

　なお、親会社又は子会社の固有の事情により会計処理の統一が図られていない場合には、連結決算手続上で修正を行わなければならない。

エ 会計方針の変更の取扱い

　親子会社間の会計処理の統一を目的として会計方針を変更する場合には、連結財務諸表及び個別財務諸表上、これを「正当な理由」による会計方針の変更として認める。

③ 個別の会計処理基準等に関する取扱い

ア 原則として統一すべき会計処理

　資産の評価基準、同一の種類の繰延資産の処理方法、引当金の計上基準及び営業収益の計上基準については、統一しないことに合理的な理由がある場合又は重要性がない場合を除いて、親子会社間で統一すべき

ものとする。例えば、営業収益の計上基準については、原則として事業セグメント単位等ごとに、企業集団内の親会社又は子会社が採用している計上基準の中で、企業集団の財政状態及び経営成績をより適切に表示すると判断される計上基準に統一するものとする。

イ　必ずしも統一を必要としない会計処理

（ア）資産の評価方法

棚卸資産及び有価証券の評価方法（先入先出法、平均法等）については原則として事業セグメント単位等ごとに統一することが望ましいが、重要な影響がないと考えられるため必ずしも統一を必要としない。

（イ）固定資産の減価償却方法

有形固定資産及び無形固定資産の減価償却の方法（定額法、定率法等）については、事業セグメント単位等に属する資産の種類ごとに統一することが望ましいが、実務上の取扱いとして容認されている事業場単位での償却方法の選択については、連結財務諸表上も認められる。

④　在外子会社等の会計処理の統一　　　　【ASB報告18号】

在外子会社の財務諸表が国際財務報告基準又は米国会計基準に準拠して作成されている場合、及び国内子会社が指定国際会計基準又は修正国際基準に準拠した連結財務諸表を作成して金融商品取引法に基づく有価証券報告書により開示している場合（当連結会計年度の有価証券報告書により開示する予定の場合も含む）には、当面の間、それらを連結決算手続上利用することができるものとする。

それらの場合であっても、次に示す項目については、当該修正額に重要性が乏しい場合を除き、連結決算手続上、当期純利益が適切に計上されるよう当該在外子会社等の会計処理を修正しなければならない。なお、次の項目以外についても、明らかに合理的でないと認められる場合には、連結決算手続上で修正を行う必要があることに留意する。

2019（令和元）年6月28日における改正では、国際財務報告基準第16号「リース」及び米国会計基準更新書第2016-02号「リース（Topic842）」を対象に、修正項目として追加する項目の有無について検討されたが、審議の結果、新たな修正項目の追加は行わないこととされている。

この当面の取扱いに従って、在外子会社等の財務諸表を連結決算手続に利用している場合で、当該在外子会社等が会計方針の変更を行うときは、ASB基準24号10から12に準じた注記を行うことに留意する。

ア　のれんの償却

在外子会社等において、のれんを償却していない場合には、連結決算手続上、その計上後20年以内の効果の及ぶ期間にわたって、定額法その他の合理的な方法により規則的に償却し、当該金額を当期の費用とするよう修正する。ただし、減損処理が行われたことにより、減損処理後の帳簿価額が規則的な償却を行った場合における金額を下回っている場合には、連結決算手続上、修正は不要であるが、それ以降、減損処理後の帳簿価額に基づき規則的な償却を行い、修正する必要があることに留意する。

イ　退職給付会計における数理計算上の差異の費用処理

在外子会社等において、退職給付会計における数理計算上の差異（再測定）をその他の包括利益で認識し、その後、費用処理を行わない場合には、連結決算手続上、当該金額を平均残存勤務期間以内の一定の年数で規則的に処理すること（発生した期に全額を処理する方法を継続して採用することも含む）により、当期の損益とするよう修正する。

ウ　研究開発費の支出時費用処理

在外子会社等において、「研究開発費等に係る会計基準」の対象となる研究開発費に該当する支出を資産に計上している場合には、連結決算手続上、当該金額を支出時の費用とするよう修正する。

エ　投資不動産の時価評価及び固定資産の再評価

在外子会社等において、投資不動産を時価評価している場合又は固定資産を再評価している場合には、連結決算手続上、取得原価を基礎として、正規の減価償却によって算定された減価償却費（減損処理を行う必要がある場合には、当該減損損失を含む）を計上するよう修正する。

オ　資本性金融商品の公正価値の事後的な変動をその他の包括利益に表示する選択をしている場合の組替調整

在外子会社等において、資本性金融商品の公正価値の事後的な変動をその他の包括利益に表示する選択をしている場合には、当該資本性金融商品の売却を行ったときに、連結決算手続上、取得原価と売却価額との差額を当期の損益として計上するよう修正する。また、ASB基準10号の定め又はIAS39号の定めに従って減損処理の検討を行い、減損処理が必要と判断される場合には、連結決算手続上、評価差額を当期の損失として計上するよう修正する。

⑤　連結決算手続上、親会社の会計処理を修正した場合の取扱い　　　　　　　　　　　　　　【監56号】

連結決算手続上、親会社の会計処理を修正した場合で、その影響が重要なときは、その旨、修正の理由及び当該修正が個別財務諸表において行われたとした場合の影響の内容を、連結財務諸表に追加情報として注記する。

8. 持分法適用関連会社の会計処理

（1）持分法適用関連会社の会計処理に関する当面の取扱い

①　原則的な取扱い　　　　　　　　　【ASB基準16号9】

同一環境下で行われた同一の性質の取引等について、投資会社（その子会社を含む）及び持分法を適用する被投資会社が採用する会計方針は、原則として統一する。

②　当面の取扱い　　　　　　　　　　　【ASB報告24号】

投資会社及び持分法適用関連会社が採用する会計方針の統一にあたっては、①原則的な取扱いによるほか、当面の間、監56号に定める会計処理の統一に関する取扱いに準じて行うことができるものとする。

さらに、在外関連会社等については、当面の間、ASB報告18号に準じて行うことができるものとする。

なお、統一のために必要な情報を入手することが極めて困難と認められるときには、監56号に定める、「統一しないことに合理的な理由がある場合」にあたるものとする。

2 連結財務諸表の作成

1. 連結財務諸表

（1）連結財務諸表規則

連結財務諸表は次に掲げるものをいう。

【連規1①、69の3】

① 連結貸借対照表
② 連結損益及び包括利益計算書又は連結損益計算書及び連結包括利益計算書
③ 連結株主資本等変動計算書
④ 連結キャッシュ・フロー計算書
⑤ 連結附属明細表

2. 連結貸借対照表の作成

（1）資産負債の評価

① 連結貸借対照表作成の基本原則

ア 連結貸借対照表は、親会社及び子会社の個別貸借対照表における資産、負債及び純資産の金額を基礎とし、子会社の資産及び負債の評価、連結会社相互間の投資と資本及び債権と債務の相殺消去等の処理を行って作成する。

【ASB基準22号18、計規65、68、連原第四 一、連規6】

イ 連結貸借対照表の作成に関する会計処理における企業結合及び事業分離等に関する事項のうち、ASB基準22号に定めのない事項については、ASB基準21号やASB基準7号の定めに従って会計処理する。

【ASB基準22号19】

② 子会社の資産負債評価

ア 連結貸借対照表の作成にあたっては、支配獲得日において、子会社の資産及び負債のすべてを支配獲得日の時価により評価する方法（全面時価評価法）により評価する。 【ASB基準22号20】

イ 子会社の資産及び負債の時価による評価額と当該資産及び負債の個別貸借対照表上の金額との差額（以下「評価差額」という）は、子会社の資本とする。

【ASB基準22号21】

ウ 評価差額に重要性が乏しい子会社の資産及び負債は、個別貸借対照表上の金額によることができる。

【ASB基準22号22】

③ みなし取得日

ア 支配獲得日、株式取得日又は売却日等が子会社の決算日以外の日である場合、当該日の前後いずれかの決算日に支配獲得、株式取得又は売却等が行われたものとみなして処理することができる。

【ASB基準22号注5、連原注9】

イ みなし取得日には、四半期決算日又は中間決算日が含まれる。なお、支配を獲得したとみなした日は、企業結合の主要条件が合意されて公表された日以降としなければならない。【ASB指針10号117、会制7号7】

ただし、ASB基準22号が適用される企業結合は、現金を対価とした株式の取得により支配の獲得が行われることが想定されているので（ASB指針10号31-2参照）、株式交換などの企業結合のように一定の法的手続を踏まえて実施されるとは限らないことから、連結損益計算書に与える影響が乏しい場合には、主要条件が合意されて公表された日よりも前に支配を獲得したとみなした日を設定して処理することができる。

【会制7号7】

ウ 連結対象となる子会社の財務諸表の範囲は、いずれの時点において支配の獲得又は喪失が生じたとみなすことにより異なる。

子会社の貸借対照表は、支配を獲得したとみなした時点以後連結し、支配を喪失したとみなした時点以後は連結しない。

子会社の損益計算書は、支配を獲得したとみなした時点を開始日とする期間を連結し、支配を喪失したとみなした時点から後の期間は連結しない。

【会制7号7】

エ 子会社の財務諸表には、キャッシュ・フロー計算書及び株主資本等変動計算書が含まれるが、当該計算書は子会社の損益計算書が連結される期間と同一の期間について作成し、連結する。 【会制7号7】

（2）投資と資本の相殺消去

① 子会社に対する投資

資本連結手続において子会社の資本と相殺消去される親会社の子会社に対する投資額は、支配獲得日の時価によるものとされている（ASB基準22号23(1)）。連結会計基準が適用される場合の取得の対価（支払対価）は現金が想定されるが、この場合の支配獲得日の時価とは現金支出額となる。ただし、支配獲得前から親会社が当該会社の株式（その他有価証券又は関連会社株式に区分）を保有している場合には、当該株式についても支配獲得日の時価を付すことになる（ASB基準21号25(2)、84、ASB指針10号44）。

連結財務諸表においては、取得関連費用は、発生した連結会計年度の費用として処理することとなる（ASB基準21号26）。一方、個別財務諸表においては、子会社に対する投資額（子会社株式の取得原価）はASB基準10号及び会制14号に従って算定するため、取得時における付随費用は、取得した金融資産の取得価額に含めることになる（会制14号56）。

また、連結財務諸表において、株式の段階取得により支配を獲得する場合には、支配獲得前から保有していた当該会社の株式にも支配獲得日の時価を付すこととなり、支配獲得前に保有していた株式の取得原価に含まれている付随費用は段階取得に係る損益として処理されることとなる（ASB基準22号23、62、ASB基準21号25(2)）。このため、連結財務諸表上、支配獲得時に以下の差額を段階取得に係る損益として処理することになる。

ア 当該株式をその他有価証券として分類していた場合
支配獲得日における時価と、支配獲得直前の当該株式の適正な帳簿価額との差額（ASB 基準22号62）。
イ 関連会社株式として分類していた場合
支配獲得日における時価と、持分法による投資評価額との差額（ASB 基準22号63）。
一方、個別財務諸表において、株式の段階取得により支配を獲得する場合には、支配を獲得するに至った個々の取引ごとの原価の合計額をもって、被取得企業の取得原価とすることとなる（ASB 基準21号25(1)）。
【会制7号8】
② 投資と資本の相殺消去
親会社の子会社に対する投資とこれに対応する子会社の資本は、相殺消去する。
ア 親会社の子会社に対する投資の金額は支配獲得日の時価による。 【ASB 基準22号23】
イ 資本連結手続において相殺消去の対象となる子会社の資本の額は、以下の(ア)及び(イ)に(ウ)の金額を加えた額となる（以下の金額はいずれも当期までの期間に課税された法人税等及び税効果額控除後の金額である）。
(ア) 個別貸借対照表上の純資産の部における株主資本（親子会社間の会計処理の統一及びその他個別財務諸表の修正による損益処理後）
(イ) 個別貸借対照表上の純資産の部における評価・換算差額等
(ウ) 資産及び負債の時価と当該資産及び負債の個別貸借対照表上の金額との差額（評価差額）
なお、子会社の資本の額には、新株予約権が含まれないことに留意する。
【ASB 基準22号23、計規68、会制7号9、連原第四三1】
ウ 支配獲得日において算定した子会社の資本のうち親会社に帰属する部分を投資と相殺消去し、支配獲得日後に生じた子会社の利益剰余金及び評価・換算差額等のうち親会社に帰属する部分は、利益剰余金及び評価・換算差額等として処理する。
【ASB 基準22号注6、会制7号21、連原注10②】
③ のれん及び負ののれんの会計処理
ア 親会社の子会社に対する投資とこれに対応する子会社の資本との相殺消去にあたり、差額が生じる場合には、当該差額をのれん（又は負ののれん）とする。なお、のれん（又は負ののれん）は、ASB 基準21号32（又は33）に従って会計処理する。
【ASB 基準22号24、連原第四 三2】
(ア) のれんは、資産に計上し、20年以内のその効果の及ぶ期間にわたって、定額法その他の合理的な方法により規則的に償却する。ただし、のれんの金額に重要性が乏しい場合には、当該のれんが生じた事業年度の費用として処理することができる。
【ASB 基準21号32】
(イ) 負ののれんが生じると見込まれる場合には、次の処理を行う。ただし、負ののれんが生じると見込まれたときにおける取得原価が受け入れた資産及び引き受けた負債に配分された純額を下回る額に重要性

が乏しい場合には、次の処理を行わずに、当該下回る額を当期の利益として処理することができる。
A 取得企業は、すべての識別可能資産及び負債（ASB 基準21号30の負債を含む）が把握されているか、また、それらに対する取得原価の配分が適切に行われているかどうかを見直す。
B Aの見直しを行っても、なお取得原価が受け入れた資産及び引き受けた負債に配分された純額を下回り、負ののれんが生じる場合には、当該負ののれんが生じた事業年度の利益として処理する。
【ASB 基準21号33】
(ウ) のれん又は負ののれん（純額）が発生する企業結合において、契約等により取得の対価がおおむね独立して決定されており、かつ、内部管理上独立した業績報告が行われる単位が明確である場合は、当該業績報告が行われる単位ごとにそれを分解してのれん又は負ののれんを算定し、処理する。
【会制7号22】
(エ) 子会社ごとののれんの純借方残高（借方残高（のれん）と貸方残高（負ののれん）とを相殺後）について
親会社の個別財務諸表上、子会社株式の簿価を減損処理（会制14号91、92及び283-2から285に従う処理をいう）したことにより、減損処理後の簿価が連結上の子会社の資本の親会社持分額とのれん未償却額（借方）との合計額を下回った場合には、株式取得時に見込まれた超過収益力等の減少を反映するために、子会社株式の減損処理後の簿価と、連結上の子会社の資本の親会社持分額とのれん未償却額（借方）との合計額との差額のうち、のれん未償却額（借方）に達するまでの金額についてのれん純借方残高から控除し、連結損益計算書にのれん償却額として計上しなければならない。
なお、中間期末及び四半期末（年度末を除く）において、親会社の個別財務諸表上、市場価格のある子会社株式の簿価を減損処理したことに伴い、連結財務諸表上、当該子会社に係るのれんを償却した場合において、親会社の個別財務諸表上、年度決算や年度決算までのその後の四半期決算において、子会社株式の減損の追加計上又は戻入処理が行われたときは、連結財務諸表上、当該追加計上又は戻入処理を考慮後の子会社株式の簿価に基づき、中間期末及び四半期末に行ったのれんの償却を見直すものとする。
【会制7号32】
(オ) 子会社株式の取得時に存在した子会社の将来減算一時差異又は税務上の繰越欠損金のうち、将来年度の課税所得の見積りの変更等による繰延税金資産の回収見込額の見直しについては、ASB 指針10号70及び73に従って処理する。 【会制7号32-2】
(カ) のれん（純借方残高）は、減会二.8及び ASB 指針6号51から54及び131から133に従って減損処理を行う。 【会制7号33】
イ 子会社相互間の投資とこれに対応する他の子会社の資本とは、親会社の子会社に対する投資とこれに対応

する子会社の資本との相殺消去に準じて相殺消去する。　　　　　　　　　　　　　　【ASB 基準22号25】
④　非支配株主持分
　ア　子会社の資本のうち親会社に帰属しない部分は、非支配株主持分とする。
　　　　　　　　　　　　【ASB 基準22号26、連原第四 四 1】
　イ　支配獲得日の子会社の資本は、親会社に帰属する部分と非支配株主に帰属する部分とに分け、前者は親会社の投資と相殺消去し、後者は非支配株主持分として処理する。　　　　　　　【ASB 基準22号注 7(1)】
　ウ　支配獲得日後に生じた子会社の利益剰余金及び評価・換算差額等のうち非支配株主に帰属する部分は、非支配株主持分として処理する。
　　　　　　　　　　　　　　【ASB 基準22号注 7(2)】
　エ　子会社の欠損のうち、当該子会社に係る非支配株主持分に割り当てられる額が当該非支配株主の負担すべき額を超える場合には、当該超過額は、親会社の持分に負担させる。この場合において、その後当該子会社に利益が計上されたときは、親会社が負担した欠損が回収されるまで、その利益の金額を親会社の持分に加算する。　　　　【ASB 基準22号27、連原第四 四 2】
⑤　子会社株式の追加取得
　ア　子会社株式（子会社出資金を含む。以下同じ）を追加取得した場合には、追加取得した株式（出資金を含む。以下同じ）に対応する持分を非支配株主持分から減額し、追加取得により増加した親会社の持分（以下「追加取得持分」という）を追加投資額と相殺消去する。追加取得持分と追加投資額との間に生じた差額は、資本剰余金とする。　　　　　　　【ASB 基準22号28】
　イ　追加取得持分及び減額する非支配株主持分は、追加取得日における非支配株主持分の額により計算する。
　　　　　　　　　　　　　　【ASB 基準22号注 8(1)】
⑥　子会社株式の一部売却等
　ア　子会社株式を一部売却した場合（親会社と子会社の支配関係が継続している場合に限る）には、売却した株式に対応する持分を親会社の持分から減額し、非支配株主持分を増額する。売却による親会社の持分の減少（以下「売却持分」という）と売却価額との間に生じた差額は、資本剰余金とする。
　　　　一部売却後も支配が継続している場合、のれんの未償却額の減額は行わない。
　　　　なお、子会社株式の売却等により被投資会社が子会社及び関連会社に該当しなくなった場合には、連結財務諸表上、残存する当該被投資会社に対する投資は、個別貸借対照表上の帳簿価額をもって評価する。
　　　　　　　　　　　　【ASB 基準22号29、66、66-2】
　イ　子会社の時価発行増資等に伴い、親会社の払込額と親会社の持分の増減額との間に差額が生じた場合（親会社と子会社の支配関係が継続している場合に限る）には、当該差額を資本剰余金とする。
　　　　　　　　　　　　　　　　【ASB 基準22号30】
　ウ　売却持分及び増額する非支配株主持分については、親会社の持分のうち売却した株式に対応する部分として計算する。　　　　　　【ASB 基準22号注 9(1)】

　エ　子会社株式の一部売却において、関連する法人税等（子会社への投資に係る税効果の調整を含む）は、資本剰余金から控除する。　　【ASB 基準22号注 9(2)】
　オ　子会社の時価発行増資等に伴い生じる差額の計算については、上記ウに準じて処理する。
　　　　　　　　　　　　　　【ASB 基準22号注 9(3)】
　　　ASB 基準22号28、29及び30の会計処理の結果、資本剰余金が負の値となる場合には、連結会計年度末において、資本剰余金を零とし、当該負の値を利益剰余金から減額する。　　　　【ASB 基準22号30-2】
⑦　株式の間接所有が行われている場合の資本連結手続
　ア　孫会社等の資本及び剰余金の親会社持分額
　　　子会社又は親会社と子会社を通じて間接的に支配している企業（以下「孫会社」という）の資本金等（資本金及び資本剰余金並びに支配獲得日の利益剰余金）と利益剰余金（支払獲得日以降に生じた利益剰余金）については以下の算式により計算する。
　　(ア)　孫会社の資本の親会社持分額（資本金等）
　　　　＝孫会社の資本金等×（孫会社株式の親会社持分比率＋孫会社株式の子会社持分比率）
　　(イ)　孫会社の資本の親会社持分額（利益剰余金）
　　　　＝孫会社の利益剰余金×（孫会社株式の親会社持分比率＋孫会社株式の子会社持分比率×子会社株式の親会社持分比率）　　【会制 7 号（追補）2】
　イ　緊密者等を通じた間接所有の場合の処理
　　　緊密者等が子会社に該当しない場合に自己と緊密者等を合計した議決権が他の企業の議決権合計の過半数を占め、当該他の企業が子会社となった場合は、緊密者等が株式の一部を所有している子会社の資本は、親会社、緊密者等及び外部株主の持分額に区分されるが、このうち、緊密者等及び外部株主の持分額を非支配株主持分として処理する。　　【会制 7 号（追補）4】
　ウ　複数の子会社による株式の相互持合いの場合の処理
　　　利益剰余金の連結持分額の決定において両者が相互に依存する関係にある場合には、ア(イ)の算式をそのまま用いることができないため、子会社間の株式の相互持合いによる連結持分額の循環的な影響を収斂させるための調整を行って実質的な連結持分額を計算し、資本連結手続の処理を行うことが必要となる。
　　　　　　　　　　　　　　　　【会制 7 号（追補）5】

(3) 債権と債務の相殺消去
①　債権と債務の相殺消去
　ア　連結会社相互間の債権と債務とは、相殺消去する。
　　　　　　　　　　　　【ASB 基準22号31、連原第四 六】
　イ　相殺消去の対象となる債権又は債務には、前払費用、未収収益、前受収益及び未払費用で連結会社相互間の取引に関するものを含むものとする。
　　　　　　　　　　　【ASB 基準22号注10(1)、連原注14①】
　ウ　連結会社が振り出した手形を他の連結会社が銀行割引した場合には、連結貸借対照表上、これを借入金に振り替える。　【ASB 基準22号注10(2)、連原注14②】
　エ　引当金のうち、連結会社を対象として引き当てられたことが明らかなものは、これを調整する。
　　　　　　　　　　　【ASB 基準22号注10(3)、連原注14③】

オ　連結会社が発行した社債で一時所有のものは、相殺消去の対象としないことができる。
【ASB基準22号注10(4)、連原注14④】

(4) 持分法の適用

① 定義

「持分法」とは、投資会社が被投資会社の資本及び損益のうち投資会社に帰属する部分の変動に応じて、その投資の額を連結決算日ごとに修正する方法をいう。
【ASB基準16号4、会制9号2】

② 適用の範囲　　　　　　　　　　　　　【➡ p.192】

③ 被投資会社の財務諸表

ア　持分法の適用に際しては、被投資会社の財務諸表の適正な修正や資産及び負債の評価に伴う税効果会計の適用等、原則として、連結子会社の場合と同様の処理を行う。
【ASB基準16号8】

イ　同一環境下で行われた同一の性質の取引等について、投資会社（その子会社を含む）及び持分法を適用する被投資会社が採用する会計方針は、原則として統一する。
【ASB基準16号9、会制9号5】

ウ　持分法の適用にあたっては、投資会社は、被投資会社の直近の財務諸表を使用する。投資会社と被投資会社の決算日に差異があり、その差異の期間内に重要な取引又は事象が発生しているときには、必要な修正又は注記を行う。
【ASB基準16号10】

④ 持分法の会計処理

ア　重要性の原則の適用

持分法のための被投資会社の財務諸表の修正、投資会社及び持分法を適用する被投資会社が採用する会計方針の統一、のれんの処理、未実現損益の消去等に関して、重要性が乏しいものについては、これらの修正又は処理等を行わないことができる。
【ASB基準16号26、連原注17②】

イ　持分法関連会社の資産及び負債の評価方法

⑺　持分法適用関連会社の資産及び負債は、株式の取得日ごとに当該日の時価で評価し、個別貸借対照表上の金額との差額のうち投資会社持分に対応する部分の金額（これらに関する、当期までの期間に課税された法人税等及び税効果額控除後）を評価差額として計上する。

持分法適用開始日までに株式を段階的に取得している場合には、関連会社の資産及び負債を株式の取得日ごとに当該日（持分法適用開始日に一括取得した場合は、持分法適用開始日）の時価で評価することが原則とされている（以下、この方法を「原則法」という）。

持分法適用開始後に株式の追加取得を行った場合（会制9号16）には、関連会社の資産及び負債を追加取得日の時価で評価し、当該時価評価額と個別貸借対照表上の金額との差額のうち追加取得した株式に対応する部分を評価差額として追加計上しなければならない。

⑺　株式の段階取得に係る計算の結果が原則法によって処理した場合と著しく相違しないときには、持分法適用開始日における時価を基準として、関連会社の資産及び負債のうち投資会社の持分に相当する部分を一括して評価することができる（以下、この方法を「簡便法」という）。

この簡便法は、上記の場合のほか、過去の段階的な株式取得時の詳細なデータが入手できず、投資額と資本持分額の調整計算をある一定時点を基準日として行わざるを得ない場合にも認められる。この場合、データ上、投資額と資本持分額の調整計算を持分法適用開始日より前の日を基準日として行うことが可能であれば、部分時価評価法の趣旨からは、可能な限り、調整計算を行い得る日に遡って、当該日における時価を基準として資産及び負債の評価を行うことが望ましい。

本報告では、簡便法適用の基準日とされた持分法適用開始日又はそれより前の日を「簡便法適用日」という。

なお、簡便法を適用することができるかどうかは、関連会社ごとに判断するものとする。
【ASB基準16号26-2、26-3、会制9号6-2、6-3】

ウ　非連結子会社の資産及び負債の評価方法

非連結子会社の資産及び負債の評価は、連結子会社の場合と同様に全面時価評価法による。
【ASB基準16号8、26-2、26-3、会制9号6】

エ　投資と資本の消去差額

投資会社の投資日における投資とこれに対応する被投資会社の資本との間に差額がある場合には、当該差額はのれん又は負ののれんとし、のれんは投資に含めて処理する。　　　【ASB基準16号11、連原注17③(1)】

のれんは、原則として、その計上後20年以内に、定額法その他合理的な方法により償却しなければならない。ただし、その金額に重要性が乏しい場合には、のれんが生じた期の損益として処理することができる。また、負ののれんが生じると見込まれる場合には、ASB基準21号33に基づいて処理する。
【会制9号9】

なお、のれんの会計処理にあたっては、会制7号30から33及び会制9号16-2に基づいて行う。
【会制9号9】

オ　投資日後の利益の認識

投資の日以降における被投資会社の利益又は損失のうち投資会社の持分又は負担に見合う額を算定して、投資の額を増額又は減額し、当該増減額を当期純利益の計算に含める。
【ASB基準16号12、会制9号10、連原注17③(2)】

また、評価差額に係る償却額又は実現額がある場合には、当該増減も持分法による投資損益に含める。
【会制9号10】

カ　投資日後のその他の包括利益累計額の認識

持分法適用会社がその他有価証券評価差額金などのその他の包括利益累計額を計上している場合においても、投資の日（持分法適用日）以降における持分法適用会社のその他の包括利益累計額のうち投資会社の持分又は負担に見合う額を算定して投資の額を増額又は

減額する必要があるが、当該増減額は連結包括利益計算書又は連結損益及び包括利益計算書上のその他の包括利益においては、持分法を適用する被投資会社のその他の包括利益に対する投資会社の持分相当額として一括して区分表示する。ただし、連結貸借対照表上のその他の包括利益累計額においては、従来の取扱いに従い、その他有価証券評価差額金、繰延ヘッジ損益、為替換算調整勘定、退職給付に係る調整累計額等の各内訳項目に当該持分相当額を含めて表示することに留意する（ASB 基準25号7 及び32）。

　また、ASB 基準26号15の定めに基づいて計上される「退職給付に係る調整累計額」については、当面の間、個別財務諸表上は計上されない（ASB 基準26号39(2)）。このため、持分法適用会社の個別財務諸表において退職給付に係る調整累計額は計上されないが、投資会社が持分法適用会社に対する投資について持分法を適用する際には、投資の日（持分法適用日）以降における持分法適用会社の退職給付に係る調整累計額の変動額のうち投資会社の持分又は負担に見合う額を算定して投資の額を増額又は減額する必要がある点に留意する。　　　　　　　　　【会制9号10-2】

キ　未実現損益の修正

　投資の増減額の算定にあたっては、連結会社（親会社及び連結される子会社）と持分法の適用会社との間の取引に係る未実現損益を消去するための修正を行う。【ASB 基準16号13、連原注17③(3)、会制9号11】

　ただし、未実現損失については、売手側の帳簿価額のうち回収不能と認められる部分は、消去しないものとする。なお、未実現損益の金額に重要性が乏しい場合には、これを消去しないことができる。

　　　　　　　　　　　　　　　　　　【会制9号11】

ク　未実現損益の消去額の計算

　売手側である投資会社に生じた未実現損益は、買手側が非連結子会社である場合には全額消去し、関連会社である場合には原則として当該関連会社に対する投資会社の持分相当額（連結子会社の関連会社に売却した場合には、当該連結子会社の持分相当額）を消去するが、状況から判断して他の株主の持分についても実質的に実現していないと判断される場合には全額消去する。

　売手側である連結子会社に生じた未実現損益も、投資会社の場合と同様に処理する。この場合、消去した未実現損益のうち連結子会社の非支配株主持分に係る部分については、非支配株主に負担させることに留意する。

　持分法適用会社から連結会社に売却した場合の売手側である持分法適用会社に生じた未実現損益は、持分法適用会社に対する連結会社の持分相当額を消去する。

　なお、未実現損益の消去に関する連結修正については、税効果会計を適用する。　　　　　【会制9号11】

ケ　売手側である連結会社に生じた未実現損益（ダウンストリームの場合）の処理方法

　売手側である連結会社に生じた未実現損益の消去額

は、売手側である連結会社の売上高等の損益項目と買手側である持分法適用会社に対する投資の額に加減する。ただし、前者について利害関係者の判断を著しく誤らせない場合には、当該金額を「持分法による投資損益」に加減することができる。

　なお、未実現利益の消去額が投資の額を超える場合に、持分法適用会社に貸付けを行っているときは、その超過額について当該「貸付金」を減額する。未実現利益の消去額が投資及び貸付金の額を超える場合には、当該超過額について「持分法適用に伴う負債」等適当な科目をもって負債の部に計上する。この処理は持分法適用会社ごとに行う。　　　　　　【会制9号12】

コ　売手側である持分法適用会社に生じた未実現損益（アップストリームの場合）の処理方法

　売手側である持分法適用会社に生じた未実現損益の連結会社の持分相当額は、「持分法による投資損益」と買手側である連結会社の未実現損益が含まれている資産の額に加減する。ただし、後者について利害関係者の判断を著しく誤らせない場合には、当該金額を持分法適用会社に対する投資の額に加減することができる。

　持分法適用会社間の取引に係る未実現損益は、原則として「持分法による投資損益」と投資の額に加減する。　　　　　　　　　　　　　　　　　【会制9号13】

サ　配当金相当額の減額

　被投資会社から配当金を受け取った場合には、当該配当金に相当する額を投資の額から減額する。

　　　【ASB 基準16号14、会制9号14、連原注17③(4)】

シ　外部株主が保有する優先株式の取扱い

　持分法適用会社が発行した優先株式を有する外部株主に対して、優先的権利としての配当金又は累積的配当金等の支払義務が生じている場合には、支払決議が行われているかどうかにかかわらず、当該優先配当額の処分を支払利息に準ずるものとして認識した上で持分法の会計処理を行う。　　　　　　【会制9号15】

ス　追加取得

(ア)　持分法適用会社の株式を追加取得した場合には、資本のうち追加取得した株式に対応する持分（この資本には評価差額が含まれることに留意する）と追加投資額との間に生じた差額は、のれん又は負ののれんとして処理する。　　　　　　　　【会制9号16】

(イ)　同一の持分法適用会社について、持分法適用後に株式の追加取得を行って、引き続き持分法の適用範囲に含まれる場合に、株式取得日の異なるのれんがあるときには、合理的な根拠なく異なる償却期間を設定してはならない。すなわち、追加取得時において償却期間の決定に影響する要因が既取得分の取得時と同様であれば、追加取得分の償却期間は、既取得分の残存償却期間ではなく、既取得分の取得時に決定した償却期間と同一の期間としなければならない。また、既取得分の残存償却期間を追加取得分の償却期間に修正してはならない。

　一方、追加取得時に、既取得分の取得時と大きな状況の変化があって、のれんの償却期間を改めて合

理的に見積もった結果、追加取得分についてより短い償却期間が設定された場合には、既取得分の残存償却期間は追加取得分の償却期間を上限とすべきである。この場合、既取得分の残存償却期間がこの上限を超えなければ従来どおりの償却を行い、上限を超えれば追加取得分の償却期間を既取得分の残存償却期間として償却を行う必要がある。

【会制9号16-2】

セ　売却

　　持分法適用会社の株式を売却した場合には、資本のうち売却した株式に対応する持分の減少額と投資の減少額との間に生じた差額は、持分法適用会社株式の売却損益の修正として処理する。ただし、当該差額のうち、持分法適用会社が計上しているその他の包括利益累計額に係る部分については、売却損益の修正に含めない。

　　なお、売却に伴うのれんの未償却額のうち売却した株式に対応する部分についても、上記持分の減少額に含めて計算する。　　　　　　　　　【会制9号17】

ソ　時価発行増資等

　　持分法適用会社の時価発行増資等に伴い、投資会社の払込額と投資会社の持分の増減額との間に差額が生じた場合、投資会社の持分比率が増加したときには追加取得に準じて処理し、持分比率が減少したときには一部売却に準じて処理する。持分比率が減少した場合には、当該差額（その他の包括利益累計額に係る部分を除く）を持分変動損益等その内容を示す適当な科目をもって特別利益又は特別損失の区分に計上する。

　　ただし、利害関係者の判断を著しく誤らせるおそれがあると認められる場合には、当該持分変動損益を利益剰余金に直接加減することができる。【会制9号18】

タ　持分法適用会社の自己株式の取扱い

　　持分法適用会社が保有する当該持分法適用会社の自己株式に関する連結財務諸表上の取扱いについては、ASB指針2号21、22等の定めに従い、会制9号16及び17を参照する必要がある。　　　　【会制9号18-2】

チ　持分法適用会社が債務超過に陥った場合の取扱い

　(ア)　非連結子会社の債務超過額の負担の範囲

　　　持分法を適用した非連結子会社の欠損のうち、当該会社に係る非支配株主持分に割り当てられる額が当該株主の負担すべき額を超える場合には、当該超過額は、親会社である投資会社の持分に負担させなければならない。　　　　　　　　【会制9号21】

　(イ)　関連会社の債務超過額の負担の範囲

　　　持分法を適用した関連会社の欠損（＝マイナスの利益剰余金）を負担する責任が投資額の範囲に限られている場合、投資会社は、持分法による投資価額がゼロとなるところまで負担する。

　　　ただし、他の株主との間で損失分担契約がある場合、持分法適用関連会社に対し設備資金もしくは運転資金等の貸付金等がある場合、又は契約上もしくは事実上の債務保証がある場合には、契約による損失分担割合又は持分割合等、債務超過（＝マイナスの純資産額）のうち投資会社が事実上負担するこ

とになると考えられる割合に相当する額を投資会社の持分に負担させなければならない。

　　さらに、関連会社であっても、他の株主に資金力又は資産がなく、投資会社のみが借入金に対し債務保証を行っているような場合等、事実上、投資会社が当該関連会社の債務超過額全額を負担する可能性が極めて高い場合には、当該債務超過額については全額、投資会社の持分に負担させなければならない。

　　持分法適用会社の欠損のうち、持分比率により他の株主持分に割り当てられる額が当該株主の負担すべき額を超える場合には、当該超過額は、投資会社の損失として負担するが、その後、当該持分法適用会社に利益が計上されたときは、投資会社が負担した欠損が回収されるまで、その利益の金額を投資会社の持分に加算するものとする。　　【会制9号20】

　(ウ)　負担した債務超過額の表示方法

　　　投資会社の持分に負担させた関連会社の欠損は、連結貸借対照表上、「投資有価証券」勘定をゼロとした後は、当該関連会社に設備資金又は運転資金等の貸付金等（営業債権であっても、支払期日延長を繰り返し実質的に運転資金等であるものを含む）がある場合には、投資の額を超える部分について当該貸付金等を減額する。債務超過持分相当額が投資及び貸付金等の額を超える場合には、当該超過部分は、「持分法適用に伴う負債」等適切な科目をもって負債の部に計上する。この処理は、関連会社ごとに行う。　　　　　　　　　　　　【会制9号21】

　(エ)　引当金の取扱い

　　　投資会社の個別財務諸表において、債務超過に陥っている持分法適用会社の債権に対して貸倒引当金が設定されている場合又は債務保証損失引当金が設定されている場合には、持分法適用上、当該引当金は戻し入れる必要がある。この場合、戻入れ額が貸付金と「持分法適用に伴う負債」との合計額（持分法上の債務超過額）を上回っていないか確認し、上回っている場合には、持分法適用上の欠損金負担額が不足していないか検討する必要がある。検討の結果、引当金の全部又は一部が必要と判断される場合には、当該部分を戻し入れないものとする。

【会制9号21】

ツ　税効果会計

　　持分法適用会社の法人税その他の利益に関連する金額を課税標準とする税金については、一時差異に係る税金の額を期間配分しなければならない。

　　税効果会計の適用にあたっては、ASB指針26号及びASB指針28号に基づいて行う。　　　　【会制9号22】

⑤　関連会社等に該当しなくなった場合の会計処理

　　関連会社に対する投資の売却等により被投資会社が関連会社に該当しなくなった場合には、連結財務諸表上、残存する当該被投資会社に対する投資は、個別貸借対照表上の帳簿価額をもって評価する。

　　なお、持分法の適用対象となる非連結子会社に対する投資の売却等により、当該被投資会社が子会社及び関連

会社に該当しなくなった場合には、上記に準じて処理する。　　　　　　　　　　　　【ASB 基準16号15】

3. 連結損益及び包括利益計算書又は連結損益計算書及び連結包括利益計算書の作成

（1）連結損益計算書の基本原則

連結損益計算書は、親会社及び子会社の個別損益計算書における収益、費用等の金額を基礎とし、連結会社相互間の取引高の相殺消去及び未実現損益の消去等の処理を行って作成する。　　　　　　　　　　【計規66、連原第五 一】

連結損益及び包括利益計算書又は連結損益計算書及び連結包括利益計算書は、親会社及び子会社の個別損益計算書等における収益、費用等の金額を基礎とし、連結会社相互間の取引高の相殺消去及び未実現損益の消去等の処理を行って作成する。　　　　　　　　　　【ASB基準22号34】

（2）連結会社相互間取引の相殺消去

① 消去方法

ア　連結会社相互間における商品の売買その他の取引に係る項目は、相殺消去する。
　　　　　　　　　　　【ASB 基準22号35、連原第五 二】

イ　会社相互間取引が連結会社以外の企業を通じて行われている場合であっても、その取引が実質的に連結会社間の取引であることが明確であるときは、この取引を連結会社間の取引とみなして処理する。
　　　　　　　　　　　【ASB 基準22号注12、連原注22】

（3）未実現損益の消去

① 消去方法

ア　連結会社相互間の取引によって取得した棚卸資産、固定資産その他の資産に含まれる未実現損益は、その全額を消去する。

ただし、未実現損失については、売手側の帳簿価額のうち回収不能と認められる部分は、消去しない。
　　　　　　　　　　　【ASB 基準22号36、連原第五 三①】

イ　未実現損益の金額に重要性が乏しい場合には、これを消去しないことができる。
　　　　　　　　　　　【ASB 基準22号37、連原第五 三②】

ウ　売手側の子会社に非支配株主が存在する場合には、未実現損益は、親会社と非支配株主の持分比率に応じて、親会社の持分と非支配株主持分に配分する。
　　　　　　　　　　　【ASB 基準22号38、連原第五 三③】

4. 連結キャッシュ・フロー計算書の作成

（1）連結キャッシュ・フロー計算書の作成目的

① 目　　的

連結キャッシュ・フロー計算書は、企業集団の一会計期間におけるキャッシュ・フローの状況を報告するために作成するものである。　　【連結キャッシュ第一】

（2）資金の範囲

① 資金の範囲

連結キャッシュ・フロー計算書が対象とする資金の範囲は、現金及び現金同等物とする。

ア　現金とは、手許現金、要求払預金及び特定の電子決済手段をいう。

イ　現金同等物とは、容易に換金可能であり、かつ、価

値の変動について僅少なリスクしか負わない短期投資をいう。
　　　　【連結キャッシュ第二 一、ASB 基準32号1・2、会制8号2(1)(2)】

② 要求払預金について

要求払預金とは、預金者が一定の期間を経ることなく引き出すことができる預金をいい、例えば、普通預金、当座預金、通知預金が含まれる。したがって、預入期間の定めがある定期預金は、ここにいう要求払預金には該当しない。　　　　　　　　　　　　　【会制8号2(1)】

③ 現金同等物について

現金同等物とは、容易に換金可能であり、かつ、価値の変動について僅少なリスクしか負わない短期投資をいう。

現金同等物は、この容易な換金可能性と僅少な価値変動リスクの要件をいずれも満たす必要があり、市場性のある株式等は換金が容易であっても、価値変動リスクが僅少とはいえず、現金同等物には含まれない。
　　　　　　　　　　　　　　　　　　　【会制8号2(2)】

現金同等物には、例えば、取得日から満期日又は償還日までの期間が3カ月以内の短期投資である定期預金、譲渡性預金、コマーシャル・ペーパー、売戻し条件付現先、公社債投資信託が含まれる。【連結キャッシュ注2】

④ 負の現金同等物

当座借越契約に基づき、当座借越限度額枠を企業が保有する現金及び現金同等物と同様に利用している場合があり、この場合の当座借越は、負の現金同等物を構成するものとする。　　　　　　　　　　　　　【会制8号3】

⑤ 特定の電子決済手段について

特定の電子決済手段は、「資金決済に関する法律」第2条第5項第1号から第3号に規定される電子決済手段が該当する（外国電子決済手段については、利用者が電子決済手段等取引業者に預託しているものに限る）。
　　　　　　　　　【連結キャッシュ注10、ASB 基準32号3】

（3）「営業活動によるキャッシュ・フロー」の区分について

① 「営業活動によるキャッシュ・フロー」の区分について

ア　「営業活動によるキャッシュ・フロー」の区分には、例えば、次のようなものが記載される。

　⑦　商品及び役務の販売による収入

　⑦　商品及び役務の購入による支出

　⑦　従業員及び役員に対する報酬の支出

　㋑　災害による保険金収入

　㋑　損害賠償金の支払　　　　　【連結キャッシュ注3】

イ　営業活動に係る債権・債務から生ずるキャッシュ・フローには、商品及び役務の販売により取得した手形の割引による収入、営業債権のファクタリング等による収入も含まれる。

また、営業活動に係る債権から生じた破産債権、更生債権等や償却済債権の回収についても、「営業活動によるキャッシュ・フロー」の区分に記載するものとする。　　　　　　　　　　　　　　【会制8号7(2)】

ウ　取引先への前渡金や営業保証金の支出及び取引先からの前受金や営業保証金の収入等は、営業損益計算の対象には含まれず、また、営業活動に係る債権・債務

から生ずるキャッシュ・フローでもないが、その取引の性格から、「営業活動によるキャッシュ・フロー」の区分に記載するものとする。　【会制8号7(3)】

エ　支配獲得時に生じた取得関連費用に係るキャッシュ・フローは、「営業活動によるキャッシュ・フロー」の区分に記載する。【会制8号8-2 ➡ p.215】

(4)「投資活動によるキャッシュ・フロー」の区分について

① 「投資活動によるキャッシュ・フロー」の区分について
　「投資活動によるキャッシュ・フロー」の区分には、例えば、次のようなものが記載される。
　ア　有形固定資産及び無形固定資産の取得による支出
　イ　有形固定資産及び無形固定資産の売却による収入
　ウ　有価証券（現金同等物を除く）及び投資有価証券の取得による支出
　エ　有価証券（現金同等物を除く）及び投資有価証券の売却による収入
　オ　貸付けによる支出
　カ　貸付金の回収による収入　【連結キャッシュ注4】

(5)「財務活動によるキャッシュ・フロー」の区分について

① 「財務活動によるキャッシュ・フロー」の区分について
　ア　「財務活動によるキャッシュ・フロー」の区分には、例えば、次のようなものが記載される。
　　(ア)　株式の発行による収入
　　(イ)　自己株式の取得による支出
　　(ウ)　配当金の支払
　　(エ)　社債の発行及び借入れによる収入
　　(オ)　社債の償還及び借入金の返済による支出
　　　　　　　　　　　　　　　　【連結キャッシュ注5】
　イ　連結範囲の変動を伴わない子会社株式の取得又は売却に係るキャッシュ・フローについては、当該変動に関連するキャッシュ・フロー（関連する法人税等に関するキャッシュ・フローを除く）を、非支配株主との取引として「財務活動によるキャッシュ・フロー」の区分に記載するものとする。【会制8号9-2 ➡ p.216】

(6) その他の項目について

① 利息の表示について
　利息の受取額及び支払額は、総額で表示するものとする。　　　　　　　　　　　　　【連結キャッシュ注6】

② 連結会社相互間のキャッシュ・フロー
　連結キャッシュ・フロー計算書の作成にあたっては、連結会社相互間のキャッシュ・フローは相殺消去しなければならない。　　　　　　【連結キャッシュ第二 三】

③ 在外子会社のキャッシュ・フロー
　在外子会社における外貨によるキャッシュ・フローは、「外貨建取引等会計処理基準」における収益及び費用の換算方法に準じて換算する。
　　　　　　　　　　　　　　　【連結キャッシュ第二 四】

④ 在外子会社の資産及び負債の増減額の換算
　ア　在外子会社の円換算後の貸借対照表及び損益計算書を利用して当該在外子会社のキャッシュ・フローを求める場合には、前期と当期の決算時の為替相場の変動による影響額が資産及び負債の円貨による増減額に含まれて算出されるが、為替相場の変動による円貨増減額はキャッシュ・フローを伴うものではないため、そ

の影響を調整しなければならない。
　イ　在外子会社の表示区分ごとのキャッシュ・フローに重要性がない場合又は為替相場の変動による影響額が重要でないと認められる場合には、アの調整を行わず、「現金及び現金同等物に係る換算差額」に含めて表示することができるものとする。　【会制8号18】

⑤ 連結会社振出しの受取手形の割引
　商品及び役務の販売により取得した連結会社振出しの手形を他の連結会社が金融機関で割り引いた場合、割引を行った連結会社の個別ベースのキャッシュ・フロー計算書では、当該収入を「営業活動によるキャッシュ・フロー」の区分に記載するが、連結上は手形借入と同様の効果であるため、連結キャッシュ・フロー計算書においては、「財務活動によるキャッシュ・フロー」の区分に記載することとなる。　　　　　　　【会制8号20】

⑥ 連結追加・連結除外とキャッシュ・フローの記載期間
　新規の連結子会社については、連結の範囲に含めた時点以降のキャッシュ・フローを、また連結除外会社については、連結除外時点までのキャッシュ・フローを連結キャッシュ・フロー計算書に含める。すなわち、当該子会社の経営成績が連結損益計算書に含まれた期間とキャッシュ・フローが連結キャッシュ・フロー計算書に含まれた期間とは同一でなければならない。

　　　　　　　　　　　　　　　　　　　【会制8号21】

⑦ 非支配株主との取引等
　非支配株主に対する配当金の支払額及び非支配株主の増資引受による払込額は、「財務活動によるキャッシュ・フロー」の区分にそれぞれ独立掲記する。

　　　　　　　　　　　　　　　　　　　【会制8号22】

⑧ 持分法適用会社からの受取配当金
　持分法適用会社からの配当金の受取額は、利息及び配当金に係るキャッシュ・フローの表示区分について選択した方法に従い、原則として、「営業活動によるキャッシュ・フロー」の区分又は「投資活動によるキャッシュ・フロー」の区分のいずれかに記載する。なお、間接法により「営業活動によるキャッシュ・フロー」を表示する場合、税金等調整前当期純利益から「営業活動によるキャッシュ・フロー」への調整を行う際の非資金損益項目の一つとして、持分法による投資損益がある。受取配当金を「営業活動によるキャッシュ・フロー」の区分に記載することとしている場合には、持分法適用会社からの配当金受取額を持分法による投資損益と（合算）相殺して表示することもできることとする。【会制8号23】

3　連結財務諸表の記載方法

1. 連結貸借対照表の記載方法

(1) 資　　産

① 資産の分類
　資産は、次のとおり分類して記載する。

ア　流動資産

イ　固定資産

　　有形固定資産、無形固定資産、投資その他の資産

ウ　繰延資産

② 流動資産の区分表示

ア　流動資産に属する資産は、次に掲げる項目の区分に従い、当該資産を示す名称を付した科目をもって掲記しなければならない。ただし、当該項目に属する資産の金額が資産の総額の100分の1以下のもので、他の項目に属する資産と一括して表示することが適当であると認められるものについては、適当な名称を付した科目をもって一括して掲記することができる。
【連規23①】

㋐　現金及び預金

㋑　受取手形

㋒　売掛金

㋓　契約資産

㋔　リース債権及びリース投資資産（通常の取引に基づいて発生したものに限り、破産更生債権等で1年内に回収されないことが明らかなものを除く）

㋕　有価証券

㋖　商品及び製品（半製品を含む）

㋗　仕掛品

㋘　原材料及び貯蔵品

㋙　その他

イ　上記ア㋐から㋙の項目に属する資産で、別に表示することが適当であると認められるものについて、当該資産を示す名称を付した科目をもって別に掲記することを妨げない。
【連規23②】

ウ　上記ア㋙の資産のうち、その金額が資産の総額の100分の5を超えるものについては、当該資産を示す名称を付した科目をもって別に掲記しなければならない。
【連規23③】

　　上記ア㋖から㋘までに掲げる項目に属する資産については、棚卸資産の科目をもって一括して掲記することができる。この場合においては、当該項目に属する資産の科目及びその金額を注記しなければならない。
【連規23④】

エ　上記ア㋑から㋓の項目に属する資産のそれぞれについて、他の項目に属する資産と一括して表示することができる。この場合においては、当該項目に属する資産の科目及びその金額を注記しなければならない。
【連規23⑤】

オ　財ガ15-12の2に掲げる通常の取引以外の取引に基づいて発生した手形債権の金額が資産の総額の100分の1以下である場合には、当該手形債権については、上記ア㋑に規定する受取手形及び売掛金の科目に含めて記載することができるものとする。【連ガ23-1-2】

③ 流動資産に係る引当金

　　流動資産に属する引当金の表示は、財規20（第3項を除く）の規定を準用する。　【連規24➡ p.93】

④ 有形固定資産の区分表示

ア　有形固定資産に属する資産は、次に掲げる項目の区分に従い、当該資産を示す名称を付した科目をもって掲記しなければならない。ただし、当該項目に属する資産の金額が資産の総額の100分の1以下のもので、他の項目に属する資産と一括して表示することが適当であると認められるものについては、適当な名称を付した科目をもって一括して掲記することができる。
【連規26①】

㋐　建物及び構築物

㋑　機械装置及び運搬具

㋒　土地

㋓　リース資産（連結会社がファイナンス・リース取引におけるリース物件の借主である資産であって、当該リース物件が㋐、㋑、㋒及び㋕に掲げるものである場合に限る）

㋔　建設仮勘定

㋕　その他

イ　②流動資産の区分表示のイは上記アの場合に準用する。
【連規26②】

ウ　上記アの規定にかかわらず、上記ア㋓に掲げるリース資産に区分される資産については、上記ア㋐〜㋕（㋓及び㋔を除く）に掲げる項目に含めることができる。
【連規26③】

エ　②流動資産の区分表示のウは上記ア㋕の場合に準用する。
【連規26④】

⑤ 有形固定資産の減価償却累計額

　　有形固定資産に対する減価償却累計額は、財規25及び26①を準用する。　【連規27➡ p.77】

⑥ 有形固定資産の減損損失累計額

ア　有形固定資産に対する減損損失累計額は、財規26の2（第5項を除く）を準用する。
【連規27の2➡ p.77】

イ　有形固定資産の減損損失累計額の記載は、財ガ26の2-3を準用する。　【連ガ27の2➡ p.77】

⑦ 無形固定資産の区分表示

ア　無形固定資産に属する資産は、次に掲げる項目の区分に従い、当該資産を示す名称を付した科目をもって掲記しなければならない。ただし、㋐、㋑又は㋒の項目に属する資産の金額が資産の総額の100分の1以下である場合には、㋓に属する資産と一括して掲記することができる。
【連規28①】

㋐　のれん

㋑　リース資産（連結会社がファイナンス・リース取引におけるリース物件の借主である資産であって、当該リース物件が㋒及び㋓に掲げるものである場合に限る）

㋒　公共施設等運営権

㋓　その他

イ　②流動資産の区分表示のイは、上記アの場合に準用する。
【連規28②】

ウ　上記アの規定にかかわらず、㋑のリース資産に区分される資産については、㋓に掲げる項目に含めることができる。
【連規28③】

エ　②流動資産の区分表示のウは、上記ア㋓の場合に準用する。
【連規28④】

オ　連結会社の投資がこれに対応する連結子会社の資本の金額を超えることにより生じる差額は、上記ア(ア)に含めて表示する。　　　　　　　　　　【連規28⑤】

カ　無形固定資産に対する減価償却累計額及び減損損失累計額については、財規30（直接控除）の規定を準用する。　　　　　　　　　　【連規29➡p.79】

⑧　投資その他の資産の区分表示等

ア　投資その他の資産に属する資産は、次に掲げる項目の区分に従い、当該資産を示す名称を付した科目をもって掲記しなければならない。ただし、(エ)に掲げる項目以外の項目に属する資産の金額が資産の総額の100分の1以下のもので、他の項目に属する資産と一括して表示することが適当であると認められるものについては、適当な名称を付した科目をもって一括して掲記することができる。　　　　　　　　　　【連規30①】

(ア)　投資有価証券

(イ)　長期貸付金

(ウ)　繰延税金資産

(エ)　退職給付に係る資産

(オ)　その他

イ　非連結子会社及び関連会社の株式及び社債、非連結子会社及び関連会社の発行するその他の有価証券並びに非連結子会社及び関連会社に対する出資金の額は、それぞれ注記しなければならない。ただし、その金額が極めて僅少な場合は、一括して注記することができる。　　　　　　　　【連規30②、連ガ30-2】

ウ　イの記載において、関連会社の株式等の内訳として、共同支配企業に対する投資の金額を注記しなければならない。　　　　　　　　　　【連規30③】

エ　②流動資産の区分表示のイは、上記アの場合に準用する。　　　　　　　　　　【連規30④】

オ　財ガ33の2に掲げるリース債権及びリース投資資産で、これらの合計額が資産の総額の100分の5を超えるものについては、リース債権及びリース投資資産の科目をもって掲記するものとする。　　【連ガ30-5】

カ　②流動資産の区分表示のウは、上記ア(オ)の場合に準用する。　　　　　　　　　　【連規30⑤】

キ　土地再評価法7①に規定する再評価に係る繰延税金資産については、財規32の3の規定を準用する。　　　　　　　　　　【連規30の2】

ク　投資その他の資産に属する資産に係る引当金については、財規34の規定を準用する。　　【連規31】

⑨　繰延資産の区分表示

ア　繰延資産に属する資産は、次に掲げる項目の区分に従い、当該資産を示す名称を付した科目をもって掲記しなければならない。ただし、当該項目に属する資産の金額が資産の総額の100分の1以下のもので、他の項目に属する資産と一括して表示することが適当であると認められるものについては、適当な名称を付した科目をもって一括して掲記することができる。　　　　　　　　　　【連規32①】

(ア)　創立費

(イ)　開業費

(ウ)　株式交付費

(エ)　社債発行費

(オ)　開発費

イ　②流動資産の区分表示のイは、上記アの場合に準用する。　　　　　　　　　　【連規32②】

ウ　繰延資産に対する償却累計額については、財規38（直接控除）の規定を準用する。　　【連規33】

⑩　金銭信託及びデリバティブ取引に係る区分表示

金銭信託及びデリバティブ取引により生じる正味の債権で、それぞれの合計額が資産の総額の100分の5を超えるものについては、当該金銭の信託等の内容を示す名称を付した科目をもって掲記するものとする。　　　　　　　　　　【連ガ23-3①】

⑪　事業用土地の再評価に関する注記

土地再評価法の規定による事業用土地の再評価に関する注記については、財規42（第3項を除く）の規定を準用する。　　　　　　　　　　【連規34の2➡p.77】

⑫　担保資産の注記

担保に供されている資産については、財規43の規定を準用する。　　　　　　　　　　【連規34の3➡p.77】

(2) 負　債

①　負債の分類

負債は、流動負債及び固定負債に分類して記載する。　　　　　　　　　　【連規35、ASB基準22号32②】

②　流動負債の区分表示

ア　流動負債に属する負債は、次に掲げる項目の区分に従い、当該負債を示す名称を付した科目をもって掲記しなければならない。ただし、(オ)以外の項目に属する負債の金額が負債及び純資産の合計額の100分の1以下のもので、他の項目に属する負債と一括して表示することが適当であると認められるものについては、適当な名称を付した科目をもって一括して掲記することができる。　　　　　　　　　　【連規37①】

(ア)　支払手形及び買掛金

(イ)　短期借入金（金融手形及び当座借越を含む）

(ウ)　リース債務

(エ)　未払法人税等

(オ)　契約負債

(カ)　引当金

(キ)　資産除去債務

(ク)　公共施設等運営権に係る負債

(ケ)　その他

イ　上記ア(ア)から(ケ)の項目に属する負債で、別に表示することが適当であると認められるものについて、当該負債を示す名称を付した科目をもって別に掲記することを妨げない。　　　　　　　　　　【連規37②】

ウ　上記ア(エ)の未払法人税等とは、法人税、住民税（都道府県民税及び市町村民税をいう。以下同じ）並びに事業税の未払額をいう。　　　　【連規37③】

エ　上記ア(カ)の引当金は、当該引当金の設定目的を示す名称を付した科目をもって掲記しなければならない。ただし、その金額が少額なもので、他の項目に属する負債と一括して表示することが適当であると認められるものについては、適当な名称を付した科目をもって一括して掲記することができる。　　　　　　　　　　【連規37④】

オ　上記ア(ケ)の負債のうち、その金額が負債及び純資産の合計額の100分の5を超えるものについては、当該負債を示す名称を付した科目をもって別に掲記しなければならない。　　　　　　　　　　【連規37⑤】

カ　上記ア(オ)の項目に属する負債については、他の項目に属する負債と一括して表示することができる。この場合においては、当該項目に属する負債の科目及びその金額を注記しなければならない。　【連規37⑥】

キ　財ガ47-6の1に掲げる通常の取引以外の取引に基づいて発生した手形上の債務の金額が負債及び純資産の合計額の100分の1以下である場合には、当該手形債務については、上記ア(ア)の支払手形及び買掛金の科目に含めて記載することができるものとする。

【連ガ37-1-1】

③　固定負債の区分表示

ア　固定負債に属する負債は、次に掲げる項目の区分に従い、当該負債を示す名称を付した科目をもって掲記しなければならない。ただし、(オ)及び(カ)以外の項目に属する負債の金額が負債及び純資産の合計額の100分の1以下のもので、他の項目に属する負債と一括して表示することが適当であると認められるものについては、適当な名称を付した科目をもって一括して掲記することができる。　　　　　　　　　【連規38①】

(ア)　社債

(イ)　長期借入金（金融手形を含む。以下同じ）

(ウ)　リース債務

(エ)　繰延税金負債

(オ)　引当金

(カ)　退職給付に係る負債

(キ)　資産除去債務

(ク)　公共施設等運営権に係る負債

(ケ)　その他

(オ)については、1年内にその一部の金額の使用が見込まれるものであっても、1年内の使用額を正確に算定できない場合には、その全額を固定負債として記載するものとする。ただし、その全部又は大部分が1年内に使用されることが確実に見込まれる場合には、その全部について又は1年内の使用額を適当な方法によって算定し、その金額を流動負債として記載するものとする。　【連ガ38-1-5】

イ　②流動負債の区分表示のイは、上記アの場合に準用する。　　　　　　　　　　　　　　　　【連規38②】

ウ　②流動負債の区分表示のエは、上記ア(オ)の引当金について準用する。　　　　　　　　　　【連規38③】

エ　②流動負債の区分表示のオは、上記ア(ケ)に掲げる項目に属する負債について準用する。　　【連規38④】

オ　土地再評価法7①に規定する再評価に係る繰延税金負債について財規52の2の規定を準用する。

【連規39】

④　偶発債務の注記

連結会社に係る偶発債務（債務の保証（債務の保証と同様の効果を有するものを含む）、係争事件に係る賠償義務その他現実に発生していない債務で、将来において事業の負担となる可能性のあるものをいう）がある場合

には、その内容及び金額を注記しなければならない。ただし、重要性の乏しいものについては、注記を省略することができる。　　　　　　　　　　　　【連規39の2】

⑤　繰延税金資産又は繰延税金負債の表示

ア　繰延税金資産は投資その他の資産の区分に表示し、繰延税金負債は固定負債の区分に表示する。

【ASB基準28号2①】

イ　投資その他の資産に掲げる繰延税金資産と固定負債に掲げる繰延税金負債とがある場合には、異なる納税主体に係るものを除き、その差額を繰延税金資産又は繰延税金負債として投資その他の資産又は固定負債に表示しなければならない。　　　　　　　【連規45】

ウ　グループ通算制度を適用する場合の連結財務諸表における繰延税金資産と繰延税金負債の表示については、ASB報告42号27に定める取扱いを適用する。

【ASB基準28号2②ただし書】

⑥　デリバティブ取引に係る区分表示

デリバティブ取引により生じる正味の債務で、その合計額が負債及び純資産の合計額の100分の5を超えるものについては、当該デリバティブ取引により生じる正味の債務等の内容を示す名称を付した科目をもって掲記するものとする。　　　　　　　　　　　【連ガ37-5】

⑦　特別法上の準備金等

ア　法令の規定により準備金又は引当金の名称をもって計上しなければならない準備金又は引当金で、資産の部又は負債の部に計上することが適当でないもの（以下「準備金等」という）は、固定負債の次に別の区分を設け、その設定目的を示す名称を付した科目をもって掲記しなければならない。　【連規45の2①、②】

イ　準備金等については、その計上を規定した法令の条項及び1年内に使用されると認められるものであるか否かの区別を注記しなければならない。ただし、1年内に使用されるか否かの区別はその区別をすることが困難な場合は省略できる。【連規45の2②、③】

⑧　棚卸資産及び工事損失引当金の表示

財規54の4（第4項を除く）の規定は、棚卸資産及び工事損失引当金の表示について準用する。　　【連規40】

⑨　企業結合に係る特定勘定の注記

財規56①の規定は、企業結合に係る特定勘定について準用する。　　　　　　　　　　　　　【連規41】

⑩　特別目的会社の債務等の区分表示

ア　連結の範囲に含めた特別目的会社が有するノンリコース債務（当該特別目的会社の資産の全部又は一部及び当該資産から生じる収益のみを返済原資とし、当該資産以外の資産及び当該収益以外の収益に遡及しない債務をいう）については、社債又は借入金その他の負債の項目ごとに当該ノンリコース債務を示す名称を付した科目をもって流動負債又は固定負債に掲記しなければならない。ただし、ノンリコース債務を社債又は借入金その他の負債を示す科目（ノンリコース債務を示す名称を付した科目を除く）に含めて掲記することを妨げない。

イ　上記(ア)のただし書の規定により掲記する場合には、社債又は借入金その他の負債を示す科目ごとにノンリ

コース債務の金額を注記しなければならない。

ウ　ノンリコース債務に対応する資産については、当該資産の科目及びその金額を注記しなければならない。
【連規41の2】

（3）純 資 産

① 純資産の分類

純資産は、ア　株主資本、イ　その他の包括利益累計額、ウ　株式引受権、エ　新株予約権、オ　非支配株主持分に分類して記載しなければならない。
【連規42、ASB基準5号7（2）、ASB基準22号32③】

② 株主資本の分類及び区分表示

ア　株主資本は、次に掲げる項目の区分に従い、当該科目をもって掲記しなければならない。

（ア）　資本金

（イ）　資本剰余金

（ウ）　利益剰余金

（エ）　自己株式　　　【連規43①、③、連様第四号】

イ　新株式申込証拠金及び法律で定める準備金で資本準備金又は利益準備金に準ずるものについては、財規62、63②及び65②を準用する。　　【連規43②】

ウ　自己株式は、株主資本に対する控除項目として利益剰余金の次に自己株式の科目をもって掲記しなければならない。　　　　　　　　　【連規43③】

エ　自己株式の処分に係る申込期日経過後における申込証拠金は、アにかかわらず自己株式の次に自己株式申込証拠金の科目をもって掲記しなければならない。
【連規43④】

③ その他の包括利益累計額の分類及び区分表示

その他の包括利益累計額は、次に掲げる項目の区分に従い、当該項目を示す名称を付した科目をもって掲記しなければならない。そのほか、その他の包括利益累計額の項目として計上することが適当であると認められるものは、当該項目を示す名称を付した科目をもって掲記することができる。

ア　その他有価証券評価差額金

イ　繰延ヘッジ損益

ウ　土地再評価差額金

エ　為替換算調整勘定

オ　退職給付に係る調整累計額　【連規43の2①、②】

④ 株式引受権の表示

株式引受権は、株式引受権の科目をもって掲記しなければならない。　　　　　　【連規43の2の2】

⑤ 新株予約権の表示

ア　新株予約権は、新株予約権の科目をもって掲記しなければならない。　　　　　【連規43の3①】

イ　次に掲げる項目は新株予約権から控除しなければならない。ただし、新株予約権に対する控除項目として新株予約権の次に自己新株予約権の科目をもって掲記することを妨げない。

（ア）　連結財務諸表提出会社が保有する連結財務諸表提出会社が発行した新株予約権

（イ）　連結子会社が保有する当該連結子会社が発行した新株予約権　　　　　　　【連規43の3②】

⑥ 非支配株主持分の表示

非支配株主持分は、非支配株主持分の科目をもって掲記しなければならない。　　　　【連規43の4】

⑦ 契約による積立金の注記

利益剰余金の金額のうちに、減債積立金その他債権者との契約等により特定目的のために積立てられたものがある場合には、その内容及び金額を注記しなければならない。　　　　　　　　　　【連規44】

⑧ 1株当たり純資産額の注記

ア　1株当たり純資産額は、注記しなければならない。
【連規44の2①】

イ　当連結会計年度又は連結貸借対照表日後において株式併合又は株式分割が行われた場合には、アに規定する事項のほか、次に掲げる事項を注記しなければならない。

（ア）　株式併合又は株式分割が行われた旨

（イ）　前連結会計年度の期首に株式併合又は株式分割が行われたと仮定して1株当たり純資産額が算定されている旨　　　　　　　　　【連規44の2②】

2. 連結損益及び包括利益計算書又は連結損益計算書及び連結包括利益計算書の記載方法

（1）連結包括利益計算書の区分表示

連結包括利益計算書は、当期純利益又は当期純損失、その他の包括利益及び包括利益に分類して記載しなければならない。　　　　　　　　　　　　【連規69の4】

（2）収益及び費用の分類

収益又は費用は、次に掲げる項目を示す名称を付した科目に分類して記載しなければならない。

① 売上高

② 売上原価（役務原価を含む。以下同じ）

③ 販売費及び一般管理費

④ 営業外収益

⑤ 営業外費用

⑥ 特別利益

⑦ 特別損失　　　　　　　　　　　　　【連規49】

（3）売 上 高

① 売上高の表示

ア　売上高は、売上高を示す名称を付した科目をもって掲記しなければならない。

売上高の記載については、顧客との契約から生じる収益及びそれ以外の収益に区分して記載するものとする。この場合において、当該記載は、顧客との契約から生じる収益の金額の注記をもって代えることができる。　　　　　　　　　　　　【連規51】

イ　連結会社が2以上の異なる種類の事業を営んでいる場合には、上記(2)①から③までに掲げる収益又は費用に関する記載は、事業の種類ごとに区分して行うことができる。　　　　　　【連ガ50、財ガ71】

ウ　市場価格の変動により利益を得る目的をもって所有する棚卸資産の評価差額は、売上高を示す名称を付した科目に含めて記載しなければならない。ただし、当該金額の重要性が乏しい場合には、営業外収益又は営業外費用に含めて記載することができる。
【連規51の2】

（4）売上原価

① 売上原価の表示

ア　売上原価は、売上原価を示す名称を付した科目をもって掲記しなければならない。　　　　　【連規52】

イ　工事損失引当金繰入額の注記

売上原価に含まれている工事損失引当金繰入額については、その金額を注記しなければならない。

【連規52の2、財規76の2①】

ウ　棚卸資産の帳簿価額の切下げに関する記載

通常の販売の目的をもって所有する棚卸資産について、収益性の低下により帳簿価額を切り下げた場合には、当該切下げ額（前連結会計年度末に計上した切下げ額を当連結会計年度に戻し入れる場合には、当該戻入れ額と当連結会計年度末に計上した当該切下げ額を相殺した後の金額）は、売上原価その他の項目の内訳項目として、その内容を示す名称を付した科目をもって区分掲記しなければならない。ただし、当該棚卸資産の期末棚卸高を帳簿価額の切下げ後の金額によって計上し、その旨及び当該切下げ額を注記することを妨げない。

ただし、当該切下げ額に重要性が乏しい場合には、区分掲記又は注記を省略することができる。

【連規53①、②】

（5）販売費及び一般管理費

① 原則的な表示

販売費及び一般管理費は、適当と認められる費目に分類し、当該費用を示す名称を付した科目で掲記しなければならない。　　　　　【連規55①】

② 一括表示

ア　販売費の科目もしくは一般管理費の科目又は販売費及び一般管理費の科目に一括して掲記し、その主要な費目及びその金額を注記することを妨げない。

【連規55①ただし書】

イ　主要な費目

アの主要な費目とは、退職給付費用及び引当金繰入額（これらの費目のうちその金額が少額であるものを除く）並びにこれら以外の費目でその金額が販売費及び一般管理費の合計額の100分の10を超える費用をいう。　　　　　【連規55②】

③ のれんの償却額

販売費及び一般管理費には、のれんの償却額が含まれることに留意する。　　　　　【連ガ55】

④ 研究開発費の注記

一般管理費及び当期製造費用に含まれている研究開発費については、その総額を注記しなければならない。

【連規55の2】

（6）営業外収益・費用の表示

① 原則的な表示

ア　営業外収益に属する収益は、受取利息（有価証券利息を含む）受取配当金、有価証券売却益、持分法による投資利益、その他の項目により区分表示する。

【連規57】

イ　営業外費用に属する費用は、支払利息（社債利息を含む）、有価証券売却損、持分法による投資損失、その他の項目により区分表示する。　　　　　【連規58】

② 一括表示

営業外収益（又は営業外費用）のうち、その金額が営業外収益（又は営業外費用）の総額の100分の10以下のもので一括して表示することが適当であると認められるものについては、当該収益（又は費用）を一括して示す名称を付した科目をもって掲記することができる。

【連規57、58ただし書】

（7）特別利益・特別損失

① 原則的な表示

ア　特別利益に属する利益は、固定資産売却益、負ののれん発生益、その他の項目により区分表示する。

【連規62】

イ　特別損失に属する損失は、固定資産売却損、減損損失、災害による損失、その他の項目により区分表示する。　　　　　【連規63】

ウ　「その他の項目」を示す科目には、設備の廃棄による損益（当該会社において経常的に発生するものを除く）、転売以外の目的で取得した有価証券その他の資産の売却又は処分による損益、企業結合に係る特定勘定の取崩益、企業結合における交換損益、事業分離における移転損益、支出の効果が期待されなくなったことによる繰延資産の一時的償却額、通常の取引以外の原因に基づいて発生した臨時的損失等を記載するものとする。　　　　　【連ガ62、財ガ95の2①】

エ　固定資産売却損益の記載については、その固定資産の種類又は内容を、その他の項目については、その項目の発生原因又は性格を示す名称を付した科目によって掲記するものとする。ただし、その事項を科目によって表示することが困難な場合には注記することができるものとする。　　　　　【連ガ62、財ガ95の2②】

② 一括表示

特別利益（又は特別損失）のうち、その金額が特別利益（又は特別損失）の総額の100分の10以下のもので一括して表示することが適当であると認められるものについては、当該利益（又は損失）を一括して示す名称を付した科目をもって掲記することができる。

【連規62、63ただし書】

③ 特別法上の準備金等の繰入等の表示

準備金等の繰入額又は取崩額がある場合は、特別損失又は特別利益として当該繰入れ又は取崩しによるものであることを示す名称を付した科目をもって掲記しなければならない。　　　　　【連規67】

④ 減損損失に関する注記

ア　減損損失を認識した資産又は資産グループについては、財規95の3の2①の規定を準用する。

【連規63の2】

イ　アの注記については、財ガ95の3の2の取扱いを準用する。　　　　　【連ガ63の2】

⑤ 企業結合に係る特定勘定の取崩益の注記

企業結合に係る特定勘定の取崩益が生じた場合には、重要性が乏しい場合を除き、内容及び金額を注記しなければならない。　　　【連規63の3、財規95の3の3①】

（8）当期純利益又は当期純損失

① 純利益加減項目の表示

ア 次の各号に掲げる項目の金額は、税金等調整前当期純利益金額又は税金等調整前当期純損失金額の次に記載しなければならない。　【連規65①】

㋐ 法人税、住民税及び事業税

㋑ 法人税等調整額

イ 税金等調整前当期純利益金額又は税金等調整前当期純損失金額±［ア㋐、ア㋑］＝当期純利益又は当期純損失金額　【連規65②】

ウ 非支配株主損益……当期純利益又は当期純損失のうち非支配株主持分に属する金額は当期純利益又は当期純損失の次に記載　【連規65③】

エ 当期純利益又は当期純損失±ウ＝親会社株主に帰属する当期純利益金額又は親会社株主に帰属する当期純損失金額　【連規65④】

② 法人税、住民税及び事業税

ア 法人税、住民税及び事業税は、当該連結会計年度に対応する期間の法人税、住民税及び事業税として連結会社が納付すべき額（中間納付額を含む）をいうものとする。　【連ガ65-1-1】

イ 法人税等の更正、決定等による納付税額又は還付税額は、「法人税、住民税及び事業税」の次に、その内容を示す名称を付した科目をもって記載する。

　　ただし、重要性の乏しい場合には、「法人税、住民税及び事業税」に含めて表示することができる。　【連規65⑤】

③ 1株当たり当期純利益（又は純損失）金額に関する注記

ア 1株当たり当期純利益（又は純損失）金額及びその算定上の基礎は、注記しなければならない。　【連規65の2①】

イ 当連結会計年度又は連結貸借対照表日後において株式併合又は株式分割が行われた場合には、次に掲げる事項を注記しなければならない。

㋐ 株式併合又は株式分割が行われた旨

㋑ 前連結会計年度の期首に株式併合又は株式分割が行われたと仮定して1株当たり当期純利益金額又は当期純損失金額が算定されている旨
　　　【連規65の2②、財規95の5の2②】

④ 潜在株式調整後1株当たり当期純利益金額に関する注記

ア 潜在株式調整後1株当たり当期純利益金額及びその算定上の基礎は、1株当たり当期純利益金額の注記の次に記載する。
　　　【連規65の3、財規95の5の3①】

イ 当連結会計年度又は連結貸借対照表日後において株式併合又は株式分割が行われた場合には、次に掲げる事項を注記しなければならない。

㋐ 株式併合又は株式分割が行われた旨

㋑ 前連結会計年度の期首に株式併合又は株式分割が行われたと仮定して潜在株式調整後1株当たり当期純利益金額が算式されている旨
　　　【連規65の3、財規95の5の3②】

⑤ 包括利益の計算の表示

包括利益の計算の表示は、次による。

　　当期純利益（又は純損失）±その他の包括利益＝包括利益　【ASB基準25号6、連規69の7①】

⑥ その他の包括利益の内訳の開示

ア その他の包括利益の内訳項目は、その内容に基づいて、その他有価証券評価差額金、繰延ヘッジ損益、為替換算調整勘定、退職給付に係る調整額等に区分して表示する。持分法を適用する被投資会社のその他の包括利益に対する投資会社の持分相当額は、一括して区分表示する。【ASB基準25号7、連規69の5①、③】

イ その他の包括利益の内訳項目は、その他の包括利益に関する、法人税その他利益に関連する金額を課税標準とする税金及び税効果を控除した後の金額で表示する。ただし、各内訳項目について法人税等及び税効果を控除する前の金額で表示して、それらに関連する法人税等及び税効果の金額を一括して加減する方法で記載することができる。いずれの場合も、その他の包括利益の各内訳項目別の法人税等及び税効果の金額を注記する。　【ASB基準25号8、連規69の6①】

ウ 当期純利益を構成する項目のうち、当期又は過去の期間にその他の包括利益に含まれていた部分は、組替調整額として、その他の包括利益の内訳項目ごとに注記する。この注記は、イにおける注記と併せて記載することができる。
　　　【ASB基準25号9、連規69の6②、③】

エ 組替調整額は、当期及び過去の期間にその他の包括利益に含まれていた項目が当期純利益に含められた金額に基づいて計算されるが、具体的には次のようになると考えられる。

㋐ その他有価証券評価差額金に関する組替調整額は、当期に計上された売却損益及び減損損失等、当期純利益に含められた金額による。

㋑ 繰延ヘッジ損益に関する組替調整額は、ヘッジ対象に係る損益が認識されたこと等に伴って当期純利益に含められた金額による。また、ヘッジ対象とされた予定取引で購入した資産の取得価額に加減された金額は、組替調整額に準じて開示することが適当と考えられる。なお、為替予約の振当処理は、実務に対する配慮から認められてきた特例的な処理であることを勘案し、組替調整額及びこれに準じた開示は必要ないと考えられる。

㋒ 為替換算調整勘定に関する組替調整額は、子会社に対する持分の減少（全部売却及び清算を含む）に伴って取り崩されて当期純利益に含められた金額による。

㋓ 退職給付に係る調整額に関する組替調整額は、ASB基準26号による。

　　なお、土地再評価差額金は、再評価後の金額が土地の取得原価とされることから、売却損益及び減損損失等に相当する金額が当期純損益に計上されない取扱いとなっているため、その取崩額は組替調整額に該当せず、株主資本等変動計算書において利益剰余金への振替えとして表示される。
　　　【ASB基準25号31】

(9) 引当金繰入額の表示

① 繰入額の区分表示等

　ア　引当金繰入額は、その設定目的及び引当金繰入額であることを示す名称を付した科目をもって別に掲記しなければならない。

　　　ただし、連規52の2及び55①ただし書の規定による場合には、区分掲記に代えて、その内容及び金額を注記することができる。　　　　　　　　　【連規66①】

　イ　アの本文の規定による場合において、その金額が少額なもので、他の科目と一括して表示することが適当であると認められるものについては、適当な名称を付した科目をもって一括して掲記することができる。
　　　　　　　　　　　　　　　　　　　　　　【連規66②】

(10) 持分法による投資利益等の表示

① 投資利益等の相殺表示

　持分法による投資利益と持分法による投資損失とが生ずる場合には、これを相殺して表示することができる。
　　　　　　　　　　　　　　　　　　　　　【連規66の2】

(11) 包括利益

① 包括利益の定義

　ある企業の特定期間の財務諸表において認識された純資産の変動額のうち、当該企業の純資産に対する持分所有者との直接的な取引によらない部分をいう。当該企業の純資産に対する持分所有者には、当該企業の株主のほか当該企業の発行する新株予約権の所有者が含まれ、連結財務諸表においては、当該企業の子会社の非支配株主も含まれる。　　　　　　　　　【ASB基準25号4】

② その他の包括利益の定義

　包括利益のうち当期純利益に含まれない部分をいう。連結財務諸表におけるその他の包括利益には、親会社株主に係る部分と非支配株主に係る部分が含まれる。
　　　　　　　　　　　　　　　　　　　　　【ASB基準25号5】

③ 包括利益を表示する計算書

　包括利益を表示する計算書は、次のいずれかの形式による。なお、包括利益のうち親会社株主に係る金額及び非支配株主に係る金額を付記する。

　ア　当期純利益を表示する連結損益計算書と、ASB基準25号6に従って包括利益を表示する連結包括利益計算書からなる形式（2計算書方式）

　イ　当期純利益の表示とASB基準25号6に従った包括利益の表示を1つの計算書（「連結損益及び包括利益計算書」）で行う形式（1計算書方式）
　　　　　　【ASB基準25号11、ASB基準22号38-2】

3. 連結株主資本等変動計算書の記載方法

(1) 連結株主資本等変動計算書の表示区分

① 株主資本、その他の包括利益累計額、株式引受権、新株予約権及び非支配株主持分に分類し、それぞれ以下のように区分して記載しなければならない。

　　当連結会計年度期首残高
　　当連結会計年度変動額
　　当連結会計年度末残高
　【連規71①、72①、73①、75①、76①、ASB基準22号41】

② 連結株主資本等変動計算書は、適切な項目に区分し、当該項目を示す名称を付した科目をもって掲記しなければならない。当該項目及び科目は、前連結会計年度末及び当連結会計年度末の連結貸借対照表における純資産の部の項目及び科目と整合していなければならない。
　　　　　　　　　　　　　　　　　　　　　【連規71②】

(2) 株主資本の表示

① 株主資本に記載される科目の当連結会計年度変動額は、変動事由ごとに記載しなければならない。
　　　　　　　　　　　　　　　　　　　　　【連規72②】

② 剰余金の配当は、資本剰余金又は利益剰余金の変動事由として表示しなければならない。　　　　【連規72③】

③ 親会社株主に帰属する当期純利益金額又は親会社株主に帰属する当期純損失金額は、利益剰余金の変動事由として表示しなければならない。　　　　【連規72④】

(3) その他の包括利益累計額

① その他の包括利益累計額に記載される科目は、当連結会計年度変動額を一括して記載するものとする。ただし、主な変動事由ごとに記載又は注記することを妨げない。
　　　　　　　　　　　　　　　　　　　　　【連規73②】

② (1)②にかかわらず、科目ごとの記載に代えて、その他の包括利益累計額の合計額を当連結会計年度期首残高、当連結会計年度変動額及び当連結会計年度末残高に区分して記載することができる。この場合においては、科目ごとのそれぞれの金額を注記するものとする。【連規74】

(4) 株式引受権

　株式引受権の当連結会計年度変動額は、一括して記載するものとする。ただし、主な変動事由ごとに記載又は注記することを妨げない。　　　　　　　　【連規74の2】

(5) 新株予約権

　新株予約権の当連結会計年度変動額は、一括して記載するものとする。ただし、主な変動事由ごとに記載又は注記することを妨げない。　　　　　　　　　【連規75②】

(6) 非支配株主持分

　非支配株主持分の当連結会計年度変動額は、一括して記載するものとする。ただし、主な変動事由ごとに記載又は注記することを妨げない。　　　　　　　　　【連規76②】

(7) 発行済株式に関する注記

　発行済株式の種類及び総数については、次に掲げる事項を注記しなければならない。

① 発行済株式の種類ごとに、当連結会計年度期首及び当連結会計年度末の発行済株式総数並びに当連結会計年度に増加又は減少した発行済株式数

② 発行済株式の種類ごとの変動事由の概要　　　【連規77】

(8) 自己株式に関する注記

　自己株式の種類及び株式数については、次に掲げる事項を注記しなければならない。

① 自己株式の種類ごとに、当連結会計年度期首及び当連結会計年度末の自己株式数並びに当連結会計年度に増加又は減少した自己株式数

② 自己株式の種類ごとの変動事由の概要　　　【連規78】

(9) 株式引受権に関する注記

① 事前交付型について、取引の内容、規模及びその変動状況（各会計期間において権利未確定数が存在したもの

に限る）

② 事後交付型について、取引の内容、規模及びその変動状況（各会計期間において権利未確定数が存在したものに限る。ただし、権利確定後の未発行株式数を除く）

③ 付与日における公正な評価単価の見積方法

④ 権利確定数の見積方法

⑤ 条件変更の状況　　　　　【ASB 報告41号20、21】

(10) 新株予約権等に関する注記

① 新株予約権については、次に掲げる事項を注記しなければならない。

　ア　新株予約権の目的となる株式の種類

　イ　新株予約権の目的となる株式の数

　ウ　新株予約権の連結会計年度末残高

② ①ア、イの事項は、新株予約権がストック・オプション又は自社株式オプションとして付与されている場合には、記載することを要しない。

③ ①イの株式の数は、新株予約権の目的となる株式の種類ごとに、新株予約権の目的となる株式の当連結会計年度期首及び当連結会計年度末の数、当連結会計年度に増加及び減少する株式の数並びに変動事由の概要を記載しなければならない。ただし、新株予約権が権利行使されたものと仮定した場合の増加株式数の、連結会計年度末の発行済株式総数（自己株式を保有しているときには、当該自己株式の株式数を控除した株式数）に対する割合に重要性が乏しい場合には、注記を省略することができる。

④ ①ウの連結会計年度末残高は、連結財務諸表提出会社の新株予約権と連結子会社の新株予約権に区分して記載しなければならない。

⑤ 自己新株予約権については、新株予約権との対応が明らかになるように、次に掲げる事項を注記しなければならない。

　ア　連結財務諸表提出会社が保有する連結財務諸表提出会社が発行した新株予約権については、①アからウまでに掲げる事項

　イ　連結子会社が保有する当該連結子会社が発行した新株予約権については、①ウに掲げる事項　　【連規79】

(11) 配当に関する注記

　配当については、次に掲げる事項を注記しなければならない。

① 配当財産が金銭の場合には、株式の種類ごとの配当金の総額、１株当たり配当額、基準日及び効力発生日

② 配当財産が金銭以外の場合には、株式の種類ごとの配当財産の種類及び帳簿価額（剰余金の配当をした日においてその時の時価を付した場合にあっては、当該時価を付した後の帳簿価額）、１株当たり配当額、基準日並びに効力発生日

③ 基準日が当連結会計年度に属する配当のうち、配当の効力発生日が翌連結会計年度となるものについては、配当の原資及び①、②に準ずる事項【連規80、財規109①】

4. 連結キャッシュ・フロー計算書の記載方法

(1) 連結キャッシュ・フロー計算書の記載方法

　連結キャッシュ・フロー計算書は、様式第七号又は第八号により記載するものとする。　　　　　【連規82②】

(2) 連結キャッシュ・フロー計算書の表示区分

　連結キャッシュ・フロー計算書には、次に掲げる区分を設けてキャッシュ・フローの状況を記載しなければならない。

① 営業活動によるキャッシュ・フロー

② 投資活動によるキャッシュ・フロー

③ 財務活動によるキャッシュ・フロー

④ 現金及び現金同等物に係る換算差額

⑤ 現金及び現金同等物の増加額又は減少額

⑥ 現金及び現金同等物の期首残高

⑦ 現金及び現金同等物の期末残高　　　　【連規83】

(3) 営業活動によるキャッシュ・フローの表示方法

① 営業活動によるキャッシュ・フローの区分には、次に掲げるいずれかの方法により、営業利益又は営業損失の計算の対象となった取引に係るキャッシュ・フロー並びに投資活動及び財務活動以外の取引に係るキャッシュ・フローを、その内容を示す名称を付した科目をもって掲記しなければならない。ただし、その金額が少額なもので一括して表示することが適当であると認められるものについては、適当な名称を付した科目をもって一括して掲記することができる。

　ア　営業収入、原材料又は商品の仕入れによる支出、人件費の支出その他適当と認められる項目に分けて主要な取引ごとにキャッシュ・フローを総額により表示する方法（直接法）

　イ　税金等調整前当期純利益金額又は税金等調整前当期純損失金額に、次に掲げる項目を加算又は減算して表示する方法（間接法）

　　㋑　連結損益計算書に収益又は費用として計上されている項目のうち資金の増加又は減少を伴わない項目

　　㋺　売上債権、棚卸資産、仕入債務その他営業活動により生じた資産及び負債の増加額又は減少額

　　㋩　連結損益計算書に収益又は費用として計上されている項目のうち投資活動によるキャッシュ・フロー及び財務活動によるキャッシュ・フローの区分に含まれる項目　　　　　　　　　　　【連規84】

② ①イ㋑の資金の増加額又は減少を伴わない項目とは、税金等調整前当期純利益の計算には反映されるが、キャッシュ・フローを伴わない項目、例えば減価償却費、のれん償却額、貸付金に係る貸倒引当金増加額、持分法による投資損益等を指す。しかし、営業債権の貸倒損失、棚卸資産の評価損等の営業活動に係る資産及び負債に関連して発生した非資金損益項目は、税金等調整前当期純利益の計算に反映されるとともに、営業活動に係る資産及び負債の増減にも反映されていることから、税金等調整前当期純利益に加減算する非資金損益項目には含まれない。　　　　　　　　　　【会制 8 号12】

(4) 投資活動によるキャッシュ・フローの表示方法

① 投資活動によるキャッシュ・フローの区分には、主要な取引ごとにキャッシュ・フローを総額により表示する方法により、有価証券（現金同等物を除く。以下同じ）の取得による支出、有価証券の売却による収入、有形固定資産の取得による支出、有形固定資産の売却による収

入、投資有価証券の取得による支出、投資有価証券の売却による収入、貸付けによる支出、貸付金の回収による収入その他投資活動に係るキャッシュ・フローを、その内容を示す名称を付した科目をもって掲記しなければならない。ただし、その金額が少額なもので一括して表示することが適当であると認められるものについては、適当な名称を付した科目をもって一括して掲記することができる。　　　　　　　　　　　　　　　　　　【連規85】

② 資産除去債務を実際に履行した場合、その支出額は「投資活動によるキャッシュ・フロー」の項目として取り扱う。　　　　　　　　　　　　　　　【ASB指針21号12】

(5) 財務活動によるキャッシュ・フローの表示方法

財務活動によるキャッシュ・フローの区分には、主要な取引ごとにキャッシュ・フローを総額により表示する方法により、短期借入れによる収入、短期借入金の返済による支出、長期借入れによる収入、長期借入金の返済による支出、社債の発行による収入、社債の償還による支出、株式の発行による収入、自己株式の取得による支出その他財務活動に係るキャッシュ・フローを、その内容を示す名称を付した科目をもって掲記しなければならない。ただし、その金額が少額なもので一括して表示することが適当であると認められるものについては、適当な名称を付した科目をもって一括して掲記することができる。　　　　　　　　　　　　　【連規86】

子会社株式の追加取得又は一部売却（親会社と子会社の支配関係が継続している場合に限る）による親会社の持分変動による差額は、資本剰余金に計上される。このため、連結範囲の変動を伴わない子会社株式の取得又は売却に係るキャッシュ・フローについては、当該変動に関連するキャッシュ・フロー（関連する法人税等に関するキャッシュ・フローを除く）を非支配株主との取引として「財務活動によるキャッシュ・フロー」の区分に記載するものとする。

なお、上記に関連して生じた費用に係るキャッシュ・フローは、「営業活動によるキャッシュ・フロー」の区分に記載する。　　　　　　　　　【会制8号9-2、26-4】

(6) 現金及び現金同等物に係る換算差額等の記載

現金及び現金同等物に係る換算差額の区分には、外貨建ての資金の円貨への換算による差額を記載するものとする。　　　　　　　　　　　　　　　　【連規87①】

(7) 現金及び現金同等物の増加額又は減少額

現金及び現金同等物の増加額又は減少額の区分には、営業活動によるキャッシュ・フロー、投資活動によるキャッシュ・フロー及び財務活動によるキャッシュ・フローの収支差額の合計額に外貨建ての資金の円貨への換算による差額を加算又は減算した額を記載するものとする。　　　　　　　　　　　　　　　　　【連規87②】

(8) 利息及び配当金に係るキャッシュ・フローの表示方法

利息及び配当金に係るキャッシュ・フローは、次に掲げるいずれかの方法により記載するものとする。

① 利息及び配当金の受取額並びに利息の支払額は営業活動によるキャッシュ・フローの区分に記載し、配当金の支払額は財務活動によるキャッシュ・フローの区分に記載する方法

② 利息及び配当金の受取額は投資活動によるキャッシュ・フローの区分に記載し、利息及び配当金の支払額は財務活動によるキャッシュ・フローの区分に記載する方法　　　　　　　　　　　　　　　　　　【連規88①】

(9) 配当金の支払額

配当金の支払額は、連結財務諸表提出会社による配当金の支払額と非支配株主への配当金の支払額とに分けて記載しなければならない。　　　　　　　　【連規88②】

(10) 法人税等の表示区分

① 法人税等（住民税及び利益に関連する金額を課税標準とする事業税を含む）に係るキャッシュ・フローは、「営業活動によるキャッシュ・フロー」の区分に「法人税等の支払額」として一括して記載する。

② 事業税のうち付加価値割及び資本割並びに電気供給事業、ガス供給事業、生命保険事業及び損害保険事業に係る事業税は利益に関連する金額を課税標準としていないことから、これらの事業税の支払いは、「営業活動によるキャッシュ・フロー」に含まれるキャッシュ・フローではあるが、「法人税等の支払額」に含めてはならない。　　　　　　　　　　　　　　　　【会制8号10】

(11) 連結の範囲の変更を伴う子会社株式の取得又は売却に係るキャッシュ・フロー等の表示方法

① 連結の範囲の変更を伴う子会社株式の取得又は売却に係るキャッシュ・フローは、投資活動によるキャッシュ・フローの区分にその内容を示す名称を付した科目をもって掲記しなければならない。

② ①の規定は、現金及び現金同等物を対価とする事業の譲受けもしくは譲渡又は合併等に係るキャッシュ・フローについて準用する。　　　　　　　　【連規89】

③ なお、支配獲得時に生じた取得関連費用に係るキャッシュ・フローは、「営業活動によるキャッシュ・フロー」の区分に記載する。　　　　　【会制8号8-2、26-4】

(12) 純額表示について

① 期間が短く、かつ、回転が速い項目に係るキャッシュ・フローについては、純額で表示することができる。　　　　　　　　　　　　【連結キャッシュ注8】

② 外注先のための資材の代理購入等、企業が第三者のために行う取引や単元未満株式の買取り及びその処分等、企業自身の活動というより第三者の活動を反映している取引に係るキャッシュ・フロー及び重要性の乏しい項目に係るキャッシュ・フローについても、純額表示するものとする。　　　　　　　　　　　　　　【会制8号14】

5. 連結附属明細表の記載方法

(1) 連結附属明細表の種類

① 連結附属明細表の種類は、社債明細表、借入金等明細表及び資産除去債務明細表とする。　　　【連規92①】

② 当連結会計年度期首及び当連結会計年度末における資産除去債務の金額が当連結会計年度期首及び当連結会計年度末における負債及び純資産の合計額の100分の1以下である場合には、上記①に規定する資産除去債務明細表の作成を省略することができる。ただし、その場合にはその旨を注記しなければならない。　　【連規92の2】

4 連結会計方針に関する事項の記載及び注記

1. 連結の範囲に関する事項

（1）記載場所
連結キャッシュ・フロー計算書の次に記載しなければならない。　　　　　　　　　　　　【連規16①】

（2）記載内容
① 連結子会社の数及び主要な連結子会社の名称
　（注）有価証券届出書及び有価証券報告書の連結財務諸表以外の箇所に連結子会社の数及び主要な連結子会社の名称が記載されている場合には、その旨を記載することにより記載を省略することができる。
② 非連結子会社がある場合には、主要な非連結子会社の名称及び連結の範囲から除いた理由
③ 他の会社等の議決権の過半数を自己の計算において所有しているにもかかわらず当該他の会社等を子会社としなかった場合には、当該他の会社等の名称及び子会社としなかった理由
④ 開示対象特別目的会社がある場合には、開示対象特別目的会社の概要、開示対象特別目的会社との取引の概要及び取引金額その他の重要な事項（下記5.参照）
　　　　　　【連規13②、連ガ13-2-4、財ガ8の9-2】

2. 持分法の適用に関する事項

（1）記載内容
① 持分法を適用した非連結子会社又は関連会社の数及びこれらのうち主要な会社等の名称
② 持分法を適用しない非連結子会社又は関連会社がある場合には、これらのうち主要な会社等の名称
③ 持分法を適用しない非連結子会社又は関連会社がある場合には、持分法を適用しない理由
④ 他の会社等の議決権の100分の20以上、100分の50以下を自己の計算において所有しているにもかかわらず当該他の会社等を関連会社としなかった場合には、当該他の会社等の名称及び関連会社としなかった理由
⑤ 持分法の適用の手続について特に記載する必要があると認められる事項がある場合には、その内容
　　　　　　　　　　　　　　　　　　　　【連規13③】

3. 連結子会社の事業年度等に関する事項

（1）記載内容
① 連結子会社の決算日が連結決算日と異なる場合はその内容
② 連結決算のための仮決算を行ったか否か　【連規13④】

4. 会計方針に関する事項

（1）記載内容
会計方針に関する事項については、連結財務諸表作成のための基礎となる事項であって、投資者その他の連結財務諸表の利用者の理解に資するものを記載するものとする。

会計方針には、例えば次の事項が含まれるものとする。
① 重要な資産の評価基準及び評価方法
② 重要な減価償却資産の減価償却の方法
③ 重要な引当金の計上基準
④ 退職給付に係る会計処理の方法
⑤ 重要な収益及び費用の計上基準
⑥ 重要な外貨建資産負債の本邦通貨への換算基準
⑦ 重要なヘッジ会計（財規8の2八に規定する会計処理をいう）の方法
⑧ のれんの償却方法及び償却期間
⑨ 連結キャッシュ・フロー計算書における資金の範囲
⑩ その他連結財務諸表作成のための重要な事項
　　　　　　　　　　　　　　　　　　　　【連規13⑤】
⑪ 連結子会社が採用する会計方針のうちに連結財務諸表提出会社が採用する会計方針と異なるものがある場合には、その差異の概要（その差異が、在外子会社の所在地国における会計の方針とわが国の会計方針とが異なることによるものである場合には、その旨を含む）を記載するものとする。ただし、重要でない場合には、記載しないことができる。　　　　　　　　【連ガ13-1-4】
④に規定する退職給付に係る会計処理の方法には、退職給付見込額の期間帰属方法並びに数理計算上の差異、過去勤務費用及び会計基準変更時差異の費用処理方法が含まれることに留意する。　　　　　　　　　　　【連ガ13-5-4】
会計処理の対象となる会計事象や取引に関連する会計基準等の定めが明らかでない場合（特定の会計事象等に対して適用し得る具体的な会計基準等の定めが存在しないため、会計処理の原則及び手続を適用する場合を含む）には、財務諸表提出会社が採用した会計処理の原則及び手続を記載するものとする。　　【連ガ13-5-3、財ガ8の2(8)④】

5. 一定の特別目的会社に係る開示

連結財務諸表に注記しなければならない「連結の範囲等」（ASB基準22号43(1)）及び「企業集団の財政状態、経営成績及びキャッシュ・フローの状況を判断するために重要なその他の事項」（ASB基準22号43(4)）には、ASB基準22号7-2により、子会社に該当しないものと推定された特別目的会社（関連会社とされているものも含む。以下「開示対象特別目的会社」という）に関する次の事項を含む。ただし、重要性が乏しいものは注記を省略することができる。
(1) 開示対象特別目的会社の概要
(2) 開示対象特別目的会社を利用した取引の概要
(3) 開示対象特別目的会社との取引金額等

これらの事項を注記するにあたっては、類似の取引形態や対象資産等ごとに適切に集約して、概括的に記載するものとする。また、注記を行う重要性の判断にあたっては、当該集約された単位ごとに行うことが適当である。
　　　　　【ASB指針15号3、連規13②四、監90号 Q23】

5 連結財務諸表に対する注記

1. 注記の方法

(1) 注記は連結会計方針に関する事項を記載した次に記載しなければならない。　【連規16②】
(2) 特定の科目に関係ある注記を記載する場合には、当該科目に記号を付記する方法その他これに類する方法によって、当該注記との関連を明らかにしなければならない。　【連規16⑤】
(3) 次の各号の場合は、上記(1)によらなくてもよい。
　　　　　　　　　　　　　　　【連規16③ただし書】
① 連結会計方針と関係ある事項について、これと併せて記載を行った場合
② 脚注としての記載が適当なものについて、脚注記載した場合

2. 連結決算日変更の注記

(1) 連結決算日を変更した場合　　　【連規3③】
　　その旨、変更の理由、当該変更に伴う連結会計年度の期間
(2) (1)の注記は変更が行われた連結決算日を基準として作成する連結財務諸表に記載する。この場合において、当該変更に伴う連結会計年度の期間については、当該連結会計年度の月数を記載するものとする。　【連ガ3-3】

3. 連結子会社の決算日変更の注記

連結子会社の決算期が変更されたこと等により、当該連結子会社の事業年度の月数が、連結会計年度の月数と異なる場合
　　その旨、その内容　　　　　　　【連ガ3-3】

4. 連結の範囲から除いた場合の注記

次に掲げる会社等の財政状態、経営成績又はキャッシュ・フローの状況に関する事項で、当該企業集団の財政状態、経営成績及びキャッシュ・フローの状況の判断に影響を与えると認められる重要なものがある場合には、その内容
(1) 財務及び営業又は事業の方針を決定する機関に対する支配が一時的であると認められる子会社
(2) 連結の範囲に含めることにより連結財務諸表提出会社の利害関係人の判断を著しく誤らせるおそれがあると認められる子会社
(3) 連結財務諸表提出会社が議決権の過半数を自己の計算において所有している会社等のうち、民事再生法の規定による再生手続開始の決定を受けた会社等、会社更生法の規定により更生手続の開始決定を受けた株式会社、破産法の規定による破産手続開始の決定を受けた会社等その他これに準ずる会社等であって、かつ、有効な支配従属関係が存在しないと認められることにより子会社に該当しない会社等　　　　　　　【連規5①、③】
(注) 当該企業集団の財政状態、経営成績及びキャッシュ・フローの状況の判断に影響を与えると認められる重要なものがある場合とは、(1)、(2)、(3)に掲げる会社等の財政状態、経営成績及びキャッシュ・フローの状況からみて、連結会社の財政状態、経営成績及びキャッシュ・フローの状況に対する負担になると見込まれるもので重要なものがある場合をいう。
　　　　　　　　　　　　　　　　　【連ガ5-3】
(例)① 更生会社であるとき
　　　　更生手続の遂行の状況及び当該会社等の財政の状態等が連結会社の当該子会社に対する投資又は債権等に与える影響等
② 破産会社であるとき
　　　　破産手続の進行の状況及び残余財産の分配等の連結会社への影響等　　　【連ガ5-3】

5. 重要な会計上の見積りに関する注記

【ASB基準31号6～9、連規13の2 ➡ p.174】

6. 連結の範囲又は持分法適用の範囲の変更注記

〈記載事項〉
　その旨
　変更の理由　　　　　　　　　　　　【連規14】

7. 会計基準等の改正等に伴う会計方針の変更注記

「会計基準等」とは、ASB指針24号5に掲げるもの及びその他の一般に公正妥当と認められる会計処理の原則及び手続を明文化して定めたものをいう。【ASB指針24号5】
(1) 「会計基準等」の改正及び廃止並びに新たな会計基準等の作成（以下「会計基準等の改正等」という）に伴い会計方針の変更を行った場合（当該会計基準等に遡及適用に関する経過措置が規定されていない場合に限る）には、次に掲げる事項を注記しなければならない。
① 当該会計基準等の名称
② 当該会計方針の変更の内容
③ 連結財務諸表の主な科目に対する前連結会計年度における影響額
④ 前連結会計年度に係る1株当たり情報（1株当たり純資産額、1株当たり当期純利益金額又は当期純損失金額及び潜在株式調整後1株当たり当期純利益金額をいう。以下同じ）に対する影響額
⑤ 前連結会計年度の期首における純資産額に対する累積的影響額
(2) (1)の規定にかかわらず、遡及適用に関する原則的な取扱い（前連結会計年度より前のすべての連結会計年度に係る遡及適用による累積的影響額を前連結会計年度の期首における資産、負債及び純資産の金額に反映することをいう。以下同じ）が実務上不可能な場合には、次の各号に掲げる場合の区分に応じ、当該各号に定める事項を注記しなければならない。
① 当連結会計年度の期首における遡及適用による累積的影響額を算定することができ、かつ、前連結会計年度の期首における累積的影響額を算定することが実務上不可能な場合

ア　当該会計基準等の名称

イ　当該会計方針の変更の内容

ウ　連結財務諸表の主な科目に対する実務上算定可能な影響額

エ　当連結会計年度に係る1株当たり情報に対する実務上算定可能な影響額

オ　当連結会計年度の期首における純資産額に対する累積的影響額

カ　遡及適用に係る原則的な取扱いが実務上不可能な理由

キ　当該会計方針の変更の適用方法及び適用開始日

② 当連結会計年度の期首における遡及適用による累積的影響額を算定することが実務上不可能な場合

ア　当該会計基準等の名称

イ　当該会計方針の変更の内容

ウ　連結財務諸表の主な科目に対する実務上算定可能な影響額

エ　1株当たり情報に対する実務上算定可能な影響額

オ　当連結会計年度の期首における遡及適用による累積的影響額を算定することが実務上不可能な旨

カ　遡及適用に係る原則的な取扱いが実務上不可能な理由

キ　当該会計方針の変更の適用方法及び適用開始日

(3) 会計基準等に規定されている遡及適用に関する経過措置に従って会計処理を行った場合において、遡及適用を行っていないときは、次に掲げる事項を注記しなければならない。

① 当該会計基準等の名称

② 当該会計方針の変更の内容

③ 当該経過措置に従って会計処理を行った旨及び当該経過措置の概要

④ 当該経過措置が当連結会計年度の翌連結会計年度以降の連結財務諸表に影響を与える可能性がある場合には、その旨及びその影響額（当該影響額が不明であり、又は合理的に見積ることが困難な場合には、その旨）

⑤ 連結財務諸表の主な科目に対する実務上算定可能な影響額

⑥ 1株当たり情報に対する実務上算定可能な影響額

(4) (1)〜(3)の規定にかかわらず、注記すべき事項に重要性が乏しい場合には、注記を省略することができる。
【連規14の2、財規8の3】

8. 会計基準等の改正等以外の正当な理由による会計方針の変更注記

(1) 会計基準等の改正等以外の正当な理由により会計方針の変更を行った場合には、次に掲げる事項を注記しなければならない。

① 当該会計方針の変更の内容

② 当該会計方針の変更を行った正当な理由

③ 連結財務諸表の主な科目に対する前連結会計年度における影響額

④ 前連結会計年度に係る1株当たり情報に対する影響額

⑤ 前連結会計年度の期首における純資産額に対する累積

的影響額

(2) (1)の規定にかかわらず、遡及適用に係る原則的な取扱いが実務上不可能な場合には、次の各号に掲げる場合の区分に応じ、当該各号に定める事項を注記しなければならない。

① 当連結会計年度の期首における遡及適用による累積的影響額を算定することができ、かつ、前連結会計年度の期首における累積的影響額を算定することが実務上不可能な場合

ア　当該会計方針の変更の内容

イ　当該会計方針の変更を行った正当な理由

ウ　連結財務諸表の主な科目に対する実務上算定可能な影響額

エ　当連結会計年度に係る1株当たり情報に対する実務上算定可能な影響額

オ　当連結会計年度の期首における純資産額に対する累積的影響額

カ　遡及適用に係る原則的な取扱いが実務上不可能な理由

キ　当該会計方針の変更の適用方法及び適用開始日

② 当連結会計年度の期首における遡及適用による累積的影響額を算定することが実務上不可能な場合

ア　当該会計方針の変更の内容

イ　当該会計方針の変更を行った正当な理由

ウ　連結財務諸表の主な科目に対する実務上算定可能な影響額

エ　1株当たり情報に対する実務上算定可能な影響額

オ　当連結会計年度の期首における遡及適用による累積的影響額を算定することが実務上不可能な旨

カ　遡及適用に係る原則的な取扱いが実務上不可能な理由

キ　当該会計方針の変更の適用方法及び適用開始日

(3) (1)〜(2)の規定にかかわらず、注記すべき事項に重要性が乏しい場合には、注記を省略することができる。
【連規14の3、財規8の3の2】

9. 未適用の会計基準等に関する注記

既に公表されている会計基準等のうち、適用していないものがある場合には、次に掲げる事項を注記しなければならない。ただし、重要性の乏しいものについては、注記を省略することができる。

(1) 当該会計基準等の名称及びその概要

(2) 当該会計基準等の適用予定日（当該会計基準等の適用を開始すべき日前に適用する場合には、当該適用予定日）

(3) 当該会計基準等が連結財務諸表に与える影響に関する事項　　　　　【連規14の4、財規8の3の3①】

(3)は、当該会計基準等が専ら表示方法及び注記事項を定めた会計基準等である場合には、記載することを要しない。　　　　　【連規14の4、財規8の3の3②】

10. 表示方法の変更注記

(1) 表示方法の変更を行った場合には、次に掲げる事項を注記しなければならない。

① 連結財務諸表の組替えの内容
② 連結財務諸表の組替えを行った理由
③ 連結財務諸表の主な項目に係る前連結会計年度における金額
(2) (1)にかかわらず、連結財務諸表の組替えが実務上不可能な場合には、その理由を注記しなければならない。
(3) (1)及び(2)の規定により注記すべき事項に重要性が乏しい場合には、注記を省略することができる。
【連規14の5、財規8の3の4】

11. 会計上の見積りの変更注記

会計上の見積りの変更を行った場合には、次に掲げる事項を注記しなければならない。ただし、重要性の乏しいものについては、注記を省略することができる。
(1) 当該会計上の見積りの変更の内容
(2) 当該会計上の見積りの変更が連結財務諸表に与えている影響額
(3) 次の①又は②に掲げる区分に応じ、当該①又は②に定める事項
① 当該会計上の見積りの変更が当連結会計年度の翌連結会計年度以降の連結財務諸表に影響を与える可能性があり、かつ、当該影響額を合理的に見積ることができる場合は当該影響額
② 当該会計上の見積りの変更が当連結会計年度の翌連結会計年度以降の連結財務諸表に影響を与える可能性があり、かつ、当該影響額を合理的に見積ることが困難な場合はその旨 【連規14の6、財規8の3の5】

12. 会計方針の変更を会計上の見積りの変更と区別することが困難な場合の注記

会計方針の変更を会計上の見積りの変更と区別することが困難な場合には、次に掲げる事項を注記しなければならない。ただし、重要性の乏しいものについては、注記を省略することができる。
(1) 当該会計方針の変更の内容
(2) 当該会計方針の変更を行った正当な理由
(3) 当該会計方針の変更が連結財務諸表に与えている影響額
(4) 次の①又は②に掲げる区分に応じ、当該①又は②に定める事項
① 当該会計方針の変更が当連結会計年度の翌連結会計年度以降の連結財務諸表に影響を与える可能性があり、かつ、当該影響額を合理的に見積ることができる場合は当該影響額
② 当該会計方針の変更が当連結会計年度の翌連結会計年度以降の連結財務諸表に影響を与える可能性があり、かつ、当該影響額を合理的に見積ることが困難な場合はその旨 【連規14の7、財規8の3の6】

13. 修正再表示に関する注記

修正再表示を行った場合には、次に掲げる事項を注記しなければならない。ただし、重要性の乏しいものについては、注記を省略することができる。
(1) 誤謬の内容

(2) 連結財務諸表の主な科目に対する前連結会計年度における影響額
(3) 前連結会計年度に係る1株当たり情報に対する影響額
(4) 前連結会計年度の期首における純資産額に対する累積的影響額 【連規14の8、財規8の3の7】

14. 引当金繰入額の注記

引当金繰入額を、その設定目的に応じて区分掲記することなく一括掲記した場合
その内容及び金額を注記する。 【連規66①ただし書】

15. 連結キャッシュ・フロー計算書に関する注記事項

連結キャッシュ・フロー計算書には、次に掲げる事項を注記しなければならない。ただし、(2)から(4)に掲げる事項については、その資産及び負債の金額の重要性が乏しい場合には、注記を省略することができる。
(1) 現金及び現金同等物の期末残高と連結貸借対照表に掲記されている科目の金額との関係
(2) 株式の取得により新たに連結子会社となった会社がある場合には、当該会社の資産及び負債の主な内訳
(3) 株式の売却により連結子会社でなくなった会社がある場合には、当該会社の資産及び負債の主な内訳
(4) 現金及び現金同等物を対価とする事業の譲受けもしくは譲渡又は合併等を行った場合には、当該事業の譲受けもしくは譲渡又は合併等により増加又は減少した資産及び負債の主な内訳
(5) 重要な非資金取引の内容 【連規90①】

16. 重要な非資金取引について

連結キャッシュ・フロー計算書に注記すべき重要な非資金取引には、例えば、次のようなものがある。
(1) 社債の償還と引換えによる新株予約権付社債に付された新株予約権の行使
(2) 連結貸借対照表に計上されたリース資産の取得
(3) 株式の発行等による資産の取得又は合併
(4) 現物出資による株式の取得又は資産の交換
【会制8号24】
(5) 当連結会計年度において重要な資産除去債務を計上した場合における当該重要な資産除去債務
【財ガ119-1-3、連ガ90-1-5、ASB指針21号13】

17. 重要な後発事象の注記

(1) 連結決算日後、連結会社並びに持分法適用会社の翌連結会計年度以降の財政状態、経営成績及びキャッシュ・フローの状況に重要な影響を及ぼす事象が発生したときは、当該事象を注記しなければならない。【連規14の9】
(2) 事業年度の末日が連結決算日と異なる子会社及び関連会社については、当該子会社及び関連会社の貸借対照表日後に発生した事象を注記しなければならない。
【連規14の9ただし書】
(3) 重要な後発事象とは、例えば次に掲げるものをいう。
① 火災、出水等による重大な損害の発生
② 多額の増資又は減資及び多額の社債の発行又は繰上償

還

③ 会社の合併、重要な営業の譲渡又は譲受け

④ 重要な係争事件の発生又は解決

⑤ 主要な取引先の倒産

⑥ 株式併合及び株式分割　【連ガ14の9、財ガ8の4】

18. 追加情報の注記の要件

「連規」において特に定められている注記のほか、企業集団の財政状態、経営成績及びキャッシュ・フローの状況に関する適正な判断を行うために必要と認められる事項があるときは、当該事項を注記しなければならない。【連規15】

19. セグメント情報等の注記

(1) セグメント情報は、次の事項を注記しなければならない。

① 報告セグメントの概要

② 報告セグメントごとの売上高、利益（又は損失）、資産、負債その他の項目の金額及びこれらの金額の算定方法

③ 前号に掲げる金額の項目ごとの合計額と当該項目に相当する科目ごとの連結貸借対照表計上額又は連結損益計算書計上額との差額及び当該差額の主な内容

(2) 報告セグメントに関連する情報は、次の事項を注記しなければならない。

① 製品及びサービスごとの情報

② 地域ごとの情報

③ 主要な顧客ごとの情報

(3) 連結貸借対照表又は連結損益計算書において、次に掲げる項目を計上している場合には、報告セグメントごとの概要を注記しなければならない。

① 固定資産の減損損失

② のれんの償却額及び未償却残高

③ 負ののれん発生益

(4) (1)〜(3)にかかわらず、重要性の乏しいものについては、注記を省略することができる。　【連規15の2】

20. リース取引に関する注記

(1) ファイナンス・リース取引については、次に定める事項を注記しなければならない。ただし、重要性の乏しいものについては、注記を省略することができる。

① 連結会社がリース物件の借主である場合

　ア　当連結会計年度末におけるリース資産の内容

　イ　リース資産の減価償却の方法

② 連結会社がリース物件の貸主である場合

　ア　当連結会計年度末におけるリース投資資産に係るリース料債権部分の金額及び見積残存価額部分の金額並びに受取利息相当額

　イ　当連結会計年度末におけるリース債権及びリース投資資産に係るリース料債権部分の金額について、連結決算日後5年内における1年ごとの回収予定額及び連結決算日後5年超の回収予定額

(2) 当連結会計年度末におけるオペレーティング・リース取引のうち解約不能のリース取引については、当該解約不能のリース取引に係る未経過リース料の金額を1年

内のリース期間に係る金額及びそれ以外の金額に区分して注記しなければならない。ただし、重要性の乏しいものについては、注記を省略することができる。

(3) 転リース取引であって、借主としてのリース取引及び貸主としてのリース取引がともにファイナンス・リース取引に該当する場合において、連結会社が転リース取引に係るリース債権もしくはリース投資資産又はリース債務について利息相当額を控除する前の金額で連結貸借対照表に計上しているときには、当該リース債権もしくはリース投資資産又はリース債務の金額を注記しなければならない。　ただし、重要性の乏しいものについては、注記を省略することができる。

【連規15の3、財規8の6】

(4) リース取引に関する注記については、財ガ8の6から8の6-2までの取扱いを準用する。　【連ガ15の3】

21. 関連当事者の範囲

「関連当事者」とは次に掲げる者をいう。

(1) 連結財務諸表提出会社の親会社

(2) 連結財務諸表提出会社の非連結子会社

(3) 連結財務諸表提出会社と同一の親会社をもつ会社等

(4) 連結財務諸表提出会社のその他の関係会社（連結財務諸表提出会社が他の会社等の関連会社である場合の当該他の会社等）並びに当該その他の関係会社の親会社及び子会社

(5) 連結財務諸表提出会社の関連会社及び当該関連会社の子会社

(6) 連結財務諸表提出会社の主要株主（金商163①に規定する主要株主をいう）及びその近親者（二親等内の親族をいう）

(7) 連結財務諸表提出会社の役員（金商21①一（27において準用する場合を含む）に規定する役員をいう）及びその近親者

(8) 連結財務諸表提出会社の親会社の役員及びその近親者

(9) 連結財務諸表提出会社の重要な子会社の役員及びその近親者

(10) (6)から(9)に掲げる者が議決権の過半数を自己の計算において所有している会社等及び当該会社等の子会社

(11) 従業員のための企業年金（連結財務諸表提出会社又は連結子会社と重要な取引（掛金の拠出を除く）を行う場合に限る）　【連規15の4】

22. 関連当事者との取引に関する注記

連結財務諸表提出会社が関連当事者との取引を行っている場合には、その重要なものについて、次に掲げる事項を原則として関連当事者ごとに注記しなければならない。

(1) 当該関連当事者が会社等の場合

　その名称、所在地、資本金又は出資金、事業の内容及び当該関連当事者の議決権に対する当該提出会社の所有割合又は当該提出会社の議決権に対する当該関連当事者の所有割合

(2) 当該関連当事者が個人の場合

　その氏名、職業及び当該提出会社の議決権に対する当該関連当事者の所有割合

(3) 当該提出会社と当該関連当事者との関係
(4) 取引の内容
(5) 取引の種類別の取引金額
(6) 取引条件及び取引条件の決定方針
(7) 取引により発生した債権債務に係る主な科目別の期末残高
(8) 取引条件の変更があった場合には、その旨、変更の内容及び当該変更が連結財務諸表に与えている影響の内容
(9) 関連当事者に対する債権が貸倒懸念債権又は破産更生債権等に区分されている場合には、次に掲げる事項
① 当連結会計年度末の貸倒引当金残高
② 当連結会計年度に計上した貸倒引当金繰入額等
③ 当連結会計年度に計上した貸倒損失等（一般債権（財規8の10①九ハ）において生じた貸倒損失を含む）
⑩ 関連当事者との取引に関して、貸倒引当金以外の引当金が設定されている場合において、注記することが適当と認められるものについては(9)に準ずる事項
（注1）　関連当事者との間の取引のうち次に定める取引については、(1)から⑩の注記を要しない。
① 一般競争入札による取引並びに預金利息及び配当金の受取りその他取引の性質からみて取引条件が一般の取引と同様であることが明白な取引
② 役員に対する報酬、賞与及び退職慰労金の支払い
（注2）　関連当事者との間の取引のうち、連結財務諸表の作成にあたって相殺消去された取引については、注記を要しない。
（注3）　(9)、⑩に掲げる事項は、連規15の4関連当事者の範囲に掲げる関連当事者の種類ごとに合算して記載することができる。
（注4）　(1)～⑩及び上記注3は連結子会社と関連当事者との間に取引がある場合に準用する。
（注5）　(1)～⑩及び上記注4に掲げる事項は財規様式第一号に準じて注記しなければならない。
【連規15の4の2】

23. 親会社又は重要な関連会社に関する注記

連結財務諸表提出会社について、次に掲げる会社が存在する場合には、次に定める事項を注記しなければならない。
(1) 親会社　当該親会社の名称並びにその発行する有価証券を金融商品取引所に上場している場合は、その旨及び当該金融商品取引所の名称、その発行する有価証券を金融商品取引所に上場していない場合はその旨。
(2) 重要な関連会社　当該関連会社の名称並びに持分法による投資利益又は投資損失の金額の算定対象となった当該関連会社の貸借対照表及び損益計算書における次に掲げる項目の金額。
① 貸借対照表項目（流動資産合計、固定資産合計、流動負債合計、固定負債合計、純資産合計その他の重要な項目をいう）
② 損益計算書項目（売上高、税引前当期純利益金額又は税引前当期純損失金額、当期純利益金額又は当期純損失金額その他の重要な項目をいう）
（注）　①及び②に掲げる項目の金額は、次に掲げる方法に

より記載することができる。この場合には、その旨を記載しなければならない。
ア　重要な関連会社について合算して記載する方法
イ　持分法による投資利益又は投資損失の金額の算定対象となった関連会社について合算して記載する方法
【連規15の4の3】

24. 税効果会計に関する注記

(1) 繰延税金資産及び繰延税金負債の発生の主な原因別の内訳
(2) 当該連結会計年度に係る連結財務諸表提出会社の法人税等の計算に用いられた税率（＝法定実効税率）と法人税等を控除する前の当期純利益に対する法人税等（税効果会計の適用により計上される法人税等の調整額を含む）の比率（＝税効果会計の適用後の法人税等の負担率）との間に差異があるときは、当該差異の原因となった主な項目別の内訳
(3) 法人税等の税率の変更により繰延税金資産及び繰延税金負債の金額が修正されたときは、その旨及び修正額
(4) 連結決算日後に法人税等の税率の変更があった場合には、その内容及び影響
(5) 繰延税金資産の算定に当たり繰延税金資産から控除された額（評価性引当額）がある場合には、次の①及び②に掲げる事項を(1)と併せて注記
① 当該評価性引当額
② 当該評価性引当額に重要な変動が生じた場合には、その主な内容　　　　　　　　　　　【連規15の5①、②】
(6) (1)に掲げる事項に繰越欠損金（法人税等に係る法令の規定において繰越しが認められる期限（＝繰越期限）まで繰り越すことができる欠損金額（法人税等に係る法令の規定に基づき算定した各事業年度の所得の金額の計算上当該事業年度の損金の額が当該事業年度の益金の額を超える場合におけるその超える部分の金額をいう）を記載する場合であって、当該繰越欠損金が重要であるときは、次に掲げる事項を併せて注記しなければならない。
① 繰越期限別の繰越欠損金に係る次に掲げる事項
ア　繰越欠損金に納税主体ごとの法定実効税率を乗じた額
イ　繰越欠損金に係る評価性引当額
ウ　繰越欠損金に係る繰延税金資産の額
② 繰越欠損金に係る重要な繰延税金資産を計上している場合には、当該繰延税金資産を回収することが可能と判断した主な理由　　　　　　　　　　　　　【連規15の5③】
（注）　(2)に掲げる事項については、法定実効税率と税効果会計適用後の法人税等の負担率との間の差異が法定実効税率の100分の5以下である場合には、注記を省略することができる。　　　　　　　　　　　【連規15の5④】
(7) グループ通算制度の適用により、ASB報告42号に従って法人税及び地方法人税の会計処理又はこれらに関する税効果会計の会計処理を行っている場合には、その旨を注記する。　　　　　　　　　　　【ASB報告42号28】

25. 金融商品に関する注記

(1) 次の事項を注記しなければならない。ただし、重要性

の乏しいものについては、注記を省略することができる。

① 金融商品の状況に関する次に掲げる事項
ア 金融商品に対する取組方針
イ 金融商品の内容及び当該金融商品に係るリスク
ウ 金融商品に係るリスク管理体制

② 金融商品の時価に関する次に掲げる事項
ア 連結決算日における連結貸借対照表の科目ごとの連結貸借対照表計上額
イ 連結決算日における連結貸借対照表の科目ごとの時価
ウ 連結決算日における連結貸借対照表の科目ごとのアとイとの差額
エ イ及びウに掲げる事項に関する説明

③ 金融商品（前号の規定により注記した金融商品に限る。以下この号において同じ）の時価を当該時価の算定に重要な影響を与える時価の算定に係るインプットが属するレベルに応じて分類し、その内訳に関する次に掲げる事項
ア 時価で連結貸借対照表に計上している金融商品の場合には、当該金融商品を適切な項目に区分し、その項目ごとの次の(ア)から(ウ)までに掲げる事項
　(ア) 連結決算日におけるレベル1に分類された金融商品の時価の合計額
　(イ) 連結決算日におけるレベル2に分類された金融商品の時価の合計額
　(ウ) 連結決算日におけるレベル3に分類された金融商品の時価の合計額
イ 時価で連結貸借対照表に計上している金融商品以外の金融商品の場合には、当該金融商品を適切な項目に区分し、その項目ごとの次の(ア)から(ウ)までに掲げる事項
　(ア) 連結決算日におけるレベル1に分類された金融商品の時価の合計額
　(イ) 連結決算日におけるレベル2に分類された金融商品の時価の合計額
　(ウ) 連結決算日におけるレベル3に分類された金融商品の時価の合計額
ウ ア(イ)もしくは(ウ)又はイ(イ)もしくは(ウ)の規定により注記した金融商品の場合には、次の(ア)及び(イ)に掲げる事項
　(ア) 時価の算定に用いた評価技法及び時価の算定に係るインプットの説明
　(イ) 時価の算定に用いる評価技法又はその適用を変更した場合には、その旨及びその理由
エ ア(ウ)の規定により注記した金融商品の場合には、次の(ア)から(オ)までに掲げる事項
　(ア) 時価の算定に用いた重要な観察できない時価の算定に係るインプットに関する定量的情報
　(イ) 当該金融商品の期首残高から期末残高への調整表
　(ウ) レベル3に分類された金融商品の時価についての評価の過程に関する説明
　(エ) 時価の算定に用いた重要な観察できない時価の算定に係るインプットの変化によって連結決算日にお

ける時価が著しく変動する場合における当該時価に対する影響に関する説明
　(オ) 時価の算定に用いた重要な観察できない時価の算定に係るインプットと他の重要な観察できない時価の算定に係るインプットとの間に相関関係がある場合には、当該相関関係の内容及び時価に対する影響に関する説明

(2) (1)本文の規定にかかわらず、市場価格のない株式、出資金その他これらに準ずる金融商品については、(1)②に掲げる事項の記載を要しない。この場合には、その旨並びに当該金融商品の概要及び連結貸借対照表計上額を注記しなければならない。

(3) (1)本文の規定にかかわらず、連結貸借対照表に持分相当額を純額で計上する組合その他これに準ずる事業体への出資については、(1)②に掲げる事項の記載を要しない。この場合には、その旨及び当該出資の連結貸借対照表計上額を注記しなければならない。

(4) 投資信託等については、一般に公正妥当と認められる企業会計の基準に従い、投資信託等の基準価額を時価とみなす場合には、(1)②に掲げる事項の記載については、当該投資信託等が含まれている旨を注記しなければならない（重要性が乏しい場合を除く）。

(5) (1)本文の規定にかかわらず、投資信託等については、一般に公正妥当と認められる企業会計の基準に従い、投資信託等の基準価額を時価とみなす場合には、(1)③に掲げる事項の記載を要しない。この場合には、次に掲げる事項を注記しなければならない。
ア (1)③に掲げる事項を注記していない旨
イ 当該投資信託等の連結貸借対照表計上額
ウ 当該投資信託等の期首残高から期末残高への調整表（重要性が乏しい場合を除く）
エ 連結決算日における解約又は買戻請求に関する制限の内容ごとの内訳（投資信託等について重要性が乏しい場合を除く）

(6) 金融資産及び金融負債の双方がそれぞれ資産の総額及び負債の総額の大部分を占めており、かつ、当該金融資産及び金融負債の双方が事業目的に照らして重要である連結会社にあっては、当該金融資産及び金融負債の主要な市場リスクの要因となる当該指標の数値の変動に対する当該金融資産及び金融負債の価値の変動率に重要性がある場合には、次の金融商品の区分に応じ、次に定める事項を注記しなければならない。

① そのリスク管理において、市場リスクに関する定量的分析を利用している金融商品当該分析に基づく定量的情報及びこれに関連する情報

② そのリスク管理において、市場リスクに関する定量的分析を利用していない金融商品
ア そのリスク管理において、市場リスクに関する定量的分析を利用していない旨
イ 市場リスクの要因となる金利、通貨の価格、金融商品市場における相場その他の指標の数値の変動を合理的範囲で仮定して算定した時価の増減額及びこれに関連する情報

(7) (6)②イに掲げる事項が、連結会社の市場リスクの実態

を適切に反映していない場合には、その旨及びその理由を注記しなければならない。

(8) 金銭債権（時価の変動により利益を得ることを目的として保有するものを除く）及び有価証券（売買目的有価証券を除く）のうち満期のあるものについては、償還予定額の合計額を一定の期間に区分した金額を注記しなければならない。

(9) 社債、長期借入金、リース債務及びその他の負債であって、金利の負担を伴うものについては、返済予定額の合計額を一定の期間に区分した金額を注記しなければならない。ただし、当該金額が社債明細表又は借入金等明細表に記載されている場合には、その旨の注記をもって代えることができる。　　　　　　　【連規15の5の2】

26. 有価証券に関する注記

(1) 有価証券については、次に掲げる有価証券の区分に応じ、次に定める事項を注記しなければならない。ただし、重要性の乏しいものについては、注記を省略することができる。

① 売買目的有価証券
　　当連結会計年度の損益に含まれた評価差額

② 満期保有目的の債務
　　当該債券を連結決算日における時価が連結決算日における連結貸借対照表計上額を超えるもの及び当該時価が当該連結貸借対照表計上額を超えないものに区分し、その区分ごとの次に掲げる事項
　ア　連結決算日における連結貸借対照表計上額
　イ　連結決算日における時価
　ウ　連結決算日における連結貸借対照表計上額と連結決算日における時価との差額

③ その他有価証券
　　有価証券の種類ごとに当該有価証券を連結決算日における連結貸借対照表計上額が取得原価を超えるもの及び当該連結対照表計上額が取得原価を超えないものに区分し、その区分ごとの次に掲げる事項
　ア　連結決算日における連結貸借対照表計上額
　イ　取得原価
　ウ　連結決算日における連結貸借対照表計上額と取得原価との差額

④ 当連結会計年度中に売却した満期保有目的の債務
　　債券の種類ごとの売却原価、売却額、売却損益及び売却の理由

⑤ 当連結会計年度中に売却したその他有価証券
　　有価証券の種類ごとの売却額、売却益の合計額及び売却損の合計額

(2) 当連結会計年度中に売買目的有価証券、満期保有目的の債券、子会社株式及び関連会社株式並びにその他有価証券の保有目的を変更した場合には、その旨、変更の理由（満期保有目的の債券の保有目的を変更した場合に限る）及び当該変更が連結財務諸表に与えている影響の内容を注記しなければならない。ただし、重要性の乏しいものについては、注記を省略することができる。

(3) 当連結会計年度中に有価証券の減損処理を行った場合には、その旨及び減損処理額を注記しなければならな

い。ただし、重要性の乏しいものについては、注記を省略することができる。　　　　　　　　　【連規15の6】

27. デリバティブ取引に関する注記

(1) デリバティブ取引については、次に掲げる取引の区分に応じ、次に定める事項を注記しなければならない。ただし、重要性の乏しいものについては、注記を省略することができる。

① ヘッジ会計（財規8⑥9に規定する会計処理をいう）が適用されていないデリバティブ取引
　　取引の対象物（通貨、金利、株式、債券、商品及びその他取引の対象物。②においても同じ）の種類ごとの次に掲げる事項
　ア　連結決算日における契約額又は契約において定められた元本相当額
　イ　連結決算日における時価及び評価損益

② ヘッジ会計が適用されているデリバティブ取引
　　取引の対象物の種類ごとの次に掲げる事項
　ア　連結決算日における契約額又は契約において定められた元本相当額
　イ　連結決算日における時価

(2) (1)①に規定する事項は、取引（先物取引、オプション取引、先渡取引、スワップ取引及びその他のデリバティブ取引をいう。(3)において同じ）の種類、市場取引又は市場取引以外の取引、買付約定に係るもの又は売付約定に係るもの、連結決算日から取引の決済日又は契約の終了時までの期間及びその他の項目に区分して記載しなければならない。

(3) (1)②に規定する事項は、ヘッジ会計の方法、取引の種類、ヘッジ対象及びその他の項目に区分して記載しなければならない。　　　　　　　　　　　　　【連規15の7】

28. 確定給付制度に基づく退職給付に関する注記

(1) 退職給付に関し、確定給付制度（財規8の13①に規定する確定給付制度をいう）を採用している場合には、次に掲げる事項を注記しなければならない。

① 確定給付制度の概要

② 退職給付債務の期首残高と期末残高の次に掲げる項目の金額を含む調整表
　ア　勤務費用
　イ　利息費用
　ウ　数理計算上の差異の発生額
　エ　退職給付の支払額
　オ　過去勤務費用の発生額
　カ　その他

③ 年金資産の期首残高と期末残高の次に掲げる項目の金額を含む調整表
　ア　期待運用収益
　イ　数理計算上の差異の発生額
　ウ　事業主である会社等からの拠出額
　エ　退職給付の支払額
　オ　その他

④ 退職給付債務及び年金資産の期末残高と連結貸借対照表に計上された退職給付に係る負債及び退職給付に係る

資産の調整表

⑤ 退職給付費用及び次に掲げるその内訳項目の金額
　ア　勤務費用
　イ　利息費用
　ウ　期待運用収益
　エ　数理計算上の差異の費用処理額
　オ　過去勤務費用の費用処理額
　カ　その他

⑥ 退職給付に係る調整額（次のアからウまでに掲げる額の合計額をいう）及び次に掲げるその内訳項目の金額
　ア　数理計算上の差異の発生額（当連結会計年度において費用処理された額を除く）及び退職給付に係る調整累計額（⑦アからウまでに掲げる額の合計額をいう）に計上されている未認識数理計算上の差異の額のうち、費用処理された額に対応する額の合計額
　イ　過去勤務費用の発生額（当連結会計年度において費用処理された額を除く）及び退職給付に係る調整累計額に計上されている未認識過去勤務費用の額のうち、費用処理された額に対応する額の合計額
　ウ　その他

⑦ 退職給付に係る調整累計額及び次に掲げるその内訳項目の金額
　ア　未認識数理計算上の差異
　イ　未認識過去勤務費用
　ウ　その他

⑧ 年金資産に関する次に掲げる事項
　ア　年金資産の主な内訳（退職給付信託（退職給付を目的とする信託をいう）が設定されている企業年金制度（会社等以外の外部に積み立てた資産を原資として退職給付を支払う制度をいう）において、年金資産の合計額に対する当該退職給付信託に係る信託財産の額の割合に重要性がある場合には、当該割合又は金額を含む）
　イ　長期期待運用収益率の設定方法

⑨ 数理計算上の計算基礎に関する次に掲げる事項
　ア　割引率
　イ　長期期待運用収益率
　ウ　その他

⑩ その他の事項

(2) (1)②カ、③オ、⑤カ、⑥ウ及び⑦ウに掲げる項目に属する項目については、その金額に重要性が乏しいと認められる場合を除き、当該項目を示す名称を付して掲記しなければならない。　　　　　　　　　　【連規15の8】

29. 確定拠出制度に基づく退職給付に関する注記

　退職給付に関し、確定拠出制度（財規8の13①に規定する確定拠出制度をいう）を採用している場合には、次に掲げる事項を注記しなければならない。
(1) 確定拠出制度の概要
(2) 確定拠出制度に係る退職給付費用の額
(3) その他の費用　【連規15の8の2、財規8の13の2①】

30. 複数事業主制度に基づく退職給付に関する注記

(1) 連規15の8の規定にかかわらず、退職給付に関し、複数の事業主である会社等により設立された確定給付制度（以下「複数事業主制度」という）を採用している場合には、次に掲げる場合の区分に応じ、次に定める事項を注記しなければならない。
① 連結会社の年金資産の額を合理的に算定できる場合
　複数事業主制度の概要及び連規15の8①二から十までに掲げる事項
② 連結会社の年金資産の額を合理的に算定できない場合
　ア　複数事業主制度の概要
　イ　複数事業主制度に係る退職給付費用の額
　ウ　複数事業主制度の直近の積立状況
　エ　複数事業主制度の掛金、加入人数又は給与総額に占める連結会社のこれらの割合
(2) 上記(1)の規定により注記すべき事項は、連規15の8①に掲げる注記に含めて記載することができる。この場合には、その旨を記載しなければならない。
　　　　　　　　　　【連規15の8の3、財規8の13の3】

31. ストック・オプション、自社株式オプション又は自社の株式の付与又は交付に関する注記

(1) ストック・オプションもしくは自社株式オプションを付与又は自社の株式を交付している場合には、別段の定めがある場合を除き、次に掲げる事項を注記しなければならない。
① 役務の提供を受けた場合には、当該連結会計年度における費用計上額及び科目名
② 財貨を取得した場合には、その取引における当初の資産計上額又は費用計上額及び科目名
③ 権利不行使による失効が生じた場合には、利益として計上した金額　　　　　【連規15の9、財規8の14①】
(2) ストック・オプションについては、(1)のほか、ストック・オプションの内容、規模及びその変動状況として、次に掲げる事項を注記しなければならない。注記は、契約単位で記載する方法もしくは複数契約を集約して記載する方法のいずれかの方法で記載しなければならない。
① 付与対象者の役員、従業員などの区分ごとの人数
② 株式の種類別のストック・オプションの数
　付与数
　当連結会計年度における権利不確定による失効数
　当連結会計年度における権利確定数
　前連結会計年度末及び当連結会計年度末における権利未確定残数
　当連結会計年度における権利行使数
　当連結会計年度における権利不行使による権利失効数
　前連結会計年度末及び当連結会計年度末における権利確定後の未行使残数
③ 付与日
④ 権利確定条件（権利確定条件が付されていない場合にはその旨）
⑤ 対象勤務期間（対象勤務期間の定めがない場合にはそ

の旨）

⑥　権利行使期間

⑦　権利行使価格

⑧　付与日における公正な評価単価

⑨　当連結会計年度において権利行使されたストック・オプションの権利行使時の株価の平均値

　　　　　　　　　【連規15の10、財規8の15①、②】

(3)　(2)にかかわらず、次に掲げるストック・オプションについては、複数契約を集約して記載してはならない。

①　付与対象者の区分、権利確定条件の内容、対象勤務期間及び権利行使期間がおおむね類似しているとはいえないストック・オプション

②　株式の公開前に付与したストック・オプションと公開後に付与したストック・オプション

③　権利行使価格の設定方法が著しく異なるストック・オプション　　　　　　　　　　【連規15の10、財規8の15③】

(4)　当連結会計年度に付与されたストック・オプション及び当連結会計年度の条件変更により公正な評価単価が変更されたストック・オプションについては、公正な評価単価の見積方法として使用した算定技法並びに使用した主な基礎数値及びその見積方法を記載しなければならない。ただし、使用した算定技法及び使用した主な基礎数値の見積方法の内容が同一のものについては、集約して記載することができる。【連規15の10、財規8の15④】

(5)　ストック・オプションの権利確定数の見積方法として、勤務条件や業績条件の不達成による失効数の見積方法を記載しなければならない。

　　　　　　　　　　【連規15の10、財規8の15⑤】

(6)　未公開企業がストック・オプションを付与している場合には、公正な評価単価の見積方法として、その価値を算定する基礎となる自社の株式の評価方法について記載しなければならない。　　【連規15の10、財規8の15⑥】

(7)　ストック・オプションの単位当たりの本源的価値（ストック・オプションが権利行使されると仮定した場合の単位当たりの価値であり、当該時点におけるストック・オプションの原資産である自社の株式の評価額と行使価格との差額をいう）による算定を行った場合には、連結会計年度末における本源的価値の合計額及び当該連結会計年度において権利行使されたストック・オプションの権利行使日における本源的価値の合計額を注記しなければならない。　　　　【連規15の10、財規8の15⑦】

(8)　ストック・オプションの条件変更を行った結果、ストック・オプションの内容として注記した事項に変更が生じた場合は、その変更内容について注記しなければならない。条件変更日におけるストック・オプションの公正な評価単価が付与日の公正な評価単価以下となったため、公正な評価単価の見直しを行わなかった場合には、その旨を注記しなければならない。

　　　　　　　　　　【連規15の10、財規8の15⑧】

(9)　自社株式オプション及び自社の株式を対価とする取引については、(1)のほか、役務の受領又は財貨の取得の対価として自社株式オプションを付与又は自社の株式を交付している場合には、(2)に掲げる事項のうち該当する事項について(2)に準じて記載しなければならない。この場合において、提供を受けた役務又は取得した財貨の内容及び役務の対価又は財貨の取得価額の算定を当該役務又は財貨の公正な評価額によったときには、その旨を注記しなければならない。　　【連規15の11、財規8の16①】

⑩　自社株式オプションの付与又は自社の株式の交付に対価性がない場合には、その旨及び対価性がないと判断した根拠を記載しなければならない。

　　　　　　　　　　【連規15の11、財規8の16②】

⑪　株式引受権に関する注記　　　　【➡ p.214】

32. 取得による企業結合が行われた場合の注記

(1)　当連結会計年度において他の企業又は企業を構成する事業の取得による企業結合が行われた場合には、次に掲げる事項を注記しなければならない。

①　企業結合の概要

②　連結財務諸表に含まれている被取得企業又は取得した事業の業績の期間

③　被取得企業又は取得した事業の取得原価及び対価の種類ごとの内訳

④　取得の対価として株式を交付した場合には、株式の種類別の交換比率及びその算定方法並びに交付又は交付予定の株式数

⑤　主要な取得関連費用の内容及び金額

⑥　取得が複数の取引によって行われた場合には、被取得企業の取得原価と取得するに至った取引ごとの取得原価の合計額との差額

⑦　発生したのれんの金額、発生原因、償却方法及び償却期間又は負ののれん発生益の金額及び発生原因

⑧　企業結合日に受け入れた資産及び引き受けた負債の額並びにその主な内訳

⑨　企業結合契約に規定される条件付取得対価（企業結合契約において定められる企業結合契約締結後の将来の事象又は取引の結果に依存して追加的に交付され、引き渡され、又は返還される取得対価をいう）の内容及び当連結会計年度以降の会計処理方針

⑩　取得原価の大部分がのれん以外の無形固定資産に配分された場合には、のれん以外の無形固定資産に配分された金額及びその主要な種類別の内訳並びに全体及び主要な種類別の加重平均償却期間

⑪　取得原価の配分が完了していない場合には、その旨及びその理由

⑫　企業結合が連結会計年度開始の日に完了したと仮定した場合の当連結会計年度の連結損益計算書に及ぼす影響の概算額及びその算定方法（当該影響の概算額に重要性が乏しい場合を除く）

(2)　(1)の規定にかかわらず、企業結合に係る取引に重要性が乏しい場合には、注記を省略することができる。ただし、当連結会計年度における個々の企業結合に係る取引に重要性は乏しいが、当連結会計年度における複数の企業結合に係る取引全体に重要性がある場合には、(1)①及び③から⑪までに掲げる事項を当該企業結合に係る取引全体について注記しなければならない。

(3)　(1)⑫に掲げる影響の概算額は、次に掲げる額のいずれかによるものとし、当該注記が監査証明を受けていない

場合には、その旨を記載しなければならない。

① 企業結合が連結会計年度開始の日に完了したと仮定して算定された売上高及び損益情報と取得企業の連結損益計算書における売上高及び損益情報との差額

② 企業結合が連結会計年度開始の日に完了したと仮定して算定された売上高及び損益情報

(4) 前連結会計年度に行われた企業結合に係る暫定的な会計処理の確定に伴い、当連結会計年度において取得原価の当初配分類に重要な見直しがなされた場合には、当該見直しの内容及び金額を注記しなければならない。

【連規15の12】

33. 共通支配下の取引等の注記

(1) 当連結会計年度において共通支配下の取引等が行われた場合には、次の事項を注記しなければならない。

① 取引の概要

② 実施した会計処理の概要

③ 子会社株式を追加取得した場合には、**32. 取得による企業結合が行われた場合の注記**(1)③、④及び⑨に掲げる事項

④ 非支配株主との取引に係る連結財務諸表提出会社の持分変動に関する事項 (非支配株主との取引によって増加又は減少した資本剰余金の主な変動要因及び金額をいう)

(2) (1)の規定にかかわらず、共通支配下の取引等に重要性が乏しい場合には、注記を省略することができる。ただし、当連結会計年度における個々の共通支配下の取引等に重要性は乏しいが、当連結会計年度における複数の共通支配下の取引等全体に重要性がある場合には、(1)に掲げる事項を当該共通支配下の取引等全体について注記しなければならない。

【連規15の14】

34. 共同支配企業の形成の注記

(1) 当連結会計年度において共同支配企業を形成する企業結合が行われた場合には、次に掲げる事項を注記しなければならない。

① 取引の概要

② 実施した会計処理の概要

(2) (1)の規定にかかわらず、共同支配企業の形成に係る取引に重要性が乏しい場合には、注記を省略することができる。ただし、当連結会計年度における個々の共同支配企業の形成に係る取引に重要性は乏しいが、当連結会計年度における複数の共同支配企業の形成に係る取引全体に重要性がある場合には、(1)に定める事項を当該企業結合に係る取引全体について注記しなければならない。

【連規15の15、財規8の22】

35. 事業分離における分離元企業の注記

(1) 当連結会計年度において重要な事業分離が行われ、当該事業分離が共通支配下の取引等及び共同支配企業の形成に該当しない場合には、分離元企業は、事業分離が行われた連結会計年度において、次に掲げる事項を注記しなければならない。

① 事業分離の概要

② 実施した会計処理の概要

③ 分離した事業が含まれていた報告セグメントの名称

④ 当連結会計年度の連結損益計算書に計上されている分離した事業に係る損益の概算額

⑤ 移転損益を認識した事業分離において、分離先企業の株式を子会社株式又は関連会社株式として保有する以外に、継続的関与がある場合には、当該継続的関与の概要

(2) (1)⑤に掲げる事項は、当該継続的関与が軽微な場合には、注記を省略することができる。

(3) 当連結会計年度における個々の事業分離に係る取引に重要性が乏しいが、当連結会計年度における複数の事業分離に係る取引全体に重要性がある場合には、(1)の規定にかかわらず、(1)①及び②に掲げる事項を当該事業分離に係る取引全体について注記しなければならない。

【連規15の16】

36. 事業分離における分離先企業の注記

分離先企業は、事業分離が企業結合に該当しない場合は、次に掲げる事項を注記しなければならない。

(1) 取引の概要

(2) 実施した会計処理の概要

(3) 分離元企業から引き継いだ資産、負債及び純資産の内訳 【連規15の17、財規8の24】

37. 子会社の企業結合の注記

(1) 連結財務諸表提出会社は、子会社が企業結合を行ったことにより子会社に該当しなくなる場合には、当該企業結合が行われた連結会計年度において、次に掲げる事項を注記しなければならない。

① 子会社が行った企業結合の概要

② 実施した会計処理の概要

③ 当該子会社が含まれていた報告セグメントの名称

④ 当該連結会計年度の連結損益計算書に計上されている当該子会社に係る損益の概算額

⑤ 親会社が交換損益を認識した子会社の企業結合において、当該子会社の株式を関連会社株式として保有する以外に継続的関与がある場合には、当該継続的関与の概要

(2) (1)⑤に掲げる事項は、当該継続的関与が軽微な場合には、注記を省略することができる。

(3) (1)の規定にかかわらず、企業結合に係る取引に重要性が乏しい場合には、注記を省略することができる。ただし、当連結会計年度における個々の企業結合に係る取引に重要性は乏しいが、当連結会計年度における複数の企業結合に係る取引全体に重要性がある場合には、(1)①及び②に掲げる事項を注記しなければならない。

【連規15の18】

38. 企業結合に関する重要な後発事象等の注記

(1) 連結決算日後に完了した企業結合又は連結決算日後に主要な条件について合意をした企業結合が重要な後発事象に該当する場合には、当該企業結合に関する事項について、**32. 取得による企業結合が行われた場合の注記**(ただし、(1)②、⑪、⑫を除く)、**33. 共通支配下の取引等の注記** 又は **34. 共同支配企業の形成の注記** に準じて注

記しなければならない。ただし、未確定の事項については、記載することを要しない。

(2) 連結決算日までに主要な条件について合意をした企業結合が同日までに完了していない場合((1)に規定する場合を除く)には、当該企業結合に関する事項について、(1)の規定に準じて注記しなければならない。

【連規15の19、財規8の25】

39. 事業分離に関する重要な後発事象等の注記

分離元企業は、次の場合には、事業分離について、次に定める事項を注記しなければならない。

(1) 連結決算日後に完了した事業分離が重要な後発事象に該当する場合

35. 事業分離における分離元企業の注記(1)に準ずる事項

(2) 連結決算日後に主要な条件について合意をした事業分離が重要な後発事象に該当する場合

35. 事業分離における分離元企業の注記(1)①及び③に準ずる事項

(3) 連結決算日までに主要な条件について合意をした事業分離が同日までに完了していない場合((1)の場合を除く)

35. 事業分離における分離元企業の注記(1)①及び③に準ずる事項　　　　【連規15の20、財規8の26①】

40. 子会社の企業結合に関する後発事象等の注記

子会社の企業結合(当該企業結合により子会社に該当しなくなる場合に限る)が次の場合には、次に定める事項を注記しなければならない。

(1) 連結決算日後に完了した子会社の企業結合が重要な後発事象に該当する場合

37. 子会社の企業結合の注記(1)に準ずる事項

(2) 連結決算日後に主要な条件について合意をした子会社の企業結合が重要な後発事象に該当する場合

37. 子会社の企業結合の注記(1)①及び③に準ずる事項

(3) 連結決算日前に主要な条件について合意をした子会社の企業結合が同日までに完了していない場合((1)の場合を除く)

37. 子会社の企業結合の注記(1)①及び③に準ずる事項
【連規15の21、15の18】

41. 継続企業の前提に関する注記

連結決算日において、企業が将来にわたって事業活動を継続するとの前提(以下「継続企業の前提」という)に重要な疑義を生じさせるような事象又は状況が存在する場合であって、当該事象又は状況を解消し、又は改善するための対応をしてもなお継続企業の前提に関する重要な不確実性が認められるときは、次に掲げる事項を注記しなければならない。ただし、連結決算日後において、当該重要な不確実性が認められなくなった場合は、注記することを要しない。

(1) 当該事象又は状況が存在する旨及びその内容

(2) 当該事象又は状況を解消し、又は改善するための対応策

(3) 当該重要な不確実性が認められる旨及びその理由

(4) 当該重要な不確実性の影響を連結財務諸表に反映しているか否かの別　　　【連規15の22、財規8の27】

42. 資産除去債務に関する注記

資産除去債務については、資産除去債務の区分に応じ、次に定める事項を注記しなければならない。ただし、重要性の乏しいものについては、注記を省略することができる。

(1) 資産除去債務のうち連結貸借対照表に計上しているもの

① 当該資産除去債務の概要

② 当該資産除去債務の金額の算定方法

③ 当連結会計年度における当該資産除去債務の総額の増減

④ 当該資産除去債務の金額の見積りを変更したときは、その旨、変更の内容及び影響額

(2) (1)に掲げる資産除去債務以外の資産除去債務

① 当該資産除去債務の金額を連結貸借対照表に計上していない旨

② 当該資産除去債務の金額を連結貸借対照表に計上していない理由

③ 当該資産除去債務の概要

【連規15の23、財規8の28①】

43. 賃貸等不動産に関する注記

賃貸等不動産(棚卸資産に分類される不動産以外の不動産であって、賃貸又は譲渡による収益又は利益を目的として所有する不動産をいう)がある場合には、次に掲げる事項を注記しなければならない。ただし、賃貸等不動産の総額に重要性が乏しい場合には、注記を省略することができる。

(1) 賃貸等不動産の概要

(2) 賃貸等不動産の連結貸借対照表計上額及び当連結会計年度における主な変動

(3) 賃貸等不動産の連結決算日における時価及び当該時価の算定方法

(4) 賃貸等不動産に関する損益　　　【連規15の24】

44. 公共施設等運営事業に関する注記

(1) 連結財務諸表提出会社は、当該会社又は連結子会社が公共施設等運営事業における公共施設等運営業者である場合には、次に掲げる事項を公共施設等運営権ごとに注記しなければならない。

① 公共施設等運営権の概要

② 公共施設等運営権の減価償却の方法

(2) 更新投資については、次の①②に掲げる場合の区分に応じ、当該①②に定める事項を公共施設等運営権ごとに注記しなければならない。

① ②に掲げる場合以外の場合　次のアからエまでに掲げる事項

ア 主な更新投資の内容及び当該更新投資を予定している時期

イ 更新投資に係る資産の計上方法

ウ 更新投資に係る資産の減価償却の方法

エ 翌連結会計年度以降に実施すると見込まれる更新投資のうち資本的支出に該当する部分について、支出額を合理的に見積もることができる場合には、当該資本的支出に該当する部分の内容及びその金額

② 公共施設等運営権を取得した時において、大部分の更新投資の実施時期及び対象となる公共施設等の具体的な設備の内容が、公共施設等の管理者等から公共施設等運営権者に対して、公共施設等運営権実施契約等で提示され、かつ、当該更新投資のうち資本的支出に該当する部分について、運営権設定期間にわたって支出すると見込まれる額の総額及び支出時期を合理的に見積ることができる場合、次に掲げる事項

ア ①ア及びウに掲げる事項

イ 更新投資に係る資産及び負債の計上方法

(3) (1)(2)の規定にかかわらず、次の①②に掲げる場合には、当該①②に定める事項を集約して記載することができる。

① 同一の公共施設等運営権実施契約において複数の公共施設等運営権を対象とすることにより一体的な運営等を行う場合 当該複数の公共施設等運営権に係る(1)(2)に規定する事項

② 個々の公共施設等運営権の重要性は乏しいが、同一種類の複数の公共施設等運営権全体の重要性が乏しいとは認められない場合 当該複数の公共施設等運営権に係る(1)(2)に規定する事項 【連規15の25】

45. 収益認識に関する注記

【連規15の26➡p.139】

46. 棚卸資産に関する注記

市場価格の変動により利益を得る目的をもって所有する棚卸資産については、**25.金融商品に関する注記**(1)③の規定に準じて注記しなければならない。ただし、重要性の乏しいものについては、注記を省略することができる。

【連規15の27】

6 セグメント情報

1. 基本原則

セグメント情報等の開示は、財務諸表利用者が、企業の過去の業績を理解し、将来のキャッシュ・フローの予測を適切に評価できるように、企業が行う様々な事業活動の内容及びこれを行う経営環境に関して適切な情報を提供するものでなければならない。 【ASB基準17号4】

2. 事業セグメントの識別

(1) 事業セグメントの定義

「事業セグメント」とは、企業の構成単位で、次の要件のすべてに該当するものをいう。

① 収益を稼得し、費用が発生する事業活動に関わるもの（同一企業内の他の構成単位との取引に関連する収益及び費用を含む）

② 企業の最高経営意思決定機関（注）が、当該構成単位に配分すべき資源に関する意思決定を行い、また、その業績を評価するために、その経営成績を定期的に検討するもの

（注） 最高経営意思決定機関とは、企業の事業セグメントに資源を配分し、その業績を評価する機能を有する主体のことをいう。 【ASB基準17号8】

③ 分離された財務情報を入手できるもの

ただし、新たな事業を立ち上げたときのように、現時点では収益を稼得していない事業活動を事業セグメントとして識別する場合もある。 【ASB基準17号6】

なお、企業の本社又は特定の部門のように、企業を構成する一部であっても収益を稼得していない、又は付随的な収益を稼得するに過ぎない構成単位は、事業セグメント又は事業セグメントの一部とならない。

【ASB基準17号7】

(2) セグメントの区分方法が複数ある場合の取扱い

事業セグメントの要件を満たすセグメントの区分方法が複数ある場合、企業は、各構成単位の事業活動の特徴、それらについて責任を有する管理者の存在及び取締役会等に提出される情報などの要素に基づいて、企業の事業セグメントの区分方法を決定するものとする。【ASB基準17号9】

(3) 事業セグメントの集約

複数の事業セグメントが次の要件のすべてを満たす場合、企業は当該事業セグメントを１つの事業セグメントに集約することができる。

① 当該事業セグメントを集約することが、セグメント情報を開示する基本原則と整合していること

② 当該事業セグメントの経済的特徴がおおむね類似していること

③ 当該事業セグメントの次のすべての要素がおおむね類似していること

ア 製品及びサービスの内容

イ 製品の製造方法又は製造過程、サービスの提供方法

ウ 製品及びサービスを販売する市場又は顧客の種類

エ 製品及びサービスの販売方法

オ 銀行、保険、公益事業等のような業種に特有の規制環境 【ASB基準17号11】

3. 報告セグメントの決定

(1) 企業は、事業セグメント又は集約された事業セグメントの中から、量的基準に従って、報告すべきセグメント（以下「報告セグメント」という）を決定しなければならない。 【ASB基準17号10】

(2) 量的基準

① 企業は、次の量的基準のいずれかを満たす事業セグメントを報告セグメントとして開示しなければならない。

ア 売上高（事業セグメント間の内部売上高又は振替高を含む）がすべての事業セグメントの売上高の合計額の10％以上であること（売上高には役務収益を含む。以下同じ）

イ 利益又は損失の絶対値が、(ア)利益の生じているすべての事業セグメントの利益の合計額、又は(イ)損失の生

39.事業分離に関する重要な後発事象等の注記／40.子会社の企業結合に関する後発事象等の注記／41.継続企業の前提に関する注記／42.資産除去債務に関する注記／43.賃貸等不動産に関する注記／44.公共施設等運営事業に関する注記／45.収益認識に関する注記／46.棚卸資産に関する注記／1.基本原則／2.事業セグメントの識別／3.報告セグメントの決定

229

じているすべての事業セグメントの損失の合計額の絶
対値のいずれか大きい額の10％以上であること
　ウ　資産が、すべての事業セグメントの資産の合計額の
10％以上であること
　なお、企業が、量的基準のいずれにも満たない事業セ
グメントを、報告セグメントとして開示することを妨
げない。　　　　　　　　　　　　【ASB基準17号12】
② 企業は、前項の量的基準を満たしていない複数の事業
セグメントの経済的特徴がおおむね類似し、上記「事業
セグメントの集約」に記載した事業セグメントを集約す
るにあたって考慮すべき要素の過半数についておおむね
類似している場合には、これらの事業セグメントを結合
して、報告セグメントとすることができる。
　　　　　　　　　　　　　　　　　【ASB基準17号13】
③ 報告セグメントの外部顧客への売上高の合計額が連結
損益計算書又は個別損益計算書（以下「損益計算書」と
いう）の売上高の75％未満である場合には、損益計算書
の売上高の75％以上が報告セグメントに含まれるまで、
報告セグメントとする事業セグメントを追加して識別し
なければならない。　　　　　　　【ASB基準17号14】
④ 報告セグメントに含まれない事業セグメント及びその
他の収益を稼得する事業活動に関する情報は、ASB基
準17号25により求められる差異調整の中で、他の調整
項目とは区分して、「その他」の区分に一括して開示し
なければならない。この場合、「その他」に含まれる主
要な事業の名称等をあわせて開示しなければならない。
　　　　　　　　　　　　　　　　　【ASB基準17号15】
⑤ ある事業セグメントの量的な重要性の変化によって、
報告セグメントとして開示する事業セグメントの範囲を
変更する場合には、その旨及び前年度のセグメント情報
を当年度の報告セグメントの区分により作り直した情報
を開示しなければならない。

　ただし、前年度のセグメント情報を当年度の報告セグ
メントの区分により作り直した情報を開示することが実
務上困難な場合（必要な情報の入手が困難な場合や、当
該情報を作成するために過度の負担を要する場合には、
実務上困難なものとする）には、セグメント情報に与え
る影響を開示することができる。　　【ASB基準17号16】

4. セグメント情報の開示項目

【➡ p.221】
【ASB基準17号17、連規15の2①】

5. 報告セグメントの概要

　企業は、報告セグメントの概要として、次の事項を開示
しなければならない。
(1)　報告セグメントの決定方法
　　事業セグメントを識別するために用いた方法（例えば、
　製品・サービス別、地域別、規制環境別、又はこれらの
　組合せ等、企業の事業セグメントの基礎となる要素）及
　び複数の事業セグメントを集約した場合にはその旨等に
　ついて記載する。
(2)　各報告セグメントに属する製品及びサービスの種類
　　　　　　　　　　　　　　　　　【ASB基準17号18】

6. 利益（又は損失）、資産及び負債等の額

　企業は、各報告セグメントの利益（又は損失）及び資産の
額を開示しなければならない。　　　【ASB基準17号19】
　負債に関する情報が、最高経営意思決定機関に対して定
期的に提供され、使用されている場合、企業は各報告セグ
メントの負債の額を開示しなければならない。
　　　　　　　　　　　　　　　　　【ASB基準17号20】
　企業が開示する報告セグメントの利益（又は損失）の額の
算定に次の項目が含まれている場合、企業は各報告セグメ
ントのこれらの金額を開示しなければならない。また、報
告セグメントの利益（又は損失）の額の算定に含まれていな
い場合であっても、次の項目の事業セグメント別の情報が
最高経営意思決定機関に対して定期的に提供され、使用さ
れているときには、企業は各報告セグメントのこれらの金
額を開示しなければならない。
(1)　外部顧客への売上高
(2)　事業セグメント間の内部売上高又は振替高
(3)　減価償却費（のれんを除く無形固定資産に係る償却費
　を含む）
(4)　のれんの償却額及び負ののれんの償却額
(5)　受取利息及び支払利息
(6)　持分法投資利益（又は損失）
(7)　特別利益及び特別損失
(8)　税金費用（法人税等及び法人税等調整額）
(9)　(1)から(8)に含まれていない重要な非資金損益項目
　　(7)の特別利益及び特別損失については、主な内訳をあ
　わせて開示するものとする。　　　【ASB基準17号21】
　企業が開示する報告セグメントの資産の額の算定に次の
項目が含まれている場合、企業は各報告セグメントのこれ
らの金額を開示しなければならない。また、報告セグメン
トの資産の額の算定に含まれていない場合であっても、次
の項目の事業セグメント別の情報が最高経営意思決定機関
に対して定期的に提供され、使用されているときには、企
業は各報告セグメントのこれらの金額を開示しなければな
らない。
(1)　持分法適用会社への投資額（当年度末残高）
(2)　有形固定資産及び無形固定資産の増加額（当年度の投
　資額）　　　　　　　　　　　　　【ASB基準17号22】

7. 測定方法

　利益（又は損失）、資産及び負債等の額の開示は、事業セ
グメントに資源を配分する意思決定を行い、その業績を評
価する目的で、最高経営意思決定機関に報告される金額に
基づいて行わなければならない。財務諸表の作成にあたっ
て行った修正や相殺消去、又は特定の収益、費用、資産又
は負債の配分は、最高経営意思決定機関が使用する事業セ
グメントの利益（又は損失）、資産又は負債の算定に含まれ
ている場合にのみ、報告セグメントの各項目の額に含める
ことができる。ただし、特定の収益、費用、資産又は負債
を各事業セグメントの利益（又は損失）、資産又は負債に配
分する場合には、企業は、合理的な基準に従って配分しな
ければならない。　　　　　　　　【ASB基準17号23】
　企業は、利益（又は損失）、資産及び負債等の額について

開示する項目の測定方法について開示しなければならない。なお、企業は、少なくとも次の事項を開示しなければならない。

(1) 報告セグメント間の取引がある場合、その会計処理の基礎となる事項

例えば、報告セグメント間の取引価格や振替価格の決定方法など

(2) 報告セグメントの利益（又は損失）の合計額と、損益計算書の利益（又は損失）計上額との間に差異があり、差異調整に関する事項の開示（**8. 差異調整**(1)②参照）からはその内容が明らかでない場合、その内容

例えば、会計処理の方法の違いによる差異がある場合や、事業セグメントに配分していない額がある場合には、その主な内容を明らかにする必要がある（以下(3)及び(4)においても同様）。

(3) 報告セグメントの資産の合計額と連結貸借対照表又は個別貸借対照表（以下「貸借対照表」という）の資産計上額との間に差異があり、差異調整に関する事項の開示（**8. 差異調整**(1)③参照）からその内容が明らかでない場合、その内容

なお、企業が事業セグメントに資産を配分していない場合には、その旨を開示しなければならない。

(4) 報告セグメントの負債の合計額と貸借対照表の負債計上額との間に差異があり、差異調整に関する事項の開示（**8. 差異調整**(1)④参照）からその内容が明らかでない場合、その内容

(5) 事業セグメントの利益（又は損失）の測定方法を前年度に採用した方法から変更した場合には、その旨、変更の理由及び当該変更がセグメント情報に与えている影響

(6) 事業セグメントに対する特定の資産又は負債の配分基準と関連する収益又は費用の配分基準が異なる場合には、その内容

例えば、ある事業セグメントに特定の償却資産を配分していないにもかかわらず、その減価償却費を当該事業セグメントの費用に配分する場合がこれに該当する。

【ASB 基準17号24】

8. 差異調整

(1) 企業は、次の項目について、その差異調整に関する事項を開示しなければならない。

① 報告セグメントの売上高の合計額と損益計算書の売上高計上額

② 報告セグメントの利益（又は損失）の合計額と損益計算書の利益（又は損失）計上額

③ 報告セグメントの資産の合計額と貸借対照表の資産計上額

④ 報告セグメントの負債の合計額と貸借対照表の負債計上額

⑤ その他の開示される各項目について、報告セグメントの合計額とその対応する科目の財務諸表計上額

重要な調整事項がある場合、企業は当該事項を個別に記載しなければならない。例えば、報告セグメントの利益（又は損失）を算定するにあたって採用した会計処理の方法が財務諸表の作成上採用した方法と異なっている場合、そ

の重要な差異は、すべて個別に記載しなければならない。

【ASB 基準17号25】

(2) **7. 測定方法**(2)及び**8. 差異調整**(1)②における損益計算書の利益（又は損失）は、損益計算書の営業利益（又は損失）、経常利益（又は損失）、税金等調整前当期純利益（又は損失）、当期純利益（又は損失）又は親会社株主に帰属する当期純利益のうち、いずれか適当と判断される科目とする。なお、企業は当該科目を開示しなければならない。

【ASB 基準17号26】

9. 組織変更等によるセグメントの区分方法の変更

(1) 企業の組織構造の変更等、企業の管理手法が変更されたために、報告セグメントの区分方法を変更する場合には、その旨及び前年度のセグメント情報を当年度の区分方法により作り直した情報を開示するものとする。ただし、前年度のセグメント情報を当年度の区分方法により作り直した情報を開示することが実務上困難な場合には、当年度のセグメント情報を前年度の区分方法により作成した情報を開示することができる。

【ASB 基準17号27】

(2) (1)の開示を行うことが実務上困難な場合には、当該開示に代えて、当該開示を行うことが実務上困難な旨及びその理由を記載しなければならない。また、(1)の開示は、セグメント情報に開示するすべての項目について記載するものとするが、一部の項目について記載することが実務上困難な場合は、その旨及びその理由を記載しなければならない。

【ASB 基準17号28】

10. 関連情報の開示

セグメント情報の中で同様の情報が開示されている場合を除き、次の事項をセグメント情報の関連情報として開示しなければならない。当該関連情報に開示される金額は、当該企業が財務諸表を作成するために採用した会計処理に基づく数値によるものとする。なお、報告すべきセグメントが1つしかなく、セグメント情報を開示しない企業であっても、当該関連情報を開示しなければならない。

【ASB 基準17号29】

(1) 製品及びサービスに関する情報

主要な個々の製品又はサービスあるいはこれらの種類や性質、製造方法、販売市場等の類似性に基づく同種・同系列のグループごとに、外部顧客への売上高を開示する。なお、当該事項を開示することが実務上困難な場合には、当該事項の開示に代えて、その旨及びその理由を開示しなければならない。

【ASB基準17号30】

(2) 地域に関する情報

地域に関する情報として、次の事項を開示する。なお、当該事項を開示することが実務上困難な場合には、当該事項に代えて、その旨及びその理由を開示しなければならない。

① 国内の外部顧客への売上高に分類した額と海外の外部顧客への売上高に分類した額

海外の外部顧客への売上高に分類した額のうち、主要な国がある場合には、これを区分して開示しなければならない。なお、各区分に売上高を分類した基準をあわせ

て記載するものとする。

② 国内に所在している有形固定資産の額と海外に所在している有形固定資産の額

　海外に所在している有形固定資産の額のうち、主要な国がある場合には、これを区分して開示しなければならない。

　なお、上記に定める事項に加えて、複数の国を括った地域（例えば、北米、欧州等）に係る額についても開示することができる。　　　　　　　　　【ASB基準17号31】

（3）主要な顧客に関する情報

　主要な顧客がある場合には、その旨、当該顧客の名称又は氏名、当該顧客への売上高及び当該顧客との取引に関連する主な報告セグメントの名称を開示する。

【ASB基準17号32】

11. 固定資産の減損損失に関する報告セグメント別情報の開示

　損益計算書に固定資産の減損損失を計上している場合には、当該企業が財務諸表を作成するために採用した会計処理に基づく数値によって、その報告セグメント別の内訳を開示しなければならない。なお、報告セグメントに配分されていない減損損失がある場合には、その額及びその内容を記載しなければならない。ただし、セグメント情報の中で同様の情報が開示されている場合には、当該情報の開示を要しない。　　　　　　　　　　　【ASB基準17号33】

12. のれんに関する報告セグメント別情報の開示

（1）のれんの償却額

　損益計算書にのれんの償却額又は負ののれんの償却額を計上している場合には、当該企業が財務諸表を作成するために採用した会計処理に基づく数値によって、その償却額及び未償却残高に関する報告セグメント別の内訳をそれぞれ開示しなければならない。

　なお、報告セグメントに配分されていないのれん又は負ののれんがある場合には、その償却額及び未償却残高並びにその内容を記載しなければならない。ただし、セグメント情報の中で同様の情報が開示されている場合には、当該情報の開示を要しない。　　　　　　　　【ASB基準17号34】

（2）重要な負ののれん

　損益計算書に重要な負ののれんを認識した場合には、当該負ののれんを認識した事象について、その報告セグメント別の概要を開示しなければならない。

【ASB基準17号34-2】

7 税効果会計

1. 連結財務諸表固有の一時差異

（1）連結財務諸表固有の将来減算一時差異

　「連結財務諸表固有の将来減算一時差異」とは、連結財務諸表固有の一時差異のうち、連結決算手続の結果として連結貸借対照表上の資産の金額（又は負債の金額）が、連結会

社の個別貸借対照表上の資産の金額（又は負債の金額）を下回る（又は上回る）場合に、当該連結貸借対照表上の資産（又は負債）が回収（又は決済）される等により、当該一時差異が解消する時に、連結財務諸表における利益が減額されることによって当該減額後の利益の額が当該連結会社の個別財務諸表における利益の額と一致する関係を持つものをいう。　　　　　　　　　　　　【ASB指針28号4(5)①】

　なお、ASB指針2号10（2-2）で定める場合において、連結決算手続の結果として生じる一時差異については、連結財務諸表固有の将来減算一時差異又は連結財務諸表固有の将来加算一時差異に準ずるものとして同様の取扱いをする。

（2）連結財務諸表固有の将来加算一時差異

　「連結財務諸表固有の将来加算一時差異」とは、連結財務諸表固有の一時差異のうち、連結決算手続の結果として連結貸借対照表上の資産の金額（又は負債の金額）が、連結会社の個別貸借対照表上の資産の金額（又は負債の金額）を上回る（又は下回る）場合に、当該連結貸借対照表上の資産（又は負債）が回収（又は決済）される等により、当該一時差異が解消する時に、連結財務諸表における利益が増額されることによって当該増額後の利益の額が当該連結会社の個別財務諸表における利益の額と一致する関係を持つものをいう。　　　　　　　　　　　　【ASB指針28号4(5)②】

（3）連結財務諸表固有の一時差異の例示

① 連結決算手続において、親会社及び子会社が採用する会計方針を統一した場合に、連結貸借対照表上の資産の額及び負債の額と個別貸借対照表上の当該資産の額及び負債の額に差異が生じているときの当該差額

② 資本連結手続において、子会社の資産及び負債を時価評価した場合に生じた評価差額

③ 子会社の資本（子会社の純資産の部における株主資本及び評価・換算差額等（子会社の資産及び負債の時価評価による評価差額を考慮した額））に対する親会社持分相当額及びのれんの未償却額の合計額（投資の連結貸借対照表上の価額）と親会社の個別貸借対照表上の投資簿価（課税所得計算上の子会社株式の価額）との差額

④ 連結会社間の取引から生じる未実現損益の消去額

⑤ 連結会社間の債権と債務の相殺消去による貸倒引当金の修正額　　　　　　　　　　　　【ASB指針28号86】

2. 繰延税金資産及び繰延税金負債の計上

(1) 連結決算手続においては、連結財務諸表における繰延税金資産及び繰延税金負債として、連結財務諸表固有の一時差異が生じた納税主体ごとに、当該連結財務諸表固有の一時差異に係る税金の見積額を計上する。

(2) 連結財務諸表固有の将来減算一時差異（未実現利益の消去に係る将来減算一時差異を除く）に係る繰延税金資産は、納税主体ごとに個別財務諸表における繰延税金資産（繰越外国税額控除に係る繰延税金資産を除く）と合算し、ASB指針26号9に従って計上する。

【ASB指針28号8(3)】

(3) 上記(1)(2)に従って繰延税金資産又は繰延税金負債を計上するときは、下記(4)〜(6)の場合を除き、年度の期首における繰延税金資産の額と繰延税金負債の額の差額と期

末における当該差額の増減額を、法人税等調整額を相手勘定として計上する。　　　　　【ASB 指針28号9】

(4)　資産又は負債の評価替えにより生じた評価差額等を直接純資産の部に計上する場合、当該評価差額等に係る一時差異に関する繰延税金資産及び繰延税金負債の差額について、年度の期首における当該差額と期末における当該差額の増減額を、純資産の部の評価・換算差額等を相手勘定として計上する。　【ASB 指針28号9(1)】

(5)　資産又は負債の評価替えにより生じた評価差額等をその他の包括利益で認識した上で純資産の部のその他の包括利益累計額に計上する場合、当該評価差額等に係る一時差異に関する繰延税金資産及び繰延税金負債の差額について、年度の期首における当該差額と期末における当該差額の増減額を、その他の包括利益を相手勘定として計上する。　　　　　　　【ASB 指針28号9(2)】

(6)　連結財務諸表において、子会社に対する投資について、親会社の持分が変動することにより生じた差額（親会社の持分変動による差額）を直接資本剰余金に計上する場合、当該親会社の持分変動による差額に係る一時差異に関する繰延税金資産又は繰延税金負債の差額について、年度の期首における当該差額と期末における当該差額の増減額を、資本剰余金を相手勘定として計上する。
　　　　　　　　　　　　　　【ASB 指針28号9(3)】

(7)　(3)に従って連結財務諸表固有の一時差異に対して法人税等調整額を計上する場合、当該連結財務諸表固有の一時差異が生じた子会社に非支配株主が存在するときには、親会社持分と非支配株主持分に配分する。
　　　　　　　　　　　　　　　　【ASB 指針28号10】

3. 連結財務諸表固有の一時差異の取扱い

(1) 子会社の資産及び負債の時価評価による評価差額に係る一時差異

①　資本連結手続において、子会社の資産（又は負債）を時価評価し、評価減（又は評価増）が生じた場合、当該評価減（又は評価増）に係る連結財務諸表固有の将来減算一時差異について、上記2.(2)に従って回収可能性を判断し繰延税金資産を計上する。

　　また、資本連結手続において、子会社の資産（又は負債）を時価評価し、評価増（又は評価減）が生じた場合、当該評価増（又は評価減）に係る連結財務諸表固有の将来加算一時差異について、繰延税金負債を計上する。
　　　　　　　　　　　　　　　　【ASB 指針28号18】

②　資本連結手続において、時価評価した子会社の資産（又は負債）を償却又は売却（又は決済）した場合、当該資産を償却した年度又は売却した年度（又は当該負債を決済した年度）に、資産及び負債の時価評価による評価差額に係る一時差異の解消に応じて繰延税金資産又は繰延税金負債を取り崩す。当該繰延税金資産又は繰延税金負債については、法人税等調整額を相手勘定として取り崩す。　　　　　　　　【ASB 指針28号19】

(2) 個別財務諸表において子会社株式の評価損を計上した場合

①　個別財務諸表において子会社株式の評価損を計上し、当該評価損について税務上の損金算入の要件を満たしていない場合であって、当該評価損に係る将来減算一時差

異の全部又は一部に対して繰延税金資産が計上されているときは、資本連結手続に伴い生じた当該評価損の消去に係る連結財務諸表固有の将来加算一時差異に対して、当該繰延税金資産と同額の繰延税金負債を計上する。当該繰延税金負債については、個別財務諸表において計上した子会社株式の評価損に係る将来減算一時差異に対する繰延税金資産と相殺する。

　　また、個別財務諸表において子会社株式の評価損を計上し、当該評価損について税務上の損金算入の要件を満たしていない場合であって、当該評価損に係る将来減算一時差異に対して繰延税金資産が計上されていないときは、資本連結手続に伴い生じた当該評価損の消去に係る連結財務諸表固有の将来加算一時差異に対して繰延税金負債を計上しない。　　　　　　　【ASB 指針28号20】

②　個別財務諸表において子会社株式の評価損を計上し、当該評価損について税務上の損金算入の要件を満たしている場合（過去に税務上の損金に算入された場合を含む）、資本連結手続に伴い生じた当該評価損の消去に係る連結財務諸表固有の将来加算一時差異に対して繰延税金負債を計上しない。　　　　　　　　　　　　【ASB 指針28号21】

(3) 子会社に対する投資に係る一時差異

①　子会社に対する投資に係る連結財務諸表固有の将来減算一時差異の取扱い

　　子会社に対する投資に係る連結財務諸表固有の将来減算一時差異については、原則として、連結決算手続上、繰延税金資産を計上しない。ただし、次のいずれも満たす場合、繰延税金資産を計上する。

ア　当該将来減算一時差異が、次のいずれかの場合により解消される可能性が高い。

　(ア)　予測可能な将来の期間に、子会社に対する投資の売却等（他の子会社への売却の場合を含む。ただし、税務上の要件を満たし課税所得計算において売却損益を繰り延べる場合を除く）を行う意思決定又は実施計画が存在する場合

　(イ)　個別財務諸表において計上した子会社株式の評価損について、予測可能な将来の期間に、税務上の損金に算入される場合

イ　ASB 指針28号8(3)に従って当該将来減算一時差異に係る繰延税金資産に回収可能性があると判断される。　　　　　　　　　　　　【ASB 指針28号22】

②　子会社に対する投資に係る連結財務諸表固有の将来加算一時差異の取扱い

ア　子会社に対する投資に係る連結財務諸表固有の将来加算一時差異のうち、以下イに定めた解消事由以外により解消されるものについては、次のいずれも満たす場合を除き、将来の会計期間において追加で納付が見込まれる税金の額を繰延税金負債として計上する。

　(ア)　親会社が子会社に対する投資の売却等を当該親会社自身で決めることができる。

　(イ)　次のA又はBのいずれかを満たす。

　　A　予測可能な将来の期間に、子会社に対する投資の売却等（他の子会社への売却の場合を含む）を行う意思がない場合

　　B　予測可能な将来の期間に、子会社に対する投資

の売却等を行う意思があるが、当該子会社に対する投資の売却等に伴い生じる売却損益について、税務上の要件を満たし、課税所得計算において当該売却損益を繰り延べる場合【ASB指針28号23】

イ　子会社に対する投資に係る連結財務諸表固有の将来加算一時差異のうち、子会社の留保利益（親会社の投資後に増加した子会社の利益剰余金をいう。このうち親会社持分相当額に限る。以下同じ）に係るもので、親会社が当該留保利益を配当金として受け取ることにより解消されるものについては、次のいずれかに該当する場合、将来の会計期間において追加で納付が見込まれる税金の額を繰延税金負債として計上する。

　(ア)　親会社が国内子会社の留保利益を配当金として受け取るときに、当該配当金の一部又は全部が税務上の益金に算入される場合

　(イ)　親会社が在外子会社の留保利益を配当金として受け取るときに、次のいずれか又はその両方が見込まれる場合

　　A　当該配当金の一部又は全部が税務上の益金に算入される。

　　B　当該配当金に対する外国源泉所得税について、税務上の損金に算入されないことにより追加で納付する税金が生じる。

　一方で、親会社が当該子会社の利益を配当しない方針を採用している場合又は子会社の利益を配当しない方針について他の株主等との間に合意がある場合等、将来の会計期間において追加で納付する税金が見込まれない可能性が高いときは、繰延税金負債を計上しない。【ASB指針28号24】

ウ　上記イ(イ)Aにおける親会社が在外子会社の留保利益を配当金として受け取るときに税務上の益金に算入されることにより追加で納付が見込まれる税金の額を算定する場合、当該在外子会社の外貨表示財務諸表に示された留保利益を基に、当該子会社の決算日（子会社の決算日が連結決算日と異なる場合で、かつ、当該子会社が連結決算日に正規の決算に準ずる合理的な手続により決算を行う場合は、当該連結決算日）における為替相場を用いて算定する。　【ASB指針28号25】

エ　上記イ(イ)Bにおける外国源泉所得税の額について追加で納付が見込まれる税額を算定する場合、配当金を支払った在外子会社の所在地国の法令（又は我が国と当該所在地国で租税条約等が締結されている場合には法令及び当該租税条約等）に規定されている税率を用いて計算する。　【ASB指針28号26】

③　子会社等に対する投資に係る連結財務諸表固有の一時差異の各項目の取扱い

　上記①及び②アイに従って繰延税金資産又は繰延税金負債を計上する場合、当該繰延税金資産又は繰延税金負債は、次の場合を除き、法人税等調整額を相手勘定として計上する。

ア　次の子会社又は関連会社（以下「子会社等」という）に対する投資に係る連結財務諸表固有の一時差異に関する繰延税金資産又は繰延税金負債については、その他の包括利益を相手勘定として計上する。

　(ア)　親会社等の投資後に子会社等が計上したその他有価証券評価差額金に係る連結財務諸表固有の一時差異

　(イ)　親会社等の投資後に子会社等が計上した繰延ヘッジ損益に係る連結財務諸表固有の一時差異

　(ウ)　親会社等の投資後に子会社等が計上した退職給付に係る負債又は退職給付に係る資産に関する連結財務諸表固有の一時差異

　(エ)　為替換算調整勘定に係る連結財務諸表固有の一時差異

イ　次の子会社に対する投資に係る連結財務諸表固有の一時差異に関する繰延税金資産又は繰延税金負債については、資本剰余金を相手勘定として計上する。

　(ア)　子会社に対する投資について追加取得に伴い生じた親会社の持分変動による差額に係る連結財務諸表固有の一時差異

　(イ)　子会社に対する投資について当該子会社の時価発行増資等に伴い生じた親会社の持分変動による差額に係る連結財務諸表固有の一時差異

【ASB指針28号27】

④　グループ通算制度を適用する場合、ASB報告42号19の会計処理によって計上した繰延税金資産及び繰延税金負債を取り崩した上で、連結貸借対照表における通算子会社に対する投資の連結貸借対照表上の価額と税務上の簿価純資産価額との差額を連結財務諸表固有の一時差異と同様に取り扱い、上記(2)、(3)①②アに従って処理する。　　　　　　　　　【ASB報告42号20】

(4) 子会社に対する投資を一部売却した場合の取扱い

①　子会社に対する投資の一部売却後も親会社と子会社の支配関係が継続している場合における親会社の持分変動による差額に対応する法人税等相当額についての売却時の取扱い

　子会社に対する投資を一部売却した後も親会社と子会社の支配関係が継続している場合、連結財務諸表上、当該売却に伴い生じた親会社の持分変動による差額に対応する法人税等に相当する額（子会社への投資に係る税効果の調整を含む）（以下「法人税等相当額」という）については、売却時に、法人税、住民税及び事業税などその内容を示す科目を相手勘定として資本剰余金から控除する。

　資本剰余金から控除する法人税等相当額は、売却元の課税所得や税金の納付額にかかわらず、原則として、親会社の持分変動による差額に法定実効税率を乗じて計算する。　　　　　　　　　　【ASB指針28号28】

②　子会社に対する投資を一部売却したことにより親会社と子会社の支配関係が継続していない場合における残存する投資に係る一時差異に関する繰延税金資産又は繰延税金負債についての売却時の取扱い

　子会社に対する投資の一部売却により当該被投資会社が子会社等に該当しなくなった場合、連結財務諸表上、残存する当該被投資会社に対する投資は個別貸借対照表上の帳簿価額をもって評価するとされている（ASB基準22号29なお書き）。

　この場合、ASB指針28号27に従って法人税等調整額

を相手勘定として計上した当該子会社に対する投資に係る連結財務諸表固有の一時差異に関する繰延税金資産又は繰延税金負債のうち、当該売却に伴い投資の帳簿価額を修正したことにより解消した一時差異に係る繰延税金資産又は繰延税金負債を、利益剰余金を相手勘定として取り崩す。　　　　　　　　　　【ASB 指針28号29】

(5) 子会社に対する投資を売却した時の親会社の持分変動による差額に対する法人税等及び税効果についての取扱い

① 親会社の持分変動による差額に対して繰延税金資産又は繰延税金負債を計上していた場合の子会社に対する投資を売却した時の取扱い

子会社に対する投資の追加取得や子会社の時価発行増資等に伴い生じた親会社の持分変動による差額に係る連結財務諸表固有の一時差異について、ASB 指針28号27⑵に従って資本剰余金を相手勘定として繰延税金資産又は繰延税金負債を計上していた場合、当該子会社に対する投資を売却した時に当該売却により解消した一時差異に係る繰延税金資産又は繰延税金負債を取り崩す。当該繰延税金資産又は繰延税金負債については、資本剰余金を相手勘定として取り崩す。　　　　【ASB 指針28号30】

② 親会社の持分変動による差額が生じている場合に子会社に対する投資を売却した時の法人税等についての取扱い

子会社に対する投資の追加取得や子会社の時価発行増資等に伴い生じた親会社の持分変動による差額を資本剰余金としている場合、当該子会社に対する投資を売却した時に、当該資本剰余金に対応する法人税等相当額について、法人税、住民税及び事業税などその内容を示す科目を相手勘定として資本剰余金から控除する。

【ASB 指針28号31】

(6) 債権と債務の相殺消去に伴い修正される貸倒引当金に係る一時差異の取扱い

① 個別財務諸表において連結会社に対する債権に貸倒引当金を計上し、当該貸倒引当金繰入額について税務上の損金算入の要件を満たしていない場合であって、当該貸倒引当金繰入額に係る将来減算一時差異の全部又は一部に対して繰延税金資産が計上されているときは、連結決算手続上、債権と債務の相殺消去に伴い当該貸倒引当金が修正されたことにより生じた当該貸倒引当金に係る連結財務諸表固有の将来加算一時差異に対して、当該繰延税金資産と同額の繰延税金負債を計上する。当該繰延税金負債については、個別財務諸表において計上した貸倒引当金繰入額に係る将来減算一時差異に対する繰延税金資産と相殺する。

② また、個別財務諸表において連結会社に対する債権に貸倒引当金を計上し、当該貸倒引当金繰入額について税務上の損金算入の要件を満たしていない場合であって、当該貸倒引当金繰入額に係る将来減算一時差異に対して繰延税金資産が計上されていないときは、連結決算手続上、債権と債務の相殺消去に伴い当該貸倒引当金が修正されたことにより生じた当該貸倒引当金に係る連結財務諸表固有の将来加算一時差異に対して繰延税金負債を計上しない。　　　　　　　【ASB 指針28号32】

③ 個別財務諸表において連結会社に対する債権に貸倒引

当金を計上し、当該貸倒引当金繰入額について税務上の損金算入の要件を満たしている場合（過去に税務上の損金に算入された場合を含む）、連結決算手続上、債権と債務の相殺消去に伴い当該貸倒引当金が修正されたことにより生じた当該貸倒引当金に係る連結財務諸表固有の将来加算一時差異に対して、原則として、繰延税金負債を計上する。この場合、債権者側の連結会社に適用される法定実効税率を用いて計算する。ただし、債務者である連結会社の業績が悪化している等、将来において当該将来加算一時差異に係る税金を納付する見込みが極めて低いときは、当該連結財務諸表固有の将来加算一時差異に係る繰延税金負債を計上しない。【ASB 指針28号33】

(7) 未実現損益の消去に係る一時差異の取扱い

① 未実現利益の消去に係る連結財務諸表固有の将来減算一時差異については、売却元の連結会社において売却年度に納付した当該未実現利益に係る税金の額を繰延税金資産として計上する。計上した繰延税金資産については、当該未実現利益の実現に応じて取り崩す。

また、未実現損失の消去に係る連結財務諸表固有の将来加算一時差異については、売却元の連結会社において売却年度に軽減された当該未実現損失に係る税金の額を繰延税金負債として計上する。計上した繰延税金負債については、当該未実現損失の実現に応じて取り崩す。

【ASB 指針28号34】

② 未実現利益の消去に係る繰延税金資産を計上するにあたっては、ASB 指針26号6の定めを適用せず、その回収可能性を判断しない。また、繰延税金資産の計上対象となる当該未実現利益の消去に係る将来減算一時差異の額については、売却元の連結会社の売却年度における課税所得の額を上限とする。　　　　　【ASB 指針28号35】

③ 未実現損失の消去に係る繰延税金負債を計上するにあたって、繰延税金負債の計上対象となる当該未実現損失の消去に係る将来加算一時差異の額については、売却元の連結会社の売却年度における当該未実現損失に係る税務上の損金を算入する前の課税所得の額を上限とする。

【ASB 指針28号36】

④ 子会社の決算日が連結決算日と異なることから生じる連結会社間の取引に係る会計記録の重要な不一致について必要な整理を行い、未実現損益が消去された場合、当該未実現損益の消去に係る繰延税金資産又は繰延税金負債については上記①から③に従って計上する。

【ASB 指針28号37】

⑤ グループ通算制度を適用する場合、繰延税金資産及び繰延税金負債の計上対象となる法人税及び地方法人税に係る未実現損益の消去に係る一時差異の上限について、上記②における「売却元の連結会社の売却年度における課税所得」を「通算グループ全体の課税年度における課税所得の合計」と、上記③における「売却元の連結会社の売却年度における当該未実現損失に係る税務上の損金を算入する前の課税所得」を「通算グループ全体の課税年度における当該未実現損失に係る税務上の損金を計上する前の課税所得の合計」と読み替えた上で適用する。

【ASB 報告42号18】

（8）連結会社間における資産（子会社株式等を除く）の売却に伴い生じた売却損益を税務上繰り延べる場合の連結財務諸表における取扱い

　連結会社間における資産の売却に伴い生じた売却損益について、税務上の要件を満たし課税所得計算において当該売却損益を繰り延べる場合（法法61の11）であって、当該資産を売却した企業の個別財務諸表において、ASB指針28号16に従って当該売却損益に係る一時差異に対して繰延税金資産又は繰延税金負債が計上されているときは、連結決算手続上、当該売却損益が消去されたことに伴い生じた当該売却損益の消去に係る連結財務諸表固有の一時差異に対して、個別財務諸表において計上した繰延税金資産又は繰延税金負債と同額の繰延税金負債又は繰延税金資産を計上する。当該繰延税金負債又は繰延税金資産については、個別財務諸表において計上した当該売却損益に係る一時差異に対する繰延税金資産又は繰延税金負債と相殺する。　　　　　　　　　　　【ASB指針28号38】

（9）連結会社間における子会社株式等の売却に伴い生じた売却損益を税務上繰り延べる場合の連結財務諸表における取扱い

　連結会社間における子会社株式等の売却に伴い生じた売却損益について、税務上の要件を満たし課税所得計算において当該売却損益を繰り延べる場合（法法61の11）であって、当該子会社株式等を売却した企業の個別財務諸表において、ASB指針28号17に従って当該売却損益に係る一時差異に対して繰延税金資産又は繰延税金負債が計上されているときは、連結決算手続上、当該一時差異に係る繰延税金資産又は繰延税金負債を取り崩し、購入側の企業による当該子会社株式等の再売却等、法法61の11に規定されている、課税所得計算上、繰り延べられた損益を計上することとなる事由についての意思決定がなされた時点において、当該取崩額を戻し入れる。

　また、当該子会社株式等の売却に伴い、追加的に又は新たに生じる一時差異については、ASB指針28号22又は23に従って処理する。　　　　　　　　　【ASB指針28号39】

（10）子会社等が保有する親会社株式等を当該親会社等に売却した場合の連結財務諸表における法人税等に関する取扱い

① 連結子会社が保有する親会社株式を当該親会社に売却した場合（親会社が連結子会社から自己株式を取得した場合）に当該子会社に生じる売却損益に対応する法人税等のうち親会社持分相当額は、ASB指針2号16に準じて、資本剰余金から控除する。　　　【ASB指針28号40】

② 持分法の適用対象となっている子会社等が保有する親会社の株式又は投資会社の株式（以下「親会社株式等」という）を当該親会社等に売却した場合についても、上記①と同様に処理する。　　　　【ASB指針28号41】

（11）退職給付に係る負債又は退職給付に係る資産に関する一時差異の取扱い

　連結財務諸表における退職給付に係る負債に関する繰延税金資産又は退職給付に係る資産に関する繰延税金負債については、個別財務諸表における退職給付引当金に係る将来減算一時差異に関する繰延税金資産の額又は前払年金費用に係る将来加算一時差異に関する繰延税金負債の額に、

連結修正項目である未認識数理計算上の差異及び未認識過去勤務費用（以下合わせて「未認識項目」という）の会計処理により生じる将来減算一時差異に係る繰延税金資産の額又は将来加算一時差異に係る繰延税金負債の額を合算し、当該合算額について次のとおり処理する。

① 当該合算により純額で繰延税金資産が生じる場合、当該合算額についてASB指針26号43及び45に従って回収可能性を判断し、未認識項目の一時差異に係る繰延税金資産又は繰延税金負債について、その他の包括利益を相手勘定として計上する。

② 当該合算により純額で繰延税金負債が生じる場合、未認識項目の一時差異に係る繰延税金資産又は繰延税金負債について、その他の包括利益を相手勘定として計上する。　　　　　　　　　　　　【ASB指針28号42】

（12）子会社株式等の取得に伴い認識したのれん又は負ののれんに係る繰延税金負債又は繰延税金資産の取扱い

　子会社株式等の取得に伴い、資本連結手続上、認識したのれん又は負ののれんについて、繰延税金負債又は繰延税金資産を計上しない。　　　　　　　　【ASB指針28号43】

4. 税法及び税率

（1）子会社の決算日が連結決算日と異なる場合の税法又は税率の取扱い

　連結財務諸表を作成するにあたって、子会社の決算日が連結決算日と異なる場合で、かつ、当該子会社が連結決算日に正規の決算に準ずる合理的な手続により決算を行う場合（ASB基準22号16）、当該子会社の繰延税金資産及び繰延税金負債の計算に用いる税法又は税率は、ASB指針28号44から49の「決算日」を「連結決算日」と読み替えた税法又は税率によるものとする。

　また、子会社の正規の決算を基礎として連結決算を行う場合（ASB基準22号（注4））、当該子会社の繰延税金資産及び繰延税金負債の計算に用いる税法又は税率は、ASB指針28号44から49の「決算日」を「子会社の決算日」と読み替えた税法又は税率によるものとする。【ASB指針28号50】

（2）繰延税金資産及び繰延税金負債の計算に用いる税法が改正された場合の取扱い

① 繰延税金資産及び繰延税金負債の計算に用いる税法の改正に伴い税率が変更されたこと等により繰延税金資産及び繰延税金負債の額が修正された場合、次の場合を除き、当該修正差額を当該税率が変更された年度において、法人税等調整額を相手勘定として計上する。

ア 資産又は負債の評価替えにより生じた評価差額等を直接純資産の部に計上する場合、当該評価差額等に係る一時差異に関する繰延税金資産及び繰延税金負債の差額について、税率が変更されたことによる修正差額を、当該税率が変更された年度において、純資産の部の評価・換算差額等を相手勘定として計上する。

イ 資産又は負債の評価替えにより生じた評価差額等をその他の包括利益で認識した上で純資産の部のその他の包括利益累計額に計上する場合、当該評価差額等に係る一時差異に関する繰延税金資産及び繰延税金負債の差額について、税率が変更されたことによる修正差額を、当該税率が変更された年度において、その他の

包括利益を相手勘定として計上する。

ウ　連結財務諸表において、子会社に対する投資について親会社の持分変動による差額を直接資本剰余金に計上する場合、当該親会社の持分変動による差額に係る一時差異に関する繰延税金資産又は繰延税金負債の差額について、税率が変更されたことによる修正差額を当該税率が変更された年度において資本剰余金を相手勘定として計上する。　【ASB指針28号51】

② 子会社の資産及び負債の時価評価により生じた評価差額に係る一時差異について、子会社において税率が変更されたことによる繰延税金資産及び繰延税金負債の修正差額は、当該税率が変更された連結会計年度において、法人税等調整額を相手勘定として計上する。
【ASB指針28号52】

③ 繰延税金資産及び繰延税金負債の計算に用いる税法の改正に伴い税率以外の納付税額の計算方法が変更されたことにより、繰延税金資産及び繰延税金負債の額が修正された場合、上記①及び②の定めと同様に処理する。
【ASB指針28号53】

(3) グローバル・ミニマム課税に対応する法人税法の改正に係る税効果会計の適用に関する当面の取扱い

当面の間、改正法人税法の成立日以後に終了する連結会計年度の決算における税効果会計の適用にあたっては、グローバル・ミニマム課税制度の影響を反映しない。
【ASB報告44号3】

8 連結財務諸表における退職給付会計

1. 未認識数理計算上の差異及び未認識過去勤務費用の連結財務諸表上の処理方法

(1) 連結貸借対照表上の取扱い

積立状況を示す額について、負債となる場合は「退職給付に係る負債」等の適当な科目をもって固定負債に計上し、資産となる場合は「退職給付に係る資産」等の適当な科目をもって固定資産に計上する。未認識数理計算上の差異及び未認識過去勤務費用については、税効果を調整の上、純資産の部におけるその他の包括利益累計額に「退職給付に係る調整累計額」等の適当な科目をもって計上する。
【ASB基準26号27】

(2) 連結損益計算書及び連結包括利益計算書（又は連結損益及び包括利益計算書）上の取扱い

退職給付費用については、原則として売上原価又は販売費及び一般管理費に計上する。

ただし、新たに退職給付制度を採用したとき又は給付水準の重要な改訂を行ったときに発生する過去勤務費用を発生時に全額費用処理する場合などにおいて、その金額が重要であると認められるときには、当該金額を特別損益として計上することができる。　【ASB基準26号28】

数理計算上の差異の当期発生額及び過去勤務費用の当期発生額のうち、費用処理されない部分（未認識数理計算上の差異及び未認識過去勤務費用となる）については、その他の包括利益に含めて計上する。その他の包括利益累計額に計上されている未認識数理計算上の差異及び未認識過去勤務費用のうち、当期に費用処理された部分については、その他の包括利益の調整（組替調整）を行う。
【ASB基準26号15】

当期に発生した未認識数理計算上の差異及び未認識過去勤務費用並びに当期に費用処理された組替調整額については、その他の包括利益に「退職給付に係る調整額」等の適当な科目をもって、一括して計上する。　【ASB基準26号29】

9 在外子会社等の財務諸表項目の換算

1. 財務諸表項目の換算

連結財務諸表の作成又は持分法の適用にあたり、外国にある子会社又は関連会社の外国通貨で表示されている財務諸表項目の換算は、次の方法による。

(1) 資産及び負債

決算時の為替相場による円換算額とする。

(2) 資　本

親会社による株式の取得時における資本に属する項目については、株式取得時の為替相場による円換算額を付する。

親会社による株式の取得後に生じた資本に属する項目については、当該項目の発生時の為替相場による円換算額を付する。

(3) 収益及び費用

原則として期中平均相場による円換算額を付する。ただし、決算時の為替相場による円換算額を付することを妨げない。なお、親会社との取引による収益及び費用の換算については、親会社が換算に用いる為替相場による。この場合生じる差額は当期の為替差損益として処理する。

(4) 換算差額

為替換算調整勘定として貸借対照表の純資産の部に記載する。

子会社に対する持分への投資をヘッジ対象としたヘッジ手段から生じた為替換算差額については、為替換算調整勘定に含めて処理する方法を採用することができる。ただし、ヘッジ手段から発生する換算差額がヘッジ対象となる子会社に対する持分から発生する為替換算調整勘定を上回った場合には、その超える額を当期の損益として処理する。また、税効果控除後の換算差額をもって為替換算調整勘定をヘッジする方法によっている場合には、税引後の換算差額と為替換算調整勘定とを比較して超過額を算定する。

持分法適用会社に対する持分への投資についてヘッジ取引を行っている場合にも同様の経済的効果が認められるため、在外子会社の場合と同様に取り扱う。

（5）現地通貨以外の外国通貨で記録された場合の財務諸表項目の換算

在外子会社等の財務諸表が当該子会社等が所在する国の現地通貨以外の外国通貨により記録することが合理的である場合には、取引発生時の外国通貨により記録することができる。当該外国通貨が複数の場合、外貨建取引は、各月末等一定時点における直物為替相場又は当該取引が属する一定期間を基礎として計算された平均相場による換算額により在外子会社等が所在する国の現地通貨により換算する。

なお、現地通貨以外の外国通貨による取引が中心で当該通貨が決済に恒常的に用いられており、当該現地通貨以外の外国通貨により記録している場合には、在外子会社等の財務諸表を直接円貨に換算することができる。この換算によって生じた換算差額は、為替換算調整勘定とする。

（6）在外子会社等に係るその他の包括利益の連結包括利益計算書又は連結損益及び包括利益計算書における取扱い

親会社の支配獲得後に生じた在外子会社等に係るその包括利益については、親会社の支配獲得後に生じたその他の包括利益累計額に属する項目の円換算額による変動額を、連結包括利益計算書又は連結損益及び包括利益計算書におけるその他の包括利益として計上する。

（7）円貨により会計帳簿を記録し財務諸表を作成している在外子会社等の取扱い

タックス・ヘイブン（租税回避地）等に籍のある在外子会社等の中には、現地通貨による財務諸表の作成が義務付けられていないため、会社の目的に応じ円貨により会計帳簿を記録し財務諸表を作成している会社がある。当該在外子会社等は、外貨基準でいう在外子会社等とはみなさず、為替換算上、本邦に所在する子会社に準じた取扱いをする。

（8）在外子会社等の決算日が連結決算日と異なる場合の取扱い

① 在外子会社等の貸借対照表項目の換算に適用する決算時の為替相場

在外子会社等の決算日における為替相場とする。なお、連結決算日との差異期間内において為替相場に重要な変動があった場合には、在外子会社等は連結決算日に正規の決算に準ずる合理的な手続による決算を行い、当該決算に基づく貸借対照表項目を連結決算日の為替相場で換算する。

② 在外子会社等の損益計算書項目の換算に適用すべき期中平均相場

連結会計期間に基づく期中平均相場ではなく、当該在外子会社等の会計期間に基づく期中平均相場とする。

【外貨三、外貨注13、会制4号31～35】

2. 為替換算調整勘定の定義

為替換算調整勘定とは、外国にある子会社又は関連会社の資産及び負債の換算に用いる為替相場と純資産の換算に用いる為替相場とが異なることによって生じる換算差額をいう。 【連規43の2①四】

3. 為替換算調整勘定の処理

（1）為替換算調整勘定の持分への按分と表示

為替換算調整勘定は株式所有比率に基づき、親会社持分割合と非支配株主持分割合とに区分し、親会社持分割合は原則として連結貸借対照表の純資産の部に為替換算調整勘定として計上する。ただし、株式の追加取得があった場合には、投資額は追加取得時の為替相場で換算されるから、非支配株主持分に含まれていた為替換算調整勘定相当額は親会社の投資と自動的に相殺されるため、連結貸借対照表の為替換算調整勘定には計上されないことになる。

非支配株主持分割合は非支配株主持分に振り替えられ、連結貸借対照表の非支配株主持分に含めて計上する。

（2）持分変動（減少）に伴う為替換算調整勘定の処理

連結貸借対照表の純資産の部に計上された為替換算調整勘定は、在外子会社等に対する投資持分から発生した為替換算差額であるが、いまだ連結上の純損益に計上されていないという性格を有する。持分変動により親会社の持分比率が減少する場合、連結貸借対照表に計上されている為替換算調整勘定のうち持分比率の減少割合相当額は取り崩されることとなる。 【会制4号41、42】

（3）持分変動（減少）により連結子会社の支配を喪失した場合

為替換算調整勘定のうち持分比率の減少割合相当額は、株式売却損益を構成し連結損益計算書に計上する。

【会制4号42-2】

（4）持分変動（減少）によっても連結子会社の支配が継続される場合

為替換算調整勘定のうち親会社の持分比率の減少割合相当額は資本剰余金に含めて計上する。

連結修正手続における具体的な会計処理は、為替換算調整勘定のうち親会社の持分比率の減少割合部分である為替差損益相当額（個別損益計算書に計上された株式売却損益に含まれる）を資本剰余金に振り替え、連結貸借対照表に計上されている為替換算調整勘定のうち持分比率の減少割合相当額を取り崩し、非支配株主持分に振り替える。

なお、持分変動によって生じた資本剰余金は、支配を喪失し、連結範囲から除外する場合でも、引き続き、連結財務諸表上、資本剰余金として計上する。【会制4号42-3】

（5）為替換算調整勘定に関する税効果の処理

連結貸借対照表の純資産の部に計上された為替換算調整勘定は、投資会社（親会社）の将来減算一時差異又は将来加算一時差異に該当する場合には税効果会計の対象となる。しかし、為替換算調整勘定は、在外子会社等の株式を処分したときなどに限り税金の軽減効果又は増額効果が実現するものであることから、ASB指針28号に従って処理する。

【会制4号43】

第 **10** 章

中間連結財務諸表

1 一般原則・範囲等

1. 中間連結財務諸表

（1）中間個別財務諸表への準拠

第一種中間連結財務諸表（以下「中間連結財務諸表」という）は、企業集団に属する親会社及び子会社が一般に公正妥当と認められる企業会計の基準に準拠して作成した中間個別財務諸表を基礎として作成しなければならない。
【ASB基準33号10、連規94二】

（2）会計処理の原則及び手続

中間連結財務諸表は、原則として連結財務諸表の作成にあたって適用される会計処理の原則及び手続に準拠して作成されなければならない。ただし、当該中間連結財務諸表の開示対象期間に係る企業集団の財政状態、経営成績及びキャッシュ・フローの状況に関する財務諸表利用者の判断を誤らせない限り、簡便的な会計処理によることができる。
【ASB基準33号11、連規94一】

（3）明　瞭　性

中間連結財務諸表提出会社の利害関係人に対して、企業集団の財政状態、経営成績及びキャッシュ・フローの状況に関する判断を誤らせないために必要な財務情報を明瞭に表示しなければならない。
【連規94三】

（4）継　続　性

前連結会計年度の連結財務諸表及び前年度の中間連結財務諸表を作成するために採用した会計処理の原則及び手続は、これを継続して適用し、正当な理由により変更を行う場合を除き、みだりに変更してはならない。
【ASB基準33号12、連規94四】

（5）中間連結財務諸表の範囲

中間連結財務諸表の範囲は、1計算書方式による場合、中間連結貸借対照表、中間連結損益及び包括利益計算書、並びに中間連結キャッシュ・フロー計算書とする。また、2計算書方式による場合、中間連結貸借対照表、中間連結損益計算書、中間連結包括利益計算書及び中間連結キャッシュ・フロー計算書とする。
【ASB基準33号6】

（6）開示対象期間

① 中間会計期間の末日の中間貸借対照表及び前年度の末日の要約貸借対照表
② 中間会計期間及び前中間会計期間の中間損益及び包括利益計算書又は中間損益計算書及び中間包括利益計算書
③ 中間会計期間及び前中間会計期間の中間キャッシュ・フロー計算書
【ASB基準33号8】

（7）比較情報の作成

当中間連結会計期間に係る中間連結財務諸表は、当該中間連結財務諸表の一部を構成するものとして比較情報（以下の①～③に掲げる中間連結財務諸表の区分に応じ、当該中間連結財務諸表に記載された事項に対応するものとして

①～③に定める事項）を含めて作成しなければならない。
① 中間連結貸借対照表　前連結会計年度に係る事項
② 中間連結損益計算書及び中間連結包括利益計算書　前中間連結会計期間に係る事項
③ 中間連結キャッシュ・フロー計算書　前中間連結会計期間に係る事項
【連規96】

2 会計処理

1. 連結の範囲等

（1）連結の範囲

① 中間連結財務諸表提出会社は、そのすべての子会社を連結の範囲に含めなければならない。ただし、次のいずれかに該当する子会社は、連結の範囲に含めない。
ア 財務及び営業又は事業の方針を決定する機関（株主総会その他これに準ずる機関をいう）に対する支配が一時的であると認められる子会社
イ 連結の範囲に含めることにより中間連結財務諸表提出会社の利害関係人の判断を著しく誤らせるおそれがあると認められる子会社
② 上記①により連結の範囲に含めるべき子会社のうち、その資産、売上高（役務収益を含む）、損益、利益剰余金及びキャッシュ・フローその他の項目からみて、連結の範囲から除いても企業集団の財政状態、経営成績及びキャッシュ・フローの状況に関する合理的な判断を妨げない程度に重要性の乏しいものは、連結の範囲から除くことができる。
③ 以下に掲げる会社等（会社、組合その他これらに類する事業体（外国におけるこれらに相当するものを含む））の財政状態、経営成績又はキャッシュ・フローの状況に関する事項で、当該企業集団の財政状態、経営成績及びキャッシュ・フローの状況の判断に影響を与えると認められる重要なものがある場合には、その内容を中間連結財務諸表に注記しなければならない。
ア 上記①ただし書の規定により連結の範囲から除かれた子会社
イ 中間連結財務諸表提出会社が議決権の過半数を自己の計算において所有している会社等のうち、民事再生法の規定による再生手続開始の決定を受けた会社等、会社更生法の規定による更生手続開始の決定を受けた株式会社、破産法の規定による破産手続開始の決定を受けた会社等その他これらに準ずる会社等であって、かつ、有効な支配従属関係が存在しないと認められることにより子会社に該当しない会社等　【連規95】

（2）連結子会社の資産及び負債の評価等

中間連結財務諸表の作成にあたっては、連結子会社の資産及び負債の評価並びに中間連結財務諸表提出会社の連結子会社に対する投資とこれに対応する当該連結子会社の資本の相殺消去その他必要とされる連結会社相互間の項目の消去をしなければならない。
【連規97】

(3) 持分法の適用

① 非連結子会社及び関連会社に対する投資については、持分法により計算した価額をもって中間連結貸借対照表に計上しなければならない。ただし、次のいずれかに該当する会社に対する投資については、持分法を適用しない。

ア 財務及び営業又は事業の方針の決定に対する影響が一時的であると認められる関連会社

イ 持分法を適用することにより中間連結財務諸表提出会社の利害関係人の判断を著しく誤らせるおそれがあると認められる非連結子会社及び関連会社

② 上記①により持分法を適用すべき非連結子会社及び関連会社のうち、その損益及び利益剰余金その他の項目からみて、持分法の適用の対象から除いても中間連結財務諸表に重要な影響を与えないものは、持分法の適用の対象から除くことができる。　　　　　　【連規98】

(4) 税効果会計の適用

連結会社の法人税その他利益に関連する金額を課税標準として課される租税(以下「法人税等」という)については、税効果会計(中間連結貸借対照表に計上されている資産及び負債の金額と課税所得の計算の結果算定された資産及び負債の金額との間に差異がある場合において、当該差異に係る法人税等の金額を適切に期間配分することにより、法人税等を控除する前の中間純利益の金額と法人税等の金額を合理的に対応させるための会計処理をいう。以下同じ)を適用して中間連結財務諸表を作成しなければならない。
【連規99】

(5) 中間連結決算日

中間連結財務諸表を作成するにあたり、子会社の中間会計期間の末日が中間連結決算日と異なる場合には、子会社は、中間連結決算日にASB基準33号に準ずる合理的な手続により、中間決算を行わなければならない。

なお、子会社の中間会計期間の末日と中間連結決算日との差異が3カ月を超えない場合には、子会社の中間決算を基礎として、中間連結決算を行うことができる。

ただし、この場合には、決算日が異なることから生じる連結会社間の取引に係る会計記録の重要な不一致については、必要な整理を行うものとする。
【ASB基準33号19、連規100】

(6) 子会社を取得又は売却した場合等のみなし取得日又はみなし売却日

中間連結財務諸表を作成するにあたり、支配獲得日、株式の取得日又は売却日等が子会社の中間会計期間の末日以外の日である場合には、当該日の前後いずれかの中間会計期間の末日等に支配獲得、株式取得又は売却等が行われたものとみなして処理することができる。

この決算日等には、期首、中間会計期間の末日又はその他の適切に決算が行われた日を含む。　【ASB基準33号20】

2. 中間特有の処理

中間連結財務諸表及び中間個別財務諸表作成のための特有の会計処理は、原価差異の繰延処理及び税金費用の計算とする。　　　　　　　　　　　　【ASB基準33号16、31】

(1) 原価差異の繰延処理

標準原価計算等を採用している場合において、原価差異が操業度等の季節的な変動に起因して発生したものであり、かつ、原価計算期間末までにほぼ解消が見込まれるときには、継続適用を条件として、当該原価差異を流動資産又は流動負債として繰り延べることができる。
【ASB基準33号17】

(2) 税金費用の計算

親会社及び連結子会社の法人税その他利益に関連する金額を課税標準とする税金(以下「法人税等」という)については、中間会計期間を含む年度の法人税等の計算に適用される税率に基づき、原則として年度決算と同様の方法により計算し、繰延税金資産及び繰延税金負債については、回収可能性等を検討した上で、中間貸借対照表に計上する。

ただし、税金費用については、中間会計期間を含む年度の税引前当期純利益に対する税効果会計適用後の実効税率を合理的に見積り、税引前中間純利益に当該見積実効税率を乗じて計算することができる。

この場合には、中間貸借対照表計上額は未払法人税等その他適当な科目により流動負債として(又は繰延税金資産その他適当な科目により投資その他の資産として)表示し、前年度末の繰延税金資産及び繰延税金負債については、回収可能性等を検討した上で、中間貸借対照表に計上することとする。

【ASB基準33号18、ASB基準28号「本会計基準の公表による他の会計基準等についての修正」】

上記ASB基準33号18の規程で見積実効税率を乗じて計算した場合において、前年度末に計上された繰延税金資産及び繰延税金負債については、繰延税金資産の回収見込額を各中間決算日時点で見直した上で中間貸借対照表に計上することになるが、当該見直しにあたっては、財務諸表利用者の判断を誤らせない限り、**(13) 繰延税金資産の回収可能性の判断における簡便的な取扱い【➡p.242】**で定める簡便的な方法によることも認められる。【ASB指針32号17】

なお、見積実効税率の算定においては、税額控除を考慮することに留意する必要がある。

また、見積実効税率の算定において、財務諸表利用者の判断を誤らせない限り、一時差異に該当しない差異や税額控除等の算定にあたり、重要な項目に限定する方法によることができる。　　　　　　　　【ASB指針32号18】

3. 簡便的な会計処理

(1) 一般債権の貸倒見積高の算定方法

中間会計期間末における一般債権に対する貸倒見積高は、一般債権の貸倒実績率等が前年度の財務諸表の作成において使用した貸倒実績率等と著しく変動していないと考えられる場合には、中間会計期間末において、前年度末の決算において算定した貸倒実績率等の合理的な基準を使用することができる。　　　　　　【ASB指針32号3】

(2) 有価証券の減損処理に係る中間切放し法と中間洗替え法

① 中間会計期間末に計上した有価証券の減損処理に基づく評価損の戻入れに関しては、中間切放し法と中間洗替え法の2つがある。

ア 中間切放し法とは、減損処理を行った後の中間会計

期間末の帳簿価額を時価等に付け替えて、当該銘柄の取得原価を修正する方法である。

イ　中間洗替え法とは、中間会計期間末における減損処理に基づく評価損の額を年度決算において戻し入れ、当該戻入れ後の帳簿価額と年度末の時価等を比較して減損処理の要否を検討する方法である。

② 中間会計期間末における有価証券の減損処理にあたっては、中間切放し法と中間洗替え法のいずれかの方法を選択適用することができる。この場合、いったん採用した方法は、原則として継続して適用する必要がある。
【ASB 指針32号４】

(3) 市場価格のない株式等の減損処理

市場価格のない株式等について、発行会社の財政状態の悪化により実質価額（通常は、1株当たりの純資産額に所有株式数を乗じることにより算定される）が著しく低下したときは相当の減額を行わなければならないが、当該財政状態が悪化しているかどうかの判断にあたっては、中間会計期間末までに入手し得る直近の財務諸表を使用する。

なお、その後の状況で財政状態に重要な影響を及ぼす事項が判明した場合には、直近の財務諸表に当該判明した事項を加味することが望ましい。　【ASB指針32号５】

(4) 実地棚卸の省略

中間会計期間末における棚卸高は、前年度に係る実地棚卸高を基礎として、合理的な方法により算定することができる。　【ASB指針32号６】

(5) 棚卸資産の簿価切下げに係る洗替え法と切放し法

① 年度決算において、棚卸資産の簿価切下げに洗替え法を適用している場合は、中間会計期間末においても洗替え法による。

② 年度決算において切放し法を適用している場合は、中間会計期間末において、洗替え法と切放し法のいずれかを選択適用することができる。この場合、いったん採用した方法は、原則として継続して適用する必要がある。

③ 中間会計期間で洗替え法を採用して評価損を計上した場合、年度決算では、当該評価損戻入れ後の帳簿価額と年度末の棚卸資産の正味売却価額（市場価格が観察できないときの合理的に算定された価額及び年度末において再調達原価によっている場合の再調達原価を含む）を比較して簿価切下げの要否を判断することとなる。
【ASB 指針32号７】

(6) 棚卸資産の簿価切下げにあたっての簡便的な会計処理

① 中間会計期間末における通常の販売目的で保有する棚卸資産の簿価切下げにあたっては、収益性が低下していることが明らかな棚卸資産についてのみ正味売却価額を見積り、簿価切下げを行うことができる。なお、収益性が低下していることが明らかかどうかは、棚卸資産を管理する製造部門又は営業部門の損益の状況や、品目別の損益管理を行っている場合における当該損失の発生状況などにより判断することとなる。

② 営業循環過程から外れた滞留又は処分見込等の棚卸資産であって、前年度末において帳簿価額を処分見込価額まで切り下げている場合には、当該中間会計期間において前年度から著しい状況の変化がないと認められる限り、前年度末における貸借対照表価額を引き続き計上する

ることができる。　【ASB 指針32号８】

(7) 原価差異の配賦方法における簡便的な会計処理

予定価格等又は標準原価を用いているために原価差異が生じた場合、当該原価差異の棚卸資産と売上原価への配賦は、年度決算と比較して簡便的な方法によることができる。　【ASB 指針32号９】

(8) 経過勘定項目の処理方法

経過勘定項目は、財務諸表利用者の判断を誤らせない限り、合理的な算定方法による概算額で計上することができる。　【ASB 指針32号10】

(9) 減価償却費の算定方法：合理的な予算制度の利用

固定資産の年度中の取得、売却又は除却等の見積りを考慮した予算を策定している場合には、当該予算に基づく年間償却予定額を期間按分する方法により、中間会計期間の減価償却費として計上することができる。

ただし、期中に取得、売却又は除却する固定資産の減価償却費に重要性がある場合には、その部分について適切に反映するよう当該期間按分額を調整するものとする。
【ASB指針32号11】

(10) 減価償却費の算定方法：定率法を採用している場合

減価償却の方法として定率法を採用している場合には、年度に係る減価償却費の額を期間按分する方法により、中間会計期間の減価償却費として計上することができる。
【ASB指針32号12】

(11) 減損の兆候

中間会計期間における減損の兆候の把握にあたっては、使用範囲又は方法について当該資産又は資産グループの回収可能価額を著しく低下させる変化を生じさせるような意思決定や、経営環境の著しい悪化に該当する事象が発生したかどうかについて留意することとする。
【ASB指針32号13】

(12) 年度決算と同様の方法による税金費用の計算における簡便的な取扱い

法人税その他利益に関する金額を課税標準とする税金（以下「法人税等」という）については、原則として年度決算と同様の方法により計算するものとされているが（ASB基準12号18本文）、財務諸表利用者の判断を誤らせない限り、納付税額の算出等において、簡便的な方法によることができる。この場合における簡便的な方法としては、例えば、納付税額の算出にあたり加味する加減算項目や税額控除項目を、重要なものに限定する方法がある。
【ASB指針32号14】

(13) 繰延税金資産の回収可能性の判断における簡便的な取扱い

① 経営環境等に著しい変化が生じていない場合

重要な企業結合や事業分離、業績の著しい好転又は悪化、その他経営環境の著しい変化が生じておらず、かつ、一時差異等の発生状況について前年度末から大幅な変動がないと認められる場合には、繰延税金資産の回収可能性の判断にあたり、前年度末の検討において使用した将来の業績予測やタックス・プランニングを利用することができる。　【ASB 指針32号15】

② 経営環境等に著しい変化が生じた場合

重要な企業結合や事業分離、業績の著しい好転又は悪

化、その他経営環境に著しい変化が生じ、又は、一時差異等の発生状況について前年度末から大幅な変動があると認められる場合には、繰延税金資産の回収可能性の判断にあたり、財務諸表利用者の判断を誤らせない範囲において、前年度末の検討において使用した将来の業績予測やタックス・プランニングに、当該著しい変化又は大幅な変動による影響を加味したものを使用することができる。　　　　　　　　　【ASB指針32号16】

(14) 重要性が乏しい連結会社における簡便的な会計処理

連結財務諸表における重要性が乏しい連結会社（親会社及び連結子会社）において、重要な企業結合や事業分離、業績の著しい好転又は悪化及びその他の経営環境に著しい変化が発生しておらず、かつ、中間財務諸表上の一時差異等の発生状況について前年度末から大幅な変動がない場合には、中間財務諸表における税金費用の計算にあたり、税引前中間純利益に、前年度の損益及び包括利益計算書又は損益計算書における税効果会計適用後の法人税等の負担率を乗じて計算する方法によることができる。なお、この方法によった場合、当該連結会社の前年度末に計上された繰延税金資産及び繰延税金負債については、同額を中間貸借対照表に計上することになる。　　　【ASB指針32号19】

(15) 中間連結財務諸表における法人税等の会計処理

中間連結財務諸表における税金費用は、連結会社の個別財務諸表上の税金費用と連結手続上生じる一時差異等に係る法人税等調整額に分けて計算する。すなわち、連結会社の税金費用については、連結会社ごとに計算し、また、連結手続上行われた修正仕訳に係る一時差異については、中間会計期間を含む年度の法人税等の計算に適用される税率に基づいて計算する。　　　　　　【ASB指針32号20】

(16) 中間連結財務諸表における未実現利益消去に係る税効果

中間会計期間の連結会社間での取引により生じた未実現利益を中間連結の手続上で消去するにあたって、当該未実現利益額が、売却元の年間見積課税所得額（税引前中間純利益に年間見積実効税率を乗じて計算する方法による場合は、予想年間税引前当期純利益）を上回っている場合には、連結消去に係る一時差異の金額は、当該年間見積課税所得額を限度とする。　　　　　　　　　【ASB指針32号21】

(17) グループ通算制度を採用した場合における税引前中間純利益に年間見積実効税率を乗じて計算する方法の適用の可否

グループ通算制度を採用した場合であっても、予想年間税金費用と予想年間税引前当期純利益を合理的に見積ることができるときには、中間会計期間に係る税金費用については、同期間を含む年度の税効果会計適用後の実効税率を合理的に見積り、税引前中間純利益に当該見積実効税率を乗じて計算する方法によることができる。

また、この場合においても、ASB指針32号17なお書き（簡便的な方法の採用）及びASB指針32号18（重要な項目のみの限定）を適用することとする。

(18) 退職給付に係る負債

① 期首に算定した年間の退職給付費用については、期間按分した額を中間会計期間に計上する。
　　　　　　　　　　　　　　　　　　　【ASB指針32号23】

② 数理計算上の差異を発生した年度に全額費用処理する会計方針を採用している場合以外においては、中間会計期間の費用処理額は、数理計算上の差異の年間費用処理額を期間按分することにより算定する。
　　　　　　　　　　　　　　　　　　　【ASB指針32号24】

③ 過去勤務費用について、発生時に全額費用処理する方法を採用している場合以外においては、中間会計期間の費用処理額は、過去勤務費用の年間費用処理額を期間按分することにより算定する。　　　【ASB指針32号25】

(19) 連結会社相互間の債権債務及び取引の相殺消去における簡便的な会計処理

① 連結会社相互間の債権と債務を相殺消去するにあたり、当該債権の額と債務の額に差異が見られる場合には、合理的な範囲内で、当該差異の調整を行わないで債権と債務を相殺消去することができる。
　　　　　　　　　　　　　　　　　　　【ASB指針32号26】

② 連結会社相互間の取引を相殺消去するにあたり、取引金額に差異がある場合で、当該差異の重要性が乏しいときには、親会社の金額に合わせる又は金額の大きい方に合わせるなど、一定の合理的な方法に基づき相殺消去することができる。　　　【ASB指針32号27】

(20) 未実現損益の消去における簡便的な会計処理

連結会社相互間の取引によって取得した棚卸資産に含まれる中間会計期間末における未実現損益の消去にあたっては、中間会計期間末在庫高に占める当該棚卸資産の金額及び当該取引に係る損益率を合理的に見積って計算することができる。また、前年度から取引状況に大きな変化がないと認められる場合には、前年度の損益率や合理的な予算制度に基づいて算定された損益率を使用して計算することができる。　　　　　　　　　【ASB指針32号28】

3 中間連結財務諸表の記載方法

1. 中間連結財務諸表の注記事項

(1) 連結の範囲又は持分法適用の範囲の変更に関する注記

中間連結財務諸表作成のための基本となる重要な事項のうち、連結の範囲又は持分法適用の範囲について、重要な変更を行った場合には、その旨及び変更の理由を注記しなければならない。　　　　【連規101、ASB基準33号25(1)】

(2) 会計基準等の改正等に伴う会計方針の変更に関する注記

財規131の規定は、会計基準等（財規8の3①本文に規定する会計基準等をいう）の改正等（同項本文に規定する会計基準等の改正等をいう）に伴い会計方針の変更を行った場合について準用する。

【連規102、ASB基準33号25(2)、ASB指針32号31】

また、ASB基準33号25(2)の影響額とは、新たな会計方針の遡及適用により影響を受ける前年度の中間会計期間に係る税金等調整前中間純損益又は税引前中間純損益、その他の重要な項目への影響額をいうものとする。

ただし、会計基準等の改正に伴う会計方針の変更で経過的な取扱いに従って会計処理を行った場合及び遡及適用

の原則的な取扱いが実務上不可能な場合(ASB基準24号9(1)又は(2))で、前年度の中間財務諸表について遡及適用を行っていないときには、新たな会計方針の適用により影響を受ける、前年度又は当年度(前年度の期首以前の実行可能な最も古い日から将来にわたり新たな会計方針を適用している場合には前年度のみ)の中間会計期間に係る税金等調整前中間純損益又は税引前中間純損益、その他の重要な項目への影響額をいうものとする。当年度の影響額を適時に正確に算定することができない場合には、資本連結をやり直さないなど適当な方法による概算額を記載することができる。　　　　　　　　　　　　【ASB指針32号31】

(3) 会計基準等の改正等以外の正当な理由による会計方針の変更に関する注記

財規132の規定は、会計基準等の改正等以外の正当な理由により会計方針の変更を行った場合について準用する。
　　　　　　　　　　　　【連規103、ASB基準33号25(2)】

(4) 会計上の見積りの変更に関する注記

財規133の規定は、会計上の見積りについて重要な変更を行った場合について準用する。
　　　　　　　　　　　　【連規104、ASB基準33号25(4)】

(5) 会計方針の変更を会計上の見積りの変更と区別することが困難な場合の注記

財規134の規定は、重要な会計方針の変更を行った場合において、当該重要な会計方針の変更を会計上の見積りの変更と区別することが困難な場合について準用する。
　　　　　　　　　　　　【連規105、ASB基準33号25(6)】

ASB基準33号25(5)及び(6)の影響額とは、会計上の見積りの変更を行った場合又は会計方針の変更を会計上の見積りの変更と区分することが困難な場合に、変更により影響を受ける当年度の中間会計期間に係る税金等調整前中間純損益又は税引前中間純損益、その他の重要な項目への影響額をいうものとする。なお、影響額を適時に正確に算定することができない場合には、資本連結をやり直さないなど適当な方法による概算額を記載することができる。
　　　　　　　　　　　　　　　　　【ASB指針32号32】

(6) 修正再表示に関する注記

財規135の規定は、修正再表示を行った場合について準用する。　　　　　　　　　　　　　　　　　【連規106】

ASB基準33号25(21)の影響額とは、過去の誤謬の修正再表示により影響を受ける前年度の中間会計期間に係る税金等調整前中間純損益、その他の重要な項目への影響額をいうものとする。　　　　　　　　　　【ASB指針32号33】

前年度の中間会計期間の末日後に自発的に会計処理の原則及び手続について変更を行っており、かつ、遡及適用により当年度に比較情報として開示する前年度の中間連結財務諸表と、前年度に開示した中間連結財務諸表に適用した会計方針との間に相違がみられる場合には、その旨
　　　　　　　　　　　　　　　　　【ASB基準33号25(4)】

(7) 中間連結財務諸表の作成に特有の会計処理に関する記載

一般に公正妥当と認められる企業会計の基準に従い、中間連結財務諸表の作成に特有の会計処理を適用した場合には、その旨及びその内容を注記しなければならない。ただし、重要性が乏しい場合には、記載を省略することができる。　　　　　　　　　【連規107、ASB基準33号25(7)】

(8) セグメント情報等の注記

① 企業を構成する一定の単位(以下「報告セグメント」という)に関する情報(以下「セグメント情報」という)については、次に掲げる事項を様式第一号に定めるところにより注記しなければならない。

ア 報告セグメントごとの売上高及び利益又は損失の金額

なお、報告セグメントの売上高の記載にあたっては、外部顧客への売上高と、セグメント間の内部売上高又は振替高とを区分せずに記載することができる。
【連規110①一、ASB基準33号25(8)①、ASB指針32号36】

イ アに掲げる利益又は損失の金額の合計額と当該項目に相当する科目ごとの中間連結損益計算書計上額との差額及び当該差額の主な内容
　　　　　　　　　【連規110①二、ASB基準33号25(8)③】

ウ 報告セグメントごとの資産の金額が変動する要因となった事象の概要(前連結会計年度の末日に比して著しい変動が認められる場合に限る)
【連規110①三、ASB基準33号25(8)②、ASB指針32号39】

なお、年度の連結財務諸表のセグメント情報の開示にあたり、複数の事業セグメントを1つの事業セグメントに集約又は結合して報告セグメントとして開示する場合には、同一の報告セグメント内の複数の事業セグメント間の取引及び債権債務の相殺消去や未実現利益の消去等を反映した金額により、報告セグメントの各項目を開示することができる。この方法を適用している場合には、①ア開示にあたっても同様の方法を適用することとする。　　　　　　【ASB指針32号35】

② 当中間連結会計期間(当連結会計年度に属する中間連結会計期間のうち当中間連結会計期間前のものを含む)において報告セグメントの変更又は報告セグメントに係る利益もしくは損失の金額の算定方法(下記③及び④において「報告セグメントに係る算定方法」という)の重要な変更があった場合には、その内容を注記しなければならない。　　　　　　　　　　　　　　【連規110②】

ア 報告セグメントの変更

(ア) 事業セグメントの量的な重要性の変化による報告セグメントとして開示する事業セグメントの範囲の変更

その旨、中間会計期間に係る報告セグメントの利益(又は損失)及び売上高の情報に与える影響を記載する。

(イ) 組織変更等、企業の管理手法が変更されたことによる報告セグメントの区分方法の変更

その旨、前年度の中間会計期間について変更後の区分方法により作り直したセグメント情報に基づく報告セグメントの利益(又は損失)及び売上高の情報を記載する。ただし、当該情報を開示することが実務上困難な場合には、中間会計期間について前年度の区分方法により作成した報告セグメントの利益(又は損失)及び売上高の情報を記載することができる。

イ　事業セグメントの利益（又は損失）の測定方法の重要な変更

　　その旨、変更の理由、当該変更が中間会計期間に係る報告セグメントの利益（又は損失）及び売上高の情報に与えている影響を記載する。

　　なお、ア及びイの記載のすべて又はその一部について、記載すべき金額を正確に算定することができない場合には概算額を記載することができる。また、記載すべき金額を算定することが実務上困難な場合には、その旨及びその理由を記載する。
　　　　　　　　　　【ASB基準33号25(8)④、ASB指針32号37】
　　また、各報告セグメントに属する主要な製品及びサービスの種類について重要な異動がある場合には、その内容を記載することとする。　　　　　【ASB指針32号38】

③　前連結会計年度において報告セグメントの変更又は報告セグメントに係る算定方法の重要な変更があり、かつ、前連結会計年度の対応する中間連結会計期間における報告セグメント又は報告セグメントに係る算定方法と当中間連結会計期間におけるこれらの事項との間に相違がみられる場合には、その旨並びに前連結会計年度の対応する中間連結累計期間に係る前記①ア及びイに掲げる金額（当中間連結会計期間における報告セグメント及び報告セグメントに係る算定方法に基づいて算定したものに限る）を注記しなければならない。
　　　　　　　　　　【連規110③、ASB基準33号25(8)⑤】
④　上記③の場合において、正確な金額を算定することが困難なときは、同項に規定する金額に代えて、適当な方法により概算額を注記することができる。ただし、金額を算定することが困難な場合には、同項に規定する金額に代えて、その旨及びその理由を注記することができる。　　　　　　【連規110④、ASB基準33号25(8)⑤】
⑤　当中間連結会計期間において、固定資産に係る重要な減損損失を認識した場合、のれんの金額に重要な変動が生じた場合又は重要な負ののれん発生益を認識した場合には、報告セグメントごとにその概要を注記しなければならない。　　　　【連規110⑤、ASB基準33号25(8)⑥、⑦】

(9) 収益認識に関する注記
　　当中間連結累計期間に係る顧客との契約から生じる収益については、当該収益及び当該契約から生じるキャッシュ・フローの性質、金額、時期及び不確実性に影響を及ぼす主要な要因に基づく区分に当該収益を分解した情報であって、投資者その他の中間連結財務諸表の利用者の理解に資するものを注記しなければならない。ただし、重要性の乏しいものについては、注記を省略することができる。
　　　　　　　　　　　　　　　　　　　　　　【連規121】

(10) 収益の分解情報に関する事項
①　顧客との契約から生じる収益について、収益及びキャッシュ・フローの性質、金額、時期及び不確実性に影響を及ぼす主要な要因に基づく区分に分解した情報
②　①に従って開示する収益の分解情報と、**(8)**①報告セグメントの売上高との間の関係を財務諸表利用者が理解できるようにするための十分な情報
　　①及び②の事項は、**(8)**のセグメント情報等に関する事項に含めて記載している場合には、当該注記事項を参照

することにより記載に代えることができる。
　　　　　　　　　　　　　　　　　　【ASB基準33号25(9)】

(11) 1株当たり中間純損益金額の注記
①　当中間期間に係る1株当たり中間純利益金額又は中間純損失金額及びその金額の算定上の基礎は、注記しなければならない。　　　【連規171①、ASB基準33号25(10)】
②　財規199②の規定は、当中間連結会計期間又は中間連結貸借対照表日後において株式併合又は株式分割が行われた場合について準用する。　　　　　　　【連規171②】
③　当年度の期首から当中間連結会計期間の末日において株式併合又は株式分割が行われた場合は、開示対象期間の期首からの累計期間（中間連結会計期間に係る1株当たり中間純損益を開示する場合は、中間連結会計期間を含む）に係る1株当たり中間純損益及び潜在株式調整後1株当たり中間純利益を、前年度の期首に当該株式併合又は株式分割が行われたと仮定して算定する。

　　また、当中間連結会計期間において株式併合又は株式分割が行われた場合はその旨、及び当該株式併合又は株式分割の影響を1株当たり中間純損益及び潜在株式調整後1株当たり中間純利益に反映している旨を注記する。
　　　　　　　　　　　　　　　　　　【ASB指針32号43】
④　中間連結会計期間の末日後に株式併合又は株式分割が行われた場合には、③に準じて取り扱う。
　　　　　　　　　　　　　　　　　　【ASB指針32号44】
⑤　中間会計期間の中間財務諸表と併せて表示される前年度の財務諸表及び前年度の中間財務諸表に、企業結合に係る暫定的な会計処理の確定による取得原価の配分額の見直しが反映されている場合は、開示対象期間の1株当たり中間純損益及び潜在株式調整後1株当たり中間純利益を、当該見直しが反映された後の金額により算定する。　　　　　　　　　　　　　　　【ASB指針32号42】

(12) 潜在株式調整後1株当たり中間純利益金額に関する注記
　　財規200の規定は、潜在株式調整後1株当たり中間純利益金額に関する注記について準用する。　　　　【連規172】

(13) 1株当たり中間純損益及び潜在株式調整後1株当たり中間純利益の算定上の基礎
　　開示する1株当たり中間純損益及び潜在株式調整後1株当たり中間純利益の算定上の基礎には、次の事項が含まれることとする。
①　中間連結損益及び包括利益計算書又は中間連結損益計算書における中間純損益、1株当たり中間純損益の算定に用いられた普通株式に係る中間純損益及びこれらの差額（普通株主に帰属しない金額）の主要な内訳
②　1株当たり中間純損益の算定に用いられた普通株式（普通株式と同等の株式を含む）の期中平均株式数
③　潜在株式調整後1株当たり中間純利益の算定に用いられた中間純損益調整額
④　潜在株式調整後1株当たり中間純利益の算定に用いられた普通株式増加数
⑤　希薄化効果を有しないため、潜在株式調整後1株当たり中間純利益の算定に含まれなかった潜在株式について、前年度末から重要な変動がある場合にはその概要
　　　　　　　　　　　　　　　　　　【ASB指針32号40】

（14）配当に関する注記

中間会計期間において行われた配当については、次の①〜③に掲げる事項を注記しなければならない。

①　配当財産が金銭の場合には、株式の種類ごとの配当金の総額、１株当たり配当額、基準日、効力発生日及び配当の原資

②　配当財産が金銭以外の場合（分割型の会社分割を含む）には、株式の種類ごとの配当財産の種類及び帳簿価額、１株当たり配当額、基準日、効力発生日並びに配当の原資

③　基準日が中間会計期間に属する配当のうち、配当の効力発生日が当年度の中間会計期間の末日後となるものについては、上記①又は②に準ずる事項

　　　　　【連規187、ASB基準33号25⑾、ASB指針32号45】

（15）株主資本の金額に著しい変動があった場合の注記

株主資本の金額に、前連結会計年度末に比して著しい変動があった場合には、主な変動事由を注記しなければならない。　　　　　　　　　【連規188、ASB基準33号25⑿】

なお、著しい変動があった場合に記載することとなる主な変動事由としては、例えば次のものが挙げられる。

①　新株の発行又は自己株式の処分

②　剰余金（その他資本剰余金又はその他利益剰余金）の配当。ただし、配当に関する事項を参照することとした場合には、省略することができる。

③　自己株式の取得

④　自己株式の消却

⑤　企業結合（合併、会社分割、株式交換、株式移転など）による増加又は分割型の会社分割による減少

⑥　連結範囲の変動又は持分法の適用範囲の変動（連結子会社又は持分法適用会社の増加又は減少）

なお、主な変動事由の金額を記載する場合には、概算額によることができる。　　　　【ASB指針32号46、連ガ188】

（16）継続企業の前提の注記

財規149の規定を準用する。

　　　　　　　　　　　【連規120、ASB基準33号25⒀】

（17）売上高又は営業費用に著しい季節的変動がある場合の注記

事業の性質上、売上高又は営業費用（売上原価並びに販売費及び一般管理費の合計をいう）に著しい季節的変動がある場合には、その状況を注記しなければならない。

　　　　　　　　　　　【連規175、ASB基準33号25⒁】

（18）偶発債務の注記

連結会社に係る偶発債務（債務の保証（債務の保証と同様の効果を有するものを含む）、係争事件に係る賠償義務その他現実に発生していない債務で、将来において事業の負担となる可能性のあるものをいう）がある場合には、その内容（種類及び保証先など）及び金額を注記しなければならない。ただし、重要性の乏しいものについては、注記を省略することができる。

　　　　　　【連規145、ASB基準33号25⒂、ASB指針32号47】

（19）取得による企業結合が行われた場合の注記

①　当中間連結会計期間において他の企業又は企業を構成する事業の取得による企業結合が行われた場合には、次に掲げる事項を注記しなければならない。ただし、当該

企業結合に係る取引に重要性が乏しい場合には、注記を省略することができる。

ア　企業結合の概要（被取得企業の名称及び事業の内容、企業結合を行った主な理由、事業を取得した場合は、相手企業の名称及び取得した事業の内容、企業結合日、企業結合の法的形式、結合後企業の名称及び取得した議決権比率）

イ　中間連結損益計算書に含まれる被取得企業又は取得した事業の業績の期間、実施した会計処理の概要

ウ　被取得企業又は取得した事業の取得原価及び対価の種類ごとの内訳

エ　取得の対価として株式を交付した場合には、株式の種類別の交換比率及びその算定方法並びに交付又は交付予定の株式数

オ　取得が複数の取引によって行われた場合には、被取得企業の取得原価と取得するに至った取引ごとの取得原価の合計額との差額

カ　発生したのれんの金額、発生原因、償却方法及び償却期間又は負ののれん発生益の金額及び発生原因

キ　上記カに掲げる発生したのれんの金額又は負ののれん発生益の金額が暫定的に算定された金額である場合には、その旨

②　上記①ただし書の規定にかかわらず、当中間連結会計期間における個々の企業結合に係る取引に重要性は乏しいが、当中間連結会計期間における複数の企業結合に係る取引全体に重要性がある場合には、上記①ア及びウからキまでに掲げる事項を当該企業結合に係る取引全体について注記しなければならない。

③　中間連結貸借対照表日までに行われた企業結合に係る暫定的な処理の確定が行われた中間連結会計期間においては、当該確定した旨並びに①カに掲げる発生したのれんの金額又は負ののれんの発生益の金額に係る見直しの内容及び金額を注記しなければならない。ただし①ただし書の規定により注記を省略している場合は、注記することを要しない。

④　③に掲げる暫定的な会計処理の確定に伴い、中間連結財務諸表に含まれる比較情報において取得原価の当初配分額に重要な見直しが反映されている場合には、当該見直しの内容及び金額を注記しなければならない。

　　　　　　【連規114、ASB基準33号25⒃①、ASB指針32号48】

（20）逆取得となる吸収合併の場合で、結合後企業が中間連結財務諸表を作成しない企業結合の注記

①　逆取得となる吸収合併の場合で、結合後企業が中間連結財務諸表を作成していないときは、パーチェス法を適用したとした場合に中間個別貸借対照表及び中間個別損益計算書に及ぼす損益への影響の概算額を注記する。当該注記は、企業結合年度の翌年度以降の中間会計期間においても、「影響の概算額」の重要性が乏しくなった場合を除き、継続的に開示する。

②　当該企業結合年度の翌年度以降に中間連結財務諸表を作成することとなった場合には、「影響の概算額」の重要性が乏しくなった場合を除き、当該逆取得を反映した中間連結財務諸表を作成する。　　　　【ASB指針32号49】

（21）共通支配下の取引等の注記

① 当中間連結会計期間において共通支配下の取引等が行われた場合には、次に掲げる事項を注記しなければならない。

　ア　取引の概要（結合当事企業又は対象となった事業の名称及びその事業の内容、企業結合の法的形式、結合後企業の名称、取引の目的を含む）

　イ　実施した会計処理の概要

　ウ　子会社株式を追加取得した場合には、**（19）取得による企業結合が行われた場合の注記**の①ウ及びエに準ずる事項

② 上記①にかかわらず、共通支配下の取引等に重要性が乏しい場合には、注記を省略することができる。ただし、当中間連結会計期間における個々の共通支配下の取引等に重要性は乏しいが、当中間連結会計期間における複数の共通支配下の取引等全体に重要性がある場合には、①に掲げる事項を当該取引等全体について注記しなければならない。

　　　【連規115、ASB基準33号25⒃②、ASB指針32号50】

（22）共同支配企業の形成の注記

① 当中間連結会計期間において共同支配企業の形成（財規8の22①に規定する共同支配企業の形成をいう）を行った場合には、**（21）共通支配下の取引等の注記**の①ア及びイに掲げる事項に準ずる事項を記載しなければならない。この場合において、**（21）共通支配下の取引等の注記**の①アに掲げる事項に準ずる事項を記載するときは、企業結合を共同支配企業の形成と判定した理由を記載しなければならない。

② 上記①にかかわらず、共同支配企業の形成に係る取引に重要性が乏しい場合には、注記を省略することができる。ただし、当中間連結会計期間における個々の共同支配企業の形成に係る取引に重要性は乏しいが、当中間連結会計期間における複数の共同支配企業の形成に係る取引全体に重要性がある場合には、上記①に定める事項を当該企業結合に係る取引全体について注記しなければならない。

　　　【連規116、ASB基準33号25⒃②、ASB指針32号52、53】

（23）事業分離における分離元企業の注記

① 当中間連結会計期間において重要な事業分離が行われ、当該事業分離が共通支配下の取引等及び共同支配企業の形成に該当しない場合には、分離元企業は、次に掲げる事項を注記しなければならない。

　ア　事業分離の概要（分離先企業の名称、分離した事業の内容、事業分離を行った主な理由、事業分離日及び法的形式を含む取引の概要をいう。また、中間財務諸表におけるセグメント情報等に関する事項において、当該分離した事業が含まれていた報告セグメント区分の名称も記載することとする）

　イ　実施した会計処理の概要（分離元企業の継続の関与があるものの移転損益を認識した場合、当該継続的関与の主な概要を含むこととする）

　ウ　分離した事業が含まれていた報告セグメントの名称

　エ　中間連結累計期間に係る中間連結損益計算書に計上されている分離した事業に係る損益の概算額

　オ　移転損益を認識した事業分離において分離先企業の株式を子会社株式又は関連会社株式として保有する以外に、継続的関与がある場合には、当該継続的関与の概要

② 上記①オに掲げる事項は、当該継続的関与が軽微な場合には、注記を省略することができる。

③ 当中間連結会計期間における個々の事業分離に係る取引に重要性は乏しいが、当中間連結会計期間における複数の事業分離に係る取引全体に重要性がある場合には、上記①の規定にかかわらず、上記①ア及びイに掲げる事項を当該事業分離に係る取引全体について注記しなければならない。

　　　【連規117、ASB基準33号25⒄、ASB指針32号54】

（24）事業分離における分離先企業の注記

　分離先企業は、事業分離が企業結合に該当しない場合は、次に掲げる事項を注記しなければならない。

① 取引の概要（**（23）事業分離における分離元企業の注記**①アに準ずる）

② 実施した会計処理の概要

③ 分離元企業から引き継いだ資産、負債及び純資産の内訳　　　　　【連規118、ASB指針32号55】

（25）子会社の企業結合の注記

　子会社の企業結合については連規15の18を準用する。

　　　　　　　　　　　　　　　　　　　　【連規119】

　中間会計期間に子会社が重要な企業結合を行った場合において、子会社を結合当事企業とする株主（親会社）は、結合当事企業（子会社）の企業結合により子会社に該当しなくなったときには、当該企業結合日の属する中間会計期間において、当該企業結合に関する次の事項を注記する。

　なお、中間会計期間において複数の企業結合が行われ、個々の企業結合においては重要性が乏しいが、企業結合全体で重要性がある場合には、当該企業結合全体で①及び②を注記する。

① 子会社が行った企業結合の概要

　各結合当事企業の名称、その事業の内容、企業結合を行った主な理由、企業結合日、法的形式を含む取引の概要及び当該結合当事企業が含まれていた報告セグメント区分の名称

② 実施した会計処理の概要（結合当事企業の株主の継続的関与があるものの交換損益を認識した場合には、当該継続的関与の主な概要を含む）

③ 中間連結損益及び包括利益計算書又は中間連結損益計算書に計上されている結合当事企業に係る損益の概算額

　　　　　　　　　　　　　　　　【ASB指針32号56】

（26）重要な後発事象の注記

① 中間連結決算日後、連結会社並びに持分法が適用される非連結子会社及び関連会社の当該中間連結財務諸表に係る中間連結会計期間が属する連結会計年度（当該中間連結会計期間を除く）以降の財政状態、経営成績及びキャッシュ・フローの状況に重要な影響を及ぼす事象が発生したときは、当該事象を注記しなければならない。

② その中間会計期間の末日が中間連結決算日と異なる子会社及び関連会社については、上記①の規定にかかわらず、当該子会社及び関連会社の中間決算日後に発生した

当該事象を注記しなければならない。

【連規108、ASB基準33号25(18)、ASB指針32号57、58】

（27）中間連結キャッシュ・フロー計算書に関する注記事項

中間連結キャッシュ・フロー計算書には、現金及び現金同等物の中間会計期間末残高と中間連結貸借対照表に掲記されている科目の金額との関係を注記しなければならない。

【連規186、ASB基準33号25(19)】

（28）追加情報の注記

中間連結財務諸表規則において特に定める注記のほか、中間連結財務諸表提出会社の利害関係人が、中間連結財務諸表に係る中間連結会計期間が属する連結会計年度に関する企業集団の財政状態、経営成績及びキャッシュ・フローの状況に関する適正な判断を行うために必要と認められる事項があるときは、当該事項を注記しなければならない。

【連規109、ASB基準33号25(20)】

財政状態、経営成績及びキャッシュ・フローの状況を適切に判断するために重要なその他の事項とは、企業集団又は企業の状況に関する財務諸表利用者の判断に重要な影響を及ぼす可能性のあるものであり、例えば次のようなものが挙げられる。なお、金額の記載にあたり、適時に正確な金額を算定することができない場合には、概算額によって記載することもできる。

① 資産の控除科目として表示されていない貸倒引当金の記載

② 子会社の決算日に変更があり、かつ中間損益に重要な影響を及ぼす場合に変更があった旨及びその内容

③ 企業集団の事業運営にあたっての重要な項目であり、かつ、前年度末と比較して著しく変動している資産又は負債等に関する事項　　　　　【ASB指針32号59】

（29）金融商品等に関する注記

① 金融商品に関する注記

ア　金融商品については、当該金融商品に関する中間連結貸借対照表の科目ごとに、企業集団の事業の運営において重要なものとなっており、かつ、中間連結貸借対照表計上額その他の金額に前連結会計年度の末日に比して著しい変動が認められる場合には、中間連結会計期間末における中間連結貸借対照表計上額、時価及び当該中間連結貸借対照表計上額と当該時価との差額を注記しなければならない。ただし、当該中間連結貸借対照表計上額と時価との差額及び前連結会計年度に係る連結貸借対照表計上額と時価との差額に重要性が乏しい場合には、注記を省略することができる。

【連規111①、ASB指針32号59(3)①】

イ　上記ア本文にかかわらず、中間連結貸借対照表の科目ごとの中間連結貸借対照表日における金融商品の時価について、適時に、正確な金額を算定することが困難な場合には、概算額を記載することができる。

【連規111②】

ウ　時価で中間連結貸借対照表に計上している金融商品については、当該金融商品に関する中間連結貸借対照表の科目ごとに、企業集団の事業の運営において重要なものとなっており、かつ、当該金融商品を適切な項目に区分し、その項目ごとに、当該金融商品の時価を当該時価の算定に重要な影響を与える時価の算定に係

るインプットが属するレベルに応じて分類し、それぞれの金額に前連結会計年度の末日に比して著しい変動が認められる場合には、次に掲げる事項を注記しなければならない。

㋐　当該項目ごとの次に掲げる事項

A　中間連結貸借対照表日におけるレベル1に分類された金融商品の時価の合計額

B　中間連結貸借対照表日におけるレベル2に分類された金融商品の時価の合計額

C　中間連結貸借対照表日におけるレベル3に分類された金融商品の時価の合計額

【ASB指針32号59(3)④】

㋑　上記B又はCにより注記した金融商品の時価の算定に用いる評価技法又はその適用を変更した場合には、その旨及びその理由　　　【連規111③】

エ　上記ウにかかわらず、中間連結貸借対照表に計上している金融商品を適切な項目に区分し、その項目ごとの中間連結貸借対照表日における金融商品の時価について、適時に、正確な金額を算定することが困難な場合には、概算額を記載することができる。

【連規111④】

オ　上記ア本文及びイにかかわらず、中間連結貸借対照表日における市場価格のない株式、出資金その他これらに準ずる金融商品については、上記ア本文の記載を要しない。この場合には、その旨並びに当該金融商品の概要及び中間連結貸借対照表計上額を注記しなければならない。　　　　　　　　　　　　　【連規111⑤】

カ　上記ア本文及びイにかかわらず、中間連結貸借対照表に持分相当額を純額で計上する組合その他これに準ずる事業体（外国におけるこれらに相当するものを含む）への出資については、上記ア本文に定める事項の記載を要しない。この場合には、その旨及び当該出資の中間連結貸借対照表計上額を注記しなければならない。　　　　　　　　　　　　　【連規111⑥】

キ　投資信託等について、一般に公正妥当と認められる企業会計の基準に従い、投資信託等の基準価額を時価とみなす場合には、上記ア本文に定める事項の記載については、当該投資信託等が含まれている旨を注記しなければならない（当該投資信託等の中間連結貸借対照表計上額に重要性が乏しい場合を除く）。

【連規111⑦】

ク　上記ウ及びエにかかわらず、投資信託等について、一般に公正妥当と認められる企業会計の基準に従い、投資信託等の基準価額を時価とみなす場合には、上記ウ㋐㋑に掲げる事項の記載を要しない。この場合には、その旨及び当該投資信託等の中間連結貸借対照表計上額を注記しなければならない。　　　【連規111⑧】

② 有価証券（次に掲げる有価証券に限る）については、当該有価証券が企業集団の事業の運営において重要なものとなっており、かつ、当該有価証券の中間連結貸借対照表計上額その他の金額に前連結会計年度の末日に比して著しい変動が認められる場合には、次に掲げる有価証券の区分に応じ、当該区分に定める事項を注記しなければならない。

ただし、適時に、正確な金額を算定することが困難な場合には、概算額を記載することができる。

ア　満期保有目的の債券　次に掲げる事項

(ア)　中間連結決算日における中間連結貸借対照表計上額

(イ)　中間連結決算日における時価

(ウ)　中間連結決算日における中間連結貸借対照表計上額と時価との差額

イ　その他有価証券　株式、債券その他の有価証券の種類ごとの次に掲げる事項

(ア)　取得原価

(イ)　中間連結決算日における中間連結貸借対照表計上額

(ウ)　中間連結決算日における中間連結貸借対照表計上額と取得原価との差額

【連規112、ASB指針32号59(3)②】

③　デリバティブ取引（ヘッジ会計（財規8に規定する）が適用されているものは除くことができる）については、当該取引が企業集団の事業の運営において重要なものとなっており、かつ、当該取引の契約額その他の金額に前連結会計年度の末日に比して著しい変動が認められる場合には、取引の対象物の種類（主な通貨、金利、株式、債券及び商品等）ごとの中間連結決算日における契約額又は契約において定められた元本相当額、時価及び評価損益を注記しなければならない。

ただし、適時に、正確な金額を算定することが困難な場合には、概算額を記載することができる。

上記に規定する事項は、先物取引、オプション取引、先渡取引、スワップ取引及びその他のデリバティブ取引その他の取引の種類に区分して記載しなければならない。　　　　　　　【連規113、ASB指針32号59(3)③】

(30) 注記の方法

①　連規101から連規107までの規定による注記は、中間連結キャッシュ・フロー計算書の次に記載しなければならない。

②　この規則の規定による注記は、連規101から連規107までの規定による注記の次に記載しなければならない。ただし、次に定める場合は、この限りでない。

ア　連規101から連規107までの規定による注記と関係がある事項について、これと併せて記載を行った場合

イ　脚注（当該注記に係る事項が記載されている中間連結財務諸表中の表又は計算書の末尾に記載することをいう）として記載することが適当と認められるものについて、当該記載を行った場合

③　継続企業の前提の注記は、上記②にかかわらず、中間連結キャッシュ・フロー計算書の次に記載しなければならない。

④　上記③の場合において、連規101から連規107までの規定による注記は、上記①の規定にかかわらず、継続企業の前提の注記の次に記載しなければならない。

⑤　この規則の規定により特定の科目に関係ある注記を記載する場合には、当該科目に記号を付記する方法その他これに類する方法によって、当該注記との関連を明らかにしなければならない。　　　　　　　　　　　　【連規122】

(31) 金額の表示の単位

中間連結財務諸表に掲記される科目その他の事項の金額は、百万円単位又は千円単位をもって表示するものとする。　　　　　　　　　　　　　　　　　　　　【連規123】

2. 中間連結貸借対照表の記載方法

(1) 記載方法

様式第十三号により記載するものとする。【連規124②】

(2) 資産、負債及び純資産の分類記載

資産、負債及び純資産は、それぞれ資産の部、負債の部及び純資産の部に分類して記載しなければならない。

【連規125】

(3) 科目の記載の配列

資産及び負債の科目の記載の配列は、流動性配列法によるものとする。　　　　　　　　　　　　　　　【連規126】

(4) 資産の分類

資産は、流動資産、固定資産及び繰延資産に分類し、さらに、固定資産に属する資産は、有形固定資産、無形固定資産及び投資その他の資産に分類して記載しなければならない。　　　　　　　　　　　　　　　　　　　【連規127】

(5) 流動資産の区分表示

①　流動資産に属する資産は、次に掲げる項目の区分に従い、当該資産を示す名称を付した科目をもって掲記しなければならない。ただし、当該項目に属する資産の金額が資産の総額の100分の1以下のもので、他の項目に属する資産と一括して表示することが適当であると認められるものについては、適当な名称を付した科目をもって一括して掲記することができる。

ア　現金及び預金

イ　受取手形、売掛金及び契約資産

ウ　有価証券

エ　商品及び製品（半製品を含む）

オ　仕掛品

カ　原材料及び貯蔵品

キ　その他

②　上記①の規定は、①ア～キの項目に属する資産で、別に表示することが適当であると認められるものについて、当該資産を示す名称を付した科目をもって別に掲記することを妨げない。

③　上記①キに掲げる項目に属する資産のうち、その金額が資産の総額の100分の10を超えるもの又は資産の総額の100分の10以下であっても区分して表示することが適切であるものについては、当該資産を示す名称を付した科目をもって別に掲記しなければならない。

④　上記①エからカまでに掲げる項目に属する資産については、棚卸資産の科目をもって一括して掲記することができる。この場合においては、当該項目に属する資産の科目及びその金額を注記しなければならない。

【連規129】

(6) 流動資産に係る引当金の表示

流動資産に属する資産に係る引当金の表示は、財規20（第3項を除く）の規定を準用する。　　　　　【連規130】

(7) 有形固定資産の区分表示

①　有形固定資産に属する資産は、これを一括し、有形固

定資産を示す名称を付した科目をもって掲記するものとする。ただし、有形固定資産に属する資産を適当と認められる項目に分類し、当該資産を示す名称を付した科目をもって掲記することを妨げない。

② 上記①の規定にかかわらず、有形固定資産に属する資産のうち、その金額が資産の総額の100分の10を超えるものがある場合又は資産の総額の100分の10以下であっても区分して表示することが適切な場合には、当該資産を他の有形固定資産と区分し、それぞれの資産を示す名称を付した科目をもって掲記しなければならない。　　　　　　　　　　　　　　【連規131】

（8）有形固定資産の減価償却累計額の表示

有形固定資産に対する減価償却累計額については財規163の規定を準用する。　　　　　　　　【連規132】

（9）有形固定資産の減損損失累計額の表示

有形固定資産に対する減損損失累計額については財規26の2（第4項及び第5項を除く）の規定を準用する。　　　　　　　　　　　　　　　　　　　【連規133】

（10）無形固定資産の区分表示

① 無形固定資産に属する資産は、次に掲げる項目の区分に従い、当該資産を示す名称を付した科目をもって掲記しなければならない。ただし、アに掲げる項目に属する資産の金額が資産の総額の100分の1以下である場合には、イに掲げる項目に属する資産と一括して掲記することができる。
　ア　のれん
　イ　その他

② 上記①イの資産のうち、その金額が資産の総額の100分の10を超えるもの又はその金額が資産の総額の100分の10以下であっても区分して表示することが適切であるものについては、当該資産を示す名称を付した科目をもって別に掲記しなければならない。

③ 連結会社の投資がこれに対応する連結子会社の資本の金額を超えることにより生じる差額は、のれんに含めて表示する。　　　　　　　　　　　　　【連規134】

（11）無形固定資産の減価償却累計額等の表示

財規30の規定（直接控除）は、無形固定資産に対する減価償却累計額及び減損損失累計額について準用する。　　　　　　　　　　　　　　　　　　　【連規135】

（12）投資その他の資産の区分表示

① 投資その他の資産に属する資産は、これを一括し、投資その他の資産を示す名称を付した科目をもって掲記するものとする。ただし、投資その他の資産に属する資産を適当と認められる項目に分類し、当該資産を示す名称を付した科目をもって掲記することを妨げない。

② 投資その他の資産の表示に関しては、**（7）有形固定資産の区分表示**の②を準用する。　　　　【連規136】

（13）投資その他の資産に係る引当金の表示

投資その他の資産に属する引当金については、財規34において準用する財規20（第3項を除く）を準用する。　　　　　　　　　　　　　　　　　　　【連規137】

（14）繰延資産の区分表示

① 繰延資産に属する資産は、これを一括し、繰延資産を示す名称を付した科目をもって掲記するものとする。た

だし、繰延資産に属する資産を適当と認められる項目に分類し、当該資産を示す名称を付した科目をもって掲記することを妨げない。

② 繰延資産の表示に関しては、**（7）有形固定資産の区分表示**の②を準用する。　　　　　　　【連規138】

（15）繰延資産の償却累計額の表示

繰延資産に対する償却累計額については、財規38（直接控除）の規定を準用する。　　　　　　【連規139】

（16）負債の分類

負債は、流動負債及び固定負債に分類して記載しなければならない。　　　　　　　　　　　【連規140】

（17）流動負債の区分表示

① 流動負債に属する負債は、次に掲げる項目の区分に従い、当該負債を示す名称を付した科目をもって掲記しなければならない。ただし、エ以外の項目に属する負債の金額が負債及び純資産の合計額の100分の1以下のもので、他の項目に属する負債と一括して表示することが適当であると認められるものについては、適当な名称を付した科目をもって一括して掲記することができる。
　ア　支払手形及び買掛金
　イ　短期借入金（金融手形及び当座借越を含む）
　ウ　未払法人税等
　エ　引当金
　オ　資産除去債務
　カ　その他

② 上記①の規定は、同項各号に掲げる項目に属する負債で別に表示することが適当であると認められるものについて、当該負債を示す名称を付した科目をもって別に掲記することを妨げない。

③ 上記①エに掲げる引当金のうち、その金額が負債及び純資産の合計額の100分の1を超えるものがある場合には、当該引当金の設定目的を示す名称を付した科目をもって掲記しなければならない。

④ 上記①カに掲げる項目に属する負債のうち、その金額が負債及び純資産の合計額の100分の10を超えるもの又は負債及び純資産の合計額の100分の10以下であっても区分して表示することが適切であるものについては、当該負債を示す名称を付した科目をもって別に掲記しなければならない。　　　　　　　　　　　　　　【連規143】

（18）固定負債の区分表示

① 固定負債に属する負債は、次に掲げる項目の区分に従い、当該負債を示す名称を付した科目をもって掲記しなければならない。ただし、ウ及びエに掲げる項目以外の項目に属する負債の金額が負債及び純資産の合計額の100分の1以下のもので、他の項目に属する負債と一括して表示することが適当であると認められるものについては、適当な名称を付した科目をもって一括して掲記することができる。
　ア　社債
　イ　長期借入金（金融手形を含む）
　ウ　引当金
　エ　退職給付に係る負債
　オ　資産除去債務
　カ　その他

② 固定負債の表示に関しては、**(17) 流動負債の区分表示**の②を準用する。

③ 上記①ウに掲げる引当金の表示に関しては、**(17) 流動負債の区分表示**の③を準用する。

④ 上記①カに掲げる項目に属する負債については **(17) 流動負債の区分表示**の④を準用する。　　【連規144】

(19) 棚卸資産及び工事損失引当金の表示

同一の工事契約に係る棚卸資産及び工事損失引当金がある場合には、次の①、②のいずれかの方法により表示しなければならない。

① 棚卸資産及び工事損失引当金をそれぞれ流動資産及び流動負債に表示する方法

② 棚卸資産及び工事損失引当金を相殺した差額を流動資産又は流動負債に表示する方法　　【連規146】

(20) 純資産の分類

純資産は、①株主資本、②その他包括利益累計額、③株式引受権、④新株予約権及び⑤非支配株主持分に分類して記載しなければならない。　　【連規147】

(21) 株主資本の分類及び区分表示

① 株主資本は、資本金、資本剰余金及び利益剰余金に分類し、それぞれ資本金、資本剰余金及び利益剰余金の科目をもって掲記しなければならない。　　【連規148①】

② 資本金については、財規61の規定を準用する。
　　【連規148②】

③ 申込期日経過後における新株式申込証拠金については、財規62①の規定を準用する。　　【連規148③】

④ 自己株式及び自己株式申込証拠金については連規43③及び④の規定を準用する。　　【連規148④】

(22) その他の包括利益累計額の分類及び区分表示

その他の包括利益累計額については、連規43の2の規定を準用する。　　【連規149】

(23) 株式引受権の表示

株式引受権については、連規43の2の2の規定を準用する。　　【連規150】

(24) 新株予約権の表示

新株予約権については、連規43の3の規定を準用する。
　　【連規151】

(25) 非支配株主持分の表示

非支配株主持分は、非支配株主持分の科目をもって掲記しなければならない。　　【連規152】

(26) 特別法上の準備金等

① 法令の規定により準備金又は引当金の名称をもって計上しなければならない準備金又は引当金で、資産の部又は負債の部に計上することが適当でないもの（以下「準備金等」という）は、連規126（科目の記載の配列）及び連規140（負債の分類）の規定にかかわらず、固定負債の次に別の区分を設けて記載しなければならない。

② 上記①の準備金等については、当該準備金等の設定目的を示す名称を付した科目をもって掲記しなければならない。　　【連規153】

3. 中間連結損益計算書の記載方法

(1) 記載方法

中間連結損益計算書は、様式第十四号により記載するものとする。　　【連規157②】

(2) 売上高の表示方法

売上高は、売上高を示す名称を付した科目をもって掲記しなければならない。　　【連規159】

(3) 売上原価の表示方法

売上原価は、売上原価を示す名称を付した科目をもって掲記しなければならない。　　【連規160】

(4) 売上総損益金額の表示

売上高と売上原価との差額は、売上総利益金額又は売上総損失金額として記載しなければならない。　　【連規161】

(5) 販売費及び一般管理費の表示方法

① 販売費及び一般管理費は、適当と認められる費目に分類し、当該費用を示す名称を付した科目をもって掲記しなければならない。ただし、販売費の科目もしくは一般管理費の科目又は販売費及び一般管理費の科目に一括して掲記し、その主要な費目及びその金額を注記することを妨げない。

② 上記①ただし書に規定する主要な費目とは、退職給付費用及び引当金繰入額（これらの費用のうちその金額が少額であるものを除く）並びにこれら以外の費目でその金額が販売費及び一般管理費の合計額の100分の20を超える費用又は販売費及び一般管理費の合計額の100分の20以下であっても区分して表示することが適切と認められる費用をいう。　　【連規162】

(6) 営業損益金額の表示

売上総利益金額又は売上総損失金額に販売費及び一般管理費の総額を加減した額は、営業利益金額又は営業損失金額として記載しなければならない。　　【連規163】

(7) 営業外収益の表示方法

営業外収益に属する収益は、受取利息（有価証券利息を含む）、受取配当金、有価証券売却益、持分法による投資利益その他の項目の区分に従い、当該収益を示す名称を付した科目をもって掲記しなければならない。ただし、各収益のうち、その金額が営業外収益の総額の100分の20以下のもので一括して表示することが適当であると認められるものについては、当該収益を一括して示す名称を付した科目をもって掲記することができる。　　【連規164】

(8) 営業外費用の表示方法

営業外費用に属する費用は、支払利息（社債利息を含む）、有価証券売却損、持分法による投資損失その他の項目の区分に従い、当該費用を示す名称を付した科目をもって掲記しなければならない。ただし、各費用のうち、その金額が営業外費用の総額の100分の20以下のもので一括して表示することが適当であると認められるものについては、当該費用を一括して示す名称を付した科目をもって掲記することができる。　　【連規165】

(9) 経常損益金額の表示

営業利益金額又は営業損失金額に営業外収益の総額及び営業外費用の総額を加減した額は、経常利益金額又は経常損失金額として記載しなければならない。　　【連規166】

(10) 特別利益の表示方法

特別利益に属する利益は、固定資産売却益、負ののれん発生益その他の項目の区分に従い、当該利益を示す名称を付した科目をもって掲記しなければならない。ただし、各

利益のうち、その金額が特別利益の総額の100分の20以下のもので一括して表示することが適当であると認められるものについては、当該利益を一括して示す名称を付した科目をもって掲記することができる。　　　　【連規167】

(11) 特別損失の表示方法

特別損失に属する損失は、固定資産売却損、減損損失、災害による損失その他の項目の区分に従い、当該損失を示す名称を付した科目をもって掲記しなければならない。ただし、各損失のうち、その金額が特別損失の総額の100分の20以下のもので一括して表示することが適当であると認められるものについては、当該損失を一括して示す名称を付した科目をもって掲記することができる。【連規168】

(12) 税金等調整前中間純損益金額の表示

経常利益金額又は経常損失金額に特別利益の総額及び特別損失の総額を加減した額は、税金等調整前中間純利益金額又は税金等調整前中間純損失金額として記載しなければならない。　　　　　　　　　　　　　　　　　【連規169】

(13) 中間純利益又は中間純損失

① 次のア及びイの金額は、その内容を示す名称を付した科目をもって、税金等調整前中間純利益金額又は税金等調整前中間純損失金額の次に記載しなければならない。

　ア　当中間連結会計期間に係る法人税、住民税及び事業税（利益に関連する金額を課税標準として課される事業税をいう。次号において同じ）

　イ　法人税等調整額（税効果会計の適用により計上される前号に掲げる法人税、住民税及び事業税の調整額をいう）

② 上記①ア及びイについては、当該項目を一括して記載することができる。

③ 税金等調整前中間純利益金額又は税金等調整前中間純損失金額に上記①ア及びイ又は②に規定する項目の金額を加減した金額は、中間純利益金額又は中間純損失金額として記載しなければならない。

④ 中間純利益又は中間純損失のうち非支配株主持分に帰属する金額は、その内容を示す名称を付した科目をもって、中間純利益金額又は中間純損失金額の次に記載しなければならない。

⑤ 中間純利益金額又は中間純損失金額に中間純利益又は中間純損失のうち非支配株主持分に帰属する金額を加減した金額は、親会社株主に帰属する中間純利益金額又は親会社株主に帰属する中間純損失金額として記載しなければならない。

⑥ 法人税等の更正、決定等による納付税額又は還付税額がある場合には、上記①アの次に、その内容を示す名称を付した科目をもって記載するものとする。ただし、これらの金額の重要性が乏しい場合には、上記①アに含めて表示することができる。　　　　　　　　【連規170】

(14) 持分法による投資利益等の表示

持分法による投資利益と持分法による投資損失が生ずる場合には、これらを相殺して表示することができる。

【連規173】

(15) 特別法上の準備金等の繰入額又は取崩額

準備金等の繰入れ又は取崩しがあるときは、当該繰入額又は取崩額は、特別損失又は特別利益として、当該繰入れ又は取崩しによるものであることを示す名称を付した科目をもって掲記しなければならない。　　　　【連規174】

4. 中間連結包括利益計算書

(1) 中間連結包括利益計算書の記載方法

中間連結累計期間に係る中間連結包括利益計算書は、様式第十五号により記載する。　　　　　　　　【連規178②】

(2) 中間連結損益及び包括利益計算書

中間連結包括利益計算書は、中間連結損益及び包括利益計算書（中間連結損益計算書の末尾に本章の規定による記載を行ったものをいう）を作成する場合には、記載を要しない。　　　　　　　　　　　　　　　　　【連規179】

(3) 中間連結包括利益計算書の区分表示

中間連結包括利益計算書は、中間純利益又は中間純損失、その他の包括利益及び中間包括利益に分類して記載しなければならない。　　　　　　　　　　　【連規180】

(4) その他の包括利益については、連規69の5の規定を準用する。　　　　　　　　　　　　　　　　【連規181】

(5) 中間包括利益

① 中間純利益金額又は中間純損失金額にその他の包括利益の項目の金額を加減した金額は、中間包括利益金額として記載しなければならない。

② 上記①に規定する中間包括利益金額については、中間連結財務諸表提出会社の株主に係る金額及び非支配株主に係る金額に区分し、その区分ごとの金額を中間連結包括利益計算書の末尾に記載しなければならない。

【連規182】

5. 中間連結キャッシュ・フロー計算書

(1) 記載方法

様式第十六号又は第十七号により記載する。

【連規183②】

(2) 表示方法等

① 営業活動によるキャッシュ・フローの表示方法➡連規84を準用【➡ p.215】

② 投資活動によるキャッシュ・フローの表示方法➡連規85を準用【➡ p.215】

③ 財務活動によるキャッシュ・フローの表示方法➡連規86を準用【➡ p.216】

④ 現金及び現金同等物に係る換算差額等の記載➡連規87を準用【➡ p.216】

⑤ 利息及び配当金に係るキャッシュ・フローの表示方法➡連規88を準用【➡ p.216】

⑥ 連結の範囲の変更を伴う子会社株式の取得又は売却に係るキャッシュ・フロー等の表示方法➡連規89を準用【➡ p.216】　　　　　　　　　　　　　【連規185】

法人税法

1 通　則

1. 納税義務者と課税所得の範囲

（1）内国普通法人

① 各事業年度（連結事業年度を除く）の所得について、各事業年度の所得に対する法人税。　　　【法法5】

② 連結親法人については、各連結事業年度の連結所得について、各連結事業年度の連結所得に対する法人税を課税。　　　【法法6】

③ 特定多国籍企業グループ等に属する内国法人に対して、各対象会計年度の国際最低課税額について、各対象会計年度の国際最低課税額に対する法人税を課税。　　　【法法6の2】

④ 退職年金業務等を行う法人については、各事業年度の退職年金等積立金に対しても課税（課税は適用停止中）。　　　【法法8、措法68の4】

（2）内国協同組合等

内国普通法人と同様。　　　【法法5、2七】

ただし、この法人の性格から次のような取扱いを受ける。

① 事業分量に応ずる分配金は損金に算入される。　　　【法法60の2】

② 加入金は所得の計算上益金に算入されない。　　　【法法2二十六、法令8①四】

（3）内国公益法人等及び人格のない社団等

各事業年度（清算中の各事業年度を含む）の収益事業から生じた所得及び退職年金業務等を行う場合の各事業年度の退職年金等積立金について課税（退職年金等積立金課税は適用停止中）。　　　【法法7、8、措法68の4】

（4）外国普通法人

各事業年度の所得のうち、国内源泉所得についてのみ課税。　　　【法法9】

退職年金業務等を行う法人については、各事業年度の退職年金等積立金に対しても課税（課税は適用停止中）。

（5）人格のない社団等（外国法人）

各事業年度の所得金額のうち、収益事業から生じた国内源泉所得に限って課税。　　　【法法9②】

（6）公共法人

非課税。　　　【法法4②】

2. 同族会社

（1）同族会社の定義

① 同族会社とは、株主等（その会社が自己株式等を有する場合のその会社を除く）の3人以下及びこれらと特殊の関係のある個人並びに法人が有する株式等の合計額が、その会社の発行済株式又は出資（自己株式等を除く）の総数又は総額の50%を超える会社及び（注4）の(2)の議決権の保有割合、同(3)の社員の占有割合が50%超の会社をいう。　【法法2十、法令4⑤、法基通1-3-5】
（注1） 株主等とは、株主又は合名会社・合資会社・合同会社の社員その他法人の出資者をいう。具体的には、株主名簿、社員名簿又は定款に記載されて

いる株主又は社員その他の出資者をいう。また、名義人の場合は実際の権利者を株主等として判定する。　　　【法法2二十四、法基通1-3-2】
（注2） 特殊の関係のある個人とは、(1)株主等の親族、(2)株主等と婚姻の届出をしていないが事実上婚姻関係にある者、(3)個人である株主等の使用人、(4)前記以外の者で株主等から受ける金銭等によって生計を維持している者、(5)(2)～(4)に掲げる者と生計を一にしているこれらの者の親族
　　　【法令4①、法基通1-3-3】
（注3） 特殊の関係のある法人とは、(1)同族会社かどうかを判定しようとする会社の株主等（その会社が自己株式等を有する場合のその会社を除く。以下「判定会社株主等」という）の1人（個人である判定会社株主等についてはその特殊関係者を含める）が他の会社を支配している場合の当該他の会社、(2)判定会社株主等の1人及び(1)の特殊関係会社が他の会社を支配している場合の当該他の会社、(3)判定会社株主等の1人並びに(1)及び(2)の特殊関係会社が他の会社を支配している場合の当該他の会社をいう。
　　　また、以上の場合に、同一の個人又は法人と特殊関係のある二以上の会社が判定会社株主等である場合には、その二以上の会社は、相互に特殊関係のある会社であるものとみなす。
　　　【法令4②、④】
（注4） 他の会社を支配している場合とは、(1)他の会社の発行済株式又は出資（自己株式等を除く）の総数又は総額の50%超を有する場合、(2)他の会社の各議決権（事業譲渡等の決議に係る議決権や剰余金の配当等の決議に係る議決権など）の総数（議決権を行使できない株主等が有する議決権の数を除く）の50%超を有する場合、(3)他の会社の株主等（合名会社、合資会社又は合同会社の社員（業務執行社員を定めた場合は、業務執行社員）に限る）の総数の50%超を占める場合、をいう。
　　　【法令4③】
（注5） 「生計を一にする」とは、有無相助けて日常生活の資を共通にしていることをいうのであるから、必ずしも同居していることを必要としない。
　　　【法基通1-3-4】

② 特定同族会社とは、被支配会社で、被支配会社であることについての判定の基礎となった株主又は社員のうちに被支配会社でない法人がある場合には、その法人をその判定の基礎となる株主又は社員から除外して判定するとした場合においても被支配会社となるものをいう。

なお、資本金の額又は出資の額が1億円以下である被支配会社は除かれる。ただし、2011（平成23）年4月1日以後開始事業年度より、資本金の額又は出資金の額が5億円以上の法人又は相互会社等との間に完全支配関係がある法人、完全支配関係がある複数の大法人に発行済株式等の全部を保有されている法人には適用しない。　　　【法法67①】

3. 事業年度

(1) 事業年度とは、法令、定款、寄附行為、規則もしくは規約に定める法人の財産及び損益の計算の単位となる期間（会計期間という）をいう。　【法法13①】

(2) 会計期間を定めていない法人は、その設立の日（法基通1-2-1）又は国内源泉所得を有する外国法人となった日等から2カ月以内に税務署長に届け出た会計期間によるが、この届出がない場合には、税務署長がその会計期間を指定し、その旨を通知することになっている。　【法法13②、③】

(3) 会計期間を定めていない人格なき社団等が届出をしない場合には、1月1日から12月31日までの期間を会計期間とする。　【法法13④】

4. 納 税 地

(1) 内国法人

本店又は主たる事務所の所在地　　　【法法16】

(2) 外国法人

① 国内に恒久的施設を有する外国法人

国内で行う事業に係る事務所、事業所等の所在地（二以上ある場合には、主たるものの所在地）

② ①以外の外国法人で不動産の貸付け等の対価を受けているものは、その対価に係る資産の所在地（二以上ある場合には主たる資産の所在地）

③ ①、②に該当しないことになった外国法人

ア 該当しないことになった時の直前の場所

イ 法人が選択した場所

ウ 麹町税務署管内の場所　　【法法17、法令16】

2 各事業年度の所得

1. 課税標準

法人税の課税標準は、各事業年度の所得の金額による。　【法法21】

(1) 所得の金額とは、〔（益金の額）－（損金の額）〕をいう。　【法法22①】

(2) 益金の額とは、別段の定めがあるものを除き、

① 資産の販売

② 有償又は無償による資産の譲渡、又は役務の提供

③ 無償による資産の譲受け（現物分配を含む）

④ その他の取引で資本等取引以外の取引に係るもの。　【法法22②、22の2】

(3) 損金の額とは、別段の定めがあるものを除き、ア その事業年度の収益に係る売上原価、完成工事原価その他これらに準ずる原価の額、イ その事業年度の販売費、一般管理費、その他の費用（償却費以外の費用で当該事業年度終了の日までに債務の確定しないものを除く）の額、ウ その事業年度の損失の額で資本等取引以外の取引に係るものとする。　【法法22③】

(4) 「債務の確定しているもの」とは、償却費を除き、

ア 期末までに当該費用に係る債務が成立していること、イ 期末までに当該債務に基づいて具体的な給付をすべき原因となる事実が発生していること、ウ 期末までにその金額を合理的に算定することができるものであること、の3要件のすべてに該当するものをいう。　【法基通2-2-12】

(5) 資本等取引とは、法人の資本金等の額（注）の増加又は減少を生ずる取引並びに法人が行う利益又は剰余金の分配（資産の流動化に関する法律の中間配当を含む）及び残余財産の分配又は引渡しをいう。　【法法22⑤】

(注) 資本金等の額

法人が株主等から出資を受けた金額（資本金の額又は出資金の額）に、次の金額を加減算する。

① 株式等の発行又は自己株式の譲渡をした場合（一部の譲渡を除く）の払込金銭及び給付金銭以外の資産の価額その他の対価から増加した資本金の額又は出資金の額を減算した金額を加算

② 役務の提供の対価として自己の株式を交付した場合（事後交付等の場合を除く）の当該役務の提供に係る費用の額のうち既に終了した事業年度において受けた役務の提供に係る部分の金額に相当する金額から当該株式の発行により既に終了した事業年度において増加した資本金の額又は出資金の額を減算した金額

③ 新株予約権の行使により自己株式を交付した場合の払込金銭及び給付金銭以外の資産の価額並びに当該法人の行使直前の当該新株予約権の帳簿価額の合計額からその行使に伴う株式発行により増加した資本金の額を減算した金額を加算

④ 取得条項付新株予約権についての法法61の2⑬五に定める事由による取得の対価として自己の株式を交付した場合の当該法人の取得直前の当該取得条項付新株予約権の帳簿価額からその取得に伴う株式発行により増加した資本金の額を減算した金額を加算

⑤ 協同組合等や企業組合、協業組合等の法人が新たにその出資者となる者から徴収した加入金の額を加算

⑥ 合併により移転を受けた資産及び負債の純資産価額から当該合併による増加資本金額等と当該合併の次に掲げる区分に応じそれぞれ次に定める金額とを合計した金額を減算した金額を加算

ア 適格合併の場合には当該抱合株式の当該合併の直前の帳簿価額

イ 適格合併に該当しない合併の場合には当該抱合株式の当該合併の直前の帳簿価額に当該抱合株式に交付されるべき金銭及び金銭以外の資産の価額の合計額のうち法法24①の規定により法法23①一に掲げる金額とみなされる金額を加算した金額

⑦ 分割型分割により移転を受けた移転資産及び移転負債の純資産価額から当該分割型分割による増加資本金額等及び当該法人が有していた当該分割型分割に係る分割法人の株式に係る法法61の2

④に規定する分割純資産対応帳簿価額を減算した金額を加算

⑧ 分社型分割により移転を受けた移転資産及び移転負債の純資産価額から当該分社型分割による増加資本金額等を減算した金額を加算

⑨ 適格現物出資により移転を受けた資産及び当該資産と併せて移転を受けた負債の純資産価額から当該適格現物出資により増加した資本金の額又は出資金の額を減算した金額を加算

⑩ 非適格現物出資により現物出資法人に交付した当該法人の株式の当該非適格現物出資の時の価額から当該非適格現物出資により増加した資本金の額又は出資金の額を減算した金額を加算

⑪ 無対価株式交換以外の株式交換により移転を受けた株式交換完全子法人の株式の取得価額から当該株式交換による増加資本金額等を減算した金額を加算

⑫ 株式移転により移転を受けた株式移転完全子法人の株式の取得価額から当該株式移転の時の資本金の額及び当該株式移転により当該株式移転に係る株式移転完全子法人の株主に交付した当該法人の株式以外の資産価額並びに次に掲げる当該株式移転の区分に応じそれぞれ次に定める金額の合計額を減算した金額を加算

　ア 適格株式移転の場合には、株式移転完全子法人の適格株式移転により消滅した新株予約権に代えて当該法人の新株予約権を交付した場合の消滅直前の新株予約権の帳簿価額

　イ 適格株式移転に該当しない株式移転の場合には、株式移転完全子法人の株式移転により消滅した新株予約権に代えて当該法人の新株予約権を交付した場合の新株予約権価額

⑬ 資本金の額又は出資金の額を減少した場合の減少額を加算

⑭ 準備金の額もしくは剰余金の額を減少して資本金の額もしくは出資金の額を増加した場合の増加額又は再評価積立金を資本に組み入れた場合の組入額を減算

⑮ 資本又は出資を有する法人が資本又は出資を有しないこととなった場合の有しないこととなった時の直前の資本金等の額（資本金の額又は出資金の額を除く）を減算

⑯ 分割法人の分割型分割の直前の資本金等の額に、分割法人の分割型分割の日の属する事業年度の前事業年度終了時の資産の帳簿価額から負債の帳簿価額を減算した金額のうち、分割法人の分割型分割直前の移転資産の帳簿価額から移転負債の帳簿価額を控除した金額の占める割合を乗じて計算した金額を減算

⑰ 現物分配法人の適格株式分配の直前の当該適格株式分配によりその株主等に交付した完全子法人株式の帳簿価額に相当する金額を減算

⑱ 現物分配法人の適格株式分配に該当しない株式分配の直前の資本金等の額に完全子法人株式移転

割合を乗じた金額を減算

⑲ 資本の払戻し等に係る減資資本金額（注）を減算

　（注） 減資資本金額＝当該資本の払戻し等の直前の資本金等の額にアに掲げる金額のうちにイに掲げる金額の占める割合（当該直前の資本金等の額が零以下である場合には零と、当該直前の資本金等の額が零を超え、かつ、アに掲げる金額が零以下である場合には１とし、当該割合に小数点以下３位未満の端数があるときはこれを切り上げる）を乗じて計算した金額をいい、当該計算した金額が当該資本の払戻し等により交付した金銭の額及び金銭以外の資産の価額（適格現物分配に係る資産にあっては、その交付の直前の帳簿価額）の合計額を超える場合には、その超える部分の金額を減算した金額とする。

　　ア 資本の払戻し等の直前の簿価純資産額

　　イ 資本の払戻しにより減少した資本剰余金の額又は当該解散による残余財産の一部の分配により交付した金銭の額及び金銭以外の資産の価額

⑳ 出資等減少分配に係る分配資本金額を減算

㉑ 自己株式の取得等により金銭その他の資産を交付した場合の取得資本金額を減算

㉒ 自己の株式の取得の対価を減算

㉓ 内国法人がみなし配当事由により当該法人との間に完全支配関係がある他の内国法人から金銭その他の資産の交付を受けた場合又はみなし配当事由により当該他の内国法人の株式を有しないこととなった場合のみなし配当事由の規定により、剰余金の配当もしくは利益の配当又は剰余金の分配とみなされる金額、及び有価証券の譲渡対価のうち、剰余金の配当もしくは利益の配当又は剰余金の分配の額に掲げる金額とみなされる金額がある場合には当該金額を控除した金額の合計額から当金銭の額及び当該資産の価額の合計額を減算した金額を減算　　　　　【法法２十六、法令８】

2. 収益の額

（1）資産の販売等に係る収益計上に関する通則

① 収益の計上時期

　資産の販売又は役務の提供（資産の販売等）に係る収益の額は、原則として、目的物の引渡し又は役務の提供の日の属する事業年度の所得の金額の計算上益金の額に算入する。　　　　　　　　【法法22の2①】

　ただし、一般に公正妥当と認められる会計処理の基準に従って契約の効力の生ずる日又は引渡し等の日に近接する日の属する事業年度の収益の額として経理（又は申告調整）した場合には、その事業年度の所得の金額の計算上益金の額に算入する。　　　【法法22の2②、③】

② 収益の計上額

　資産の販売等に係る収益の金額は、原則として、その販売もしくは譲渡をした資産の引渡しの時における価額又はその提供をした役務につき通常得べき対価の額に相

当する金額とし、その資産の販売等につき貸倒れ又は買戻しの可能性がある場合においても、その可能性がないものとする。　　　　　　　　　　【法法22の2④、⑤】

③　収益の計上単位の通則

　　資産の販売等に係る収益の額は、原則として個々の契約ごとに計上するが、次に掲げる場合は、区分した単位ごとに収益の額を計上する。

　ア　同一の相手方及びこれとの間に支配関係その他これに準ずる関係のある者と同時期に締結した複数の契約について、当該複数の契約において約束した資産の販売等を組み合わせて初めて単一の履行義務となる場合…当該複数の契約による資産の販売等の組合せ

　イ　1つの契約の中に複数の履行義務が含まれている場合…それぞれの履行義務に係る資産の販売等

　　　　　　　　　　　　　　　　　【法基通2-1-1】

〈具体的取扱い〉

・資産の販売等に伴い保証を行った場合の収益の計上の単位

　　資産の販売等に伴いその販売もしくは譲渡する資産又は提供する役務に対する保証を行った場合において、当該保証がその資産又は役務が合意された仕様に従っているという保証のみであるときは、当該保証は当該資産の販売等とは別の取引の単位として収益の額を計上することにはならない。　　　　　　【法基通2-1-1の3】

・ポイント等を付与した場合の収益の計上の単位

　　資産の販売等に伴い、自己発行ポイント等を相手方に付与する場合において、次に掲げる要件のすべてに該当するときは、継続適用を条件として、当該自己発行ポイント等について当初の資産の販売等とは別に、将来の取引に係る収入の一部又は全部の前受けとすることができる。

　ア　その付与した自己発行ポイント等が当初の資産の販売等の契約を締結しなければ相手方が受け取れない重要な権利を与えるものであること。

　イ　その付与した自己発行ポイント等が発行年度ごとに区分して管理されていること。

　ウ　法人がその付与した自己発行ポイント等に関する権利につきその有効期限を経過したこと、規約その他の契約で定める違反事項に相手方が抵触したことその他の当該法人の責に帰さないやむを得ない事情があること以外の理由により一方的に失わせることができないことが規約その他の契約において明らかにされていること。

　エ　次のいずれかの要件を満たすこと。

　　㈠　その付与した自己発行ポイント等の呈示があった場合に値引き等をする金額が明らかにされており、かつ、将来の資産の販売等に際して、たとえ1ポイント又は1枚のクーポンの呈示があっても値引き等をすることとされていること。

　　㈡　その付与した自己発行ポイント等が当該法人以外の者が運営するポイント等又は自ら運営する他の自己発行ポイント等で、㈠に該当するものと所定の交換比率により交換できることとされていること。

　　　　　　　　　　　　　　　　【法基通2-1-1の7】

・資産の販売等に係る収益の額に含めないことができる利息相当部分

　　資産の販売等を行った場合において、次に掲げる額及び事実並びにその他のこれらに関連するすべての事実及び状況を総合的に勘案して、当該資産の販売等に係る契約に金銭の貸付けに準じた取引が含まれていると認められるときは、継続適用を条件として、当該取引に係る利息相当額を当該資産の販売等に係る収益の額に含めないことができる。

　ア　資産の販売等に係る契約の対価の額と現金販売価格との差額

　イ　資産の販売等に係る目的物の引渡し又は役務の提供をしてから相手方が支払を行うまでの予想される期間及び市場金利の影響　　　　【法基通2-1-1の8】

・機械設備等の販売に伴い据付工事を行った場合の収益の計上の単位　　　　　　　　　【法基通2-1-1の2】

・部分完成の事業がある場合の収益の計上の単位

　　　　　　　　　　　　　　　　【法基通2-1-1の4】

・技術役務の提供に係る収益の計上の単位

　　　　　　　　　　　　　　　　【法基通2-1-1の5】

・ノウハウの頭金等の収益の計上の単位

　　　　　　　　　　　　　　　　【法基通2-1-1の6】

・割賦販売等に係る収益の額に含めないことができる利息相当部分　　　　　　　　　　　【法基通2-1-1の9】

④　収益の額の通則

・資産の引渡しの時の価額等の通則

　　販売もしくは譲渡をした資産の引渡しの時における価額又はその提供をした役務につき通常得べき対価の額に相当する金額とは、原則として資産の販売等につき第三者間で取引されたとした場合に通常付される価額をいう。　　　　　　　　　　【法基通2-1-1の10】

・変動対価

　　資産の販売等に係る契約の対価について、値引き等の事実により変動する可能性がある部分の金額（以下「変動対価」という）がある場合において、次に掲げる要件のすべてを満たすときは、変動対価につき引渡し等事業年度の確定した決算において収益の額を減額し、又は増額して経理した金額（引渡し等事業年度の確定申告書に当該収益の額に係る益金算入額を減額し、又は増額させる金額の申告の記載がある場合の当該金額を含む）は、引渡し等事業年度の引渡し時の価額等の算定に反映するものとする。

　ア　値引き等の事実の内容及び当該値引き等の事実が生ずることにより契約の対価の額から減額もしくは増額をする可能性のある金額又はその金額の算定基準が客観的であり、当該契約もしくは法人の取引慣行もしくは公表した方針等により相手方に明らかにされていること又は当該事業年度終了の日において内部的に決定されていること。

　イ　過去における実績を基礎とする等合理的な方法のうち法人が継続して適用している方法によりアの減額もしくは増額をする可能性又は算定基準の基礎数値が見積もられ、その見積りに基づき収益の額を減額し、又は増額することとなる変動対価が算定されているこ

と。
　ウ　アを明らかにする書類及びイの算定の根拠となる書
　　類が保存されていること。　【法基通2‐1‐1の11】
・相手方に支払われる対価
　　資産の販売等に係る契約において、相手方に対価が支
　払われることが条件となっている場合には、次に掲げる
　日のうちいずれか遅い日の属する事業年度においてその
　対価の額に相当する金額を当該事業年度の収益の額から
　減額する。
　ア　その支払う対価に関連する資産の販売等に係る引渡
　　し等の日又は近接する日
　イ　その対価を支払う日又はその支払いを約する日
　　　　　　　　　　　　　　【法基通2‐1‐1の16】
・売上割戻しの計上時期　　　　【法基通2‐1‐1の12】
・一定期間支払わない売上割戻しの計上時期
　　　　　　　　　　　　　　　【法基通2‐1‐1の13】
・実質的に利益を享受することの意義
　　　　　　　　　　　　　　　【法基通2‐1‐1の14】
・値増金の益金算入の時期　　　【法基通2‐1‐1の15】

（2）棚卸資産の販売に係る収益

① 棚卸資産の引渡しの日の判定
　　棚卸資産の販売に係る収益の額は、その引渡しがあっ
　た日の属する事業年度の益金の額に算入するのである
　が、その引渡しの日がいつであるかについては、例えば
　出荷した日、船積みをした日、相手方に着荷した日、相
　手方が検収した日、相手方において使用収益ができるこ
　ととなった日等当該棚卸資産の種類及び性質、その販売
　に係る契約の内容等に応じその引渡しの日として合理的
　であると認められる日のうち法人が継続してその収益計
　上を行うこととしている日によるものとする。
　ア　代金の相当部分（おおむね50％以上）を収受するに
　　至った日
　イ　所有権移転登記の申請（その登記の申請に必要な書
　　類の相手方への交付を含む）をした日
　　　　　　　　　　　　　　　　【法基通2‐1‐2】

② 委託販売に係る収益の帰属の時期
　　棚卸資産の委託販売に係る収益の額は、その委託品に
　ついて受託者が販売をした日の属する事業年度の益金の
　額に算入する。ただし、当該委託品についての売上計算
　書が売上の都度作成され送付されている場合において、
　法人が継続して当該売上計算書の到達した日において収
　益計上を行っているときは、当該到達した日は、その引
　渡しの日に近接する日に該当するものとする。
　　　　　　　　　　　　　　　　【法基通2‐1‐3】

③ 検針日による収益の帰属の時期
　　ガス、水道、電気等の販売をする場合において、週、
　旬、月を単位とする規則的な検針に基づき料金の算定が
　行われ、法人が継続してその検針が行われた日において
　収益計上を行っているときは、当該検針が行われた日
　は、その引渡しの日に近接する日に該当するものとす
　る。　　　　　　　　　　　　　【法基通2‐1‐4】

④ 原価計上
　　棚卸資産の販売に対応して、損金に算入される売上原
　価、完成工事原価等の費用が、その事業年度末までに確

定していない場合には、同日の現況によりその金額を適
正に見積る。　　　　　　　　　　【法基通2‐2‐1】

（3）固定資産の譲渡等による収益

① 原則
　　固定資産の譲渡による収益の額は、別に定めるものを
　除き、その引渡しがあった日（法基通2‐1‐2）の属す
　る事業年度の益金とする。ただし、その固定資産が、土
　地、建物等で、契約の効力発生の日において収益計上を
　行っているときは、当該効力発生日は、引渡し日に近接
　する日に該当する。　　　　　　【法基通2‐1‐14】

② 工業所有権等の譲渡
　　特許権、実用新案権、意匠権、商標権等の譲渡又は実
　施権の設定により受ける対価（使用料を除く）の額は、
　その譲渡又は設定に関する契約の効力発生の日の属する
　事業年度の益金とする。ただし、その譲渡又は設定の効
　力が登録により生ずることとなっている場合には、登録
　の日の属する事業年度の益金として認められる。
　　　　　　　　　　　　　　　　【法基通2‐1‐16】

③ 農地の譲渡による収益の帰属時期の特例
　　　　　　　　　　　　　　　　【法基通2‐1‐15】

④ 共有地の分割　　　　　　　　【法基通2‐1‐19】

⑤ 法律の規定に基づかない区画形質の変更に伴う土地の
　交換分合　　　　　　　　　　　【法基通2‐1‐20】

⑥ 道路の付替え　　　　　　　　【法基通2‐1‐21】

⑦ 固定資産を譲渡担保に供した場合【法基通2‐1‐18】

（4）役務の提供に係る収益

① 役務の提供に係る収益の帰属の時期
　　役務の提供に係る収益の額は、その役務の提供が、履
　行義務が一定の期間にわたり充足されるものに該当する
　場合には、役務の提供の期間において履行義務が充足さ
　れていくそれぞれの日の属する事業年度の益金の額に算
　入し、履行義務が一時点で充足されるものに該当する場
　合には、引渡し等の日の属する事業年度の益金の額に算
　入する。
　【法基通2‐1‐21の2、2‐1‐21の3、2‐1‐21の4】

② 履行義務が一定の期間にわたり充足されるものに係る
　収益の額の算定の通則
　　履行義務が一定の期間にわたり充足されるものに係る
　その履行に着手した日の属する事業年度から引渡し等の
　日の属する事業年度の前事業年度までの各事業年度の所
　得の金額の計算上益金の額に算入する収益の額は、提供
　した役務につき通常得べき対価の額に相当する金額に当
　該各事業年度終了の時における履行義務の充足に係る進
　捗度を乗じて計算した金額から、当該各事業年度前の各
　事業年度の収益の額とされた金額を控除した金額とす
　る。　　　　　【法基通2‐1‐21の5、2‐1‐21の6】

③ 具体的取扱い
・請負に係る収益の帰属の時期
　　請負による収益の額は、原則として引渡し等の日の属
　する事業年度の益金の額に算入するが、当該請負が履行
　義務が一定の期間にわたり充足されるものに該当する場
　合において、その履行義務が充足されていくそれぞれの
　日に属する事業年度において進捗度に応じて算定される
　額を益金の額に算入しているときはこれを認める。

【法基通2-1-21の7】
- 建設工事等の引渡しの日の判定　【法基通2-1-21の8】
- 不動産の仲介のあっせん報酬の帰属の時期
　　　　　　　　　　　　　　【法基通2-1-21の9】
- 技術役務の提供に係る報酬の帰属の時期
　　　　　　　　　　　　　　【法基通2-1-21の10】
- 運送収入の帰属の時期　　　【法基通2-1-21の11】

(5) 短期売買商品等の譲渡に係る損益及び時価評価損益

① 短期売買商品等の譲渡損益の額は、原則として譲渡に係る契約の成立した日に計上する（暗号資産については経過措置あり）。　【法法61①、平31年改正法附則19①】

② 当該譲渡損益の額（事業年度終了の日において未引渡しとなっている短期売買商品に係る譲渡損益の額を除く）をその短期売買商品の引渡しのあった日に計上も認められる。　　　　　　　　　【法基通2-1-21の12】

③ 暗号資産信用取引のうち事業年度終了の時に決済されていないものがあるときは、そのときにおいて決済したものとみなしてみなし譲渡損益額を計上する（経過措置あり）。　　　　　【法法61⑦、平31年改正法附則19⑤】

④ 事業年度終了の時において有する短期売買商品は、時価法により評価した金額と帳簿価額との差額を損益に計上する。　　　　　　　　　　　【法法61②、③】

⑤ 事業年度終了の時において有する暗号資産のうち、活発な市場が存在する一定のものについては、時価法により評価した金額と帳簿価額との差額を損益に計上する（特定譲渡制限付暗号資産については原価法又は時価法の選択）。　　　　　　　　【法法61②、③】

(6) 有価証券の譲渡による損益

① 原則

　有価証券の譲渡による譲渡損益は、法法61の2①により譲渡契約の成立した日に計上するのであるから、次の場合はそれぞれ次に定める日に譲渡損益の額を計上する。

ア 証券業者等に売却の媒介、取次ぎ、代理の委託、売出しの取扱いの委託をしている場合……その委託した有価証券の売却に関する取引が成立した日

イ 相対取引により売却している場合……金融商品取引法に規定する取引報告書に表示される約定日、売買契約書の締結日などその相対取引の約定が成立した日

ウ その有価証券の譲渡が法規27の3六～八まで及び十～十五まで（有価証券の譲渡損益の発生する日）に掲げる事由によるものである場合……当該各号に定める日に応じた日　【法基通2-1-22、1-4-1】

② 有価証券の譲渡による損益計上時期の特例
　　　　　　　　　　　　　　【法基通2-1-23】

③ 短期売買業務の廃止に伴う保有目的区分変更
　　　　　　　　　　　　　　【法基通2-1-23の2】

④ 現渡しの方法による決済を行った場合の損益の計上時期　　　　　　　　　　　【法基通2-1-23の3】

⑤ 売却及び購入の同時の契約等のある有価証券の取引
　　　　　　　　　　　　　　【法基通2-1-23の4】

(7) 利子、配当、使用料等に係る収益

① 貸付金利子等の帰属の時期

　貸付金、預金、貯金又は有価証券から生ずる利子の額は、その利子の計算期間の経過に応じ当該事業年度に係る金額を当該事業年度の益金とする。ただし、金融及び保険業以外の法人が、その有する貸付金等から生ずる利子でその支払期日が1年以内の一定の期間ごとに到来するものの額につき、継続して支払期日の属する事業年度の益金としている場合には認められる。
　　　　　　　　　　　　　　【法基通2-1-24】

② 相当期間未収が継続した場合等の貸付金利子

　貸付金に係る債務者について、債務超過の状態が相当期間継続しており事業好転の見通しがない等の事実により、貸付金利子が未収になった場合には、貸付金から生ずる利子の額のうち当該事業年度に係るものは、当該事業年度の益金としないことができる（債券に係る利子についても同様の取扱いとされる）。　【法基通2-1-25】

③ 剰余金の配当等の帰属の時期

　剰余金の配当、利益の配当、剰余金の分配、投資信託及び投資法人の金銭の分配（出資等減少分配を除く）、特定目的会社に係る中間配当又は投資信託の収益の分配の額は、次の区分に応じ、それぞれ次に掲げる日の事業年度の収益とする。

　ただし、外国法人から支払われるものは、その国の法令により利益の配当等が確定した日による。

ア 剰余金の配当……当該配当の効力を生ずる日

イ 利益の配当又は剰余金の分配……社員総会その他正当な権限を有する機関における決議日。ただし、持分会社で定款で定めた日がある場合は、その日

ウ 投資信託及び投資法人の金銭の分配……当該金銭の分配が効力を生ずる日

エ 特定目的会社に係る中間配当……取締役の決定の日、又は請求権に関する効力発生日

オ 投資信託の収益の分配……当該収益の計算期間の末日（終了又は一部の解約の場合は終了又は解約日）

カ みなし配当

　非適格合併（効力発生日）、非適格分割型分割（効力発生日）、剰余金の配当による非適格株式分配（効力発生日）、利益の配当による非適格株式分配（配当決議日。ただし、持分会社で定款に定めた日がある場合はその日）、資本の払戻し（効力発生日）、解散による残余財産の分配（分配の開始の日）、自己株式又は出資の取得（取得日）、出資の消却・出資の払戻し・退社・脱退・株式等の消却（事実があった日）、組織変更（効力発生日）　　　　　【法基通2-1-27】

④ 剰余金の配当等の帰属時期の特例

　他の法人から受ける剰余金の配当等の額でその支払いのために通常要する期間内に支払いを受けるものについて継続してその支払いを受けた日の属する事業年度の収益としている場合には③にかかわらず、これが認められる。　　　　　　　　　　　【法基通2-1-28】

⑤ 賃貸借契約に基づく使用料等の帰属の時期

　資産の賃貸借は、履行義務が一定の期間にわたり充足されるものに該当し、その収益の額は法基通2-1-21の2の事業年度の益金の額に算入する。ただし、資産の賃貸借契約に基づいて支払いを受ける使用料等の額（前受けに係る額を除く）について、当該契約又は慣

習によりその支払いを受けるべき日において収益計上を行っている場合には、その支払いを受けるべき日は、その資産の賃貸借に係る役務の提供の日に近接する日に該当するものとする。

(注1)　当該賃貸借契約について係争（使用料等の額の増減に関するものを除く）があるためその支払いを受けるべき使用料等の額が確定せず、当該事業年度においてその支払いを受けていないときは、相手方が供託をしたかどうかにかかわらず、その係争が解決して当該使用料等の額が確定し、その支払いを受けることとなるまで当該使用料等の額を益金の額に算入することを見合わせることができるものとする。

(注2)　使用料等の額の増減に関して係争がある場合には、上記によらず、契約の内容、相手方が供託をした金額等を勘案してその使用料等の額を合理的に見積るものとする。

(注3)　収入する金額が期間のみに応じて定まっている資産の賃貸借に係る収益の額の算定に要する2-1-21の6の進捗度の見積りに使用されるのに適切な指標は、通常は経過期間となるため、その収益は毎事業年度定額で益金の額に算入されることになる。　　　　　　　　　【法基通2-1-29】

⑥　知的財産のライセンスの供与に係る収益の帰属の時期
　　知的財産のライセンスの供与に係る収益の額については、次に掲げる知的財産のライセンスの性質に応じ、それぞれ次に定める取引に該当するものとする。

ア　ライセンス期間にわたり存在する法人の知的財産にアクセスする権利履行義務が一定の期間にわたり充足されるもの

イ　ライセンスが供与される時点で存在する法人の知的財産を使用する権利履行義務が一時点で充足されるもの　　　　　　　　　　　　　　　【法基通2-1-30】

⑦　知的財産のライセンスの供与に係る売上高等に基づく使用料に係る収益の帰属の時期
　　知的財産のライセンスの供与に対して受け取る売上高又は使用量に基づく使用料が知的財産のライセンスのみに関連している場合又は当該使用料において知的財産のライセンスが主な項目である場合には、次に掲げる日のうちいずれか遅い日の属する事業年度において当該使用料についての収益の額を益金の額に算入する。

ア　知的財産のライセンスに関連して相手方が売上高を計上する日又は相手方が知的財産のライセンスを使用する日

イ　当該使用料に係る役務の全部又は一部が完了する日　　　　　　　　　　　　【法基通2-1-30の4】

⑧　工業所有権等の使用料の帰属の時期
　　工業所有権等又はノウハウを他の者に使用させたことにより支払いを受ける使用料の額について、法人が継続して契約によりその使用料の額の支払いを受けることとなっている日において収益計上を行っている場合には、当該支払いを受けることとなっている日は、その役務の提供の日に近接する日に該当するものとする。
　　　　　　　　　　　　　　　【法基通2-1-30の5】

⑨　利息制限法の制限超過利子　　　【法基通2-1-26】
⑩　送金が許可されない利子、配当等の帰属時期の特例
　　　　　　　　　　　　　　　【法基通2-1-31】
⑪　工業所有権等の実地権の設定に係る収益の帰属の時期
　　　　　　　　　　　　　【法基通2-1-30の2】
⑫　ノウハウの頭金等の帰属の時期
　　　　　　　　　　　　　【法基通2-1-30の3】

(8)その他の収益等

①　商品引換券等の発行に係る収益の帰属の時期
　　商品引換券等を発行するとともにその対価の支払いを受ける場合における当該対価の額は、原則としてその商品の引渡し等に応じてその商品の引渡し等のあった日の属する事業年度の益金の額に算入するが、その商品引換券等の発行の日から10年が経過した日（同日前に次に掲げる事実が生じた場合には、当該事実が生じた日。以下「10年経過日等」という）の属する事業年度終了の時において商品の引渡し等を完了していない商品引換券等がある場合には、当該商品引換券等に係る対価の額を当該事業年度の益金の額に算入する。

ア　法人が発行した商品引換券等をその発行に係る事業年度ごとに区分して管理しないこと又は管理しなくなったこと。

イ　その商品引換券等の有効期限が到来すること。

ウ　法人が継続して収益計上を行うこととしている基準に達したこと。

(注)　自己発行ポイント等の付与に係る収益の帰属の時期についても同様（法基通2-1-39の3新設）。
　　　　　　　　　　　　　　　【法基通2-1-39】

②　非行使部分に係る収益の帰属の時期
　　商品引換券等を発行するとともにその対価の支払いを受ける場合において、その商品引換券等に係る権利のうち相手方が行使しないと見込まれる部分の金額（以下「非行使部分」という）があるときは、その商品引換券等の発行の日から10年経過日等の属する事業年度までの各事業年度においては、当該非行使部分に係る対価の額に権利行使割合を乗じて得た金額から既に益金の額に算入された金額を控除する方法その他のこれに準じた合理的な方法に基づき計算された金額を益金の額に算入することができる。　　　　　　　　　【法基通2-1-39の2】

③　返金不要の支払いの帰属の時期
　　資産の販売等に係る取引を開始するに際して、相手方から中途解約のいかんにかかわらず取引の開始当初から返金が不要な支払いを受ける場合には、原則としてその取引の開始の日の属する事業年度の益金の額に算入する。ただし、当該返金が不要な支払いが、契約の特定期間における役務の提供ごとに、それと具体的な対応関係をもって発生する対価の前受けと認められる場合において、その支払いを当該役務の提供の対価として、継続して当該特定期間の経過に応じてその収益の額を益金の額に算入しているときは、これを認める。
　　　　　　　　　　　　　　　【法基通2-1-40の2】

④　リース譲渡
　　法人が、ファイナンスリース取引による資産の引渡しを行った場合において、そのリース譲渡に係る収益の額

及び費用の額につき、そのリース譲渡の日の属する事業年度以後の各事業年度の確定した決算において政令で定める延払基準の方法により経理したときは、その経理した収益の額及び費用の額は、当該各事業年度の所得の金額の計算上、益金の額及び損金の額に算入する。
【法法63①、64の2③】

長期割賦販売等に該当する資産の販売等については、延払基準により収益の額及び費用の額を計算する選択制度は廃止となった（注）。
(注) 経過措置
　・2023（令和5）年3月31日までに開始する各事業年度まで現行の延払基準が認められる。
　・2018（平成30）年4月1日以後終了する事業年度に延払基準の適用をやめた場合において、繰延割賦利益額を10年均等等で収益計上する。
【平30年改正法附則28】

⑤　長期大規模工事
　法人が、長期大規模工事の請負をしたときは、その着手の日の属する事業年度からその目的物の引渡しの日の属する事業年度の前事業年度までの各事業年度の所得の金額の計算上、その長期大規模工事の請負に係る収益の額及び費用の額のうち、当該各事業年度の収益の額及び費用の額として工事進行基準の方法により計算した金額を、益金の額及び損金の額に算入する。　【法法64①】

⑥　試用販売
　商品等の試用販売による金額は、相手方が購入の意思を表示した日を含む事業年度の益金に算入する。積送又は配送した商品等で、一定期間内に返品又は拒絶の意思を表示しない限り、契約又は商慣習で販売が確定することになっている場合は、その一定期間満了の日を含む事業年度の益金に算入する。　【企注6(2)】

⑦　予約販売
　商品等を相手方に引き渡した日を含む事業年度において引き渡した部分の金額を益金に算入する。【企注6(3)】

⑧　償還有価証券に係る調整差損益の計上
【法基通2-1-32、2-1-33】

⑨　債権の取得差額に係る調整差損益の計上
【法基通2-1-34】

⑩　デリバティブ取引に係る契約に基づく資産の取得による損益の計上　【法基通2-1-35】

⑪　デリバティブ取引に係る契約に基づく資産の譲渡による損益の計上　【法基通2-1-36】

⑫　有利な状況にある相対買建オプション取引について権利行使を行わなかった場合の取扱い　【法基通2-1-37】

⑬　不利な状況にある相対買建オプション取引について権利行使を行った場合の取扱い　【法基通2-1-38】

⑭　将来の逸失利益等の補填に充てるための補償金等の帰属の時期　【法基通2-1-40】

⑮　保証金等のうち返還しないものの額の帰属の時期
【法基通2-1-41】

⑯　法令に基づき交付を受ける給付金等の帰属の時期
【法基通2-1-42】

⑰　損害賠償金等の帰属の時期　【法基通2-1-43】

⑱　金融資産の消滅を認識する権利支配移転の範囲
【法基通2-1-44】

⑲　金融負債の消滅を認識する債務引受契約等
【法基通2-1-45】

⑳　金融資産等の消滅時に発生する資産及び負債の取扱い
【法基通2-1-46】

㉑　金融資産等の利回りが一定でない場合等における損益の計上　【法基通2-1-47】

㉒　有価証券の空売りに係る利益相当額等の外貨換算
【法基通2-1-48】

㉓　暗号資産信用取引に係る利益相当額等の外貨換算
【法基通2-1-49】

3. 受取配当等の益金不算入等

(1) 受取配当等の益金不算入

①　益金不算入となる受取配当等の範囲
　内国法人（人格のない社団等を除く）から受けた、(ア)剰余金の配当（株式又は出資に係るものに限るものとし、資本剰余金の減少に伴うもの及び分割型分割によるものを除く）、利益の配当（分割型分割によるものを除く）、剰余金の分配（出資に係るものに限る）、(イ)投資信託及び投資法人に関する法律の金銭の分配、(ウ)資産流動化法の金銭の分配、(エ)特定株式投資信託（外国株価指数連動型特定株式投資信託を除く）の収益の分配、(オ)みなし配当　　　　　　　【法法23①、24、措法67の6】

②　益金不算入額の計算
ア～エの合計額が益金不算入額。　【法法23①、②、④】
ア　完全子法人株式等に係る受取配当等の額
イ　関連法人株式等（株式保有割合3分の1超）に係る受取配当等の額－関連法人株式等に係る控除負債利子額(注)
ウ　その他の株式等（株式保有割合5％超3分の1以下）×50％
エ　非支配目的株式等（株式保有割合5％以下）×20％(注)
(注)　2022（令和4）年4月1日以後に開始する事業年度より、完全支配関係を有する他の法人の有する株式等を含めて判定する。

③　控除する負債利子
【法令21①、22①、②、法基通3-2-1～3-2-4の2】
　負債の利子（手形の割引料等を含む）のうち株式等に係る部分の金額は、次の算式により計算した金額とする。
ア　総資産按分法
　〈関連法人株式等に係るもの〉
　　控除負債利子額＝

$$当期の総負債利子 \times \frac{当期末及び前期末の関連法人株式等の帳簿価額}{当期末及び前期末の総資産の帳簿価額に所要の調整を加えた額}$$

イ　簡便法
　基準日（2015（平成27）年4月1日）に存する内国法人（注）には上記の総資産按分法に代えて次の算式による簡便法を採用することができる。
　なお、基準年度は、2015（平成27）年4月1日か

ら2017（平成29）年3月31日までの間に開始した各事業年度をいう。
- （注）　2022（令和4）年4月1日以後に開始する事業年度より、関連法人株式等に係る配当等の額に係る利子相当額として一定の金額となる。

　　　　控除負債利子額＝

$$当期の総負債利子 \times \frac{上記の〔総資産按分法ア〕によって計算した基準年度の控除負債利子額}{基準年度の総負債利子}$$
（小数点以下3位未満の端数切捨て）

【法令22④】

④　配当の額とみなす金額（みなし配当）
　ア　法人（公益法人等及び人格のない社団等を除く）の株主等である内国法人が当該法人から次に掲げる事由により金銭その他の資産の交付を受けた場合に、その金銭等の合計額が当該法人の資本金等の額のうちその交付の基因となった株式又は出資に対応する部分の金額を超えるときは、その超える部分の金額は配当等とみなす。
　　㋐　合併・分割型分割（適格合併・適格分割型分割を除く）
　　㋑　株式分配（適格株式分配を除く）
　　㋒　資本の払戻し（資本剰余金の減少に伴う剰余金の配当のうち、分割型分割によるもの以外のもの及び株式分配以外のもの並びに出資等減少分配）又は解散による残余財産の分配（注）
　　㋓　自己株式・出資の取得（証券市場での取得、事業の全部譲受け及び取得請求権付株式等の法法61の2⑬一〜三に該当する場合の取得を除く）
　　㋔　出資の消却（取得した出資の消却を除く）、出資の払戻し、社員・出資者の退社又は脱退による持分の払戻し、その他株式等の発行法人が取得せずに消滅させること
　　㋕　組織変更（組織変更した法人の株式等以外の資産を交付したものに限る）
　（注）　払戻法人の当該払戻し等の直前の払戻等対応資本金額等（当該直前の資本金等の額にアに掲げる金額のうちにイに掲げる金額の占める割合（当該直前の資本金等の額が零以下である場合には零と、当該直前の資本金等の額が零を超え、かつ、アに掲げる金額が零以下である場合又は当該直前の資本金等の額が零を超え、かつ、残余財産の全部の分配を行う場合には1とし、当該割合に小数点以下3位未満の端数があるときはこれを切り上げる）を乗じて計算した金額から算定される。
　　　　ア　当該払戻し等の直前の簿価純資産価額
　　　　イ　当該資本の払戻しにより減少した資本剰余金の額又は当該解散による残余財産の分配により交付した金銭の額及び金銭以外の資産の価額

【法法24①、法令23】

　イ　合併法人が抱合株式に対し、その合併による株式の割当又は株式以外の資産の交付をしなかった場合でも、合併法人が株式割当て等を受けたものとみなして、アと同様に取り扱われる。　　【法法24②】

　ウ　内国法人がその受ける配当等の額（自己株式の取得に基因するみなし配当の額に限る）の元本である株式又は出資で、自己株式としての取得が行われることが予定されているものの取得（適格合併又は適格分割型分割による引継ぎを含む）をした場合におけるその取得をした株式又は出資に係る配当等の額（その予定されていた自己株式として取得に起因するものとして一定のものに限る）については、受取配当等の益金不算入制度を適用しない。

【法法23③、23の2②、法基通3-1-8】

⑤　外国子会社配当等の益金不算入
　　内国法人が外国子会社から受ける剰余金の配当等の額がある場合には、その剰余金の配当等の額からその剰余金の配当等の額に係る費用の額に相当する金額を控除した金額は、その内国法人の各事業年度の所得の金額の計算上、益金の額に算入しない。　　　【法法23の2】
　ア　外国子会社
　　　本制度における外国子会社とは、内国法人が外国法人の発行済株式数又は出資金額の25％以上の株式数又は出資金額を、配当等の支払義務が確定する日以前6カ月以上引き続き直接に有している場合のその外国法人をいう。
　　　ただし、外国法人の所得に課された外国法人税を内国法人の納付する法人税を控除する旨を定める租税条約の規定により、内国法人の外国法人に対する出資比率について異なる割合が定められている場合には、本制度の対象となる外国子会社の判定は、その出資比率により行う。　　　【法法23の2、法令22の4】
　イ　益金不算入額
　　　剰余金の配当等の額から控除する費用の額に相当する金額は、剰余金の配当等の額の5％に相当する金額とする。　　　　　　　　　　　【法令22の2】
　ウ　外国子会社配当等に係る外国源泉税等の損金不算入
　　　内国法人が外国子会社から受ける剰余金の配当等の額につき、外国子会社配当等の益金不算入の適用を受ける場合には、当該剰余金の配当等の額に係る外国源泉税等の額は、その内国法人の各事業年度の所得の金額の計算上、損金の額に算入されない。【法法39の2】
　　　内国法人が外国子会社から受ける剰余金の配当等の額で、その剰余金の配当等の額の全部又は一部が当該外国子会社の本店所在地国等の法令において当該外国子会社の所得の金額の計算上損金の額に算入することとされている剰余金の配当等の額に該当する場合におけるその剰余金の配当等の額は、外国子会社配当益金不算入制度の適用対象から除外する。　　　　　【法法23の2②】
⑥　協同組合等の受取配当金等の益金不算入
　　協同組合等の各事業年度において、その保有する連合会等の普通出資につき支払を受ける配当等がある場合、その出資保有割合にかかわらず、配当等の額の50％相当額は益金の額に算入しない。【措法67の8、68の105】

4. 棚卸資産の評価

（1）棚卸資産の定義
　①商品又は製品（副産物及び作業くずを含む）、②半製

品又は仕掛品（半成工事を含む）、③主要原材料、④補助原材料、⑤消耗品で貯蔵中のもの、⑥①～⑤に掲げる資産に準ずるもの 【法法2二十、法令10】

（2）売上原価の計算

各事業年度の売上原価＝

前期末の棚卸資産の評価額 ＋ 期中仕入金額の合計額 － 期末の棚卸資産の評価額

(注) 期末の棚卸資産の評価額は、法人が選定した評価の方法によって評価した額とする。 【法法29①】

① 原価法

ア 個別法、イ 先入先出法、ウ 総平均法、エ 移動平均法、オ 最終仕入原価法、カ 売価還元法 【法令28①】

② 低価法

原価法のうちあらかじめ選定した１つの方法による評価額とその棚卸資産についてその事業年度終了の時における価額（時価）とのうちいずれか低い価額で評価する方法である。どちらが低いかの判定は、原則として種類等（原価法について売価還元法を採用している場合には通常の差益の率）の同じものを１グループとして行うが、事業の種類ごとに、かつ、商品又は製品等の棚卸資産の評価方法の選定単位のグループ別に一括計算してもよい。 【法令28①二、法基通5-2-9】

ア 通常の販売目的で保有する棚卸資産

低価法を適用する場合における評価額は事業年度末における価額（正味売却価額等）とする。 【法基通5-2-11】

イ トレーディング目的で保有する棚卸資産（短期売買商品）

時価法により評価した金額をもって、事業年度末における評価額とする。 【法法61②】

③ 特別な評価方法

棚卸資産の評価方法については、前述①又は②以外の方法を所轄税務署長の承認を受けて選択できる。 【法令28の2】

（3）法定評価方法

法人が評価方法の届出をしなかった場合又は選定した評価方法により評価しなかった場合においては、最終仕入原価法により算出した取得価額による原価法とする。 【法令31①】

ただし、法人が選定した評価方法により評価しなかった場合において、その法人が行った評価の方法が法令上認められた方法に該当し、かつ、その評価方法によってもその法人の各事業年度の所得の金額の計算を適正に行うことができると認められるときは、その法人が行った評価方法により更正又は決定をすることができる。 【法令31②】

（4）棚卸資産の取得原価

① 購入した棚卸資産

〔当該資産の購入の代価（引取運賃、荷役費、運送保険料、購入手数料、関税その他当該資産の購入のために要した費用がある場合には、その費用の額を加算した金額）〕＋〔当該資産を消費し又は販売の用に供するために直接要した費用の額〕 【法令32①一】

② 自己の製造等に係る棚卸資産

〔当該資産の製造等のために要した原材料費、労務費

及び経費の額〕＋〔当該資産を消費し又は販売の用に供するために直接要した費用の額〕 【法令32①二】

③ 適格組織再編成により取得したもの 【法令28③、32④】

④ その他の方法により取得したもの

〔その取得の時における当該資産の取得のために通常要する価額〕＋〔当該資産を消費し又は販売の用に供するために直接要した費用の額〕 【法令32①三】

5. 有価証券の譲渡損益・評価

（1）有価証券の範囲

次に掲げるものをいうが、法人が有する自己株式又は出資及び法法61の5①に規定するデリバティブ取引に係るものを除く。

① 国債証券

② 地方債証券

③ 特別の法律により法人の発行する債券

④ 資産の流動化に関する法律に規定する特定社債券

⑤ 社債券

⑥ 特別の法律により設立された法人の発行する出資証券

⑦ 協同組織金融機関の優先出資に関する法律に規定する優先出資証券

⑧ 資産の流動化に関する法律に規定する優先出資証券又は新優先出資引受権を表示する証券

⑨ 株券又は新株予約権証券

⑩ 投資信託及び投資法人に関する法律に規定する投資信託又は外国投資信託の受益証券

⑪ 投資信託及び投資法人に関する法律に規定する投資証券、新投資口予約権証券もしくは投資法人債券又は外国投資証券

⑫ 貸付信託の受益証券

⑬ 資産の流動化に関する法律に規定する特定目的信託の受益証券

⑭ 信託法に規定する受益証券発行信託の受益証券

⑮ 法人が事業に必要な資金を調達するために発行する約束手形のうち一定のもの（コマーシャル・ペーパー）

⑯ 抵当証券

⑰ 外国又は外国の者の発行する証券又は証書で①～⑨、⑫～⑯の証券又は証書の性質を有するもの

⑱ 外国の者の発行する証券又は証書で銀行業を営む者その他の金銭の貸付けを業として行う者の貸付債権を信託する信託の受益権又はこれに類する権利を表示するもののうち一定のもの

⑲ 一定のオプションを表示する証券又は証書

⑳ ①～⑲の証券又は証書の預託を受けた者が当該証券又は証書の発行された国以外の国において発行する証券又は証書で、当該預託を受けた証券又は証書に係る権利を表示するもの

㉑ 一定の学校債

㉒ ①～⑮及び⑰に掲げる有価証券等に表示されるべき権利

㉓ 譲渡性預金の預金証書をもって表示される金銭債権

㉔ 合名会社、合資会社又は合同会社の社員の持分、協同組合等の組合員又は会員の持分その他法人の出資者の持

分

㉕　株主又は投資主となる権利、優先出資者その他法人の出資者となる権利【法法2二十一、法令11、金商2①】

（2）有価証券の譲渡損益

　次の算式で計算したその譲渡に係る譲渡損益を、原則として約定日（組織再編による場合等その他の場合は、その効力が生ずる日など）の属する事業年度の益金又は損金に算入する（合併、分割又は適格現物出資により移転する場合、株式交付により株式交付親会社の株式の交付を受けた場合を除く）。

　譲渡対価の額（注1）（注2）－譲渡有価証券の原価の額（注3）＝譲渡損益

（注1）　みなし配当がある場合は、そのみなし配当の額を除く。

（注2）　取得請求権付株式等につき、その請求権の行使等により譲渡をし、その対価としてその取得をする法人の株式等のみの交付を受けた場合（交付を受けた株式等の価額が譲渡した有価証券の価額とおおむね同額となっていない場合を除く）は、その譲渡直前の帳簿価額とする（譲渡損益の計上の繰延べ）。

（注3）　譲渡有価証券の原価の額は、有価証券の取得価額を基に、その有価証券について選定した帳簿価額の算出法により計算した金額をいう。

　　　　また、株式発行法人の資本の払戻し又は解散による残余財産の分配を受けた場合は、その株式の払戻し等の直前の帳簿価額として政令により計算した金額となる。

（3）有価証券の取得価額

①　購入した有価証券（信用取引等やデリバティブ取引によるものを除く）……その購入の代価（購入手数料その他その有価証券の購入のために要した費用（注1）がある場合は、その費用の額を加算する）

（注1）　通信費、名義書換料を含めないことができる。　　　　　　　　　　　　　　　【法基通2-3-5】

（注2）　公社債の経過利子に相当する金額を支払った場合に、これを公社債の取得価額とせず、当該債券の購入後最初に到来する利払期まで前払金として経理することができる。　　【法基通2-3-10】

②　金銭の払込み又は金銭以外の資産の給付により取得した有価証券（④及び適格現物出資による取得等一定のものを除く）……その払い込んだ金額及び給付した金銭以外の資産の価額の合計額

③　株式等無償交付により取得した株式又は新株予約権……ゼロ

④　有利な払込み・給付した資産の価額の払込み等により取得した有価証券（新たな払込み等をせずに取得したものを含み、株主等として払込み等又は株式等無償交付により取得した株式又は新株予約権を除く）……その取得の時のその有価証券の取得のために通常要する価額

⑤　合併又は分割型分割（被合併法人や分割法人の株主等に合併法人・分割承継法人の株式のみ交付の場合に限る）により交付を受けた合併法人・分割承継法人の株式

ア　合併

被合併法人の株式の合併直前の帳簿価額＋みなし配当金額＋株式の交付を受けるために要した費用の額

イ　分割

分割法人の株式の分割直前の帳簿価額×政令（法令119の8①）で定める割合＋みなし配当金額＋株式の交付を受けるために要した費用の額

⑥　適格分社型分割又は適格現物出資により交付を受けた分割承継法人又は被現物出資法人の株式

分割等の直前の移転資産の帳簿価額－移転負債の帳簿価額＋株式の交付を受けるために要した費用の額

⑦　株式分配により交付を受けた株式……現物分配法人の株式の帳簿価額×政令で定める割合（法令119の8の2①）＋みなし配当金額＋株式の交付を受けるために要した額

⑧　株式交換・株式移転（完全子法人の株主に完全親法人の株式のみ交付の場合に限る）により交付を受けた完全親法人の株式……株式交換等の直前の完全子法人の株式の帳簿価額（交付を受けるために要した費用は加算する）

⑨　適格株式交換・適格株式移転により取得した完全子法人の株式

ア　完全子法人の株主が50人未満

完全子法人の法人株主が有していた当該完全子法人の直前の簿価＋取得に要した費用

イ　アの株主が50人以上

完全子法人の簿価純資産価額＋取得に要した費用

⑩　株式等を対価とする株式の譲渡所得の計算の特例

【➡p.299】

⑪　その他政令（法令119①十三～二十六）で定める場合は政令で定める金額

⑫　①～⑩以外の有価証券……その取得時におけるその有価証券の取得のために通常要する価額　　　【法令119】

（4）有価証券の帳簿価額の算出法

　有価証券の一単位当たりの帳簿価額は、次の①～③に掲げるものに区分し、その種類（法基通2-3-15）ごと、かつ、その銘柄を同じくするものごとに移動平均法又は総平均法により算出する。

　ただし、新株予約権付社債は社債とは種類の異なるものとし、外貨建てと円貨建て又は国外発行と国内発行の有価証券はそれぞれ種類の異なるものとすることができる。

①　売買目的有価証券

ア　短期的な価格変動を利用して利益を得る短期売買目的で行う取引に専従する者が、短期売買目的で取得の取引を行った有価証券

イ　その取得日に「売買目的有価証券」等の勘定科目により区分した有価証券（アを除く）

ウ　短期売買目的の有価証券を取得する金銭の信託（合同運用信託・投資信託等を除く）として、信託財産となる金銭の支出日に区分した金銭の信託のその信託財産に属する有価証券等

②　満期保有目的等有価証券

ア　償還期限の定めのある有価証券（①を除く）のうち、償還期限まで保有する目的で取得したものとして、その取得日に「満期保有目的債券」等の勘定科目により区分した有価証券

イ 法人の特殊関係株主等がその法人の発行済株式等の20％以上の株式等を有する場合のその株式等

③ その他有価証券
上記以外の有価証券　　　　　　　　【法令119の2】

（5）有価証券の評価方法

期末に有する有価証券は、次の①、②の区分に応じそれぞれに掲げる方法により評価する。

① 売買目的有価証券
時価法（時価評価金額）

（評価益《期末簿価＜時価評価金額》又は評価損《期末簿価＞時価評価金額》は益金又は損金の額に算入され、翌期には洗替方式により損金又は益金の額に算入する）

② 売買目的外有価証券
ア 満期保有目的等有価証券（償還期限・償還金額のあるもの）
償却原価法

（期末帳簿価額に帳簿価額と償還金額との差額のうち当期に配分すべき金額（調整差損益）を加算又は減算して調整した期末帳簿価額）（その加算額又は減算額を益金又は損金の額に算入する）

イ その他の有価証券
原価法（期末帳簿価額）（注）

（注）期末時の時価を「その他の有価証券」（上記③その他有価証券に限る）の期末時価評価額とし、かつ、その評価損益の全額を洗替方式により純資産の部に計上している場合でも、その有価証券の帳簿価額はその期末時の評価を行う前の金額とされる。

【法法61の3、法令119の13〜119の15、法基通2-3-19】

（6）売買目的有価証券の時価評価金額

売買目的有価証券を時価法で評価した金額（時価評価金額）とは、期末に有する有価証券を銘柄の異なるごとに区分し、その同じ銘柄の有価証券について次表の区分に応じ、それぞれ次表に掲げる価格にその有価証券の数を乗じて計算した金額とされる。

区　　分	価　　格
① 取引所売買有価証券　その売買が主として金融商品取引所において行われている有価証券	ア 金融商品取引所において公表された期末における取引所売買有価証券の最終の売買の価格　イ その期末の最終の売買の価格がない場合は、その期末の最終の気配相場の価格　ウ アの価格及びイの価格のいずれもない場合は、直近の最終の売買の価格又は最終の気配相場の価格を基礎とした合理的な方法により計算した価格
② 店頭売買有価証券及び取扱有価証券　金商2⑧十に規定する店頭売買有価証券及び取扱有価証券（同法67の18④）	ア 金商67の19の規定により公表された期末における最終の売買の価格　イ ①のイと同じ　ウ ①のウと同じ
③ その他価格公表有価証券	ア 価格公表者によって公表された期末におけるその他価格公表
①②以外の有価証券のうち価格公表者（注）によって公表された売買の価格又は気配相場の価格があるもの	有価証券の最終の売買の価格　イ ①のイと同じ　ウ ①のウと同じ
④ ①〜③以外の有価証券	類似する有価証券について金商67の19の規定により公表された期末における最終の売買の価格又は利率又はその他の価格に影響を及ぼす指標に基づき合理的な方法により計算した価格

6. 減価償却資産の償却額の計算

（1）減価償却資産の範囲

① 減価償却資産の範囲
ア 建物及びその附属設備
イ 構築物
ウ 機械及び装置
エ 船　舶
オ 航空機
カ 車両及び運搬具
キ 工具、器具及び備品（観賞用、興行用その他これに準ずる用に供する生物を含む）
ク 無形固定資産
ケ 生　物　　　　　【法法2二十三、法令13】

② 減価償却資産に該当しないもの
ア 書画骨とうのように、時の経過により価値が減少しないもの
　(ア) 古美術品、古文書、出土品、遺物等のように歴史的価値又は稀少価値を有し、代替性のないもの
　(イ) (ア)以外の美術品等で、取得価額が1点100万円以上であるもの（時の経過によりその価値が減少することが明らかなものを除く）
イ 貴金属の素材の価額が大部分を占める固定資産　　　　　【法基通7-1-2】
ウ 事業の用に供されていない資産。ただし、稼働を休止している資産については、その休止期間中必要な維持補修が行われており、いつでも稼働し得る状態にあるものである場合には、これを減価償却資産に該当するものとして取り扱う。
エ 建設中の資産。ただし、建設仮勘定として表示されている資産であっても、その完成した部分が事業の用に供されている場合には、これを減価償却資産に該当するものとする。　　　　　【法基通7-1-4】
オ 電話加入権及びこれに準ずる権利。「これに準ずる権利」には、自動車電話、携帯電話等の役務の提供を受ける権利は含まれない。【法令13、法基通7-1-9】

（2）少額減価償却資産等の損金算入

① 使用可能期間が1年未満（法基通7-1-12）又は取得価額が10万円未満であるものがある場合において、法人が当該資産（国外リース及びリース資産を除く）の取得価額に相当する金額につき損金経理をしたときは、その損金経理をした金額は損金に算入する（貸付（主要な事業として行われるものを除く）の用に供したものは除く）。　　　　　【法令133】

② 取得価額の判定

取得価額が10万円未満又は20万円未満であるかどうかは、通常一単位として取引される単位、例えば、機械装置については１台又は１基ごと、工具、器具及び備品については、１個、１組又は１そろいごとに判定し、構築物のうち例えば枕木、電柱等単体では機能を発揮できないものは１つの工事等ごとに判定する。

【法基通 7 - 1 -11】

③ 社歌、コマーシャルソング等

社歌、コマーシャルソング等の制作のために要した費用の額は、その支出をした日の属する事業年度の損金の額に算入することができる。　　【法基通 7 - 1 -10】

(3) 一括償却資産の損金算入

① 減価償却資産で取得価額が20万円未満であるもの（国外リース資産及びリース資産に該当するもの及び少額減価償却資産の取得原価の損金算入（法令133）の適用を受けるものを除く）を事業の用に供した場合において（貸付（主要な事業として行われるものを除く）の用に供したものは除く）、その全部又は特定の一部を一括したもの（一括償却資産）の取得価額の合計額を一括償却対象額とする方法を選定したとき（申告書に一括償却対象額として記載する）は、当該事業年度以後の各事業年度の損金に算入する金額は法人が当該対象額につき損金に算入した金額のうち次の②により計算した金額に達するまでの金額とする。

② 損金算入限度額

$$一括償却対象額 \times \frac{当該事業年度の月数}{36}$$

③ 取得価額が20万円未満であるかどうかの判定は、上記【法基通 7 - 1 -11】と同じ。

(4) 中小企業者等の少額減価償却資産の取得価額の損金算入の特例

青色申告の中小企業者又は農業協同組合等が2026（令和 8 ）年 3 月31日までに取得等し事業の用に供した取得価額30万円未満の減価償却資産（少額減価償却資産・一括償却資産等を除く）については、確定申告書等への明細書の添付を要件にその取得価額に相当する金額を事業の用に供した事業年度で損金経理をして損金に算入できる（貸付（主要な事業として行われるものを除く）の用に供したものは除く）。

ただし、その事業年度において取得価額の合計額が年300万円を超える場合のその超える部分の減価償却資産は適用除外とされる。　　　　　　　　　　【措法67の 5 】

〈中小企業者等の定義〉

【措法42の 4 ⑲七、八、措令27の 4 ⑫、39の28①】

ア　資本金又は出資金の額が 1 億円以下であること

　　かつ

（ア）発行済株式総数又は出資金額の 2 分の 1 以上が同一の大規模法人（＝資本金又は出資金が 1 億円超の会社又は資本もしくは出資を有しない法人のうち常時使用する従業員数1,000人超の法人）に所有される法人でないこと

（イ）発行済株式総数又は出資金額の 3 分の 2 以上が大規模法人（（ア）に同じ）に所有されているものでは

ないこと

（ウ）大法人（資本金の額が 5 億円以上である法人等）の100％ 子法人でないこと

（エ）100％ グループ内の複数の大法人に発行済株式等の全部を保有されている法人でないこと

イ　常時使用する従業員の数が500人以下であること

ウ　常時使用する従業員の数が300人以下の特定法人

エ　適用除外事業者（過去 3 年以内に終了した事業年度の平均所得金額（12カ月換算後）が15億円を超える法人）に該当しないこと

(5) 減価償却の方法

① 通常の資産の償却方法（2007（平成19）年 3 月31日以前に取得したもの）

ア　建物（ウの鉱業用減価償却資産を除く）

（ア）1998（平成10）年 3 月31日以前に取得されたもの

　　A　旧定額法

　　B　旧定率法

（イ）（ア）以外の建物

　　旧定額法

イ　有形減価償却資産（ウ及びカを除く）

（ア）旧定額法

（イ）旧定率法

（注）建物の附属設備は建物以外の有形減価償却資産として扱う。

ウ　鉱業用減価償却資産（オ及びカを除く）

（ア）旧定額法

（イ）旧定率法

（ウ）旧生産高比例法

（注）鉱業用減価償却資産とは、鉱業経営上直接必要な減価償却資産で鉱業の廃止により著しくその価値を減ずるものをいう。

エ　無形固定資産（オを除く）及び生物（観賞用等を除く）

　　旧定額法

オ　鉱業権

（ア）旧定額法

（イ）旧生産高比例法

カ　国外リース資産（非居住者、外国法人に対するリース資産で専ら日本国内における事業の用に供されるものを除き、1998（平成10）年10月 1 日から2008（平成20）年 3 月31日までの間に締結するリース契約の資産）

　　旧国外リース期間定額法（注）

（注）$$（取得価額 - 見積残存価額）\times \frac{当期中のリース期間の月数}{リース期間の月数}$$

　　　　　　＝償却限度額

【法令48①】

② 通常の資産の償却方法（2007（平成19）年 4 月 1 日以後取得したもの）

ア　建物

　　定額法

イ　建物以外の有形減価償却資産（ウ、カを除く）

（ア）定額法

（ｲ）　定率法（当該減価償却資産の取得価額（既にした償却の額で各事業年度の所得の金額又は各連結事業年度の連結所得の金額の計算上損金の額に算入された金額がある場合には、当該金額を控除した金額）にその償却費が毎年次に掲げる資産の区分に応じそれぞれ次に定める割合で逓減するように当該資産の耐用年数に応じた償却率を乗じて計算した金額（当該計算した金額が償却保証額に満たない場合には、改定取得価額にその償却費がその後毎年同一となるように当該資産の耐用年数に応じた改定償却率を乗じて計算した金額）を各事業年度の償却限度額として償却する方法）

- 2012（平成24）年3月31日以前に取得した減価償却資産…1から定額法の償却率×2.5を控除した割合
- 2012（平成24）年4月1日以降に取得した減価償却資産…1から定額法の償却率×2を控除した割合

2016（平成28）年4月1日以後に取得等した建物附属設備及び構築物については、定額法による。

ウ　鉱業用減価償却資産（オ、カを除く）
（ｱ）　定額法
（ｲ）　定率法
（ｳ）　生産高比例法

ただし、2016（平成28）年4月1日以後に取得等した鉱業用減価償却資産のうち建物、建物附属設備及び構築物については、定額法又は生産高比例法による。

エ　無形固定資産（オ、カを除く）及び生物（観賞用等を除く）
　　定額法

オ　鉱業権
（ｱ）　定額法
（ｲ）　生産高比例法

カ　リース資産（所有権移転外リース取引に係る契約が2008（平成20）年4月1日以後に締結されたもの）
　　リース期間定額法（注）

（注）　（取得価額－残価保証額）×$\dfrac{当期中のリース期間の月数}{リース期間の月数}$
　　　＝償却限度額

【法令48の2①】

（6）法定償却方法

① 2007（平成19）年3月31日以前に取得したもの
ア　イ以外の有形減価償却資産で旧定額法と旧定率法の選択が認められるもの……旧定額法
イ　鉱業用減価償却資産及び鉱業権……旧生産高比例法

② 2007（平成19）年4月1日以後に取得したもの
ア　イ以外の有形減価償却資産で定額法と定率法の選択が認められるもの……定率法
イ　鉱業用減価償却資産及び鉱業権……生産高比例法

【法令53】

（7）償 却 率

① 事業年度が1年の場合

定額法及び定率法　耐年省令別表7、8、9、10による。

（注）　定率法の償却率は、2007（平成19）年4月1日〜2012（平成24）年3月31日までの取得分は定額法償却率の250％、2012（平成24）年4月1日以後の取得分は定額法償却率の200％となる。

② 事業年度が1年未満の場合
ア　旧定額法、定額法又は定率法

　耐年省令別表7、8に定める旧定額法、定額法又は定率法に係る償却率又は改定償却率　×　$\dfrac{当該事業年度の月数}{12}$

イ　旧定率法

　$\left(耐用年数×\dfrac{12}{当該事業年度の月数}\right)$によって計算した年数に対応する耐年省令別表7に定める定率法の償却率

【耐5-1-1】

（注1）　月数は暦により計算し、1月未満の端数は1月とする。　　　　【法令56、耐年省令4、5】

（注2）　旧定率法の改定耐用年数が100年を超えるときは、次による。

　耐年省令別表7の償却率で計算した金額　×　$\dfrac{事業年度の月数}{12}$

【法基通7-4-1】

（8）中古資産の耐用年数

① 残存耐用年数が見積られるもの（試掘権以外の鉱業権及び坑道を除く）については、その事業の用に供した事業年度において見積ることができるが、当該事業年度で見積りをしなかったときは、その後の事業年度（その事業年度が連結事業年度に該当する場合は、その連結事業年度）においてはその見積りをすることができない。

【耐年省令3、耐通1-5-1】

② 残存耐用年数の見積りが困難なときは、次の年数（1年未満の端数は切捨てとし、2年に満たない場合は2年とする）を残存耐用年数とすることができる。
ア　耐用年数の全部を経過した資産
　法定耐用年数×20％＝見積耐用年数
イ　耐用年数の一部を経過した資産
　（法定耐用年数－経過年数）＋（経過年数×20％）
　＝見積耐用年数　　　　　　　　【耐年省令3】

③ 中古資産を改良したときの見積耐用年数
ア　取得後事業の用に供するにあたって改良等のため資本的支出をした金額が中古資産の取得価額の50％を超えるときは実際見積残存耐用年数とする。

【耐年省令3①ただし書】

ただし、次の算式によることも認められる。

中古資産の取得価額（資本的支出を含む）　÷　$\left[\dfrac{中古資産の取得価額（資本的支出を含まない）}{②のイにより算定した残存耐用年数}＋\dfrac{中古資産の資本的支出の額}{中古資産の法定耐用年数}\right]$

＝見積耐用年数（1年未満端数切捨て）

【耐通1-5-6】

イ　取得後事業の用に供するにあたって改良等のため資

本的支出をした金額が当該減価償却資産の再取得価額の50％に相当する金額を超えるときは法定耐用年数によるものとする。　　　　　　　　　　【耐通1-5-2】

ウ　既に見積残存耐用年数により減価償却を行っている中古資産につき資本的支出をした場合は、資本的支出をした後の減価償却については、イと同様である。
　　　　　　　　　　　　　　　　　　　　　　　　【耐通1-5-3】

④　機械等の総合償却資産の見積耐用年数

ア　総合償却資産について、取得した中古資産の再取得価額の合計額が、その資産の属する設備全体の再取得価額の30％以上の場合には、中古資産と中古資産以外に区分して償却することができる。

$$\frac{\text{中古資産の取得}}{\text{価額の合計額}} \div \frac{\text{各資産の1年当たり}}{\text{の償却額の合計額}}$$

$$= \text{中古資産の総合残存見積耐用年数}$$

$$\left(\begin{array}{c} \text{1年未満の端数切捨て} \\ \text{2年未満は2年} \end{array} \right)$$

イ　アの中古資産の合計額が30％未満の場合は法定耐用年数による。　　　　　【耐通1-5-8、1-5-9】

（9）償却限度額

〈償却限度額の計算〉

ア　通常の場合　　　　　　　【法令48、48の2、49】

（ア）定額法

$$\text{取得価額} \times \frac{\text{定額法による法定}}{\text{耐用年数の償却率}} = \frac{\text{各事業年度の}}{\text{償却限度額}}$$

（イ）定率法

調整前償却額（注1）≧償却保証額（注2）の場合、
調整前償却額（注1）＝償却限度額
調整前償却額（注1）＜償却保証額（注2）の場合、
改定取得価額（注3）×改定償却率＝償却限度額

（注1）（取得価額－既償却額）×定率法による法定耐用年数の償却率

（注2）取得価額×法定耐用年数に応じた保証率

（注3）取得価額－既償却額。ただし、2期連続して調整前償却額＜償却保証額の場合は、その連続する事業年度のうち最も古い事業年度の（取得価額－既償却額）の額

（ウ）生産高比例法

（エ）取替法

$$\left[\begin{array}{c} \text{取得価格の}\frac{1}{2}\text{に達するま} \\ \text{では旧定額法、旧定率} \\ \text{法、定額法又は定率法} \\ \text{で計算した償却限度額} \end{array} \right] + \left[\begin{array}{c} \text{その年に取り替えた} \\ \text{同種類同品質の資産} \\ \text{の取得価額で損金経} \\ \text{理したもの} \end{array} \right]$$

$$= \text{各事業年度の償却限度額}$$

イ　償却方法を変更した場合　　　　　　　【法令52】

（ア）旧定額法を旧定率法に又は定額法を定率法に変更した場合

$$(\text{期首帳簿価額} - \text{償却不足額}) \times \frac{\text{法定耐用年数}}{\text{の償却率等}}$$

$$= \text{各事業年度の償却限度額}$$

【法基通7-4-3】

（イ）旧定率法を旧定法に又は定率法を定額法に変更した場合

$$\left\{ \left(\begin{array}{c} \text{期首帳簿} \\ \text{価額} \end{array} - \begin{array}{c} \text{償却} \\ \text{不足額} \end{array} \right) - \begin{array}{c} \text{取得価額の10％（注1）} \\ \text{（坑道については零）} \end{array} \right\}$$

$$\times \left(\text{法定耐用年数} - \frac{\text{経過年数}}{\text{（注2）（注3）}} \right) \text{に対応する償却率}$$

$$= \text{各事業年度の償却限度額}$$

（注1）2007（平成19）年3月31日以前に取得した減価償却資産の場合

（注2）未償却残額割合に対応する経過年数をいい、法定耐用年数から経過年数を控除した年数が2年未満の場合は、2年による。

（注3）経過年数を控除しないこともできる。

【法基通7-4-4】

（10）償却可能限度額

減価償却資産の償却は、その資産の取得価額の一定額に達するまで行うことができる。この一定額を償却可能限度額という。

①　2007（平成19）年3月31日以前に取得をされたもの

ア　有形減価償却資産（坑道、国外リース資産及び旧リース期間定額法適用資産を除く）
　　……取得価額 × $\frac{95}{100}$

イ　無形減価償却資産及び坑道……取得価額の全額

ウ　生物……取得価額 － 残存価額

エ　国外リース資産……取得価額 － 見積残存価額

オ　旧リース期間定額法適用資産……取得価額 － 残価保証額　　　　　　　　　　　　　　　【法令61①一】

（注1）2007（平成19）年3月31日以前に取得した有形減価償却資産（坑道、国外リース資産及び旧リース期間定額法適用資産を除く）については償却可能限度額まで償却した年の翌年以後5年間で1円（備忘価額）まで償却できる。【法令61②】

（注2）法人が、鉄骨鉄筋コンクリート造、鉄筋コンクリート造、れんが造、石造又はブロック造の建物、鉄骨鉄筋コンクリート造、鉄筋コンクリート造、コンクリート造、れんが造、石造又は土造の構築物又は装置につき、前事業年度までの各事業年度においてした償却費の累積額が取得価額の95％に達している場合において、残存使用可能期間につき税務署長の認定を受けたときは、次の算式により計算した金額を各事業年度の償却限度額とみなし、残存価額が1円（備忘価額）に達するまで減価償却が認められる。

$$\left(\text{取得価額} \times \frac{5}{100} - 1\text{円} \right) \times \frac{\text{各事業年度に属する}}{\text{残存使用可能期間の月数}} \div \text{残存使用可能期間の月数}$$

$$= \text{各事業年度の償却限度額}$$

【法令61の2①】

（注3）月数は暦に従って計算し、端数は1月とする。

②　2007（平成19）年4月1日以後に取得をされたもの

ア　有形減価償却資産（坑道、リース資産を除く）及び生物……取得価額 － 備忘価額（1円）

イ　無形減価償却資産及び坑道……取得価額の全額

ウ　リース資産……取得価額 － 残価保証額

【法令61①二】

（注1）2007（平成19）年4月1日以降に取得する有

形減価償却資産（坑道及びリース資産を除く）から償却可能限度額（取得価額の95％相当額）及び残存価額が撤廃され、1円（備忘価額）を残して全額償却できる。　【法令61①】

（注2）　評価換え等（法令48⑤三）が行われたことにより帳簿価額が減額された場合には、当該帳簿価額が減額された金額を含む。

③　堅牢な建物等の改良後の減価償却
　　　　　　　　【法基通7-4-10➡p.271】

（11）固定資産の取得価額

①　購入したもの
　〔当該資産の購入の代価（引取運賃、荷役費、運送保険料、購入手数料、関税その他資産の購入のために要した費用を含む）〕＋〔当該資産を事業の用に供するために直接要した費用の額〕　　　　【法令54①一】

（注）　高価買入資産の取得価額は実質贈与額を買入価額から控除した金額を取得価額とする。【法基通7-3-1】

②　自己の建設等に係るもの
　〔当該資産の建設等のために要した原材料費、労務費及び経費の額〕＋〔当該資産を事業の用に供するために直接要した費用の額〕　　　　【法令54①二】

③　自己が成育させた牛馬等
　〔成育させるために取得した牛馬等に係る購入等の代価又は種付費及び出産費の額並びに当該取得した牛馬等の成育のために要した飼料費、労務費及び経費の額〕＋〔成育させた牛馬等を事業の用に供するために直接要した費用の額〕　　　　【法令54①三】

④　自己が成熟させた果樹等
　〔成熟させるために取得した果樹等に係る購入等の代価又は種苗費の額並びに当該取得した果樹等の成熟のために要した肥料費、労務費及び経費の額〕＋〔成熟させた果樹等を事業の用に供するために直接要した費用の額〕　　　　【法令54①四】

⑤　適格組織再編成により移転を受けたもの
　ア　適格合併又は適格現物分配（残余財産全部の分配に限る）による場合
　　〔適格合併等に係る被合併法人等が合併等の前日の属する事業年度において償却限度額の計算の基礎とすべき取得価額〕＋〔合併法人等が資産を事業の用に供するために直接要した費用の額〕
　イ　適格分割、適格現物出資又は適格現物分配（残余財産全部の分配を除く）による場合
　　〔分割法人等が分割等の日の前日を期末としてその資産の償却限度額を計算する基礎とすべき取得価額〕＋〔分割承継法人が資産を事業の用に供するために直接要した費用の額〕　　　　【法令54①五】

⑥　その他の方法により取得したもの
　〔その取得の時における当該資産の取得のために通常要する価額〕＋〔当該資産を事業の用に供するために直接要した費用の額〕　　　　【法令54①六】

⑦　特殊な場合
　ア　自己生産の場合
　　法人の採用している適正な原価計算に基づいて計算された金額が前述の取得価額と異なる場合でも、その

適正に計算された金額をもって取得価額とする。
　　　　　　　　【法令54②】

　イ　圧縮記帳した場合
　　減価償却資産について、法法42から法法50まで（圧縮記帳）の圧縮記帳の規定により損金に算入された金額がある場合には、その金額を控除した金額に相当する金額をもって、取得価額とみなす。　【法令54③】

　ウ　評価換え等した場合
　　減価償却資産について評価換え等（法令48⑤三）により帳簿価額が増額された場合は、評価換え等が行われた事業年度後の各事業年度（注）においてはその増額された金額を加算した金額をもって取得価額とみなす。　　　　【法令54⑤】

（注）　その評価換え等が期中評価換え等（法令48⑤四）の場合は、その期中評価換え等が行われた事業年度以後の各事業年度とされる。

　エ　その他
　　㋐　資産再評価を行った資産については、再評価額を取得価額とみなす。
　　㋑　資本的支出があった場合には、その支出した金額を取得価額に加算する。　【法令55】
　　㋒　固定資産について値引き等があった場合
　　　　　　　【法基通7-3-17の2】

（注1）　取得価額に算入すべき費用
　　㋐　立退料：土地、建物等を取得するに際し、支払う立退料、その他立退きのために要した金額は、当該土地建物等の取得価額に算入する。
　　　　　　　【法基通7-3-5】
　　㋑　取壊し費等：建物等の存する土地を建物等とともに取得する場合又は自己の有する土地の上に存する借地人の建物等を取得した場合、その取得後おおむね1年以内に取り壊して土地を利用することが明らかであると認められるときは建物等の簿価、取壊しの費用の合計額（廃材等の金額を控除）は、土地の取得価額に算入する。　【法基通7-3-6】

（注2）　取得価額に算入しないことができる費用
　　㋐　借入金の利子：固定資産を取得するために借り入れた借入金の利子の額は、たとえ当該固定資産の使用開始前の期間に係るものであっても、これを当該固定資産の取得価額に算入しないことができるものとする。
　　（注）　借入金の利子の額を建設中の固定資産に係る建設仮勘定に含めたときは、当該利子の額は固定資産の取得価額に算入されたことになる。
　　　　　　　【法基通7-3-1の2】
　　㋑　割賦利息：割賦販売契約によって、購入代価と割賦期間分の利息及び売手側の代金回収のための費用等が明らかに区分されている場合のその利息と回収のための費用　　　　【法基通7-3-2】
　　㋒　不動産取得税等：不動産取得税、自動車取得税、特別土地保有税のうち土地の取得に対して課せられるもの、新増設に係る事業所税、登録免許税等、建設計画を変更したため不要となった建物建設等のための調査費等、固定資産購入契約解除による違約金

【法基通 7-3-3 の 2】

(エ) ソフトウェアの特定の費用

次に掲げるような費用の額は取得価額に算入しないことができる。

A 自己の製作に係るソフトウェアの製作計画の変更等により、いわゆる仕損じがあったため不要となったことが明らかなものに係る費用の額

B 研究開発費の額（自社利用のソフトウェアに係る研究開発費の額については、その自社利用により将来の収益獲得又は費用削減にならないことが明らかな場合における当該研究開発費の額に限る）

C 製作等のために要した間接費、付随費用等で、その費用の額の合計額が少額（その製作原価のおおむね 3 % 以内）であるもの

【法基通 7-3-15 の 3】

（12）資産に係る控除対象外消費税額等の取扱い

① 消費税額及び地方消費税額を取引の本体金額と区分する税抜経理を採用している企業のうち、課税期間の課税売上高が 5 億円超の企業は、課税期間の課税売上割合が100% 未満の場合には仕入税額控除できない金額が仮払消費税額等勘定として残ることとなるが、その性格は非課税売上に対応するものであり、別途の方法により損金算入する必要がある。

この場合、まずこれを個々の取引の取引価額に配賦し、通常の減価償却等の方法により費用化する方式と別途まとめて費用化する方法とが考えられる。

② 法人税法上は、企業の実態にあった経理を尊重することとし、いずれの方式によるかを強制することはしていない。ただ、配賦方法をとらず別途まとめて損金算入する方法をとる場合の資産に係るものの損金算入については次によることとされている。　　　　【法令139の 4】

ア 資産に係る控除対象外消費税額等が生じた事業年度

(ア) 当該事業年度の課税売上割合が80% 以上である場合において、当該事業年度において生じた資産に係る控除対象外消費税額等は、損金経理を要件に当該事業年度において損金算入できる。

(イ) 当該事業年度に生じた資産に係る控除対象外消費税額等のうち個々の資産（棚卸資産を除く）ごとにみて控除対象外消費税等が棚卸資産に係るもの、特定課税仕入れに係るもの及び20万円未満の金額であるものは、損金経理を要件に当該事業年度において損金算入できる。

(ウ) 上記(ア)及び(イ)により損金算入されなかった金額（繰延消費税額等）については、損金経理を要件にその金額を60で除し当該事業年度の月数を乗じて計算した金額の 2 分の 1 相当額に達するまでの金額を限度として損金算入できる。

イ その後の事業年度

損金経理を要件に、繰延消費税額等を60で除し当該事業年度の月数を乗じて計算した金額に達するまでの金額を限度として損金算入できる。

【法令139の 4 ⑥】

7. 資本的支出と修繕費

（1）資本的支出の金額

法人が修理、改良その他名義の何たるかを問わず、その有する固定資産について支出した金額で、次の①、②のいずれかに該当するもの（①、②のいずれにも該当する場合には、多い方の金額）は、損金に算入しない。【法令132】

① 支出によりその固定資産の使用可能期間を延長させる部分に対応する金額

$$支出金額 \times \frac{支出後の使用可能年数 - 支出しなかった場合の使用可能年数}{支出後の使用可能年数}$$

＝資本的支出

② 支出によりその固定資産の価額を増加させる部分に対応する金額

$$支出直後の価額 - 通常の管理、修理をしていた場合の支出時の価額 = 資本的支出$$

（2）資本的支出と修繕費の区分

① 資本的支出の例示

法人がその有する固定資産の修理、改良等のために支出した金額のうち当該固定資産の価値を高め、又はその耐久性を増すこととなると認められる部分に対応する金額が資本的支出となるのであるから、例えば次に掲げるような金額は、原則として資本的支出に該当する。

ア 建物の避難階段の取付等物理的に付加した部分に係る費用の額

イ 用途変更のための模様替え等改造又は改装に直接要した費用の額

ウ 機械の部品を特に品質又は性能の高いものに取り替えた場合のその取替えに要した費用の額のうち通常の取替えの場合にその取替えに要すると認められる費用の額を超える部分の金額　　【法基通 7-8-1】

（3）資本的支出と修繕費との区分の具体的基準

① 少額又は周期の短い費用の損金算入

計画に基づき同一の固定資産（注）について行う修理、改良等が次のいずれかに該当する場合には、その修理、改良等のために要した費用の額については、修繕費として損金経理をすることができるものとする。

ア その修理、改良等のために要した費用の額（その修理、改良等が二以上の事業年度にわたって行われるときは、各事業年度ごとに要した金額）が20万円に満たない場合

イ その修理、改良等がおおむね 3 年以内の期間を周期として行われることが既往の実績その他の事情からみて明らかである場合

(注) 「同一の固定資産」は、設備が二以上の資産によって構成されている場合には当該設備を構成する個々の資産とし、送配管、送配電線、伝導装置等のように一定規模でなければその機能を発揮できないものについては、その最小規模として合理的に区分した区分ごととする。　　　【法基通 7-8-3】

② 形式基準による修繕費の判定

修理、改良等のために要した費用の額のうちに資本的支出であるか修繕費であるかが明らかでない金額がある

場合において、その金額が次のいずれかに該当するときは、修繕費として損金経理をすることができるものとする。

ア　その金額が60万円に満たない場合

イ　その金額がその修理、改良等に係る固定資産の前期末における取得価額のおおむね10％相当額以下である場合　　　　　　　　　　　【法基通7-8-4】

③　資本的支出と修繕費の区分の特例

　　一の修理、改良等のために要した費用の額のうちに資本的支出であるか修繕費であるかが明らかでない金額（法基通7-8-3もしくは7-8-4の適用を受けるものを除く）がある場合において、法人が、継続してその金額の30％相当額とその修理、改良等をした固定資産の前期末における取得価額の10％相当額とのいずれか少ない金額を修繕費とし、残額を資本的支出とする経理をしているときは、これを認める。　【法基通7-8-5】

（4）資本的支出額の償却限度額の計算

①　資本的支出後の耐用年数の取扱い

　　法定耐用年数を適用している減価償却資産について資本的支出をした場合においては、その資本的支出に係る部分の減価償却資産についても、現に適用している耐用年数により償却限度額を計算する。　　【耐通1-1-2】

（注）　旧定率法を旧定額法に変更した後に資本的支出をした場合　　　　　　　　　　　　【法基通7-4-4の2】

②　堅牢な建物等の改良後の減価償却

　　堅牢な建物等の償却限度額の特例（法令61の2①）の規定により償却している減価償却資産について資本的支出をした場合には、その後の償却限度額の計算は、次による。

ア　資本的支出の金額を加算後の帳簿価額が資本的支出後の当該資産の取得価額の5％相当額以下となるときは、当該帳簿価額を基礎とし、新たにその時から使用不能となると認められる日までの期間を基礎とし適正に見積った月数により計算する。

イ　資本的支出の金額を加算後の帳簿価額が資本的支出後の当該資産の取得価額の5％相当額を超えるときは、5％相当額に達するまでは法定耐用年数によりその償却限度額を計算し、5％相当額に達したときは、改めて税務署長の認定を受けた月数により計算できる。　　　　　　　　　　　【法基通7-4-10】

8. 特別償却

（1）特別償却に関する共通事項の取扱い

①　特別償却の種類と限度額の計算

　　特別償却には取得価額の一定割合を償却額とするものと、普通償却限度額に一定割合を乗じた額を償却額とするものとの2種類がある。特別償却をする場合の償却限度額は次のように計算される。

　　償却限度額＝普通償却限度額＋特別償却限度額

②　特別償却の適用条件等

ア　原則として青色申告法人に限られる。

イ　特別償却の明細を申告書に添付すること。

③　青色申告法人の特別償却限度額の不足額については、1年間繰越しできる。　　　　　　　　　　　【措法52の2】

④　特別償却は、原則として重複して適用は認められない。

⑤　特別償却限度額（その償却不足額を含む）の償却については、その限度額以下の額を損金経理又は剰余金の処分により各特別償却対象資産別に特別償却準備金として積み立てることができる。　　　　　　【措法52の3】

⑥　⑤により積み立てた特別償却準備金は、その積み立てた翌事業年度から、次の算式によって計算される金額を益金の額に算入しなければならない。

$$積立額 \times \frac{各事業年度の月数}{84（注）} = 益金算入額$$

【措法52の3⑤】

（注）　特別償却対象資産の法定耐用年数が10年未満である場合は、60と法定耐用年数×12とのいずれか少ない数となる。

（2）中小企業者等が特定経営力向上設備等を取得した場合の特別償却

①　制度の概要

　　青色申告書を提出する中小企業者等（適用除外事業者を除く）で中小企業等経営強化法の認定を受けたものが、2017（平成29）年4月1日から2025（令和7）年3月31日までの期間に、生産等設備を構成する機械装置、工具器具備品、建物附属設備及びソフトウェアで、一定の規模のものの取得等をして指定事業の用に供した場合には、即時償却とその取得価額の100分の7（特定中小企業者等の場合は10％）相当額の特別税額控除との選択適用ができる。ただし、特別税額控除額については、当期の税額の100分の20相当額を限度とする。

【措法42の12の4】

　　ただし、税額控除における控除税額は当期の法人税額の20％を限度とし、控除限度超過額は1年間の繰越しができる。

②　経営力向上設備等

　　経営力向上設備等とは、経営の向上に著しく資する中小企業等経営強化法に規定する次の設備で、その法人の認定に係る同法に規定する経営力向上計画に記載されたものをいう。　　　　　　　　　【措法42の12の4①】

〈取得価額要件〉

	生産性向上設備	収益力強化設備
要件	旧モデル比で経営力の向上に資するものの指標が年平均1％以上向上するもの	投資計画における年平均の投資利益率が5％以上となることが見込まれるもの
対象設備	機械及び装置 　1台又は一基の取得価額が160万円以上のもの 工具及び器具備品 　1台又は一基の取得価額が30万円以上のもの 建物附属設備 　一の取得価額が60万円以上のもの ソフトウェア 　一の取得価額が70万円以上のもの	
確認者	工業会等	経済産業局

（3）中小企業者等が機械等を取得した場合の特別償却

①　適用要件

ア　青色申告法人である中小企業者等のうち適用除外事業者（過去３年以内に終了した事業年度の平均所得金額（12カ月換算後）が15億円を超える法人）に該当しないもの

イ　2025（令和７）年３月31日までに新品の減価償却資産（機械装置と器具備品及びソフトウェアは価額要件を満たすもの。以下「特定機械装置等」という）を取得等して国内の指定事業（貸付け用を除く）の用に供すること

ウ　中小企業者等が機械等を取得等をした場合等の法人税額の特別控除、その他の特別償却又は法人税額の特別控除の適用を受けないこと

エ　確定申告書等に償却限度の計算に関する明細書を添付すること
　　所有権移転外リース取引、匿名組合契約等により取得した特定機械装置等は、特別償却制度を適用しない。
【措法42の６】

② 特定機械装置等
ア　機械及び装置（１台又は１基の取得価額が160万円以上）

イ　工具器具及び備品（事務処理の能率化に資する特定のもので、１台又は１基の取得価額（又は同一種類のものの取得価額の合計額）が120万円以上。2017（平成29）年３月31日以前取得分のみ）

ウ　ソフトウェア（一のソフトウェアの取得価額が70万円以上）

エ　貨物運送用の車両総重量が3.5トン以上の普通自動車

オ　内航海運業用の船舶

③ 特別償却限度額
　　特定機械装置等の取得価額（注）×30％
　（注）　船舶は、取得価額×75％
【措法42の６①、⑧、措令27の６③、⑥】

（４）中小企業者が特定事業継続力強化設備等を取得等した場合の特別償却

① 青色申告書を提出する中小企業者等（適用除外事業者を除く）で中小企業等経営強化法の認定を受けたものが、認定を受けた日から１年以内に認定事業継続力強化計画等に係る事業継続力強化設備等を取得等した場合

ア　中小企業強靱化法施行日から2025（令和７）年３月31日までの間に取得等した場合、その取得価額の18％の特別償却ができる。

イ　2025（令和７）年４月１日以後に取得等した場合、その取得価額の16％の特別償却ができる。

② 事業継続力強化設備等
ア　機械及び装置（１台又は１基の取得価額が100万円以上のもの）

イ　器具及び備品（１台又は１基の所得価額が30万円以上のもの）

ウ　建物附属設備（一の取得価額が60万円以上のもの）
ただし、国・地方公共団体の補助金の交付を受けて取得等したものを除く。
【措法44の２】

（５）医療用機器等の特別償却

① 青色申告書を提出する医療保健業を営むものが取得等をした一定の医療用機器は、以下の特別償却をすることができる。

	医療用機器	勤務時間短縮用設備等	病床の再編等
要件	・2025（令和７）年３月31日までに取得等 ・高度な医療の提供に資するもの、承認を受けてから２年以内のもの	・2019（平成31）年４月１日から2025（令和７）年３月31日の間に取得等 ・勤務時間短縮用設備等の取得等をして医療保健業の用に供した場合	・2019（平成31）年４月１日から2025（令和７）年３月31日の間に取得等 ・構想適合病院用建物等の取得等（改修工事を含む）をして医療保健業の用に供した場合
対象設備	取得価額１台500万円以上の医療用機器等	器具及び備品、ソフトウェアで１台又は１基の取得価額が30万円以上のもの	以下の何れかに該当する建物等 ・既存の病院用建物等を廃止し、新たに建設されるものであること ・改修により既存の病院用建物等の機能区分に応じた病床数が増加するものであること
特別償却	取得価額の12％	取得価額の15％	取得価額の８％
除外資産	所有権移転外リース取引により取得した機器		

【措法45の２、措令28の10】

（６）その他

主なものは以下のとおり。

① 国家戦略特区において機械等を取得した場合の特別償却
【措法42の10】

② 国際戦略総合特区において機械等を取得した場合の特別償却
【措法42の11】

③ 地域経済牽引事業の促進区域内において特定事業用機械等を取得した場合の特別償却　【措法42の11の２】

④ 地方活力向上地域において特定建物等を取得した場合の特別償却
【措法42の11の３】

⑤ 認定特定高度情報通信技術活用設備（５Ｇ設備）を取得した場合の特別償却
【措法42の12の６】

⑥ 事業適応設備を取得した場合の特別償却
【措法42の12の７】

⑦ 特定船舶の特別償却　　　　　　　【措法43】

⑧ 被災者代替資産の特別償却　　【措法43の２】

⑨ 関西文化学術研究都市の文化学術研究地区における文化学術研究施設の特別償却　　　【措法44】

⑩ 共同利用施設の特別償却　　【措法44の３】

⑪ 環境負荷低減事業活動用資産等の特別償却
【措法44の４】

⑫ 生産方式革新事業活動用資産等の特別償却
【措法44の５】

⑬　特定地域における工業用機械等の特別償却　【措法45】
⑭　輸出事業用資産の割増償却　　　　　　　【措法46】
⑮　特定都市再生建築物の割増償却　　　　　【措法47】
⑯　倉庫用建物等の割増償却　　　　　　　　【措法48】

9. 繰延資産

（1）損金算入額
①　法人がその事業年度において償却費として損金経理したもののうち、その繰延資産に係る支出の効果の及ぶ期間を基礎として計算した償却限度額以内の金額とする。
　　　　　　　　　　　　　　　　　　　　　　　　【法法32①】
②　①の償却費として損金経理した金額には、前事業年度以前において償却費として損金経理をした金額のうち各事業年度所得の金額の計算上損金に算入されなかった金額を含む。　　　　　　　　　　　　　　　　　【法法32⑥】

（2）繰延資産の意義
法人が支出する費用のうち支出の効果がその支出の日以後1年以上に及ぶもので次に掲げるものをいう。
　　　　　　　　　　　　　　　　　　　　【法法2、法令14】
①　創立費（発起人に支払う報酬、設立登記のために支出する登録免許税その他法人の設立のために支出する費用で、当該法人の負担に帰すべきものをいう）
　　　　　　　　　　　　　　　　　　　　　　　【法基通8-1-1】
②　開業費（法人の設立後事業を開始するまでの間に開業準備のために特別に支出する費用）
③　開発費（新たな技術もしくは新たな経営組織の採用、資源の開発、市場の開拓のために特別に支出する費用）
　　　　　　　　　　　　　　　　　　　　　　　【法基通8-1-2】
④　株式交付費（株券等の印刷費、資本金の増加の登記についての登録免許税その他自己株式（出資を含む）の交付のために支出する費用）
⑤　社債等発行費（社債券等の印刷費その他社債券（新株予約権を含む）の発行のために支出する費用）
⑥　次に掲げる費用で支出の効果がその支出の日以後1年以上に及ぶもの
　ア　自己が便益を受ける公共的施設又は共同的施設の設置又は改良のために支出する費用
　イ　資産を賃借し又は使用するために支出する権利金、立退き料その他の費用
　ウ　役務の提供を受けるために支出する権利金その他の費用
　エ　製品等の広告宣伝の用に供する資産を贈与したことにより生ずる費用
　オ　前記のほか、自己が便益を受けるために支出する費用　　　　　　　　　　　　　　　【法基通8-1-3～8-1-14】

（3）繰延資産の償却限度額
①　前記①～⑤に掲げる繰延資産
その繰延資産の額−既往年度の償却額＝償却限度額
②　その他の繰延資産
$$繰延資産 \\ の額 \times \frac{当事業年度の月数}{支出効果の及ぶ期間の月数} = 償却限度額$$
〈期中支出のもの〉
$$繰延資産 \\ の額 \times \frac{支出の日から事業年度終了の日までの月数}{支出効果の及ぶ期間の月数}$$

＝償却限度額
　　　　　　　　　　　　　　　　　　　　　　　【法令64①】
③　少額繰延資産の損金算入
法人が②の繰延資産とする費用を支出する場合において、その支出する金額が20万円未満であるものについては、その支出事業年度において損金経理したときは、これを損金に算入する。　　　　　　　　　　【法令134】

（4）その他の繰延資産の償却期間

種　　類		細　　目	償 却 期 間
公共的施設の負担金	公共的施設の設置又は改良のために支出する費用【法基通8-1-3】	負担者の専用の場合のもの	その耐用年数の10分の7に相当する年数
		その他のもの	その耐用年数の10分の4に相当する年数
	共同的施設の設置又は改良のために支出する費用【法基通8-1-4】	負担者又は構成員の用に供されるもの又は協会等の本来の用に供されるもの	その施設の耐用年数の10分の7に相当する年数（土地取得部分は45年）
		共同アーケード、日よけ等負担者の共同の用と一般公衆の用にも供されるもの	5年（その施設の法定耐用年数が5年より短い場合には、その耐用年数）
資産を賃借するための権利金等	建物を賃借するために支出した権利金等【法基通8-1-5(1)】	建物の新築に際し、その所有者に支払った権利金等	その耐用年数の10分の7に相当する年数
		賃借に際し、上記以外の権利金等で借家権として転売できるもの	賃借後の見積残存耐用年数の10分の7に相当する年数
		その他の権利金等	5年（その賃借期間が5年未満で契約の更新に際して再び権利金等の支払いを要することが明らかであるときは、その賃借期間）
	電子計算機その他の機器の賃借に伴って支出する費用【法基通8-1-5(2)】		その機器の耐用年数の10分の7に相当する年数（その年数が契約による賃借期間を超えるときは、その賃借期間）
役務の提供を受けるための権利金等	ノーハウの頭金等【法基通8-1-6】		5年（設定契約の有効期間が5年未満である場合において、契約の更新に際して再び一時金又は頭金の支払いを要することが明らかであるときは、その有効期間の年数）

広告宣伝費用の贈与資産	広告宣伝の用に供する資産を贈与したことにより生ずる費用【法基通8-1-8】		その資産の耐用年数の10分の7（その年数が5年を超えるときは、5年）
その他自己が便益を受けるための費用	スキー場のゲレンデ整備費用【法基通8-1-9】		12年
	出版権の設定の対価【法基通8-1-10】		契約に定める存続期間（設定契約に存続期間の定めがない場合には、3年）
	同業者団体等の加入金【法基通8-1-11】		5年
	職業運動選手等の契約金等【法基通8-1-12】		契約期間（設定契約に存続期間の定めがない場合には、3年）

（注） 償却期間に1年未満の端数があるときは、その端数を切り捨てる。　　　　　【法基通8-2-3】

10. 役員給与及び使用人給与

（1）役員の範囲

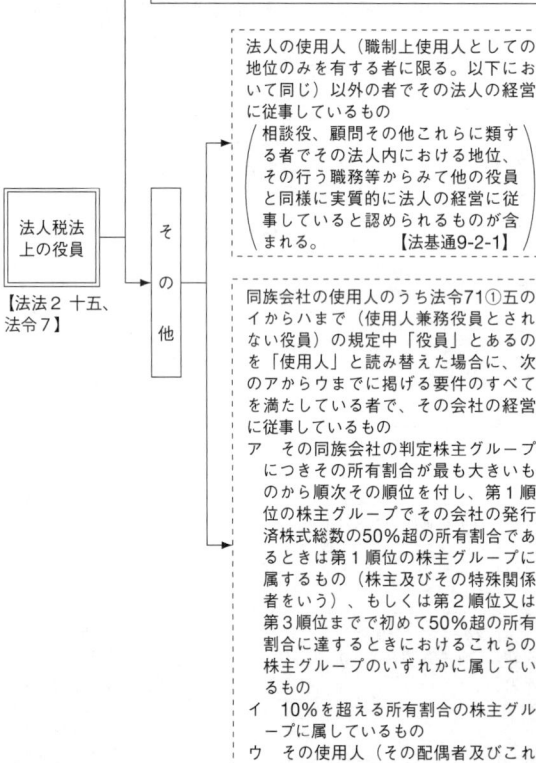

【法法2十五、法令7】

法人税法上の役員

取締役、執行役、会計参与、監査役、理事、監事、清算人

その他

法人の使用人（職制上使用人としての地位のみを有する者に限る。以下において同じ）以外の者でその法人の経営に従事しているもの
　相談役、顧問その他これらに類する者でその法人内における地位、その行う職務等からみて他の役員と同様に実質的に法人の経営に従事していると認められるものが含まれる。　【法基通9-2-1】

同族会社の使用人のうち法令71①五のイからハまで（使用人兼務役員とされない役員）の規定中「役員」とあるのを「使用人」と読み替えた場合に、次のアからウまでに掲げる要件のすべてを満たしているもので、その会社の経営に従事しているもの
ア　その同族会社の判定株主グループにつきその所有割合が最も大きいものから順次その順位を付し、第1順位の株主グループでその会社の発行済株式総数の50％超の所有割合であるときは第1順位の株主グループに属するもの（株主及びその特殊関係者をいう）、もしくは第2順位又は第3順位までで初めて50％超の所有割合に達するときにおけるこれらの株主グループのいずれかに属しているもの
イ　10％を超える所有割合の株主グループに属しているもの
ウ　その使用人（その配偶者及びこれらの者の支配会社を含む）の所有割合が5％を超えているもの

（2）役員給与の損金算入・損金不算入

役員に支給する給与（報酬と賞与を区別しない）は、次の①に定めるものを除き、損金に算入されない。なお、給与には、債務免除益その他の経済的利益を含むものとされる。

① 役員給与の損金算入

役員に対する給与で次表の給与のいずれかにも該当しないものの額は損金の額に算入されない。

ただし、役員退職給与、新株予約権によるもの、使用人兼務役員の使用人としての職務に対するもの及び②のウが適用される役員給与は、この役員給与から除かれる。

1. 定期同額給与	ア　支給時期が1月以下の一定の期間ごとであり、かつ、当該事業年度の各支給時期における支給額が同額である給与（税及び社会保険料の源泉徴収等後の金額が同額である定期給与を含む） イ　次に掲げる給与改定がされた場合における当該事業年度開始の日又は給与改定前の最後の支給時期の翌日から給与改定後の最初の支給時期の前日又は当該事業年度終了の日までの間の各支給時期における支給額が同額であるもの 　(ｱ)　当該事業年度開始の日の属する会計期間開始の日から3月を経過する日（注1）までにされた定期給与の額の改定 　(ｲ)　役員の職制上の地位の変更、その役員の職務の内容の重大な変更その他これらに類するやむを得ない事情（「臨時改定事由」）によりされたこれらの役員に係る定期給与の額の改定 　(ｳ)　経営の状況が著しく悪化したことその他これに類する理由（「業績悪化改定事由」）によりされた定期給与の額の改定 ウ　継続的に供与される経済的な利益のうち、その供与される利益の額が毎月おおむね一定であるもの
2. 事前確定届出給与	その役員の職務につき所定の時期に以下のものを支給する旨の定めに基づいて支給する給与で、所轄税務署長にその定めの内容に関する届出（注2）をしているもの（1、3を除く） ア　確定した額の金銭 イ　確定した数の適格株式（市場価格のある株式又は市場価格のある株式と交換される内国法人又は関係法人が発行した株式） ウ　適格新株予約権（内国法人又は関係法人が発行したもの） エ　特定譲渡制限付株式 オ　特定新株予約権
3. 業績連動給与	同族会社に該当しない法人（同法人による完全支配関係がある内国法人を含む）が業務執行役員に支給する業績連動給与（注3）で、次の要件を満たすもの（他の業務執行役員のすべてに次の要件を満たす業績連動給与を支給する場合に限る） ア　金銭による給与にあっては確定した額を、株式又は新株予約権による給与にあっては確定した数を、それぞれを限度としているものであり、かつ、他の業務執行役員に支給する業績連動給与に係る算定方法と同様のものであること イ　その算定方法が会計期間開始の日から3月以内に報酬委員会で決定をしている等の適正な手続（株主総会の決議その他の手続を含む）を経ていること ウ　有価証券報告書への記載等によりその内容が開示されていること エ　利益に関する指標又は業績連動指標の数値の確定後1月以内（株式又は新株予約権による給与は2カ月以内）に支払われ、又は支払われる見込みであること、損金経理をしていること ※　特定投資運用業者の役員に対する業績連動給与の損金算入の特例　【措法66の11の2】

【法法34①、④、⑥、54①、54の2①、法令69】

(注1) 「定期同額給与」の改定に特別な事情がある場合
定期給与の額の改定（継続して毎年所定の時期にされるものに限る）が、3月経過日等後にされることについて特別の事情があると認められる場合にあっては、当該改定の時期

(注2) 「事前確定届出給与」の届出期限
① 原則的な届出期限
株主総会等の決議から1月を経過する日まで。
【法令69④】
ただし、その1月を経過する日が当該事業年度開始の日の属する会計期間開始の日から4月を経過する日後である場合には、当該4月経過日等とし、新たに設立した法人がその役員のその設立のときに開始する職務につき事前確定給与の定めをした場合には、その設立後2月を経過する日とする。
② 臨時改定事由により新たに事前確定給与の定めをした場合の届出期限
その臨時改定事由が生じた日から1月を経過する日又は上記①の届出期限とされる日のうちいずれか遅い日まで。 【法令69④】
③ 臨時改定事由等に起因して直前届出を変更する場合の変更届出期限 【法令69⑤】
ア 臨時改定事由
その臨時改定事由が生じた日から1月を経過する日。
イ 業績悪化改定事由
その業績悪化改定事由により事前確定給与の定めの内容の変更に関する株主総会等の決議をした日から1月を経過する日。
ただし、変更前の直前届出に係る定めに基づく給与の支給の日でその決議をした日後最初に到来するものが、当該1月を経過する日より前にある場合には、その支給日の前日。

(注3) 業績連動給与の算定指標
次に掲げる指標とされる。
① 利益の状況を示す指標（有価証券報告書に記載されるもので、連結財務諸表から算定される指標を含む）
ア その事業年度の有価証券報告書に記載される利益の額
イ 上記アに掲げる指標の数値にその事業年度の減価償却費の額、支払利息の額その他の有価証券報告書に記載される費用の額を加算し、又はその指標の数値からその事業年度の受取利息の額その他の有価証券報告書に記載される収益の額を減算して得た額
ウ 上記ア及びイに掲げる指標の数値の次に掲げる金額のうちに占める割合又はその指標の数値をその事業年度の有価証券報告書に記載される発行済株式（自己が有する自己の株式を除く）の総数で除して得た額

(ア) その事業年度の売上高の額その他の有価証券報告書に記載される収益の額又はその事業年度の支払利息の額その他の有価証券報告書に記載される費用の額
(イ) 貸借対照表に計上されている総資産の帳簿価額
(ウ) 上記(イ)に掲げる金額から貸借対照表に計上されている総負債（新株予約権に係る義務を含む）の帳簿価額を控除した金額

エ 上記アからウまでに掲げる指標の数値がその事業年度前の事業年度のその指標に相当する指標の数値その他のその事業年度において目標とする指標の数値であって既に確定しているもの（以下「確定値」という）を上回る数値又は上記アからウまでに掲げる指標の数値の確定値に対する比率
オ 上記アからエまでに掲げる指標に準ずる指標（有価証券報告書の任意的記載事項に基づく指標や利益の額に費用又は収益の額を加減算して得た指標が含まれる）
② 業績連動指標
ア 株式の市場価格の状況を示す指標（内国法人又は同法人との間に完全支配関係がある法人の株式市場価格又はその平均値等一定のものに限る）
イ 売上高の状況を示す指標（売上高、売上高に調整を加えた指標等で有価証券報告書に記載されるもので、連結財務諸表から算定される指標を含む）
【法令69⑩、⑪、⑫、法基通9-2-17の2、9-2-17の3】

② 役員給与の損金不算入
ア 役員に対する給与で前記①の表の給与のいずれにも該当しないものは、損金に算入されない。
イ 役員給与（①又はウが適用されるものを除く）の額のうち不相当に高額な部分の金額として次の(ア)から(ウ)までに掲げる金額の合計額は、損金に算入されない。
(ア) 次のA、Bのいずれか多い金額
A 役員に支給した給与（退職給与以外。Bも同じ）が、職務の内容、法人の収益の状況、使用人に対する給与の支給状況、同業種法人の役員給与の支給状況等に照らし、当該役員の職務に対する対価として相当であると認められる金額を超える場合のその超える部分の金額
B 定款の規定又は株主総会等の決議で、役員給与の支給限度額・算定方法・支給対象資産の内容を定めている法人が、各事業年度において当該役員に支給した給与の額（注1）のうちその支給限度額等を超える場合のその超える部分の金額（注2）
(注1) ③の使用人兼務役員に対する給与のうち使用人としての職務に対するものを含めないで限度額等を定めている場合は、その年度でその使用人職務に対する給与として

の支給額（㈡の金額を除く）のうち当該法人の他の使用人に対する給与の支給状況等に照らし相当であると認められる金額（注3）を除く。

（注2）㈡の金額がある場合には、㈡の金額に相当する額を控除する。

（注3）（注1）の他の使用人に対する給与の支給状況等に照らして相当であると認められる金額とは、使用人兼務役員が現に従事する使用人の職務と類似する職務に従事する使用人に対して通常支給される給料の額を原則として適正とするが、比較する使用人がいないときは、使用人兼務役員が役員になる直前の給与の額、その後のベースアップ等の状況や、使用人の最高給者の給与額を参酌して見積ることができる。

【法基通9-2-23】

㈣ 役員に対する退職給与が、業務に従事した期間、退職の事情、同業種同規模法人の役員退職給与の支給状況等に照らし、相当と認められる金額を超える場合のその超える部分の金額

㈤ 使用人兼務役員の使用人としての職務に対する賞与で、他の使用人に対する賞与の支給時期と異なる時期に支給したものの額

ウ 事実を隠ぺいし、又は仮装経理して支給する役員給与は、損金に算入されない。

【法法34①、②、③、法令70】

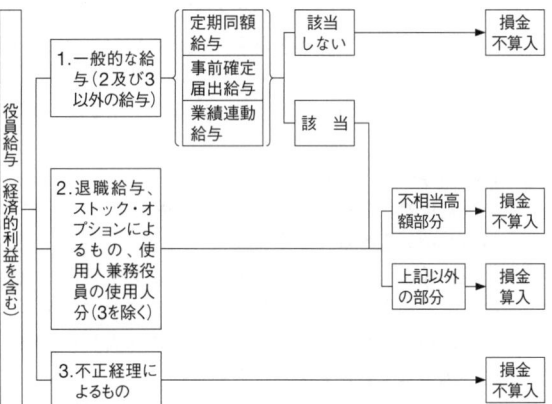

（注）役員給与の損金経理要件は業績連動給与のみ。

③ 使用人兼務役員

ア ①の使用人兼務役員とは、役員（社長、理事長その他イで定めるものを除く）のうち、部長、課長その他法人の使用人としての職制上の地位を有し、かつ、常時使用人としての職務に従事するものをいう。

（注）その他法人の使用人としての職制上の地位とは、支店長、工場長、営業所長、支配人、主任等法人の機構上定められている使用人たる職務上の地位をいう。

また、機構上職制の定められていない法人で、常時従事している職務が他の使用人の職務の内容と同質であると認められるものも含む。

【法基通9-2-5、9-2-6】

イ 次の役員は、使用人兼務役員になれない。

㈠ 代表取締役、代表執行役、代表理事、清算人

㈡ 副社長、専務、常務その他これらに準ずる職制上の地位を有する役員

㈢ 合名会社、合資会社及び合同会社の業務執行社員

㈣ 指名委員会等設置会社の取締役、監査等委員である取締役、会計参与、監査役、監事

㈤ 同族会社の役員のうち、その会社が同族会社であるかどうかを判定する場合に、その判定の基礎となる株主等

ただし、次に該当する者は除く。

A 第1順位の株主グループだけで所有割合が50%超である場合の第2、第3順位の株主グループに所属する者

B 第1順位と第2順位の株主グループの所有割合を併せると50%超となる場合の第3順位の株主グループに所属する者

C 所有割合が10%以下の株主グループに所属する者

D 個人単位（その配偶者及びこれらの者の支配会社を含む）での所有割合が5%以下の者

（注）所有割合

イの㈤の所有割合とは、同族会社の判定に当たり、株式又は出資の数又は金額により判定する場合は株式又は出資の総数又は総額に対する割合、議決権数により判定する場合は議決権割合、社員数により判定する場合は占有割合をいう。

【法法34⑥、法令71】

（3）使用人賞与の損金算入時期

使用人に支給する賞与（臨時的な給与のうち、退職給与、定期給与の支給のない者に対し継続的に同時期定額支給されるもの及び新株予約権によるもの以外のものをいい、使用人兼務役員の使用人分賞与を含む）の損金算入の時期は、次の①から③までの区分に応じ、それぞれに掲げる事業年度とする。

① 労働協約又は就業規則により定められる支給予定日が到来している賞与（使用人にその支給額の通知がされているもので、かつ、当該支給予定日又は当該通知をした日の属する事業年度においてその支給額につき損金経理をしているものに限る）……当該支給予定日又は当該通知をした日のいずれか遅い日の属する事業年度

② 次に掲げる要件のすべてを満たす賞与……使用人にその支給額の通知をした日の属する事業年度

ア その支給額を、各人別に、かつ、同時期に支給を受けるすべての使用人に対して通知していること

イ アの通知をした金額を当該通知をしたすべての使用人に対し当該通知をした日の属する事業年度終了の日の翌日から1月以内に支払っていること

ウ その支給額につきアの通知をした日の属する事業年度において損金経理をしていること

③ 上記以外の賞与……当該賞与が支払われた日の属する事業年度 【法令72の3】

11. 保険料等

（1）損金及び益金算入の時期

種　類	損金及び益金算入の時期
① 退職金共済掛金等(掛金、保険料、事業主掛金、信託金等又は預入金等の額)	現実に納付又は払込みをしたとき（中小企業退職金共済法2⑤に規定する特定業種退職金共済契約に係る掛金については共済手帳への退職金共済証紙のはり付け）【法基通9-3-1】
② 社会保険料(健康保険法、厚生年金保険法による保険料、旧効力厚生年金保険法による掛金又は徴収金)	当該保険料等の額の計算の対象となった月の末日の属する事業年度【法基通9-3-2】
③ 労働保険料　ア 概算保険料の額のうち、被保険者が負担すべき部分（注）以外の金額	保険料の申告書を提出した日（決定に係る金額については、その決定のあった日）又はこれを納付した日の属する事業年度【法基通9-3-3(1)】
イ 確定保険料に係る不足額(概算保険料の額が確定保険料の額に満たない場合のその不足額のうち当該法人が負担すべき部分の金額)	申告書を提出した日（決定に係る金額については決定のあった日）又はこれを納付した日の属する事業年度。ただし、当該事業年度終了の日以前に終了した保険年度に係る確定保険料について生じた不足額のうち法人負担部分については、申告書の提出前であっても、これを未払金に計上することができる。【法基通9-3-3(2)】
ウ 確定保険料に係る超過額(概算保険料の額が確定保険料の額を超える場合のその超える部分の金額のうち当該法人が負担した概算保険料の額に係る部分の金額)	申告書を提出した日（決定に係る金額については、その決定のあった日）の属する事業年度（益金の額に算入する）【法基通9-3-3(3)】

（注） 被保険者負担部分は立替金等とする。

（2）法人が保険料を負担する生命保険料及び個人年金保険料

法人が自己を契約者、役員及び従業員を被保険者とする生命保険に加入し、その保険料を負担した場合は保険の種類、受取人等に応じて以下のように取り扱う。

① 養老保険……被保険者の死亡又は生存（満期等）を保険事故とする生命保険

保険金の受取人	支払保険料の処理
当該法人	保険事故の発生、又は保険契約の解除、失効により保険契約が終了するまで資産に計上する。
被保険者又はその遺族	被保険者に対する給与とする。
生存保険金は当該法人死亡保険金は被保険者の遺族	支払保険料の2分の1を資産に計上し、残額を保険期間の経過に応じて損金の額に算入する。ただし、役員、部課長等の特定の使用人（これらの親族を含む）のみを被保険者としている場合には、その残額はその役員又は使用人に対する給与とする。

【法基通9-3-4】

② 定期保険又は第三分野保険（以下、定期保険等）
ア 定期保険……一定期間内における被保険者の死亡を保険事故とする生命保険（イに該当するものを除く）

保険金の受取人	支払保険料の処理
当該法人	保険期間の経過に応じて損金の額に算入する（注）。
被保険者の遺族	保険期間の経過に応じて損金の額に算入する（注）。ただし、役員、部課長等の特定の使用人（これらの親族を含む）のみを被保険者としている場合には、その役員又は使用人に対する給与とする。

（注） 解約返戻金相当額のない短期払の定期保険で、支払った保険料が30万円以下の場合は、支払った日の属する事業年度の損金。

【法基通9-3-5】

イ 保険料に相当多額の前払保険料が含まれている場合
定期保険等で最高解約返戻率が50%を超えるものは下記のとおりとなる（ただし解約返戻率が70%以下で、かつ、年概算保険料相当額が30万円以下の場合は、アと同じ）。

区分	資産計上期間	資産計上額	取崩期間
最高返戻率50%超70%以下	保険期間開始の日から、当該保険期間の100分の40相当期間を経過する日まで	当期分支払保険料の額に100分の40を乗じて計算した金額	保険期間の100分の75相当期間経過後から、保険期間の終了の日まで
最高返戻率70%超85%以下		当期分支払保険料の額に100分の60を乗じて計算した金額	
最高返戻率85%超	保険期間の開始の日から、最高解約返戻率となる期間（当該期間経過後の各期間において、その期間における解約返戻金相当額からその直前の期間における解約返戻金相当額を控除した金額を年換算保険料相当額で除した割合が100分の70を超える期間がある場合には、その超えることとなる期間）の終了の日まで（*）上記の資産計上期間が5年未満となる場合には、保険期間の開始の日から、5年を経過する日まで（保険期間が10年未満の場合には、保険	当期分支払保険料の額に最高解約返戻率の100分の70（保険期間の開始の日から、10年を経過する日までは、100分の90）を乗じて計算した金額	解約返戻金相当額が最も高い金額となる期間（資産計上期間がこの表の資産計上期間の欄に掲げる（*）に該当する場合には、当該（*）による資産計上期間）経過後から、保険期間の終了の日まで

	期間の開始の日から、当該保険期間の100分の50相当期間を経過する日まで)とする。	

（注）　令和元（2019）年7月8日以後の契約に係る定期保険等から適用される（アの解約返戻率のない短期払の定期保険等は令和元年10月8日以後の契約から適用）　　　　　　　　　【法基通9-3-5の2】

③　定期付養老保険……養老保険に定期保険を付したもの

保険証券等による区分	支払保険料の処理
当該保険料の額が生命保険証券等により養老保険分と定期保険分に区別されているもの	それぞれの保険料について養老保険、定期保険の取扱いによる。
当該保険料の額が区分されていないもの	保険料全体について養老保険の取扱いによる。

【法基通9-3-6】

④　特約に係る保険料

保険期間の経過に応じて損金の額に算入する。ただし、役員、部課長等の特定の使用人（これらの親族を含む）のみを被保険者とするものはその役員又は使用人に対する給与とする。　　　　　　　　【法基通9-3-6の2】

⑤　長期平準保険……定期保険のうち保険期間満了時における被保険者の年齢が70歳を超え、かつ、当該保険に加入したときにおける被保険者の年齢に保険期間の2倍に相当する数を加えた額が105を超えるもので、⑥逓増定期保険に該当するものを除く。

保険期間の開始から当該保険期間の60%に相当する期間（前払期間）は支払保険料の2分の1に相当する金額を資産に計上する。　【平成20年2月28日課法2-3】

⑥　逓増定期保険

ア　2008（平成20）年2月28日前の契約分

……保険期間の経過により保険金額が5倍までの範囲内で増加する定期保険のうち、保険期間満了時における被保険者の年齢が60歳を超え、かつ、当該保険に加入したときにおける被保険者の年齢に保険期間の2倍に相当する数を加えた額が90を超えるもの

保険期間の開始から当該保険期間の60%に相当する期間（前払期間）は下記の区分に応じて支払保険料を資産に計上する。

区　　分	資産計上額
㋐　保険期間満了時における被保険者の年齢が60歳を超え、かつ、当該保険に加入したときにおける被保険者の年齢に保険期間の2倍に相当する数を加えた額が90を超えるもの（㋑、㋒に該当するものを除く）	支払保険料の2分の1に相当する金額を資産に計上する。
㋑　保険期間満了時における被保険者の年齢が70歳を超え、かつ、当該保険に加入したときにおける被保険者の年齢に保険期間の2倍に相当する数を加えた額が105を超えるもの（㋒に該当するものを除く）	支払保険料の3分の2に相当する金額を資産に計上する。
㋒　保険期間満了時における被保険者の年齢が80歳を超え、かつ、当該保険に加入したときにおける被保険者の年齢に保険期間の2倍に相当する数を加えた額が120を超えるもの	支払保険料の4分の3に相当する金額を資産に計上する。

保険期間のうち前払期間を経過した後、資産に計上した金額をその経過期間に応じて取り崩して損金に算入する。

イ　2008（平成20）年2月28日以後の契約分

……保険期間の経過により保険金額が5倍までの範囲内で増加する定期保険のうち、保険期間満了時における被保険者の年齢が45歳を超えるもの

保険期間の開始から当該保険期間の60%に相当する期間（前払期間）は下記の区分に応じて支払保険料を資産に計上する。

区　　分	資産計上額
㋐　保険期間満了時における被保険者の年齢が45歳を超えるもの（㋑、㋒に該当するものを除く）	支払保険料の2分の1に相当する金額を資産に計上する。
㋑　保険期間満了時における被保険者の年齢が70歳を超え、かつ、当該保険に加入したときにおける被保険者の年齢に保険期間の2倍に相当する数を加えた額が95を超えるもの（㋒に該当するものを除く）	支払保険料の3分の2に相当する金額を資産に計上する。
㋒　保険期間満了時における被保険者の年齢が80歳を超え、かつ、当該保険に加入したときにおける被保険者の年齢に保険期間の2倍に相当する数を加えた額が120を超えるもの	支払保険料の4分の3に相当する金額を資産に計上する。

保険期間のうち前払期間を経過した後、資産に計上した金額をその経過期間に応じて取崩して損金に算入する。　　　　　　【平成20年2月28日課法2-3】

⑦　個人年金保険……当該保険契約に係る年金支払開始日に被保険者が生存しているときに、所定の期間中年金が当該保険契約に係る保険受取人に支払われるものをいう。

死亡給付金及び年金の受取人	支払保険料の処理
当該法人	資産に計上する。
被保険者又はその遺族	被保険者に対する給与とする。
年金は当該法人死亡給付金は被保険者の遺族	支払保険料の90%を資産に計上し、残額を保険期間の経過に応じて損金の額に算入する。ただし、役員、部課長等の特定の使用人（これらの親族を含む）のみを被保険者とするものはその残額はその役員又は使用人に対する給与とする。

【平成2年5月30日直審4-19】

12. 寄　附　金

(1) 寄附金の取扱い

①　法人が支出した寄附金のうち損金算入限度額を超える金額は、損金に算入しない。　　　　　　【法法37①】

②　国又は地方公共団体に対する寄附金及び指定寄附金

は、①の寄附金には算入せず、損金に算入する。
【法法37③】

③　特定公益増進法人等に対する寄附金は、①の損金算入限度額相当額を限度に損金に算入する。　【法法37④】

(2) 寄附金の損金算入限度額

①　一般寄附金の損金算入限度額

ア　普通法人、協同組合等及び人格のない社団等で資本又は出資を有するもの

$$\left\{ 所得金額 \times \frac{2.5}{100} + \underset{\text{マイナスの場合はゼロ}}{期末の資本金等 \atop の額（注 2）} \times \frac{当期の月数}{12} \times \frac{2.5}{1,000} \right\} \times \frac{1}{4} = 損金算入限度額$$

（注 1）　月数は 1 カ月未満切捨て

（注 2）　2022（令和 4）年 4 月 1 日以後開始事業年度より、資本金の額及び資本準備金の額の合計額とする。

イ　普通法人、協同組合等及び人格のない社団等で資本又は出資を有しないもの、一般社団法人及び一般財団法人等

$$所得金額 \times \frac{1.25}{100} = 損金算入限度額$$

ウ　公益法人等（財務省令で定める法人を除く）の場合

(ｱ)　公益社団法人、公益財団法人

$$所得の金額 \times \frac{50}{100} = 損金算入限度額$$

(ｲ)　学校法人、社会福祉法人、更生保護法人、社会医療法人

$$\left. \begin{array}{l} 所得の金額 \times \dfrac{50}{100} \\ 年200万円 \end{array} \right\} \begin{array}{l} いずれか大きい金額が \\ 損金算入限度額 \end{array}$$

(ｳ)　上記以外

$$所得金額 \times \frac{20}{100} = 損金算入限度額 \quad 【法令73】$$

②　特定公益増進法人等に対する寄附金の特別損金算入限度額

ア　普通法人、協同組合等及び人格のない社団等で資本又は出資を有するもの

$$\left\{ 所得金額 \times \frac{6.25}{100} + \underset{\text{マイナスの場合はゼロ}}{期末の資本金等 \atop の額（注 2）} \times \frac{当期の月数}{12} \times \frac{3.75}{1,000} \right\} \times \frac{1}{2} = 特別損金算入限度額$$

イ　普通法人、協同組合等及び人格のない社団等で資本又は出資を有しないもの、一般社団法人及び一般財団法人等

$$所得金額 \times \frac{6.25}{100} = 特別損金算入限度額$$

（注 1）　所得金額＝別表四仮計の金額＋損金経理の寄附金の額　　　　　　　　【法令77の 2】

（注 2）　2022（令和 4）年 4 月 1 日以後開始事業年度より、資本金の額及び資本準備金の額の合計額とする。

③　指定寄附金等

支出した全額を損金算入

(3) 寄附金の範囲

①　意義

ア　寄附金とは、寄附金、拠出金、見舞金その他いずれの名義をもってするかを問わず、金銭等の資産又は経済的な利益を贈与又は無償で供与した場合の資産又は経済的利益の価額をいう（広告宣伝費、交際費、接待費及び福利厚生費等を除く）。　　【法法37⑦】

イ　資産の譲渡又は経済的利益を供与した場合において、その譲渡又は供与の対価が時価に比して低いときには、当該対価と時価との差額のうち実質的に贈与又は無償の供与と認められる金額は寄附金となる。
【法法37⑧】

②　法人税法上の取扱い

ア　寄附金を未払金に計上しても、現実に支出するまでは、寄附金として取り扱わない。　【法令78】

イ　法人が各事業年度において現実に支払った寄附金の額をその支払った事業年度の損金の額に算入しないで仮払金等として経理した場合でも、支払年度の寄附金として適用する。　　　【法基通 9 - 4 - 2 の 3】

ウ　法人が寄附金の支出に充てるため手形を振り出した場合には、その手形が現実に決済された日に寄附金の支出があったものとする。　【法基通 9 - 4 - 2 の 4】

③　指定寄附金

公共事業を行う法人等に対してなす寄附金で、広く一般に募集され、教育又は科学の振興、文化の向上、社会福祉への貢献等公益の増進に寄与するための支出で緊急を要するものに充てられることが確実であるものとして財務大臣が指定したもの　　　　【法法37③二】

④　特定公益増進法人等に対する寄附金

公共法人、公益法人等その他特別の法律により設立された法人のうち教育又は科学の振興、文化の向上、社会福祉への貢献その他公益の増進に著しく寄与するものに対して支出した寄附金。ただし、出資に関する業務に充てられることが明らかな寄附金を除く。　　【法法37④】

⑤　公益法人の収益事業に対する寄附金

公益法人等がその収益事業に属する資産のうちから収益事業以外の事業のために支出した金額は、その収益事業に係る寄附金とみなす。認定特定非営利活動法人についても同様である。　【法法37⑤、措法66の11の 3】

⑥　100％ グループ内の内国法人間の寄附金

100％ グループ内の内国法人間で授受された寄附金は、支出法人において全額損金不算入とされ、受領法人において全額益金不算入とされる。【法法37②、25の 2】

(4) 子会社等を整理する場合の損失負担

法人がその子会社等の解散、経営権の譲渡等に伴いその子会社等のために債務の引受けその他の損失負担又は債権放棄等をした場合でも、そうしなければ今後より大きな損失を蒙ることが社会通念上明らかであると認められるため、やむを得ず損失負担をするに至ったなど相当の理由があるときは、その損失負担等により供与する経済的利益は寄附金に該当しない。

（注）　子会社等には、その法人と資本関係を有する者のほか、取引関係、人的関係、資金関係等で事業関連性を有する者が含まれる（法基通 9 - 4 - 2 も同じ）。

【法基通 9 - 4 - 1】

（5）無利息貸付等

　法人がその子会社等に対して金銭を無償又は通常の利率よりも低い利率での貸付け、債権放棄等をした場合でも倒産を防止するためにやむを得ず行うもので合理的な再建計画に基づくものである等相当な理由があるときは、その貸付け・債権放棄等により供与する経済的利益の額は寄附金に該当しない。

（注）　合理的な再建計画かどうかは、支援額の合理性、支援者による再建管理の有無、支援者の範囲の相当性及び支援割合の合理性等について、個々の事例に応じ総合的に判断する（例えば、利害の対立する複数の支援者の合意に基づく再建計画は、原則として合理的なものとして取り扱われる）。　　　　【法基通9-4-2】

（6）災害義援金等

① 被災者のための義援金等

　法人が、災害救助法2《被救助者》の規定に基づき都道府県知事が救助を実施する区域として指定した区域の被災者のための義援金等の募集を行う募金団体（日本赤十字社、新聞・放送等の報道機関等）に対してきょ出した義援金等については、その義援金等が最終的に義援金配分委員会等（災害対策基本法40又は42）に対してきょ出されることが募金趣意書等において明らかにされているものであるときは、国等に対する寄附金の地方公共団体に対する寄附金に該当するものとする。

【法基通9-4-6】

② 被災取引先に対する売掛債権の免除等

　法人が、災害を受けた得意先等の取引先（以下「取引先」という。以下③において同じ）に対してその復旧を支援することを目的として災害発生後相当の期間（災害を受けた取引先が通常の営業活動を再開するための復旧過程にある期間をいう。以下③において同じ）内に売掛金、未収請負金、貸付金その他これらに準ずる債権の全部又は一部を免除した場合には、その免除したことによる損失の額は、寄附金の額に該当しないものとする。

　既に契約で定められたリース料、貸付利息、割賦販売に係る賦払金等で災害発生後に授受するものの全部又は一部の免除を行うなど契約で定められた従前の取引条件を変更する場合及び災害発生後に新たに行う取引につき従前の取引条件を変更する場合も、同様とする。

（注）　「得意先等の取引先」には、得意先、仕入先、下請工場、特約店、代理店等のほか、商社等を通じた取引であっても価格交渉等を直接行っている場合の商品納入先など、実質的な取引関係にあると認められる者が含まれる。　　　【法基通9-4-6の2】

③ 被災取引先に対する低利又は無利息による融資

　法人が、災害を受けた取引先に対して低利又は無利息による融資をした場合において、当該融資が取引先の復旧を支援することを目的として災害発生後相当の期間内に行われたものであるときは、当該融資は正常な取引条件に従って行われたものとする。【法基通9-4-6の3】

④ 自社製品等の被災者に対する提供

　法人が不特定又は多数の被災者を救援するために緊急に行う自社製品等の提供に要する費用の額は、寄附金の額に該当しないものとする。　　　【法基通9-4-6の4】

⑤ 災害見舞金に充てるために同業団体等へ拠出する分担金等

　法人が、その所属する協会、連盟その他の同業団体等の構成員の有する事業用資産について災害により損失が生じた場合に、その損失の補填を目的とする構成員相互の扶助等に係る規約等（災害の発生を機に新たに定めたものを含む）に基づき合理的な基準に従って当該災害発生後に当該同業団体等から賦課され、拠出した分担金等は、その支出した日の属する事業年度の損金の額に算入する。　　　　　　　　　　　【法基通9-7-15の4】

（7）認定NPO法人に対する寄附金

　法人が支出する、特定非営利活動法人（NPO法人）のうち一定の要件を満たすものとして国税庁長官の認定を受けたもの（認定NPO法人）に対する寄附金の額は、一般の寄附金の損金算入限度額とは別に、特定公益増進法人に対する寄附金の額と合わせて、特定公益増進法人に対する寄附金の特別損金算入限度額の範囲内で損金に算入される。　　　　　　　　　【措法66の11の3】

13. 交 際 費

（1）交際費の損金不算入

① 資本金又は出資金を有する一般法人

　法人が2014（平成26）年4月1日から2027（令和9）年3月31日までの間に開始する各事業年度において支出する交際費等の額（当該事業年度終了の日における資本金の額等が100億円以下である法人については、当該交際費のうち、接待飲食費（注1）の額の100分の50に相当する金額を超える部分の金額）は、当該事業年度の所得の金額の計算上、損金の額に算入しない。

　中小法人（注2）は、交際費等の額のうち接待飲食費の額の100分の50に相当する金額と定額控除限度額（注3）のいずれか有利な額の損金算入を事業年度ごとに選択適用することができる。　　　【措法61の4①、②】

ア 中小法人以外の法人

　損金不算入額＝支出交際費等の額−（接待飲食費×50％）

イ 中小法人

　損金不算入額＝支出交際費等の額−（接待飲食費×50％ or 定額控除限度額）

（注1）　接待飲食費とは、飲食その他これに類する行為のために要する費用（専らその法人の役員もしくは従業員又はこれらの親族に対する接待等のために支出するものを除く）で、帳簿書類に一定の事項が記載され飲食費であることが明らかにされていることが必要である。なお、1人当たり10,000円以下の飲食費で書類の保存要件を満たしているものは交際費等に該当しない。

【措法61の4⑥、措規21の18の4、法規59、62、67、措令37の5①】

（注2）　中小法人とは、事業年度終了の日における資本金の額又は出資金の額（資本金又は出資金を有しない法人その他政令で定める法人にあっては、②で計算した金額）が1億円以下の法人。ただし、投資法人、特定目的会社及び資本金の額又は出

資金の額が5億円以上の法人又は相互会社等の100％子法人等を除く。

(注3) 定額控除限度額とは、800万円にその事業年度の月数を乗じてこれを12で除して計算した金額をいう。【措法61の4】

② 資本金又は出資金を有しない法人等

下表の法人等の区分によって計算した金額を資本金（出資金）の額とする。

法人等の区分	資本金（出資金）とされる額
ア　資本又は出資を有しない法人（ウ～オを除く）	$\left\{\dfrac{総資産の帳簿価額－総負債の帳簿価額}{(－当期利益＋当期欠損金)}\right\} \times \dfrac{60}{100}$
イ　公益法人等又は人格のない社団等（ウ～オを除く）	資本又は出資の金額 $\times \dfrac{収益事業に係る資産の価額}{期末総資産価額}$
ウ　資本又は出資を有しない公益法人等又は人格のない社団等（オを除く）	アの金額 $\times \dfrac{収益事業に係る資産の価額}{期末総資産価額}$
エ　外国法人（オを除く）	㋐　人格のない社団等に該当する外国法人 資本又は出資の額 $\times \dfrac{日本国内にある資産で収益事業に係る資産の価額}{期末総資産価額}$ ㋑　㋐以外の外国法人 資本又は出資の額 $\times \dfrac{日本国内にある資産の価額}{期末総資産価額}$
オ　資本又は出資を有しない外国法人	㋐　人格のない社団等に該当する外国法人 アの金額 $\times \dfrac{日本国内にある資産で収益事業に係る資産の価額}{期末総資産価額}$ ㋑　㋐以外の外国法人 アの金額 $\times \dfrac{日本国内にある資産の価額}{期末総資産価額}$

【措令37の4】

(2) 交際費の範囲

① 意義

交際費とは、法人が、その得意先、仕入先その他事業に関係のある者等（注1）に対する接待、供応、慰安、贈答その他これらに類する行為（接待等という）のために支出するものをいう。

ただし、次表に掲げる費用に該当するものは除かれる。

ア	専ら従業員の慰安のために行われる運動会、旅行等のために通常要する費用
イ	飲食等のために要する費用（専ら役員・従業員等の接待等のためのものを除く）で、1人当たり5,000円以下の費用（交通費や土産代などの飲食に付随する費用は含まず）（注2）
ウ	㋐　カレンダー、手帳、扇子、うちわ、手ぬぐいその他これらに類する物品を贈与するために通常要する費用 ㋑　会議に関連して茶菓、弁当その他これらに類する飲食物を供与するために通常要する費用（会議に際して社内又は通常会議を行う場所において通常供給される昼食の程度を超えない飲食物等の接待に要する費用も含む）【措通61の4(1)-21】 ㋒　新聞、雑誌等の出版物又は放送番組を編集するため行われる座談会その他記事の収集のために、又は放送のための取材に通常要する費用

(注1) 間接の利害関係者及びその法人の役員・従業員・株主等も含む。

(注2) 上表イは一定の書類を保存していることを要する。

【措法61の4⑥、措令37の5、措通61の4(1)-22】

② 交際費の範囲に含まれないもの

①の表に掲げるもの以外に次のものがある。

ア　寄附金、値引及び割戻し、給与（賞与を含む）とされる費用

イ　広告宣伝費（不特定多数のものに対する宣伝効果を意図するものを含む）

ウ　福利厚生費（社内の行事に際して支出される金額等を含む）【措通61の4(1)-1】

エ　製造業者又は卸売業者が特約店その他の販売業者を旅行、観劇等に招待し併せて新製品の説明、販売技術の研究等の会議（会議としての実体を備えていることを要する）を開催した場合に、会議に通常要すると認められる費用【措通61の4(1)-16】

オ　販売促進の目的で、特定の地域の得意先である事業者に対して販売奨励金等として金銭又は事業用資産を交付する場合の費用【措通61の4(1)-7】

カ　製造業者又は卸売業者が、自己の製品又はその取扱商品に関し、これらの者の依頼に基づき、継続的に試用を行った一般消費者又は消費動向調査に協力した一般消費者に対しその謝礼として金品を交付するために通常要する費用等【措通61の4(1)-9】

キ　新製品、季節商品等の展示会等に得意先等を招待する場合の交通費、食費及び宿泊費

ク　自社製品又は取扱商品に関する商品知識の普及等のため得意先等にその製品等の製造工場等を見学させる場合の交通費又は食事、宿泊のために通常要する費用

ケ　旅行斡旋業を営む法人が、団体旅行の斡旋をするにあたって、特定の者を事前にその旅行の予定地等に案内する場合の交通費又は食事もしくは宿泊のために通常要する費用（旅館業者等が負担した金額を含む）【措通61の4(1)-17】

コ　法人の工場内、工事現場等について、下請企業の従業員等がその業務の遂行に関連して災害を受けたことに伴い、その災害を受けた下請企業の従業員に対し自己の従業員に準じて見舞金品を支出するために要する費用

サ　法人の工場内、工事現場等において、無事故等の記録が達成されたことに伴い、その工場内、工事現場などにおいて経常的に業務に従事している下請企業の従業員に対し、自己の従業員等とおおむね同一の基準により表彰金品を支給するために要する費用

シ　法人が自己の業務の特定部分を継続的に請け負っている企業の従業員等で専属的に当該業務に従事している者の慰安のために行われる運動会、演芸会、旅行等のために通常要する費用の負担額【措通61の4(1)-18】

ス　建設業者等がその発注者に対して商慣習として請負等の目的物の模型を交付するために通常要する費用【措通61の4(1)-19】

セ　協同組合等がその福利厚生事業の一環として一定の基準に従って組合員等に支出する災害見舞金等
　　　　　　　　　　　　　　　　　　　【措通61の4(1)-11】
ソ　専属のセールスマンに対して支出するその取扱数量等に応じてあらかじめ定められているところにより交付する金品の費用及びその者について負担する福利厚生費等　　　　　　　　　　【措通61の4(1)-13】
③　交際費の範囲に含まれるもの
ア　会社の何周年記念、又は社屋新築記念における宴会費、交通費及び記念品代並びに新船建造又は土木建築等における進水式、起工式、落成式等におけるこれらの費用（社内行事費用を除く）
　　（注）　進水式、起工式、落成式等の式典の祭事のために通常要する費用は、該当しない。
イ　下請工場、特約店等となるため、又はするための運動費等の費用
　　（注）　これらの取引関係を結ぶために相手方事業者に対して金銭又は事業用資産を交付する場合の費用は該当しない。
ウ　得意先、仕入先等の社外の者の慶弔、禍福に際し支出する金品等の費用
エ　得意先、仕入先その他事業に関係のある者等を旅行、観劇等に招待する費用
オ　卸売業者が小売業者を旅行、観劇等に招待する費用の全部又は一部を製造業者又は卸売業者が負担した場合の負担額
カ　いわゆる総会対策等のために支出する費用で総会屋等に対して会費、賛助金、寄附金、広告料、購読料等の名目で支出する金品に係るもの
キ　建設業者等が高層ビル、マンション等の建設にあたり、周辺の住民の同意を得るために、当該住民又はその関係者を旅行、観劇等に招待し、又はこれらの者に酒食を提供した場合におけるこれらの行為のために要した費用
　　（注）　周辺の住民が受ける日照妨害、風害、電波障害等による損害を補償するために当該住民に交付する金品は、交際費等に該当しない。
ク　スーパーマーケット業、百貨店業等を営む法人が既存の商店街等に進出するに当たり、周辺の商店等の同意を得るために支出する運動費等（営業補償等の名目で支出するものを含む）の費用
　　（注）　その進出に関連して支出するものであっても、主として地方公共団体等に対する寄附金の性質を有するもの及び公共的施設等の負担金の性質を有するものは、交際費等に該当しない。
ケ　得意先、仕入先等の従業員に対して取引の謝礼等として支出する金品の費用（報奨金品等を除く）
コ　建設業者等が工事の入札等に際して支出するいわゆる談合金その他これに類する費用
サ　得意先、仕入先等社外の者に対する招待、供応に要した費用で寄附金、値引、割戻し、広告宣伝費、福利厚生費、給与に該当しないもの【措通61の4(1)-15】

（3）使途秘匿金の支出がある場合の課税の特例
　法人が、使途秘匿金の支出をした場合には、通常の法人税に加えて、当該使途秘匿金の支出額の40％相当額の追加課税が行われる。　　　　　　　　　　　　【措法62】
〈使途秘匿金の支出〉
　使途秘匿金の支出とは、①法人がした金銭の支出（贈与、供与その他これらに類する目的のためにする金銭以外の資金の引渡しを含む）のうち、②相当の理由なく、その相手方の氏名又は名称・住所又は所在地・その事由を、③帳簿書類に記載していないものをいう。
（注）　この追加課税は、公益法人又は人格のない社団等の収益事業以外の事業や、外国法人及び外国法人である人格のない社団等の国内において行う国内源泉所得に係る事業以外の事業については適用されない。

14. 圧縮記帳と所得の特別控除

（1）圧縮記帳に関する共通事項
①　意義
　圧縮記帳とは、新たに取得した固定資産又は株式等の取得価額から益金相当額を控除した金額を帳簿価額として記帳した上で、取得価額と帳簿価額との差額を損金経理により所得の計算上損金に算入することにより、益金相当額と相殺して、課税関係を生じないこととする方法である。
②　圧縮記帳による損金算入額
ア　圧縮限度額の範囲内で、固定資産の帳簿価額を損金経理により減額した場合のその金額
イ　圧縮限度額以下の金額を確定決算において積立金として経理した場合（剰余金処分により積立金として経理した場合を含む）のその金額
（注）　交換資産及び換地処分の場合は、直接減額に限る。
ウ　国庫補助金、保険差益、収用等補償金関係等の金額等が確定しない場合には、特別勘定の経理をして損金に算入し、翌期以後取り崩して益金に算入する。
エ　損金経理による減額の意義
　(ｱ)　確定した決算において圧縮限度額以内の金額を費用又は損失として経理するとともに、固定資産の帳簿価額を減額することをいい、次のような経理は、該当しない。
　　A　受け入れた国庫補助金等を益金の額に算入しないで、これと取得等をした固定資産の取得価額とを相殺することにより、その帳簿価額を減額する経理
　　B　既に設定されている特別勘定又は仮勘定の金額を益金の額に戻し入れないで、これらの金額と取得等をした固定資産の取得価額とを相殺することによりその帳簿価額を減額する経理
　(ｲ)　「交換により取得した資産（法法50）」に損金経理の規定を適用する場合において、取得資産につき、その簿価を損金経理により減額しないで、譲渡資産の譲渡直前の簿価とその取得資産の取得のために要した経費の額との合計額に相当する金額を下らない金額をその取得価額としたときは、これを認め、減額したものとして取り扱う。　　【法基通10-6-10】
③　圧縮額及び特別勘定の経理

損金経理により設定する方法であると剰余金の処分により積立金として積み立てる方法であるとを問わない。

【措法64①】

④　申告

　ア　確定申告書に圧縮額の損金算入等に関する明細の記載がある場合に限り適用する。　【法法42③】

　イ　①の記載がない申告書を提出した場合でも、税務署長が、その記載しなかったことについてやむを得ない事情があると認めるときは、圧縮記帳を適用する。

【法法42④】

(2) 国庫補助金等で取得した固定資産の圧縮記帳

① 圧縮限度額

　ア　固定資産の取得又は改良に充てるための国庫補助金等の交付を受けた場合（国庫補助金等の返還を要しないことが、その事業年度終了の時までに確定した場合に限る）において、その事業年度終了の時までに取得又は改良をした交付目的に適合した固定資産につき、当該事業年度においてその交付を受けた国庫補助金等に相当する金額（その固定資産が当該事業年度前の各事業年度において取得又は改良をした減価償却資産である場合には、当該国庫補助金等の額を基礎として計算した金額）を圧縮記帳することができる。

【法法42①】

　イ　国庫補助金等の交付に代わるべきものとして、固定資産の交付を受けた場合は、当該事業年度においてその固定資産の価額（時価）に相当する金額を圧縮記帳することができる。　【法法42②】

② 補助金の範囲

　ア　国又は地方公共団体の補助金又は給付金

　イ　障害者の雇用の促進等に関する法律の規定に基づく独立行政法人高齢・障害・求職者雇用支援機構の助成金

　ウ　国立研究開発法人新エネルギー・産業技術総合開発機構法に基づく国立研究開発法人新エネルギー・産業技術総合開発機構の助成金等　【法法42、法令79】

③ 特別勘定

　ア　損金算入

　　国庫補助金等の交付を受け、その事業年度終了の時までに返還を要しないことが確定していない場合において、国庫補助金等の金額以下の金額を特別勘定として経理したときは、損金に算入する。　【法法43①】

　イ　益金算入

　　国庫補助金等について返還すべきこと又は返還を要しないことが確定した場合、その法人が非適格合併で解散した場合等には、その確定した国庫補助金等に相当する特別勘定の下記金額を取り崩さなければならない。　【法法43②】

　　なお、取り崩して益金に算入しない場合には、所得の計算上益金に算入する。

　　㈠　返還すべきこととなった場合…………その返還すべき金額

　　㈡　返還を要しないこととなった場合……返還を要しないこととなった金額

　　㈢　解散（合併による解散を除く）をした場合………特別勘定の金額

　　㈣　合併（適格合併を除く）により解散した場合……特別勘定の金額　【法令81】

　ウ　返還を要しない場合の圧縮記帳

　　返還を要しないこととなった場合には、次の算式によって計算した金額の範囲内の金額について、その交付対象目的となった固定資産の帳簿価額を減額（減額に代えて剰余金の処分により積立金として積み立てる方法を含む）することができる。

$$\begin{array}{l}\text{全部又は一部の返還が要} \\ \text{しないことが確定した日} \\ \text{における固定資産の帳簿} \\ \text{価額}\end{array} \times \dfrac{\text{返還を要しないことに}}{\text{なった国庫補助金等の額}}{\text{固定資産を取得するに}}{\text{要した金額}}$$

＝圧縮限度額

【法令82、法基通10-2-2】

(3) 工事負担金で取得した固定資産の圧縮記帳

① 圧縮限度額

　ア　対象法人が、その事業に必要な施設を設けるため受益者から金銭又は資材の交付を受けた場合において、当該事業年度終了の時までに取得したその施設を構成する固定資産につき、当該事業年度においてその交付を受けた金銭の額又は資材の価額のうちその固定資産の取得に要した金額に達するまでの金額（その固定資産が当該事業年度前の各事業年度において取得した減価償却資産である場合には、当該金額を基礎として計算した金額）　【法法45①】

　イ　受益者からその事業に必要な施設を構成する固定資産の交付を受けた場合は、その固定資産の時価に相当する金額　【法法45②】

　ウ　法人が工事負担金の交付を受けた日の属する事業年度前の事業年度においてその交付の目的に適合する固定資産を取得している場合にも、その交付を受けた事業年度において、この規定を適用することができる。この場合における圧縮限度額は、次の算式により計算した金額による。

$$\begin{array}{l}\text{工事負担金の交付を} \\ \text{受けた時における当該} \\ \text{固定資産の帳簿価額}\end{array} \times \dfrac{\text{交付を受けた工事負担金の額}}{\text{当該固定資産の取得価額}}$$

＝圧縮限度額　【法基通10-3-2】

(4) 非出資組合である協同組合等が賦課金で取得した固定資産の圧縮記帳

① 圧縮限度額

　協同組合等のうち出資を有しないものが、その組合員又は会員に対し、その事業の用に供する固定資産の取得又は改良に充てるための費用を賦課した場合において、当該事業年度終了の時までに取得又は改良したその事業用固定資産につき、当該事業年度においてその賦課に基づいて納付された金額のうちその固定資産の取得又は改良に要した金額に達するまでの金額（その固定資産が当該事業年度前の各事業年度において取得又は改良した減価償却資産である場合には、当該金額を基礎として計算した金額）　【法法46①】

(5) 保険金等で取得した固定資産の圧縮記帳

① 圧縮限度額

ア　固定資産の滅失又は損壊により保険金等の支払いを受けた場合において、当該事業年度終了の時までに取得をした代替資産又は当該事業年度終了の時までに改良をした損壊資産等につき、当該事業年度においてその支払を受けた保険金等に係る差益金の額として次の算式により計算した金額を圧縮記帳することができる。

$$\text{取得した保険金等の金額} - \text{固定資産の滅失又は損壊により支出する経費の額} = \text{改定保険金等の額 A}$$

$$\text{改定保険金等の額} - \left(\text{滅失又は損壊した固定資産の被害直前の帳簿価額} \times \text{被害部分の割合}\right) = \text{保険差益金の額}$$

$$\text{保険差益金の額} \times \frac{\text{代替資産の取得価額のうち A に達するまでの金額}}{\text{改定保険金等の額 A}}$$

$$= \text{圧縮限度額}\qquad\text{【法法47①、法令85】}$$

イ　保険金等に代わるべきものとして代替資産の交付を受けた場合はその代替資産の差益金の額として次の算式により計算した金額を圧縮記帳することができる。

$$\left[\text{代替資産の交付を受けた時における価額 A} - \text{固定資産の滅失等により支出する経費の額}\right]$$

$$- \text{滅失等をした固定資産の被害直前の帳簿価額} = \text{圧縮限度額}$$

$$\text{【法法47②、法令87】}$$

（注）　支出する経費には保険事故により滅失した資産の取壊し費、焼跡の整理費、消防費等は含むが、類焼者に対する賠償金、けが人への見舞金、被災者への弔慰金等のように滅失等に直接関連しない経費は含まれない。　　　　　【法基通10-5-5】

② 特別勘定による繰延べ
ア　損金算入
　(ア)　保険金等の支払いを受ける法人が、その支払いを受ける事業年度の終了の日の翌日から2年を経過した日の前日（指定期間）までの期間内にその保険金等をもって取得又は改良をしようとする場合、次の算式により計算した保険金等に係る差益金の額以下の金額を特別勘定として経理したときは、損金に算入する。

$$\text{保険差益金の額} \times \frac{\text{保険金のうち取得又は改良に充てようとする金額}}{\text{改定保険金の額}}$$

$$= \text{特別勘定繰入限度額}\qquad\text{【法法48①、法令89】}$$

　(イ)　(ア)の期間内に取得又は改良した場合、その固定資産につき、その取得又は改良をした日の属する事業年度において、同日における特別勘定の金額のうちその取得又は改良に充てた保険金等に係るものとして、次の算式により計算した圧縮限度額の範囲内で、一般の圧縮記帳の場合と同様に損金に算入する。　　　【法法49①、法令91】

$$\text{保険差益金の額} \times \frac{\text{保険金のうち取得又は改良に充てた金額}}{\text{改定保険金の額}}$$

$$= \text{圧縮限度額}$$

イ　益金算入
　(ア)　特別勘定は、次の場合にその該当することとなった日に取り崩さなければならない。
　　A　取得又は改良した場合……損金算入の(イ)の算式によって計算した金額
　　B　指定期間を経過した日の前日に特別勘定を有する場合……その特別勘定の金額
　　C　指定期間内に解散（合併を除く）した場合……その特別勘定の金額
　　D　指定期間内に合併（適格合併を除く）により解散した場合……その特別勘定の金額
　　　　　　　　　　　　　　　　【法法48②、法令90】
　　（注）　指定期間については、災害その他やむを得ない事情によりその指定期間内に代替資産を取得することが困難な場合には、申請によりその期間が延長される。この延長の申請書は、指定期間を経過した日の2月前までに提出しなければならない。　　　　【法法48①、法令88】
　(イ)　(ア)により取り崩すこととなった金額又は(ア)に該当しないで取り崩した金額は、取り崩すこととなった（又は取り崩した）日の属する事業年度の益金に算入する。　　　　　　　　　　【法法48③】

③ 保険金等の範囲
　　次に掲げるもので、固定資産の滅失又は損壊のあった日から3年以内にこれらの支払いの確定があったもの。
ア　保険金
イ　次に掲げる法人が行う共済で固定資産について生じた損害を共済事故とするものに係る共済金
　(ア)　農業協同組合及び同連合会
　(イ)　農業共済組合及び同連合会
　(ウ)　漁業協同組合及び水産加工業協同組合並びに共済水産業協同組合連合会
　(エ)　事業協同組合及び事業協同小組合、火災共済協同組合並びに協同組合連合会
　(オ)　生活衛生同業組合及び同連合会
　(カ)　漁業共済組合及び同連合会
　(キ)　森林組合連合会
ウ　損害賠償金　　　　　　　　　　　　　　【法令84】

(6) 交換により取得した資産の圧縮記帳
① 圧縮限度額
ア　交換差金等がない場合の圧縮限度額

$$\text{取得資産の時価} - \left(\text{譲渡資産の譲渡直前の簿価} + \text{譲渡経費}\right)$$

$$= \text{圧縮限度額}\qquad\text{【法令92①】}$$

イ　交換差金等を取得した場合の圧縮限度額

$$\text{取得資産の取得時の価額 A} - \text{譲渡資産の改定帳簿価額 B}$$

$$\times \frac{\text{取得資産の取得時の価額 A}}{\text{取得資産の取得時の価額 A} + \text{交換差金等の額}} = \text{圧縮限度額}$$

$$\text{譲渡資産の改定帳簿価額 B} = \text{譲渡資産の譲渡直前の帳簿価額} + \text{譲渡経費}$$

$$\text{【法令92②一、法基通10-6-10】}$$

ウ　交換差金等を支払った場合の圧縮限度額

$$\begin{array}{l}取得資産の取\\得時の価額\end{array} - \left[\begin{array}{l}譲渡資産の改\\定帳簿価額B\end{array} + 交換差金等の額\right]$$

$$= 圧縮限度額 \qquad 【法令92②二】$$

② 対象の資産

　交換当事者の双方の法人が1年以上所有している固定資産のうち次のもの

ア　土地（地上権及び賃借権並びに農地の上に存する耕作権を含む）

イ　建物（附属する設備及び構築物を含む）

ウ　機械及び装置

エ　船舶

オ　鉱業権（租鉱権、採石権等を含む）　　【法法50①】

③ 交換における圧縮の条件

　交換とは、それぞれの種類を同じくする資産（相手方が交換のために取得したと認められるものを除く）と交換し、その交換による取得資産を譲渡資産の譲渡直前の用途と同一の用途に供された場合にのみ認められる。

【法法50①】

　交換時における取得資産の時価と譲渡資産の時価との差額（交換差金）が、

ア　取得資産の時価　　　　　のうち多い方の100分の20を超え
イ　譲渡資産の時価

るときは、交換として取り扱わず、圧縮は認められない。　　　　　　　　　　　　　　　【法法50②】

（7）特定資産の買換えの場合の圧縮記帳

① 圧縮記帳が認められる場合

　1970（昭和45）年4月1日から2026（令和8）年3月31日までの間に、その所有する棚卸資産以外の特定の資産（譲渡資産）を譲渡し、譲渡の日を含む事業年度において特定の資産（買換資産）を取得し、かつ、取得の日から1年以内に買換資産を事業の用に供した場合又は供する見込みである場合に、買換資産について圧縮限度額の範囲内で帳簿価額を損金経理により減額するなどの一定の方法で経理したときは、その減額した金額を損金の額に算入する圧縮記帳の適用を受けることができる。

② 手続

　圧縮記帳の適用を受けるためには、確定申告書等に損金の額に算入される金額を記載するとともに特定の資産の買換えにより取得した資産の圧縮額等の損金算入に関する明細書など一定の書類を添付することが必要。

　なお、2024（令和6）年4月1日以後に譲渡資産を譲渡して買換資産を取得する場合に圧縮記帳の適用を受けるためには、一定の期限までに適用を受ける旨ほか必要事項を記載した届出書を所轄税務署長に提出する必要がある。

③ 対象となる買換え

ア　長期保有資産の買換え

イ　その他一定の買換え

④ 圧縮限度額

圧縮限度額 =

$$圧縮基礎取得価額（注）× 差益割合 ×（原則）\frac{80}{100}$$

（注）　圧縮基礎取得価額とは、買換資産の取得価額又は譲

渡資産の譲渡対価の額のうちいずれか少ない金額をいい、差益割合は下記の算式で計算される。

差益割合 =

$$\frac{譲渡対価の額 -（譲渡資産の帳簿価額 + 譲渡経費の額）}{譲渡対価の額}$$

⑤ 対象となる譲渡資産

　圧縮記帳の対象となる譲渡資産は、下記のすべての要件に該当する資産。

ア　1970（昭和45）年4月1日から2026（令和8）年3月31日までの間に譲渡したものであること。

イ　特定の地域にあることや一定の取得時期に取得したなどの要件を満たす土地等、建物、構築物、船舶又は果樹であること。

ウ　棚卸資産ではないこと。

エ　短期所有に係る土地重課制度の規定（措法63）の適用がある土地等ではないこと。

オ　土地収用法等による収用、買取り、換地処分、権利変換等により譲渡する資産ではないこと。

カ　贈与、交換、出資、2010（平成22）年9月30日以前に行われた適格事後設立もしくは2010（平成22）年10月1日以後に行われる適格現物分配又は代物弁済により譲渡する資産ではないこと。

キ　合併又は分割により移転する資産ではないこと。

⑥ 対象となる買換資産

　圧縮記帳の対象となる買換資産は、下記のすべての要件に該当する資産。

ア　譲渡資産に応じて定められている土地等、建物、構築物、船舶、機械及び装置、果樹又は一定の減価償却資産であること。

イ　原則として、譲渡資産を譲渡した日を含む事業年度に取得した資産であること。なお、譲渡資産を譲渡した日を含む事業年度の前後1年以内に取得した資産も含む。

ウ　取得した日から1年以内に事業の用に供したか又は供する見込みであること。

エ　長期所有の土地等（所有期間が10年を超える土地、建物、構築物等）に係る措置について、買換えによって取得した資産が土地等である場合には、特定施設の敷地の用に供されるもの又は駐車場の用に供されるもので、その面積が300平方メートル以上であること。

オ　買換えによって取得した資産が土地等である場合には、譲渡資産である土地等の面積の5倍（特別な用途であるものは2倍又は10倍）以内の面積である部分であること。

カ　原則として、合併、分割、贈与、交換、出資、2010（平成22）年9月30日以前に行われた適格事後設立もしくは2010（平成22）年10月1日以後に行われる適格現物分配、代物弁済又は2008（平成20）年4月1日以後に締結される所有権移転外リース取引により取得する資産ではないこと。　　　　　　【措法65の7】

⑦ 譲渡に伴う特別勘定

ア　適用期間（1970（昭和45）年4月1日～2026（令和8）年3月31日）内に特定の資産の譲渡をした場合において、その買換資産をその譲渡の日を含む事業年

度中に取得せず、その事業年度の翌事業年度開始の日から1年以内（やむを得ない事情があるため、1年以内に取得することが困難な場合には、2年以内において税務署長が認定した日までの期間）に買換資産を取得する見込みであり、その取得した日から1年以内に法人の事業の用に供する見込みであるときは、次の算式によって計算した金額以下の金額を特別勘定として経理することにより、その金額を譲渡の日を含む事業年度の損金に算入できる（短期所有土地等の譲渡益重課制度（ただし1998（平成10）年1月1日から2026（令和8）年3月31日までの譲渡については同制度の適用はない）の適用がある土地を除く）。

$$譲渡資産に係る対価の額のうち買換資産の取得に充てようとする額 \times 差益割合 \times \frac{80}{100}$$
$$=特別勘定の金額 \qquad 【措法65の8①、②、⑱】$$

イ　特別勘定を設けている場合について、買換資産を所定の期間内に取得したときは、買換資産について「譲渡資産の譲渡対価のうち買換資産の取得に充てた金額に差益割合を乗じた金額の80%相当額」の範囲内で損金算入（圧縮記帳）ができるが、特別勘定として経理した金額のうち「買換資産の取得に充てた金額に差益割合を乗じて計算した金額の80%相当額」を買換資産の取得をした事業年度の益金に算入しなければならない。　　　　　　　　【措法65の8⑦、⑨】

ウ　特別勘定はイの場合のほか、次の場合に益金に算入する。
㋐　任意取崩しの場合……その取崩額
㋑　指定期間経過日に特別勘定残高を有する場合……当該特別勘定の金額
㋒　特別勘定を設けている法人を解散した場合（合併による解散を除く）
　　……特別勘定の金額
㋓　特別勘定を設けている法人を被合併法人とする合併の場合……特別勘定の金額　　【措法65の8⑫】

⑧　特定資産を交換した場合の取扱い
譲渡資産に該当する資産（交換譲渡資産）と買換資産に該当する資産（交換取得資産）とを交換した場合又は交換譲渡資産と交換取得資産以外の資産（他の資産）を交換し、かつ、交換差金を取得した場合には、⑴交換譲渡資産（他の資産との交換の場合には、交換差金対応部分（措令39の7㊼）に限る）は、交換の日において、同日の資産の時価相当額で、譲渡資産の譲渡をしたものとみなし、又、⑵交換取得資産は交換の日において、同日の資産の時価相当額で、買換資産の取得をしたものとみなして圧縮記帳等を認める（短期所有土地等譲渡益重課制度（ただし、1998（平成10）年1月1日から2026（令和8）年3月31日までの譲渡については同制度の適用はない）の対象となる土地等を除く）。　　【措法65の9】

（8）技術研究組合の所得の計算の特例
①　圧縮限度額
青色申告書を提出する技術研究組合（清算中のものを除く）が、2027（令和9）年3月31日までに、組合員に試験研究用資産を取得し又は製作するための費用で一定のものを賦課し、これに基づいて納付された賦課金に相

当する金額で当該資産を取得等した場合には次により計算した金額を圧縮記帳することができる。
試験研究用資産の取得価額 － 1円 ＝ 圧縮限度額
　　　　　　　　　　【措法66の10①、措令39の21】

（9）収用等における圧縮記帳と特別控除
①　収用等の圧縮記帳
ア　圧縮記帳が認められる場合
㋐　資産が土地収用法等により収用され、補償金を取得する場合
㋑　資産について買取りの申出を拒むとき、土地収用法等により収用されることとなる場合において、その資産が買い取られ対価を取得する場合
㋒　土地等につき、土地区画整理事業が施行され、その土地等に係る換地処分による清算金等を取得する場合
㋓　資産につき都市再開発法による第一種市街地再開発事業が施行された場合において、当該資産に係る権利変換により補償金を取得する場合
㋔　資産につき防災街区整備事業が施行された場合において、当該資産に係る権利変換により補償金を取得する場合
㋕　土地等が都市計画法に基づいて買い取られ、対価を取得する場合
㋖　土地区画整理事業で減価補償金を交付すべきこととなるものが施行され、公共施設の用地に充てるべきものとして、施行区域内の土地等が買い取られ、対価を取得する場合
㋗　国、地方公共団体、独立行政法人都市再生機構又は地方住宅供給公社が、自ら居住するため住宅を必要とする者に賃貸し、又は譲渡する目的で行う50戸以上の一団地の住宅経営事業用の土地等が買い取られ、対価を取得する場合
㋘　資産が土地収用法等により収用された場合、その資産に関して有する所有権以外の権利が消滅し、補償金又は対価を取得する場合
㋙　資産に関して有する権利で、都市再開発法に規定する権利変換により新たな権利に変換をすることのないものが、権利消滅により補償金を取得する場合
㋚　資産に関して有する権利で密集市街地における防災街区の設備の促進に関する法律に規定する権利変換により新たな権利に変換をすることのないものが、権利消滅により補償金を取得する場合
㋛　公有水面の埋立て又は漁業権、入漁権、その他水の利用に関する権利又は鉱業権の消滅により、補償金又は対価を取得する場合
㋜　前各号のほか国又は地方公共団体が、建築基準法もしくは漁業法等の規定に基づき行う処分に伴う資産の買取りもしくは消滅又は買収の処分により補償金又は対価を取得した場合　　　　【措法64①】
㋝　土地等が土地収用法等の規定に基づいて使用され、補償金を取得する場合で、その使用に伴い土地等の価値が使用直前の2分の1以下となった場合
　　　　　　　　　　【措法64②一、措令39⑮】
㋞　土地等が土地収用法等の規定により収用された場

合で、その土地等の上に存する建物等の資産についても収用されその対価を取得した場合 【措法64②二】

(タ) 土地等が土地収用法等の規定により収用された場合で、その土地等の上に存する建物等の資産について取壊し又は除去しなければならなくなった場合に、損失補償を受けた場合 【措法64②二】

(チ)「所有者不明土地の利用の円滑化等に関する特別措置法」に規定する土地収用法の特例の規定による収用があった場合 【措法65の2】

イ 補償金の内容と課税上の取扱い

補償金	補償の内容	課税上の取扱い
対価補償金	対価補償金とは、名義のいずれであるかを問わず、資産の対価たるもの（対価補償金）をいうものとし、収用に際して、交付を受ける移転料、その他資産の対価以外の金額は含まない。【措法64③】	収用等の場合の課税の特例の適用がある。【措通64(2)-2】
収益補償金	事業について減少することとなる収益又は生ずることとなる損失の補塡に充てるものとして交付を受けるもの【措通64(2)-1】	収用等の場合の課税の特例の適用はない。ただし、建物の対価補償金として交付を受けた金額が、当該収用等をされた建物の再取得価額に満たないときは、収益補償金の名義で交付を受けた補償金のうち当該満たない金額を対価補償金として取り扱うことができる。【措通64(2)-2、64(2)-5】
経費補償金	休廃業等により生ずる事業上の費用の補塡又は収用等による譲渡の目的となった資産以外の資産（棚卸資産を除く）について実現した損失の補塡に充てるものとして交付を受けるもの【措通64(2)-1】	収用等の場合の課税の特例の適用はない。ただし、収用等に伴い事業のすべてを廃止した場合又は従来営んできた業種の事業を廃止し、かつ、当該機械装置等を他に転用することができない場合に交付を受ける当該機械装置等の売却損の補償金は対価補償金として取り扱う。【措通64(2)-2、64(2)-7】
移転補償金	資産（棚卸資産を含む）の移転に要する費用の補塡に充てるものとして交付を受けるもの【措通64(2)-1】	収用等の場合の課税の特例の適用はない。ただし、起業者から当該土地等の上にある建物又は構築物を曳家し又は移転するために要する費用として交付を受ける補償金であっても、その交付を受ける者が実際に当該建物又は構築物を取り壊したときは、当該補償金は対価補償金として取り扱い、又、機械装置の移設補償名義であっても、その物自体を移設することが著しく困難であると認められる資産について交付を受ける取壊し等の補償金は、対価補償金として取り扱う。【措通64(2)-2、64(2)-8〜64(2)-9】 なお、他人の建物を使用している法人が、当該建物が収用等をされたことに伴いその使用を継続することが困難となったため、転居先の建物の賃借に要する権利金に充てられるものとして交付を受ける補償金については、対価補償金とみなして取り扱う。【措通64(2)-21】
その他の補償金	前記以外の補償金で対価補償金の実質を有しないもの【措通64(2)-1】	収用等の場合の課税の特例の適用はない。

ウ 代替資産

原則として譲渡資産と同種の資産又は権利を取得することを要件とするが、同一用途に供されている1組の資産が収用等された場合は同一用途の1組の資産による。また、法人の事業の用に供する資産であれば上記の要件は必要としない。 【措令39②、③、④】

エ 圧縮限度額

補償金、対価又は清算金の額（「補償金等」という）の全部又は一部をもって収用等のあった事業年度中に代替資産を取得（製作を含む）した場合には、次により計算した金額

(ア) 代替資産の取得価額のうち改定補償金額×差益割合＝圧縮限度額

(イ) 譲渡差益の額÷改定補償金額＝差益割合

(ウ) 改定補償金額 － 収用等による譲渡資産の譲渡直前の帳簿価額 ＝譲渡差益の額

(エ) 補償金等の額－譲渡経費の額A ＝改定補償金額

(オ) 収用等による譲渡資産の譲渡に要した経費の額 － その譲渡経費に充てるため取得した補償金額 ＝譲渡経費の額A 【措法64①】

オ 特別勘定

(ア) 収用等に伴い代替資産を収用等のあった日を含む事業年度の翌事業年度開始の日から収用等のあった日以後2年を経過するまでの期間（特別の理由があるときは4年6月、さらに取得できないときは税務署長の承認を受けて8年6月）（指定期間）内に補償金等の全部又は一部に相当する金額で代替資産を取得する見込みがあり、次の算式により計算した金額以下の金額を特別勘定として経理したときは損金に算入する（所有権移転外ファイナンスリース取引による取得は除く）。

代替資産取得のための補償金等の額×差益割合
＝特別勘定の金額

【措法64の2①、措令39⑲】

(イ) (ア)の指定期間内に代替資産を取得した場合は、前述の「圧縮限度額」に準じて計算した金額を損金に算入し、これに対応する特別勘定として経理した金額を益金に算入する。 【措法64の2⑦、⑨】

(ウ) 指定期間内に目的外支出のために特別勘定を取り崩した場合は取崩金額は益金に算入する。

【措法64の2⑫一】

(エ) 指定期間を経過する日において、特別勘定残額を有している場合は同金額を益金に算入する。

② 換地処分の圧縮記帳

ア 圧縮限度額

法人が換地処分等により交換取得資産を取得した場合（資産とともに補償金等を取得した場合を含む）、次の金額を圧縮記帳することができる（所有権移転外ファイナンスリース取引による取得は除く）。

交換取得資産価額 − $\left(\begin{array}{l}\text{譲渡資産の譲}\\\text{渡直前の簿価}\end{array} + \text{譲渡経費}\right)$

＝圧縮限度額　　　　　　【措法65①、②】

〈譲渡直前の帳簿価額の計算〉

(ア) 交換取得資産とともに補償金等又は保留地の対価を取得した場合

譲渡資産直前簿価 − 譲渡資産直前簿価

$\times \left(\dfrac{\text{補償金又は保留地の対価}}{\text{交換取得資産価額} + \text{補償金等}}\right) = \begin{array}{l}\text{交換取得資産に}\\\text{対応する簿価}\end{array}$

【措法65②、措令39の2③】

(イ) 譲渡資産とともに支出金を支出した場合

譲渡資産直前簿価 ＋ 支出金 ＝ 交換取得資産に対応する簿価　　　　　【措法65②】

イ 圧縮記帳が認められる場合

(ア) 資産につき土地収用法等の規定による収用があった場合に、当該資産と同種の資産を取得したとき

(イ) 土地等につき土地改良法による土地改良事業又は農業振興地域の整備に関する法律13の2①の事業が施行された場合に、交換により土地等を取得するとき

(ウ) 土地等につき土地区画整理法による土地区画整理事業、新都市基盤整備法による土地整理、土地改良法による土地改良事業又は大都市地域住宅等供給促進法による住宅街区整備事業が施行された場合において、換地処分により土地等又は建築物の一部及びその建築物が存する土地の共有部分、施設住宅の一部、施設住宅もしくは施設住宅の敷地に関する権利を取得するとき

(エ) 資産につき、都市再開発法による第一種市街地再開発事業が施行された場合において、当該資産に係る権利変換により施設建築物の一部を取得する権利及び施設建築敷地もしくはその共有持分又は地上権の共有持分を取得するとき又は資産が第二種市街地再開発事業の施行に伴い買い取られ、もしくは収用された場合において、その対価として建築施設の部分の給付を受ける権利を取得するとき

(オ) 資産につき、防災街区整備事業が施行された場合において、その資産に係る権利変換により防災施設建築物の一部を取得する権利その他を取得するとき

(カ) マンションの建替えの円滑化等に関する法律によるマンション建替事業が施行された場合において、資産に係る権利変換により同法の施行再建マンションに関する権利を取得する権利又はその施行再建マンションに係る敷地利用権を取得するとき

【措法65①】

ウ 補償金等を取得した場合

交換取得資産とともに補償金等を取得し、その全部

又は一部に相当する金額をもって代替資産を取得したとき、又は取得する見込みであるときは、収用等における圧縮記帳と特別勘定の定め【➡p.286】を準用する。この場合の補償金等に対応する譲渡資産の譲渡直前の帳簿価額は次による。

譲渡資産直前簿価 $\times \dfrac{\text{補償金等}}{\text{交換取得資産価額} + \text{補償金等}}$

＝補償金に対応する簿価

【措法65③、措令39の2⑦、⑧】

③ 収用換地等の場合の所得の特別控除

ア 特別控除が認められる場合

(ア) ①の収用等の圧縮記帳の「圧縮記帳が認められる場合」と同じ。

(イ) ②の換地処分の圧縮記帳の「圧縮記帳が認められる場合」の(ア)～(カ)と同じ（同(ウ)～(オ)については補償金等対応部分）。

イ 損金算入額

収用換地等により取得した補償金等の額又は交換取得資産の価額のうち、次の金額を損金の額に算入する。

$\left.\begin{array}{l}\begin{array}{l}\text{補償金等の額又は}\\\text{交換取得資産の価額}\end{array} − \\ \left(\begin{array}{l}\text{譲渡資産の}\\\text{譲渡直前簿価}\end{array} + \text{譲渡経費}\right) = \text{譲渡益…}\\ 5,000\text{万円（特別控除額）}\cdots\cdots\cdots\cdots\end{array}\right\} \begin{array}{l}\text{いずれか}\\\text{低い金額}\\\text{（損金算入額）}\end{array}$

【措法65の2①、②、③】

(注) この所得の特別控除の適用を受けた場合には、代替資産の圧縮記帳の特例の適用は受けられない。

(10) その他

① 特定事業の用地買収等の場合の所得の特別控除

【措法65の3、65の4、措令39の5】

② 資産の譲渡に係る特別控除額の特例

【措法65の2、65の6、措令39の3⑦】

③ 特定の長期所有土地等の所得の特別控除

【措法65の5の2】

15. 引当金及び準備金

(1) 共通事項

① 適用要件

ア 法人税法上の諸引当金の計上額を損金算入するには青色申告法人でなくてもよいが、租税特別措置法上の諸準備金の積立額を損金算入をするには青色申告法人であることを要する。

イ 法人が損金経理をしていること（租税特別措置法上の準備金については剰余金の処分による積立ての方法を含む）。

ウ 確定申告書（期限後申告を含む）に、繰入額又は積立額の損金算入に関する明細の記載があること（一部については明細書の添付を必要とする）。ただし、引当金については、やむを得ない事情がある場合には損金経理した金額が認められる。

エ 準備金については、清算中の各事業年度及び解散（合併による解散を除く）の日を含む事業年度には、積立てができない。

（2）貸倒引当金

① 損金算入

ア 以下の内国法人が金銭債権の貸倒れその他これに類する事由による損失の見込額として、損金経理により貸倒引当金勘定に繰り入れた場合には、その金額のうち繰入限度額に達するまでの金額は損金に算入する。

(ア) 期末資本金（出資金）の額が1億円以下である普通法人（法法52①一イ）

ただし、資本金が5億円以上である法人等との間に完全支配関係のある普通法人等を除く。

(イ) 資本もしくは出資を有しない法人（法法52①一イ）

(ウ) 公益法人等又は協同組合等（法法52①一ロ）

(エ) 人格のない社団等（法法52①一ハ）

(オ) 銀行・保険会社等（法法52①二）

(カ) 金融に関する取引に係る金銭債権を有する法人（法法52①三）

イ アにより損金に算入された貸倒引当金勘定の金額は翌事業年度の所得金額の計算上、益金に算入する。
【法法52⑩】

② 個別評価金銭債権に係る繰入限度額

全部又は一部につき回収の見込みがないと認められる債権（個別評価金銭債権）に係る繰入限度額の計算については、次の各場合にそれぞれに掲げる金額が繰入限度額となる。

ア 長期棚上げがあった場合

当該個別評価金銭債権が次に掲げる事由に基づいてその弁済を猶予され、又は賦払いにより弁済される場合における当該個別評価金銭債権の額のうち、当該事由が生じた事業年度終了の日の翌日から5年を経過する日までに弁済されることとなっている金額以外の金額（担保権の実行等により取立て等の見込みがあると認められる部分の金額を除く）

(ア) 更生計画認可の決定

(イ) 再生計画認可の決定

(ウ) 特別清算に係る協定の認可の決定

(エ) 法令の規定による整理手続によらない関係者の協議決定で、次に掲げるもの

A 債権者集会の協議決定で合理的な基準により債務者の負債整理を定めているもの

B 行政機関又は金融機関その他第三者のあっ旋による当事者間の協議により締結された契約でその内容がAに準ずるもの
【法令96①一、法規25の2】

イ 実質基準

当該個別評価金銭債権（アの適用のあるものを除く）に係る債務者につき、債務超過の状態が相当期間（おおむね1年以上（法基通11-2-6））継続し、かつ、その営む事業に好転の見通しがないこと、災害、経済事情の急変等により多大な損害が生じたことその他の事由が生じていることにより、当該個別評価金銭債権の一部の金額につきその取立て等の見込がないと認められるときにおける当該一部の金額に相当する金額
【法令96①二】

ウ 形式基準

個別評価金銭債権（ア、イの適用のあるものを除く）に係る債務者につき次に掲げる事由が生じている場合、当該個別評価金銭債権の額（実質的に債権とみられない部分の金額（法基通11-2-9）及び担保権の実行等により取立て等の見込みがあると認められる部分の金額を除く）の50%に相当する金額

(ア) 更生手続開始の申立て

(イ) 再生手続開始の申立て

(ウ) 破産手続開始の申立て

(エ) 特別清算開始の申立て

(オ) 手形交換所（手形交換所のない地域にあっては、当該地域において手形交換業務を行う銀行団を含む）において取引の停止処分を受けたこと

(カ) 電子記録債権法に規定する電子債権記録機関による取引停止処分を受けたこと
【法令96①三、法規25の3】

エ 外国の政府等に対する債権に係る繰入れ

外国の政府、中央銀行又は地方公共団体に対する個別評価金銭債権のうち、これらの者の長期にわたる債務の履行遅滞によりその経済的な価値が著しく減少し、かつ、その弁済を受けることが著しく困難であると認められる事由が生じている金銭債権の額（実質的に債権とみられない部分の金額及び保証債務の履行等により取立て等の見込みがあると認められる部分の金額を除く）の50%に相当する金額 【法令96①四】

〈適用要件〉

法人の有する金銭債権についてア～エの事由が生じている場合においても、その事由が生じていることを証する書類の保存がされていないときは、ア～エによる貸倒引当金の設定はできない（宥恕規定あり）。
【法法52③、④、法令96②、③】

③ 一括評価金銭債権に係る繰入限度額

ア 実績率による繰入限度額

一括評価金銭債権の帳簿価額の合計額×貸倒実績率
【法法52②、法令96⑥】

(注1) 「一括評価金銭債権」とは、売掛金、貸付金その他これらに準ずる金銭債権のうち、個別評価金銭債権を除いたものである（2022（令和4）年4月1日以降開始事業年度から100%グループ内における法人間の金銭債権も除かれる）。

(注2) 貸倒実績率＝平均貸倒額÷平均債権額（小数点以下4位未満切上げ）

平均貸倒額＝（その事業年度開始の日前3年以内に開始した各事業年度の売掛債権等の貸倒損失の額＋個別評価金銭債権の貸倒引当金繰入額－個別評価金銭債権の貸倒引当金取崩額）×（12÷各事業年度の月数の合計）

平均債権額＝その事業年度開始の日前3年以内に開始した事業年度終了の時における一括評価金銭債権の帳簿価額の合計額÷当該各事業年度の数 【法令96⑥】

(注3) 月数計算は暦に従い、1月に満たない端数は

これを1月とする。　　　　　　【法令96⑦】
イ　中小企業等の繰入限度額の特例（法定繰入率による繰入限度額その他）
　㋐　適　用
　　　①損金算入ア㋐の法人（保険業法に規定する相互会社及び適用除外事業者等を除く）に適用される。
　㋑　法定繰入率による繰入限度額の計算
　　　（一括評価金銭債権の帳簿価額の合計額－実質的に債権とみられないもの）×法定繰入率
　㋒　実質的に債権とみられないもの
　　　「当該金銭債権に係る債務者から受け入れた金額があるため、実質的に債権とみられないもの」とは、債務者から受け入れた金額が、その債務者に対する金銭債権と相殺適状にあるものだけでなく、金銭債権と相殺的な性格をもつもの及びその債務者と相互に融資しているもの等である場合のその債務者から受け入れた金額に相当する金銭債権も含むのであるから、次に掲げるような金額がこれに該当する。
　　A　同一人に対する売掛金又は受取手形と買掛金又は支払手形とがある場合のその売掛金又は受取手形の額のうち、買掛金又は支払手形の額に相当する金額
　　B　同一人に対する売掛金又は受取手形と買掛金とがある場合において、当該買掛金の支払いのために他から取得した受取手形を裏書譲渡したときのその売掛金又は受取手形の額のうち当該裏書譲渡した手形（支払期日の到来していないものに限る）の金額に相当する金額
　　C　同一人に対する売掛金とその者から受け入れた営業上の保証金がある場合のその売掛金の額のうち、保証金の額に相当する（金額）
　　D　同一人に対する売掛金とその者から受け入れた借入金がある場合のその売掛金の額のうち借入金の額に相当する金額
　　E　同一人に対する完成工事の未収金とその者から受け入れた未成工事に対する受入金がある場合のその未収金の額のうち受入金の額に相当する金額
　　F　同一人に対する貸付金と買掛金がある場合のその貸付金の額のうち買掛金の額に相当する金額
　　G　使用人に対する貸付金と、その使用人から受け入れた預り金がある場合のその貸付金の額のうち、預り金の額に相当する金額
　　H　もっぱら融資を受ける手段として他から受取手形を取得し、その見合いとして借入金を計上した場合又は、支払手形を振り出した場合のその受取手形の金額のうち借入金又は支払手形の額に相当する金額
　　I　同一人に対する未収地代家賃とその者から受け入れた敷金がある場合のその未収地代家賃の額のうち敷金の額に相当する金額
　　　　　　　　　　　　　　　【措通57の9-1】
　㋓　実質的に債権とみられないものの簡便計算
　　　2015（平成27）年4月1日に存在した中小法人は以下の簡便計算によることができる。

当該事業年度末の一括評価金銭債権の額×（基準年度末の実質的に債権とみられないものの額の合計額÷基準年度末の一括評価金銭債権の合計額）
　（小数点以下3位未満切捨て）
　（基準年度は2015（平成27）年4月1日から2017（平成29）年3月31日までに開始した事業年度）　　　　　　　　　【措令33の7③】
　㋔　法定繰入率

卸・小売業　1,000分の10	割賦販売小売業等1,000分の7
製造業　　　　1,000分の8	その他の事業1,000分の6
金融及び保険業1,000分の3	

　　　　　　　　　　　　　　【措令33の7④】
④　貸倒引当金勘定に繰り入れた金額等とみなす金額
　　資産の販売等の対価として受け取ることとなる金額のうち、金銭債権の貸倒れが生ずる可能性があることにより売掛金その他の金銭債権に係る勘定の金額としていない金額（「金銭債権計上差額」）があるときは、その金銭債権計上差額に相当する金額を損金経理により貸倒引当金に繰り入れた金額又は期中個別貸倒引当金勘定もしくは期中一括貸倒引当金勘定の金額とみなす。【法令99】

（3）準　備　金
①　中小企業事業再編投資損失準備金
　ア　準備金の損金算入
　　　特定株式等（注1）の取得価額の70％に相当する金額を中小企業事業再編投資損失準備金として積立てた場合（損金経理又は利益処分の方法による）には損金の額に算入する（注2）。
　（注1）　特定株式等とは、産業競争力強化法等の一部を改正する等の法律における経営力向上計画について認定を受けたものが、各事業年度において当該認定に係る経営力向上計画に従って行う事業承継等として他の法人の株式又は出資の取得（購入による取得に限る）をし、かつ、これをその取得の日を含む事業年度終了の日まで引き続き有している場合の株式をいう。
　（注2）　特定株式等の取得価額が10億円を超える場合及びその事業年度終了の日において特定保険契約を締結している場合を除く。
　イ　2027（令和9）年までに産業競争力強化法の特別事業再編計画に従って取得する株式で取得価額が100億円超又は1億円未満であるもの
　㋐　最初の取得　90％
　㋑　㋐以外　100％
　ウ　据置期間経過準備金額の益金算入
　　　中小企業事業再編投資損失準備金を積立てた事業年度の終了の日の翌日から5年を経過したものがある場合には、当該準備金を60か月の期間で益金に算入する。
　エ　下記の事項に該当する場合には、積立てた準備金に対応する一定の金額を益金算入する。
　㋐　特定法人（特定株式の発行法人、以下同じ）の株式の全部又は一部を有しないこととなった場合
　㋑　合併により特定法人の株式等を移転した場合

(ウ)　特定法人が解散した場合

　(エ)　特定法人の株式等についてその帳簿価額を減額した場合

　(オ)　当該法人が解散した場合

　(カ)　特定保険契約を締結した場合

　(キ)　青色申告法人に該当しなくなった場合

　(ク)　上記以外の場合において特定法人に係る中小企業事業再編投資損失準備金の金額を取り崩した場合　【措法56】

② 海外投資等損失準備金　　　　　　　　　【措法55】

③ 金属鉱業等鉱害防止準備金（廃止。ただし、2027（令和9）年3月31日開始事業年度まで経過措置あり）
　　　　　　　　　　【措法55の2、令2年改正法附則87】

④ 特定災害防止準備金（廃止。ただし2029（令和11）年3月31日開始事業年度まで経過措置あり）
　　　　　　　　　　　【措法56、令4年改正法附則44】

⑤ 特定原子力施設炉心等除去準備金　【措法57の4】

⑥ 保険会社等の異常危険準備金　　　【措法57の5】

⑦ 原子力保険又は地震保険に係る異常危険準備金
　　　　　　　　　　　　　　　　　【措法57の6】

⑧ 関西国際空港用地整備準備金　　　【措法57の7】

⑨ 中部国際空港整備準備金　　　　【措法57の7の2】

⑩ 特定船舶に係る特別修繕準備金　　【措法57の8】

⑪ 探鉱準備金　　　　　　　　　　　【措法58①】

⑫ 海外探鉱準備金　　　　　　　　　【措法58②】

⑬ 農業経営基盤強化準備金　　　　　【措法61の2】

16. 譲渡制限付株式を対価とする費用等

　法人が個人から役務の提供を受ける場合において、その役務の提供に係る費用の額につきその対価（実質的に法人に対する役務提供の対価と認められるものを含む）としてその法人又はその法人との間に一定の関係がある法人の特定譲渡制限付株式が交付されたとき（承継譲渡制限付株式が交付されたときを含む）は、その個人においてその役務の提供につき所得税法その他所得税に関する法令の規定によりその個人の給与所得その他の一定の所得の金額に係る収入金額とすべき金額又は総収入金額に算入すべき金額を生ずべき事由（以下「給与等課税事由」という）が生じた日においてその役務の提供を受けたものとして、法人税法の規定を適用する。　　　　　　　　　　　　　【法法54①】

　ただし、その個人においてその役務の提供につき給与等課税事由が生じないときは、その役務の提供を受ける法人のその役務の提供を受けたことによる費用の額又はその役務の全部もしくは一部の提供を受けられなかったことによる損失の額は、損金の額に算入しない。　【法法54②】

17. 新株予約権を対価とする費用等

(1) 帰属事業年度の特例等

　法人が、個人から受ける役務提供に係る費用の対価として新株予約権（役務提供の対価としてその個人に生ずる債権をその新株予約権と引換えにする払込みに代えて相殺すべきものに限る）を発行した場合には、その個人におけるその役務提供につき所得税法その他の法令の規定による給与等課税事由が生じた日においてその役務提供を受けたものとして法人税法の規定を適用する（役務提供に係る費用の額は、その新株予約権の権利行使日の属する事業年度で損金算入）。

　ただし、その個人のその役務提供につき給与等課税事由が生じないとき（所得税のストック・オプションの非課税措置の適用があるとき）は、役務提供に係る費用の額は、各事業年度の損金に算入しない。また、新株予約権が消滅したときの利益の額は、益金に算入しない。

　なお、新株予約権を発行する場合に、新株予約権の払込額がその発行時価額に満たないとき（新株予約権の無償発行を含む）又は新株予約権の払込額がその発行時価額を超えるときは、その満たない部分の金額（無償発行の場合は、発行時価額）又はその超える部分の金額は、損金又は益金に算入しない。　　　　　　　　　　【法法54の2】

18. 不正行為等に係る費用等の損金不算入

　内国法人が、その所得の金額もしくは欠損金額又は法人税の額の計算の基礎となるべき事実の全部又は一部を隠蔽し、又は仮装すること（「隠蔽仮装行為」）によりその法人税の負担を減少させ、又は減少させようとする場合には、当該隠蔽仮装行為に要する費用の額又は当該隠蔽仮装行為により生ずる損失の額は、その内国法人の各事業年度の所得の金額の計算上、損金の額に算入しない。　　【法法55①】

19. 繰越欠損金

(1) 繰越欠損金の損金算入

① 損金算入

　内国法人の各事業年度開始の日前10年以内に開始した事業年度において生じた欠損金額がある場合には、2018（平成30）年4月1日以後開始事業年度は50%の範囲内で損金に算入する。各事業年度の欠損金額は、損金の額の合計額が益金の額の合計額を超える場合のその超える金額をいい、資本積立金又は利益積立金を取り崩し、繰越欠損金として表示していない場合でもその欠損金額は損金算入の対象となる。【平27年改正法附則27①】

　(注1)　ただし、以下の法人については、「各事業年度の所得の金額の範囲内」で損金に算入する。

　　　ア　資本金もしくは出資金が1億円以下、又は資本もしくは出資を有しない普通法人（ただし、資本金又は出資金が5億円以上の法人又は相互会社等の大法人による完全支配関係がある普通法人等（法法66⑥二、三）は除かれる）

　　　イ　公益法人等又は協同組合等

　　　ウ　人格のない社団等　　　　【法法57①、⑪】

　(注2)　損金算入の順序

　　　ア　過去10年間（2018（平成30）年4月1日以前に開始する事業年度において生じた欠損金額については9年間）の欠損金額（後述の災害による繰越損失金額を含む）のうち、最も古い事業年度の欠損金額から順次、損金に算入する。

　　　イ　災害による繰越損失金がある場合には、まず災害損失金の控除をし、しかる後に、繰越

欠損金の控除を行う。

【法基通12-1-1編者補訂】

（注3） ア　2015（平成27）年4月1日以後開始する事業年度から、会社更生等の事実が生じた法人においては、再生計画認可の決定の日以後7年を経過する期間内の各事業年度においては、控除限度額を所得の金額とする（再上場等の場合には、以後の事業年度は対象外）

イ　法人の設立の日から7年を経過する日までの期間内に属する各事業年度においては、控除限度額を所得の金額とする（上場等の場合には、以後の事業年度は対象外）

② 適用要件

欠損金額の生じた事業年度について青色申告書である確定申告書を提出し、かつ、その後において連続して確定申告書（青色申告でなくてもよい）を提出している場合であって、欠損金額の生じた事業年度に係る帳簿書類を財務省令で定めるところにより保存している場合に限る。　【法法57⑩】

（2）特定支配される欠損法人の欠損金の繰越しの不適用

特定の株主等による特定支配関係（注）を有することとなった欠損金額等を有する法人が、その特定支配日から5年以内に、次の事由に該当する場合には、その該当することとなった日の属する事業年度前において生じた欠損金額については、青色欠損金の繰越控除の規定は適用されない。

（注）　特定支配関係とは、特定株主等がその法人の発行済株式総数等の50%超を直接又は間接に保有する関係をいい、特定支配日とは、特定支配関係を有することとなった日をいう。

〈事由〉

① その欠損法人が特定支配日の直前において事業を営んでいない場合で、その特定支配日以後に事業を開始すること

② 旧事業を特定支配日以後に廃止し、その事業規模のおおむね5倍を超える資金借入れ等を行うこと

③ その他一定の事由　　　　【法法57の2】

（注）　その欠損法人の上記の事由に該当することとなった日の属する事業年度開始の日から3年以内（その特定支配日から5年以内を限度）に生ずる特定の資産の譲渡等損失の額は損金に算入されない。　【法法60の3】

（3）前10年以内の災害による繰越損失金の損金算入

① 損金算入

内国法人の、各事業年度開始の日前10年以内に開始した事業年度において生じた欠損金額のうち、災害により棚卸資産、固定資産等につき生じた損失の金額がある場合には、2018（平成30）年4月1日以後開始事業年度は50%の範囲内で損金に算入する。なお、**（1）繰越欠損金の損金算入** ①（注1）は、災害による繰越損失金の損金算入においても適用される。　【法法58①】

② 災害による繰越損失金の範囲

$$\left[\begin{array}{l}\text{資産が減失、損壊、}\\\text{価値が減少したため}\\\text{帳簿価額を減額した}\\\text{ことにより生じた損}\\\text{失の額}\end{array}\right]$$

$$\left.\begin{array}{l}\left[\begin{array}{l}\text{資産が損壊し、価値}\\\text{が減少し、事業の用}\\\text{に供することが困難}\\\text{となり、災害のやん}\\\text{だ日の翌日から1年を}\\\text{経過した日の前日ま}\\\text{でにその復旧のため}\\\text{に支出した修繕費等}\end{array}\right]-\left[\begin{array}{l}\text{保険金、損害賠}\\\text{償金その他これ}\\\text{らに類するもの}\end{array}\right]\cdots\end{array}\right\}$$ いずれか低い金額（損金算入額）

損失が生じた事業年度の欠損金額…………

【法令116】

③ 適用要件

損失の生じた事業年度について当該損失の額の計算に関する明細を記載した確定申告書（青色申告でなくてもよい）を提出し、かつ、その後において連続して確定申告書を提出している場合であって、災害損失欠損金額の生じた事業年度に係る帳簿書類を財務省令で定めるところにより保存している場合に限る。　【法法80⑤】

20. デリバティブ取引に係る利益相当額又は損失相当額

（1）デリバティブ取引のみなし決済損益の額の計算

① 内国法人が行ったデリバティブ取引のうち、事業年度終了の時に未決済となっているもの（未決済デリバティブ取引）については、当該未決済デリバティブ取引を決済したものとみなし、これによって算出される利益の額又は損失の額に相当する額は益金の額又は損金の額に算入する。

② また、デリバティブ取引により金銭以外の資産を取得した場合（繰延ヘッジ処理（法法61の6）の適用を受けるものを除く）には、その取得価額と時価との差額は益金の額又は損金の額に算入する。

③ 未決済デリバティブ取引のみなし決済により益金又は損金の額に算入した額は、翌事業年度は洗替えにより損金又は益金の額に算入する。【法法61の5、法令120】

（2）空売り等のみなし決済損益の額の計算

① 内国法人が行った有価証券の空売り、信用取引、発行日取引及び有価証券の引受けのうち、事業年度終了の時に未決済となっているものについては、これらの取引を決済したものとみなし、これによって算出される利益の額又は損失の額に相当する額は益金の額又は損金の額に算入する。

② また、信用取引、発行日取引により有価証券を取得した場合（繰延ヘッジ処理（法法61の6）の適用を受けるものを除く）には、その取得価額と時価との差額は益金の額又は損金の額に算入する。

③ これらの取引のみなし決済により益金又は損金の額に算入した額は、翌事業年度は洗替えにより損金又は益金の額に算入する。【法法61の4、法令119の16】

21. ヘッジ処理による利益額又は損失額の計上時期等

(1) 繰延ヘッジ処理

① 繰延ヘッジ処理による利益額又は損失額の繰延べ

内国法人が、次の損失の額(ヘッジ対象資産等損失額)を減少させるためにデリバティブ取引等を行った場合、事業年度終了の時までの間においてヘッジ対象資産等につき譲渡等がなく、かつ、当該デリバティブ取引等がヘッジ対象資産等損失額を減少させるために有効であると認められるときは、有効であると認められる部分の金額についてデリバティブ取引等の決済によって生じた損益やみなし決済による損失相当額等をヘッジ対象資産等の決済までその計上を繰り延べる。

ア 資産又は負債の価額の変動に伴って生ずるおそれのある損失

イ 資産の取得もしくは譲渡、負債の発生もしくは消滅、金利の受取りもしくは支払いその他これらに準ずるものに係る決済により、受取り又は支払われる金銭の額の変動に伴って生ずるおそれのある損失

【法法61の6①】

② 繰延ヘッジ処理の適用対象となるヘッジ取引

繰延ヘッジ処理の適用を受ける取引の対象は、売買目的有価証券等を除く資産又は負債及び将来受け取る又は支払うこととなる金銭(期末時換算法の適用を受ける外貨建資産等の為替相場の変動に基因する変動を除く)に対するヘッジ取引。 【法法61の6①一、二】

③ 繰延ヘッジ処理の適用対象となるヘッジ取引の手段

ア デリバティブ取引

イ 有価証券の空売り、信用取引及び発行日取引

ウ 期末時換算法により円換算をする外貨建資産等を取得し又は発生させる取引 【法法61の6④】

④ 帳簿書類への記載要件

繰延ヘッジ処理の適用を受けるには、デリバティブ取引等を行った日において、ヘッジ対象資産等損失額を減少させるためにデリバティブ取引等を行った旨、ヘッジ対象の資産負債及び金銭、デリバティブ取引等の種類、名称、金額、期間その他参考となるべき事項を帳簿書類に記載することを要する。

【法法61の6①、法規27の8①、②】

⑤ 繰延ヘッジ処理における有効性の判定方法

デリバティブ取引等がヘッジ対象資産等損失額を減少させるために有効であるか否かの判定は、期末時(デリバティブ取引等が未決済である場合)及び決済時(デリバティブ取引等の決済をした場合)において、それぞれ次の方法による。

ア 資産又は負債に係るヘッジ対象資産等損失額を減少させるためにデリバティブ取引等を行った場合

期末時又は決済時のデリバティブ取引等の利益額又は損失額とヘッジ取引対象資産等評価差額(デリバティブ取引等を行ったときの価額と期末時又は決済時の価額との差額を比較する方法。ただし、金利の変動や為替相場の変動等の特定事由によって生じるおそれのある損失のみを減少させる目的でデリバティブ取引

等を行った場合は、当該特定事由に係る部分の差額)とを比較する方法

イ 金銭に係るヘッジ対象資産等損失額を減少させるためにデリバティブ取引等を行った場合

期末時又は決済時のデリバティブ取引等の利益額又は損失額とヘッジ対象金銭受払差額(デリバティブ取引等を行ったときに算出した額と期末時又は決済時に算出した額との差額を比較する方法。ただし、金利の変動や為替相場の変動等の特定事由によって生じるおそれのある損失のみを減少させる目的でデリバティブ取引等を行った場合は、当該特定事由に係る部分の差額)とを比較する方法

【法令121①、②、法規27の8③、④】

⑥ 繰延ヘッジ処理におけるヘッジが有効であると認められる場合

デリバティブ取引等がヘッジ対象資産等損失額を減少させるために有効であると認められる場合とは、デリバティブ取引等を行った時から当該事業年度終了の時までの間のいずれかの有効性判定において、次の割合がおおむね100分の80から100分の125までとなっている場合とする。

ア 資産又は負債に係るヘッジ対象資産等損失額を減少させるためにデリバティブ取引等を行った場合

(ｱ) 資産の取引時価額(デリバティブ取引等を行ったときの価額。特定事由による損失のみを減少させる目的でデリバティブ取引等を行った場合はその特定事由に係る部分の額。以下同じ)が期末・決済時価額(特定事由ヘッジの場合はその特定事由に係る部分の額。以下同じ)を超える場合……デリバティブ取引等の利益額をその超える部分の金額で除した割合

(ｲ) 資産の期末・決済時価額が取引時価額を超える場合……デリバティブ取引等の損失額をその超える部分の金額で除した割合

(ｳ) 負債の期末・決済時価額が取引時価額を超える場合……デリバティブ取引等の利益額をその超える部分の金額で除した割合

(ｴ) 負債の取引時価額が期末・決済時価額を超える場合……デリバティブ取引等の損失額をその超える部分の金額で除した割合

イ 金銭に係るヘッジ対象資産等損失額を減少させるためにデリバティブ取引等を行った場合

(ｱ) 受け取ることとなる金銭の取引時金額(デリバティブ取引等を行った時に算出した額。特定事由ヘッジの場合にはその特定事由に係る部分の額。以下同じ)が期末・決済時金額(特定事由ヘッジの場合にはその特定事由に係る部分の額。以下同じ)を超える場合……デリバティブ取引等の利益額をその超える部分の金額で除した割合

(ｲ) 受け取ることとなる金銭の期末・決済時金額が取引時金額を超える場合……デリバティブ取引等の損失額をその超える部分の金額で除した割合

(ｳ) 支払うこととなる金銭の期末・決済時金額が取引

時金額を超える場合
……デリバティブ取引等の利益額をその超える部分の金額で除した割合

㈎ 支払うこととなる金銭の取引時金額が期末・決済時金額を超える場合
……デリバティブ取引等の損失額をその超える部分の金額で除した割合

【法令121の2】

⑦ 繰延ヘッジ処理におけるヘッジとして有効である部分の金額等

繰延ヘッジ処理により繰り延べる金額は、デリバティブ取引等の利益額又は損失額に相当する金額とされる。ただし、超過差額（有効性割合がおおむね100分の100から100分の125までとなった場合の100分の100からその有効性割合に相当する金額）を益金の額又は損金の額に算入する旨を帳簿書類に記載した場合には、これを利益額又は損失額から控除した金額。

繰延ヘッジ処理の適用を受けている場合で、期末時又は決済時の有効性割合がおおむね100分の80から100分の125までとなっていないときは、有効性割合がおおむね100分の80から100分の125までとなっていた直近の有効性判定におけるデリバティブ取引等の利益額又は損失額と期末時又は決済時のデリバティブ取引等の利益額又は損失額との差額は、益金の額又は損金の額に算入する。　　　　　　　【法令121の3】

（2）時価ヘッジ処理

① 時価ヘッジ処理による利益額又は損失額の計上

内国法人が売買目的外有価証券の価額変動リスクを減少させるためにデリバティブ取引等を行った場合（その売買目的外有価証券を期末時もしくは決済時の時価により評価し又は期末時もしくは決済時の為替相場により円換算する旨等を帳簿書類に記載した場合に限る）で、当該デリバティブ取引等を行った時から事業年度終了の時までの間に当該売買目的外有価証券の譲渡がなく、かつ、そのデリバティブ取引等がリスクをヘッジするのに有効であると認められるときは、その売買目的外有価証券の時価と帳簿価額との差額のうちデリバティブ取引等の利益額又は損失額に対応する部分の金額は、損金の額又は益金の額に算入する。　　　【法法61の7①】

② 時価ヘッジ処理の適用対象となるヘッジ取引及びその手段

時価ヘッジ処理の適用を受けるヘッジ取引の対象となるのは売買目的外有価証券に限られている。また、ヘッジ取引の手段は、繰延ヘッジ処理の場合と同様である。
【法法61の7①】

③ 帳簿書類への記載要件

時価ヘッジ処理の適用を受けるには、デリバティブ取引等を行った日において、ヘッジ対象有価証券損失額を減少させようとする売買目的外有価証券の帳簿価額を期末時（デリバティブ取引等の決済をしていない場合）もしくは決済時（デリバティブ取引等の決済をした場合）の時価で評価し又は為替相場により円換算した金額とする旨、その売買目的外有価証券及びデリバティブ取引等の種類、名称、金額、期間その他参考となるべき事項を

帳簿書類に記載することが要件となる。
【法法61の7①、法規27の9】

④ 時価ヘッジ処理における有効性の判定方法

デリバティブ取引等がヘッジ対象有価証券損失額を減少させるために有効であるか否かの判定は、期末時及び決済時において、その期末時又は決済時のデリバティブ取引等の利益額又は損失額とヘッジ対象有価証券評価差額（売買目的外有価証券のデリバティブ取引等を行ったときの価額と期末時又は決済時の価額との差額）とを比較する方法により行う。　　　　　　【法令121の7】

⑤ 時価ヘッジ処理におけるヘッジが有効であると認められる場合

デリバティブ取引等がヘッジ対象有価証券損失額を減少させるために有効であると認められる場合とは、デリバティブ取引等を行った時から当該事業年度終了の時までの間のいずれかの有効性判定において、次の割合がおおむね100分の80から100分の125までとなっている場合とする。

ア 売買目的外有価証券のデリバティブ取引等を行ったときの価額（特定事由ヘッジの場合には、特定事由に係る部分の額。以下同じ）が期末時又は決済時の価額（特定事由ヘッジの場合には、特定事由に係る部分の額。以下同じ）を超える場合……デリバティブ取引等の利益額をその超える部分の金額で除した割合

イ 売買目的外有価証券の期末時又は決済時の価額がデリバティブ取引等を行ったときの価額を超える場合……デリバティブ取引等の損失額をその超える部分の金額で除した割合　　　【法令121の8】

⑥ 時価ヘッジ処理により利益の額又は損失の額に算入する金額

時価ヘッジ処理により利益の額又は損失の額に算入する金額は、当該事業年度開始の日前にデリバティブ取引等を決済していない場合には次の金額となり、同日前にデリバティブ取引等を決済している場合にはないものとされる。

ア 期末時の有効性判定において上記の①又は②の割合がおおむね100分の80から100分の125までとなっている場合……上記（前項）の①又は②の超える部分の金額

イ 期末時の有効性判定において上記（前項）の①又は②の割合がおおむね100分の80から100分の125までとなっていない場合及び当該事業年度にデリバティブ取引等の決済（当該事業年度に売買目的外有価証券の譲渡をしている場合のデリバティブ取引等の決済を除く）をしている場合……上記（前項）の①又は②の割合がおおむね100分の80から100分の125までとなっていた当該事業年度終了の時の直近の有効性判定における上記（前項）の①又は②の超える部分の金額

この当該事業年度終了の時の直近の有効性判定には、デリバティブ取引等の決済の時の有効性判定が含まれる。

なお、損金の額又は益金の額に算入した上記の金額は、翌事業年度に洗替処理を行う。

【法令121の9、121の11】

22. 暗号資産の譲渡損益及び時価評価損益

（1）譲渡損益
① 計上時期

暗号資産を譲渡した場合の譲渡損益は、その譲渡に係る契約をした日の属する事業年度に計上する（約定日基準）。
② 譲渡原価

一単位当たりの帳簿価額の算出方法は、移動平均法又は総平均法とする。法定算出方法は移動平均法とする。

（2）期末評価
① ア 市場暗号資産に該当する特定譲渡制限付暗号資産（自己発行暗号資産を除く）……時価法又は原価法

イ ア以外の市場暗号資産……時価法

ウ 上記以外……原価法
② 期末時において時価法で評価する場合には、評価損益をその事業年度の益金又は損金に算入する（洗替処理）。

【→ p.259】

23. オープンイノベーション促進税制

青色申告法人で産業競争力強化法に規定する新事業開拓事業者と共同して同法に規定する特定事業活動を行うものが、2020（令和2）年4月1日から2026（令和8）年3月31日までの期間内の日を含む各事業年度において特定株式を取得し、かつ、取得日を含む事業年度終了日まで引き続き有している場合において、その特定株式の取得価額（増資特定株式は50億円、それ以外の特定株式は200億円を上限とする）の25％相当額（その事業年度においてその特定株式の帳簿価額を減額した場合には、その減額金額のうちその事業年度の損金の額に算入された金額に係る部分の金額として一定の金額を控除した額）以下の金額をその事業年度の決算において各特別新事業開拓事業者別に特別勘定を設ける方法（剰余金処分により積立金として積み立てる方法を含む）により経理したときは、一定の金額（125億円を上限とする）を上限にその事業年度の損金に算入することができる。

・特定事業活動を行うもの：自らの経営資源以外の経営資源を活用し、高い生産性が見込まれる事業を行うこと又は新たな事業の開拓を行うことを目指す株式会社等として一定のもの
・特定株式：新事業開拓事業者のうち特定事業活動に資する事業を行う内国法人（設立後10年未満の法人で新設法人を除く）又はこれに類する外国法人の株式のうち、次の要件を満たすことにつき経済産業大臣の証明があるもの
(1) 当該株式が当該特別新事業開拓事業者の資本金の額の増加に伴う払込みにより交付されるものであること又は当該株式がその取得（購入による取得に限る）により当該特別新事業開拓事業者の総株主の議決権の100分の50を超える議決権を有することとなるものであること
(2) 当該株式の保有が次に掲げる株式の区分に応じそれぞれ次に定める期間継続する見込みであること
① 資本金の額の増加に伴う払込みにより交付される

株式：その取得の日から3年を超える期間
② ①に掲げる株式以外の株式：その取得の日から5年を超える期間
(3) 対象法人（第3項第1号において「対象法人」という）及び特定事業活動に特に有効なものとなると認められるものであること

なお、この特別勘定の金額は、取崩し事由に該当することとなった場合には、取消事由に応じた金額を取り崩して、その該当することとなった日を含む事業年度の益金の額に算入され、また、その法人が青色申告決算書の承認を取り消され又は青色申告書による申告をやめる旨の届出書を提出した場合には、その金額を取り崩して、その承認取り消しの基因となった事実のあった日又はその届出書提出日を含む事業年度の益金の額に算入される。

ただし、特定株式のうち、取得日から増資特定株式については3年（2022（令和4）年3月31日以前に取得した特定株式は5年）、それ以外の株式については5年を経過した一定のものに係る特別勘定の金額については適用しない。

【措法66の13】

24. 企業の組織再編成

（1）企業組織再編税制のポイント
適格要件を満たす…………資産・負債の簿価引継ぎ
適格要件を満たさない……資産・負債の時価引継ぎ

（2）組織再編成
組織再編成とは、合併、分割、現物出資、現物分配又は株式交換・株式移転をいう。

（3）適格の要件
適格合併、適格分割、適格現物出資、適格現物分配又は適格株式交換・株式移転（適格組織再編成）の定義は次による。

【法法2、法令4の3】
① 適格合併

次のアからウのいずれかに該当する合併で、被合併法人の株主等に合併法人の株式等又は合併親法人の株式等以外の資産が交付されないものをいう（ただし、2017（平成29）年10月1日以後に行われる合併で、合併法人が被合併法人の発行済株式の3分の2以上を有する場合、その他の株主に対して交付する対価は、この対価に関する要件から除外する）。合併親法人とは、合併法人の発行済株式等（自己株式等を除く）の全部を直接又は間接に保有する法人（2019（平成31）年4月1日以後行われる合併から間接保有による合併親法人も対象）であり、合併後にも当該親法人による完全支配関係が継続することが見込まれていることが求められる。

ア	被合併法人と合併法人（新設合併の場合には、被合併法人と他の被合併法人。イ、ウにおいて同じ）との間にいずれか一方の法人による完全支配関係がある場合の合併（又は被合併法人と合併法人との間に同一の者による完全支配関係があり、かつ、合併後もその関係が継続することが見込まれている場合の合併（（合併後にその合併法人を被合併法人とする適格合併が見込まれる場合は、その適格合併に係る合併法人にその保有関係の継続要件がある）））
イ	被合併法人と合併法人との間にいずれか一方の法人による支配関係がある場合の合併（又は被合併法人と合併法

	人との間に同一の者による支配関係があり、かつ、合併後もその関係が継続されることが見込まれている場合の合併（（アの下線部に同じ）））のうち、次の要件のすべてに該当するもの 　A　被合併法人の総従業者のおおむね80％以上の者が合併法人の業務に従事することが見込まれていること 　（合併後にその合併法人を被合併法人とする適格合併が見込まれる場合は、その適格合併に係る合併法人に引継要件がある） 　B　被合併法人の主要な事業が合併法人において引き続き営まれることが見込まれていること（Aの下線部に同じ）
ウ	被合併法人と合併法人とが共同事業を営むための合併として次の要件のすべて（被合併法人のすべてについてその株主等が50人以上の場合等はA～D）に該当するもの 　A　被合併法人の被合併事業（被合併法人の主要な事業のうちのいずれかの事業）と合併法人の合併事業（合併法人の事業のうちのいずれかの事業）とが相互に関連するものであること 　B　被合併法人の被合併事業と合併法人の合併事業（被合併事業の関連事業であること）のそれぞれの売上金額、従業者数、資本金額その他規模の割合が5倍を超えないこと、又は被合併法人の特定役員のいずれかと合併法人の特定役員のいずれかとが合併後に合併法人の特定役員となることが見込まれていること 　C　イのAに該当すること 　D　被合併法人の被合併事業（合併法人の合併事業の関連事業であること）が合併法人において引き続き営まれることが見込まれていること（イのAの下線部に同じ） 　E　被合併法人等の発行済株式の50％超を保有する企業グループ内の株主がその交付を受けた合併法人等の株式の全部を継続して保有することが見込まれていること

　（注）　なお、特定役員とは、社長、副社長、代表取締役、代表執行役、専務取締役、常務取締役、又はこれらに準ずる者で法人の経営に従事している者をいう。　　　　　　　　【法令4の3④、法基通1-4-7】

② 適格分割

　次のアからウのいずれかに該当する分割をいう。ただし、分割型分割にあっては分割法人の株主等に分割承継法人の株式又は分割承継親法人株式のいずれか一方の株式以外の資産が交付されず、かつ、その株式がその株主等の持株割合に応じて交付されるものに限り、分社型分割にあっては分割法人に分割承継法人の株式又は分割承継親法人株式のいずれか一方の株式以外の資産が交付されないものに限る。分割承継親法人とは、分割承継法人の発行済株式等の全部を直接又は間接に保有する法人（2019（平成31）年4月1日以後行われる分割型分割から間接保有による分割承継親法人も対象）であり、分割後にも当該親法人による完全支配関係が継続することが見込まれていることが求められる。

ア	分割法人と分割承継法人との間にいずれか一方の法人による完全支配関係があり、かつ、分割後もその関係が継続することが見込まれている場合（分割後にその分割法人を被合併法人とする適格合併が見込まれる場合は、その適格合併に係る合併法人にその保有関係の継続要件がある）の分割（又は分割法人と分割承継法人との間に同一の者による完全支配関係があり、分割後もその関係が継続することが見込まれている場合（（分割後にその同

	一者を被合併法人とする適格合併が見込まれる場合は、その適格合併に係る合併法人にその保有関係の継続要件がある））の分割
イ	分割法人と分割承継法人との間にいずれか一方の法人による支配関係があり、かつ、分割後もその関係が継続することが見込まれている場合（アの下線部に同じ）の分割（又は分割法人と分割承継法人との間に同一の者による支配関係があり、かつ分割後もその関係が継続することが見込まれている場合（アの（（ ）部に同じ）の分割）のうち、次の要件のすべてに該当するもの 　A　分割法人の分割事業に係る主要な資産及び負債が分割承継法人に引き継がれていること（分割後にその分割承継法人を被合併法人とする適格合併が見込まれる場合は、その適格合併に係る合併法人に引継要件がある） 　B　分割法人の分割事業に係る総従業者のおおむね80％以上の者が分割承継法人の業務に従事することが見込まれていること（Aの下線部に同じ） 　C　分割法人の分割事業が分割承継法人において引き続き営まれることが見込まれていること（Aの下線部に同じ）
ウ	分割法人と分割承継法人とが共同事業を営むための分割として次の要件のすべて（分割型分割で、分割法人の株主等が50人以上の場合等はA～E）に該当するもの 　A　分割法人の分割事業と分割承継法人の分割承継事業とが相互に関連するものであること 　B　分割法人の分割事業と分割承継法人の分割承継事業（分割事業の関連事業であること）のそれぞれの売上金額、従業者数その他の規模の割合が5倍を超えないこと、又は分割法人の役員等のいずれかと分割承継法人の特定役員のいずれかとが分割後に分割承継法人の特定役員となることが見込まれていること 　C　イのAに該当すること 　D　イのBに該当すること 　E　分割法人の分割事業（分割承継法人の分割承継事業の関連事業であること）が分割承継法人において引き続き営まれることが見込まれていること（イのAの下線部に同じ） 　F　分割法人が交付を受ける分割承継法人の株式又は分割承継親法人株式の全部を継続して保有することが見込まれていること（分割後にその分割法人を被合併法人とする適格合併が見込まれる場合は、その適格合併に係る合併法人にその継続保有要件を引き継ぐこと等とし、分割型分割の場合には、分割法人の株主等で交付を受ける分割承継法人の株式又は分割承継親法人株式の全部を継続して保有することが見込まれる者（（分割後にその者を被合併法人とする適格合併が見込まれる場合は、その適格合併に係る合併法人にその継続保有要件を引き継ぐこと等））が有する分割法人の株式の合計数がその分割法人の発行済株式等の80％以上であること）
エ	スピンオフ税制【➡p.298】

③ 適格現物出資
　（注）　2024（令和6）年10月1日以後適用

　次のアからウのいずれかに該当する現物出資（一定の被現物出資法人である外国法人に国内にある資産等、国内事業所等を通じて行う事業に係る資産等又は内国法人の工業所有権、著作権その他一定の資産の移転を行うもの及び外国法人が内国法人に国外にある資産等の移転を行うものでないこと。外国法人が内国法人又は他の外国法人に国内源泉所得（法法138①）に規定する本店等を通じて行う事業に係る資産等で一定のものの移転を行う

もの及び内国法人が外国法人に国外事業所（法法69④）を通じて行う事業に係る資産等の移転を行うもので、当該外国法人の本店等を通じて行う事業に係る資産等になるもの並びに新株予約権付社債に付された新株予約権の行使に伴うその新株予約権付社債についての社債の給付を除き、現物出資法人に被現物出資法人の株式のみが交付されるものに限る）をいう。　【法法2十二の十四】

(注)　これらの要件は、②適格分割のうち分社型分割に係る要件に準じたものとされている。

ア	現物出資法人と被現物出資法人との間にいずれか一方の法人による完全支配関係があり、かつ、現物出資後もその関係の継続が見込まれる場合の現物出資
イ	現物出資法人と被現物出資法人との間にいずれか一方の法人による支配関係その他一定の関係がある場合の現物出資のうち、次の要件のすべてに該当するもの（現物出資後に適格合併が見込まれる場合は、引継要件あり） 　A　現物出資事業に係る主要な資産及び負債が被現物出資法人に引き継がれること 　B　現物出資事業に係る総従業者のおおむね80％以上の者が被現物出資法人の業務に従事することが見込まれていること 　C　現物出資事業が被現物出資法人において引き続き営まれることが見込まれていること
ウ	現物出資法人と被現物出資法人とが共同事業を営むための現物出資として一定の要件に該当するもの

　外国法人に対する課税原則が総合主義から帰属主義に変更されたことに伴い、適格現物出資の対象となる現物出資の範囲について、次の見直しが行われた。

追加	外国法人に国内資産等の移転を行う現物出資のうちその国内資産等の全部がその外国法人の恒久的施設に属するものが追加された。 ただし、移転する国内資産等に国内不動産等の一定の国内源泉所得を生ずべき資産が含まれる場合には、その資産について現物出資後に内部取引を行わないことが見込まれているものに限られる。 【法法2十二の十四、法令4の3⑨、平28年改正法附則22②】
除外	内国法人が外国法人に特定国外資産等（その現物出資の日以前1年以内に内部取引等により国外資産等となった資産移転を行う現物出資のうち、その特定国外資産等の全部又は一部がその外国法人の恒久的施設に属しないものが除外された。 　(注)　現金、預貯金、棚卸資産（国内にある不動産等を除く）及び有価証券を除く。 【法法2十二の十四、法令4の3⑩、⑪、平28年改正法附則22②】

　なお、外国法人が内国法人に対して国外にある資産等の移転を行う現物出資及びその移転する国外事業所資産を他の外国法人の国内PEに直接帰属させる現物出資は、適格現物出資に該当しない。　【法法2十二の十四】

④　適格株式交換等

〈適格株式交換〉

　次のアからウのいずれかに該当する株式交換で株式交換完全子法人の株主に株式交換完全親法人の株式又は株式交換完全支配親法人株式のいずれか一方の株式以外の資産が交付されないものをいう（ただし、2017（平成29）年10月1日以後に行われる株式交換で、株式

交換完全親法人が株式交換完全子法人の発行済株式の3分の2以上を有する場合、その他の株主に対して交付する対価は、この対価に関する要件から除外する）。株式交換完全支配親法人とは、株式交換完全親法人の発行済株式等の全部を直接又は間接に保有する法人（2019（平成31）年4月1日以後行われる株式交換から間接保有の株式交換完全支配親法人も対象）であり、株式交換後に当該株式交換完全親法人と当該法人との間に完全支配関係が継続することが見込まれていることが求められる。

ア	株式交換完全子法人と株式交換完全親法人との間に当該株式交換完全親法人による完全支配関係があり、かつ、株式交換後もその完全支配関係が継続することが見込まれている場合（又は、株式交換完全子法人と株式交換完全親法人との間に同一の者による完全支配関係があり、かつ、株式交換後も同一の者による完全支配関係が継続することが見込まれている場合）の株式交換
イ	株式交換完全子法人と株式交換完全親法人との間にいずれか一方の法人による支配関係（株式交換前に両法人との間に同一者による支配関係があり、かつ、株式交換後も継続する見込みである関係）がある場合の株式交換のうち、次の要件のすべてに該当するもの　(注) 　A　完全子法人の総従業者のおおむね80％以上の者が当該法人の業務に引き続き従事することが見込まれていること 　B　完全子法人が営む主要な事業が当該法人において引き続き営まれることが見込まれていること
ウ	株式交換完全子法人と株式交換完全親法人とが共同事業を営むための株式交換として一定の要件（子法人事業と親法人事業とが相互に関連すること及び売上金額等の規模の割合が5倍を超えないこと又は子法人の特定役員のすべてが退任しないこと、子法人の総従業者の80％以上が継続して従事することが見込まれること、親法人事業と関連する子法人事業が引き続き営まれることが見込まれること、完全親子関係の継続などのすべての要件）に該当するもの　(注)

(注)　株式交換の後に、株式交換完全子法人を被合併法人とする適格合併、当該株式交換完全親法人を被合併法人とし当該株式交換完全子法人を合併法人とする適格合併（逆さ合併）又は当該株式交換完全子法人を完全子法人とする適格株式分配を行うことが見込まれている場合には、当該株式交換の時から当該適格合併等の直前の時まで当該完全支配関係が見込まれていること（逆さ合併については2019（平成31）年4月1日以後行われる株式交換から適用）。
　　　　　　　　　　　　　　　　　　【法令4の3】

〈適格株式移転〉

　次のアからウのいずれかに該当する株式移転で株式移転完全子法人の株主に株式移転完全親法人の株式以外の資産が交付されないものをいう。

ア	株式移転完全子法人と他の株式移転完全子法人との間に同一の者による完全支配関係がある株式移転で、株式移転後に株式移転完全親法人と株式移転完全子法人との間に当該同一の者による完全支配関係が継続することが見込まれるもの
イ	株式移転完全子法人と他の株式移転完全子法人との間にいずれか一方の法人による支配関係その他一定の関係が

	ある場合の株式移転のうち、〈適格株式交換〉イの要件（A、B）のすべてに該当するもの
ウ	株式移転完全子法人と他の株式移転完全子法人とが共同事業を営むための株式移転として一定の要件に該当するもの

⑤　適格現物分配　　　　　　　　　　　　【➡p.305】

（4）スピンオフ税制

① 概要

　支配株主が存在しない法人において、一定の事業又は子会社の切り離し（事業の新設分割型分割又は100％子会社株式の現物分配）を適格再編とし、一定の要件を満たすスピンオフについては、自社における事業又は子会社株式の譲渡損益課税の適用を受けないとともに、一般株主においてみなし配当課税の適用を受けない。
【法法２十二の十一ニ、法令４の３⑨】

② 適格要件

	分割型分割	現物分配
対価要件	分割法人の株主の持株数に応じて分割承継法人の株式のみが交付されるもの	現物分配法人の株主の持株数に応じて子法人株式のみが交付されるもの
被支配株主の存続要件	分割法人の分割前に他の者による支配関係がなく、分割承継法人が分割後に継続して他の者による支配関係がないことが見込まれていること	現物分配法人が現物分配前に他の者による支配関係がなく、子法人が現物分配後に継続して他の者による支配関係がないことが見込まれていること
主要な資産・負債の移転要件	分割法人の分割事業の主要な資産及び負債が分割承継法人に移転していること	－
従業者の継続従事要件(注)	分割法人の分割事業の従事者のおおむね80％以上が分割承継法人の業務に従事することが見込まれていること	子法人の従業者のおおむね80％以上がその業務に引き続き従事することが見込まれていること
事業継続要件(注)	分割法人の分割事業が分割承継法人において引き続き行われることが見込まれていること	子法人の主要な事業が引き続き行われることが見込まれていること
特定役員要件	分割法人の役員又は重要な使用人が分割承継法人の特定役員となることが見込まれていること	子法人の特定役員のすべてがその現物分配に伴って退任をするものではないこと

（注）　当初の組織再編成の後に完全支配関係がある法人間で従業者又は事業を移転することが見込まれている場合も要件を満たす。

（5）非適格株式交換における資産の時価評価

　非適格株式交換等に係る完全子法人等の有する資産の時価評価において、時価評価の対象となる資産から帳簿価格が1,000万円未満の資産を除外する。

（6）スクイーズ・アウト税制

　少数株主から金銭交付により株式を取得して完全子法人

とする手法として、従来対象としてきた株式交換に加え、全部取得条項付種類株式の端数処理、株式併合の端数処理及び株式売渡請求の３つの手法が組織再編税制の一環として「株式交換等」と定義された。これにより、企業グループ内の株式交換と同様の適格要件を満たす場合において、完全子法人はグループ通算の開始又は加入に伴う資産の時価評価制度の対象外となるとともに、グループ通算開始又は加入前の欠損金を特定連結欠損金として繰り越すことが認められる。

（7）移転資産等の譲渡損益等の所得計算

① 移転資産負債の譲渡損益

　次に掲げる場合の資産及び負債の移転については、それぞれに規定するところにより所得の金額を計算する。

　ただし、100％グループ内の内国法人間の一定の資産（譲渡損益調整資産）の移転を行ったことにより生ずる譲渡損益は、その資産がそのグループ外へ移転する等の時に、その移転を行った法人において計上する。

　ア　非適格合併又は非適格分割による場合

　　時価で譲渡したものとして譲渡利益額又は譲渡損失額を、合併の場合は最後事業年度（合併の日の前日の属する事業年度）、分割型分割の場合は分割前事業年度（分割型分割の日の前日の属する事業年度）(注)で益金又は損金の額に算入する。　　【法法62】

　（注）　分社型分割の場合は、移転による譲渡日の属する事業年度

　イ　適格合併又は適格分割型分割による場合

　　適格合併においては最後事業年度終了時の帳簿価額、適格分割型分割においては直前の帳簿価額による引継ぎとする。　　　　　　【法法62の２】

　ウ　適格分社型分割又は適格現物出資による場合

　　適格分社型分割又は適格現物出資の直前の帳簿価額で譲渡したものとする。　【法法62の３、62の４】

　エ　適格現物分配による場合　　　　【➡p.305】

② 特定資産の譲渡等損失額がある場合

　法人と支配関係法人（当該法人との間に支配関係がある法人）との間でその法人を合併法人等とする特定適格組織再編等が行われた場合で、その支配関係がその法人の特定適格組織再編等の日の属する事業年度開始の日の５年前の日以後に生じているときは、その法人の特定適格組織再編等の事業年度開始の日から３年経過日（３年経過日が支配関係が生じた日以後５年経過日後となる場合は、５年経過日）までの期間において生ずる特定資産譲渡等損失額は損金に算入しない。
【法法62の７、法令123の８】

③ 非適格合併等により受ける移転資産等の調整勘定の損金算入等

　法人が非適格合併等により被合併法人等から資産又は負債の移転を受けた場合には、その移転の対価の額がその資産・負債の時価純資産価額を超える部分を資産調整勘定の金額、満たない部分を負債調整勘定の金額とする。また、引継ぎを受けた従業者の退職給与債務引受額や移転を受けた事業に係る短期重要債務見込額を負債調整勘定に計上する。

　資産調整勘定の金額は５年間で減額し損金算入、負

債調整勘定の金額も同様に5年で減額し益金算入する。ただし負債調整勘定のうち、退職給与引受対象の従業者の退職給与の支給等に応じて退職給与債務引受額の該当部分を、短期重要債務見込額に係る損失が生じる場合、もしくは3年経過の場合等に短期重要債務見込額の該当部分を、減額し益金算入する。　　　【法法62の8】

④　非適格株式交換等に係る株式交換完全子法人等の所有資産の時価評価損益

　　非適格株式交換・株式移転の場合に、その株式交換完全子法人等がその非適格株式交換等の直前において有する固定資産等の時価評価資産のうち一定のものについて時価評価により評価益又は評価損を益金又は損金に算入する。　　　　　　　　　　　　　【法法62の9】

(8) 株主の株式譲渡損益

①　被合併法人の株主が合併により合併法人の株式のみの交付を受けた場合は、旧株（被合併法人の株式）の譲渡対価は合併直前の旧株の帳簿価額とされる（譲渡損益の計上の繰延べ）（抱合株式に対し株式割当等を受けたとみなされる場合も同じ）。

　　株式以外の資産が交付された場合を含め抱合株式については譲渡損益を計上しない。　　　【法法61の2③】

②　分割法人の株主が分割型分割により分割承継法人の株式その他の資産の交付を受けた場合は、旧株（分割法人の株式）のうちその分割型分割により分割承継法人に移転した資産等に対応する部分の譲渡があったものとされる。分割法人の株主が分割承継法人の株式又は親法人株式の交付を受けた時の譲渡対価と譲渡原価は分割純資産対応帳簿価額とされる（譲渡損益の繰延べ）。

③　株式交換に係る完全子法人の株主が株式交換により完全親法人の株式のみの交付を受けた場合等は、旧株（完全子法人の株式）の譲渡対価は株式交換直前の帳簿価額とされる（株式移転の場合も同様）。

④　株式交換完全親法人等が適格株式交換等により取得した株式交換完全子法人等の株式の取得価額について、その株式交換完全子法人等の直前における株主の数が50人以上である場合には、その株式交換完全子法人等の前期期末時の簿価純資産価額に適格株式交換等の直前までの資本金等の額等の増減を加減算したものとする。

【法法61の2②、③、④、⑧、⑩、法令119の8】

(9) 株式等を対価とする株式の譲渡に係る所得の計算の特例

　　法人が、その有する株式（以下「所有株式」という）を発行した他の法人を株式交付子会社とする株式交付によりその所有株式を譲渡し、その株式交付に係る株式交付親会社の株式の交付を受けた場合（その株式交付により交付を受けた株式交付親会社の株式の価額が交付を受けた金銭の額及び金銭以外の資産の価額の合計額のうちに占める割合が80％に満たない場合を除く）には、その譲渡した所有株式（交付を受けた株式交付親会社の株式に対応する部分に限る）の譲渡損益が繰り延べられる。

【措法66の2の2、会774の3】

（注）　令和5（2023）年10月1日以後に行われる株式交付では、株式交付の直後の株式交付親会社が一定の同族会社に該当する場合を除外する。

(10) 純資産の部の金額

①　資本金等の額

　　法人の資本金の額等と、株式等の発行又は自己株式の譲渡の場合の払込額又は給付資産等の対価のうち、資本金の額等に計上しなかった金額などの合計額から準備金などの金額の合計額を減算した金額をいう。

【法令8、9】

②　利益積立金額

　　法人の所得の金額で留保している金額をいう。

25. 国外関連者との取引に係る課税の特例（移転価格税制）

(1) 国外関連者

　　法人が、国外関連者との間で行った国外関連取引につき、支払いを受ける対価の額が独立企業間価格に満たないとき、又は支払う対価の額が独立企業間価格を超えるときは、その取引は、独立企業間価格で行われたものとみなされ、国外関連取引の対価の額と独立企業間価格との差額は、所得の金額の計算上、損金に算入しない。

　　国外関連者とは、外国法人で当該法人との間に以下のような特殊の関係のあるものをいう。

【措法66の4①、措令39の12①】

①　2つの法人のいずれか一方の法人が他方の法人の発行済株式又は出資の総数又は総額（他方の法人が有する自己株式等を除く。以下「発行済株式等」という）の100分の50以上を直接又は間接に保有する関係

②　2つの法人が同一の者によってそれぞれその発行済株式等の100分の50以上を直接又は間接に保有される場合における当該2つの法人の関係

③　以下の事実その他これに類する事実が存在することにより、2つの法人のいずれか一方の法人が他方の法人の事業の方針の全部又は一部につき実質的に決定できる関係

　ア　他方の法人の役員の2分の1以上又は代表権を有する役員が、一方の法人の役員もしくは使用人を兼務している者又は役員もしくは使用人であった者であること

　イ　事業活動の相当部分をその法人との取引に依存して行っていること

　ウ　事業活動に必要な資金の相当部分をその法人からの借入れ又は保証を受けて調達していること

④　その法人と、その法人がその発行済株式等の100分の50以上を直接又は間接に保有し、又は③の事実が存在することにより事業方針を決定できる関係にある法人及びその関係にある法人が同様の関係にある法人との関係

⑤　2つの法人が、それぞれ同一の者がその発行済株式等の100分の50以上を直接又は間接に保有し、又は③の事実が存在することにより事業方針を決定できる関係にある法人及びその関係にある法人が同様の関係にある法人に該当する場合の当該2つの法人の関係

(2) 国外関連取引

　　資産の販売、資産の購入、役務の提供その他の取引をいい、本邦に支店等の恒久的施設を有する国外関連者の法人税の課税対象所得（国内源泉所得）に係る取引を除く。

第11章

法人税法

（3）独立企業間価格

　以下の方法のうち、当該国外関連取引の内容及び当該国外関連取引の当事者が果たす機能その他を勘案して、当該国外関連取引が独立の事業者間で通常の取引条件に従って行われるとした場合に、当該国外関連取引につき支払われるべき対価の額を算定するための最も適切な方法により算定した金額をいう。

① 　棚卸資産の販売又は購入の取引
　　ア 　独立価格比準法
　　イ 　再販売価格基準法
　　ウ 　原価基準法
　　エ 　ア、イ、ウに準ずる方法その他政令で定める方法

【措法66の4②、措令39の12⑥、⑦、⑧】

② 　①以外の取引は、①に掲げる方法と同等の方法

【措法66の4②】

　法人が独立企業間価格を算定するために必要と認められる書類として財務省令で定められる書類（その作成に代わる電磁的記録を含む）又はその写しを遅滞なく提示又は提出しなかったときは、税務署長は、同種の事業を営む類似法人の売上利益率等の割合を基礎として前項①のア、イ、ウの方法（同アと同等の方法を除く）及びこれらに準ずる方法により、独立企業間価格を推定することができる。　　【措法66の4⑥、措令39の12⑫】

③ 　無形資産の譲渡等について、DCF法による算定方法が追加される。当初の価格算定時の予測と結果が大きく乖離した場合、税務署長は、再評価することができる（価格調整措置）。ただし、法人が無形資産の対価の算定に関する一定の書類を税務署長に提出したときは、価格調整措置は適用されない（2020（令和2）年4月1日以後に開始する事業年度分の法人税について適用する）。

（4）移転価格税制に係る文書化制度の概要

　OECDによる「BEPS（税源浸食と利益移転）プロジェクト」の行動13に対応して示された勧告を踏まえ、移転価格税制に係る文書化について、次のとおり見直しが行われた。

文　書	記載内容及び提出期限
国別報告事項 （国別報告書）	多国籍企業グループの最終親事業体である内国法人等は、当該多国籍企業グループが事業を行う国ごとの収入金額、税引前当期利益の額、納付税額その他必要な事項を、最終親事業体の会計年度終了の日の翌日から1年を経過する日までに、電子情報処理組織を使用する方法（e-Tax）により、税務署長に提供しなければならない。
事業概況報告事項（マスターファイル）	多国籍企業グループの構成事業体である内国法人等は、当該多国籍企業グループの組織構造、事業の概要、財務状況その他必要な事項を、最終親事業体の会計年度終了の日の翌日から1年を経過する日までに、電子情報処理組織を使用する方法（e-Tax）により、税務署長に提供しなければならない。
独立企業間価格を算定するために必要と認められる書類（ローカルファイル）	国外関連取引に係る独立企業間価格を算定するために必要と認められる書類（電磁的記録を含む）を確定申告書の提出期限までに作成し、原則として、7年間保存しなければならない。

（注）　多国籍企業グループの範囲
　　　連結財務諸表を作成すべき企業集団（その連結財務諸表における連結親会社が他の連結財務諸表における連結子会社となる企業集団を除く）で、税務上の居住地国（恒久的施設及び外国における恒久的施設に相当するものの所在地国を含む）が異なる2以上の事業体を含む。
　　　いわゆる「上場子会社」等、あるいは連結財務諸表における連結親会社が他の連結財務諸表における連結子会社に該当している場合は提供義務はない。

（5）更正期間等

　2020（令和2）年4月1日以降に開始する事業年度分の法人税より7年。　　　　　【措法66の4㉖】

26. 過少資本税制

（1）国外支配株主等又は資金供与者等に対する負債利子等

　内国法人が1992（平成4）年4月1日以後に開始する事業年度において、国外支配株主等又は資金供与者等に支払う負債の利子その他債務の保証料等の費用のうち、当該事業年度の国外支配株主等及び資金供与者等に対する負債に係る平均負債残高が国外支配株主等の資本持分（純資産に対する持分）の3倍相当額を超えるときのその超える部分に対応する支払利子等は損金の額に算入されない。ただし、内国法人の利付総負債の平均負債残高がその自己資本の3倍相当額以下である場合には適用されない。また、本制度と関連者等に係る純支払利子等の損金不算入制度の双方が適用される場合は、損金不算入額のいずれか多い金額が損金不算入額とされる。

（2）特定債券現先取引等に係る負債があるときの特例

　（1）の場合に、国外支配株主等及び資金供与者等に対する特定債券現先取引等の負債があるときは、国外支配株主等及び資金供与者等に対する負債及びその負債の利子等から、特定債券現先取引等に係る負債及びその負債の利子等を控除することができる。この場合、（1）の資本持分又は自己資本に係る倍数は2倍とされる。

【措法66の5①、②、④、⑤八、措令39の13㉗】

（3）国外支配株主等及び資金供与者等

　国外支配株主等とは、非居住者又は外国法人で当該内国法人の発行済株式又は出資（当該内国法人が有する自己株式等を除く）の総数又は総額（「発行済株式等」という）の100分の50以上を直接又は間接に保有するもの、その他以下のような特殊の関係のあるものをいう。

① 　当該内国法人がその発行済株式等の100分の50以上の株式等を直接又は間接に保有される関係
② 　当該内国法人と外国法人が同一の者によってそれぞれの発行済株式等の100分の50以上の株式等を直接又は間接に保有される場合における両法人の関係
③ 　当該内国法人と非居住者又は外国法人との間に次に掲げる事実その他これに類する事実が存在することにより、当該非居住者等が当該内国法人の事業の方針の全部又は一部につき実質的に決定できる関係
　　ア 　事業活動の相当部分を非居住者等の取引に依存して行っていること
　　イ 　事業活動に必要とされる資金の相当部分を当該非

居住者等から借入れにより、又は保証を受けて調達していること

ウ　役員の2分の1以上又は代表権を有する役員が、当該外国法人の役員もしくは使用人を兼務している者又は役員もしくは使用人であった者であること

一方、資金供与者等とは、国外支配株主等が第三者を通じて間接的に資金を供与する場合等の内国法人に資金を供与する者及びその資金の供与に関係のある特定の者をいう。　【措法66の5⑤一、二、措令39の13⑪、⑬】

(4) 損金不算入額の計算

①の場合の損金不算入額は、次の区分に応じ次の算式により計算する。

①　ア－イ≦ウの場合

$$\begin{array}{l}\text{国内の資金供与者等に対する}\\\text{負債に係る保証料等の額(エ)}\end{array} \times \dfrac{〔ア－ウ〕(注)}{イ}$$

ア　国外支配株主等及び資金供与者等に対する負債に係る平均負債残高

イ　国内の資金供与者等に対する負債に係る平均負債残高

ウ　国外支配株主等の資本持分の3倍

②　①ア－①イ＞①ウの場合

$$\left(\begin{array}{l}\text{国外支配株主等及}\\\text{び資金供与者等に}\\\text{支払う負債の利子}\\\text{等の額}\end{array}-①エ\right)\times\dfrac{(①ア－①ウ)(注)－①イ}{①ア－①イ}$$

$$+①エ$$

(注)　(総負債に係る平均負債残高－内国法人の自己資本の3倍)＜①ア－①ウの場合は、①、②の(注)の〔 〕は下線部の算式とする。　【措法66の5】

27. 過大支払利子税制

(1) 対象純支払利子等に係る課税の特例

法人の各事業年度において、対象支払利子等の額の合計額(対象支払利子等合計額)から当該事業年度の控除対象受取利子等の合計額を控除した残額(対象純支払利子等の額)が調整所得金額の20％に相当する金額を超える場合には、当該法人の当該事業年度の対象純支払利子等合計額のうちその超える部分の金額に相当する金額は、当該法人の当該事業年度の所得の金額の計算上、損金の額に算入しない。

①　用語の定義

ア　対象支払利子等の額

支払利子等の額のうち対象外支払利子等の額以外の金額をいう。

イ　対象外支払利子等の額

次に掲げる支払利子等(外国法人の恒久的施設が有する債権に係る経済的利益を受ける権利が、その本店等に移転されることがあらかじめ定まっている場合の法人からその恒久的施設に支払われる利子等の額及び法人に係る関連者が非関連者を通じて当該法人に資金を供与したと認められる場合として政令で定める場合における当該非関連者に対する支払利子等その他政令で定める支払利子等を除く)の区分に応じそれぞれ次に定める金額をいう。

㈠　支払利子等を受ける者で日本の課税対象所得に含

まれる支払利子等(㈢に掲げる支払利子等を除く)　当該課税対象所得に含まれる支払利子等の額

㈡　一定の公共法人に対する支払利子等(㈢に掲げる支払利子等を除く)　当該公共法人に対する支払利子等の額

㈢　特定債券現先取引等に係る支払利子等(㈡及び㈣に掲げる支払利子等を除く)　当該特定債券現先取引等に係る支払利子等の額のうち一定の金額

㈣　一定の生命保険契約及び損害保険契約に係る利子等　当該利子等の額のうち一定の金額

㈤　法人が発行した債券(その取得をした者が実質的に多数でないものを除く)に係る支払利子等で非関連者に対するもの(以下「特定債券利子等」という)　債券の銘柄ごとに次に掲げるいずれかの金額

A　その支払もしくは交付の時に、源泉徴収が行われ、又はその特定債券利子等を受ける者において日本の課税対象所得に含まれる特定債券利子等の額と一定の公共法人に対する特定債券利子等の額との合計額

B　Aに掲げる金額に相当する金額として計算した金額

ウ　調整所得金額

現行の調整所得金額から受取配当等の益金不算入額は加算せず、控除所得税等を減算しないこととなる。

②　超過利子等の損金算入

法人の各事業年度開始の日前7年(2022(令和4)年4月1日から2025(令和7)年3月31日までの間に開始した事業年度については10年)以内に開始した事業年度において損金不算入額(超過利子額)がある場合には、当該超過利子額に相当する金額は、調整所得金額の20％に相当する金額から対象純支払利子等の額を控除した残額に相当する金額を限度として、損金の額に算入する。　【措法66の5の3】

③　適用除外

以下の場合は適用除外となる。

ア　法人の当該事業年度の対象純支払利子等の額が2,000万円以下であるとき。

イ　内国法人及び当該内国法人との間に特定資本関係のある他の内国法人のその事業年度に係るAに掲げる金額がBに掲げる金額の20％に相当する金額を超えないとき。

A　対象純支払利子等の額の合計額から対象純受取利子等の額(控除対象受取利子等合計額から対象支払利子等の額の合計額を控除した残額をいう)の合計額を控除した残額

B　Aに掲げる金額と比較するための基準とすべき所得の金額として計算した金額　【措法66の5の2】

28. 外国子会社合算税制(タックスヘイブン対策税制)

(1) 概　　要

〈内国法人に係る特定外国関係会社等の課税対象金額等の益金算入等〉

外国関係会社のうち、タックスヘイブン(軽課税国等)に

本店等を有するもの（特定外国関係会社等）の所得（適用対象金額）のうち内国法人（親会社）の保有株式に対応する部分を株式等の請求権の内容を勘案して内国法人の益金に算入して課税するものである。　　　　　　　　【措法66の6】

（2）外国関係会社

外国法人で、次の割合が50%を超えるものをいう。

$$\frac{\text{居住者及び内国法人並びに居住者又は内国法人と特殊関係のある非居住者の有する直接及び間接保有の株式等}}{\text{その発行済株式数等（その有する自己株式等を除く）}}$$

（注1）　間接保有割合については内国法人等との間に50%超の株式等の保有を通じた連鎖関係がある外国法人の判定対象となる外国法人に対する持分割合等に基づいて算定する。

（注2）　居住者又は内国法人と外国法人との間に、その居住者又は内国法人がその外国法人の残余財産のおおむね全部を請求することができる等の関係がある場合には、その外国法人は、その居住者・内国法人にとっての外国関係会社となる。

【措法66の6②一】

（3）特定外国関係会社等

特定外国関係会社等とは、外国関係会社のうち、下記の法人をいう。

① 一定の要件に該当する「ペーパー・カンパニー」

② 一定の要件に該当する「事実上のキャッシュ・ボックス」

③ 財務大臣が指定するブラックリスト国所在の外国関係会社

（4）課税対象法人

① 外国関係会社の発行済株式等の10%以上を保有する内国法人

② 外国関係会社の発行済株式等の10%以上を保有する一の同族株主グループに属する内国法人

【措法66の6①】

（5）経済活動基準

次の場合のすべてに該当する特定外国関係会社等については、一定の受動的所得についてのみが合算課税の対象となる（部分合算課税）。

① 事業基準：主たる事業が株式又は債券の保有（統括会社による被統括会社の株式等の保有を除く）、工業所有権等、著作権等の提供又は船舶もしくは航空機の貸付ではないこと（ただし、航空機貸付事業については、本店所在地国においてその役員又は使用人が貸付を行うために必要な業務すべてに従事している等、一定の要件を満たす場合にはこの基準を満たすこととする）

② 実体基準：本店等の所在する国又は地域において、主たる事業を行うために必要と認められる固定施設を有していること（この基準を満たす一定の保険業者に保険業務を委託する、現地法令による保険免許を受けている外国関係会社は、自らは実体基準を満たさない場合でも実体基準を満たすこととする）

③ 管理支配基準：本店等の所在する国又は地域において、事業の管理、支配及び運営を自ら行っていること（この基準を満たす一定の保険業者に保険業務を委託する、現地法令による保険免許を受けている外国関係会社は、自らは管理支配基準を満たさない場合でも管理支配基準を満たすこととする）

④ 下記のいずれか

ア 非関連者基準：主たる事業が、卸売・銀行・信託・金融証券取引・保険・航空機貸付・水運又は航空運送である場合：親会社・子会社等の関連者以外との取引（非関連者取引）金額の総取引金額中に占める割合が50%を超えている場合

（注1）　卸売業を主たる事業とする統括会社に該当する特定外国子会社等が被統括会社との間で行う取引については、関連者以外との取引には該当しない。

（注2）　保険業を主たる事業とし、保険受託者である外国関係会社がその保険委託者との間で行う取引は、非関連者取引とする。

（注3）　関連者に移転または提供することが予定されている資産・役務に関する非関連者との取引は、関連者との取引とする。

イ 所在地国基準：主たる事業がア以外であって、その事業を主として本店所在地国において営んでいる場合

（注）　製造業を主たる事業とする外国関係会社について、本店所在地国において製造業を行っていない場合でも、製造の主要な業務に関与している等、一定の要件を満たす場合にはこの基準を満たすこととする。　　　　　　　　【措法66の6③】

（6）統括会社の取扱い

上記①にあるように、株式等の保有を主たる事業とする特定外国関係会社等のうち統括会社は被統括会社の事業活動の総合的な管理及び調整を通じてその収益性の向上に資する業務を行うものであることから取扱いを異にしている。

統括会社とは、次のすべての要件を満たす特定外国関係会社等をいう。　　　　　　　　【措令39の17⑧】

① 一の内国法人に発行済株式等の全部を直接又は間接に保有されていること

② 二以上の被統括会社を有し、その被統括会社に対して統括業務を行っていること

③ 本店所在地国において統括業務に係る固定施設及びその統括業務に従事する者（役員を除く）を有すること

被統括会社とは、次に掲げる外国法人で、統括会社にその株式等及び議決権のいずれも25%以上を直接に保有されており、かつ、本店所在地国にその事業を行うに必要と認められる事業従事者を有する外国法人【措令39の17⑥】

① 当該特定外国関係会社等及び当該特定外国関係会社等に係る内国法人株主等にその株式等に50%超を保有される当該外国法人（「子会社」）

② 当該特定外国関係会社等及び当該特定外国関係会社等に係る内国法人株主等並びに子会社にその株式等に50%超を保有される当該外国法人（「孫会社」）

③ 当該特定外国関係会社等及び当該特定外国関係会社等に係る内国法人株主等並びに子会社及び孫会社にその株式等に50%超を保有される当該外国法人（ひ孫会社）

（7）課税対象金額の計算

特定外国関係会社等が、政令で定めた基準所得金額に一

定の欠損金額及び基準所得金額に係る税額に関する調整を加えた金額（適用対象金額）を有する場合には、その金額のうち、その内国法人の有する株式等に対応する金額（課税対象金額）を、その内国法人の収益とみなして、特定外国関係会社等の各事業年度終了の日の翌日から2カ月を経過する日を含むその内国法人の各事業年度の所得金額の計算上、益金の額に算入する。　【措法66の6①】

(8) 適用免除規定

租税負担割合（注1）が下記の割合以上の場合、会社単位の合算課税の適用が免除される。

- 特定外国関係会社…30%以上（注2）
- 対象外国関係会社…20%以上

（注1）　各事業年度の租税の額÷各事業年度の所得
（注2）　内国法人の2024（令和6）年4月1日以降開始する事業年度より、27%以上　【措法66の6⑤】

(9)「一定の受動的所得」の範囲

経済活動基準をすべて満たす場合には、部分合算課税が適用され、以下の「一定の受動的所得」のみが合算課税の対象となる。

① 利子（預金利子、一定のグループファイナンス（個人を除く）に係る貸付金利子及び外国関係会社が、非関連者に対して行う棚卸資産の販売から生ずる利子を除く）
② 配当（保有割合25%以上の株式等からの配当を除く）
③ 債券の償還損益
④ 有価証券の譲渡損益（持分割合25%以上等の要件を満たす法人の株式等に係る譲渡損益を除く）
⑤ デリバティブ取引損益（ヘッジ目的で行われるもの等を除く）
⑥ 外国為替差損益（事業に係る業務の通常の過程で生ずるものを除く）
⑦ 保険収支として一定のもの
⑧ 固定資産の賃貸損益
⑨ 無形資産等の使用料（外国関係会社が自己開発した無形資産等に係るものを除く）
⑩ 無形資産等の譲渡損益（外国関係会社が自己開発した無形資産等に係る譲渡損益を除く）
⑪ 根拠のない異常な利益（資産、減価償却費、人件費などの裏付けのない所得）

ただし、以下の場合には部分合算課税の適用が免除される。

ア 外国関係会社の租税負担割合が20%以上である場合
イ 「一定の受動的所得」の合計額が2,000万円以下である場合
ウ 「一定の受動的所得」の割合が5%以下であること
　　　　　　　　　　　【措法66の6⑥、⑦、⑩】

(10) 一定の株式譲渡損益の適用対象金額からの控除

特定外国関係会社等が、外国関係会社に該当することとなった外国法人の統合に関する基本方針及び統合に伴う組織再編の計画書等に基づいて、一定の期間内に対象株式等を、その特定外国関係会社等に係る内国法人等に譲渡した場合、譲渡後2年以内に譲渡をした特定外国関係会社等の解散が見込まれる等の要件を満たす場合、株式等譲渡利益を適用対象金額から控除する。

(11) 外国税額控除による調整

特定外国関係会社等課税対象金額の益金算入の適用を受けた場合のその特定外国関係会社等の所得に対して課される外国法人税等の額は、その益金算入の適用を受けた内国法人が納付した外国法人税額等とみなして、外国税額控除が適用される。

ただし、内国法人が納付したとみなされる金額は、その特定外国関係会社等の課税対象金額相当額が限度である。
　　　　　　　【措法66の7④〜⑬、措令39の18】

また、この外国法人税の額とみなされた税額控除の対象とされる金額は、その親会社の所得の計算上、益金の額に算入される。　　　　　　　　　　　【措法66の7③】

(12) 課税済み金額から配当が支払われる場合

内国法人等が特定外国関係会社等（外国子会社配当益金不算入制度における外国子会社に該当するものを除く）から剰余金の配当等を受けた場合には、当該剰余金の配当等の額のうち特定関係会社等に係る特定課税対象金額（内国法人の剰余金の配当等を受ける日を含む事業年度及び当該事業年度開始の日前10年以内に開始した各事業年度において益金の額に算入された課税対象金額の合計額で、内国法人の有する直接保有の株式等に対応する部分に限る）等に達するまでの金額は、益金に算入しない。【措法66の8】

この規定は、課税済み金額に係る事業年度のうち最も古い事業年度以後の各事業年度の確定申告書に、その課税済み金額等に関する明細書の添付がないと適用されない。
　　　　　　　　　　　　　　　【措法66の8⑭】

(13) 間接配当等に係る二重課税の排除

内国法人が外国法人から配当等を受ける場合、内国法人の配当を受ける日を含む事業年度及び当該事業年度開始の日前2年以内に開始した事業年度における次のいずれか少ない金額（間接特定課税対象金額）に達するまでの金額の範囲内で、二重課税の調整がなされ益金に算入されない。
　　　　　　　　　　　【措法66の8⑧〜⑪】

① 他の外国法人の支払った配当のうち、内国法人等が当該外国法人を通じて間接保有する金額の合計額（間接配当等）
② 他の外国法人につき合算対象とされた金額のうち、内国法人等が当該外国法人を通じて間接保有する金額の合計額（間接課税済金額）

29. 子会社株式の取得価額の調整措置

(1) 概　　要

法人が、2020（令和2）年4月1日以後に特定関係子法人から受ける配当等の額（対象配当金額）が株式等の帳簿価額の10%相当額を超える場合には、その対象配当金額のうち益金不算入額相当額を、その株式等の帳簿価額から引き下げる。

- 特定関係子法人：配当等の決議日において特定支配関係を有する他の法人
- 特定支配関係：一の者（特殊関係者を含む）が他の法人の株式等又は一定の議決権数等の50%超を直接又は間接に有する場合における当該一の者と他の法人の関係等

(2) 対象外となる配当等の額

① 内国普通法人である特定関係子法人設立日から特定支

配関係発生日までの間において、その発行済株式の総数等の90%以上を内国法人もしくは協同組合等又は居住者が有する場合の対象配当金額

② アに掲げる金額からイに掲げる金額を減算した金額がウに掲げる金額以上である場合における特定関係子法人から受ける対象配当金額

ア　配当決議日の属する特定関係子法人の事業年度開始日における当該特定関係子法人の利益剰余金の額

イ　当該開始日からその配当等を受ける日までの間に特定関係子法人の株主が受ける配当等の総額

ウ　特定支配関係発生日の属する特定関係子法人の事業年度開始日における利益剰余金の額に一定の調整を加えた金額

③　特定支配関係発生日から10年を経過した日以後に受ける配当等の額

④　対象配当金額が2,000万円を超えない場合の対象配当金額

（3）対象配当金額のうち益金不算入相当額

対象配当金額のうち、特定支配関係発生日以後の利益剰余金の額から支払われたものと認められる部分の金額がある場合には、その部分の金額を超える金額を益金不算入相当額とすることができる。

【法令119の3、119の4、令2年改正法附則1】

30. 国際最低課税額に対する法人税

（1）納税義務者

内国法人は、各対象会計年度の国際最低課税額に対する法人税を納める義務がある。ただし、公共法人については、その義務がない。　　　　　　【法法4、6の2】

（2）課税の範囲

特定多国籍企業グループ等に属する内国法人に対して、各対象会計年度の国際最低課税額について、各対象会計年度の国際最低課税額に対する法人税を課する。

（注1）　上記の「特定多国籍企業グループ等」とは、企業グループ等（次に掲げるものをいい、多国籍企業グループ等に該当するものに限る）のうち、各対象会計年度の直前の4対象会計年度のうち2以上の対象会計年度の総収入金額が7億5,000万ユーロ相当額以上であるものをいう。　　　　【法法82④】

イ　連結財務諸表等に財産及び損益の状況が連結して記載される会社等及び連結の範囲から除外される一定の会社等に係る企業集団のうち、最終親会社（他の会社等の支配持分を直接又は間接に有する会社等（他の会社等がその支配持分を直接又は間接に有しないものに限る）をいう）に係るもの

ロ　会社等（上記イに掲げる企業集団に属する会社等を除く）のうち、その会社等の恒久的施設等の所在地国がその会社等の所在地国以外の国又は地域であるもの

（注2）　上記（注1）の「多国籍企業グループ等」とは、次に掲げる企業グループ等をいう。

イ　上記（注1）イに掲げる企業グループ等に属する会社等の所在地国（その会社等の恒久的施設等がある場合には、その恒久的施設等の所在地国を

含む）が2以上ある場合のその企業グループ等その他これに準ずるもの

ロ　上記（注1）ロに掲げる企業グループ等

【法法82③】

（3）税額の計算

各対象会計年度の国際最低課税額に対する法人税の額は、各対象会計年度の国際最低課税額（課税標準）に100分の90.7の税率を乗じて計算した金額とする。

【法法82の5】

（4）申告及び納付等

①　特定多国籍企業グループ等に属する内国法人の各対象会計年度の国際最低課税額に対する法人税の申告及び納付は、各対象会計年度終了の日の翌日から1年3月（一定の場合には、1年6月）以内に行うものとする。ただし、当該対象会計年度の国際最低課税額（課税標準）がない場合は、当該申告を要しない。

【法法150の3】

②　電子申告の特例等については、各事業年度の所得に対する法人税と同様とし、その他所要の措置を講ずる。　　　　【法法82の6、措法66の4の4】

（5）その他

質問検査、罰則等については、各事業年度の所得に対する法人税と同様とし、その他所要の措置を講ずる。

【措法66の4の4】

31. グループ法人税制

（1）完全支配関係がある法人の間の取引の損益

内国法人が有する譲渡損益調整資産を他の内国法人に譲渡した場合には、その譲渡損益調整資産に係る譲渡利益は、譲渡事業年度の損金に算入され、譲渡損失は譲渡事業年度の益金に算入される。　　　　【法法61の13①】

①　適用対象法人

完全支配関係のある内国法人（普通法人又は協同組合等に限る）間の取引に適用される。

②　適用対象資産（譲渡損益調整資産）

固定資産、土地（土地の上に存する権利を含む）、有価証券（売買目的有価証券及び譲受法人で売買目的有価証券とされる有価証券を除く）、金銭債権及び繰延資産。ただし、譲渡直前の帳簿価額が1,000万円未満である資産は除かれる。　【法法61の13①、法令122の14①】

③　繰延譲渡損益の実現

繰り延べられた譲渡損益は、譲受法人において譲渡損益調整資産の譲渡、償却、評価替え、貸倒れ、除却その他政令で定める事由が生じた場合には、政令で定める計算による金額を益金又は損金に算入する。

【法法61の13②、法令122の14④～⑩】

④　完全支配関係の終了

譲渡法人と譲受法人との間に完全支配関係がなくなった場合（完全支配関係のある法人間での適格合併による被合併法人の解散を除く）、譲渡損益調整資産に係る譲渡損益は、完全支配関係を有しなくなった日の前日の属する事業年度において、益金又は損金に算入する。

【法法61の13③】

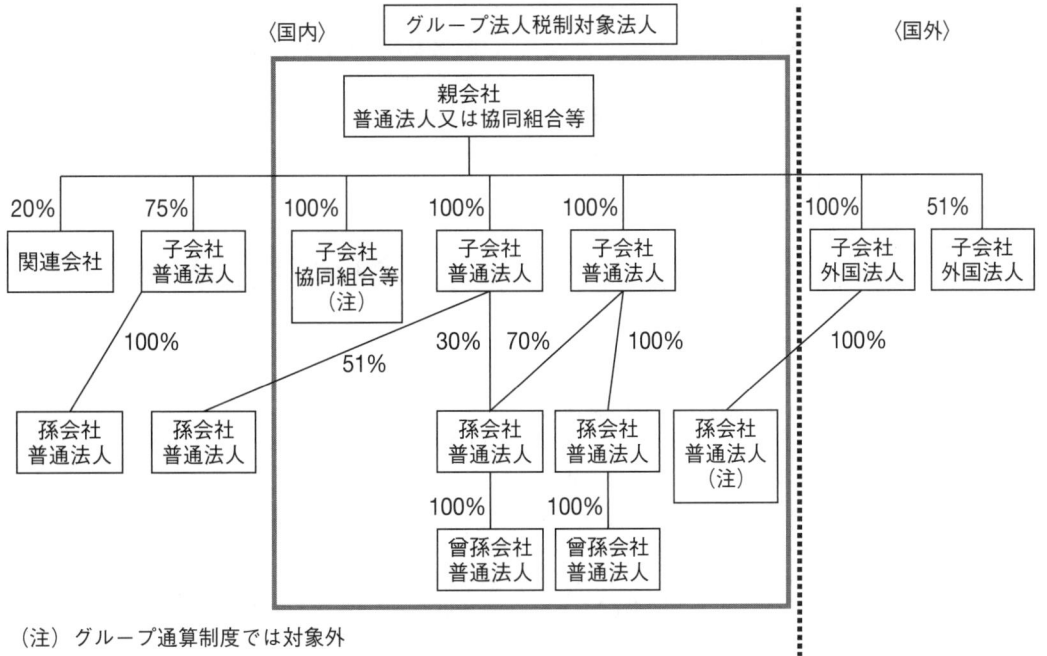

〈国内〉 グループ法人税制対象法人 〈国外〉

親会社
普通法人又は協同組合等

20% 関連会社

75% 子会社
普通法人

100% 子会社
協同組合等
（注）

100% 子会社
普通法人

100% 子会社
普通法人

100% 子会社
外国法人

51% 子会社
外国法人

100%

51%

孫会社
普通法人

孫会社
普通法人

30% 70% 孫会社
普通法人

100% 孫会社
普通法人

100% 孫会社
普通法人
（注）

100% 曾孫会社
普通法人

100% 曾孫会社
普通法人

（注）　グループ通算制度では対象外

（2）現物分配

　法人（公益法人等及び人格のない社団等を除く）がその株主等に対し、①の事由により金銭以外の資産の交付をすることを現物分配という。　　　　　【法法２十二の五の二】

① 現物分配の事由

　ア　剰余金の配当（株式又は出資に係るものに限るものとし、資本剰余金の減少に伴うもの及び分割型分割によるものを除く）もしくは利益の配当（分割型分割によるものを除く）又は剰余金の分配（出資に係るものに限る）

　イ　法法24①五から七（配当等の額とみなす金額）に掲げる事由（資本の払戻し又は解散による残余財産の分配、自己株式又は出資の取得、出資の消却又は払戻し等、組織変更）

② 適格現物分配

　内国法人を現物分配法人とする現物分配のうち、その現物分配により資産の移転を受ける者が、その現物分配の直前において内国法人との間に完全支配関係がある内国法人のみであるものをいう。　　　【法法２十二の十五】

③ 株式分配

　現物分配のうち、その現物分配の直前において現物分配法人により発行済株式等の全部が移転するもの（その現物分配によりその発行済株式等の移転を受ける者がその現物分配の直前においてその現物分配法人との間に完全支配関係がある者のみである場合におけるその現物分配は除く）を株式分配という。【法法２十二の十五の二】

④ 適格株式分配

　完全子法人の株式のみが移転する株式分配のうち、完全子法人と現物分配法人とが独立して事業を行うための株式分配として、次の要件のすべてに該当するもの

　ア　株式分配の直前に現物分配法人と他の者との間に当該他の者による支配関係がなく、かつ、株式分配後に完全子法人と他の者との間に当該他の者による支配関

係があることとなることが見込まれていないこと。

　イ　株式分割前の完全子法人の特定役員のすべてが株式分配に伴って退任をするものでないこと。

　ウ　完全子法人の株式分配の直前の従業者のうち、その総数のおおむね80％以上に相当する数の者が完全子法人の業務に引き続き従事することが見込まれていること。

　エ　完全子法人の株式分配前に行う主要な事業がその完全子法人において引き続き行われることが見込まれていること。　　　【法法２十二の十五の三、法令４の３⑯】

⑤ 適格現物分配による資産の移転

　内国法人が適格現物分配又は適格株式分配により被現物分配法人その他の株主等に資産を移転したときは、現物分配又は適格株式分配の直前の帳簿価額による譲渡をしたものとして、その内国法人の各事業年度の所得の金額を計算し、譲渡損益は益金又は損金に算入されない。

【法法62の５③】

　なお、内国法人が残余財産の全部の分配又は引渡しにより、被現物分配法人その他の者に資産を移転するときは、移転をする資産の当該残余財産の確定時の価額による譲渡をしたものとして、当該内国法人の各事業年度の所得の金額を計算する。　　　　　　　　【法法62の５①】

⑥ 事業再編計画の認定を受けた適格株式分配

　2023（令和５）年４月１日から2028（令和10）年３月31日までの間に産業競争力強化法の事業再編計画の認定を受けた法人が同法の特定剰余金配当として行う現物分配で完全子法人の株式が移転するものは、株式分配に該当することとし、その現物分配のうち一定の要件に該当するものは、適格株式分配に該当する。

【措法68の２の２】

（3）完全支配関係がある法人の間の受取配当金

　内国法人が、完全子法人株式等につき受ける配当等の額については、負債の利子を控除せず、その全額が益金不算

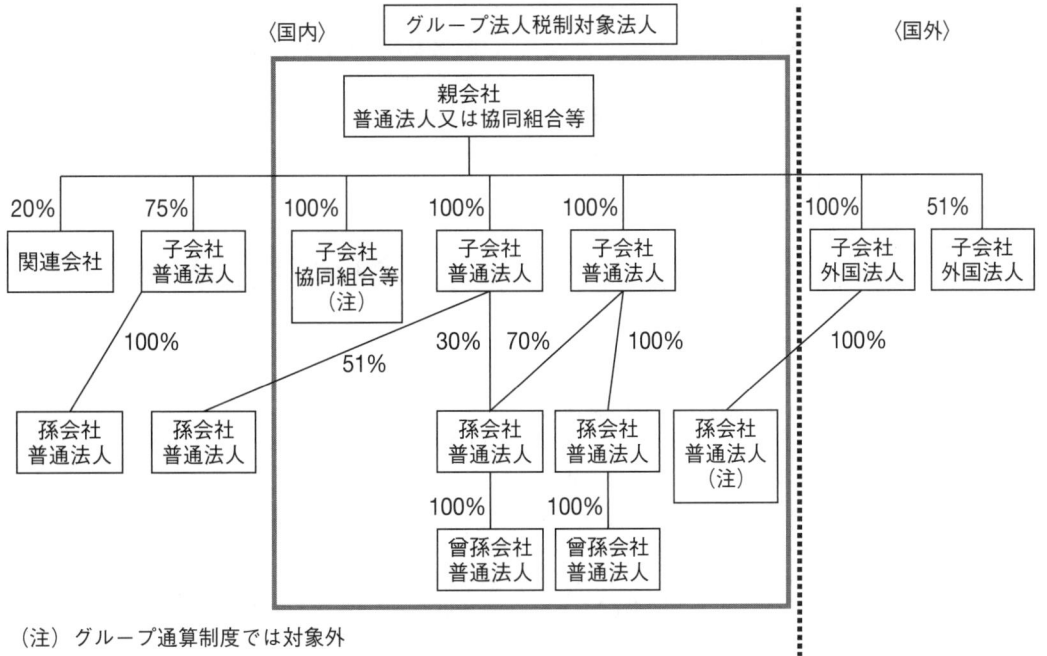

入となる。　　　　　　　　　　【法法23④】

（4）完全支配関係がある法人の間の寄附金

① 寄附金の損金不算入

　内国法人が各事業年度において完全支配関係のある他の内国法人に対して支出した寄附金は、その内国法人の各事業年度の所得の金額の計算上、損金算入しない。

【法法37②】

② 受贈益の益金不算入

　内国法人が各事業年度において完全支配関係のある他の内国法人から受けた受贈益は、その内国法人の各事業年度の所得の金額の計算上、益金算入しない。

【法法25の2①】

（5）完全支配関係がある法人の間の非適格株式交換、非適格株式移転

　内国法人が完全支配関係のある他の法人との間で非適格株式交換又は非適格株式移転を行った場合の、当該内国法人の有する資産の時価評価損益は、その内国法人の各事業年度の所得の金額の計算上、益金又は損金に算入されない。　　　　　　　　　　【法法62の9】

（6）完全支配関係がある法人の間の自己株式の譲渡等

① 譲渡損益の計算特例

　内国法人が、所有株式を発行した他の内国法人（当該内国法人との間に完全支配関係があるものに限る）に法法24①各号（みなし配当）に掲げる事由により譲渡し、金銭その他の資産の交付を受けた場合、又は当該事由により他の内国法人の株式を有しないこととなった場合、譲渡対価は譲渡原価に相当するとされ、譲渡損益は生じない。　　　　　　　　　　【法法61の2⑯】

（7）中小企業向け特例措置の不適用

① 不適用となる特例措置

　資本金の額等が1億円以下の法人に係る次の制度については、資本金の額等が5億円以上の法人又は相互会社等との間に完全支配関係がある場合、適用されない。

ア　軽減税率

【法法66、措法42の3の2、法基通16-5-1】

イ　特定同族会社の特別税率の不適用　　【法法67】

ウ　貸倒引当金の法定繰入率　　【措法57の9➡p.290】

エ　交際費等の損金不算入制度における定額控除制度

【措法61の4➡p.280】

オ　欠損金の繰戻しによる還付制度

【措法66の13➡p.314】

② 複数の完全支配関係がある大法人（資本金の額等が5億円以上の法人又は相互会社等）に発行済株式等の全部を保有されている法人については、上記①ア～オの措置は適用されない。　　　　　　　　　　【法法66、67、143】

（8）100％子法人株式の評価損計上上の不可

　100％グループ内の他の内国法人が清算中である場合、解散が見込まれる場合又はそのグループ内で適格合併により解散することが見込まれる場合には、その株式について評価損を計上できない。　　　　　　　　　　【法法33⑤】

（9）マイナスの資本金等の額の損金算入

　解散の場合の期限切れ欠損金の損金算入制度においてマイナスの資本金等の額を期限切れ欠損金と同様とする。

【法法59③、法令118】

（10）適格合併等の場合の欠損金の制限措置等

　適格合併等の場合の欠損金の制限措置等について、適用対象から被現物分配法人の自己株式の適格現物分配を除外する。　　　　　　　　　　【法法57④、法令113⑤、⑥】

3 税額の計算・税額控除（主なもの）

1. 税　率

（1）各事業年度の所得に対する法人税率　　【法法66】

法人の種類等 所得金額	資本金1億円超の普通法人（相互会社を含む）	資本金1億円以下の普通法人、一般社団法人等、人格のない社団等	その他の公益法人等、協同組合等（注2）、特定医療法人等
年800万円以下の部分	23.2%	19%（注1）	19%（注1）
年800万円超の部分		23.2%	19%

- 一般社団法人等とは、法別表第二に掲げる非営利型の一般社団（財団）法人、公益社団（財団）法人、一定の公益法人。
- その他の公益法人等とは、法別表第二に掲げる法人（一般社団法人等を除く）。

（注1）　2012（平成24）年4月1日から2025（令和7）年3月31日までの間に開始する各事業年度の所得の金額のうち年800万円以下の金額は15%

【措法42の3の2】

（注2）　特定の協同組合等で年10億円を超える所得に対しては22%　　　　　　　　　　【措法68】

（2）軽減税率の非適用

　内国法人である普通法人のうち各事業年度終了の時において次に掲げる法人に該当するものについては、上記（1）の「年800万円以下の金額」に係る軽減税率を適用しない。

① 保険業法で規定する相互会社

② 次に掲げる法人との間に当該法人による完全支配関係がある普通法人

ア　資本金の額又は出資金の額が5億円以上である法人

イ　保険業法で規定する相互会社

ウ　法人税法で規定する受託法人

③ 投資法人

④ 特定目的会社

⑤ 法人税法で規定する受託法人

⑥ 租税特別措置法に規定する適用除外事業者

【法法66⑥、143、措法42の4⑧七】

（3）地方法人税

　地方法人税（課税標準法人税額に乗じる税率は10.3％）を税務署長に申告し、国に納付する。

【地方法人税法10①、19①、21】

2. 特定同族会社の留保金課税

（1）特別税率

特定同族会社（被支配会社で、被支配会社でない法人を除いて判定しても被支配会社となるもの。資本金の額又は出資金の額が1億円以下であるものにあっては、**1.税率（2）の②に掲げるものに限る**）の各事業年度の課税留保金額には、次の特別税率が適用される。

① 年3,000万円以下の金額 ……………………………… 10%
② 年3,000万円を超え年1億円以下の金額 ……… 15%
③ 年1億円を超える金額 ………………………………… 20%

【法法67①】

（2）被支配会社

会社の株主等（自己株式等を有する場合のその会社を除く）の1人並びにこれと特殊の関係のある個人（法令139の7①）及び法人（法令139の7②、③）がその会社の発行済株式総数等（その会社が有する自己株式等を除く）の50%超の株式等を有する場合（及び50%超の議決権を有する場合、50%超の出資を有する場合）のその会社をいう。

【法法67②、法令139の7】

（3）課税留保金額＝当期留保金額－留保控除額

① 留保控除額
ア 所得基準
　　当期の所得等の金額×40%

イ 2,000万円×$\dfrac{\text{当期の月数}}{12}$

ウ 利益積立金基準

　$\dfrac{\text{期末資本}}{\text{金額}}$×25% － $\dfrac{\text{期末利益}}{\text{積立金額（注）}}$

｝このうち最も多い金額

【法法67⑤、⑥】

（注）利益積立金額
　　法人の所得の金額で留保している金額（(ア)の金額から(イ)の金額を控除した金額から、剰余金の配当等の額を減算し、その他組織再編成に係る一定金額を加減算した金額）をいう。
（ア）所得の金額、受取配当等の益金不算入額、外国子会社から受ける配当等の益金不算入額、欠損金の損金算入額、法人課税信託に係る収益の額から損失の額を減算した金額などの合計額
（イ）欠損金額、法人税・法人住民税の納付額などの合計額　　【法法2十八、法令9①】

② 当期留保金額
　課税所得金額を基礎として、次に掲げる金額等より計算する。
ア 加算する金額
（ア）受取配当等の益金不算入額、外国子会社から受ける配当等の益金不算入額、受贈益の益金不算入額
（イ）還付租税等の益金不算入額（法人税額から控除できなかったため還付される所得税額及び外国の法人税額又は欠損繰戻しによる還付の法人税額をいう）
（ウ）欠損金の損金算入額　　【以上、法法67③】
（エ）沖縄の認定法人の所得の特別控除額　【措法60⑥】
（オ）新鉱床探鉱費又は海外新鉱床探鉱費の特別控除額
【措法59⑥】

（カ）措法の収用換地等の場合又は特定土地区画整理事業、特定住宅地造成事業等もしくは農地保有の合理化のため土地等を譲渡した場合の特別控除額
（キ）特定の長期所有土地等の所得の特別控除額
【以上、措法65の2⑨、65の3⑦、65の4④、65の5③、65の5の2⑤】
（ク）特定外国子会社等に係る課税対象留保金額の損金算入額　　【措法66の8⑯、⑰】
イ 減算する金額
（ア）損金経理した費用で社外に流出したもののうち所得の計算上損金に算入されなかった金額（例えば、寄附金又は賞与の損金不算入額、法人税の延滞税等の損金不算入額）
（イ）所得に係る法人税額（法人税額から控除する所得税額、及び外国の法人税額の控除、仮装経理による更正の場合の税額控除、措置法の規定による税額控除があるときは、これを控除する）
【以上、法法67③】
（ウ）地方税額並びに法人税額に係る道府県民税及び市町村民税又は都民税の額（この場合の法人税額は、土地の譲渡等がある場合の特別税率及び使途秘匿金に係る特別課税の適用がある場合には、それを適用して計算した法人税の額とし、また、法人税額から控除する外国法人税額の控除、仮装経理による更正の場合の税額控除、措置法の規定による税額控除（一部の税額控除を除く）の適用がある場合には、これらを控除した金額の16.3%とされている）
【法令139の10】
（注）特定同族会社の留保金額の計算上、その特定同族会社の剰余金の配当等（支払決議の日が支払基準日の属する事業年度末日の翌日からその基準日の属する事業年度の決算確定日までにあるものに限る）は、その基準日の属する事業年度に支払われたものとされる。　　【法法67④】

3. 使途秘匿金課税

（1）法人が使途秘匿金の支出を行った場合には、通常の法人税のほかに、その使途秘匿金の支出額に40%を乗じて計算した金額を加算した金額を課税する。

（2）ここでいう使途秘匿金とは、法人による金銭の支出（贈与、供与その他これらに類する目的のためにする金銭以外の資産の引渡しを含む）のうち、その相手方の氏名又は名称及び住所又は所在地並びにその事由をその帳簿書類に記載していないものをいう。ただし、帳簿書類に記載していないことに相当の理由がある場合や、記載していないことが相手方の氏名等を秘匿するためでないと認められる場合、さらには資産の譲受けその他の取引の対価として支出されたもの（取引の対価として相当であると認められるものに限る）であることが明らかな場合には使途秘匿金から除く。　【措法62①、②、③】

4. 税額控除の順序

各事業年度の所得に対する法人税額及び課税留保金額に対する法人税額の合計額から税額控除する場合の順序は、

次による。　　　　　　　　　　【法法70の2】
(1)　試験研究費に係る税額控除、高度省エネルギー増進設備等を取得した場合の法人税額の特別控除、中小企業者等が機械等を取得した場合の法人税額の特別控除、沖縄の特定地域において工業用機械等を取得した場合の法人税額の特別控除、国際戦略総合特別区域において機械等を取得した場合の法人税額の特別控除、特定の地域において雇用者の数が増加した場合の特別控除等
　　【措法42の4⑫、42の5⑦、42の6⑩、42の9⑦、42の11⑦、42の12⑩】
(2)　仮装経理に基づく過大申告の更正に伴う控除法人税額
　　　　　　　　　　　　　　　　　　　　　【法法70】
(3)　控除所得税額及び控除外国税額　　【法法68、69】

5. 所得税額の控除

〈控除限度額の計算〉
(1) 原　　則
　所得税法の規定により課される利子等、配当等、給付補塡金、利息、利益、差益、収益の分配又は賞金の支払いを受ける場合に課される所得税の額は、当該事業年度の所得に対する法人税の額から控除する。当該事業年度の法人税額から控除しきれなかった部分については、還付する。ただし、配当、集団投資信託(合同運用信託を除く)の収益の分配に課される所得税額の控除は、次の算式によって計算した金額による。　　　【法法68、法令140の2①、②】

$$\text{控除限度額} = \begin{array}{l}\text{配当、集団投資}\\\text{信託の収益の分}\\\text{配について課せ}\\\text{られた所得税額}\end{array} \times \frac{\text{元本所有の期間の月数}}{\begin{array}{l}\text{配当、収益の分配の計算期間の月数}\\ \text{(小数点以下3位未満の端数切上げ)}\end{array}}$$

　　　　　　　　　　　　　　　　【法令140の2⑥】
(2) 簡便計算
　上記算式に代え、株式及び出資の配当等、集団投資信託の受益権とに区分し、更にこれらの配当等の計算期間が1年以内のものと1年を超えるものとに区分して、それぞれの税額に属する元本について、その銘柄ごとに次の算式によって計算した額の合計額によることができる。
　　　　　　　　　　　　　　　　【法令140の2③】

$$\begin{array}{l}\text{その銘}\\\text{柄の所}\\\text{得税額}\end{array} \times \frac{\begin{array}{l}\text{計算期間の開}\\\text{始の時の所有}\\\text{元本数(注)(B)}\end{array} + |A-B| \times \frac{1}{2}\begin{pmatrix}\text{計算期間が1}\\\text{年を超えるもの}\\\text{は12分の1}\end{pmatrix}}{\text{計算期間の終了の時の所有元本の数(注)(A)}}$$

(注)　口数の定めがない出資は金額

6. 外国税額の控除

(1) 控除の対象となる外国法人税
①　外国の法令に基づき外国又はその地方公共団体により法人の所得を課税標準として課される税
②　超過利潤税その他法人の所得の特定部分を課税標準として課される税
③　法人の所得又はその特定部分を課税標準として課される税の附加税
④　法人の所得を課税標準として課される税と同一の税目に属する税で、法人の特定の所得につき、徴税上の便宜のため所得に代えて収入金額その他これに準ずるものを課税標準として課される税
⑤　法人の特定の所得につき、所得を課税標準とする税に代え、その法人の収入金額その他これに準ずるものを課税標準として課される税　　　　　　【法令141①、②】
⑥　タックススペアリングクレジット
　　わが国が租税条約を締結している相手国の法律又は租税条約の規定により軽減又は免除された相手国の租税で、租税条約の規定により、内国法人が納付したものとみなされる外国法人税
　【租税条約の実施に伴う所得税法、法人税法及び地方税法の特例等に関する法律の施行に関する省令10】
(2) 控除限度額
　内国法人が各事業年度において外国法人税を納付することとなる場合(通常行われないと認められる特定の取引に基因して生じた所得に対する外国法人税を納付する場合を除く)には、次の算式により計算した金額を限度として、その外国法人税の額を当該事業年度の所得に対する法人税の額から控除する。

控除限度額 =

$$\text{各事業年度の法人税額} \times \frac{\text{当該事業年度の国外所得金額(注)}}{\text{当該事業年度の全世界所得金額}}$$

(注)　全世界所得金額に占める国外所得金額の割合は、原則として90%を限度とする。

$$\text{ただし、}\left.\begin{array}{l}\text{納付外国法人税額}\\\text{外国法人税額の課税標準額} \times 35\%\end{array}\right\}\text{の少ない額}$$

を限度とする。
　また、金融業、保険業及び利子収入の比率が20%以上である内国法人については、利子に係る外国源泉税の高率部分について次のような所得率ごとに、控除対象外国法人税額から除外されることとされている。
　3事業年度の平均所得率が10%以下
　　…………………………………… 10%を超える部分
　3事業年度の平均所得率が10%超20%以下
　　…………………………………… 15%を超える部分
　3事業年度の平均所得率が20%超 ………高率部分なし
　　　　　　　　　　　　　　　　【法令142の2】
(3) 繰越限度額による控除
　内国法人が事業年度において納付することとなる控除対象外国法人税の額が事業年度の控除限度額と地方税控除限度額との合計金額を超える場合において、当該事業年度開始の日前3年以内に開始した各事業年度の控除限度額のうち当該事業年度に繰り越される部分の金額(繰越控除限度額)があるときは、その繰越控除限度額を限度として、その超える部分の金額を当該事業年度の所得に対する法人税額から控除する。　　　　　　　　　　　　　【法法69②】
(4) 控除余裕額が生じた場合の控除
　内国法人が各事業年度において納付することとなる控除対象外国法人税の額が当該事業年度の控除限度額に満たない場合において、その前3年内事業年度において納付することとなった控除対象外国法人税の額のうち当該事業年度に繰り越される部分の金額(繰越控除対象外国法人税額)があるときは、当該控除限度額から当該事業年度において納付することとなる外国法人税の額を控除した残額を限度

として、その繰越控除対象外国法人税額を当該事業年度の所得に対する法人税の額から控除する。　【法法69③】

7. 仮装経理に基づく過大申告の更正に伴う法人税額の控除

(1)　内国法人の提出した確定申告書に記載された所得の金額が事実を仮装したことに基づいて過大である場合において、税務署長がその所得金額を減額の更正をしたことによって過大となった法人税額は、直ちに還付又は充当しないで、その更正の日を含む事業年度開始の日から5年以内に開始する各事業年度の所得に対する法人税額から順次控除する。

(2)　(1)の更正に伴い、その対象となった事業年度以後の事業年度について所得金額の減額の更正をすることとなった場合にも、その更正によって過大となった法人税額についても同様にその事業年度開始の日から5年以内に開始する各事業年度の所得に対する法人税額から控除する。　　　　　　　　　　　　　　　　【法法70、135】

8. 大企業に対する租税特別措置の適用要件

　大企業(注)が、2021（令和3）年4月1日から開始する各事業年度において、以下の税額控除規定の適用を受けようとする場合、次の要件のいずれにも該当しない場合には、その対象事業年度については、税額控除規定が適用できない。

　次のいずれにも該当する場合、継続雇用者給与等支給額から継続雇用者比較給与等支給額を控除した金額の当該継続雇用者比較給与等支給額に対する割合が1％（2022（令和4）年4月1日から2023（令和5）年3月31日までの間に開始する事業年度は0.5％）。

(注)　(1)　事業年度終了の時において、①その法人の資本金の額又は出資金の額が10億円以上であり、かつ、その法人の常時使用する従業員の数が1,000人以上である場合又は②常時使用する従業員の数が2,000人超である場合
　　　(2)　その事業年度が設立事業年度及び合併事業年度のいずれにも該当しない場合であって、全事業年度の所得の金額が零を超える一定の場合又はその事業年度が設立事業年度もしくは合併等事業年度である場合

〈対象となる税額控除規定〉
(1)　試験研究を行った場合の特別税額控除
　　　　　　　　　　　　　　　　【措法42の4①、⑦】
(2)　地域経済牽引事業の促進区域内において特定事業用機械等を取得した場合の税額控除　【措法42の11の2②】
(3)　認定特定高度情報通信技術活用設備を取得した場合の特別税額控除　　　　　　　　【措法42の12の6②】
(4)　事業適応設備を取得した場合の税額控除
　　　　　　　　　　　　　　　　【措法42の12の7④〜⑥】

〈要件〉
①　アの金額がイの金額を超えること
　ア　継続雇用者に対する当該対象年度の給与等の支給額として一定の金額
　イ　継続雇用者に対する前事業年度等の給与等の支給額として一定の金額
②　アの金額がイの金額の40％を超えること
　ア　対象年度で取得した国内資産の取得価額として一定の金額
　イ　対象年度で償却費として損金経理した金額として一定の金額　　　　　　　　　　【措法42の13⑤】

9. 試験研究費の総額に係る税額控除

(1)　適用要件
①　青色申告法人であること
②　解散（合併による解散を除く）の日を含む事業年度及び清算中の事業年度は適用がないこと
③　確定申告書に控除額の申告及び計算の明細を記載すること

(2)　試験研究費は損金に算入されるもので、製品の製造又は技術の改良、考案若しくは発明に係る試験研究（新たな知見を得るため又は利用可能な知見の新たな応用を考案するために行うものに限る）のために要する費用で次のものをいい、その試験研究費に充てるため他の者から支払いを受けた金額がある場合には、その金額を除く。
①　その試験研究を行うために要する原材料費、人件費（専門的知識をもってその業務に専ら従事する者のものに限る）及び経費
②　他の者に委託して試験研究を行う法人のその試験研究のためにその委託を受けた者に対して支払う費用
③　技術研究組合法の規定により賦課された費用
④　①〜③に掲げる費用の額で各事業年度において研究開発費として損金経理をした金額のうち、棚卸資産もしくは固定資産（事業の用に供する時において試験研究の用に供する固定資産を除く）の取得に要した金額とされるべき費用の額又は繰延資産（④以外の試験研究のために支出した費用を除く）となる費用
　　上記の費用が取得価額に含まれる固定資産又は繰延資産の償却費、除却による損失及び譲渡による損失は試験研究費から除かれる。
　　　　　　【措法42の4①、②、⑧、措令27の4⑥】

(3)　法人税額から控除する金額の計算
　試験研究費の増減割合(注1)に応じ、下記の税額控除割合を用いる。
①　＋12％超（③の場合を除く）
　税額控除割合（14％を上限）＝11.5％＋（増減割合−12％）×0.375
②　＋12％以下（③の場合を除く）
　税額控除割合（2％を下限）＝11.5％−（12％−増減割合）×0.25
③　設立事業年度又は比較試験研究費の額が0である場合
　税額控除割合＝8.5％

(注1)　増減割合＝$\dfrac{試験研究費 − 比較試験研究費}{比較試験研究費}$

(注2)　控除限度額は法人税額の25％（ただし、研究開発を行う一定のベンチャー企業は40％）

(注3)　税額控除率の上限は原則10％（ただし時限措置で14％に引き上げ）

10. 中小企業者の試験研究費等の税額控除（中小企業技術基盤強化税制）

（1）適用要件

① 青色申告法人である中小企業者（大規模法人（注）の子会社等を除く資本金又は出資の金額が1億円以下の法人、資本金又は出資金を有しない法人のうち常時使用する従業員の数が1,000人以下の法人）又は農業協同組合等であること

（注）　大規模法人とは下記の法人をいう。

ア　資本金又は出資金の額が1億円超の法人

イ　資本又は出資を有しない法人で常時使用従業員数が1,000人超の法人

ウ　大法人（資本金の額もしくは出資金の額が5億円以上である法人、相互会社もしくは外国相互会社（常時使用従業員が1,000人超のものに限る）又は受託法人）の100%子会社

エ　100%グループ内の複数の大法人（同上）に発行済株式又は出資の全部を保有されている法人

② 適用除外事業者（事業年度開始前3年以内に終了した各事業年度の所得の合計額×（12／各事業年度の月数合計）が15億円を超える法人）ではないこと

③ 「試験研究費の総額に係る税額控除」を適用する事業年度、解散（合併による解散を除く）の日を含む事業年度及び清算中の各事業年度を除く

④ 確定申告書に控除額の申告及び計算の明細を記載すること

（2）法人税額から控除する金額の計算（2021（令和3）年4月1日～2026（令和8）年3月31日までに開始する各事業年度）

① 増減試験研究費割合が12%を超える場合

- 税額控除率（上限17%）＝12%＋（増減試験研究費割合－12%）×0.375
- 税額控除の上限は各事業年度の法人税額の35%

② 試験研究費割合が10%を超える場合

- 税額控除の上限（上限10%）＝各事業年度の法人税額×25%＋各事業年度の法人税額×（試験研究費割合－10%）×2

【措法42の3の2、42の4②、⑤、⑥、⑧、措令27の4⑤】

11. 総額型の控除上限額上乗せ措置

〈平均試験研究費割合による上乗せ措置〉

① 適用要件・控除額の計算

試験研究費の額が平均売上金額（注）の10%を超える場合には、その超える部分の金額に控除割増率（＝試験研究費割合から10%を控除した割合に0.5を乗じた割合）を乗じた金額の特別税額控除ができる。

② 控除限度額

この制度における控除税額は、**9. 試験研究費の総額に係る税額控除** 又は **10. 中小企業者の試験研究費等の税額控除** とは別に、当期の法人税額の10%が限度となる。

【措法42の4④、68の9④】

（注）　平均売上金額

当事業年度及び当事業年度開始日前3年以内に開始した各事業年度の売上金額の合計額をその各事業年度の数で除した金額

【措法42の4⑥、68の9⑥】

12. 特別試験研究費の額に係る税額控除

当期に損金算入の特別試験研究費があるときの法人税額から控除する金額の計算

（1）税額控除割合

① 特別研究機関等と共同して行う試験研究又は特別研究機関等に委託する一定の試験研究費の額……30%

② 特別新事業開拓事業者又は、国立研究開発法人・国公立大学の外部化法人に委託する一定の試験研究費……25%

③ ア・イ以外のもの……20%

（2）税額控除限度額

法人税額×10%（この制度における控除税額は、試験研究費の総額に係る税額控除又は中小企業者の試験研究費等の税額控除とは別枠）

【措法42の4⑦】

13. 中小企業者等が機械等を取得した場合の法人税額の特別控除

（1）適用要件

① 青色申告法人である特定中小企業者（大規模法人（**10.（1）①（注）**を参照）の子会社等を除く資本又は出資の金額が1億円以下の法人、資本又は出資を有しない法人のうち常時使用する従業員の数が1,000人以下の法人のうち、資本金又は出資金額が3,000万円以下の法人）又は農業協同組合等であること

② 適用除外事業者（**10.（1）①** を参照）でないこと

③ 2025（令和7）年3月31日までの期間内に新品の減価償却資産（機械装置と器具備品及びソフトウェアは価額要件を満たすもの。以下「特定機械装置等」という）を取得等して国内の指定事業（内航運送用船舶貸渡業を営む法人以外の法人の貸付け用を除く）の用に供すること

④ その機械等につき中小企業者等が機械等を取得した場合の特別償却、その他の特別償却又は法人税額の特別控除の適用を受けないこと

⑤ 確定申告書等に控除金額を記載し、その計算に関する明細書を添付すること

（2）適用対象資産

① 機械及び装置（1台又は1基の取得価額が160万円以上）

② 器具及び備品（1台又は1基の取得価額（又は同一種類のものの取得価額の合計額）が120万円以上の次に掲げる一定の規格を有するもの）

電子計算機、インターネット接続のデジタル複写機、試験機器等

③ ソフトウェア（一のソフトウェアの取得価額又は取得価額の合計額が70万円以上）

④ 貨物運送用の車輌総重量が3.5トン以上の貨物自動車

⑤ 内航海運業用の船舶

（3）税額控除金額の計算

特定機械装置等の取得価額(注)の合計額×7％ （(注)船舶は、取得価額×75％） 併用年度の法人税額×20％	} いずれか 少ない金額

【措法42の6①、②、③、措令27の6、措規20の3】

14. 地方活力向上地域等において雇用者の数が増加した場合の特別税額控除

（1）地方事業所基準雇用者数に係る措置

　青色申告法人で地域再生法に規定する認定事業者（（2026（令和8）年3月31日までの間に地方活力向上地域等特定業務施設整備計画について同法の認定を受けた法人に限る）が、適用年度において、以下の①に掲げる要件を満たす場合には、その適用年度の法人税額から、次の②に掲げる金額の特別税額控除ができる（17.地方活力向上地域において特定建物等を取得した場合の法人税額の特別控除との選択適用）。

① 次に掲げるすべての要件

　ア　適用年度の特定新規雇用者等数が2人以上であること（適用年度前の各事業年度のうちその計画認定日以後に終了する各事業年度のいずれかにおいてその計画認定に係る一定の特定業務施設につき既に特定新規雇用者等数が2名以上であったこと（各事業年度のいずれかにおいて基準雇用者数又は地方事業所基準雇用者数が0に満たない場合を除く）につき一定の証明がされたことを含む）

　イ　労働者が雇用される事業を行い、かつ、他の法律により業務の規制及び適正化のための措置が講じられている事業として一定のものを行っていないこと

② 次に掲げる区分に応じそれぞれ次に定める金額

　ア　30万円に、適用年度の地方事業所基準雇用者数（適用年度の基準雇用者数を上限とする）のうち適用年度の特定新規雇用者数に達するまでの数を乗じて計算した金額（移転型特定業務施設において適用年度に新たに雇用された特定雇用者で適用年度終了日において移転型特定新規雇用者数がある場合は、20万円にその特定新規雇用者基礎数のうち、移転型特定新規雇用者数に達するまでの数を乗じて計算した金額を加算した金額）

　イ　20万円に、適用年度の地方事業所基準雇用者数から新規雇用者総数を控除して計算した数のうち、特定非新規雇用者数に達するまでの数（移転型非新規基準雇用者数が0を超える場合には、その計算した数のうちその移転型非新規基準雇用者数に達するための数を加算した数）を乗じて計算した金額

（2）地方事業所特別基準雇用者数に係る措置

　青色申告法人で地域再生法に規定する認定事業者であるもののうち上記(1)の適用を受ける又は受けたものが、その適用を受ける事業年度以後の各事業年度において上記(1)①イの要件を満たす場合には、40万円に適用年度の地方事業所特別基準雇用者数を乗じて計算した金額（その計画認定に係る一定の特定業務施設が準地方活力向上地域内にある場合には30万円にその特定業務施設に係る適用年度の地方事業所特別基準雇用者数を乗じて計算した金額）

15. 認定地方公共団体の寄附活用事業に関連する寄附をした場合の特別税額控除

　青色申告法人が2016（平成28）年4月20日から2025（令和7）年3月31日までの間に、地域再生法の認定公共団体に対して一定の寄附金を支出した場合には、当該寄附金の40％相当額から、当該寄附金について地方税法の規定により道府県民税及び市町村民税（都民税を含む）の額から控除される金額を控除した金額（当該寄附金の10％相当額を上限とする）の特別控除ができる。ただし、特別控除額については、当期の法人税額の5％相当額を限度とする。

【措法42の12の2、68の15の3】

16. 給与等の支給額が増加した場合等の特別税額控除（賃上げ促進税制の強化）

　青色申告法人が、2021（令和3）年4月1日から2027（令和9）年3月31日までの間に開始する事業年度（設立事業年度、解散・清算中の事業年度を除く）において国内雇用者に対して給与等を支給する場合において、改正後の要件を満たすときは、次ページ図表記載の特別税額控除ができる。ただし、当期の所得に対する法人税額の20％相当額を限度とする。

17. 地方活力向上地域において特定建物等を取得した場合の法人税額の特別控除

　青色申告法人で改正地域再生法の一部を改正する法律の施行の日から2026（令和8）年3月31日までの期間（指定期間）内に地域再生法に規定する地方活力向上地域等特定業務施設整備計画について認定を受けたものが、その認定を受けた日から同日の翌日以後3年を経過する日までの間に、地方活力向上地域内において、「認定地方活力向上地域等特定業務施設整備計画」に記載された「特定建物等」を取得又は建設（取得価額の合計が80億円を上限）して、これをその法人の事業の用に供した場合には、その事業の用に供した日を含む事業年度に、法人税額の特別控除（特別償却との選択適用）ができる。　【措法42の11の3②】

（1）対象法人・指定期間・対象資産・供用年度

　地方活力向上地域において特定建物等を取得した場合の特別償却制度と同様。

【措法42の11の3①、措令27の12】

（2）税額控除限度額

　次の算式により計算する。

　（注）　当該事業年度の法人税額の20％相当額が限度。

【措法42の11の3②】

〈算式〉

① 拡充型計画の場合： 　税額控除限度額＝特定建物等の基準取得価額×4％
② 移転型計画の場合： 　税額控除限度額＝特定建物等の基準取得価額×7％

18. 地域経済牽引事業の促進区域内において特定事業用機械等を取得した場合の特別控除

　青色申告法人で承認地域経済牽引事業者であるものが改

10.中小企業者の試験研究費等の税額控除（中小企業技術基盤強化税制）／11.総額型の控除上限額上乗せ措置／12.特別試験研究費の額に係る税額控除／13.中小企業者等が機械等を取得した場合の法人税額の特別控除／14.地方活力向上地域等において雇用者の数が増加した場合の特別税額控除／15.認定地方公共団体の寄附活用事業に関連する寄附をした場合の特別税額控除／16.給与等の支給額が増加した場合等の特別税額控除（賃上げ促進税制の強化）／17.地方活力向上地域において特定建物等を取得した場合の法人税額の特別控除／18.地域経済牽引事業の促進区域内において特定事業用機械等を取得した場合の特別控除

311

○賃上げ促進税制の強化

			改正後		

改正後

大企業 （注１）	継続雇用者 給与総額	基本控除率	教育訓練費 +20% ⇒ +10% 【要件緩和】	女性活躍 子育て支援* 【新設】	合計控除率 最大35%
	+3%	10%			20%
	+4%	15%	+5%	+5%	25%
	+5%	20%			30%
	+7%	25%			35%

*プラチナくるみん or プラチナえるぼし

中堅企業 （注２）	継続雇用者 給与総額	基本控除率	教育訓練費 +20% ⇒ +10% 【要件緩和】	女性活躍 子育て支援* 【新設】	合計控除率 最大35%
	+3%	10%	+5%	+5%	20%
	+4%	25%			35%

*プラチナくるみん or えるぼし三段階目以上

中小企業	全雇用者 給与総額	基本控除率	教育訓練費 10% ⇒ +5% 【要件緩和】	女性活躍 子育て支援* 【新設】	合計控除率 最大45%
	+1.5%	15%	+10%	+5%	30%
	+2.5%	30%			45%

*くるみん or えるぼし二段階目以上

（3年間の措置）

中小企業の繰越控除：5年間（繰越控除する年度は全雇用者給与総額対前年度増が要件）
（※１）控除上限：当期の法人税額の20%
（※２）教育訓練費の上乗せ要件について、当期の給与総額の0.05%以上との要件を追加。
（※３）くるみん：仕事と子育ての両立サポートや、多様な労働条件・環境整備等に積極的に取り組む企業に対する厚生労働大臣の認定
　　　　えるぼし：女性の活躍推進に関する状況や取組等が優良な企業に対する厚生労働大臣の認定
（※４）繰越控除するためには、繰越控除額が発生した年度の申告で明細書の提出が必要。

（注１）資本金10億円以上かつ常時使用従業員数1,000人以上の企業は自社ホームページ等にマルチステークホルダー関係構築の方針を公表し、その内容を経済産業大臣へ届け出ていること。
（注２）従業員数が2,000人以下の企業。
（出所）財務省「令和6年度税制改正」（令和6年3月発行）

正企業立地の促進等による地域における産業集積の形成及び活性化に関する法律の施行日から2025（令和7）年3月31日までの間に、承認地域経済牽引事業計画に従って特定地域経済牽引事業施設等（取得価額の合計額が2,000万円以上のもの）の取得等をして、事業の用に供した場合には下記記載の法人税額の特別控除ができる（特別償却との選択適用）。

〈控除税額〉
　基準取得価額の5%（建物及び附属設備並びに構築物は2%）　　　　　　　　　　　　　　【措法42の11の2】

19. 認定特定高度情報通信技術活用設備を取得した場合の特別税額控除

　青色申告法人で「特定高度情報通信技術活用システムの開発供給及び導入の促進に関する法律」に規定する認定導入事業者であるものが、同法施行日から2025（令和7）年3月31日までの期間内に認定特定高度情報通信技術活用設備の取得等をして、国内事業の用に供した場合（貸付け用を除く）、その取得価額の30%相当額の特別償却とその取得価額の以下に掲げる割合相当額の特別税額控除（法人

税額の20%相当額を限度とする）との選択適用ができる。
① 2023（令和5）年3月31日まで：15%（一定のものは9%）
② 2023（令和5）年4月1日〜2024（令和6）年3月31日まで：9%（一定のものは5%）
③ 2024（令和6）年4月1日〜2025（令和7）年3月31日まで：3%　　　　　　　【措法42の12の6】

20. 事業適応設備を取得した場合等の特別税額控除

（1）情報技術事業適応設備

　青色申告法人で産業競争力強化法に規定する認定事業適応事業者であるものが、同法の改正法の施行の日（2021（令和3）年8月2日）から2025（令和7）年3月31日までの間に、情報技術事業適応の用に供するためにソフトウエアの新設若しくは増設をし、又はその事業適応を実施するために必要なソフトウエアの利用に係る費用（繰延資産となるものに限る）の支出をした場合、国内にある事業の用に供した事業適応設備の取得価額または繰延資産の額の30%の特別償却とその取得価額の3%（グループ外の事

業者とデータ連携をする場合には、5％）の税額控除との選択適用ができる。

また、情報技術事業適応を実施するために利用するソフトウエアのその利用に係る費用を支出した場合には、その支出した費用に係る繰延資産の額30％の特別償却とその取得価額の3％（グループ外の事業者とデータ連携をする場合には、5％）の税額控除との選択適用ができる。

(2) 生産工程効率化等設備

青色申告法人で、産業競争力強化法に規定する認定事業適応計画について同法の認定を受けたものが、同法の改正法の施行の日（2021（令和3）年8月2日）から2026（令和8）年3月31日までの間に、その計画に記載された産業競争力強化法の生産工程効率化等設備等を取得等をして、国内にある事業の用に供した場合には、その取得価額の50％の特別償却とその取得価額の5％（温室効果ガスの削減に著しく資するものにあっては、10％）の税額控除との選択適用ができる。

税額控除を行う場合の控除税額は、（1）（2）の税額控除との合計で当期の法人税額の20％を上限とする。
【措法42の12の7】

21. そ の 他

主なものは以下のとおり。

(1) 国家戦略特別区域において機械等を取得した場合の特別税額控除　　【措法42の10、68の14】

(2) 国際戦略総合特別区域において機械等を取得した場合の特別税額控除　　【措法42の11、68の14の2】

(3) 中小企業者等が特定経営力向上設備を取得した場合の特別控除　　【措法42の12の4】

4　申告、納付及び還付等

1. 申　　告

(1) 確定申告

① 申告書の提出

各事業年度終了の日の翌日から2カ月以内に、税務署長に対し提出しなければならない。【法法74①】

② 申告書の添付書類

確定申告書には、当該事業年度の貸借対照表、損益計算書、株主資本等変動計算書、勘定科目内訳書、事業等の概況に関する書類等を添付しなければならない。
【法法74③、法規35】

(2) 提出期限の延長

① 確定申告書を提出すべき法人

災害その他やむを得ない理由により法人の決算が確定しないため、確定申告書を期限内に提出できない場合には、その提出期限の延長を申請することができる。この延長申請書は、事業年度終了の日の翌日から45日以内に申請しなければならない。【法法75①、②】

② 提出期限延長の特例

確定申告書を提出すべき内国法人が、定款等の定めに

より、又は、その内国法人に特別の事情があることにより、その事業年度以後の各事業年度終了の日の翌日から2カ月以内にその各事業年度の決算についての定時総会が招集されない常況にあると認められる場合には、所轄税務署長は、その内国法人の申請に基づき、当該事業年度以後の各事業年度の申告書の提出期限を1カ月間延長することができる。　　【法法75の2①】

③ 延長期間について税務署長の指定を受けることができる場合

指定を受けることができる場合は、次のア又はイの場合とされ、延長期間は次のとおりとなる。

ア 会計監査人を置いている場合で、かつ、定款等の定めによりその事業年度以後の各事業年度終了の日の翌日から3カ月以内にその各事業年度の決算についての定時総会が招集されない常況にあると認められる場合

その定めの内容を勘案して4カ月を超えない範囲内において税務署長が指定する月数の期間
【法法75の2①一】

イ 上記②の特別の事情があることによりその事業年度以後の各事業年度終了の日の翌日から3カ月以内にその各事業年度の決算についての定時総会が招集されない常況にあることその他やむを得ない事情があると認められる場合

税務署長が指定する月数の期間　【法法75の2①二】

(3) 中間申告

① 予定申告

内国法人である普通法人（清算中のものを除く）で、その事業年度が6カ月を超える場合には、次に掲げる場合を除き、事業年度開始の日以後6カ月を経過した日から2カ月以内に、税務署長に対し、下記の税額を記載した中間申告書を提出しなければならない。
【法法71】

$$税額（前事業年度の法人税額）\times\frac{6}{前事業年度の月数}$$

〈申告を要しない場合〉

ア 法人新設後の最初の事業年度（適格合併法人の場合を除く）　　【法法71①】

イ 更生手続開始の時に続く会社の事業年度
【会更法232③】

ウ 前述の算式により計算された税額が10万円以下である場合又はその金額がない場合　　【法法71①】

② 中間仮決算による中間申告

ア 申告書の提出

事業年度開始の日以後6カ月の期間を一事業年度とみなして、この期間の所得金額及び法人税額又は欠損金額を計算し、その額により中間申告書を提出することができる。ただし、次の場合には、仮決算による中間申告書を提出することができない。

(ア) 前事業年度の確定法人税額を前事業年度の月数で除し、これに6を乗じて計算した金額が、10万円以下である場合又はその金額がない場合

(イ) 仮決算による中間申告書に記載すべき法人税の額が、前事業年度の確定法人税額を前事業年度の月数

で除し、これに6を乗じて計算した金額を超える場合　　　　　　　　　　　　　　【法法72①】

イ　仮決算の中間申告による所得税額の還付制度

　　災害のあった日から同日以後6カ月を経過する日までの間に終了する中間期間において生じた災害損失金額がある場合には、仮決算の中間申告において、その中間期間において課される所得税額（復興特別所得税額を含む）でその中間期間の法人税額から控除しきれなかった金額（災害損失金額を限度とする）を還付する。　　　　　　　　　　【法法72④、78①】

（4）大法人の申告書の電子情報処理組織による提出義務

　2020（令和2）年4月1日以後開始事業年度の所得に対する法人税について、事業年度開始時において資本金又は出資金が1億円を超える法人並びに相互会社、投資法人及び特定目的会社である内国法人は、確定申告書、中間申告書もしくは修正申告書等の納税申告書及び添付書類を一定の方法によりあらかじめ税務署長に届け出て行う電子情報処理組織を使用する一定の方法(e-Tax)により行わなければならないこととされた。

　　　　　　【平30年改正法附則36、42①、102、107】

2. 納付及び還付

（1）納　　付

①　確定申告書又は中間申告書の提出期限内に納付しなければならない。　　　　　　　　　　【法法76、77】

②　更正又は決定により納付すべき法人税額は、更正通知書又は決定通知書が発せられた日の翌日から1カ月以内に納付しなければならない。　　　【通則法35②】

（2）還　　付

①　所得税額等の還付

　　確定申告書に所得税額及び外国税額の控除不足額の記載があるときは、当該金額に相当する税額を還付する。

　　　　　　　　　　　　　　　　　　　　【法法78①】

②　中間納付額の還付

　　中間申告書を提出した普通法人からその中間申告書に係る事業年度の確定申告書の提出があった場合において、その確定申告書に中間納付額の控除不足額の記載があるときは、その金額に相当する中間納付額を還付する。　　　　　　　　　　　　　　　　【法法79①】

③　欠損金の繰戻しによる還付

　ア　適用要件

　　(ア)　青色申告法人であること　　　【法法80①】

　　(イ)　欠損金の繰戻しの対象となる所得のあった事業年度からその欠損金の生じた事業年度まで連続して青色申告書を提出していること　　　【法法80③】

　　(ウ)　欠損金の生じた事業年度の確定申告の提出期限までに法人税の還付請求書を提出すること

　　　　　　　　　　　　　　　　　　　【法法80⑤】

　　(エ)　繰戻しの対象は、その欠損金の生じた日を含む事業年度開始の日前1年以内に開始した各事業年度の所得金額に限ること　　　　　　【法法80①】

　イ　還付法人税額の計算　　　　　　【法法80①】

$$還付所得事業年度の法人税額 \times \frac{繰戻しする欠損金額}{その事業年度の所得金額} = 還付する法人税額$$

　ウ　欠損金の繰戻しによる還付の不適用

　　欠損金繰戻し還付の制度は、内国法人（法法80①）外国法人（法法144の13①、②）のうち、資本金等の額が1億円以下の中小企業者等（ただし、資本金等の額が5億円以上である法人、相互会社及び法人税法で規定する受託法人により完全支配されているものを除く）・公益法人等・協同組合等・人格のない社団等以外の法人の、2026（令和8）年3月31日までの間に終了する各事業年度において生じた欠損金額については、適用しない。　　　　　　　　　　【措法66の12】

④　災害損失欠損金の繰戻しによる還付

　　災害のあった日から同日以後1年を経過する日までの間に終了する各事業年度又は災害のあった日から同日以後6カ月を経過する日までの間に終了する中間期間において生じた災害損失欠損金額がある場合には、その事業年度又は中間期間開始の日前1年（青色申告である場合には、前2年）以内に開始したいずれかの事業年度の法人税額のうち災害損失欠損金額に対応する部分の金額について、還付を請求することができる。

　　　　　　　　　　　　　　　【法法80①、⑤】

5　グループ通算制度

1. 適用法人

　適用対象となる法人は、下記**（1）**の親法人及びその親法人との間にその親法人による完全支配関係がある下記**（2）**の子法人に限られ、「内国法人及びその内国法人との間にその内国法人による完全支配関係がある他の内国法人」のすべてが国税庁長官の承認を受けなければならない。

（注）　グループ通算制度における「完全支配関係」は、完全支配関係（法法2二の七の六）のうち下記(1)③から⑦までの法人及び外国法人が介在しない一定の関係に限る。

（1）親　法　人

　普通法人又は協同組合等のうち、次の①から⑥までの法人及び⑥に類する一定の法人のいずれにも該当しない法人。

①　清算中の法人

②　普通法人（外国法人を除く）又は協同組合等との間にその普通法人又は協同組合等による完全支配関係がある法人

③　通算承認の取りやめの承認を受けた法人でその承認日の属する事業年度終了後5年を経過する日の属する事業年度終了の日を経過していない法人

④　青色申告の承認の取消通知を受けた法人でその通知後5年を経過する日の属する事業年度終了の日を経過していない法人

⑤　青色申告の取りやめの届出書を提出した法人でその提

出後１年を経過する日の属する事業年度終了の日を経過していない法人

⑥　投資法人、特定目的会社

⑦　その他一定の法人（普通法人以外の法人、破産手続開始の決定を受けた法人等）

(2) 子 法 人

　親法人との間にその親法人による完全支配関係がある他の内国法人のうち上記(1)③から⑦までの法人以外の法人。

【法法64の9①】

2. 適用方法

(1) 申　　請

　法人及び子法人が、グループ通算制度の適用に係る国税庁長官の承認（以下「通算承認」という）を受けようとする場合には、原則として、その親法人のグループ通算制度の適用を受けようとする最初の事業年度開始の日の３月前の日までに、その親法人及び子法人のすべての連名で、承認申請書をその親法人の納税地の所轄税務署長を経由して、国税庁長官に提出する必要がある。　【法法64の9②】

(2) みなし承認

　上記(1)のグループ通算制度の適用を受けようとする最初の事業年度開始の日の前日までにその申請についての通算承認又は却下の処分がなかったときは、その親法人及び子法人のすべてについて、その開始の日においてその通算承認があったものとみなされ、同日からその効力が生じる。　　　　　　　　　　【法法64の9⑤、⑥】

(3) 申請の却下

　国税庁長官は、承認申請書の提出があった場合において、次のいずれかに該当する事実があるときは、その申請を却下することができる。

①　グループ通算制度の適用を受けようとする親法人又は子法人（以下「通算予定法人」という）のいずれかがその申請を行っていないこと。

②　その申請を行っている法人に通算予定法人以外の法人が含まれていること。

③　その申請を行っている通算予定法人について、その備え付ける帳簿書類に取引の全部又は一部を隠蔽し、又は仮装して記載し、又は記録していることその他不実の記載又は記録があると認められる相当の理由があること等の一定の事実（法法64の9③三イ〜ニ）のいずれかに該当すること。　　　　　　　【法法64の9③】

(4) グループ通算制度への加入

①　原則

　子法人が通算親法人（法法２十二の六の七）との間にその通算親法人による完全支配関係を有することとなった場合には、その子法人については、その完全支配関係を有することとなった日（以下「加入日」という）において通算承認があったものとみなされ、同日からその効力が生じる。

【法法64の9⑪】

②　加入時期の特例の適用を受ける場合

　加入時期の特例の適用を受ける場合には、加入日の前日の属する特例決算期間の末日の翌日において通算承認があったものとみなされ、同日からその効力が生じる。

【法法14⑧一、64の9⑪】

(注)　「特例決算期間」とは、その内国法人の月次決算期間（会計期間をその開始の日以後１月ごとに区分した各期間）又は会計期間のうち下記 **4.(3)** において提出する届出書に記載された期間をいう。

(5) グループ通算制度の取りやめ等

　通算法人（法法二十二の七の二）は、やむを得ない事情があるときは、国税庁長官の承認を受けてグループ通算制度の適用を受けることをやめることができる。この取りやめの承認を受けた場合には、その承認を受けた日の属する事業年度終了の日の翌日から、通算承認の効力は失われる。

　また、通算親法人の解散等の一定の事実が生じた場合のほか、青色申告の承認の取消しの通知を受けた場合においても、通算承認の効力は失われる。

【法法64の10①〜⑥、127①〜④】

　なお、通算法人は、自ら青色申告を取りやめることはできない。　　　　　　　　　　　　　　　　【法法128】

3. 納税主体

(1)　親法人及び各子法人（以下「通算法人」という）が申告を行う。

(2)　通算法人には、他の通算法人の法人税について、連帯納付の責めを負う。

(3)　親法人の電子署名により子法人の申告及び申請、届出等を行うことができる。　　【法法74、152、150の3】

4. 事業年度

(1) 通算子法人の事業年度の特例

①　通算子法人でその通算子法人に係る通算親法人の事業年度開始の時にその通算親法人との間に通算完全支配関係（法法２十二の七の七）がある通算子法人の事業年度は、その開始の日に開始する。

②　通算子法人でその通算子法人に係るその通算親法人の事業年度終了の時にその通算親法人との間に通算完全支配関係がある通算子法人の事業年度は、その終了の日に終了する。

　また、通算子法人である期間については、その通算子法人の会計期間等による事業年度で区切られず、通算親法人の事業年度と同じ期間がその通算子法人の事業年度となる。　　　　　　　　　　　　　　【法法14③、⑦】

(2) 通算子法人のグループ通算制度への加入・離脱に係る事業年度の特例

　以下の事実が生じた場合には、その事実が生じた内国法人の事業年度は、それぞれ次に定める日の前日に終了し、これに続く事業年度は、下記②の内国法人の合併による解散又は残余財産の確定に基因して下記②の事実が生じた場合を除き、それぞれ次に定める日から開始するものとされる。　　　　　　　　　　　　　　　　【法法14④】

①　内国法人が通算親法人との間にその通算親法人による完全支配関係を有することとなったこと　その有することとなった日（加入日）

②　内国法人が通算親法人との間にその通算親法人による通算完全支配関係を有しなくなったこと　その有しなくなった日（離脱日）

(3) 加入時期の特例

内国法人が、通算親法人との間にその通算親法人による完全支配関係を有することとなり、又は親法人の申請特例年度（法法64の9⑨）に規定する期間内にその親法人との間にその親法人による完全支配関係を有することとなった場合において、その内国法人が加入時期の特例の適用がないものとした場合に加入日の前日の属する事業年度に係る確定申告書の提出期限となる日までに、その通算親法人等が加入時期の特例の適用を受ける旨の届出書を納税地の所轄税務署長に提出したときは、上記(2)①及び親法人の申請特例年度の期間内に当該親法人との間に当該親法人による完全支配関係を有することとなった内国法人（法法14⑤二）等の適用については以下のとおりとなる。

① その加入日からその加入日の前日の属する特例決算期間の末日まで継続してその内国法人とその通算親法人等との間にその通算親法人等による完全支配関係がある場合

その加入日の前日の属する特例決算期間の末日の翌日をもって上記(2)①及び法法14⑤二に定める日。

② 上記①の場合以外の場合

特例決算期間の中途において、その通算親法人等との間にその通算親法人等による完全支配関係を有しないこととなった内国法人は、通算子法人とはならず、その内国法人の会計期間等による事業年度となる。【法法14⑧】

5. 所得金額及び法人税額の計算

(1) 損益通算

① 通算法人の所得が生ずる事業年度終了日（基準日）において完全支配関係がある他の通算法人の基準日に終了する事業年度において損益通算の規定及び一定の規定を適用する前の欠損金額が生ずる場合は、その通算法人の通算対象欠損金額は、その事業年度において損金の額に算入される。

通算対象欠損金額：他の通算法人の基準日に終了する事業年度において生ずる通算前欠損金額の合計額に、通算法人の通算前所得金額が、通算法人の事業年度及び他の通算法人の基準日に終了する事業年度の通算前所得金額の合計額のうちに占める割合を乗じて計算した金額

② 通算法人の欠損事業年度終了日（基準日）において通算完全支配関係がある他の通算法人の基準日に終了する事業年度において通算前所得金額が生ずる場合には、その通算法人のその欠損事業年度の通算対象所得金額は、その欠損事業年度において益金の額に算入される。

通算対象所得金額：他の通算法人の基準日に終了する事業年度において生ずる通算前所得金額の合計額に、通算法人の欠損事業年度において生ずる通算前欠損金額が、通算法人の欠損事業年度及び他の通算法人の基準日に終了する事業年度において生ずる通算前欠損金額の合計額のうちに占める割合を乗じて計算した金額

③ 通算法人の通算前所得金額又は通算前欠損金額が、期限内申告書に添付された書類に記載された金額と異なる場合は、その記載された通算前所得金額又は通算前欠損金額を上記①又は②の通算前所得金額又は通算前欠損金額とみなして上記①又は②の計算をする。【法法64の5】

(2) 欠損金の通算

① 通算法人の欠損金の繰越控除の適用を受ける事業年度開始日前10年以内に開始した事業年度において生じた欠損金額は、その通算法人の特定欠損金額と、各通算法人の欠損金額のうち特定欠損金額以外の金額の合計額を各通算法人の特定欠損金の繰越控除後の損金算入限度額の比で按分した金額との合計額とされ、繰越控除は次に掲げる金額の合計額が限度とされる。

ア 各通算法人の損金算入限度額の合計額を各通算法人の特定欠損金額のうち欠損金繰越控除前の所得金額に達するための金額比で按分した金額

イ 各通算法人の特定欠損金繰越控除後の損金算入限度額の合計額を各通算法人の配分後の非特定欠損金額比で配分した金額

② 他の通算法人の事業年度の損金算入限度額又は事業年度開始日前10年以内に開始した事業年度において生じた一定の欠損金額もしくは欠損金の繰越控除前所得金額が、期限内申告書に添付された書類に記載された金額と異なる場合には、その記載された金額をその事業年度の損金算入限度額又はその事業年度開始の日前10年以内に開始した事業年度において生じた一定の欠損金額もしくは欠損金の繰越控除前の所得の金額とみなす。

③ 通算法人の事業年度の損金算入限度額又は事業年度開始日前10年以内に開始した事業年度において生じた一定の欠損金額が期限内申告書に添付された書類に記載された金額と異なる場合には、一定の欠損金額及び損金算入限度額で期限内申告において他の通算法人との間で授受した金額を固定する調整をした上で、その通算法人のみで欠損金の繰越控除額を再計算することとされる。

【法法64の7】

(3) 通算法人又は他の通算法人の事業年度のいずれかについて修正申告又は更正がされる場合において、通算事業年度のすべてについて、期限内申告における所得金額が0又は欠損金額がある等の要件に該当する場合、上記(1)③並びに(2)②及び③を適用しない。

【法法64の5、64の7】

(4) 税務署長は、通算法人の所得金額もしくは欠損金額又は法人税額の計算につき上記(1)③並びに(2)②及び③等の規定を適用したならば離脱法人に欠損金があることとなる等一定の事実が生じ、法人税の負担を不当に減少させる結果になると認められるときは、上記(1)③並びに(2)②及び③を適用しないことができる。

【法法64の5、64の7】

(5) 利益・損失の二重計上の防止

① 通算法人が有する他の通算法人である子法人の株式評価損益及び他の通算法人に対する譲渡損益を計上しない。

② 通算終了事由が生じた時の属する事業年度の確定申告書等に当該他の通算法人の株式に係る資産調整勘定対応金額の合計額等の計算に関する明細を記載した書類を添付している等の一定の場合には、その有する当該他の通算法人の株式の通算終了事由が生じた時の直後の一単位当たりの帳簿価額の計算における簿価純資産価額の計算上その資産調整勘定対応金額の合計額等を加算すること

ができる。

③　グループ通算制度の適用開始又は通算グループへの加入をする子法人で親法人との間に親法人による完全支配関係の継続が見込まれないものの株式をグループ通算制度の適用開始直前又は通算グループへの加入時に有する内国法人は、その株式について時価評価により評価損益を計上する。

　ただし、グループ通算制度の適用開始又はグループ通算制度への加入後、損益通算をせずに2月以内にグループ通算制度から離脱する法人については、上記①から③までを適用しない。
【法法25、26、33、38、61の11、64の11、64の12】

(6)　税率
　各通算法人の適用税率による。なお、中小法人の軽減税率の適用対象となる所得金額は、年800万円を各通算法人の所得の金額比で配分した金額とされる。　【法法66】

(7)　税効果相当額の授受
　内国法人が他の内国法人との間で通算税効果額を授受する場合には、その授受する金額は、益金の額及び損金の額に算入しない。　【法法26、38】

6. 申告及び納付

(1)　通算法人は、e-Tax により法人税等の確定申告書等を提出しなければならない。なお、添付書類の提出方法及び各種特例についても、大法人と同様とされる。
【法法75の4】

(2)　中間申告については、清算中の子法人も対象とされ、子法人にあっては、親法人の事業年度が6月を超え、かつ、その事業年度開始日以後6月を経過した日において親法人との間に通算完全支配関係がある場合には、中間申告をしなければならないこととされた上、親法人である協同組合等との間に通算完全支配関係がある子法人は中間申告を要しない。　【法法71】

(3)　仮決算による中間申告については、子法人の中間申告をする期間はその事業年度開始日から親法人の事業年度開始日以後6月を経過した日の前日までの期間とし、他の通算法人のいずれかが仮決算による中間申告を行わなかった場合において、中間申告をすべき法人である場合には、前事業年度の実績に基づいた中間申告を行ったとみなされ、中間申告をすべき法人でない場合には、中間申告を行わなかったものとみなす。　【法法72】

(4)　通算法人の申告については、申告期限の延長特例による延長期間が2月とされる。　【法法75の2】

(5)　災害により決算が確定しない場合等の申告期限の延長及び上記(4)の延長特例の申請は親法人が行うものとされ、親法人に延長処分があった場合におけるその子法人及び上記(4)の延長特例を受けている親法人との間に通算完全支配関係を有することとなった子法人は、申告期限が延長されたものとみなされる。　【法法75、75の2】

(6)　通算法人について、グループ通算制度の承認が効力を失った場合には、その効力を失った日以後に終了する事業年度について、上記(4)の延長は効力を失う。
【法法75の2】

(7)　国税通則法の災害等による期限延長制度により通算グ

ループ内のいずれかの法人の申告期限が延長された場合には、他の法人についても申告期限の延長があったものとみなされる。　【法法72の2、75の3】

(8)　通算子法人の残余財産の確定の日が通算親法人の事業年度終了の日である場合の通算子法人の確定申告書の提出期限については次の通りとなる。

①　その通算子法人の残余財産の確定の日の属する事業年度の確定申告書の提出期限をその事業年度終了の日の翌日から2月以内とする。

②　通算親法人が申告期限の延長特例の適用を受けている場合には、その通算子法人の残余財産の確定の日の属する事業年度について申告期限の延長特例の適用があるものとする。　【法法74、75の2】

7. グループ通算制度の適用開始、グループ通算制度への加入及びグループ通算制度からの離脱

　グループ通算制度の適用開始、通算グループへの加入及び通算グループからの離脱時において、一定の場合には、以下の制限がある。

(1)　時価評価除外法人
　グループ通算制度の適用開始又は通算グループへの加入に伴う資産の時価評価について、以下の法人は対象外とされる。

①　適用開始時の時価評価課税の対象外となる法人
　ア　親法人との間に親法人による完全支配関係の継続が見込まれている子法人
　イ　いずれかの子法人との間に親法人による完全支配関係の継続が見込まれている親法人　【法法64の11①】

②　加入時の時価評価課税の対象外となる法人
　ア　適格株式交換等により加入した株式交換等完全子法人
　イ　通算法人が親法人による完全支配関係がある法人を設立した場合の当該新設法人
　ウ　適格組織再編成と同様の要件として次の要件のすべてに該当する法人
　　(ア)　親法人との間の完全支配関係の継続要件
　　(イ)　その法人の従業者継続要件
　　(ウ)　その法人の主要事業継続要件
　　(エ)　その法人の主要な事業といずれかの通算法人の事業との事業関連性要件
　　(オ)　上記(エ)の各事業の事業規模比5倍以内要件又はその法人の特定役員継続要件　【法法64の12①】

(2)　時価評価除外法人以外の法人（時価評価法人）のグループ通算制度の適用開始又はグループ通算制度への加入前の欠損金が切り捨てられる。　【法法57】

(3)　時価評価法人のグループ通算制度の適用開始又はグループ通算制度への加入前の欠損金及び資産の含み損等について、以下の取扱いとされる。

①　支配関係発生日以後に新たな事業を開始した場合、支配関係発生日の属する事業年度前の事業年度において生じた欠損金額及び支配関係発生日の属する事業年度以後の事業年度において生じた欠損金額のうち特定資産譲渡等損失額に相当する金額から成る部分の金額は、ないものとされる。

② 支配関係発生日以後に新たな事業を開始した場合には、グループ通算制度の承認効力発生日からその効力発生日以後3年を経過する日と親法人との間に最後に支配関係を有することとなった等の日以後5年を経過する日とのいずれか早い日までの間に生じる特定資産譲渡等損失額が損金不算入とされる。

③ 原価及び費用に占める損金算入される減価償却費の割合が30％を超える一定の事業年度に該当する場合、グループ通算制度の承認効力発生日からその効力発生日以後3年を経過する日と親法人との間に最後に支配関係を有することになった等の日以後5年を経過する日とのいずれか早い日までの期間内の日の属する事業年度に生じた欠損金額は、損益通算の対象外とされる。

④ 上記①又は③のいずれにも該当しない場合には、グループ通算制度の承認効力発生日からその効力発生日以後3年を経過する日と親法人との間に最後に支配関係を有することになった等の日以後5年を経過する日とのいずれか早い日までの間に生じた欠損金額のうち特定資産譲渡等損失額に達するまでの金額は、損益通算の対象外とされる。　　　【法法57、64の6、64の14】

(4) 通算グループからの離脱

① グループ通算制度から離脱した法人は5年間再加入が認められない。

② 通算法人で通算制度の取りやめ等により通算承認の効力を失うものが、次に掲げる要件のいずれかに該当する場合には、その効力を失う日の前日の属する事業年度において有する次の資産については、事業年度において、時価評価により評価損益の計上を行うこととされる。

ア　その事業年度終了時前に行う主要な事業が引き続き行われることが見込まれていないこと

固定資産、土地等、有価証券（売買目的有価証券を除く）、金銭債権及び繰延資産（帳簿価額が1,000万円未満のもの及びその含み損益が資本金等の額の50％又は1,000万円のいずれか少ない金額未満のものを除く）

イ　その通算法人の株式又は出資を有する他の通算法人において事業年度終了時後にその株式又は出資の譲渡等による損失が生じることが見込まれていること

一定の帳簿価額が10億円を超える上記アの資産のうち、譲渡等による損失が生じることが見込まれているもの　　　　　　　　　【法法64の13】

(5) その他

① グループ通算制度の適用開始又はグループ通算制度への加入前の譲渡損益調整資産の譲渡損益及びリース取引に係る延払損益で繰り延べているもの（1,000万円未満のものを除く）並びに特定資産の買換え等に係る特別勘定の金額（1,000万円未満のものを除く）については、上記(1)①又は②の法人に該当する場合を除き、その繰り延べている損益の計上及びその特別勘定の金額の取崩しを行うこととされている。
　　　　　　　【法法61の11、63、措法65の8】

② 通算制度の取りやめ等により通算承認の効力を失う前の譲渡損益調整資産の譲渡損益及びリース取引に係る延払損益で繰り延べているもの並びに特定資産の買換え等

に係る特別勘定の金額については、次に掲げる場合の区分に応じそれぞれ次のとおりとされる。

ア　上記(4)②アに該当する場合

その繰り延べている譲渡損益及び延払損益（1,000万円未満のものを除く）の計上並びにその特別勘定の金額（1,000万円未満のものを除く）の取崩し

イ　上記(4)②イに該当する場合

譲渡損益調整資産の譲渡損失で繰り延べている金額が10億円を超え、かつ、譲受法人において譲渡等による損失が計上されることが見込まれている場合におけるその譲渡損失の計上
　　　　　　　【法法61の11、63、措法65の8】

8. 個別制度の取扱い

(1) 受取配当金の益金不算入制度

① 関連法人株式等に係る負債利子控除額を、関連法人株式等に係る配当等の額の4％相当額（その事業年度において支払う負債利子の10％相当額が限度）とされる。

② 関連法人株式等又は非支配目的株式等に該当するかどうかの判定については、完全支配関係がある他の法人の有する株式等を含めて判定する。

③ 短期保有株式等については各法人で行われる。
　　　　　　　　　　　　　　　　　　　　　　　【法法23】

(2) 外国子会社配当等の益金不算入制度

適用対象となる外国子会社に該当するかどうかの判定においては、以下の2要件を満たす必要がある（継続保有要件）。

① 通算完全支配関係がある通算法人が保有している外国法人の株式等の合計数（出資にあっては、合計額）のその発行済株式等（当該外国法人が有する自己の株式等を除く）の総数（出資にあっては、総額）に占める割合等が25％以上であること

② 「その状態」が剰余金の配当等の額の支払義務が確定する日以前6月以上継続していること
　　　　　　　　　　　【法法23の2、法令22の4①】

(3) 寄附金の損金不算入制度

① 寄附金の損金算入限度額の計算の基礎となる資本金等の額について、資本金の額及び資本準備金の額の合計額とされる。

② 寄附金の損金不算入額は、各法人において計算する。
　　　　　　　　　　　　　　　　　　　　　　　【法法37】

(4) 貸倒引当金制度

完全支配関係がある他の法人に対して有する金銭債権は、個別評価金銭債権及び一括評価金銭債権から除外される。　　　　　　　　　　　　　　　　　　　　　【法法52】

(5) 特定株主等によって支配された欠損等法人の欠損金の繰越しの不適用制度及び資産の譲渡等損失の損金不算入制度

特定株主等によって支配された欠損等法人の欠損金の繰越しの不適用制度及び資産の譲渡等損失額の損金不算入制度について、欠損等法人に該当するかどうかの判定及びその適用は、各通算法人で行う。　　【法法57の2、60の3】

(6) 会社更生等による債務免除等があった場合の欠損金の損金算入制度

① 民事再生等一定の事実による債務免除等があった場合に青色欠損金等の控除前に繰越欠損金を損金算入できる制度について、通算法人の控除限度額は、通算法人の損益通算及び青色欠損金等の繰越控除前の所得の金額と各通算法人の損益通算及び青色欠損金等の繰越控除前の所得の金額の合計額から欠損金額の合計額を控除した金額とのうちいずれか少ない金額とされる。

② 民事再生等一定の事実による債務免除等があった場合に青色欠損金等の控除後に繰越欠損金を損金算入できる制度及び解散の場合の繰越欠損金の損金算入制度について、通算法人の控除限度額は、通算法人の損益通算及び青色欠損金等の繰越控除後の所得金額とされる。

③ 損金算入の対象となる債務免除益等の金額について、グループ通算制度においては、債務免除に係る債権を有する者等から除かれている法人を、その事業年度終了日が親法人の事業年度終了日である通算法人に係る他の通算法人で同日に事業年度が終了するものとされる。
【法法59】

(7) 中小法人の判定

次の制度における中小法人の判定については、通算法人である普通法人又は各事業年度終了日においてその普通法人との間に通算完全支配関係がある他の通算法人のうちいずれかの法人が中小法人に該当しない場合には、通算法人のすべてが中小法人に該当しないこととされる。

① 貸倒引当金制度
② 欠損金の繰越控除制度
③ 軽減税率
④ 特定同族会社の特別税率の不適用
⑤ 中小企業向けの各租税特別措置
【法法52、57、66、67、42の4】

(8) 所得税額控除

所得税額控除は、各通算法人において計算することとされる。
【法法68】

(9) 外国税額控除

① 通算法人が各事業年度において外国法人税を納付することとなる場合には、通算グループの要素を用いて計算した控除限度額を限度として、その事業年度の所得に対する法人税の額から控除される。

② 各通算法人の当期の外国税額控除額が期限内申告書に記載された外国税額控除額と異なる場合、期限内申告書に記載された外国税額控除額を当期の外国税額控除額とみなす。

適用事業年度の当初申告税額控除額を税額控除額とみなす措置を適用しないことによる修正申告又は更正をした場合、その修正申告又は更正に係る更正通知書に添付された書類に税額控除額として記載された金額を当初申告税額控除額とみなす。

③ 当期の外国税額控除額と期限内申告書に記載された外国税額控除額との過不足は、進行年度の外国税額控除額又は法人税額においてその調整を行う。

④ 各通算法人が外国税額控除の計算の基礎となる事実を隠蔽又は仮装して外国税額控除額を増加させること等に

より法人税の負担を減少させようとする場合には、上記②又は③は適用しない。

⑤ 法人税の調査を行った結果、対象事業年度の期限内申告書に添付された書類にその対象事業年度の税額控除不足額相当額又は税額控除超過額相当額として記載された金額及びその計算の根拠が国税職員の説明の内容と異なる場合には、その対象事業年度の当初申告税額控除不足額相当額又は当初申告税額控除超過額相当額を税額控除不足額相当額又は税額控除超過額相当額とみなす措置を適用しない。

この場合、その修正申告書又はその更正に係る更正通知書に添付された書類に税額控除不足額相当額又は税額控除超過額相当額として記載された金額を当初申告税額控除不足額相当額又は当初申告税額控除超過額相当額とみなす。
【法法69】

(10) 仮装経理に基づく過大申告の場合の更正に伴う法人税額の控除及び還付制度

仮装経理に基づく過大申告の場合の更正に伴う法人税額の控除及び還付制度は、各通算法人において適用する。
【法法70、135】

(11) 特定同族会社の特別税率

特定同族会社の特別税率については、各法人において計算する。ただし、以下の調整が行われる。

① 留保金額の基礎となる所得金額は、損益通算後の所得の金額とされる。

② 所得基準の基礎となる所得金額は、損益通算前の所得金額とされる。

③ 留保金額の計算上、通算法人間の受取配当金及び支払配当はなかったものとされた上、通算法人外の者に対する配当額として留保金額から控除される金額は、アに掲げる金額をイに掲げる金額の比で配分した金額とウに掲げる金額との合計額とされる。

ア 各通算法人の通算法人外の者に対する配当額のうち、他の通算法人から受けた配当額に達するための金額の合計額

イ 他の通算法人に対する配当額から他の通算法人から受けた配当額を控除した額

ウ 通算法人外の者に対する配当額が他の通算法人から受けた配当額を超える部分の金額
【法法67】

(12) 欠損金の繰戻しによる還付制度

① 各通算法人の繰戻しの対象となる欠損金額は、各通算法人の通算対象外欠損金額のうち災害損失欠損金額の繰戻しにより還付を受ける金額の計算の基礎とするものの合計額を還付所得事業年度の所得金額の比で配分した金額とされる。ただし、上記 7.(3)③及び④により損益通算の対象外とされる欠損金額は、配分の対象としない。

② 解散等の場合の還付請求の特例について、通算グループ内の法人における対象となる事由は、親法人の解散、子法人の破産手続開始の決定による解散並びに各通算法人の更生手続開始及び再生手続開始の決定とされる。
【法法80】

(13) 特別税額控除

① 試験研究を行った場合の特別税額控除制度について、以下のとおりとなっている。

ア 通算法人及び他の通算法人を一体として計算した特別税額控除の限度額と控除上限額（その事業年度の法人税額の25％相当額）とのいずれか少ない金額を各通算法人の調整前法人税額の比で配分した金額が各通算法人の特別税額控除の限度額となる。

イ 他の通算法人の各事業年度の試験研究費の額又はその事業年度の調整前法人税額が確定申告書に記載された各事業年度の試験研究費の額又はその事業年度の調整前法人税額と異なる場合には、確定申告書に記載された各事業年度の試験研究費の額又はその事業年度の調整前法人税額を各事業年度の試験研究費の額又はその事業年度の調整前法人税額とみなす。

ウ 上記イの場合において、税額控除可能額が確定申告書に記載された税額控除可能額に満たないときは、法人税額の調整等を行う。

② その他の特別税額控除制度については、上記 5.(1)及び(2)の措置に基づく各法人の法人税額の一定額が限度とされる。ただし、5.(1)②の措置を前提とした濫用防止のための措置が講じられる。　【措法42の4】

（14）その他の租税特別措置等

① 適用除外事業者

通算法人のいずれかの法人の直近3事業年度の平均所得金額が年15億円を超える場合、通算法人のすべてが適用除外事業者に該当することとされる。

【措法42の4】

② 資産の譲渡に係る特別税額控除の特例について、完全支配関係がある法人内の各法人の特別控除額の合計額が年5,000万円を超える場合には、その超える部分が損金不算入とされる。　【措法65の6】

③ 過大支払利子税制

損金不算入額は、各法人において計算することとされる。

ただし、適用免除基準（対象純支払利子の額が2,000万円以下であること）については、当該通算法人及び当該通算法人の当該事業年度終了の日において当該通算法人との間に通算完全支配関係がある他の通算法人の当該事業年度及び当該終了の日に終了する事業年度に係る対象純支払利子等の額の合計額から対象純受取利子等の額の合計額を控除した残額で判定される。

【措法66の5の2①、③】

9. 租税回避行為の防止

グループ通算制度に関しては、多様な租税回避行為が想定されることから、上記 5.(4)及び 7.(2)から(5)まで並びに 8.(9)④の措置のほか、包括的な租税回避行為を防止するための規定が設けられている。　【法法132の3】

10. その他

（1）青色申告制度

青色申告制度について次の見直しが行われ、グループ通算制度が青色申告制度を前提とした制度とされた。

① 青色申告の承認を受けていない法人がグループ通算制度の承認を受けた場合には、青色申告の承認を受けたものとみなす。　【法法125】

② 通算法人が青色申告の承認を取り消される場合には、取消しの効果は遡及しない。　【法法127】

③ 通算法人は、青色申告の取りやめをできない。

【法法128】

④ 通算法人に対する国税庁長官、国税局長及び税務署長による帳簿書類についての必要な指示についてできるとされている。　【法法126】

11. 経過措置

（1）2022（令和4）年3月31日において連結親法人に該当する内国法人及び同日の属する連結親法人事業年度終了日においてその内国法人との間に連結完全支配関係がある連結子法人については、同日の翌日にグループ通算制度の承認があったものとみなされる。

（2）連結親法人が2022（令和4）年4月1日以後最初に開始する事業年度開始日の前日までに一定の事項を記載した届出書を納税地の所轄税務署長に提出した場合には、その連結親法人及びその前日において連結親法人との間に連結完全支配関係がある連結子法人については、グループ通算制度を適用しない法人となることができる。

（3）上記(1)によりグループ通算制度の承認があったものとみなされた内国法人については、連結納税制度における特定連結欠損金個別帰属額が特定欠損金とみなされる。

（4）上記(1)によりグループ通算制度の承認があったものとみなされた内国法人が2022（令和4）年4月1日前に開始した事業年度において更正法人等である場合には、子法人は更正法人等に該当するものとされる。

（5）上記(1)によりグループ通算制度の承認があったものとみなされた内国法人が2022（令和4）年3月31日の属する連結事業年度において申告期限の延長を受けていた場合には、その内国法人及びその連結事業年度終了日においてその内国法人との間に連結完全支配関係があった他の内国法人は、その翌日において提出期限の延長があったものとみなされる。　【令2年改正法附則29】

6 青色申告

1. 青色申告の承認申請手続

青色申告の承認を受ける場合には、その申請書を提出しなければならない。　【法法122①】

2. 青色申告法人に対する優遇措置

（1）各事業年度の所得及び税額計算上の特典

① 租税特別措置法による各種準備金の損金算入

② 租税特別措置法による減価償却の特例

③ 法人税額の特別控除

ア 試験研究を行った場合等

イ 高度省エネルギー増進設備等を取得した場合

ウ 中小企業者等が機械等を取得した場合

エ 沖縄の特定地域において工業用機械等を取得した場合等

④　欠損金額の10年間繰越控除　　　【➡p.291】

（2）納税手続上の特典

① 　更正の制限、更正の理由の付記
② 　欠損金の繰戻しによる還付　　　　【➡p314】
③ 　異議申立てを経ないでする審査請求

3. 青色申告の承認の取消し

　青色申告の承認を受けた法人について、次のいずれかに該当する事実があるときは、その事実があった事業年度分にさかのぼってその承認を取り消すことができる。

（1）　帳簿の備付け、記録又は保存が財務省令で定めるところに従って行われていないこと
（2）　帳簿書類についての税務署長の指示に従わなかったこと
（3）　帳簿書類に取引の全部又は一部を隠ぺいし又は仮装して記載・記録し、その他その記載・記録事項の全体についてその真実性を疑うに足りる相当の理由があること
（4）　確定申告書をその提出期限までに提出しなかったこと
（注１）　グループ通算制度の承認が取り消された場合には、取り消された日の前日の属する事業年度までさかのぼって青色申告の承認を取り消すものとする。
（注２）　取消し処分に関する書面には、その取消しの処分の基因となった事実が前記のいずれに該当するかを付記しなければならない。　　　　　【法法127】

7 　更正及び決定等

1. 更　　正

　納税申告書に記載された課税標準等又は税額等の計算が国税に関する法律の規定に従っていなかったとき、その他課税標準等又は税額等が税務署長の調査額と異なるときは、その調査額に変更される。　　　　　【通則法24】

2. 決　　定

　納税申告書の提出義務がある者が申告書を提出しなかった場合には、その調査により課税標準等及び税額等が決定される。　　　　　【通則法25】

3. 再 更 正

　更正又は決定後、更に調査した結果その更正又は決定した課税標準等又は税額等に過不足額があることが判明した場合には、調査額に基づいて再更正をされる。【通則法26】

4. 推計による更正又は決定

　税務署長は、更正又は決定をする場合には、その法人が青色申告法人でないときは、その法人の財産もしくは債務の増減状況、収入もしくは支出の状況又は生産量、販売量その他の取扱数量、従業員数その他事業の規模によりその法人の課税標準を推計することができる。　　　【法法131】

5. 仮装経理に基づく過大申告の場合の特例

　内国法人の提出した確定申告書に記載された各事業年度の所得の金額が当該事業年度の課税標準とされるべき所得の金額を超えている場合において、その超える金額のうちに事実を仮装して経理したところに基づくものがあるときは、税務署長は、その事業年度の所得に対する法人税につき、その内国法人からその事業年度後の各事業年度の確定した決算において当該事実に係る修正の経理をし、かつ、決算に基づく確定申告書を提出するまでの間は更正をしないことができる。　　　　　【法法129①】

6. 更正の請求ができる場合

　ある事業年度の確定申告に対し、修正申告書を提出し又は更正もしくは決定があったため、その後の事業年度分の確定申告書に記載した法人税額が過大となる場合や、欠損金額が過小となる場合又は還付金額が過小となる場合には、その修正申告書の提出の日又は更正もしくは決定の通知を受けた日の翌日から２カ月以内に限り更正の請求をすることができる。　　　　　【法法80の２】

7. 法人税に係る更正の期間制限

（1）　法定申告期限又は還付請求申告書提出日から５年を経過した日以後はすることができない。
（2）　(1)にかかわらず、法人税の純損失等の金額に係る更正は、法定申告期限又は還付請求申告書提出日から10年を経過する日まですることができる。【通則法70①、②】

8 　行為又は計算の否認

1. 同族会社等の行為又は計算の否認

（1）対象行為
　次に掲げる法人の行為又は計算で、これを容認した場合には、法人税の負担を不当に減少させる結果になると認められるものがあるときは、その行為又は計算にかかわらず、税務署長の認めるところによってその法人の課税標準等を計算することができる。　　　　　【法法132①】

（2）対象法人
① 　内国法人である同族会社
② 　次のいずれにも該当する内国法人
ア 　三以上の支店、工場その他の事業所を有すること
イ 　その事業所の２分の１以上に当たる事業所につき、その事業所の所長、主任その他のその事業所に係る事業の主宰者、又は当該主宰者の親族その他の当該主宰者と特殊の関係のある個人（以下「所長等」という）が以前に当該事業所において個人として事業を営んでいた事実があること
ウ 　イに規定する事実がある事業所の所長等の有するその内国法人の株式又は出資の数又は金額の合計額がその内国法人の発行済株式又は出資（自己株式等を除く）の総数又は総額の３分の２以上に相当すること

【法法132①】
(注)　内国法人が対象法人に該当するかどうかの判定は、否認すべき行為又は計算の事実があった時の現況による。　【法法132②】

2. 組織再編成に係る行為又は計算の否認

(1) 対象行為
合併、分割、現物出資もしくは現物分配又は株式交換もしくは株式移転に係る法人の行為又は計算で、これを容認した場合には、法人税の負担を不当に減少させる結果になると認められるものがあるときは、その行為又は計算にかかわらず、税務署長の認めるところによって、その法人の課税標準等を計算することができる。　【法法132の2】

(2) 対象法人
① 合併等をした法人又は合併等により資産及び負債の移転を受けた法人
② 合併等により交付された株式を発行した法人 (①を除く)
③ ①、②に掲げる法人の株主等である法人 (①、②を除く)　【法法132の2】

3. 通算法人に係る行為又は計算の否認

通算法人の行為又は計算で、これを容認した場合には、法人税の負担を不当に減少させる結果となると認められるものがあるときは、その行為又は計算にかかわらず、税務署長の認めるところによって、その通算法人の課税標準等を計算することができる。　【法法132の3】

9　外国法人の納税義務 (国内源泉所得に課税される)

1. 国内源泉所得　【法法138】

(1) 国内において行う事業から生じ又は国内にある資産の運用、保有もしくは譲渡により生ずる所得 ((2)から(11)までに該当するものを除く) その他その源泉が国内にある所得で政令で定めるもの (国内の事業を営む外国法人による本店所在地国への投融資活動による所得を含む)　【法令176～178】

(2) 国内において人的役務の提供を主たる内容とする事業で政令で定めるものを行う法人が受ける当該人的役務の提供に係る対価　【法令179】

(3) 国内にある不動産、国内にある不動産の上に存する権利もしくは採石権の貸付け、租鉱権の設定又は所法2①三 (定義) に規定する居住者もしくは内国法人に対する船舶もしくは航空機の貸付けによる対価

(4) 利子等のうち、次に掲げるもの
① 日本国の国債もしくは地方債又は内国法人の発行する債券の利子
② 外国法人の発行する債券の利子のうち、当該外国法人が国内において事業に帰せられるもの等

③ 国内にある営業所等に預け入れられた預貯金の利子
④ 国内にある営業所に信託された合同運用信託、公社債投資信託又は公募公社債等運用投資信託の収益の分配　【法令179の2】

(5) 配当等のうち、次に掲げるもの
① 内国法人から受ける剰余金の配当、利益の配当、剰余金の分配又は基金利息
② 国内にある営業所に信託された投資信託 (公社債投資信託及び公募公社債等運用投資信託を除く) 又は特定受益証券発行信託の収益の分配

(6) 国内において業務を行う者に対する貸付金で当該業務に係るものの利子 (一定の債券の買戻又は売戻条件付売買取引から生ずる差益を含む)　【法令180】

(7) 国内において業務を行う者から受ける、次に掲げる使用料又は対価で当該業務に係るもの
① 工業所有権その他の技術に関する権利、特別の技術による生産方式もしくはこれらに準ずるものの使用料又はその譲渡による対価
② 著作権 (出版権、著作隣接権、その他これに準ずるものを含む) の使用料又はその譲渡による対価
③ 機械、装置その他政令で定める用具の使用料　【法令181】

(8) 国内において行う事業の広告宣伝のための賞金として政令で定めるもの　【法令182】

(9) 国内にある営業所又は国内において契約の締結の代理をする者を通じて締結した保険業法に規定する生命保険会社又は損害保険会社の生命保険契約、損害保険契約その他の年金に係る契約で政令で定めるものに基づいて受ける年金　【法令183】

(10) 国内にある営業所が受け入れた所法174三～八に掲げる給付補填金、利息、利益又は差益

(11) 国内において事業を行う者に対する出資につき、匿名組合契約又はこれに準ずるものとして政令で定めるものに基づいて受ける利益の分配　【法令184】

2. 課税標準

外国法人の区分	課税標準
(1) 国内に支店、工場その他事業を行う一定の場所で政令で定めるものを有する外国法人　【法令185】	すべての国内源泉所得
(2) 国内において建設、据付け、組立その他の作業等を1年を超えて行う外国法人	① 前記(1)～(3)に掲げる国内源泉所得 ② 前記(4)～(11)に掲げる国内源泉所得のうち、その外国法人が国内において行う建設作業等に係る事業に帰せられるもの
(3) 国内に自己のために契約を締結する権限のある者その他これに準ずる者で、政令で定めるものを置く外国法人　【法令186】	① 前記(1)～(3)に掲げる国内源泉所得 ② 前記(4)～(11)に掲げる国内源泉所得のうち、その外国法人が国内においてその代理人等を通じて行う事業に帰せられるもの

(4) (1)、(2)及び(3)以外の外国法人	① 前記(1)に掲げる国内源泉所得のうち、国内にある資産の運用もしくは保有又は国内にある不動産・不動産関連法人の株式の譲渡により生ずるもの【法令187】 ② 前記(2)、(3)に掲げる国内源泉所得

【法法141】

3. 税額の計算

(1) 資本金額1億円以下の法人又は人格のない社団等
年800万円以下の各事業年度の所得の金額…19%（注）
年800万円を超える各事業年度の所得の金額…23.2%
【法法143】

(2) 資本金額1億円超の法人又は相互会社に準ずるもの
各事業年度の所得の金額……23.2%

(3) 軽減税率の非適用
外国法人である普通法人のうち各事業年度終了の時において次に掲げる法人に該当するものについては、上記(1)の「年800万円以下の各事業年度の所得の金額」に係る軽減税率を適用しない。
① 保険業法で規定する相互会社に準ずるものとして政令で定めるもの
② 次に掲げる法人との間に当該法人による完全支配関係がある外国法人
・資本金の額又は出資金の額が5億円以上である法人
・保険業法で規定する相互会社
・法人税法で規定する受託法人
③ 法人税法で規定する受託法人　　　【法法143⑤】
（注）2025（令和7）年3月31日までの間に開始する各事業年度の所得金額のうち年800万円以下の金額は15%　　　【措法42の3の2】

4. 所得税額の控除
内国法人に係る所得税額の控除の規定は、外国法人が各事業年度において外国法人に係る法人税の課税標準に掲げる外国法人の区分に応じて掲げた国内源泉所得で、所得税法の規定により所得税が課せられるものの支払いを受ける場合について準用する。　　　【法法144】

5. その他の事項
次に掲げる事項については、内国法人の各事業年度の所得に対する法人税の規定を準用する（ただし、清算中の法人の確定申告を除く）。
(1) 申告、納付及び還付等　　　【法法145】
(2) 青色申告　　　【法法146】
(3) 更正及び決定　　　【法法147】

6. 外国法人の法人税についての国際課税原則の見直し
外国法人に対する課税原則について、「総合主義」に基づく従来の国内法から、2010年改訂後のOECDモデル租税条約に沿った「帰属主義」に変更する。

7. 国内源泉所得
改正前の国内で行う事業から生ずる所得（改正前の国内事業所得）に代えて、恒久的施設帰属所得を国内源泉所得の一つとする。恒久的施設帰属所得は、恒久的施設（外国法人の国内にある支店等一定のものをいう）が外国法人から独立して事業を行う事業者であるとしたならば、その恒久的施設が果たす機能、その恒久的施設とその外国法人の本店等との間の内部取引その他を勘案して、その恒久的施設に帰せられる一定の所得をいう。
【法法9①、平26年改正法附則25】

8. 課税標準
次に掲げる区分に応じ、それぞれ次に掲げる国内源泉所得に係る所得の金額とする。
(1) 恒久的施設を有する外国法人　各事業年度の次に掲げる国内源泉所得
① 恒久的施設帰属所得
② 恒久的施設帰属所得以外の国内源泉所得
(2) 恒久的施設を有しない外国法人　各事業年度の恒久的施設帰属所得以外の国内源泉所得
【法法141、平26年改正法附則25】

9. 所得の金額の計算

(1) 恒久的施設帰属所得に係る所得の金額の計算原則
恒久的施設を通じて行う事業に係る益金の額から損金の額を控除した金額とし、「恒久的施設を通じて行う事業に係る益金の額及び損金の額」の具体的計算については、別段の定めがあるものを除いて、内国法人の各事業年度の所得に対する法人税の課税標準及びその計算に関する規定に準じて計算する。
【法法142、法令184、平26年改正法附則25】

(2) 本店配賦経費に関する書類の保存がない場合における本店配賦経費の損金不算入
外国法人の本店配賦経費につき、その配分の基礎となる書類の保存がない場合には、その書類の保存がなかった本店配賦経費については、恒久的施設帰属所得に係る所得の金額の計算上、損金の額に算入しない。
【法法142の7、法規60の10、平26年改正法附則25】

10. 税額の計算
外国法人に係る各事業年度の所得に対する法人税の税率は、恒久的施設帰属所得又は恒久的施設帰属所得以外の国内源泉所得の区分ごとに、これらの国内源泉所得に係る所得の金額に税率を乗じて計算する。　　【法法143①、②】

11. 所得税額の控除
恒久的施設帰属所得に係る所得の金額に対する法人税額からの控除とそれ以外の国内源泉所得に係る所得の金額に対する法人税額からの控除は別々に行う。　　【法法144】

12. 外国税額の控除
恒久的施設を有する外国法人が外国法人税を納付することとなる場合には、国外所得金額に対応するものとして計

第11章

法人税法

算した金額を限度として、その外国法人税の額を恒久的施設帰属所得に係る所得に対する法人税の額から控除する（その外国法人税額については、内国法人と同様に、損金の額に算入しない）。

【法法144の2、法令186、193～195、200、201、法規60の12～60の14、法法142の6】

13. 恒久的施設に係る取引の文書化

　恒久的施設を有する外国法人は、以下の書類を作成しなければならない。

⑴　他の者と行った取引のうちその取引から生ずる所得が恒久的施設に帰せられるものに係る明細を記載した書類

⑵　本店等と恒久的施設との間の内部取引に係る明細を記載した書類

【法法146の2、法規62の2、62の3、平26年改正法附則25】

10 地方法人税

1. 税　　率

　地方法人税の額は、各課税事業年度の課税標準法人税額に10.3％の税率を乗じて計算した金額とする。

【地方法人税法10①】

第 12 章

所得税法

1. 納税義務者

（1）居 住 者
　国内に住所を有し、又は現在まで引き続いて1年以上居所を有する個人をいう。なお、国家公務員又は地方公務員は、国内に住所を有しない期間についても国内に住所を有するものとみなす。　　　　　　　　【所法2①、3①】

（2）非永住者
　居住者のうち、日本国籍を有しておらず、かつ、過去10年以内に国内に住所又は居所を有していた期間の合計が5年以下である個人をいう。　　　　　　　【所法2①】

（3）非居住者
　居住者以外の個人をいう。　　　　　　　【所法2①】

（4）内国法人
　国内に本店又は主たる事務所を有する法人をいう。
　　　　　　　　　　　　　　　　　　　　【所法2①】

（5）外国法人
　内国法人以外の法人をいう。　　　　　【所法2①】

（注1）　人格のない社団等は法人とみなされる。【所法4】
（注2）　住所とは、各人の生活の本拠をいい、生活の本拠であるかどうかは、客観的事実によって判定し、かつ、同一人について同時に2カ所以上の住所はないものとする。　　　　　　　　　【所基通2-1】
（注3）　国内に居住することとなった個人が、次のいずれかに該当する場合には、国内に住所を有するものと推定される。　　　　　　　　　　　　【所令14】
　　ア　国内において、継続して1年以上居住することを通常必要とする職業を有すること　【所令15】
　　イ　日本の国籍を有し、かつ、国内において生計を一にする配偶者等の親族を有すること、その他国内におけるその者の職業及び資産の有無等の状況に照らし、国内において継続して1年以上居住するものと推測するに足りる事実があること

2. 課税所得

（1）非永住者以外の居住者
　すべての所得　　　　　　　　　　　　【所法7①】

（2）非永住者
　国外源泉所得以外の所得及び国外源泉所得で国内において支払われ、又は国外から送金されたもの　【所法7①】

（3）非居住者
① 非居住者に対する課税の方法
　非居住者に対して課する所得税額は、非居住者の有する国内源泉所得【→ p.327】の種類に応じて、
　ア　居住者の課税標準及び所得税の額の計算に準じて計算した金額（以下「総合課税」という）及び
　イ　他の所得と分離してその国内源泉所得に一定の税率を乗じて計算した金額（以下「分離課税」という）とする。　　　　　　　　　　　　　　　　　　【所法164】
② 総合課税に係る所得税額の計算
　非居住者の総合課税に係る所得税額の計算は、次に掲げる非居住者の区分に応じそれぞれ次に定める国内源泉所得について、居住者に係る所得税の課税標準、税額等の計算の規定に準じて計算した金額とする。
　ア　恒久的施設を有する非居住者　次に掲げる国内源泉所得
　　㋐　恒久的施設帰属所得（所法161①一）
　　㋑　総合課税の対象となる国内源泉所得（所法161①二～七、十七）
　イ　恒久的施設を有しない非居住者　総合課税の対象となる国内源泉所得（所法161①二～七、十七）
　　　　　　　　　　　　　　　【所法164①、165】
③ 分離課税に係る所得税額の計算
　非居住者の分離課税に係る所得税額の計算については、分離課税の対象となる国内源泉所得（所法161①八～十六）について、他の所得と区分して、その支払いを受けるべき金額に20%（利子等及び給付補塡金等については15%）の税率を乗じて計算した額とする。
　　　　　　　　【所法164②、169、170】

（4）内国法人
　国内において支払われる次に掲げるもの（源泉分離課税）。　　　　　　　【所法7①四、174、178】
① 利子等
② 配当等（注）
③ 定期積立金契約に基づく給付補塡金（その契約に基づき払い込んだ掛金の合計額を控除した残額）
④ 銀行法2④の契約に基づく給付補塡金（その契約に基づき払い込むべき掛金の合計額を控除した残額）
⑤ 抵当証券法1①の抵当証券に記載された債権の元本及び利息の支払い等に関する契約により支払われる利息
⑥ 金等の貴金属その他これに類する物品の買入れ及び契約期日に契約金額で売り戻す旨の定めのある契約に基づく利益（その物品のその売戻し金額から買入金額を控除した残額をいう）
⑦ 外国通貨表示の預貯金でその元本及び利子をあらかじめ取り決めた約定率により本邦通貨又はその外国通貨以外の外国通貨に換算して支払うこととされているものの差益（その換算による差益）
⑧ 一時払いの生命保険、損害保険、これに類する共済の契約で、保険期間等が5年以下のもの及び保険期間等が5年超で保険期間等の初日から5年以内に解約されたものに基づく差益
⑨ 匿名組合契約等に基づく利益の分配
⑩ 馬主である法人が受ける競馬の賞金で金銭により支払われるもの（その賞金の20%相当額と60万円との合計額を控除した残額）　　　　　　【所令298①】
⑪ 割引債の償還差益　　　　【措法41の12②、③】
⑫ 懸賞金付預貯金等の懸賞金等　【措法41の9②、③】
（注）　完全子法人株式等に係る配当等の課税の特例
　　　2023（令和5）年10月1日以後に一定の内国法人が支払いを受けるべき配当等については、所得税を課さないこととし、その配当等に係る所得税の源泉徴収を行わない。
　　ア　内国法人が自己の名義で有する完全子法人株式等に該当する株式に係る配当

イ　内国法人が自己の名義で保有する他の内国法人の株式等の発行済株式等の総数に占める割合が3分の1超である場合における当該他の内国法人の株式等に係る配当

【所法177、212、所令301】

（5）外国法人

　国内源泉所得のうち所法161①四から十一まで及び十三から十六までに掲げるもの及び上記⑪、⑫に掲げる所得（源泉分離課税）。　　　　【所法7①五、178】

（注）　国内源泉所得

①　恒久的施設帰属所得　　　　【所法161①一】

②　国内にある資産の運用等により生ずる所得

【所法161①二】

③　国内にある資産の譲渡により生ずる所得

【所法161①三】

④　組合契約等に基づいて恒久的施設を通じて行う事業から生ずる利益で、その組合契約に基づいて配分を受けるもののうち一定のもの　【所法161①四】

⑤　国内にある土地、土地の上に存する権利、建物及び建物の附属設備又は構築物の譲渡による対価

【所法161①五】

⑥　国内で行う人的役務の提供を事業とする者の、その人的役務の提供に係る対価【所法161①六】

⑦　国内にある不動産や不動産の上に存する権利等の貸付けにより受け取る対価　【所法161①七】

⑧　日本の国債、地方債、内国法人の発行した社債の利子、外国法人が発行する債券の利子のうち恒久的施設を通じて行う事業に係るもの、国内の営業所に預けられた預貯金の利子、国内にある営業所に信託された公社債投資信託等の収益分配【所法161①八】

⑨　内国法人から受ける剰余金の配当、利益の配当、剰余金の分配等　　　　　　【所法161①九】

⑩　国内で業務を行う者に貸し付けた貸付金の利子

【所法161①十】

⑪　国内で業務を行う者から受ける工業所有権等の使用料、又はその譲渡の対価、著作権の使用料又はその譲渡の対価、機械装置等の使用料

【所法161①十一】

⑫　給与、賞与、人的役務の提供に対する報酬のうち国内において行う勤務、人的役務の提供に基因するもの、公的年金、退職手当等のうち居住者期間に行った勤務等に基因するもの　【所法161①十二】

⑬　国内で行う事業の広告宣伝のための賞金品

【所法161①十三】

⑭　国内にある営業所等を通じて締結した生命保険契約、損害保険契約等に基づいて受ける年金等

【所法161①十四】

⑮　国内にある営業所等が受け入れた定期積金の給付補塡金等　　　　　　　　　【所法161①十五】

⑯　国内において事業を行う者に対する出資につき、匿名組合契約等に基づく利益の分配

【所法161①十六】

⑰　その他の国内源泉所得　【所法161①十七】

3. 非課税所得

（1）利子、配当所得に関するもの

①　所得税法

ア　年1％を超えない当座預金の利子

【所法9①一、所令18】

イ　小学校、中学校、高校等の児童又は生徒が、学校長の指導を受けて、児童又は生徒の代表者の名義で預け入れた預貯金又は合同運用信託の利子又は収益の分配、いわゆる子供銀行の利子【所法9①二、所令19】

ウ　障害者等の350万円までの少額預金の利子、いわゆる「マル優」　　　【所法10、措法3の4】

エ　学校法人等の所法別表第1の公共法人等及び公益信託等が受ける利子　　　　　　【所法11】

②　租税特別措置法

ア　障害者等の少額公債（350万円までの国債、地方債等）の利子、いわゆる「特別マル優」　【措法4】

イ　勤労者財産形成住宅貯蓄の利子　【措法4の2】

ウ　勤労者財産形成年金貯蓄の利子非課税限度の上限は、イとウ合計で550万円、一定のものは385万円

【措法4の3】

エ　納税準備預金の利子　　　　　　【措法5】

オ　振替国債・振替社債の利子で非住居者又は外国法人が受けるもの　　　　【措法5の2、5の3】

カ　非住居者又は外国法人が受ける一般民間国外債（内国法人が国外において発行した債券で、その利子の支払が国外において行われるもの）の利子　【措法6④】

キ　特別国際金融取引勘定において経理したものにつき、外国法人に対して支払う利子　　　【措法7】

ク　いわゆるNISA、ジュニアNISA

【措法9の8、9の9、37の14、37の14の2 ➡p.329】

（2）給与所得関係

①　所得税法

ア　増加恩給、傷病賜金、遺族年金、労働基準法又は船員法による災害補償、条例による精神又は身体に障害のある者に対する共済金　【所法9①三、所令20】

イ　出張旅費、転勤旅費等の通常必要であると認められるもの　　　　　　　　　【所法9①四】

ウ　給与所得者の通勤費用で通常必要であると認められるもの（月150,000円まで）

【所法9①五、所令20の2】

エ　給与所得者が使用者から受ける物で、職務の性質上欠くことができない制服、船員に支給する乗船中の食事、強制居住者に提供した家屋の家賃相当額等

【所法9①六、所令21】

オ　国外勤務者の在勤手当　【所法9①七、所令22】

カ　外国政府、外国の地方公共団体、一定の国際機関に勤務する者が受ける給料、賃金等

【所法9①八、所令23、24】

②　租税特別措置法

ア　特定の取締役等及び中小企業等経営強化法に規定する社外高度人材等の特定従事者が受ける新株予約権等の行使による株式の取得に係る年1,200万円（設立5年未満の株式会社は2,400万円、設立5年以上20年未

満の株式会社のうち、非上場又は上場後5年未満の上場企業は3,600万円）までの経済的利益。いわゆる税制適格ストック・オプション　　【措法29の2】

イ　健康保険組合の行う付加給付及びそのための事業主負担による経済的利益　　【措法41の7①、③】

（3）譲渡所得関係

① 所得税法

ア　家具、じゅう器、衣服等生活に通常必要な動産の譲渡による所得

（注）生活に通常必要な動産のうち、貴金属、宝石、書画、こっとう等で1個又は1組の価額が30万円を超えるものの譲渡による所得を除く。

【所法9①九、所令25】

イ　強制換価手続による資産の譲渡による所得

【所法9①十】

② 租税特別措置法

ア　貸付信託の受益権等の譲渡による所得

【措法37の15】

イ　国、地方公共団体、公益社団法人、公益財団法人、特定一般法人に対して財産の贈与又は遺贈があった場合のみなし譲渡による所得　　【措法40】

ウ　国、地方公共団体等に重要文化財が譲渡したことによる所得　　【措法40の2】

エ　相続税の物納による所得　　【措法40の3】

（4）配当所得関係

• 所得税法

オープン型証券投資信託の特別分配金　【所法9①十一】

（5）その他

① 所得税法

ア　皇室の内廷費及び皇族費　　【所法9①十二】

イ　文化功労者年金、ノーベル賞の金品等

【所法9①十三】

ウ　オリンピック競技大会又はパラリンピック競技大会における成績優秀者を表彰するものとして一定のものから交付される金品　　【所法9①十四】

エ　学資及び扶養義務者相互間における扶養義務履行のための金品　　【所法9①十五】

オ　国又は地方公共団体が行う子育てに対する助成等

【所法9①十六】

カ　相続、遺贈又は個人からの贈与により取得するもの

【所法9①十七】

キ　保険契約に基づく一定の保険金、給付金及び損害賠償金等で、心身に加えられた損害又は突発的な事故により資産に加えられた損害に基因して取得するもの

【所法9①十八】

ク　選挙運動に関し法人から取得した金品で、公職選挙法により報告がされたもの　　【所法9①十九】

② 租税特別措置法

ア　臨時福祉給付金、子育て世帯臨時特別給付金、年金生活者等支援臨時福祉給付金　　【措法41の8】

㋑ 住民基本台帳に記録されている者に対して、市町村又は特別区から給付される給付金いわゆる定額給付金

㋑ 住民基本台帳に記録されている者のうち市町村民

税が課されていないもの等に対して市町村又は特別区から給付される一定の給付金（臨時福祉給付金）

【措法41の8①一】

㋒ 児童手当法による児童手当の支給を受ける者等に対して市町村又は特別区から給付される一定の給付金（子育て世帯臨時特例給付金）【措法41の8①二】

㋓ 児童扶養手当法による児童扶養手当の支給を受ける者等に対して給付される一定の給付金

【措法41の8①四】

㋔ 児童養護施設に入所している者等に対して都道府県等が行う金銭の貸付　　【措法41の8②】

イ　非居住者が受ける振替国債等及び特定振替社債等の償還差益並びに民間国外債の発行差金【措法41の13】

③ その他の法律により非課税とされるもの

社会政策的配慮により、他の法律により次のものなどが非課税とされている。

ア　介護保険の保険給付　　【介護保険法26】

イ　健康保険の保険給付　　【健康保険法62】

ウ　国民健康保険の保険給付　【国民健康保険法68】

エ　雇用保険法の失業等給付　　【雇用保険法12】

オ　生活保護の給付　　【生活保護法57】

カ　児童福祉の支給金品　　【児童福祉法57の5】

キ　児童手当　　【児童手当法16】

ク　労働者災害補償保険法による保険給付

【労働者災害補償保険法12の6】

ケ　戦没者等の遺族に対する特別弔慰金

【戦没者等の遺族に対する特別弔慰金支給法12】

コ　宝くじの当せん金　　【当せん金付証票法13】

サ　スポーツ振興投票券（toto）の払戻金

【スポーツ振興投票の実施等に関する法律16】

---

2 各種所得の種類と所得金額の計算

1. 利子所得

（1）利子所得とは

公社債、預貯金の利子、合同運用信託、公社債投資信託及び公募公社債等運用投資信託の収益の分配に係る所得。

【所法23①】

勤労者財産形成貯蓄契約等による差益は利子とみなす。

【措法4の4①】

（2）所得金額の計算

利子所得の金額は、その年中の収入金額であって、経費の控除はない。　　【所法23②】

（3）帰属年度

収入金額の確定する時期は通常、利子等の支払いを受けるべき時とするが、無記名式のものは利子等の支払いを受けた時とする。　　【所基通36-2、所法36③】

（4）課税方法

① 居住者又は国内に恒久的施設を有する非居住者が、国内で支払いを受けるべき利子等については、他の所

得と区分し、その支払いを受けるべき金額に対して 15.315% の税率で所得税等が源泉徴収され確定申告を要しない（このほか、5％の税率で都道府県民税の利子割が特別徴収される）。なお、2016（平成28）年1月1日以後に居住者等が支払いを受けるべき一定の特定公社債等の利子等については、15％の税率による申告分離課税の対象。　　　　　　　　　　　【措法3、措法8の4①】

② 国外で発行された公社債等の分離課税

　居住者又は内国法人が支払いを受けるべき国外公社債等の利子等で、国内における支払いの取扱者を通じて交付を受けるものは、15.315%の税率により所得税等が源泉徴収される。　　　　　　　　　【措法3の3①】

③ 非課税の利子　　　　　【１ 3. 非課税所得➡p.327】

2. 配当所得

（1）配当所得とは

　法人から受け取る剰余金の配当、利益の配当、剰余金の分配（出資に係るもの）、基金利息、投資信託（公社債投資信託及び公募公社債等運用投資信託を除く）及び特定目的信託の収益の分配（適格現物分配に係るものを除く）、並びにみなし配当に係る所得。　　　　【所法24①、25】

（2）所得金額

　＝収入金額－株式等を取得するための負債の利子
　　　　　　　　　　　　　　　　　　　　　【所法24②】

（3）帰属年度

　通常は、株主総会等の正式な権限を有する機関の決議のあった時であるが、無記名株式等の配当は支払いを受けた時。みなし配当は資本の払戻し等の効力発生日、自己株式の取得等のあった時。　　　【所基通36-4、所法36】

（4）上場株式等に係る配当所得等の課税の特例

　居住者又は国内に恒久的施設を有する非居住者が、2016（平成28）年1月1日以後に支払いを受けるべき上場株式等の配当等（大口株主等が支払いを受けるべきものを除く）に係る配当所得については、他の所得と区分し、その年中の上場株式等に係る課税配当所得等の金額の15％に相当する所得税を課税する申告分離課税と総合課税のいずれかを選択適用することができる。また、申告分離課税を選択した場合には、配当控除【➡p.347】の適用はない。

（注）「大口株主等」とは、発行済株式の総数又は出資の総額の3％以上である個人をいう。

　2023（令和5）年10月1日以後に支払うべき上場株式等の配当等については、その支払いを受ける居住者等（以下、対象者という）及びその対象者を判定の基礎となる株主として選定した場合に同族会社に該当する法人が保有する株式等の発行済株式等の総数等に占める割合が3％以上となるときにおけるその対象者が支払いを受けるものを、総合課税の対象とする。　　　　　　　【措法8の4①】

（5）みなし配当

　合併（適格合併を除く）、分割型分割（適格分割型分割を除く）、株式分配（適格株式分配を除く）、資本の払戻し、解散による残余財産の分配、自己の株式又は出資の取得、出資の消却・払戻し等、組織変更により被合併法人や分割法人等の株主等が交付を受けた新株・交付金のうち、これ

らの法人の資本金等の額における交付の基因となった当該法人の株式又は出資に対応する金額を超える部分は、配当とみなされる。　　　　　　　　　　　　【所法25】

（6）非課税口座内の少額上場株式等に係る非課税措置

　上場株式等に係る非課税措置の概要は次のとおり。

① 現行のNISA

	つみたて投資枠 （併用可） 成長投資枠	
年間の投資上限額	120万円	240万円
非課税保有期間	制限なし（無期限化）	同左
非課税保有限度額（総枠）	1,800万円 ※簿価残高方式で管理（枠の再利用が可能）	
		1,200万円（内数）
口座開設可能期間	制限なし（恒久化）	同左
投資対象商品	積立・分散投資に適した一定の公募等株式投資信託	上場株式・公募株式投資信託等
投資方法	契約に基づき、定期かつ継続的な方法で投資	制限なし
改正前制度との関係	2023（令和5）年末までに改正前の一般NISA及びつみたてNISA制度において投資した商品は、新しい制度の外枠で、改正前制度における非課税措置を適用	

【措法9の8、37の14】

② 旧NISA（2023（令和5）年まで）

	NISA	積立NISA（注4）
非課税対象	非課税口座内の少額上場株式等の配当、譲渡益（非課税口座とは、非課税の適用を受けるため一定の手続により金融商品取引業者等の営業所に設定された上場株式等の振替記載等に係る口座をいう）（注1）	一定の上場投資信託、公募等株式投資信託
非課税投資額	毎年120万円を上限（未使用枠は翌年以降繰越不可）	40万円
非課税投資総額	最大600万円（120万円×5年間）	最大800万円（40万円×20年間）
非課税期間	最長5年間、途中売却可（ただし、売却部分の枠は再利用不可）	20年間、途中売却可（ただし、売却部分の枠は再利用不可）
口座開設数	一人一口座（毎年金融取引業者の変更可、NISAと積立NISAの取引勘定は1年ごと変更可）	同左
開設者（対象者）	居住者等（その年1月1日において満20歳以上（2023（令和5）年1月1日以後は18歳以上）である者）（注2）	同左
口座開設期間	2014（平成26）年から2023（令和5）年までの10年間	2018（平成30）年～2042（令和24）年までの20年間

（注1）　金融商品取引業者等の営業所に開設されている未成年者口座の非課税管理勘定において管理されていた上場株式等は、同一の金融商品取引業者等の営業所に開設されている非課税口座に移管できる。

【措法9の8、37の14】

（注2）　2019（平成31）年4月1日以後、非課税口座を開設している居住者等が一時的な出国により居住者等に該当しないこととなる場合、「継続適用届出書」の提出をすると引き続き居住者等とみなすこととなる。　　　　　　　　　　　　　【措法37の14】

（7）未成年者口座内の少額上場株式等に係る非課税措置

非課税対象	ア　非課税管理勘定 　　非課税管理勘定を設けた日から同日の属する年の1月1日以後5年を経過する日までの間。 イ　継続管理勘定 　　継続管理勘定を設けた日からその未成年者口座を開設した者がその年1月1日において20歳（2023（令和5）年1月1日以後は18歳）である年の前年12月31日までの間。
非課税投資額	毎年80万円を上限
非課税投資総額	最大400万円
非課税期間	最長5年、途中売却可（ただし、売却部分の枠は再利用不可）
口座開設数	1人1口座（金融取引業者の変更不可）
開設可能期間	ア　非課税管理勘定 　　2016（平成28）年から2023（令和5）年までの各年（注） イ　継続管理勘定 　　2024（令和6）年から2028（令和10）年までの各年（注） （注）　当該未成年者口座を開設している者がその年1月1日において20歳未満（令和5年1月1日以後は18歳未満）である年に限る。
開設者 （対象者）	居住者等（その年1月1日において20歳未満（令和5年1月1日以後は18歳未満）である者及びその年に出生した者に限る）が、2023（令和5）年までの間に開設した口座（1人につき1口座に限る）。

【措法9の9、37の14の2】

3. 不動産所得

（1）不動産所得とは
　不動産、不動産の上に存する権利、船舶（20トン以上）又は航空機の貸付け（地上権の設定等不動産等を使用させることを含む）による所得（事業所得、譲渡所得に該当するものを除く）をいう。　　　　　　【所法26①】

（2）所得金額
　＝収入金額－必要経費－青色申告特別控除額
【（6）青色申告特別控除の項参照➡ p.331、所法26②、措法25の2】

（3）課税の特例
① 損益通算の特例　　【③ 1. 損益通算の項参照➡p.340】
② 一定の権利金など臨時所得に該当する不動産所得については、平均課税の方法を選択することができる。
【所法2①二十四、90①】

4. 事業所得

（1）事業所得とは
　農業、漁業、製造業、卸売業、小売業、サービス業その他の事業から生ずる所得をいう。　　　　【所法27①】

（2）所得金額
　＝収入金額－必要経費－青色申告特別控除額
【（6）青色申告特別控除の項参照➡p.331、所法27②、措法25の2】

（3）必要経費に算入されないもの
① 家事上の経費及びこれに関連する経費　【所法45①】
② 所得税、利子税（不動産所得、事業所得又は山林所得に係るものを除く）　【所法45①二、所令96、97、98】
③ 延滞税及び加算税及び印紙税法の規定による過怠税
④ 地方税法の規定による道府県民税及び市町村民税
⑤ 地方税法の規定による延滞金、過少申告加算金、不申告加算金、重加算金
⑥ 罰金及び科料並びに過料　　　　　【所法45①七】
⑦ 故意又は重過失により他人の権利を侵害したことによる損害賠償金　　　　　　　　【所法45①八】
⑧ 所得税額から控除する外国税額　　　【所法46】
⑨ 賄賂
⑩ 不当景品類及び不当表示防止法の規定による課徴金及び延滞金
⑪ 親族に支払う給料、賃借料等　　　　【所法56】
　　ただし、下記の青色事業専従者の特例あり。

（4）確定給付企業年金規約等に基づく掛金等の必要経費算入
　事業を営む個人が一定の要件を満たす掛金、保険料、信託金、上場株式等を支出した場合には、その支出した金額（上場株式の場合、支出時における当該株式の価額）は不動産所得、事業所得、山林所得の計算上、必要経費に算入する。　　　　　　　　　　　　　　【所令64②】

（5）専従者給与
① 青色事業専従者の給与
　ア　青色事業専従者とは
　　青色申告者と生計を一にする配偶者その他の親族（年齢が15歳未満である者を除く）で専らその居住者の営む事業に原則として、その年を通じて、6カ月を超える期間従事する者をいう。
【所法57、所令165①、②】
　イ　必要経費に算入される条件
　　支給をする者の事業に係る不動産所得、事業所得又は山林所得の必要経費とされ、かつ、青色事業専従者の給与所得に係る収入金額とされる。
【所法57①、所令164、167】
　　ただし、その事業から「青色専従者給与に関する届出書」に記載されている方法に従いその記載されている金額の範囲内で、青色事業専従者が支払いを受けた給与であること。
　ウ　青色専従者給与に関する届出書
　　青色専従者給与の必要経費算入の規定の適用を受けようとする青色申告者は、その年3月15日まで（その年1月16日以後に開業した場合又は新たに青色事業専従者を有することとなった場合は、その開業の日又

はその有することとなった日後2カ月以内）に「青色専従者給与に関する届出書」を納税地の所轄税務署長に提出しなければならない。　　　　　　【所法57②】

② 事業専従者

　ア　事業専従者とは

　　　青色申告者以外の居住者と生計を一にする配偶者その他の親族（年齢15歳未満である者を除く）で専らその居住者の営む事業にその年を通じて6カ月を超える期間従事する者をいう。【所法57③～⑧、所令165】

　イ　必要経費とみなす専従者給与の金額

　　　次のいずれか低い金額を支給する者の必要経費とみなし、かつ、その金額は事業専従者の給与所得の収入金額とみなす。　　　【所法57③、④、所令166、167】

　　(ア)　50万円（配偶者は86万円）

　　(イ)　その年分の不動産所得の金額、事業所得の金額又は山林所得の金額（専従者控除前の金額）÷（事業専従者の数＋1）

(6) 青色申告特別控除

① 青色申告書を提出することにつき税務署長の承認を受けている個人については、青色申告特別控除が行われる。すなわち、この控除の適用がないものとした不動産所得の金額、事業所得の金額又は山林所得の金額から、②の規定の適用を受ける年分を除き、10万円又はこれらの所得の金額の合計額（措置法の課税の特例の適用を受けた社会保険診療報酬の金額に対応する事業所得金額を除いて計算する）とのいずれか低い金額が、これらの所得の順に順次控除され、その控除後の金額が、それぞれ、その年分の不動産所得の金額、事業所得の金額又は山林所得の金額とされる。

② 青色申告書を提出することにつき税務署長の承認を受けている個人で不動産所得又は事業所得のあるものが、当該事業につき、複式簿記の方法による帳簿書類の備付け及び取引記録の記載があり、確定申告書に損益計算書、貸借対照表等の添付がある場合には、この控除の適用がないものとした不動産所得の金額又は事業所得の金額から、下記の区分による金額又はこれらの所得の金額の合計額とのいずれか低い金額が、これらの所得の順に順次控除され、その控除後の金額がその年分の不動産所得の金額又は事業所得の金額とされる。ただし、不動産所得を生ずべき不動産の貸付が「事業的規模」であることが必要。　　　【措法25の2、所基通26-9】

　ア　取引を正規の簿記の原則に従って記録している者……55万円

　イ　取引を正規の簿記の原則に従って記録している者で、その年分の事業にかかる帳簿等について電子帳簿保存法に定めるところにより電磁的記録の備付け及び保存を行っている者……65万円

　ウ　取引を正規の簿記の原則に従って記録している者で、その年分の所得税の確定申告書等の提出を、その提出期限までにe-Taxを使用して行っている者……65万円

(7) 土地譲渡益に係る課税の特例

① その年1月1日において所有期間が5年以下の土地等で事業所得又は雑所得の基因となる土地等を譲渡した場合には、その譲渡に係る事業所得及び雑所得については、「土地等に係る事業所得等の金額」として、分離課税して最低40%の税率で課税する。　　【措法28の4】

② 適用停止

　　1998（平成10）年～2026（令和8）年3月31日までの土地の譲渡については適用停止。　【措法28の4⑥】

(8) 少額の減価償却資産等の必要経費算入

① 使用可能期間1年未満のもの又は業務の用に供した減価償却資産（リース資産を除く）で取得価額10万円未満のものは、事業の用に供した年に全額必要経費算入できる。　　　　　　　　　　　　　　　【所令138】

② 取得価額20万円未満の資産（①の適用があるものを除く）は、選択により減価償却に代えて、一括償却資産として選定したその取得価額の合計額を事業に使用した年以後3年間で均等額を必要経費算入できる。

　　　　　　　　　　　　　　　　　　　　【所令139①】

③ 青色申告の中小事業者が2006（平成18）年4月1日から2026（令和8）年3月31日までに取得等した取得価額30万円未満の減価償却資産は、業務の用に供した年にその取得価額の全額を300万円に達するまでを限度として必要経費に算入できる。

　　　　　　　　　　　　【措法28の2、措令18の5】

　(注)　①～③について、貸付け（主要な事業として行われるものを除く）の用に供したものは対象から除く。

④ 2007（平成19）年3月31日以前取得…旧償却方法

⑤ 2007（平成19）年4月1日以降2016（平成28）年3月31日以前取得…平成19年度税制改正における減価償却制度が適用

⑥ 2016（平成28）年4月1日以降取得…平成28年度税制改正における減価償却制度が適用

⑦ 2008（平成20）年4月1日以降に締結するリース資産…リース期間で均等償却　　　【所令120の2①六】

(9) 特別償却の必要経費算入

　特別償却は、原則として青色申告者に限り適用。

　種類としては、主に次のようなものがあるが、これらは基本的には法人税と同様の特例制度であるので、ここでは説明は省略する。

① 中小事業者が機械等を取得した場合の特別償却

　　　　　　　　　　　　　　　　　　　　【措法10の3】

② 地域経済牽引事業の促進区域内において特定事業用機械等を取得した場合の特別償却　　　【措法10の4】

③ 地方活力向上地域において特定建物等を取得した場合の特別償却　　　　　　　　　　【措法10の4の2】

④ 特定中小事業者が特定経営力向上設備等を取得した場合の特別償却　　　　　　　　　【措法10の5の3】

⑤ 認定特定高度情報通信技術活用設備を取得した場合の特別償却　　　　　　　　　　　【措法10の5の5】

⑥ 事業適応設備を取得した場合等の特別償却

　　　　　　　　　　　　　　　　　　　【措法10の5の6】

⑦ 特定船舶の特別償却　　　　　　　　　　【措法11】

⑧ 被災代替資産等の特別償却　　　　　　【措法11の2】

⑨ 特定事業継続力強化設備等の特別償却　【措法11の3】

⑩ 特定地域における工業用機械等の特別償却　【措法12】

⑪ 医療用機器の特別償却　　　　　　　　【措法12の2】

(10) 引 当 金

以下の引当金で一定のものについて、必要経費に算入することができる。

① 貸倒引当金

事業所得等を生ずべき事業を営む者が、その事業の遂行上生じた売掛金、貸付金その他これらに準ずる金銭債権の貸倒れによる損失の見込額として貸倒引当金を繰り入れたときは、繰入限度額までの金額を必要経費に算入できる。　　　　　　　　　　　　　　　【所法52】

ア 個別評価の貸倒引当金

イ 一括評価の貸倒引当金（青色申告者のみ）

② 退職給与引当金　　　　　　　　　　　　【所法54】

5. 給与所得

(1) 給与所得とは

俸給、給料、賃金、歳費及び賞与並びにこれらの性質を有する給与に係る所得をいう。　　　　　　　【所法28①】

(2) 所得金額

＝収入金額 − 給与所得控除

ただし特定支出金額が給与所得控除額を超える場合には、給与所得控除後の金額からその超える部分の金額を控除した金額を所得金額とすることができる。

【所法28、57の2①】

(3) 給与所得控除

収入金額が180万円以下の場合

　………収入金額×40% − 10万円

　　　　（55万円に満たない場合は55万円）

収入金額が180万円を超え
360万円以下の場合 …収入金額×30% + 8万円

収入金額が360万円を超え
660万円以下の場合 …収入金額×20% + 44万円

収入金額が660万円を超え
850万円以下の場合 …収入金額×10% + 110万円

収入金額が850万円超の場合…………195万円（注2）

【所法28③】

（注1）　収入金額が660万円未満の場合は、所法別表第五により給与所得を求める。

（注2）　特別障害者に該当する者、23歳未満の扶養親族と同一生計内にいる者、特別障害者控除の対象となる扶養親族等が同一生計内にいる者については、下記の金額が控除される。

［給与収入金額（1,000万円を超える場合には、1,000万円）− 850万円］×10%

ただし、給与所得と公的年金等に係る雑所得を有する者のうち、給与得控除後の給与等の金額と公的年金等に係る雑所得の金額の合計額が10万円を超える者については下記の金額が給与所得から控除される（所得金額調整控除）。

［給与所得控除後の給与等の金額 + 公的年金等に係る雑所得 − 10万円］（上限10万円）　　【措法41の3の3】

(4) 給与所得者の特定支出の控除の特例

① 範囲

ア 通勤費用、転任費用、研修費用、単身赴任者の帰宅旅費

イ 資格取得費

財務省令で定めるところにより給与等の支払者により証明されたものに限る。

ウ 勤務必要経費

図書費、衣服費、交際費、職業上の団体の経費。

② 控除額

その年中の特定支出の額の合計額が給与所得控除額の2分の1に相当する金額を超える場合には、その超える部分の金額を給与所得控除額に加算する。　【所法57の2】

(5) 経済的利益

① 役員又は使用人が、使用者からその地位に基づいて支給される「金銭以外の物又は権利その他の経済的な利益」をいう。これらを分類すると次のようになる。

ア 物品その他の資産の無償又は低額譲受け……譲受け時の時価と実際支払対価との差額

【所基通36-18、36-20〜26、36-36〜39】

イ 土地、家屋その他の資産の無償又は低額利用……通常支払うべき対価と実際支払対価の差額（特に豪華役員社宅の賃貸料に注意）　【所基通36-40〜48】

ウ 金銭の無利子又は低利借入れ……通常利息と実際支払利息との差額

エ イ、ウ以外の用役の無償又は低額利用……通常支払うべき対価と実際支払対価との差額

【所基通36-29〜50】

オ 債務免除益……免除を受けた利益

カ 個人的費用の肩代り……肩代りを受けた金額

② 現物給与で課税されないもの

【1 3. 非課税所得➡p.327】参照。

ア 給与所得者が、雇用主から金銭を無利息又は下記（注）の利息相当額に満たない利息で貸付けを受けた場合の経済的利益で、一定のもの。

（注）　他から借り入れたことが明らかな場合は、その借入金の利率。その他の場合は、各年の利子税特例基準割合を加算した利率。　【所基通36-49】

イ 社宅（会社の役員に貸与するものを除く）、寮等の徴収家賃が賃貸料相当額の50% 以上である場合のその家賃相当額との差額　　　　　　【所基通36-47】

ウ 残業、宿直、日直者に支給する食事【所基通36-24】

エ 雇用主負担の寄宿舎の電気、ガス、水道代等で従業員の使用部分のわからないもの　　　【所基通36-26】

オ 雇用主負担の従業員又は役員のレクリエーションのための旅行、運動会、演芸会費で一定の要件を満たすもの。ただし、非参加者にその費用相当額を支給しない場合に限る。　　　　　　　　【所基通36-30】

カ 永年勤続者（勤続年数10年以上を対象とし、かつ、2回以上表彰を受けるものは、おおむね5年以上の間隔をおいて行われるもの）表彰のための記念品で受賞者の勤続期間等にてらして相当と認められるもの

【所基通36-21】

キ 創業何十周年記念等に際して支給する記念品で、その処分見込価値が10,000円以下であり、かつ、おおむね5年以上の間隔をおいて支給されるもの

【所基通36-22】

ク 日直料、宿直料で1回の支給額のうち4,000円までの部分　　　　　　　　　　　　【所基通28-1】

ケ　深夜勤務者（正規の勤務時間による勤務の一部又は全部を午後10時から翌日午前5時までの間において行う者）に対し、雇用主が調理施設を有しないことなどにより深夜勤務に伴う夜食を現物で支給することが著しく困難であるため、その夜食の現物支給に代え通常の給与に加算して勤務1回ごとの定額で支給する金銭で、その1回の支給額が300円以下のもの

【個通昭59直所3-8、直法6-5】

コ　法定負担割合を超える雇用主負担の社会保険料、雇用主負担の生命保険等で月額300円以下のもの

【所基通36-32】

③　その他の現物給与の課税関係

ア　有価証券で与えた場合

(ｱ)　金額の多少にかかわらずすべて課税。評価方法は支給時の時価による。　　　【所基通36-36】

(ｲ)　取締役又は使用人等に付与された株式譲渡請求権や新株引受権及び有利発行の新株予約権（いわゆるストックオプション）を行使した場合は、原則的には給与所得として課税。ただし、退職後に権利の行使が行われた場合で、主として職務の遂行に関連しない利益の供与と認められるときは雑所得として課税（新株予約権が雇用関係等以外で与えられたと認められるときは、業務関連の有無により事業又は雑所得）。評価方法は、権利行使日における価額から株式の譲渡価額又は新株の発行価額を控除した金額による。

有利な払込額で株式と引き換える権利（上記の新株引受権、新株予約権を除く）を行使した場合は、一時所得として課税。ただし、それが役員又は使用人にその地位又は職務等に関連して与えられたと認められるときは給与所得（これらの者の退職に基因して与えられたと認められるときは退職所得）として課税。評価方法は、その権利の取得価額に行使の際の払込額を加算した金額による。

上記のいずれも株主として与えられた場合を除く。

【所基通23〜35共-6、所令84】

イ　発行法人から与えられた株式を取得する権利の譲渡による収入金額

居住者が新株予約権等（株式を無償又は有利な価額により取得することができる一定の権利で、当該権利を行使したならば経済的な利益として課税されるものをいう）を発行法人から与えられた場合において、当該居住者等が当該権利をその発行法人に譲渡したときは、当該譲渡の対価の額から当該権利の取得価額を控除した金額を、事業所得に係る収入金額、給与等の収入金額、退職手当等の収入金額、一時所得に係る収入金額又は雑所得に係る収入金額とみなす。

【所法41の2】

ウ　役員又は使用人に対し支給した食事

使用者が調理して支給する食事はその食事の材料等に要する直接費の額、雇用主が購入して支給する食事はその食事の購入価額により評価し、その評価した価額の金額を現物給与として課税する。

【所基通36-38、36-38の2】

ただし、次のいずれにも該当する場合に限り課税されない。

(ｱ)　その役員又は使用人から、上記により評価した食事の価額の50%相当額以上の代金を徴収していること

(ｲ)　上記により評価した食事の価額から、実際に役員又は使用人から徴収した代金を控除した残額が月額3,500円以下であること

（6）給与所得と確定申告

給与所得は、給与の支払時に所得税が源泉徴収され通常の場合年末調整で所得税の精算がされるが、次の場合には、確定申告をしなければならない。

①　給与の収入金額が2,000万円を超える場合（年末調整の対象とならない）　　　【所法121①】

②　給与を1カ所から受けている場合で、給与所得や退職所得以外の「所得の合計額」が20万円を超える場合

【所法121①一】

③　給与を2カ所以上から受けている場合で、従たる給与の収入金額と給与所得、退職所得以外の所得の合計額が20万円を超えている場合（ただし、すべての給与の収入金額が「150万円＋年末調整で控除される基礎控除以外の各種所得控除額」以下で、かつ、給与所得、退職所得以外の所得の合計額が20万円以下の場合を除く）

【所法121①二】

④　家事使用人で源泉徴収されない人、在日外国公館から支払を受ける給与　　　【所法120①、184】

⑤　同族会社の役員や親族で、その法人から給与のほかに、事業資金の貸付による利子、地代、店舗、工場などの賃貸料、機械器具の使用料をその同族会社から支払いを受けている場合　　　【所法121①、所令262の2】

⑥　災害減免法による源泉徴収税額の徴収猶予や還付を受けた場合　　　【災免法3⑥】

6. 退職所得

（1）退職所得とは

退職手当、一時恩給その他の退職により一時に受ける給与及びこれらの性質を有する給与による所得をいう。

【所法30①】

〈退職手当等とみなされるもの〉

ア　国民年金法、厚生年金保険法などの規定に基づく社会保険又は共済制度に基づいて支給される一時金（これに類する給付を含む）で政令で定めるもの

【所法31、所令72】

イ　厚生年金保険法9章の規定に基づく一時金

【所令72①三】

ウ　確定給付企業年金法の規定に基づいて支給を受ける退職一時金　　　【所令72②】

エ　特定退職金共済団体、独立行政法人勤労者退職金共済機構が行う中小企業退職金共済に関する制度に基づいて支給を受ける一時金（解約手当金等を除く）

【所令72③一】

オ　独立行政法人中小企業基盤整備機構が支給する小規模共済の共済金、一定の解約手当　　　【所令72③三】

カ　確定拠出年金法の企業型年金又は個人型年金の規約

に基づく老齢給付金として支給を受ける一時金

【所令72③六】

キ 独立行政法人福祉医療機構が社会福祉施設職員等退職手当共済法の規定に基づき支給する退職手当金

【所令72③七】

ク 外国の法令に基づく退職一時金で、わが国の法律の規定による保険又は共済制度に類するもの

【所令72③八】

ケ 企業破産等に係る退職労働者に対する未払賃金の立替制度により、退職労働者が所得税法上給与所得とされるものについて、政府から弁済を受けた金額

【措法29の4】

(2) 所得金額

① 特定役員退職手当等

収入金額 − 退職所得控除額

(注) 特定役員退職手当等とは、退職手当等のうち、役員等としての勤続年数が5年以下である者が、退職手当等の支払いをする者から当該役員等勤続年数に対応する退職手当等として支払いを受けるものをいう。

② 一般退職手当等　　　　　　　　　　　　【所法30④】

(収入金額 − 退職所得控除額) × $\frac{1}{2}$

ただし、短期退職手当に該当する場合「収入金額 − 退職所得控除額」が300万円を超えた部分について退職所得の計算上、$\frac{1}{2}$とする規定は適用されない。

短期退職手当等とは、退職手当等の支払者の下での勤続年数が5年以下である者が当該退職手当等の支払者から当該勤続年数に対応するものとして支払を受けるものであって、特定役員退職手当等に該当しないものをいう。

③ 一般退職手当等と特定役員退職手当等の両方が支給される場合

{一般退職手当等の収入金額 − (退職所得控除額 − 特定役員退職所得控除額) × $\frac{1}{2}$ + (特定役員退職手当等の収入金額 − 特定役員退職所得控除額)}　　【所法30②、④】

(3) 退職所得控除額

勤続年数	退職所得控除額
20年以下 20年超	40万円×勤続年数 (80万円未満の場合は、80万円) 800万円 + 70万円 × (勤続年数 − 20年)
障害退職の場合は、上記により計算した金額 + 100万円	
特定役員退職所得控除額 40万円 × (特定役員等勤続年数 − 重複勤続年数) + 20万円 × 重複勤続年数	

【所法30③、⑤、所令71の2①】

7. 山林所得

(1) 山林所得とは

山林の伐採による所得又は山林の譲渡による所得をいう。ただし、山林を所得の日以後5年以内に伐採又は譲渡した場合の所得は事業所得又は雑所得とする。

【所法32①、②】

(2) 所得金額の計算

① 通常の場合

収入金額 − (植林費 + 取得費 + 管理費 + 伐採費

+ 譲渡費用等) − 山林所得の特別控除額 (50万円まで)
− 青色申告特別控除額

【4.(6)青色申告特別控除の項参照➡p.331】

【所法32、措法30、25の2、措規12】

② 概算経費控除による場合

収入金額 − {(収入金額 − 伐採費・譲渡費用等)
×概算経費率 (50%) + 伐採費・譲渡費用等}
− 山林所得の特別控除額 (50万円まで)
− 青色申告特別控除額

(注) 森林計画特別控除の適用がある。

【措法30①、④、措令19の5、措規12、措法30の2】

8. 譲渡所得

(1) 短期譲渡所得

資産の譲渡でその資産の取得の日以後5年以内にされたものによる所得 (自己の研究の成果である特許権、実用新案権その他の工業所有権、自己の著作に係る著作権及び自己の探鉱により発見した鉱床に係る採掘権の譲渡による所得、一定の配偶者居住権の消滅による所得を除く)

【所法33③一、所令82】

(2) 長期譲渡所得

資産の譲渡による所得で短期譲渡所得以外のもの

【所法33③二】

(3) 課税されない譲渡所得

① 生活に通常必要な動産の譲渡による所得

【所法9①九】

(除外)【１ 3.(3)譲渡所得関係 ①ア参照➡p.328】

② 資力喪失の場合の強制換価手続による資産の譲渡、これと同様の事情にある譲渡による所得　【所法9①十】

③ 【１ 3.(3)譲渡所得関係 ②イ、ウ、エ参照➡p.328】

【措法40①】

(4) 所得金額の計算

総収入金額 − (取得費 + 譲渡経費) − 譲渡所得の特別控除額 (50万円まで)　　　　　　　　　　【所法33③、④】

特別控除の順序は、まず短期譲渡に係る部分の金額から控除する。　　　　　　　　　　　　　　　　【所法33⑤】

〈取得費〉

① 原則

ア 資産の取得に要した金額並びに設備費、改良費の合計額　　　　　　　　　　　　　　　　　【所法38①】

イ 家屋その他減価する資産の取得費は、取得費等の合計額から減価償却累計額又は減価の額を控除した金額

【所法38②】

② 特例

ア 1952 (昭和27) 年12月31日以前から引き続き所有していた資産の取得費は、1953 (昭和28) 年1月1日現在の相続税評価額と同日以後に支出した設備費及び改良費の合計額を基礎とする。

【所法61②、所令172】

イ 1952 (昭和27) 年12月31日以前から引き続き所有していた資産が、家屋等の減価償却資産である場合の取得費は、1953 (昭和28) 年1月1日現在の相続税評価額と同日以後に支出した設備費及び改良費の合計額から減価償却累計額又は減価の額を控除した金額

ウ　贈与、相続もしくは遺贈又は所法59②の低額譲受けにより取得した資産は、贈与者・被相続人等の取得費を引き継ぐ。ただし、配偶者居住権及び配偶者居住権が目的となっている居住建物等の場合は下記の通りとなる。

㋐　配偶者居住権が消滅等する場合の取得費

　居住用建物等の取得費（注1）×配偶者居住権等の割合（注2）－配偶者居住権設定から消滅等までの期間（注3）に係る減価の額

（注1）　取得の日から配偶者居住権設定の日までの期間に係る減価の額を控除する

（注2）　<u>配偶者居住権設定時における配偶者居住権又は配偶者敷地利用権の価額に相当する金額</u>
　　　　　配偶者居住権設定時における居住用建物等の価額に相当する金額

（注3）　配偶者居住権が設定時の平均余命又は遺産分割協議、遺言等に定められた存続期間

㋑　配偶者居住権が目的となっている居住建物等を譲渡した場合の取得費

　居住用建物等の取得費（注）－配偶者居住権等の取得費㋐

（注）　取得の日から配偶者居住権設定の日までの期間に係る減価の額を控除する　【所法60】

9. 土地建物等譲渡益の分離課税

（1）長期・短期譲渡所得の分離課税

① 　長期譲渡所得の分離課税

　土地建物等で、譲渡した年の1月1日において所有期間5年を超えるものについては次の算式により計算した税額による分離課税。　【措法31①】

　課税長期譲渡所得金額×15%

（注1）　課税長期譲渡所得金額＝長期譲渡益－特別控除額

（特別控除額は短期譲渡所得から先に控除）

（注2）　概算取得費控除として、1952（昭和27）年12月31日以前から引き続き所有していた土地建物等を譲渡した場合の取得費は原則として収入金額の5%相当額とすることができる。

【措法31の4】

② 　短期譲渡所得の分離課税

ア　土地建物等で、譲渡した年の1月1日において所有期間が5年以下のものについては次の算式により計算した税額による分離課税。

　課税短期譲渡所得金額×30%

（注）　課税短期譲渡所得金額＝短期譲渡益－特別控除額　【措法32①】

イ　アの分離課税の適用対象の土地等でも次の㋐～㋒に掲げる譲渡は、上記の短期譲渡所得の分離課税の税率の30%は15%となる。　【措法32③、28の4③】

㋐　国、地方公共団体に対する譲渡

㋑　独立行政法人都市再生機構、土地開発公社、地方住宅供給公社、日本勤労者住宅協会及び地方公共団体の全額出資に係る民法34の法人で宅地・住宅の

供給又は土地の先行取得の業務を主たる目的とするものに対する譲渡のうち、その法人の業務に直接必要なもの

㋒　収用交換等による譲渡

（注）　㋑の民法34の法人に対する譲渡及び㋒の収用交換等により行われる土地等の譲渡で一定のものは、その譲渡土地の面積が1,000㎡以上であるときは適正価格要件を満たすものに限る（1999（平成11）年1月1日～2026（令和8）年12月31日間の譲渡には不適用（措規13の5③））。

（2）保証債務の履行のために譲渡した場合の特例

　保証債務を履行するため資産の譲渡があった場合においても、その履行に伴う求償権の全部又は一部の行使ができなくなったときは、その行使することができないこととなった金額（不動産所得の金額、事業所得の金額又は山林所得の金額の計算上必要経費に算入される金額を除く）は回収することができないこととなった金額とみなして、その部分の所得はなかったものとみなす。　【所法64②】

（3）固定資産を交換した場合の特例

　1年以上所有していた固定資産を他の者が1年以上所有していた固定資産で同種のもの（交換のために取得したと認められるものは除く）と交換し、その交換によって譲渡した資産と同一の用途に供した場合は、その譲渡はなかったものとみなす。

　ただし、交換差金が20%を超える場合は適用されない。　【所法58】

（4）優良住宅地の造成等のために土地等を譲渡した場合の課税の特例

　次により計算した税額による分離課税。

　1987（昭和62）年10月1日から2025（令和7）年12月31日までの間に上記分離課税の項の①の長期保有土地等の譲渡で一定の優良住宅地等のための譲渡に該当するものがあるときは、長期保有土地建物等の譲渡による譲渡所得については、

① 　2,000万円以下である場合

　課税長期譲渡所得金額×10%

② 　2,000万円を超える場合

　（課税長期譲渡所得金額－2,000万円）×15%＋200万円

【措法31の2①】

（5）収用等の場合の課税の特例

① 　収用等による補償金等で代替資産を取得した場合又は交換処分等もしくは換地処分等に伴い資産を取得した場合は取得価額の引継ぎによる課税の繰延べができる（取得時期も引き継ぐ）。

【措法33、33の2、33の3、33の6】

　なお、代替資産は原則として収用等のあった日の属する年の翌年以後2年以内に取得しなければならないが、一定の要件を満たせば延長される。【措令22⑰、22の2】

② 　収用等又は交換処分等の場合の譲渡所得等の特別控除……収用等又は交換処分等により6ヵ月以内に譲渡契約をした場合で、その年中のすべての資産について①の特例の適用を受けないときは、その年中の該当する資産の譲渡益から5,000万円の特別控除後の金額で長期、短期の譲渡所得の分離課税がある。

なお、土地収用法の仲裁判断を受け、かつ、その仲裁の申請が6カ月以内にされている場合には、5,000万円の特別控除の適用が認められる譲渡の期間は、その資産を譲渡するまでの期間となる。　　　　　【措法33の4】

（6）居住用財産の譲渡における特別控除（3,000万円）

　自己の居住の用に供している家屋もしくはその家屋とともにその敷地を譲渡した場合又は、自己の居住の用に供していた家屋で、その居住の用に供しなくなったものもしくはそれとともにその敷地を、その居住の用に供さなくなった日から3年を経過する日の属する年の12月31日までに譲渡した場合（これらの譲渡は、いずれも特別関係者に譲渡した場合等は、この特別控除は適用されない）……3,000万円控除後、長期・短期譲渡所得の分離課税がある。　　　　　　　　　　　　　　　　　【措法35】

〈居住用財産を譲渡した場合の特別控除が適用除外となる特別関係者の範囲〉
① 譲渡者の配偶者及び直系血族
② ①以外の親族でその譲渡者と生計を一にしている者及びその居住用家屋が譲渡された後その譲渡者とその家屋に居住する者
③ 譲渡者と内縁関係にある者及びその者の親族でその者と生計を一にする者
④ ①、②、③の者及び使用人以外の者で、譲渡者から受ける金銭等により生計を維持している者及びその者の親族でその者と生計を一にする者
⑤ 同族会社及び会社以外の同族法人　　　【措令23】

〈居住用財産の譲渡の課税の特例の重複適用除外〉
① その譲渡について居住用財産の買換え及び交換の課税の特例を受ける場合
② 譲渡年の前年又は前々年に、この3,000万円控除・居住用財産の買換え及び交換の課税の特例・居住用財産の買換えの譲渡損失又は特定居住用財産の譲渡損失の損益通算及び繰越控除を受けている場合

（7）居住用財産の長期譲渡所得の税率の特例

　自己の居住する家屋及びその敷地の用に供されている土地又は土地の上に存する権利で、その年1月1日において所有期間が10年を超えるものを譲渡した場合、3,000万円の特別控除を適用した上で、
　　譲渡益6,000万円以下の部分については10%
　　譲渡益6,000万円超の部分については15%
による分離課税による課税がある。　　【措法31の3①】

（8）特定の土地等の長期譲渡所得の特別控除

① 2009（平成21）年1月1日から2010（平成22）年12月31日までの間に取得した国内にある土地を、その年の1月1日において所有期間が5年を超えるものを譲渡した場合には、その譲渡した土地に係る長期譲渡所得の金額から1,000万円（1,000万円に満たない場合にはその金額）を控除する。
② 特別の関係がある者からの取得並びに相続、遺贈、贈与及び交換によるものその他一定のものは除かれる。
　　　　　　　　　　　　　　　　　　【措法35の2】

（9）居住用財産の買換え及び交換の場合の長期譲渡所得の課税の特例

〈特定の居住用財産の譲渡〉

　1993（平成5）年4月1日～2025（令和7）年12月31日までの間にその年の1月1日において所有期間10年を超える居住用家屋及びその敷地を譲渡した場合の長期譲渡所得について、以下の要件のもとで、取得価額の引継ぎによる課税の繰延べを認める。

〈特例の適用要件〉
① 譲渡者の居住期間が10年以上であること
② 居住の用に供していた期間が10年以上の家屋のうち、居住の用に供さなくなった日から3年を経過する日の属する年の12月31日までに譲渡されるもの
③ 買換資産のうち、建物については、その床面積が50㎡以上のものであり、かつ土地については、その面積が500㎡以下のものであること。また、中古の耐火建築物については、新築後25年以内のもの又は地震に対する安全性の規定・基準に適合するものであること
④ 上記家屋が災害により滅失した場合において、引き続き所有していたならば、その年の1月1日において所有期間が10年を超える場合の家屋の敷地等
⑤ 買換資産の先行取得は、譲渡年の前年1月1日以後に取得したものであること
⑥ 譲渡資産の譲渡対価が1億円以下であること
　　　　　　　　　　　【措法36の2、36の5、措令24の2】

（10）特定の事業用資産の買換え、交換の場合の譲渡所得の課税の特例

　2026（令和8）年12月31日（注）までに、一定の買換えをした場合には、譲渡益のうち、その譲渡資産の収入金額と買換資産の取得価額とのいずれか少ない方の金額の80%に相当する譲渡収入金額に対応する譲渡益については課税の繰延べ（取得価額の引継ぎ）が認められる。なお、譲渡年の1月1日における所有期間が5年以下の土地等については、国・地方公共団体等に対するもの等一定の土地等の譲渡である場合を除き、この特例は認められない（ただし、買換資産の取得時期は、その買換えの時とされる）。　　　　　　　　　　　【措法37、措令25】
（注）長期保有資産の買換えについては、2026（令和8）年3月31日まで。

（11）特定の事業用資産の交換の場合の特例

　上記に該当する資産等を交換した場合にも、買換えの場合と同様、取得価額の引継ぎによる課税の繰延べの特例が認められるが、その交換に際し、交換差金を取得しているときは、その交換差金でもって交換により譲渡した資産に対応する上の表の右欄に掲げる資産を取得すれば、買換えの場合と同様に取り扱われ、取得価額の引継ぎによる課税の繰延べの特例が認められる。　　　　　　　　　【措法37の4】

（12）その他の特例

　その他土地等を譲渡した場合には、次のような特例がある。

	特　例　の　概　要	条文
空き家に係る3,000万円特別控除	被相続人が老人ホーム等に入所したことにより居住の用に供しなくなった家屋及びその家屋の敷地について、一定の要件を満たす場合 ➡ 3,000万円の特別控除	措法35

特別控除	特定土地区画整理事業等のための譲渡	国、地方公共団体、独立行政法人都市再生機構等が土地区画整理事業として行う公共施設の整備改善に関する事業や宅地造成事業等のため、土地等を譲渡した場合 適用対象に、重要文化財、史跡、名勝又は天然記念物として指定された土地が博物館法の規定により博物館に相当する施設として指定された博物館又は植物園の設置及び管理の業務を行うことを主たる目的とする地方独立行政法人に買い取られる場合（2019（平成31）年4月1日以後に行う土地等の譲渡から、文化財保護法に規定する文化財保存活用支援団体に買い取られる場合を追加）。 ➡ 2,000万円の特別控除	措法34
	特定住宅地造成事業等のための譲渡	特定住宅地造成事業等のため、土地等を譲渡した場合 ➡ 1,500万円の特別控除	措法34の2
	農地保有の合理化等のための農地等の譲渡	農業振興地域の整備に関する法律に基づく勧告に係る協議調停、あっせんにより土地等を譲渡した場合 ➡ 800万円の特別控除	措法34の3
	低未利用地の譲渡	一定の低未利用地を譲渡した場合 ➡ 100万円の特別控除	措法35の3
課税の繰延等	既成市街地等内にある中高層耐火建築物等の建設のための買換え及び交換	既成市街地等内にある土地等を、地上3階以上（特定民間再開発事業については4階以上）の建物を建てるために譲渡し、その建物全部又は一部を取得した場合 ➡ 譲渡収入のうち買換資産の取得価額に対応する部分については取得価額を引き継ぐ。	措法37の5
	特定の交換分合による譲渡	農業振興地域の整備に関する法律又は、農住組合法等の規定による交換分合により土地等を譲渡し、これらの交換分合により土地等を取得した場合 ➡ その交換分合により譲渡した土地等（清算金の額に対応する部分を除く）の譲渡はなかったものとする。	措法37の6
	特定普通財産と隣接土地等の交換	国有財産特別措置法の普通財産のうち一定の土地（特定普通財産）に隣接する土地等と特定普通財産との同法の交換の特例により交換をした場合 ➡ その隣接土地等（交換差金に対応する部分を除く）の交換はなかったものとする。	措法37の8

10. 有価証券譲渡益の分離課税

(1) 範　囲

居住者又は国内に恒久的施設を有する非居住者が行った、次に掲げる「株式等」の譲渡　　【措法37の10】
① 株式（株主又は投資主となる権利、株式の割当てを受ける権利、新株予約権及び新株予約権の割当てを受ける権利を含む）
② 特別の法律により設立された法人の出資者の持分、合名会社、合資会社又は合同会社の社員の持分、法人税法2七に規定する協同組合等の組合員又は会員の持分その他法人の出資者の持分（出資者・社員・組合員・会員となる権利及び出資の割当てを受ける権利を含む）
③ 新株予約権付社債（資産流動化法の転換特定社債及び新優先出資引受権付特定社債を含む）
④ 一定の優先出資（優先出資社員となる権利その他を含む）
⑤ 協同組織金融機関の優先出資に関する法律に規定する優先出資（優先出資者となる権利及び優先出資の割当てを受ける権利を含む）
⑥ 投資信託及び投資法人に関する法律に規定する新投資口予約権　　　　　　　　　【措法37の10②】
(注)　有価証券先物取引による所得は先物取引の申告分離課税の対象となる。

(2) 所得金額

＝収入金額－（取得価額＋必要経費）

収入金額には、合併、分割、資本の払戻し・解散による残余財産の分配、自己の株式の取得、出資の消却等、法人の組織変更による交付金銭の額及び金銭以外の資産の価額の合計額も含まれる（みなし配当とされた部分の金額を除く）。

また、株式等証券投資信託等（特定株式投資信託を除き、非公社債等投資信託及び特定目的信託を含む）の終了・一部解約により支払われる金額で、信託された金額のうち受益証券に係る部分の金額も収入金額とされる。
【所法27②、33③、35②二、37①、措法37の10③、④】
(注)　相続等で取得した非上場株式をその発行会社に相続税の申告期限後3年以内に譲渡した場合は、みなし配当課税されず株式譲渡課税される。　【措法9の7】

(3) 所得税額の計算

株式等に係る課税所得金額×15%（確定申告により、他の所得と分離して課税、このほかに住民税5%）
(注1)　ゴルフ場その他の施設の利用に関する権利に類する株式又は出資者の持分の譲渡は、総合課税の対象となる。　　　　　　【措法37の10②、措令25の8②】
(注2)　発行法人の有する資産が主として土地等であって、その発行法人の一定の大株主が一定期間内に相当数の株式を譲渡したことによる所得は、土地等に係る短期譲渡所得の課税の特例が適用される。
【措法37の10①、32②、措令21③〜⑥】

(4) 譲渡損失

株式等の譲渡による所得の金額の計算上生じた損失の金額については、株式等の譲渡による所得以外の所得との通算及び翌年への繰越しは認められない（上場株式及び特定株式に係る譲渡損失がある場合には翌年以降3年間繰越して、翌年以降の上場株式等に係る譲渡所得等の金額及び申告分離課税を選択した上場株式等に係る配当所得等の金額から控除できる）。
【措法37の10①、37の11①、37の12の2、37の13の2、措令25の11の2】

(5) 特定中小企業が発行した株式に係る課税の特例（エンジェル税制）

① 特定株式の取得に要した金額の控除
2003（平成15）年4月1日以後に、次のア〜エの株式会社（以下「特定中小会社」という）のそれぞれに掲げ

る株式（以下「特定株式」という）を払込み（注1）により取得（注1）した個人（注1）について、その取得した年分の株式等に係る譲渡所得等の金額は、確定申告要件の下で、その金額からその年中に払込みにより取得した特定株式の取得に要した金額の合計額（その株式等に係る譲渡所得等の金額を限度）を控除する。

ア　中小企業の新たな事業活動の促進に関する法律に規定する特定新規中小企業者である株式会社の発行株式

イ　設立後10年未満の中小企業者である一定の株式会社で、その株式会社の発行株式で投資事業有限責任組合契約に従って取得されるもの

ウ　認可金融取引業協会の規則において事業の成長発展が見込まれるものとして指定した株式を発行する株式会社で設立後10年未満の中小企業者である一定のもので、その株式会社の発行株式で一定の金融商品取引業者を通じて取得されるもの

エ　沖縄振興特別措置法に規定する指定会社で2014（平成26）年4月1日から2025（令和7）年3月31日までの間に同法の規定による指定を受けたものにより発行される株式

（注1）　払込みは特定株式の発行に際してするものに限る（一定の新株予約権の行使により取得した場合、当該新株予約権の取得に要した金額を加算。また、一定の信託を通じて取得した場合を含む）。取得はストック・オプションの経済的利益の非課税制度の適用を受けるものを除き、個人は同族株主等その他特別の関係者であった者を除く。④まで同じ。

（注2）　この控除の適用を受けた場合は、適用年の翌年以後のその特定株式の取得価額はその控除の適用金額を減額して計算する。
【措法37の13、措令25の12】

（注3）　特定新規中小会社の株式を取得した場合には寄附金控除の適用を受けることができる。【➡p.344】

②　特定新規中小企業者が設立の際に発行した株式の取得に要した金額の特別控除（スタートアップへの再投資に係る非課税措置）

設立特定株式を払込みにより取得をした一定の居住者等は、その年分の一般株式等に係る譲渡所得等の金額又は上場株式等に係る譲渡所得等の金額からその設立特定株式の取得に要した金額の合計額（当該譲渡所得等の金額の合計額を限度）を控除する。特定中小会社が発行した株式の取得に要した金額の控除等及び特定新規中小会社が発行した株式を取得した場合の課税の特例と選択適用できる。
【措法37の13の2、41の18の4】

③　特定株式に係る譲渡損失の繰越控除

特定中小会社の特定株式を払込みにより取得した個人について、特定中小会社設立の日からその株式の上場等の日の前日までの間（適用期間）に、その払込みにより取得した特定株式の譲渡（親族、使用人等特殊関係者への譲渡を除く）による損失が生じた場合において、その損失の金額をその損失の生じた日の属する年中の他の株式等の譲渡益から控除してもなお控除しきれない金額があるときは、措法37の10①の規定にかかわらず確定申告要件の下で、その控除しきれない金額については、その年の翌年以後3年内の各年分の株式等に係る譲渡所得等の金額からの繰越控除を認める。
【措法37の13の3⑦、⑧、措令25の12の3⑥、⑦】

④　特定中小会社の解散又は破産による損失の控除の特例

その払込みにより取得をした特定株式につき、適用期間内の発行会社の解散に伴う清算の結了又は破産により生じた損失の金額については、その年分の株式等の譲渡に係る所得の金額の計算上、譲渡損失の金額と同様に扱うこととした上で、②の繰越控除を適用する。
【措法37の13の3①、措令25の12の3①～③】

⑤　株式等を対価とする株式の譲渡に係る所得の計算の特例

個人が、所有株式を発行した法人を株式交付子会社とする株式交付によりその所有株式を譲渡し、その株式交付に係る株式交付親会社の株式の交付を受けた場合には、その譲渡した所有株式の譲渡損益を計上しない。
【措法37の13の4】

(6) 特定口座の課税の特例

①　金融商品取引業者等に一定の要件を満たす特定口座を設定してその特定口座に保管の委託がされている上場株式等、公募株式投資信託の受益証券及び特定投資法人の投資口（「特定口座内保管上場株式等」という）を譲渡等した場合の譲渡所得等の額は、他の株式等の譲渡による譲渡所得等の金額と区分して計算する。

②　この場合に、源泉徴収を選択した特定口座を通じて特定口座内保管上場株式等を譲渡等したことにより源泉徴収選択口座内調整所得金額（年初からその譲渡等以前の通算所得金額がその譲渡等前の通算所得金額より増加した部分の金額）が生じたときは、その譲渡対価を支払う金融商品取引業者等はその都度、その増加額の15.315%の源泉徴収をし、通算所得金額が減少したときはその減少額の15.315%相当額を還付し、年末において還付されずに残っている源泉徴収税額を翌年1月10日までに納付することとされる（別途、都道府県民税の株式等譲渡所得割が特別徴収される）。

③　その年分の株式等の譲渡所得等又は上場株式等の譲渡損失の金額の計算上、その選択届出書が提出された特定口座内保管上場株式等の譲渡所得等の金額を除外して確定申告することができる。　　　　　【附則45】

（注）　信用取引等（発行日取引を含む）に係る上場株式等の譲渡による事業所得等についても同様の規定の適用がある。　　　　　　　【措法37の11の3～37の11の5】

④　金融商品等取引業者等を通じて上場株式等の配当等の支払いを受けている場合において、その金融商品取引業者等に源泉徴収選択口座を開設しているときは、一定の手続を行うことによりその上場株式等の配当等を源泉徴収選択口座に受け入れることができる（2010（平成22）年1月1日以後）。

源泉徴収選択口座に受け入れた上場株式等の配当等に対する源泉徴収税額を計算する場合において、その源泉徴収選択口座内における上場株式等の譲渡損失の金額があるときは、その受け入れた配当等の額から譲渡損失の金額を控除した金額に対して税率を乗じて源泉所得税の

額を計算する。

　この場合において、その上場株式等の譲渡損失の金額につき、申告により、他の株式等の譲渡所得又は上場株式等の配当所得の金額から控除するときは、その源泉徴収選択口座内の配当等については申告が必要となる。
【措法37の11の6】

（7）非課税口座内の少額上場株式等に係る非課税措置（NISA）　　　　　　　　【2 2. 配当所得➡p.329】

（8）未成年者口座内の少額上場株式等に係る非課税措置（ジュニアNISA）　　【2 2. 配当所得➡p.330】

（9）国外転出をする場合の譲渡所得等の特例

① 　特例の概要

　国外転出をする居住者が、所得税法に規定する有価証券等を有する場合又は未決済デリバティブ取引等に係る契約を締結している場合には、その者の事業所得の金額、譲渡所得の金額又は雑所得の金額の計算上、当該国外転出の時に、当該有価証券等の譲渡又は当該未決済デリバティブ取引等の決済があったものとみなす。

② 　特例の対象者

　本特例は、国外転出時において保有する有価証券等の価額が1億円以上の者であり、かつ、原則として国外転出の日前10年以内において5年を超えて居住者であった者に適用する。

③ 　納税猶予

　国外転出の時までに納税管理人の届出をし、かつ、その所得税に係る確定申告期限までに納税猶予分の所得税額に相当する担保を供した場合、納税が国外転出から5年間猶予される。

【所法60の2、所令170③、所規37の2、平27年改正法附則7】

11. 一時所得

（1）一時所得とは

　利子、配当、不動産、事業、給与、退職、山林及び譲渡の各所得以外の所得のうち、営利を目的とする継続的行為から生じた所得以外の一時の所得で労務その他の役務又は資産の譲渡の対価としての性質を有しないものをいう。例えば、法人から贈与を受けた金品、生命保険・損害保険の満期保険金、懸賞当選金、競馬・競輪の払戻し金等による所得である。　　　　　　　　　　　　　【所法34①】

　ただし、事業主が負担した保険料等は、給与所得に係る収入金額に算入された金額に限る。

【所法34、所令183④二等】

（2）所得金額

＝総収入金額－支出金額－一時所得の特別控除額（50万円まで）　　　　　　　　　　【所法34②、③】

（注）　総所得金額を計算する場合について　【➡p342】

12. 雑 所 得

（1）雑所得とは

　利子、配当、不動産、事業、給与、退職、山林、譲渡及び一時の各所得のいずれにも該当しない所得をいう。例えば、生命保険契約等に係る年金（所令82の2）、損害保険契約等に係る年金（所令184①）及び公的年金等、非営業

貸金の利子（所基通35-2）、著述家以外の者の原稿料・印税（所基通35-2）による所得などである。　【所法35①】

（2）所得金額

　次の①と②の合計額。

【所法35②、④、措法41の15の3①】

① 　公的年金等に係る雑所得（速算表で計算）

② 　総収入金額（公的年金等に係るものを除く）－必要経費

（注）　②が赤字の場合は①より差し引かれる。

〈公的年金等に係る雑所得〉

① 　65歳未満の人

公的年金等の収入金額	公的年金等に係る雑所得以外の合計所得金額					
	～10,000千円		～20,000千円		20,000千円超	
	割合	控除額	割合	控除額	割合	控除額
～1,300千円	600千円		500千円		400千円	
～4,100千円	75%	275,000円	75%	175,000円	75%	75,000円
～7,700千円	85%	685,000円	85%	585,000円	85%	485,000円
～10,000千円	95%	1,455,000円	95%	1,355,000円	95%	1,255,000円
10,000千円超	1,955千円		1,855千円		1,755千円	

② 　65歳以上の人

公的年金等の収入金額	公的年金等に係る雑所得以外の合計所得金額					
	～10,000千円		～20,000千円		20,000千円超	
	割合	控除額	割合	控除額	割合	控除額
～1,300千円	1,100千円		1,000千円		900千円	
～4,100千円	75%	275,000円	75%	175,000円	75%	75,000円
～7,700千円	85%	685,000円	85%	585,000円	85%	485,000円
～10,000千円	95%	1,455,000円	95%	1,355,000円	95%	1,255,000円
10,000千円超	1,955千円		1,855千円		1,755千円	

（注）　65歳以上であるかどうかの判定は、その年12月31日（その納税者が年の中途において死亡し又は出国をする場合には、その死亡又は出国の時）の年齢による。
【措法41の15の3④】

（3）先物取引の申告分離課税

　商品先物取引、有価証券先物取引及び金融先物取引等をし、かつ当該先物取引の差金等決済をした場合には、先物取引による事業所得、譲渡所得及び雑所得については、所得税15%の税率で申告分離課税される。

　先物取引の差金等決済により生じた損失でその年分の先物取引による雑所得等の金額から控除しきれない金額は翌年以後3年間の先物取引による雑所得等の金額から控除できる。　　　　　　　【措法41の14①、41の15①】

---

3 ## 課税標準

1. 損益通算

（1）損益通算の順序

　総所得金額、退職所得金額又は山林所得金額を計算する場合において、不動産所得（令和3年分以後国外中古建物から生ずる国外不動産所得の損失を除く）の金額、事業所得の金額、山林所得の金額又は譲渡所得の金額の計算上生

じた損失の金額があるときは、以下の順序により、これを他の各種所得の金額から控除する。

【所法69、所令198、措法41の4の3】

① 不動産所得の金額又は事業所得の金額の計算上生じた損失の金額があるときは、これをまず他の利子所得の金額、配当所得の金額、不動産所得の金額、事業所得の金額、給与所得の金額及び雑所得の金額（「経常所得の金額」という）から控除する。

② 譲渡所得の金額の計算上生じた損失の金額があるときは、これをまず一時所得の金額から控除する。

③ ①の場合において、①の規定による控除をしてもなお控除しきれない損失の金額があるときは、これを譲渡所得の金額及び一時所得の金額（②の規定による控除が行われる場合には、②の規定による控除後の金額）から順次控除する。総合課税の譲渡所得に短期譲渡所得と長期譲渡所得がある場合には、まず短期譲渡所得から控除する。

④ ②の場合において、②の規定による控除をしてもなお控除しきれない損失の金額があるときは、これを経常所得の金額（①の規定による控除が行われる場合には、①の規定による控除後の金額）から控除する。

⑤ ①～④の規定による控除をしてもなお控除しきれない損失の金額があるときは、これをまず山林所得の金額から控除し、なお控除しきれない損失の金額があるときは、退職所得の金額から控除する。

⑥ 山林所得の金額の計算上生じた損失の金額があるときは、これをまず経常所得の金額（①又は④の規定による控除が行われる場合には、これらの規定による控除後の金額）から控除し、なお控除しきれない損失の金額があるときは、譲渡所得の金額及び一時所得の金額（②又は③の規定による控除が行われる場合には、これらの規定による控除後の金額）から順次控除し、なお控除しきれない損失の金額があるときは、退職所得の金額（⑤の規定による控除が行われる場合には、⑤の規定による控除後の金額）から控除する。

（2）不動産所得に係る損益通算の特例

不動産所得の金額の計算上生じた損失の金額のうち、土地等の取得に係る借入金利子の額に相当する部分の金額については損益通算の対象としない。

【措法41の4、措令26の6】

この場合において損失の金額のうち土地等の取得に係る借入金利子額に相当する金額は次による。

① 土地等に係る負債利子＞損失額……その損失額全額

② 土地等に係る負債利子≦損失額……その負債利子の額に相当する額

また、土地建物を一括して取得した場合においては土地等に係る負債の額を区分することが困難なときにはその負債はまず建物の取得に充てられ、次に土地等の取得に充てられたものとして土地等の取得に要した負債利子の額に相当する部分の金額を計算することができる。

【措令26の6②】

（3）変動所得等の通算

不動産所得の金額、事業所得の金額又は山林所得の金額の計算上生じた損失の金額のうちに変動所得の損失（注1）

の金額、被災事業用資産の損失（注2）の金額又はその他の損失の金額の二以上があるときは、これらの損失の金額の控除の順序については、次による。【法70②、所令202】

① 不動産所得の金額又は事業所得の金額の計算上生じた損失の金額のうちに変動所得の損失の金額、被災事業用資産の損失の金額又はその他の損失の金額の二以上があるときは、まずその他の損失の金額を控除し、次に被災事業用資産の損失の金額及び変動所得の損失の金額を順次控除する。

② 山林所得の金額の計算上生じた損失の金額のうちに被災事業用資産の損失の金額とその他の損失の金額とがあるときはまずその他の損失の金額を控除し、次に被災事業用資産の損失の金額を控除する。

(注1) 「変動所得の損失」とは、変動所得（自然条件その他の条件により年々の所得が大幅に変動する性格の所得）の金額の計算上生じた損失の金額をいう。

(注2) 「被災事業用資産の損失」とは、災害によってア棚卸資産、イ事業用固定資産及びウ山林について生じた損失をいう。　　　　　　　　　　【所法70③】

（4）損益不通算損失

① 非課税所得、一時所得、配当所得及び雑所得の損失及び土地建物等の長期・短期譲渡所得、株式等に係る譲渡所得等及び先物取引に係る事業所得の計算上生じた損失は通算の対象とならない（土地建物等の長期・短期譲渡所得、株式等に係る譲渡・事業・雑所得及び先物取引に係る事業・雑所得のそれぞれの所得グループ内の損失の通算はできる。また、土地建物等の長期・短期譲渡所得、株式等に係る譲渡所得等及び先物取引に係る雑所得等の金額は、損益通算に当たってないものとされる）。

【措法31③、32④、37の10①、41の14②】

② ア 競走馬（事業の用に供されるものを除く）その他射こう的行為の手段となる動産、イ 通常自己及び自己と生活を一にする親族が居住の用に供しないで主として趣味、娯楽又は保養の用に供する目的で所有する家屋その他主として趣味、娯楽、保養又は鑑賞の目的で所有する不動産、ウ 貴石、半貴石、貴金属、真珠、書画、骨とう、美術工芸品など生活に通常必要でない資産に係る所得の計算上生じた損失のうち、競走馬の譲渡に係る損失は競走馬の保有に係る雑所得から控除し、それ以外の損失又は控除しきれない損失があるときはその損失はないものとみなす。

(注) 譲渡損失の他の所得との損益通算及び雑損控除を適用することができない生活に通常必要でない資産の範囲に、主として趣味、娯楽、保養又は鑑賞の目的で所有する不動産以外の資産（ゴルフ会員権等）が追加された（2014（平成26）年4月1日以後の資産の譲渡等により生ずる損失の金額及び同日以後の災害等により生ずる損失の金額について適用）。

【所法69②、所令25、178、200】

2. 損失の繰越控除

（1）純 損 失

確定申告書を提出する居住者のその年の前年以前3年内の各年（その年分の所得税につき青色申告書を提出して

いる年に限る）において生じた純損失の金額（注１）（既に繰越控除されたもの又は繰戻し還付（注２）の対象となったもの及び下記の**（3）居住用財産の買換えの場合の譲渡損失**及び**（4）特定居住用財産の譲渡損失**として繰越控除の対象とされるものを除く）がある場合には、当該純損失の金額に相当する金額は、次により、当該確定申告書に係る年分の総所得金額、退職所得金額又は山林所得金額の計算上控除する（土地建物等の長期・短期譲渡所得、株式等に係る譲渡所得等及び先物取引に係る雑所得等からは控除できない）。　　　　　　　**【所法70①、③、所令201】**

① 控除する純損失の金額が前年以前３年内の二以上の年に生じたものである場合には、これらの年のうち最も古い年に生じた純損失の金額から順次控除する。

② 前年以前３年内の一の年において生じた純損失の金額の控除については、次による。

　ア 純損失の金額のうちに総所得金額の計算上生じた損失の部分の金額があるときは、これをまずその年分の総所得金額から控除する。

　イ 純損失の金額のうちに山林所得金額の計算上生じた損失の部分の金額があるときは、これをまずその年分の山林所得金額から控除する。

　ウ アによる控除をしてもなお控除しきれない総所得金額の計算上生じた損失の部分の金額は、その年分の山林所得金額（イの規定による控除が行われる場合には、当該控除後の金額）から控除し、次に退職所得金額から控除する。

　エ イによる控除をしてもなお控除しきれない山林所得金額の計算上生じた損失の部分の金額は、その年分の総所得金額（アの規定による控除が行われる場合には、当該控除後の金額）から控除し、次に退職所得金額（ウの規定による控除が行われる場合には、当該控除後の金額）から控除する。

③ その年分の各種所得の金額の計算上生じた損失の金額があるときは、まず損益通算による控除を行った後に控除を行う。

（注１）「純損失の金額」とは、損益通算しても控除しきれない損失の金額をいう。

（注２）　純損失の繰戻し還付

　　　　青色申告者は、純損失の金額の全部又は一部を青色申告書を提出している前年分の課税所得金額から控除して所得税額を計算し直して、その差額の税額の還付を請求することができる。

（2）特定非常災害に係る純損失の繰越控除の特例

特定被災事業用資産の損失による純損失の金額及び特定非常災害発生年において生じた純損失の金額のうち次に掲げるものの繰越期間を５年とする。

① 青色申告者でその有する事業用資産等の価額のうちに特定被災事業用資産の損失の占める割合が10分の１以上であるものは、被災事業用資産の損失による純損失を含む特定非常災害発生年において生じた純損失の金額

② 青色申告者以外の者でその有する事業用資産等の価額のうちに特定被災事業用資産の損失額の占める割合が10分の１以上であるものは、特定非常災害発生年において生じた被災事業用資産の損失による純損失と変動所得に係る損失による純損失との合計額　　　**【所法70の2】**

（3）居住用財産の買換えの場合の譲渡損失

譲渡所得の計算上生じた居住用財産の譲渡損失は、損益通算不適用の取扱いにかかわらず損益通算の適用がある。

また、確定申告書を提出する個人のその年の前年以前３年内の各年において生じた通算後譲渡損失の金額（純損失の金額のうち居住用財産の譲渡損失の金額に係るものをいう）は、繰越控除不適用の取扱いにかかわらず一定の要件のもとに、その年分の総所得金額等から繰越控除できる。

① 居住用財産の譲渡損失の要件

　確定申告書を提出する個人が、その年の前年以前３年内の年に生じた居住用財産の譲渡損失の金額（前年以前に繰越控除をした部分の金額を除く。以下「通算後譲渡損失の金額」）を有する場合において、その者がその年12月31日においてその通算後譲渡損失の金額相当額は、その年分の分離長期譲渡所得の金額、分離短期譲渡所得の金額、総所得金額、土地等に係る事業所得等の金額（平成10年１月１日～令和８年３月31日まで適用しない）、山林所得金額又は退職所得金額の計算上順次控除することができる。　　**【措法28の4、措令26の7】**

② 適用除外要件

　ア その年の合計所得金額が3,000万円を超える場合

　イ 居住用財産の譲渡損失が生じた年分の確定申告において、居住用財産の買換え等の場合の譲渡損失の損益通算の特例を適用していない場合又はやむを得ない場合がある場合を除き、その年分の確定申告書をその提出期限までに提出していない場合　　　**【措法41の5】**

（4）特定居住用財産の譲渡損失

譲渡所得の計算上生じた特定居住用財産の譲渡損失は、損益通算不適用の取扱いにかかわらず損益通算の適用がある。

また、確定申告書を提出する個人のその年の前年以前３年内の各年において生じた通算後譲渡損失の金額（純損失の金額のうち特定居住用財産の譲渡損失の金額に係るものをいう）は、繰越控除不適用の取扱いにかかわらず一定の要件のもとに、その年分の総所得金額等から繰越控除できる。

① 特定居住用財産の譲渡損失

　確定申告書を提出する個人が、その年の前年以前３年内の年に生じた純損失の金額のうち、その特定居住用財産の譲渡損失に係るものとして一定の方法により計算した金額（前年以前に繰越控除をした部分の金額を除く。以下「通算後譲渡損失の金額」）を有する場合において、一定の要件の下で、その通算後譲渡損失の金額について、その年分の分離長期譲渡所得の金額、分離短期譲渡所得の金額、総所得金額、土地等に係る事業所得等の金額（平成10年１月１日～令和８年３月31日まで適用なし）、退職所得金額又は山林所得金額の計算上順次控除することができる。　　**【措法28の4、41の5の2】**

② 適用除外要件

　ア その年の合計所得金額が3,000万円を超える場合

　イ 特定居住用財産の譲渡損失が生じた年分の確定申告において、特定居住用財産の譲渡損失の損益通算の特

例を適用していない場合又はやむを得ない場合がある場合を除き、その年分の確定申告書をその提出期限までに提出していない場合　　　　　【措法41の5の2】

（5）雑損失の繰越控除

　確定申告書を提出する居住者のその年の前年以前3年内の各年において生じた雑損失の金額は、次により当該確定申告書に係る年分の総所得金額、土地建物等の短期譲渡所得の金額（平成10年1月1日～令和8年3月31日まで適用なし）、長期譲渡所得の金額、株式等の譲渡所得等の金額、先物取引に係る雑所得等の金額、退職所得金額又は山林所得金額の計算上控除する。

　この場合、その雑損失の金額に関する事項を記載した確定申告書をその提出期限までに提出した場合であって、その後において連続して確定申告書を提出している場合に限り、適用する。
　　　　　【所法71、措法31、32、37の10、41の14、所令204】

① 控除する雑損失の金額が前年以前3年内の二以上の年に生じたものである場合には、これらの年のうち最も古い年に生じた雑損失の金額から順次控除する。
② 前年以前3年内の一の年において生じた雑損失の金額で前年以前において控除されなかった部分に相当する金額があるときは、これをその年分の総所得金額、土地建物等の短期譲渡所得の金額、長期譲渡所得の金額、株式等の譲渡所得等の金額、先物取引に係る雑所得等の金額、山林所得金額又は退職所得金額から順次控除する。

（6）特定非常災害に係る雑損失の繰越控除の特例

　特定非常災害の指定を受けた災害により居住者の有する住宅、家財等に生じた損失について、雑損控除を適用しその年分の総所得金額等から控除しても控除しきれない損失額についての繰越期間を5年とする。　　　【所法71の2】

（7）特定株式の譲渡損失の繰越控除

　　　　　【2 10.（5）エンジェル税制 参照➡p.337】

3. 課税標準の計算

　　　　　【措法31、32、所法22】

（1）総所得金額

　＝ {（分離課税以外の）利子所得・配当所得＋不動産所得＋事業所得＋雑所得＋給与所得＋分離課税以外の短期譲渡所得} ＋ {（分離課税以外の長期譲渡所得＋一時所得）× $\frac{1}{2}$ } の合計額　　　【所法21、22】

　（注） 合計所得金額とは、総所得金額、措法適用の土地等に係る事業所得等の金額、特別控除前の分離譲渡所得の金額、分離課税の上場株式等に係る配当所得等の金額、株式等に係る譲渡所得の金額及び先物取引に係る雑所得等の金額、退職所得の金額、山林所得の金額の合計額をいう。

（2）その他の課税標準

① 短期譲渡所得の金額　　　　　　【措法32】
② 長期譲渡所得の金額　　　　　　【措法31】
③ 株式等に係る譲渡所得等の金額　　【措法37の10】
④ 先物取引に係る雑所得等の金額　　【措法41の14】
⑤ 山林所得金額　　　　　【所法22③、32③】
⑥ 退職所得金額　　　　　【所法22③、30②】

4 所得控除

（1）所得控除の順序

① 所得控除は、まず雑損控除から控除される。
② 総所得金額、土地建物等の長期又は短期譲渡所得の金額、株式等の譲渡所得等の金額、先物取引の雑所得等の金額、山林所得金額、退職所得金額の順序で控除される。　　　　　【所法87①、②】

（2）雑損控除

① 範囲

　居住者又はその者と生計を一にする配偶者その他の親族（その年分の総所得金額、退職所得金額及び山林所得金額の合計金額が48万円以下のもの）の有する資産（生活に通常必要でない資産、棚卸資産、事業用資産及び山林を除く。以下「住宅家財等」という）について災害又は盗難もしくは横領による損失が生じた場合（その災害又は盗難もしくは横領に関連する次のやむを得ない支出をした場合を含む）。
【所法72、165、所令205、206、措法31③、32④、37の10⑥、41の14②】

② 控除額

ア その年の損失の金額のうちに災害関連支出金額（上欄のアからウまでに掲げる支出額から保険金、損害賠償金その他これらに類するものにより補塡される部分の金額を除いた金額をいう）がないか又は5万円以下の場合

$$損失の金額（注1）- \left\{ \begin{array}{l} その年分の \\ 合計所得金額 \end{array} \times \frac{1}{10} \right\}$$

イ その年の損失の金額のうちに5万円を超える災害関連支出金額がある場合
　損失の金額－次の(ア)又は(イ)のいずれか低い金額
　(ア) 損失の金額－災害関連支出金額のうち5万円を超える部分の金額
　(イ) その年分の合計所得金額× $\frac{1}{10}$

ウ その年の損失の金額がすべて災害関連支出である場合
　損失の金額－次の(ア)又は(イ)のいずれか低い金額
　(ア) 5万円
　(イ) その年分の合計所得金額× $\frac{1}{10}$

　（注1） 損失の金額＝（被害直前の時価－被害直後の時価）又は取得価額から減価償却費累積額を控除した金額－廃材価額－保険金等＋災害関連支出金額　　　　　【所令206③】

　（注2） 「減価償却費累積額相当額」とは、その取得から譲渡までの間に業務の用に供されていた期間のない資産の場合には、その資産の耐用年数の1.5倍の年数に対応する旧定額法の償却率により求めた1年当たりの減価償却費相当額にその資産の取得から譲渡までの期間の年数を乗じて計算した金額をいう。【所法49、所令85】

（3）医療費控除

① 範囲

居住者が、自己又は自己と生計を一にする配偶者その他の親族に係る医療費を支払った場合。　　【所法73】

② 控除額

$$医療費 - \begin{pmatrix} 保険金等で \\ 補填された \\ 金額 \end{pmatrix} - \begin{Bmatrix} 合計所得金額の5\% \\ 又は10万円のいずれか \\ 低い金額 \end{Bmatrix}$$

（注）　控除額は、200万円を限度とする。

③ セルフメディケーション税制（医療費控除の特例）

自己又は自己と生計を一にする配偶者その他親族に係る特定一般用医薬品等購入費を支払った場合、一定の取組等を行っているときは医療費控除との選択により本税制の適用を受けることができる。　【措法41の17の2】

控除額＝特定一般用医薬品等購入費合計 − 12,000円

（注）　控除額は、88,000円を限度とする。

（4）社会保険料控除

① 範囲

居住者が、自己又は自己と生計を一にする配偶者その他の親族の負担すべき社会保険料を支払った場合又は自己の給与から控除される場合。

【所法74、措法31③、37の10⑥、41の14②】

② 控除額

その支払った金額又はその控除される金額【所法74】

ただし、前納した社会保険料等の扱いについて

【所基通74、75】

（注）　国民年金保険及び国民年金基金に係る社会保険料控除については、保険料の支払証明書の添付を必要とする。　　【所令262①二】

（5）小規模企業共済等掛金控除

① 範囲

小規模企業共済等掛金を支払った場合。

小規模企業共済等掛金とは、次に掲げる契約に基づく掛金をいう。　　【所法75②、所令20②、208の2】

ア　小規模企業共済法2②に規定する第1種共済契約

イ　確定拠出年金法の企業型年金制度又は個人型年金制度

ウ　地方公共団体が心身障害者に関して実施する扶養共済制度

② 控除額

支払った金額　　　　　　　　　　　　【所法75】

（6）生命保険料控除

① 範囲　　　　　　　　　　　　　　　【所法76】

居住者が、保険金、年金、共済金又は一時金の受取人の全てを本人又はその配偶者その他の親族とする以下の保険料又は掛金を支払った場合

ア　生命保険料

イ　個人年金保険料

ウ　介護医療保険料

② 生命保険料控除額

ア　旧生命保険料（2011（平成23）年12月31日以前に締結した保険契約等に係る保険料）を支払った場合

$$\begin{bmatrix} 支払った一般の生命 \\ 保険料の金額を下記 \\ の(ア)〜(ウ)の算式に当 \\ てはめて計算した金 \\ 額（最高5万円） \end{bmatrix} + \begin{bmatrix} 支払った個人年金保 \\ 険料の金額を下記の \\ (ア)〜(ウ)の算式に当 \\ てはめて計算した金額 \\ （最高5万円） \end{bmatrix}$$

= 生命保険料控除

(ア)　支払った保険料が25,000円以下
　　……支払保険料の全額

(イ)　支払った保険料が25,000円を超え50,000円以下
　　……支払保険料の額 $× \frac{1}{2} + 12,500$円

(ウ)　支払った保険料が50,000円を超える100,000円以下　……支払保険料の額 $× \frac{1}{4} + 25,000$円

(エ)　支払った保険料が100,000円を超える場合
　　……50,000円

イ　新生命保険料（2012（平成24）年1月1日以後に締結した保険契約等に係る保険料）を支払った場合

$$\begin{bmatrix} 支払った一般の生命 \\ 保険料の金額を下記 \\ の(ア)〜(ウ)の算式に当 \\ てはめて計算した金 \\ 額（最高4万円） \end{bmatrix} + \begin{bmatrix} 支払った個人年金保 \\ 険料の金額を下記の \\ (ア)〜(ウ)の算式に当て \\ はめて計算した金額 \\ （最高4万円） \end{bmatrix}$$

$$+ \begin{bmatrix} 支払った介護医療保 \\ 険料の金額を下記の \\ (ア)〜(ウ)の算式に当て \\ はめて計算した金額 \\ （最高4万円） \end{bmatrix} = 生命保険料控除$$

(ア)　支払った保険料が20,000円以下
　　……支払保険料の全額

(イ)　支払った保険料が20,000円を超え40,000円以下
　　……支払保険料の額 $× \frac{1}{2} + 10,000$円

(ウ)　支払った保険料が40,000円を超える80,000円以下　……支払保険料の額 $× \frac{1}{4} + 20,000$円

(エ)　支払った保険料が80,000円を超える場合
　　……40,000円

ウ　旧生命保険料と新生命保険料を支払った場合

(ア)　一般の生命保険料と個人年金保険料のそれぞれについて、下記の金額の合計額（上限4万円）

A　旧生命保険料は、上記アの算式に当てはめて計算した金額

B　新生命保険料は、上記イの算式に当てはめて計算した金額

(イ)　介護医療保険料は、上記イの算式に当てはめて計算した金額　　　　　　　　　　　　　　【所令262①】

（7）地震保険料控除

① 範囲

居住者が、自己もしくは自己と生計を一にする配偶者その他の親族が有する居住用家屋や生活用財産を保険又は共済の目的とし、かつ地震等損害によりこれらの資産について生じた損失の額をてん補する保険金又は共済金が支払われる損害保険契約等に係る地震等損害部分の保険料又は掛金をいう。

【所法77、所令213、措法31③、37の10⑥、41の14②】

② 控除額

支払った地震保険料の金額の合計額（最高5万円）

【所法77】

③ 経過措置

（2007（平成19）年以後の各年において、）2006（平成18）年12月31日までに締結した「長期損害保険契約等」に係る保険料等を支払った場合、最高1万5千円が適用される。

(8) 寄附金控除

① 範囲

居住者が特定寄附金を支出した場合。

特定寄附金とは、以下の寄附金（学校の入学に関してする寄附金を除く）をいう。

ア 国・地方公共団体（港務局を含む）に対する寄附金

イ 指定寄付金・公益社団法人等に対する寄附金で財務大臣指定のもの

ウ 教育又は科学の振興、文化の向上、社会福祉への貢献その他公益の増進に著しく寄与する特定公益増進法人の主たる目的である業務に関連する寄附金

エ 教育又は科学の振興、文化の向上、社会福祉の貢献に著しく寄与する特定公益信託の信託財産とするために支出した金銭

オ 政治活動に関する寄附金で一定のもの

カ 認定NPO法人のその事業関連の寄附金

【所法78、所令215〜217の2、措法41の18〜41の18の3】

② 控除額

その年中に支出した特定寄附金の額の合計額（当該合計額がその年分の総所得金額等の40%を超えるときは、その40%相当額）−2,000円

【所法78①、措法41の18の3①】

③ 特定新規中小会社へ出資した場合の課税の特例（エンジェル税制）

居住者等が、一定の要件を満たす特定新規中小会社が発行した株式の払込みによる取得に要した金額について800万円を限度として寄附金控除の規定を適用することができる。この場合において、特定新規中小会社に出資した金額のうち、この規定の適用を受けて総所得金額等から控除した金額は、取得した特定新規中小会社の株式の取得価額から控除する。 【措法41の19】

(9) 障害者控除

① 範囲

ア 居住者本人が障害者である場合

イ 居住者に障害者である同一生計配偶者（2017（平成29）年分までは控除対象配偶者）又は扶養親族がある場合 【所法2①二十八、二十九】

② 控除額

ア 一般の障害者の場合1人につき、270,000円

イ 特別障害者の場合1人につき、400,000円

ウ 同居特別障害者の場合1人につき750,000円……2011（平成23）年分以後に適用 【所法79】

(10) 寡婦（夫）控除

① 範囲

居住者が寡婦である場合。

【所法2①三十、所令11、所規1の4】

寡婦とは、次に掲げる者でひとり親に該当しないものをいう。

ア 夫と離婚した後婚姻をしていない者のうち、次に掲げる要件を満たすもの

㋑ 扶養親族を有すること。

㋑ 合計所得金額が500万円以下であること。

㋒ その者と事実上婚姻関係と同様の事情にあると認

められる者として住民票の続柄に「夫（未届）」「妻（未届）」の記載があるものがいないこと。

イ 夫と死別した後婚姻をしていない者又は夫の生死の明らかでない一定の者で、ア㋑及び㋒に掲げる要件を満たすもの

② 控除額 270,000円 【所法80】

(11) ひとり親控除

① 範囲 【所法2①三十一】

ひとり親とは、現に婚姻をしていない者又は配偶者の生死の明らかでない一定の者で、次に掲げる要件を満たすものをいう。

ア その者と生計を一にする子（他の者の同一生計配偶者又は扶養親族とされている者を除く）でその年分の総所得金額等が48万円以下のものを有すること。

イ 合計所得金額が500万円以下であること。

ウ その者と事実上婚姻関係と同様の事情にあると認められる者として住民票の続柄に「夫（未届）」「妻（未届）」の記載があるものがいないこと。

② 控除額 350,000円 【所法81】

(12) 勤労学生控除

① 範囲

居住者が勤労学生である場合。

【所法82、2①三十二、所令11の3】

勤労学生とは、学校教育法第1条、124条に規定する学校等の学生、生徒又は児童等で、ア自己の給与所得等があり、かつ、合計所得金額が75万円以下で、ウ合計所得金額のうち給与所得等以外の所得が10万円以下の者をいう。 【措法31③、32④、37の10⑥、41の14②】

② 控除額 270,000円

(13) 配偶者控除

① 範囲

居住者が控除対象配偶者又は老人控除対象配偶者を有する場合。 【所法83】

② 控除対象配偶者の定義

控除対象配偶者とは、同一生計配偶者のうち、合計所得金額が1,000万円以下である居住者の配偶者（青色事業専従者として給与の支払いを受ける者及び事業専従者に該当する者を除く）をいう。

【所法2①三十三、三十三の二】

同一生計配偶者とは、居住者と生計を一にするその者の配偶者のうち、合計所得金額が48万円以下の者をいう。

また、老人控除対象配偶者とは、控除対象配偶者のうち、年齢70歳以上の者をいう。 【所法2①三十三の三】

③ 控除額

居住者の合計所得金額	控除額	
	控除対象配偶者	老人控除対象配偶者
900万円以下	38万円	48万円
900万円超 950万円以下	26万円	32万円
950万円超 1,000万円以下	13万円	16万円

（14）配偶者特別控除

① 範囲　　　　　　　　　　　　　　【所法83の2】

　居住者の合計所得金額が1,000万円以下で、かつ生計を一にする配偶者（他の居住者の扶養親族とされる者、青色専従者として専従者給与を受ける者、白色事業専従者、及び自らこの控除の適用を受ける配偶者を除く）で合計所得金額が48万円超133万円以下であるもので控除対象配偶者に該当しないものを有する場合。

② 控除額

　①の配偶者の合計所得金額を下表に当てはめて求めた控除額。

配偶者の合計所得金額	居住者の合計所得金額		
	900万円以下	900万円超950万円以下	950万円超1,000万円以下
48万円超　95万円以下	38万円	26万円	13万円
95万円超 100万円以下	36万円	24万円	12万円
100万円超 105万円以下	31万円	21万円	11万円
105万円超 110万円以下	26万円	18万円	9万円
110万円超 115万円以下	21万円	14万円	7万円
115万円超 120万円以下	16万円	11万円	6万円
120万円超 125万円以下	11万円	8万円	4万円
125万円超 130万円以下	6万円	4万円	2万円
130万円超 133万円以下	3万円	2万円	1万円

（15）扶養控除

① 範囲

　居住者が控除対象扶養親族を有する場合。

ア　控除対象扶養親族とは、配偶者以外の扶養親族のうち、以下の者をいう。

　㋐　居住者　年齢16歳以上の者

　㋑　非居住者　年齢16歳以上30歳未満の者及び年齢70歳以上の者並びに年齢30歳以上70歳未満の者であって次に掲げる者のいずれかに該当する者

　　A　留学により国内に住所及び居所を有しなくなった者

　　B　障害者

　　C　その居住者からその年において生活費又は教育費に充てるための支払を38万円以上受けている者

イ　特定扶養親族とは、控除対象扶養親族のうち、年齢19歳以上23歳未満の者をいう。

ウ　老人扶養親族とは、控除対象扶養親族のうち、年齢70歳以上の者をいう。

　なお、扶養親族とは、居住者の親族（その居住者の配偶者を除く）並びに児童福祉法の規定により里親に委託された児童及び老人福祉法の規定により養護受託者に委託された老人で居住者と生計を一にするもののうち、合計所得が48万円以下である者をいう。

　　　　　　　【所法84、所法2①三十四の二〜四】

（注）「親族」とは、民法上の親族すなわち配偶者、6親等内の血族、3親等内の姻族をいう。

② 控除額　　　　　　　　　【所法84、措法41の16】

扶養親族の区分			控除額
ア	一般の控除対象扶養親族（イ〜ウ以外）		38万円
イ	特定扶養親族		63万円
ウ	老人扶養親族	同居老親等以外の者	48万円
		同居老親等	58万円

（注）「同居老親等」とは、居住者又はその配偶者のいずれかとの同居を常況としているそのいずれかの直系尊属である者をいう。　　　　【措法41の16①】

（16）基礎控除

合計所得金額	控除額
2,400万円まで	48万円
2,400万円超 2,450万円まで	32万円
2,450万円超 2,500万円まで	16万円
2,500万円超	―

【所法86】

5 税額の計算

1. 所得税額の算出（2024（令和6）年分）

〔所得金額〕 － 〔所得控除額〕 ＝ 〔課税標準〕 → 〔速算表等〕 → 〔算出税額〕 － 〔税額控除金額〕 ＝ 〔所得税額〕

所得金額

所得金額		
1 利子所得		
2 配当所得		
3 不動産所得		
4 事業所得		
5 給与所得		
6 譲渡所得	長期譲渡所得及び一時所得は2分の1	→ 総所得金額
7 一時所得		
8 雑所得		
9 山林所得	→ 山林所得金額	
10 退職所得	→ 退職所得金額	

（上記1～8はいずれも分離課税の所得を除く。）

所得控除額

① 雑損控除
② 医療費控除
③ 社会保険料控除
④ 小規模企業共済等掛金控除
⑤ 生命保険料控除
⑥ 地震保険料控除
⑦ 寄附金控除
⑧ 障害者控除
⑨ 寡婦控除
⑩ ひとり親控除
⑪ 勤労学生控除
⑫ 配偶者控除
⑬ 配偶者特別控除
⑭ 扶養控除
⑮ 基礎控除

（注）総所得金額、山林所得金額、退職所得金額から順次控除する。

課税標準

課税総所得金額
課税山林所得金額
課税退職所得金額

算出税額

課税総所得金額に対する所得税額 ＊1
課税山林所得金額に対する所得税額 ＊2
課税退職所得金額に対する所得税額 ＊1

税額控除金額

1 配当控除額
2 試験研究を行った場合の所得税額の特別控除額など
3 エネルギー需給構造改革推進設備を取得した場合の所得税額の特別控除額など
4 住宅借入金等を有する場合の特別税額控除
5 外国税額控除額 など

（注）税額控除は総所得の税額、山林所得の税額、退職所得の税額の順に行う。控除額は算出税額が限界となる。

所得税額

＊1：所得税の速算表（次ページ参照）
＊2：山林所得の速算表

〈所得税の速算表〉

2017（平成29）年分以後の総所得金額又は退職所得金額の所得税額の速算表（なお、2013（平成25）年1月1日から2037（令和19）年12月31日までの所得税については、復興特別所得税（2.1%）分を上乗せすることとなる）

課税総所得金額・課税退職所得金額(A)	税率(B)	控除額(C)	税額 =(A)×(B)−(C)
1,950千円以下	5%	—	(A)× 5%
1,950千円超 3,300千 〃	10%	97,500円	(A)×10%− 97,500円
3,300千 〃 6,950千 〃	20%	427,500円	(A)×20%− 427,500円
6,950千 〃 9,000千 〃	23%	636,000円	(A)×23%− 636,000円
9,000千 〃 18,000千 〃	33%	1,536,000円	(A)×33%−1,536,000円
18,000千 〃 40,000千 〃	40%	2,796,000円	(A)×40%−2,796,000円
40,000千 〃	45%	4,796,000円	(A)×45%−4,796,000円

（注1） 課税総所得金額に1,000円未満の端数があるときは、これを切り捨てる。
（注2） 課税退職所得金額は、退職所得の収入金額から退職所得控除額を控除した後の金額を2分の1した金額（1,000円未満の端数切捨て）
（注3） 求めた税額に100円未満の端数があるときは、これを切り捨てる。　【所法89】

2. 復興特別所得税

東日本大震災からの復興のための施策を実施するために必要な財源の確保に関する特別措置法（復興財源確保法）が公布され、復興特別所得税が創設された。

① 納税義務者

個人で所得税を納める義務のある者は、復興特別所得税も併せて納める義務がある。　【復興財確法8】

② 課税対象

2013（平成25）年から2037（令和19）年までの各年分の基準所得税額が、復興特別所得税の課税対象となる。　【復興財確法9】

③ 復興所得税額

復興特別所得税額は次の算式で求める。

復興特別所得税額＝基準所得税額×2.1%

【復興財確法12、13】

④ 源泉徴収

2013（平成25）年1月1日から2037（令和19）年12月31日までの間に生ずる所得について源泉所得税を徴収する際、復興特別所得税を併せて源泉徴収する。

【復興財確法8、28】

3. 特殊な場合の税額計算

（1）変動所得、臨時所得の平均課税　【所法90】

① 変動所得

変動所得とは、漁獲・のりの採取から生ずる所得、はまち、まだい、ひらめ、うなぎ、かき、ほたて貝又は真珠（真珠貝を含む）の養殖から生ずる所得、原稿、作曲の報酬による所得、著作権の使用料による所得をいう。
【所法2①二十三、所令7の2、所基通2-31、2-32】

② 臨時所得

臨時所得とは、職業野球選手等の3年以上の期間の専属契約金（年間報酬の2倍以上のもの）による所得、

3年以上の期間の不動産等の貸付けによる権利金等（年間賃貸料の2倍以上のもの）による所得、事業の休廃止等に伴い受ける3年以上の収益補償による所得（譲渡所得に該当するものを除く）、業務用資産の災害により受ける3年以上の収益補償による所得及びこれに類する所得をいう。【所法2①二十四、所令8、所基通2-37】

③ 平均課税が選択できる場合

その年分の変動所得の金額及び臨時所得の金額の合計額（その年分の変動所得の金額が前年分及び前々年分の変動所得の金額の合計額の2分の1相当額以下である場合には、その年分の臨時所得の金額）がその年分の総所得金額の20%以上である場合。　【所法90①、③】

④ 平均課税の方法

$$\left\{変動所得−\left(\frac{前2年間変動所得の合計額}{} \times \frac{1}{2}\right)\right\}+臨時所得$$

＝平均課税対象金額

課税総所得金額＞平均課税対象金額のとき

課税総所得金額−平均課税対象金額×$\frac{4}{5}$

＝調整所得金額（千円未満切捨て）

課税総所得金額≦平均課税対象金額のとき

課税総所得金額×$\frac{1}{5}$＝調整所得金額（千円未満切捨て）

課税総所得金額−調整所得金額＝特別所得金額

調整所得金額×税率（税額表）＝税額①➡（平均税率）

＝$\frac{税額①}{調整所得金額}$（小数点以下3位切捨て）

特別所得金額×平均税率＝税額②

①＋②＝算出税額

6 税額控除

（1）配当控除

① 控除対象

内国法人（特定目的会社（SPC）及び投資法人を除く）から受ける剰余金の配当、利益の配当、剰余金の分配、特定株式投資信託（外国株価指数連動型特定株式投資信託を除く）又は証券投資信託（特定外貨建等証券投資信託を除く）の収益の分配に係る配当所得。

② 控除額

ア その年分の課税所得の合計額（課税総所得金額、土地建物等の課税長期・短期譲渡所得金額、株式等に係る課税譲渡所得等の金額及び先物取引に係る課税雑所得等の金額）が1,000万円以下である場合
【所法92、措法9】

配当所得×10%

（特定株式投資信託以外の証券投資信託の収益分配に係る配当所得については5%、一般外貨建等証券投資信託の場合は2.5%）

イ 課税所得の合計額から配当所得を控除した金額が1,000万円超である場合

配当所得×5%（課税所得の合計額が1,000万円以

下の部分は10%）

（特定株式投資信託以外の証券投資信託の収益分配に係る配当所得については2.5％（1,000万円以下の部分については5％）、一般外貨建等証券投資信託の場合は1.25％（1,000万円以下の部分については2.5％））

（注1）　私募公社債等運用投資信託等の収益の分配に係る配当所得については配当控除適用なし。
【措法9】

（注2）　総所得金額に算入しない配当所得については、配当控除の規定は適用されない。【措法8の5①】

（注3）　上場株式等の配当等について申告分離課税を選択した場合には、その上場株式等について配当控除の規定は適用されない。　　　　【措法8の4①】

（2）外国税額控除
① 控除される場合

居住者が各年において外国所得税を納付することとなる場合。　　　　　【所法95、所令221～226】

② 控除額

ア　その年分の配当控除及び住宅借入金等特別控除を行った後の所得税の額に、その年分の所得総額のうちにその年分の国外所得総額の占める割合を乗じて計算した金額を限度として、その外国所得税額を控除できる。

イ　控除限度額及び控除対象外国所得税の3年間の繰越しが認められる。

③ 適用要件

確定申告書への記載など明細書の添付を要する。

④ 外国税額の控除に代えて、その外国税額を不動産、事業、山林又は雑所得計算上の必要経費に算入することもできる。　　　　　　　　　　　　【所法46】

⑤ 居住者が集団投資信託の収益の分配の支払いを受ける場合、その支払いに係る外国税相当額は、その年分の所得税から控除される。　　　　　【所法93】

（3）試験研究を行った場合等の税額控除

青色申告者に適用（総額に係る税額控除と中小事業者に係る税額控除とは選択）。　　【措法10、措令5の3】

（4）中小事業者が機械等を取得した場合の特別償却又は税額控除

青色申告者に適用（特別償却と税額控除とは選択）。
【措法10の3、措令5の5】

（5）地域経済牽引事業の促進区域内において特定事業用機械等を取得した場合の特別償却又は税額控除

青色申告者に対して2025（令和7）年3月31日までに対象資産を取得等をした場合に適用（特別償却と税額控除は選択）。　　　　　　　【措法10の4】

（6）特定の地域において雇用者の数が増加した場合の特別税額控除

青色申告者に対して、2017（平成29）年分から2026（令和8）年3月31日までに計画の認定を受けた適用年分の所得税について適用。　　　　【措法10の5】

（7）特定中小事業者が特定経営力向上設備等を取得した場合の特別償却又は税額控除

特定中小事業者が、2017（平成29）年4月1日から2025（令和7）年3月31日までに対象資産を取得した

場合に適用（特別償却と税額控除は選択）。
【措法10の5の3】

（8）給与等の支給額が増加した場合等の所得税額の税額控除

青色申告者に対して、2023（令和5）年から2027（令和9）年までの所得税に適用。　【措法10の5の4】

（9）認定特定高度通信技術活用設備を取得した場合の特別償却又は税額控除

青色申告者が2025（令和7）年3月31日までに対象資産を取得等した場合に適用（特別償却と税額控除は選択）。　　　　　　　　　　【措法10の5の5】

（10）事業適応設備を取得した場合等の特別償却又は税額控除

青色申告者が2025（令和7）年3月31日までに対象資産を取得等した場合に適用（特別償却と税額控除とは選択）。　　　　　　　　　【措法10の5の6】

（11）住宅借入金等を有する場合の特別税額控除
① 原則　　　　　　　　　　　　　　　　【措法41】

ア　控除対象

居住者が、居住用の家屋を新築したり、新築又は一定の既存住宅を取得したり、又は、その者の居住の用に供する一定の家屋を増改築等して1999（平成11）年1月1日から2025（令和7）年12月31日までに自己の居住の用に供した場合（取得等の日から6カ月以内に居住の用に供した場合に限る）、これらの住宅の取得等に係る借入金等（住宅の取得等とともにするその住宅の敷地の用に供する土地等の取得に充てるための借入金を含む）の残高を対象として、その一定割合相当額を10年間（2001（平成13）年6月30日以前居住の場合、及び2007年・2008年居住において選択適用した場合は15年間）にわたって所得税額から控除できる。

確定申告により控除を受けることとされているが、給与所得者は控除2年目以後、年末調整で控除を受けることができる。

新規住宅を居住の用に供した日の属する年から3年目に該当する年中に従前住宅等の譲渡を行い、従前住宅等の譲渡について次の特例を受けるときは新規住宅について税額控除を受けることができない。

(ｱ)　居住用財産を譲渡した場合の当期譲渡所得の課税の特例

(ｲ)　居住用財産の譲渡所得の特別控除

(ｳ)　特定の居住用財産の買換え及び交換の場合の長期譲渡所得の課税の特例

(ｴ)　既成市街地等内にある土地等の中高層耐火建築物等の建設のための買換え及び交換の場合の譲渡所得の課税の特例

イ　要件

(ｱ)　合計所得金額が2,000万円以下の年分

(ｲ)　控除適用年の12月31日まで居住の用に供していること（注1）

(ｳ)　家屋の総床面積が50㎡以上であるもの（注2）

(ｴ)　地震に対する安全性の規定・基準に適合するものであること

(ｵ)　増改築等の工事費用が100万円以上であること

（注1）　転勤などやむを得ない事由によりその住居を

居住の用に供さなくなれば控除は打ち切られるが、その後その住宅に再び入居した場合は、その控除期間のうちその再居住年以後の控除の再適用を受けることができる。また居住の用に供した日以後その年の12月31日までの間に転勤などやむを得ない事由により住居の用に供しなくなった後、その後再び入居した場合も、入居以後は控除の適用ができる（2009（平成21）年1月1日以後に居住しなくなった場合に適用）。　　　　　　　　　　　　　【措法41⑱】

（注2）　2024（令和6）年以前に建築確認を受けた新築住宅は、合計所得金額1,000万円以下の者に限り40㎡以上

ウ　対象借入金等

適格金融機関等その他特定の者から償還期間が10年以上の住宅取得等借入金（住宅の取得等とともにするその住宅の敷地の用に供される土地等の取得に充てるための借入金で一定のものを含み、社内住宅融資で年利1％未満のもの、役員が受ける社内住宅融資、親兄弟からの借入金は除く）で最高5,000万円（2005（平成17）年居住分からエの表の「各年分の控除額」欄の通り毎年減額。2009（平成21）年居住分より、また5,000万円に増額となる）までの部分。なお、既存住宅を自己の居住の用に供した場合は、一定の要件のもとに、既存住宅に係る賦払債務も含まれる。

また、居住者が一定の適格金融機関等からの住宅借入金等に係る債権につき一定の要件を満たす譲渡が行われた場合において、その債権を譲り受けた特定債権者が有する債権に係る借入金又は債務を含まれる。

エ　控除額（下段は認定長期優良住宅及び認定低炭素住宅の特例の場合）

居住の用に供した日	控除を受ける年	各 年 分 の 控 除 額 （100円未満の端数切捨て）
2008（平成20）年中	居住11年目〜15年目	その年の借入金等の年末残高×0.4%（最高2,000万円）（最高8万円）
2011（平成23）年中	居住1年目〜10年目	その年の借入金等の年末残高×1％（最高4,000万円）（最高40万円） その年の借入金等の年末残高×1.2%（最高5,000万円）（最高60万円）
2012（平成24）年中	居住1年目〜10年目	その年の借入金等の年末残高×1％（最高3,000万円）（最高30万円） その年の借入金等の年末残高×1.0%（最高4,000万円）（最高40万円）
2013（平成25）年中	居住1年目〜10年目	その年の借入金等の年末残高×1％（最高2,000万円）（最高20万円） その年の借入金等の年末残高×1.0%（最高3,000万円）（最高30万円）
2014（平成26）年1月1日から3月31日まで	居住1年目〜10年目	その年の借入金等の年末残高×1％（最高2,000万円）（最高20万円） その年の借入金等の年末残高×1％（最高3,000万円）（最高30万円）
2014（平成26）年4月1日から2021（令和3）年12月31日まで	居住1年目〜10年目	その年の借入金等の年末残高×1％（最高4,000万円）（最高40万円） その年の借入金等の年末残高×1％（最高5,000万円（注6））（最高50万円）
2022（令和4）年中から2023（令和5）年中まで	居住1年目〜13年目	その年の借入金等の年末残高×0.7%（最高3,000万円）（最高40万円） その年の借入金等の年末残高×0.7%（最高5,000万円（注6））（最高50万円）
2024（令和6）年中から2025（令和7）年中まで	居住1年目〜10年目	その年の借入金等の年末残高×0.7%（最高2,000万円）（最高40万円）
	居住1年目〜13年目	その年の借入金等の年末残高×0.7%（最高4,500万円（注7、注8））（最高50万円）

（注1）　年末の住宅借入金等の残高のうち各年の最高額を超える部分の金額及びローン残額のうち居住の用以外の用に供される部分の金額は控除の対象とならない。

（注2）　既存住宅又は住宅の取得等とともにするその家屋の敷地等の取得でその取得の時に取得者と生計を一にしており取得後も引き続き生計を一にする次に掲げる者からの取得については、特別控除の対象とならない。

　(ア)　取得者の親族

　(イ)　取得者とまだ婚姻の届出をしていないが事実上婚姻関係と同様の事情にある者

　(ウ)　(ア)、(イ)以外の者で取得者から受ける金銭その他の資産によって生計を維持しているもの

　(エ)　(ア)〜(ウ)に掲げる者と生計を一にするこれらの者の親族

　　【措法41〜41の2の2、41の3の2、措令26、措規18の21〜18の23】

（注3）　住宅の取得等をして2014（平成26）年4月から2021（令和3）年12月までの間に居住の用に供した場合であって、当該住宅の取得等に係る対価の額又は費用の額に含まれる消費税額等が消費税法第29条に規定する税率により課されるべき消費税額及び当該消費税額を課税標準として課されるべき地方消費税額の合計額相当額である場合以外の場合には、上記にかかわらず、借入限度額2,000万円、控除率1.0%、控除期間10年間とする。

（注4）　住宅の取得等をして居住の用に供した居住者が、その居住の用に供した年に勤務先からの転任の命令等やむを得ない事由により転居した場合における再居住に係る特例について、その居住の用に供した年の12月31日までの間に再び居住の用

に供した場合を特例の対象に加える。
（注）2013（平成25）年1月1日以後に自己の居住の用に供しなくなった場合について適用する。

（注5）消費税率10%である住宅の取得等をし、2019（令和元）年10月1日から2020（令和2）年12月31日までの間に居住の用に供した場合、11年目から13年目まで以下のいずれか少ない金額の特別税額控除ができる。
　（ア）住宅借入金等の年末残高（4,000万円を限度）×1%
　（イ）住宅の取得等の対価等－住宅の取得等の対価等に含まれる消費税等（4,000万円を限度）×2%÷3

（注6）特定エネルギー消費性能向上住宅（最高4,500万円）、エネルギー消費性能向上住宅（最高4,000万円）

（注7）特定エネルギー消費性能向上住宅（最高3,500万円）、エネルギー消費性能向上住宅（最高3,000万円）

（注8）特例対象個人（子育て世帯及び若年夫婦世帯）が2024（令和6）年1月1日～12月31日に居住の用に供した場合、最高5,000万円、特定エネルギー消費性能向上住宅（最高4,500万円）、エネルギー消費性能向上住宅（最高4,000万円）

② 住宅のバリアフリー改修促進税制【措法41の3の2】
　年齢が50歳以上である等一定の居住者が、その者の居住の用に供する家屋について、高齢者等が自立した日常生活を営むのに必要な構造及び設備の基準に適合させるための一定の改修工事（以下「バリアフリー改修工事」という）を含む一定の増改築を行った場合において、その家屋を2007（平成19）年4月1日から2023（令和5）年12月31日までにその者の居住の用に供したときは、一定の要件の下で、その増改築等に係る住宅借入金等の1,000万円以下の部分の一定割合を所得税額から控除する。
（注）この特例は①の特別控除額との選択適用となっている。

居住の用に供した日	控除を受ける年	控除額 アとイの合計額（100円未満の端数切捨て）	
2007（平成19）年4月1日から2023（令和5）年12月31日まで	居住1年目～5年目	ア バリアフリー改修工事に係る工事費用から補助金等を控除した金額（200万円を上限（増改築等に係る費用に含まれる消費税等の税率が8%又は10%の場合は250万円））に相当する住宅借入金等の年末残高	×2%
		イ ア以外の住宅借入金等の年末残高	×1%

③ 住宅省エネ改修工事の住宅借入金等特別控除
【措法41の3の2】
　居住者が、その居住する家屋に一定の省エネ改修工事を含む増改築等を行った場合において、その家屋を2008（平成20）年4月1日から2023（令和5）年12月31日までの間に居住用としたときは、一定の要件のも

とでその省エネ改修工事に充てるために借り入れた住宅借入金等年末残高の1,000万円以下の部分の一定の割合を所得税額から控除する。この特例は、住宅の増改築等に係る住宅借入金等を有する場合の所得税額の特別控除との選択適用となっている。

居住の用に供した日	控除を受ける年	控除額 アとイの合計額（100円未満切捨て）	
2008（平成20）年4月1日から2023（令和5）年12月31日まで	居住1年目～5年目	ア その増改築等に係る住宅借入金等の年末残高のうち特定断熱改修工事等に要した費用の額（200万円を限度（増改築等に係る費用に含まれる消費税等の税率が8%又は10%の場合は250万円））に相当する部分の金額	×2%
		イ その増改築等に係る住宅借入金等年末残高のうち、ア×1%以外の部分の金額	

(12) 政党等に対する寄附金の税額控除

① 控除対象
　2029（令和11）年12月31日までに、政党又は政治資金団体に対してした「政治活動に関する寄附金」（政治資金規正法による報告がされたものに限る）で、所得控除である「寄附金控除」の対象としないことを選択したもの（政党等に対する寄附金の合計額につきいずれかを選択する）。

② 控除額

$$\left\{ \begin{bmatrix} その年中に支出した政党等 \\ に対する政治活動に関する \\ 寄附金の額の合計額（注1） \end{bmatrix} - \begin{matrix} 2,000円 \\ （注2） \end{matrix} \right\} \times 30\%$$

$$= \left\{ \begin{matrix} 税額控除額 \\ \begin{bmatrix} 所得税額の \\ 25\%が限度 \end{bmatrix} \end{matrix} \right\} （注3）$$

（100円未満切捨て）

（注1）「その年中に支出した政党等に対する政治活動に関する寄附金の額の合計額」は、その年分の所得金額の30%相当額が限度とされる。ただし、寄附金控除の適用を受ける特定寄附金の額がある場合は、その30%相当額からその特定寄附金の額の合計額を控除した残額が限度とされる。

（注2）上記算式中の「2,000円」については、寄附金控除の適用を受ける特定寄附金があるときは、2,000円からその特定寄附金の額の合計額を控除した残額（マイナスのときは0）とされる。

（注3）「所得税額」は他の税額控除を控除する前の「算出所得税額」をいう。　　【措法41の18】

(13) 認定NPO法人に寄付した場合の税額控除

① 控除対象
　認定NPO法人に対する寄付金

② 控除額
　寄付金額（注1）が2,000円超える場合には、所得控除との選択により、その超える金額の40%相当額（注2）

（注1）寄付金額は総所得金額等の40%相当額を限度とする。

（注2）所得税額の25%相当額を限度とする。

ただし、控除限度額は公益社団法人等に寄付した場合の税額控除額と合わせて判定する。【措法41の18の2】

(14) 公益社団法人等に寄付した場合の税額控除

① 控除対象

　公益社団法人、公益財団法人、学校法人等、社会福祉法人、更生保護法人、国立大学法人等（注1）のうち、一定の要件を満たす法人に対する寄付金

② 控除額

　寄付金額（注1）が2,000円超える場合には、所得控除との選択により、その超える金額の40%相当額（注2）

　（注1）　寄付金額は総所得金額等の40%相当額を限度とする。

　（注2）　所得税額の25%相当額を限度とする。

　ただし、控除限度額は認定NPO法人に寄付した場合の税額控除額と合わせて判定する。【措法41の18の3】

(15) 既存住宅の耐震改修をした場合の税額控除

① 控除対象

　2014（平成26）年4月1日から2025（令和7）年12月31日までに、自己が居住する一定の家屋の耐震改修をした場合。

② 控除額

　次の算式で計算した金額（最高25万円）。

$$\left[\begin{array}{l}\text{住宅耐震改修の費用の額（補助金等を受ける} \\ \text{場合は、補助金等の額を控除）又は耐震工事} \\ \text{の標準的な費用（2020（令和2）年1月1日} \\ \text{以後は耐震改修工事に係る標準的な工事費} \\ \text{用）として政令で定める金額のどちらか少な} \\ \text{い額（最高250万円）}\end{array}\right] \times 10\%$$

＝税額控除額（100円未満の端数切捨て）

【措法41の19の2】

(16) 既存住宅の特定の改修工事をした場合の税額控除

① 控除対象

　年齢が50歳以上である者等一定の居住者（特定居住者）がその所有する居住用の家屋について次の改修工事をして、2007（平成19）年4月1日から2025（令和7）年12月31日までにその者の居住の用に供した場合（特定居住者以外の場合は②のイの金額のみを控除する）

② 控除額

　次の金額の合計（8%又は10%の消費税率適用の場合）

ア　バリアフリー改修工事

$$\left[\begin{array}{l}\text{改修工事の費用の額（補助金等を受ける場} \\ \text{合は、補助金等の額を控除）又は特定の改} \\ \text{修工事に係る標準的な工事費用の額として} \\ \text{政令で定める金額のどちらか少ない金額}\end{array}\right] \times 10\%$$

居住年	改修工事限度額	控除率	控除限度額
2014（平成26）年4月～ 2025（令和7）年12月	200万円	10%	20万円

イ　省エネ改修工事

$$\left[\begin{array}{l}\text{改修工事の費用の額（補助金等を受ける場} \\ \text{合は、補助金等の額を控除）又は特定の改} \\ \text{修工事に係る標準的な工事費用の額として} \\ \text{政令で定める金額のどちらか少ない金額}\end{array}\right] \times 10\%$$

居住年	改修工事限度額	控除率	控除限度額
2014（平成26）年4月～ 2025（令和7）年12月	250万円 （350万円）	10%	25万円 （35万円）

　カッコ内の金額は、省エネ改修工事等と併せて太陽光発電設備の設置工事を行う場合の改修工事限度額。

ウ　子育て対応改修工事

$$\left[\begin{array}{l}\text{子育て対応改修工事に係る標準的な工事費} \\ \text{用相当額として政令で定める金額}\end{array}\right] \times 10\%$$

居住年	改修工事限度額	控除率	控除限度額
2024（令和6）年4月～ 2024（令和6）年12月	250万円	10%	25万円

【措法41の19の3】

(17) 認定長期優良住宅の新築等をした場合の税額控除

① 控除対象

　居住者が国内において住宅の用に供する認定長期優良住宅を新築等をし、長期優良住宅の普及の促進に関する法律の施行日から2025（令和7）年12月31日までの間に住居の用に供した場合。

　なお、認定住宅をその居住の用に供した日の属する年から3年目に該当する年中に従前住宅等の譲渡をした場合に、従前住宅等の譲渡について次の特例を受ける場合は、本税額控除は適用できない。

ア　居住用財産を譲渡した場合の長期譲渡所得の課税の特例

イ　居住用財産の譲渡所得の特別控除

② 控除額（8%又は10%の消費税率適用の場合）

$$\left[\begin{array}{l}\text{認定長期優良住宅について講じられた構造} \\ \text{及び設備に係る標準的な性能強化費用の額} \\ \text{（最高650万円）}\end{array}\right] \times 10\%$$

【措法41の19の4】

(18) 災害減免額

① 控除対象

　災害により、自己又は自己と生計を一にする親族で基礎控除額以下の所得者の有する住宅又は家財について50%以上の損害を受けた場合（合計所得金額が1,000万円以下でその災害による損害について雑損控除を受けていない者）。

② 控除額

ア　合計所得金額500万円以下 ………所得税額全額

イ　合計所得金額が750万円以下 ……所得税額の50%

ウ　合計所得金額が1,000万円以下 …所得税額の25%

【災害減免法2】

(19) 定額減税

　居住者の2024（令和6）年分の所得税について、定額の特別控除が以下のように実施される（その者の2024（令和6）年分の合計所得金額が1,805万円以下である場合に限る）。【措法41の3の3】

〈特別控除の額〉

　次の金額の合計額。ただし、その合計額がその居住者の所得税額（税額控除、住宅借入金等特別控除等の税額控除適用後のもの）を超える場合には、当該所得税額が限度とされる。

① 本人：3万円
② 同一生計配偶者又は扶養親族（居住者に限る）：1人につき3万円

　なお、同一生計配偶者等に該当するかどうかは、その年の12月31日の現況による（判定に係る者がその当時既に死亡している場合は、その死亡時の現況による）。

7 申告と納税

(1) 予定納税額・納期と納税義務者
① 納税義務者
　ア　その年6月30日〔10月31日〕の現況で居住者又は、恒久的施設を有する非居住者
　イ　その年5月15日〔9月15日〕において確定した予定納税基準額が15万円以上
② 予定納税額（特別農業所得者は〔　〕を適用）

　予定納税基準額 × $\frac{1}{3}$ 〔$\frac{1}{2}$〕（100円未満端数切捨て）

③ 納期
　第1期の予定納税……7月1日〜7月31日
　ア　税務署から通知（6月15日まで）を受けた第1期分予定納税額を納付
　イ　予定納税額の減額申請……7月15日まで
　第2期（特別農業所得者は2期のみ10月15日までに通知）の予定納税………11月1日〜11月30日
　ア　税務署から通知を受けた第2期分予定納税額を納付
　イ　予定納税額の減額申請……11月15日まで
　(注)　災害等に係る国税通則法による納期限等の延長により、その年分の所得税につき納付すべき予定納税額の納期限がその年12月31日後となる場合には、その期限延長の対象となった予定納税額はないものとする。　　　　　　　　　【所法104〜107】

(2) 確定申告
① 確定申告【所法120〜123】……2月16日〜3月15日
　ア　次の要件を備える者は、確定申告を要する。
　　㋐　その年分の所得（源泉分離課税等の適用を受ける所得は除く）の合計額が配偶者控除、扶養控除等の所得控除額の合計額を超えること
　　㋑　配当控除をしても納付すべき税額があること
　　　　　　【所法120①、措令20③、21⑦、25の8⑮】
　〔例外〕
　　㋐　一の支払者から給与の支払いを受けている者で、その年分の給与の収入金額が2,000万円以下であり、かつ、給与所得以外の所得（退職所得、源泉分離課税等の適用を受ける所得は除く）が20万円以下のもの等は、確定申告不要。
　　㋑　その年において公的年金等に係る雑所得を有する居住者で、その年中の公的年金等の収入金額が400万円以下であるものが、その年分の公的年金等に係る雑所得以外の所得金額が20万円以下であるとき

は、その年分の所得税について確定申告書を提出することを要しない。
　　　ただし、公的年金等に係る確定申告不要制度について、源泉徴収の対象とならない公的年金等の支給を受ける者はこの制度を適用できない。
　　　　　　　　　　　　　　【所法121③、203の2】
　イ　過納額の還付を受けるための申告・損失申告の提出は任意。
② 準確定申告　　　　　　　　　　　　【所法124〜127】
　ア　年の中途で死亡した者の相続人は被相続人の所得について相続開始を知った日の翌日から4カ月以内に準確定申告が必要
　イ　年の中途で出国する者は、出国時までに準確定申告が必要

(3) 延　納
① 確定申告により納付すべき所得税額の2分の1相当額以上を第3期の期限（3月15日）までに納付し、納税地の所轄税務署長に延納の届出書を提出した場合には、その残額は5月31日まで延納が認められる。
　　　　　　　　　　　　　　【所法128、131①、②】
　　延納分については年利7.3%の利子税もあわせて納付する。　　　　　　　　　　　　　　　　【所法131③】
　　ただし、各年の特例基準割合が7.3%未満の場合、その年中においては、特例基準割合とする。
　　・特例基準割合…各年の前々年の10月から前年9月までの各月における短期貸付の平均利率の合計を12で除して計算した割合として各年の前年の12月15日までに財務大臣が告示する割合＋1%
　　　　　　　　　　　　　　　　　　　　　【措法93】
② 延払条件付譲渡に係る所得税額の延納が認められる場合　　　　　　　　　　　　　　　　　【所法132】
　　山林所得又は譲渡所得の基因となる資産を延払条件付で譲渡した者がア 期限内に確定申告したこと、イ 延払条件付譲渡に係る税額がその年分の所得税額の2分の1相当額を超えていること、ウ 延払条件付譲渡に係る税額が30万円を超えること、エ 担保の提供（延納税額50万円以下で、かつ、延納期間3年以下のときは、担保の提供を要しない（注））をすることの要件を満たすときは5カ年以内を期限として延納を認める。
　(注)　2015（平成27）年4月1日以後に申請される延納許可については、延納税額100万円以下で、かつ、延納期間が3カ月以下のときは、担保の提供を要しない。

(4) 更正の請求
① 確定申告書を提出した者が国税の規定によらず、又は計算誤りがあったことにより、過大に税額を申告したときは、確定申告書の提出期限後5年以内に更正の請求をすることができる。　　　　　　　【通則法23】
② 確定申告書を提出し、又は決定を受けた居住者は、その申告書又は決定に係る年分の各種所得につき、次に掲げる事実が生じたときは、その事実が生じた日の翌日から2カ月以内に限り更正の請求をすることができる。
　　　　　　　　　　　　　　　【所法152、所令274】

ア　事業廃止後に、必要経費の額が生じたとき

イ　事業から生じた所得以外の所得の収入金額の全部又は一部が回収不能となったとき

ウ　保証債務の履行のための資産の譲渡があった場合において、その履行に伴う求償権の全部又は一部が行使不能となったとき

エ　所得計算の基礎となった事実のうち、無効な行為により生じた経済的効果が、その行為の無効であることに基因して失われたとき、又はその事実に含まれていた取り消すことのできる行為が取り消されたとき

③　前年分の所得税額等についての修正申告書の提出、又は更正もしくは決定に伴い、その年分以後の年分の所得税額等に異動を生じ、過納等となる場合には、その更正等の日の翌日から2カ月以内に限り、更正の請求ができる。　　　　　　　　　　　　　　　　【所法153】

④　措法上の更正の請求の特例

措法の規定の適用を受け収用交換等に伴い代替資産の取得した場合、相続等により取得した居住用資産を買換えした場合、特定の居住用財産の買換え及び交換をした場合、特定の事業用資産の買換えをした場合、大規模な住宅地等造成事業に係る土地等を交換した場合などにおいて課税の特例を受けていたものが、その規定の適用条件を欠くに至った時更正の請求ができる。

【措法33の5、36の3、37の2、37の8】

（5）事業所得等を有する者の帳簿書類の備付け

不動産所得、事業所得もしくは山林所得を生ずべき業務を行う居住者（青色申告者を除く）は、その年の取引のうち総収入金額及び必要経費に関する事項を簡易な方法により記録し、かつ、当該帳簿を保存する。　　【所法232】

2022（令和4）年分より、雑所得を生ずべき居住者でその年の前々年分の収入金額が300万円を超えるものは、総収入金額及び必要経費に関する事項を記載した一定の書類を保存する。

（6）事業所得等に係る総収入金額報告書の提出

不動産所得、事業所得もしくは山林所得を生ずべき業務を行う居住者又はこれらの業務を国内で行う非居住者で、その年中のこれらの所得に係る総収入金額の合計額が3,000万円を超えるものは、その年分の所得税に係る確定申告書を提出している場合を除き、総収入金額報告書をその年の翌年3月15日までに、税務署長に提出する。

【所法233】

（7）国外財産調書

居住者（非永住者を除く）は、その年の12月31日においてその価額の合計額が5,000万円を超える国外財産を有する場合には、その国外財産の種類、数量及び価額等を記載した国外財産調書を、その年の翌年6月30日までに、税務署長に提出しなければならない。　　【国外送金法5①】

（8）財産債務調書

確定申告書に記載されている総所得金額及び山林所得金額の合計額が2,000万円を超え、かつ、その年の12月31日においてその価額の合計額が3億円以上の財産又はその価額の合計額が1億円以上の国外転出特例対象財産を有する場合には、同日において有する財産の種類、数量及び価額並びに債務の金額等を記載した財産債務調書を、その

年の翌年3月15日（2023（令和5）年分以後は6月30日）までに、税務署長に提出しなければならない。

【国外送金法6の2①】

（注）　2023（令和5）年分以後は、その年の12月31日において、その価額の合計額が10億円以上の財産を有する居住者も提出義務者となる。

（9）青色申告

①　申請者

事業所得、不動産所得、山林所得を生ずべき事業を行う居住者。　　　　　　　　　　　　　　【所法143】

②　承認申請

青色申告をしようとする年の3月15日（1月16日以後新たに業務を開始した場合においては、業務開始の日から2カ月以内）までに承認の申請書を提出しなければならない。

ただし、1月1日（又は業務開始の日）から所定の記帳をして、所定の帳簿書類を備えている場合に限る。承認却下の処分は書面をもって通知する。なお、承認を受けようとする年の12月31日（その年の11月1日以後業務を開始した場合は、翌年2月15日）までに承認又は却下の処分がなかったときは承認があったものとみなされる。　　　　　　　　　　　　　　　　【所法144～148】

③　承認取消し

次の事実がある時はその所定の年にさかのぼって承認を取り消すことができる。取消しのあった年分以後は、白色申告とみなす。

ア　帳簿書類の備付け、記録又は保存が所定の通り行われていないこと

イ　帳簿書類について、税務署長の指示に従わなかったこと

ウ　帳簿書類に取引の全部又は一部に隠ぺい、仮装して記載・記録し、その他真実性を疑うに足る相当の理由があること　　　　　　　　　　　　　　　　【所法150】

④　承認取りやめ等

ア　青色申告をやめようとするときは、やめようとする年の翌年の3月15日までに届出書を税務署長に提出すること

イ　業務の全部を譲渡し又は廃止した場合は、その日の属する年の翌年以後は青色申告承認の効力を失う。

【所法151】

⑤　記帳方法

ア　一般の場合　次の(ア)又は(イ)の方法により記帳する。

(ア)　正規の簿記の方法

不動産所得の金額、事業所得の金額及び山林所得の金額が正確に計算できるように資産、負債及び資本に影響を及ぼす一切の取引は、正規の簿記の原則に従い、整然、かつ、明りょうに記録し、その記録に基づき貸借対照表及び損益計算書を作成しなければならない。　　　　　　【所法148、所規56～59】

(イ)　簡易な記帳方法

財務大臣の定める簡易な記録の方法及び記載事項によって記帳する。その場合は損益計算書のみ作成すればよく、貸借対照表は作成しない。

【所規56①、昭42大蔵省告示112号】

イ　小規模事業者の場合
【所法67、所令195〜197、所規39の2〜40の2、56】
　　(ア)　現金主義によることができる小規模事業者
　　　　その年の前々年分の不動産所得の金額及び事業所得の金額（事業専従者給与を必要経費に算入しない金額）の合計額が300万円以下の者で、税務署長の承認を受けた青色申告者は、次の現金主義の方法で記帳できる。
　　　　2022（令和4）年分より、雑所得を生ずべき業務を行う居住者で、前々年分の雑所得が300万円以下である場合も現金主義を適用できる。
　　(イ)　現金主義の方法
　　　A　不動産所得及び事業所得を生ずべき業務につき、その年において収入した金額及び支出した費用の額を記帳する。
　　　B　棚卸資産の棚卸を行わなくてもよい。
（注）　青色申告特別控除　　　　　　　　　　【➡ p.331】

第 13 章

消費税法

1 課税対象

身体障害者用物品、教科用図書
【消法6②、消法別表第二】

(1) 国内において事業者が行った資産の譲渡等及び特定仕入れを課税対象とする。　【消法4①】
(2) 保税地域から引き取られる外国貨物を課税対象とする。　【消法4②】

2 納税義務者

　課税資産の譲渡等及び特定課税仕入れを行う事業者（免税事業者を除く）及び外国貨物を保税地域から引き取る者。　【消法5】

3 非　課　税

(1) 国内において行われる資産の譲渡等のうち、次に掲げるものは非課税とする。　【消法6①、消法別表第一】
① 土地（土地の上に存する権利を含む）の譲渡及び貸付け。
② 有価証券等の譲渡、並びに外国為替及び外国貿易法6①七に規定する支払手段の譲渡。
③ 利子を対価とする貸付金その他の政令で定める資産の貸付け、信用の保証としての役務の提供及び保険料を対価とする役務の提供等。
④ 日本郵便株式会社が行う郵便切手類又は印紙の譲渡及び一定の販売所におけるこれらの譲渡、地方公共団体等の行う証紙の譲渡並びに物品切手等の譲渡。
⑤ 国、地方公共団体等が、法令に基づき行う役務提供で、その手数料等の徴収が法令に基づくもの、並びに外国為替業務に係る役務の提供。
⑥ 健康保険法等に基づいて行われる医療の給付等及び自動車損害賠償保障法の規定による損害賠償額の支払いを受けるべき被害者に対する当該支払いに係る療養。
⑦ 社会福祉事業
　　介護保険法に規定する居宅サービス・施設サービス、社会福祉法に規定する社会福祉事業、更生保護事業法に規定する更生保護事業等。
⑧ 一定の助産に係る資産の譲渡等。
⑨ 一定の埋葬料及び火葬料を対価とする役務の提供。
⑩ 一定の身体障害者用物品の譲渡、貸付け等。
⑪ 一定の教育に関する役務の提供。
⑫ 学校教育法に規定する一定の教科用図書の譲渡。
⑬ 住宅の貸付け（一時的に使用させる場合等を除く）。
(2) 保税地域から引き取られる外国貨物のうち、次に掲げるものは非課税とする。
　有価証券等、郵便切手類、印紙、証紙、物品切手等、

4 輸出免税等

(1) 輸出免税
　事業者（免税事業者を除く）が輸出取引等として行う課税資産の譲渡等（外国との間で行う輸送、通信等を含む）については、消費税を免除する。　【消法7、消令17】
(2) 輸出物品販売場における輸出免税の特例
　食品類、飲料類、薬品類その他消耗品及び消耗品以外の一般物品については、非居住者のうち一定の者に対して同一の店舗における1日の販売額の合計が5,000円以上50万円以下の場合に免税となる。　【消法8①、消令18①、⑧】

5 小規模事業者に係る納税義務の免除

(1) 原　　則
　その課税期間の基準期間における課税売上高（輸出売上高を含み、税抜き）が1,000万円以下の事業者については、その課税期間中に国内において行った課税資産の譲渡等につき、納税義務を免除する。　【消法9①】
(注) 基準期間とは、納税義務の有無を判定する基準となる期間をいう。
　① 個人事業者：その年の前々年
　② 法人：その事業年度の前々事業年度
【消法2①十四】

(2) 例　　外
① 個人事業者のその年又は法人のその事業年度の基準期間における課税売上高が1,000万円以下である場合において、当該個人事業者又は法人（課税事業者を選択しているものを除く）のうち、当該個人事業者のその年又は法人のその事業年度に係る次に掲げる期間における課税売上高が1,000万円を超えるときは、当該個人事業者のその年又は法人のその事業年度については、事業者免税点制度を適用しない。
ア 個人事業者のその年の前年1月1日から6月30日までの期間
イ その事業年度の前事業年度（7カ月以下であるものを除く）がある法人の当該前事業年度開始の日以後6カ月の期間
ウ その事業年度の前事業年度が7カ月以下である法人のその事業年度の前々事業年度開始の日以後6カ月の期間（当該前々事業年度が6カ月以下の場合には、当該前々事業年度開始の日からその終了の日までの期間）
② ①を適用する場合においては、個人事業者又は法人（2024（令和6）年10月1日以降に開始する課税期間よ

り国外事業者を除く）が特定期間中に支払った所得税法に規定する支払明細書に記載すべき給与等の金額に相当するものの合計額をもって、特定期間における課税売上高とすることができる。　　　　　　　　【消法9の2】

③　新設法人のうちその事業年度開始の日における資本又は出資の金額が1,000万円以上である法人は納税義務が免除されない。ただし、2024（令和6）年10月1日以降開始する課税期間から、外国法人は国内における事業開始時において判定を行う。　　　　　【消法12の2】

④　他の者（新規設立法人の基準期間相当期間の課税売上高が5億円を超える者。2024（令和6）年10月1日以降開始する課税期間から、国外分を含む収入金額が50億円超である者）が直接又は間接に支配する法人を設立した場合はその法人）に株式等の50％超を直接・間接に保有されている場合等は、基準期間のない事業年度の納税義務が免除されない。　　　　　　　　【消法12の3】

⑤　相続、法人の合併又は分割については、納税義務の免除に関する特例措置がある。

⑥　課税事業者選択届出書を提出した事業者及び資本金1,000万円以上の新設法人が事業者免税点制度の適用を受けない期間（簡易課税制度の適用を受ける課税期間を除く）中に、調整対象固定資産を取得した場合には、取得から3年間は事業者免税点制度を適用しない。　　　　　　　　【消法9④、⑦、12の2②】

⑦　事業者が、事業者免税点制度及び簡易課税制度の適用を受けない課税期間中に、高額特定資産（2024（令和6）年4月1日以降、一定額以上の金地金等を含む）の課税仕入れ等を行った場合には、仕入れ等の属する課税期間から当該課税期間の初日以後3年を経過する日の属する課税期間までは事業者免税点制度及び簡易課税制度を適用しない。　　　　　　　　【消法12の4①】

6　資産の譲渡等の時期

（1）原　　則

資産の譲渡、貸付け又は役務の提供が行われたときに納税義務が成立する。　　　　　　　　【消法2①八】

（2）長期割賦販売等に係る資産の譲渡等の時期の特例

所得税法等に規定する延払基準により経理することとしたもの（選択適用）は、それぞれの課税期間に支払期日未到来の賦払金部分については、その課税期間において課税資産の譲渡等を行わなかったものとみなすことができる（2018（平成30）年4月1日前に長期割賦販売等に該当する資産の譲渡等を行った事業者が対象で、2023（令和5年）年3月31日までに開始する各事業年度まで。また、2018（平成30）年4月1日以後に終了する課税期間において延払基準の適用をやめた場合、賦課金残金は、その後10年間均等で資産の譲渡等の対価の額とする）。
　　　　　【平30年改正前消法16、平30年改正法附則44】

（3）特定工事の請負に係る資産の譲渡等の時期の特例

特定工事すなわち所得税法等に規定する工事進行基準により経理することとしたもの（選択適用）は、これらの収入金額が計上された長期大規模工事（工事進行基準を強制適用）及びその他の工事の請負で事業年度（個人事業者の場合は暦年）の終了日の属する課税期間において、その部分の資産の譲渡等があったものとみなす。
　　　　　　　　【消法17、消令38、39】

（4）小規模事業者に係る資産の譲渡等の時期の特例

個人事業者で小規模事業者の収入及び費用の帰属時期の規定の適用を受ける者の資産の譲渡等及び課税仕入れを行った時期は、その資産の譲渡等に係る対価の額を収入した日及びその課税仕入れに係る費用の額を支出した日とすることができる。　　　　　　　　【消法18①】

7　課税期間

（1）課税期間の意義

事業者は、一定の期間内に行った課税資産の譲渡等に係る課税標準、消費税額等を申告する。この納付すべき消費税額の計算の基礎となる一定の期間が課税期間である。　　　　　　　　【消法19、45】

①　個人事業者……1月1日から12月31日までの期間（暦年）　　　　　　　　【消法19①一】

②　法　　人……事業年度　　　　【消法19①二】

（2）課税期間の短縮の特例

個人事業者及び事業年度が3カ月を超える法人は、所轄税務署長に届出書を提出し課税期間を次のように短縮することができる。　　　　　　　　【消法19①三～四の二】

①　個人事業者……1/1～3/31、4/1～6/30、7/1～9/30、10/1～12/31の各期間

②　法　　人……事業年度をその開始の日以後3カ月ごとに区分した期間
また、個人事業者及び事業年度が1カ月を超える法人は1カ月ごとに区分することができる。

この特例は、その届出書を提出した日の属する前記の期間の翌期間から適用を受けることができる。

この特例を選択した事業者は、その後2年間はこれをやめることはできない。　　　　　　　　【消法19⑤】

8　課税標準

（1）国内取引に係る課税標準

①　課税資産の譲渡等に係る消費税の課税標準は、課税資産の譲渡等の対価の額とする。　　　【消法28①】

②　譲渡等の対価の額とは、対価として収受し、又は収受すべき一切の金銭又は金銭以外の物もしくは権利その他経済的な利益の額とし、課税資産の譲渡等につき課されるべき消費税、地方消費税に相当する金額を含まない。

357

価格の一部に含まれている個別消費税は含む。

【消法28①、消基通10-1-11】

（2）輸入取引に係る課税標準

　保税地域から引き取られる課税貨物に係る消費税の課税標準は、関税の課税価格に消費税、地方消費税以外の個別消費税及び関税を加算した金額とする。　　　【消法28④】

9 税　　率

（1）　消費税率及び地方消費税率

税率区分 区分	標準税率	軽減税率
消費税率	7.8%	6.24%
地方消費税率	2.2%	1.76%
合計	10.0%	8.0%

（2）軽減税率制度

　2019（令和元）年10月1日以後に行われる課税資産の譲渡等のうち下記については、消費税の軽減税率を適用する。

① 一定の飲食料品（酒類を除き、食品と食品以外の資産が一一の資産を形成し、又は構成している一定の資産を含む）の譲渡

② 一定の新聞の定期購読契約に基づく譲渡

【消法29、消法別表第一】

10 仕入税額控除

（1）納付税額

① 事業者（免税事業者を除く）が国内において課税仕入れを行った場合又は保税地域から課税貨物を引き取った場合において、課税売上割合が95%以上であるときは、その課税期間の課税標準額に係る消費税額から次のアの金額とイの金額の合計額を控除する。

　ア　その課税期間中に行った課税仕入れに係る消費税額

　イ　その課税期間中に保税地域から引き取った課税貨物に係る消費税額　　　　　【消法30①】

② 課税売上割合が95%以上の場合に課税仕入れ等の税額の全額を仕入税額控除する制度については、その課税期間の課税売上高が5億円（その課税期間が1年に満たない場合には年換算）を超える事業者には適用しない。

【消法30②、消基通11-5-10】

（2）リース取引の仕入税額控除の特例

　所有権移転外ファイナンス・リース取引に該当する場合には、リース資産の譲渡として取り扱われ、課税仕入れを行った日の属する課税期間において一括控除するが、賃借人が賃貸借処理をしている場合には、分割控除を認める。

【消基通5-1-9、11-3-2】

（3）課税売上高が5億円を超える場合、又は課税売上割合が95%未満の場合

　事業者（免税事業者を除く）が課税仕入れを行った場合又は保税地域から課税貨物を引き取った場合において、その課税期間における課税売上高が5億円を超えるとき、又は課税売上割合が100分の95未満であるときは、次のいずれかの方法によって控除対象仕入税額を計算する。

【消法30②、消基通11-5-10】

① 個別対応方式

　ア 課税仕入れ等の税額の区分

　　　個別対応方式により控除対象仕入税額を計算する場合には、まずその計算期間中における課税仕入れ等の税額を次の通りに区分する。

　　(ア) 課税資産の譲渡等にのみ要するもの

　　(イ) 非課税資産の譲渡等にのみ要するもの

　　(ウ) 課税資産の譲渡等と非課税資産の譲渡等に共通するもの

　イ 控除額の算定

　　　アにより区分された課税仕入れ等の税額のうち、次の算定により計算した金額がその課税期間の課税標準額に係る消費税額から控除される消費税額となる。

$$\begin{matrix}課税資産の譲渡\\等のみに係る\\課税仕入れ等の\\税額（アの(ア)）\end{matrix} + \begin{matrix}共通分に係る\\課税仕入れ等の\\税額（アの(ウ)）\end{matrix} × 課税売上割合$$

【消法30②一】

　ウ 課税売上割合

　　　イの算式における課税売上割合は、次の算式で計算する。

$$課税売上割合 = \frac{課税資産の譲渡等の対価の額 - 課税資産の譲渡等に係る対価の返還等の金額}{資産の譲渡等の対価の額の合計額 - 資産の譲渡等に係る対価の返還等の金額}$$

【消令48】

　エ 課税売上割合に準ずる割合

　　　個別対応方式により消費税額の控除額を計算する場合において、課税売上割合に準ずる割合（その割合が事業者の営む事業の種類の異なるごと又はその事業に係る販売費、一般管理費その他の費用の種類の異なるごとに区分して算出したものである場合には、その区分して算出したそれぞれの割合）で次に掲げる要件のすべてに該当するものがあるときは、所轄税務署長の承認を受けた課税期間以後の課税期間については、課税売上割合に代えて、その割合を用いて控除額を計算することができる。

　　(ア) その割合がその事業者の営む事業の種類又はその事業に係る販売費、一般管理費その他の費用の種類に応じ合理的に算出されたものであること

　　(イ) その割合を用いて個別対応方式による控除額を計算することにつき、その納税地の所轄税務署長の承認を受けたものであること　【消法30③、消令47】

② 一括比例配分方式

　　一括比例配分方式により控除対象仕入税額を計算する場合には、次の算式で計算した金額が控除すべき消費税

額となる。なお、この金額をその課税期間の課税標準額
に係る消費税額から控除する。

| 課税仕入れ等の税額×課税売上割合 | 【消法30②二】 |

（4）一括比例配分方式の継続適用

　一括比例配分方式を採用した事業者は、一括比例配分方
式により計算することとした課税期間の初日から同日以後
２年を経過する日までの間に開始する各課税期間におい
て当該方法を継続して適用した後の課税期間でなければ、
個別対応方式を採用できない。　　　　　　　【消法30⑤】

（5）仕入税額控除の適用要件

①　仕入税額控除の規定は、事業者が当該課税期間の課税
　仕入れ等の税額の控除に係る帳簿及び請求書等を保存し
　ない場合には、当該保存がない課税仕入れ又は課税貨物
　に係る課税仕入れ等の税額については、適用しない。
　　　　　　　　　　　　　　　　　　　　　【消法30⑦】
　（注１）　基準期間における課税売上高が１億円以下又
　　　　　は特定期間における課税売上高が5,000万円以
　　　　　下の事業者が、2023（令和５）年10月１日から
　　　　　2029（令和11）年９月30日までの間に国内にお
　　　　　いて行う課税仕入れについて、その金額が税込
　　　　　１万円未満であるものについては、一定の事項
　　　　　を記載した帳簿のみを保存することで仕入税額控
　　　　　除制度の適用が認められる。
　　　　　【平28年改正法附則53の２、平30年改正消令附
　　　　　則24の２①】
　（注２）　適格請求書等保存方式開始から一定期間は、免
　　　　　税事業者等からの課税仕入れであっても、仕入税
　　　　　額相当額の一定割合を仕入税額とみなして控除で
　　　　　きる経過措置がある。

期　　　間	割　合
2023（令和５）年10月１日から 2026（令和８）年９月30日まで	仕入税額相当 額の80％
2026（令和８）年10月１日から 2029（令和11）年９月30日まで	仕入税額相当 額の50％

　　　　　ただし、2024（令和６）年10月１日以後に開
　　　　始する課税期間から、一の免税事業者等から行う
　　　　当該経過措置の対象となる課税仕入れの額の合計
　　　　額がその年又はその事業年度で税込み10億円を
　　　　超える場合には、その超えた部分の課税仕入れに
　　　　ついて、本経過措置は適用できない。
　　　　　　　　　　　　　【平28年改正法附則52、53】
②　金地金等の課税仕入れ
　ア　金又は白金の地金の課税仕入れでは、当該課税仕入
　　れの相手方の本人確認書類（住民票の写しその他のも
　　の）の保存が追加要件となる。
　イ　消費税を納付しないで保税地域から引き取られた課
　　税貨物であることを事業者が知っていた場合、仕入税
　　額控除制度が適用できない。【消法30、消規15の４①】

11 輸出に係る仕入税額控除

（1）非課税資産の輸出等の特例

　事業者が国内において行った非課税資産の譲渡等のうち
輸出取引等に該当するものについては、その非課税資産の
譲渡等が輸出取引等に該当するものであることについて輸
出証明がされたときは、課税資産の譲渡等に係る輸出取引
等に該当するものとみなされる。そこで、その輸出取引等
に要する課税仕入れ等に係る消費税額を課税資産の譲渡等
に係る消費税額から控除する。　　　　　　　【消法31①】

12 仕入れに係る対価の返還を受けた場合の特例

　事業者が、国内において行った課税仕入れにつき、返
品、又は値引きもしくは割戻しを受けたことにより、当該
課税仕入れに係る支払対価の額の全部もしくは一部の返還
等を受けた場合には、控除仕入税額の減額調整を行う。
　　　　　　　　　　　　　　　　　　　　　【消法32】

13 固定資産の仕入税額の調整

（1）課税売上割合が著しく変動した場合

　事業者（免税事業者を除く）が調整対象固定資産の課税
仕入れを行いその課税仕入れ等の税額につき一括比例配分
方式により計算した場合（仕入税額について全額控除をし
た場合を含む）において、その事業者が第３年度の課税期
間の末日においてその調整対象固定資産を有しており、か
つ、第３年度の課税期間における通算課税売上割合が調
整対象固定資産を購入した課税期間における課税売上割合
に対し著しく変動したときは、仕入れに係る消費税額の調
整を行う。　　　　　　　　　　　　　　　　【消法33】

（2）居住用賃貸建物について

①　住宅の貸付けの用に供しないことが明らかな建物以外
　の建物であって高額特定資産に該当するものの課税仕入
　れ（2020（令和２）年10月１日以後のもの）について、
　仕入税額控除の適用が認められない。　　　　【消法30】
②　上記①に該当する居住用賃貸建物について、その事業
　者が第３年度の課税期間の末日までに住宅の貸付け以
　外の貸付けの用に供した場合又は譲渡した場合は、仕入
　控除税額の調整を行う。　　　　　　　　【消法35の２】

14 納税義務の免除を受けなくなった場合の棚卸資産の仕入税額の調整

納税義務を免除されていた事業者が、納税義務の免除を受けないこととなった場合において、その受けないこととなった課税期間の初日の前日において納税義務を免除されていた期間中に譲り受けた棚卸資産を有しているときは、当該棚卸資産に係る消費税額を当該課税期間の課税仕入れとみなす等の一定の調整を行う。　　　　【消法36】

15 中小事業者の仕入税額控除の特例

(1) 簡易課税制度

基準期間における課税売上高が5,000万円以下の事業者（基準期間のない新設法人を含み、免税事業者及び2024（令和6）年10月1日以降開始課税期間から恒久的施設を有しない国外事業者を除く）が簡易課税による税額計算の特例の届出書を所轄の税務署長に提出した場合においては、その提出した課税期間の翌課税期間以後の課税期間については、課税標準額に対する消費税額から控除することができる課税仕入れ等の税額の合計額は、当該事業者の当該課税期間の課税標準額に対する消費税額から当該課税期間における売上に係る対価の返還等の金額に係る消費税額の合計額を控除した残額に対し、①の割合を乗じて得た金額とする。　　　　　　　　　　【消法37①、消令57】
① 事業の種類の区分に応じ、それぞれ次に掲げるみなし仕入率を適用する。
卸売業90%、小売業80%、製造業等70%、その他の事業60%、サービス業等50%、不動産業40%

(2) 継続適用

上記の届出書を提出した事業者は、事業を廃止した場合を除き、上記翌課税期間の初日から2年を経過する日の属する課税期間の初日以後でなければ、上記の規定の適用を受けることをやめようとする旨の届出書を提出することができない。　　　　　　　　　　　　　【消法37⑥】

16 売上に係る対価の返還等をした場合の消費税額の控除

(1) 返品、値引き、割戻しによる対価の返還

事業者が国内で行った課税資産の譲渡等について、返品、値引き、割戻しをした場合は、返品等が生じた課税期間において、売上に係る消費税額から返品等に係る消費税額を控除する。　　　　　　　　　　【消法38】

17 貸倒れに係る消費税額の控除等

(1) 売掛金、その他の債権の貸倒れ

事業者が国内で行った課税資産の譲渡等について、その売掛金その他の債権額の全額又は一部の領収ができなくなった場合には、貸倒れが生じた課税期間の課税売上に係る消費税額から貸倒金額に係る消費税額を控除する。　　　　　　　　　　　　　　　　　【消法39】

18 申告及び納付（国内取引）

(1) 確定申告

国内取引については、事業者は、課税期間ごと（短期の課税期間を選択している場合には、その短期の課税期間ごと）に課税期間の終了後2カ月以内（個人事業者については、その年の翌年3月31日まで）に、所轄税務署長に確定申告書を提出するとともに、消費税額及び地方消費税額を納付する。　　　【消法45、49、措法86の4】
ただし、2021（令和3）年3月31日以後に終了する事業年度から法人税の確定申告書の提出期限の延長の特例の適用を受ける法人が、消費税の確定申告に係る「延長届出書」を提出した場合には、提出日の属する事業年度以後の各事業年度の末日の属する課税期間に係る消費税の確定申告書の提出期限が1月延長される。
　　　　　　　　　　　　　　　　【消法45の2】

(2) 中間申告

① 予定申告
ア　事業者（短期の課税期間を選択している事業者及び6カ月以下の事業年度の法人を除く）は、前課税期間の確定消費税額が、48万円を超え400万円以下の場合には、その金額を記載した中間申告書を、その課税期間開始の日以後6カ月を経過した日から2カ月以内に提出し、その金額の2分の1に相当する消費税額及び地方消費税額を納付しなければならない。
イ　直前の課税期間（1年分）の確定消費税額が400万円を超え4,800万円以下の事業者については、中間申告・納付回数を年3回とし、原則として当該確定消費税額の各4分の1に相当する消費税額並びに地方消費税額を申告・納付する。したがって事業者の申告・納付回数は、確定申告を含め年4回となる。
ウ　直前の課税期間の確定消費税額が4,800万円を超える事業者については、中間申告・納付を毎月とし、原則として当該確定消費税額の各12分の1相当の消費税額並びに地方消費税額を申告・納付する。
　　　　　　　　　　　　　　　【消法42、48】
② 仮決算による中間申告
中間申告書を提出すべき事業者は、前課税期間の確定消費税額を基として算定した金額に代えて、その課税期間開始後6カ月間（上記イ又はウに該当する場合は3カ

月又は1カ月)を一課税期間とみなした仮決算に基づき申告し、納付することができる。　【消法43】
③　任意の中間申告制度
　　直前の課税期間の確定消費税額が48万円以下の事業者(中間申告義務のない事業者)が、任意に中間申告書(年1回)を提出する旨の届出書を提出した場合には、自主的に中間申告・納付することができる。　【消法42】
(3) 大法人の申告書の電子情報処理組織による提出義務
　　　　　　　　　　　　　　　　　【➡ p.314】

19 控除不足と還付

　売上に係る消費税額から、仕入れ・返品等・貸倒れに係る消費税を控除する際に、控除不足額が生じたときには、確定申告により還付される。　【消法52】
　また、中間申告による中間納付額が、確定申告納付額を超える場合にも還付される。地方消費税についても還付される。　【消法53】

20 申告及び納付(輸入取引)

(1) 申告と納付
　申告納税方式が適用される貨物
　申告書を所轄税関長に提出し、外国貨物を引き取るときまでに納税する。　【関税法6の2、消法47、50】
(2) 申告納税方式が適用される貨物の納期限の延長
　担保の提供により、その都度または月まとめで3カ月以内の延長が認められる。　【消法51】

21 適格請求書発行事業者

(1) 適格請求書発行事業者登録制度
　適格請求書を交付しようとする事業者(免税事業者は除く)は、申請により税務署長の登録を受けることができる。税務署長は、登録を受けた事業者の氏名又は名称及び登録番号等の一定の事項を登録後速やかに公表する。
　　　　　　　　　　　　　　　　　【消法57の2】
(2) 適格請求書発行事業者の義務等
　適格請求書発行事業者は、課税資産の譲渡等を行った場合において、他の事業者から求められたときは適格請求書を交付しなければならない。ただし、当該課税資産の譲渡等が小売業等の一定の事業の場合、適格請求書に代えて、適格簡易請求書を交付することができる(さらに3万円未満の支払等の場合、適格請求書の交付義務が免除される)。
　また、適格請求書等を交付した適格請求書発行事業者は、

これらの書類の写し等を保存しなければならない。
　　　　　　　　　　　　　　　　　【消法57の4】
　　　　　　　　　　【抜本改革法附則、平28年改正法附則】
(3) 区分記載請求書等保存方式
　2019(令和元)年10月1日から2023(令和5)年9月30日までの期間に行われる資産の譲渡等については、現行の請求書等保存方式における帳簿及び請求書等に必要とされる記載事項に加え、次の事項を記載する。
①　帳簿:「軽減対象資産の譲渡等に係るものである旨」
②　請求書等:「軽減対象資産の譲渡等に係るものである旨」及び
　　　　　　「税率の異なるごとに区分して合計した対価の額」
　　　　　　　　　　【抜本改革法附則、平28年改正法附則】
(4) 免税事業者が適格請求書発行事業者の登録を受ける場合の事業者免税点制度不適用
①　免税事業者が2023(令和5)年10月1日から同日以後6年を経過する日までの日の属する課税期間中に適格請求書発行事業者の登録を受ける場合には、登録開始日から当該登録開始日の属する課税期間の末日までの間について、事業者免税点制度を適用しない。
②　上記②適用を受ける事業者の登録開始日の属する課税期間の翌課税期間から当該登録開始日以後2年を経過する日の属する課税期間までの各課税期間について、事業者免税点制度を適用しない。ただし、当該登録開始日の属する課税期間が2023(令和5)年10月1日を含む課税期間である場合を除く。
　　　　　　　　　　　　　　　　　【令4年改正法附則44】
(5) 適格請求書発行事業者となる小規模事業者に係る税額控除に関する経過措置
　適格請求書発行事業者の2023(令和5)年10月1日から2026(令和8)年9月30日までの日の属する課税期間(適格請求書発行事業者の登録及び課税事業者選択届出書の提出等がなかったとしたならば事業者免税点制度の適用を受けられることとなる課税期間等の一定の課税期間に限る)については、課税標準額に対する消費税額から控除することができる課税仕入れ等の税額の合計額は、当該課税期間の課税資産の譲渡等に係る課税標準である金額の合計額に対する消費税額から売上げに係る対価の返還等の金額に係る消費税額の合計額を控除した残額の100分の80に相当する金額とすることができる。
　　　　　　　　　　　　　　　【平28年改正法附則51の2】
(6) 一定規模以下の事業者の帳簿のみによる保存
　2023(令和5)年10月1日から2029(令和11)年9月30日までの間に国内において行う課税仕入れ(基準期間における課税売上高が1億円以下又は特定期間における課税売上高が5,000万円以下である課税期間に行うものに限る)について、当該課税仕入れに係る支払対価の額が少額である場合として一定の場合には、帳簿のみの保存による仕入税額控除を認める。　【平28年改正法附則53の2】

22 記帳義務等

（1）記録事項

① 資産の譲渡等（返品等・貸倒れを含む）

② 課税仕入れ（返品等・輸出品を含む）

③ 課税貨物の保税地域からの引取り

なお、記録方法の形式は問わない。　【消法58、消令71】

（2）価格の表示

不特定多数の者に課税資産の譲渡を行う場合に、あらかじめ価格を表示するときは消費税額・地方消費税額を含めた価格を表示しなければならない。　【消法63】

第 14 章

その他の税法

1 相続税法

1. 相 続 税

（1）法定相続分
相続分の指定がなければ、その相続分は民法の規定に従い、次の通りとなる。　　　　　　　　　　　　　【民法900】

（相続人の構成）　　　　（相続人）（相続分）

① 子、配偶者が相続人のとき…
$\begin{cases} 子　　（2分の1） \\ 配 偶 者（2分の1） \end{cases}$

② 配偶者、直系尊属が相続人のとき ……………
$\begin{cases} 配 偶 者（3分の2） \\ 直系尊属（3分の1） \end{cases}$

③ 配偶者、兄弟姉妹が相続人のとき ……………
$\begin{cases} 配 偶 者（4分の3） \\ 兄弟姉妹（4分の1） \end{cases}$

④ 子、直系尊属又は兄弟姉妹が数人のとき……各自均分

（2）納税義務者
① 相続又は遺贈（死因贈与を含む）により財産を取得した次に掲げる者であって、当該財産取得時に日本に住所を有する者

ア　一時居住者でない個人

イ　一時居住者である個人（相続又は遺贈に係る被相続人（遺贈をした者を含む）が外国人被相続人又は非居住被相続人である場合を除く）　　【相法1の3①一】

（注）　一時居住者：出入国管理及び難民認定法別表第1の在留資格（以下「在留資格」という）の者で、相続の開始前15年以内において日本に住所を有していた期間の合計が10年以下の者

【相法1の3③一】

外国人被相続人：相続開始の時において、在留資格を有し、かつ、この法律の施行地に住所を有していた当該相続に係る被相続人をいう。【相法1の3③二】

外国人被相続人：日本に住所を有しない被相続人で、相続の開始前10年以内のいずれかの時において日本に住所を有していたことがある者のうちそのいずれの時においても日本国籍を有していなかった者又は相続の開始前10年以内のいずれの時においても日本に住所を有していたことがない者

【相法1の3③三】

② 相続又は遺贈により財産を取得した次の者であって、財産を取得した時において日本に住所を有しない者

ア　日本国籍を有する個人であって次に掲げる者

(ア)　相続又は遺贈に係る相続の開始前10年以内のいずれかの時において日本の住所を有していたことがある者

(イ)　相続又は遺贈に係る相続の開始前10年以内のいずれの時においても日本に住所を有していたことがない者（相続又は遺贈に係る被相続人が外国人被相続人又は非居住被相続人である場合を除く）

イ　日本国籍を有しない個人（相続又は遺贈に係る被相

続人が外国人被相続人又は非居住被相続人である場合を除く）　　　　　　　　　　　【相法1の3①二】

③ 相続又は遺贈により国内財産を取得した個人で、財産を取得した時において日本の住所を有する者（①を除く）

【相法1の3①三】

④ 相続又は遺贈により国内財産を取得した個人で、財産を取得した時において日本に住所を有しない者（②を除く）　　　　　　　　　　　　　　【相法1の3①四】

⑤ 相続時精算課税制度の適用を選択した個人

【相法1の3①五】

⑥ 個人とみなされる人格のない社団・財団等【相法66】

（3）課税財産の範囲
① 無制限納税義務者（納税義務者の①又は②の者）…取得した全部の財産（納税義務者の②イの者のうち、日本に住所を有しないこととなった日前15年以内において日本に住所を有していた期間の合計が10年を超える被相続人から相続若しくは遺贈により取得する国外財産を除く）

② 制限納税義務者（**（2）納税義務者**の③又は④の者）…日本国内にある財産

③ 特定納税義務者（**（2）納税義務者**の⑤の者）…相続時精算課税の適用を受ける財産

【相法2、相基通1の3・1の4共-3】

なお、**（2）納税義務者**の⑥について、社団又は財団等の住所は、その主たる営業所又は事務所の所在地にあるものとみなして判定する。　　　【相法1の3①、66③】

（4）相続又は遺贈により取得したものとみなされる財産
相続又は遺贈により取得したものとみなされる財産

①	生命保険金、損害保険金等	【相法3①一】
②	退職手当金	【相法3①二】
③	生命保険契約等に関する権利	【相法3①三】
④	定期金に関する権利	【相法3①四】
⑤	保証期間付定期金に関する権利	【相法3①五】
⑥	契約に基づかない定期金に関する権利	【相法3①六】
⑦	相続財産法人からの分与財産	【相法4】
⑧	信託財産	【相法9の2】
⑨	低額譲受け	【相法7】
⑩	債務免除等	【相法8】
⑪	その他の利益の享受	【相法9】

（5）小規模宅地等の課税価格の特例
被相続人等（注）が事業の用又は居住の用に供していた宅地等（借地権を含む）のうち、当該相続人等が取得し、この特例の適用を受けるものとして選択をしたもの（「選択特例対象宅地等」という）で、限度面積要件を満たす選択特例対象宅地等（「小規模宅地等」という）については、通常の相続税の課税価格に、それぞれ次表に掲げる区分に応じた減額割合を乗じて得た金額を減額した価額で評価する。

（注）　被相続人等とは、被相続人及び被相続人と生計を一にしていたその被相続人の親族をいう。【措法69の4】

区　　　分		限度面積	減額割合
(1) 特定事業用宅地等（不動産貸付等の用に供されていた宅地等を除く）	① 被相続人が営んでいた事業を親族が引き継ぎ、申告期限まで引き続き営んでいる場合。ただし、相続開始前3年以内に事業の用に供された宅地等（当該宅地等の上で事業の用に供されている減価償却資産の価額が、当該宅地等の相続時の価額の15%以上である場合を除く）を除外する。	400㎡	80%
	② 被相続人と生計を一にしていた親族が相続開始前から申告期限まで自己の事業の用に供している場合。ただし、相続開始前3年以内に事業の用に供された宅地等（当該宅地等の上で事業の用に供されている減価償却資産の価額が、当該宅地等の相続時の価額の15%以上である場合を除く）を除外する。	400㎡	80%
(2) 特定居住用宅地等	① 配偶者が取得した場合	330㎡	80%
	② 被相続人と同居していた親族が申告期限まで引き続き居住している場合	330㎡	80%
	③ 配偶者及び同居していた法定相続人がいない場合において、相続開始前3年以内に自己又は自己の配偶者の所有する家屋（被相続人の居住家屋を除く）に居住したことがなく、相続開始前3年以内に、相続税法の施行地内にあるその親族の3親等内の親族又はその親族と特別の関係にある一定の法人が所有する家屋に居住したことがなく、相続開始時においてその親族が居住している家屋を過去に有していたことがない親族が申告期限まで引き続き所有している場合	330㎡	80%
	④ 被相続人と生計を一にしていた親族が相続開始前から申告期限まで自己の居住の用に供している場合	330㎡	80%
(3) 特定同族会社事業用宅地等	同族会社の役員である親族が申告期限まで引き続きその同族会社の事業の用に供している場合	400㎡	80%
(4) 貸付事業用宅地等	被相続人及び生計を一にしている親族の貸付事業に供されていた宅地等で申告期限まで引き続き貸付事業に供されている場合。ただし、相続開始前3年以内に新たに貸付事業の用に供された宅地等（相続開始の日まで3年を超えて引き続き一定の貸付事業を行っていた者の当該貸付事業の用に供されたものを除く）を除外する。	200㎡	50%

（6）債務控除

① 債務控除のできる者

相続人・包括受遺者及び相続人である受遺者で無制限納税義務者に該当する者又は相続時精算課税制度の適用を選択した受贈者　　　　　　　【相法13、相令5の4】

② 債務の範囲

ア　被相続人の債務で、相続開始のとき現に存するもので確実なもの（公租公課を含む）

イ　相続人が負担した葬式費用　　　【相法13、14】

(注)　制限納税義務者に該当する場合は、債務の範囲が限定される。

（7）相続税の総額の計算方法

相続税の総額は遺産の分割内容（あるいは未分割）に関係なく以下のように計算する。

① 取得財産額－債務及び葬式費用＋相続開始前3年以内の贈与財産額＝課税価格

② 課税価格の合計額－遺産に係る基礎控除額＝課税遺産総額

③ 課税遺産総額×（各法定相続人の法定相続分）×税率＝A

④ 法定相続人全員のAの税額の合計金額＝相続税の総額

【相法16】

（8）遺産に係る基礎控除額

基礎控除額＝3,000万円＋600万円×法定相続人の数

【相法15①】

（9）税率（速算表）

法定相続分に応ずる取得金額	税率	控除額	法定相続分に応ずる取得金額	税率	控除額
1,000万円以下	10%	－	2億円以下	40%	1,700万円
3,000万円以下	15%	50万円	3億円以下	45%	2,700万円
5,000万円以下	20%	200万円	6億円以下	50%	4,200万円
1億円以下	30%	700万円	6億円超	55%	7,200万円

【相法16】

（10）各相続人等の相続税額

$$\left(\begin{array}{c}\text{相続税}\\\text{の総額}\end{array}\right) \times \frac{\text{各人の課税価格}}{\text{課税価格の合計額}} + \left(\begin{array}{c}\text{相続税額}\\\text{の加算}\end{array}\right) - \left(\begin{array}{c}\text{配偶者、}\\\text{未成年者等}\\\text{の税額控除}\end{array}\right)$$

＝各相続人等の相続税額　　　　　　【相法17】

（11）相続税額の加算

相続又は遺贈により財産を取得した者が、被相続人の1親等の血族（その者の代襲相続人を含むが、被相続人の養子となった被相続人の孫で代襲相続人でない者を除く）及び配偶者以外の者である場合には、その者の相続税額にその20%相当額を加算する。　　　　　　【相法18】

（12）相続開始前に贈与があった者の課税価格

相続又は遺贈により財産を取得した者が、その相続開始前3年以内に被相続人から贈与を受けた財産がある場合には、その贈与財産の価額をその者の課税価格に加算して、相続税の総額及びその者の相続税額を計算する。

この場合、その贈与財産について課せられた贈与税額があるときは、その税額はその者の相続税額から控除される。　　　　　　【相法19】

なお、贈与税の配偶者控除の適用を受けた贈与財産（居住用不動産又はその取得資金）については、その配偶者控

除の適用を受けた資産（同一年中に相続が開始した場合は、配偶者控除の適用を受ける予定の資産として、相続税申告書に記載した資産）のうち、配偶者控除相当額（特定贈与財産）については上記の相続税の課税価格に加算しない。

【相法19②、21の15②、21の16②、相令4】

（注1）　相続時精算課税制度の適用を選択した贈与財産も、相続時精算課税制度上相続税の課税価格に加算されるのでこの規定の対象から除かれる。

（注2）　2024（令和6）年1月1日以後に贈与により取得する財産に係る相続税については、相続又は遺贈により財産を取得した者が、当該相続の開始前7年以内に当該相続に係る被相続人から贈与により財産を取得したことがある場合には、当該贈与により取得した財産の価額（当該財産のうち当該相続の開始前3年以内に贈与により取得した財産以外の財産については、当該財産の価額の合計額から100万円を控除した残額）を相続税の課税価格に加算する。

（13）配偶者に対する相続税額の軽減

① 税額の軽減額＝

$$相続税の総額 \times \frac{次のアとイとのいずれか少ない金額}{財産取得者全員の課税価格の合計額}$$

【相法19の2①】

ア　財産取得者全員の課税価格の合計額×配偶者の法定相続分

（その金額が1億6,000万円に満たない場合には1億6,000万円）

イ　配偶者の課税価格の金額

（注）　ア及びイの「課税価格」には、隠ぺい又は仮装した事実に基づく金額を含まない。

② 適用要件

　原則として、相続税の申告期限までに遺産分割などにより配偶者が実際に取得すること（ただし、申告期限までに遺産分割が行われなかった場合でも、申告期限後3年以内に分割が行われた場合には、税額軽減の適用も受けることができる）また、相続税の申告書に、所要事項の記載をするとともに、次に掲げる書類を添付すること。　　　　　　　　　　　【相法19の2②〜④】

ア　戸籍の謄本

イ　遺言書の写し、遺産分割協議書その他の財産の取得の状況を証する書類

（14）未成年者控除

　財産の取得者が法定相続人（相続放棄者及び遺産に係る基礎控除の計算において法定相続人の数に算入されない養子を含む）に該当し、かつ、20歳未満（民法における成年年齢引き下げに伴い、2022（令和4）年4月1日以降に相続等により取得する財産に係る相続税については18歳未満）である場合には、次の算式によって計算した額が控除される。

10万円×（20歳−相続開始時の年齢）

　この場合、1年未満の端数は切り捨てて、控除しきれなかった金額があれば、その金額は、その未成年者の扶養義務者の相続税額から控除される。　【相法19の3】

（15）障害者控除

　財産の取得者が法定相続人（相続放棄者及び遺産に係る基礎控除の計算において法定相続人の数に算入されない養子を含む）に該当し、かつ、障害者である場合には、次の算式によって計算した金額が控除される。

10万円（特別障害者の場合は20万円）×（85歳−相続開始時の年齢）

　この場合、1年未満の端数は切り捨てて、控除しきれなかった金額があれば、未成年者控除と同様、その障害者の扶養義務者の相続税額から控除される。　【相法19の4】

（16）相次相続控除

　被相続人がその死亡前10年以内に相続により財産を取得している場合には、前の相続から後の相続までの期間を10年から差し引いた年数（1年未満の端数は1年として計算）に、前回の相続税額の10分の1相当額を乗じた額を今回の相続税額から控除する。　　　　　　　　【相法20】

（17）在外財産に対する相続税額控除

　相続財産が本法の施行地外にあることによって外国の法令により相続税に相当する税が課税されていた場合には、その税額相当額が控除される。　　　　　　　【相法20の2】

（18）相続税の申告書

① 提出義務者

　被相続人から相続、遺贈又は死因贈与により財産を取得したすべての者に係る相続税の課税価格の合計額が遺産に係る基礎控除額を超え、かつ、その者の算出税額から各種税額控除（配偶者の税額軽減を除く）をして、なお納付すべき相続税額のある者　　　　　【相法27】

（注）　相続時精算課税制度の相続税について申告不要でも、還付の申告をすることができる。

② 提出期限

　相続の開始を知った日の翌日から10カ月以内。

【相法27】

③ 提出先

　被相続人の死亡時における住所地を所轄する税務署長。なお、被相続人の住所地が日本国内にない場合は、各相続人又は受遺者の住所地を所轄する税務署長。

【相法27、相法附則③】

④ 申告義務の承継

　相続税申告書の提出義務者がその提出前に死亡したときは、その者の相続人は、相続開始を知った日の翌日から10カ月以内に、その死亡した者が提出すべきであった申告書を、その被相続人が住所地の所轄税務署長に提出しなければならない。　　　　　【相法27】

⑤ 遺産が未分割である場合の申告

　相続税の申告期限までに遺産が未分割のときは、民法の相続分又は包括遺贈の割合により分割されたものとして相続税額を計算し、申告する（分割確定後に修正申告により清算する）。　　　　　　【相法55】

（19）取引相場のない株式等に係る相続税の納税猶予制度

　経営承継相続人が、非上場会社を経営していた被相続人から相続等によりその会社の株式等を取得し、その会社を経営していく場合には、その経営承継相続人が納付すべき相続税額のうち、相続等により取得した議決権株式等（相続開始前から既に保有していた議決権株式等を含めて、その会社の発行済議決権株式等の総数等の3分の2に達するまでの部分に限る）に係る課税価格の80%に対応する

相続税の納税を猶予する。　　　【措法70の7の2】

（20）取引相場のない株式等に係る贈与税・相続税の納税猶予の特例制度

　特例認定贈与承継会社等の非上場株式等を有していた者が、特例経営承継受贈者等に、当該非上場株式等の贈与又は相続若しくは遺贈をした場合において、その贈与又は相続若しくは遺贈が一定の要件を満たすものであるときは、特例対象受贈非上場株式等に係る課税価格に対応する贈与税又は相続税の全額について、その納税を猶予する。
　　　　　　　　　　　　　【措法70の7の5①、70の7の6①】

　特例対象受贈非上場株式等を贈与により取得した特例経営承継受贈者が特例贈与者の推定相続人以外の者（その年1月1日において20歳以上（民法における成年年齢引き下げに伴い、2022（令和4）年4月1日以降に贈与により取得する財産に係る贈与税については18歳以上）である者に限る）であり、かつ、その特例贈与者が同日において60歳以上の者である場合には、相続時精算課税の適用を受けることができる。　　　　　　　　【措法70の2の7】

（21）個人事業者の事業用資産に係る納税猶予制度

　認定相続人・受贈者が、青色申告の承認を受けていた個人事業者から、2019（平成31）年1月1日から2028（令和10）年12月31日までの間に、相続等又は贈与によりその個人事業者の事業の用に供されていた「特定事業用資産」を取得し、事業を継続していく場合には、担保の提供を条件に、その認定相続人・受贈者が納付すべき相続税額又は贈与税のうち、相続等又は贈与により取得した特定事業用資産の課税価格に対応する相続税又は贈与税の納税が猶予される。　　　【措法70の6の10①、70の6の8①】

（22）相続時精算課税制度

　財産の贈与を受けた子又は孫（受贈者）は、通常の贈与税の課税に代えて、贈与時には軽減された相続時精算課税制度の贈与税を支払い、贈与をした親又は祖父母（贈与者）の相続時には相続財産にその贈与財産を含めて相続税額を計算し既に支払った贈与税額を控除して精算する、という相続時精算課税制度の適用を受けることを選択できる。

① 　贈与時の課税

　18歳以上（2022（令和4）年3月31日以前に贈与により取得する財産に係る贈与税については20歳以上）の受贈者（贈与者の推定相続人で直系卑属である者）は、60歳以上の贈与者からの財産の贈与について相続時精算課税制度を選択する旨の届出書を提出すれば、提出年以後の各年のその贈与者からの贈与については、贈与が数回にわたって行われても2,500万円までは非課税とされ、2,500万円を超えることとなった部分は20%の税率で課税される。

$$\left(\begin{array}{l}\text{その年中のその}\\\text{贈与者からの贈}\\\text{与財産の課税価}\\\text{格の合計額}\end{array} - \begin{array}{c}\text{特別控除}\\\text{（2,500万円(注1)）}\end{array}\right) \times \begin{array}{c}\text{税率}\\\text{（一律20%）}\end{array}$$

　＝その年の当制度による贈与税額

（注1） 既に特別控除を適用した場合は、適用した控除額を差し引いた残額

（注2） 年齢の判定は贈与年の1月1日現在で行う。

（注3） 当制度の選択は受贈者が各々、贈与者ごとに行

う（以後その贈与者からの贈与は当制度を適用）。

（注4） 届出書の提出は、最初の贈与について通常の贈与税の申告期間内に行い、届出書は撤回できない。

② 　相続時の課税

　その贈与者の相続時には、その相続に係る相続財産に加えて、当制度を適用した贈与に係る贈与財産をその受贈者が取得した相続財産とみなして相続税額を計算し、その受贈者の相続税額から当制度により課された贈与税額を控除する。控除しきれない場合は還付される（相続税の申告が不要の場合でも、還付のための申告は必要）。

$$\begin{array}{c}\text{その相続に係}\\\text{る相続財産の}\\\text{課税価格}\end{array} + \begin{array}{c}\text{その受贈者が相続したと}\\\text{みなされる当制度を適用}\\\text{した贈与財産の課税価格}\end{array} = \begin{array}{c}\text{相続財産の}\\\text{課税価格}\end{array}$$

として相続税額を計算し、その受贈者についてのみ次により納付税額（又は還付額）を計算する。

$$\begin{array}{c}\text{その受贈者}\\\text{の相続税額}\\\text{とされた額}\end{array} - \begin{array}{c}\text{当制度により課}\\\text{された贈与税額}\end{array} = \begin{array}{c}\text{その受贈者の納付する}\\\text{相続税額（控除しきれ}\\\text{ない部分は還付）}\end{array}$$

（注1） 加算される贈与財産の課税価格は、贈与時の価額による。

（注2） 受贈者が先に死亡した場合は、受贈者の相続人（贈与者を除く）は当制度の権利又は義務を承継する。　　　　【相法21の9〜21の18、33の2】

（注3） 2024（令和6）年1月1日以後に贈与により取得する財産に係る相続税又は贈与税については、課税価格から基礎控除110万円が控除され、特定贈与者の死亡に係る相続税の課税価格に加算等をされる当該特定贈与者から贈与により取得した財産の価額は、当該金額を控除した後の残額とする。

【相法21の11の2①、措法70の3の2①、②、相法21の15①、21の16③】

2.贈　与　税

（1）納税義務者

① 　贈与により財産を取得した次に掲げる者であって、当該財産取得時に日本に住所を有する者

　ア　一時居住者でない個人

　イ　一時居住者である個人（贈与をした者が外国人贈与者又は非居住贈与者である場合を除く）
　　　　　　　　　　　　　　　　　【相法1の4①一】

　（注）　一時居住者：出入国管理及び難民認定法別表第1の在留資格（以下「在留資格」という）の者で、贈与前15年以内において日本に住所を有していた期間の合計が10年以下の者
　　　　　　　　　　　　　　　　　【相法1の4③一】

　　　　外国人贈与者：贈与の時において、在留資格を有し、かつ、この法律の施行地に住所を有していた当該贈与をした者をいう。　【相法1の4③二】

　　　　非居住贈与者：贈与の時においてこの法律の施行地に住所を有していなかった当

該贈与をした者であって、当該贈与前10年以内のいずれかの時においてこの法律の施行地に住所を有していたことがあるもののうちそのいずれの時においても日本国籍を有していなかったもの又は当該贈与前10年以内のいずれの時においてもこの法律の施行地に住所を有していたことがないものをいう。　　　　　【相法1の4③三】

② 贈与により財産を取得した次の者であって、財産を取得した時において日本に住所を有しない者

ア　日本国籍を有する個人であって次に掲げる者

　㋐　贈与前10年以内のいずれかの時において日本の住所を有していたことがある者

　㋑　贈与前10年以内のいずれの時においても日本に住所を有していたことがない者（贈与をした者が外国人贈与者又は非居住贈与者である場合を除く）

イ　日本国籍を有しない個人（贈与をした者が外国人贈与者又は非居住贈与者である場合を除く）
　　　　　　　　　　　　　　　【相法1の4①二】

③ 贈与により国内財産を取得した個人で、財産を取得した時において日本の住所を有する者（①を除く）
　　　　　　　　　　　　　　　【相法1の4①三】

④ 贈与により国内財産を取得した個人で、財産を取得した時において日本に住所を有しない者（②を除く）
　　　　　　　　　　　　　　　【相法1の4①四】

⑤ 個人とみなされる人格のない社団・財団等　【相法66】

(2) 課税財産の範囲

① 無制限納税義務者（**(1) 納税義務者**の①又は②の者）…取得した全部の財産（納税義務者の②イの者のうち、日本に住所を有しないこととなった日前15年以内において日本に住所を有していた期間の合計が10年を超える贈与者（当該期間引き続き日本国籍を有していなかった者であって、当該贈与の時において日本に住所を有していないものに限る）から贈与により取得する国外財産を除く（ただし、当該贈与者が、日本に住所を有しないこととなった日から同日以後2年を経過する日までの間に国外財産を贈与した場合において、同日までに再び日本に住所を有することとなったときにおける当該国外財産に係る贈与税はこの限りでない））

② 制限納税義務者（**(1) 納税義務者**の③又は④の者）…日本国内にある財産
　　　　　　　【相法2の2、相基通1の3・1の4共-3】

なお、**(1) 納税義務者**の⑤について、社団又は財団等の住所は、その主たる営業所又は事務所の所在地にあるものとみなして判定する。　　　【相法1の4①、66③】

(3) 贈与により取得したものとみなされるもの

① 信託の受益権　　　　　　　　　　　　【相法9の2】
② 生命保険・損害保険金等　　　　　　　　　【相法5】
③ 定期金に関する権利　　　　　　　　　　　【相法6】
④ 低額譲受け　　　　　　　　　　　　　　　【相法7】
⑤ 債務免除等　　　　　　　　　　　　　　　【相法8】
⑥ その他の利益の享受　　　　　　　　　　　【相法9】

(4) 贈与税額の計算

贈与税額は以下のように計算する。　　　　【相法21の7】

$$\left(課税価格 - \begin{matrix}贈与税の\\配偶者控除\end{matrix} - 基礎控除\right) × 税率 = 贈与税額$$

(注)　人格のない社団等については、贈与者が異なるごとに、個人の場合に準じて計算する。　【相法66①、④】

(5) 贈与税の基礎控除

課税価格から110万円を控除する。
　　　　　　　　　　　　　【相法21の5、措法70の2の2】

(6) 贈与税の配偶者控除

婚姻期間20年以上の夫婦間において、居住用不動産又はその取得に充てた金銭の贈与がされたときは、贈与を受けたその居住用不動産と金銭との合計額から2,000万円を限度とし配偶者控除として控除される。　　【相法21の6】

(注)　この配偶者控除はたとえ控除不足があっても、同一の配偶者からの贈与については一度しか適用を受けることができない（同一の配偶者からの贈与でなければ二度以上この控除の適用を受けることができる）。

(7) 直系尊属から住宅取得等資金の贈与を受けた場合の贈与税の非課税制度

2015（平成27）年1月1日から2026（令和8）年12月31日までの間に、住宅取得等資金の贈与を受けた日の属する年の1月1日において20歳以上（民法における成年年齢の引き下げに伴い、2022（令和4）年4月1日以降に贈与により取得する財産に係る贈与については18歳以上）でその年分の合計所得金額が2,000万円以下の者が、自己の居住の用に供する一定の家屋の新築もしくは取得又は自己の居住の用に供する家屋の一定の増改築（これらとともにするこれらの家屋の敷地の用に供されている土地又は土地の上に存する権利の取得を含む）のための資金をその直系尊属からの贈与により取得した場合には、それぞれ、次の金額を贈与税の課税価格に算入しない。

① 良質な住宅家屋　1,000万円
② 上記以外の住宅家屋　500万円

(注)　良質な住宅用家屋とは、省エネルギー性や耐震性、バリアフリー性について一定の水準を満たす住宅をいう。　　　　　　　　　　　　【措法70の2】

(8) 税率（速算表）

〈一般税率〉

基礎控除及び配偶者控除後の課税価格	税率	控除額	基礎控除及び配偶者控除後の課税価格	税率	控除額
200万円以下	10%	－	1,000万円以下	40%	125万円
300万円以下	15%	10万円	1,500万円以下	45%	175万円
400万円以下	20%	25万円	3,000万円以下	50%	250万円
600万円以下	30%	65万円	3,000万円超	55%	400万円

【相法21の7】

(9) 税率（速算表）

20歳以上（民法における成年年齢の引き下げに伴い、2022（令和4）年4月1日以降に贈与により取得する財産に係る贈与税については18歳以上）の者が直系尊属から贈与を受けた財産に係る贈与税の税率（特例税率）

基礎控除及び配偶者控除後の課税価格	税率	控除額	基礎控除及び配偶者控除後の課税価格	税率	控除額
200万円以下	10%	－	1,500万円以下	40%	190万円
400万円以下	15%	10万円	3,000万円以下	45%	265万円
600万円以下	20%	30万円	4,500万円以下	50%	415万円
1,000万円以下	30%	90万円	4,500万円超	55%	640万円

【措法70の2の4】

（10）贈与税の申告書

① 提出義務者

　贈与により財産を取得した者で、その年分の贈与税の課税価格について、基礎控除及び贈与税の税率を適用して算出した税額から在外財産に対する税額控除をして、なお納付すべき贈与税額がある者及び相続時精算課税制度の適用を選択した受贈者でその年分の贈与を受けた者（当制度の贈与者が死亡したときは、その贈与の申告不要）

② 提出期限

　贈与を受けた年の翌年2月1日から3月15日まで。

③ 提出先

　受贈者の住所地の所轄税務署長　　　　【相法28】

（11）取引相場のない株式等に係る贈与税の納税猶予制度

① 認定中小企業者の代表者であった者の後継者として経済産業大臣の確認を受けた者が、その代表者であった者から贈与によりその保有株式等の全部（贈与前からの既取得分を含め総数等の3分の2に達するまでの部分「猶予対象株式等」に限る）を取得し、その会社を経営していく場合には、その猶予対象株式等の贈与に係る贈与税の全額の納税を猶予する。

② 贈与者の死亡時には、その後継者が猶予対象株式等を相続により取得したものとみなして、贈与時の時価により他の相続財産と合算して相続税額を計算する。その際、経済産業大臣の確認を受けた場合には、相続税の納税猶予を適用することができる。　　　　【措法70の7】

2 地　方　税

1. 法人の道府県民税及び市町村民税

（1）課税団体

道府県（道府県民税）、市町村（市町村民税）

【地法24①、④、⑤、294①、⑥、⑦】

（2）均　等　割

法　人　等　の　区　分	従業者数	市町村民税	道府県民税
資本金等が50億円を超える法人	50人超	年300万円	80万円
	50人以下	41万円	
資本金等が10億円を超え50億円以下	50人超	175万円	54万円
	50人以下	41万円	
資本金等が1億円を超え10億円以下	50人超	40万円	13万円
	50人以下	16万円	
資本金等が1,000万円を超え1億円以下	50人超	15万円	5万円
	50人以下	13万円	
資本金等が1,000万円以下の法人	50人超	12万円	2万円
	50人以下	5万円	
上記以外（資本金等を有しない法人）		5万円	2万円

（注）　市町村民税の制限税率は標準税率の1.2倍

【地法52、312】

（3）法人税割

① 都道府県民税

　標準税率……法人税額（地法53）の100分の1.0（制限税率100分の2.0）　　　　【地法51】

② 市町村民税

　標準税率……法人税額（地法321の8）の100分の6.0（制限税率100分の8.4）【地法314の4】

③ 移転価格税制に係る更正の場合の税額控除

【地法53、地令9の9の6〜9の9の7】

（4）申告納付

① 分割法人（二以上の道府県、市町村に事務所又は事業所を有する法人）は、課税標準である法人税額を従業者数に基づいて分割し、その分割した法人税額により、道府県・市町村ごとの法人税割額を算定する。

【地法57、321の13】

② 法人の更正又は決定を受けた場合は、その法人税の納期限までに修正申告書を提出し、不足税額を納付。

【地法53、321の8】

③ 公益法人等で均等割のみを課されるものの納期限は4月30日　　　　【地法53、321の8】

（5）グループ通算制度への対応措置

① 課税標準

　通算法人に係る法人住民税法人税割の課税標準……法人税額（開始・加入前の繰越欠損金の切り捨て、損益通算、欠損金の通算を調整）　【地法23、292、53、321】

2. 法人の事業税

（1）課税団体

道府県　　　　【地法72の2、地令10の2】

（2）課税標準

① 電気供給業（注1）、ガス供給業（注2）、保険業……各事業年度の収入金額

② その他の事業……各事業年度の所得金額（外形標準課税は、加えて付加価値額、資本金等の額）　【地法72の12】

（注1）　電気供給業のうち発電事業、特定卸供給事業（2022（令和4）年4月1日以後に終了する事業年度より適用）及び小売電気事業については、資本金1億円以下の法人は各事業年度の収入金額及び所得、資本金1億円超の法人は各事業年度の収入金額に加えて付加価値額、資本金等の額。

(注2) 2022（令和4）年4月1日以後開始する事業年度については、導管ガス供給事業に限る。また、特定ガス供給業は、収入金額に加えて、付加価値額、資本金等の額。

(3) 課税標準の算定

① 所得金額

ア 所得金額＝益金の額－損金の額

所得金額の算定は、地方税法又はこれに基づく政令で特別の定めをする場合を除いて、法人税法の課税標準である所得の計算の例による。

【地法72の23】

イ 法人税の所得計算と相違する事項は下記の通り。

(ア) 法人税における租税特別措置（海外投資等損失準備金【措法55】）の不適用 【地法72の23】

(イ) 医療法人等の社会保険診療報酬等に係る所得の課税除外 【地法72の23、地令21の7】

(ウ) 繰越欠損金の控除の特例 【地令21】

法人が当該事業年度開始の日前10年以内に開始した事業年度において生じた欠損金額について、法人税の「欠損金の繰戻し還付」を受けているときは、事業税の課税標準算定の際、その欠損金額の繰戻し額については、還付がなかったものとして、欠損金の繰越控除の対象とする。

（事業税の各事業年度の所得計算上の繰越欠損金を法人税の各事業年度の所得計算上の繰越欠損金として、法人税の規定の例によるものとされる）

(エ) 所得税額（損金の額に算入した）の損金不算入

【地令21の2】

(オ) 寄附金の損金算入限度額の調整 【地令21の3】

(カ) 外国の事業に帰属する所得以外の所得に課された外国税額の損金算入 【地令21の4】

(キ) 特別な所得金額の算定

内国法人で外国に支店等を有する場合

【地法72の24、地令21の8】

② 清算中の法人についても各事業年度の所得金額を算定する。

③ 収入金額

ア 電気供給業及びガス供給業

【地法72の24の2、地令22】

$$\text{総事業収入金額} - \begin{Bmatrix} \text{国、地方団体からの補助金} \\ \text{固有資産売却による収入金} \\ \text{額その他政令で定めるもの} \end{Bmatrix} = \text{収入金額}$$

イ 生命保険事業

ウ 損害保険事業 【地法72の24の2】

エ 少額短期保険業（正味収入保険料の40％相当額。課税標準の特例措置あり）

(4) 税 率

① 普通法人の標準税率

資本金額又は出資金額が1億円以下又は資本・出資を有しない法人の所得割税率

区 分		所得割［標準税率］
		2019（令和元）年10月1日以後の開始事業年度
所得のうち	年400万円以下の金額	3.5%
	年400万円を超え年800万円以下の金額	5.3%
	年800万円を超える金額	7.0%

ただし、軽減税率不適用法人（3以上の道府県に事務所又は事業所を設けて事業を行う法人で資本金額又は出資金額が1,000万円以上のもの）は、上記の税率によらないで、所得金額の100分の7.0とする。

【地法72の24の7、地特法2】

② 特別法人（協同組合・医療法人など）の標準税率

区 分		所得割［標準税率］
		2019（令和元）年10月1日以後の開始事業年度
所得のうち	年400万円以下の金額	3.5%
	年400万円を超える金額	4.9%
特定の協同組合等の年10億円超の所得		5.7%

ただし、軽減税率不適用法人は、上記の税率によらないで、所得金額の100分の4.9とする。

【地法72の24の7】

③ 電気供給業・ガス供給業及び保険業の法人の標準税率

電気供給業、ガス供給業（注）及び保険業を行う法人は収入金額の100分の1.0である。 【地法72の24の7】

(注) 2022（令和4）年4月1日以後開始事業年度は、一般ガス導管事業、特定ガス導管事業をいう。

④ 電気供給業のうち発電事業及び小売電気事業の法人の標準税率

資本金1億円以下の法人は収入金額の100分の0.75及び所得金額の100分の1.85となり、資本金1億円超の法人は収入金額の100分の0.75に加えて、付加価値額の100分の0.37、資本金等の額の100分の0.15となる。

⑤ 特定ガス供給業の法人の標準税率

収入金額の100分の0.48に加えて、付加価値額の100分の0.77、資本金等の額の100分の0.32となる。

(注) 一般ガス供給業については普通法人と同様の課税。

⑥ 制限税率は標準税率の1.2倍 【地法72の24の7】

(5) 外形標準課税

① 対象

ア 資本金額又は出資金額が1億円超の普通法人

イ 2025（令和7）年4月1日以降開始事業年度より当面の間、前事業年度に外形標準課税の対象であった法人であって、当該事業年度に資本金1億円以下で、資本金と資本剰余金の合計額が10億円を超えるもの

【地法附則8の3の3】

② 課税標準

所得割額、付加価値割額及び資本割額の合算額により課税される。

所得割の課税標準の所得金額は **(3) 課税標準の算定**

の①に同じ、資本割の課税標準は資本金等の額による。付加価値割の課税標準は次の付加価値額による。

$$付加価額＝\left(\begin{array}{c}収益配分額\\（報酬給与額＋純支払利子＋\\純支払賃借料）\end{array}\right)\pm\begin{array}{c}単年度\\損益\end{array}$$

（注1） 収益配分額のうち、「報酬給与額」は給与等、退職給与等の合計額を、「純支払利子」は支払利子から受取利子を控除した額を、「純支払賃借料」は土地建物の支払賃借料から受取賃借料を控除した額をいう。

（注2） 雇用安定控除
報酬給与額＞収益配分額×0.7の場合、収益配分額から控除する。
雇用安定控除額＝報酬給与額－収益配分額×0.7

（注3） 単年度損益は、欠損金の繰越控除前の所得による。

③ 税率（標準税率）（2022（令和4）年4月1日以後開始事業年度より）

所得割	資本割	付加価値割
1.0%	0.5%	1.2%

【地 法72、72の 2 、72の12、72の14～72の18、72の20、72の21、72の23、72の24の 7 】

（6）分割法人の分割基準
二以上の都道府県に事務所等を設けている分割法人は、課税標準額を次の基準により関係都道府県に分割して税額を計算し申告納付する。

事業の区分	分割基準
製造業	従業者数（資本金額等が 1 億円以上の法人は、工場の従業者数を1.5倍する）
非製造業（鉄道・軌道事業、電気・ガス供給業、倉庫業を除く）	課税標準の 2 分の 1 ➡ 事務所等の数 課税標準の 2 分の 1 ➡ 従業者数

【地法72の48③、④】

（7）グループ通算制度への対応措置
① 課税標準
通算法人に係る法人事業税所得割の課税標準……所得金額（開始・加入前の繰越欠損金の切り捨て、損益通算、欠損金の通算を調整）　　　　　　【地法72の23】
② みなし事業年度
通算子法人の事業年度は、通算親法人の事業年度に合わせたみなし事業年度となる。　　【地法72の13】

3. 特別法人事業税

（1）適用時期
2019（令和元）年10月 1 日以降開始する事業年度
【特事法附則 1 、 2 】

（2）納税義務者
法人事業税（所得割・収入割）の納税義務法人
【特事法 4 】

（3）課税標準
法人の事業税額（標準税率で計算した所得割額（基準法

人所得割額）・収入割額（基準法人収入割額））

税率 課税標準	法人の種類	税率 2022（令和 4 ）年 4 月 1 日以後に 開始する事業年度
基準法人 所得割額	外形標準課税法人・特別法人以外	37%
	外形標準課税法人	260%
	特別法人	34.5%
基準法人 収入割額	電力供給業（下記以外）・導管ガス供給業・保険業を行う法人	30%
	電力供給業（発電事業・小売電気事業・特定卸供給事業）を行う法人	40%
	特定ガス供給事業を行う法人	62.5%

【特事法 6 、 7 】

（4）申告納付
都道府県の法人の事業税の申告と併せて当該都道府県知事に提出及び納付　　　　　　【特事法 9 、10】

4. 事業所税

（1）課税客体
① 東京都（特別区の存する区域に限る）
② 指定都市
③ ②に掲げる市以外の市で首都圏の既成市街地及び近畿圏の既成都市区域を有するもの
④ 人口30万以上の政令で定める市
【地法701の30、701の31、735、737③】

（2）納税義務者
上記における事業所等において事業を行う者
【地法701の32】

（3）課税客体
事業所等において法人もしくは個人の行う事業
【地法701の32】

（4）非 課 税
① 国、非課税の独立行政法人、公共法人及び公益法人等（収益事業以外の事業に限る）
② 都市施設で一般的に市町村が行うものと同種のもの又は収益性の薄いもの
③ 農林漁業の生産の用に供する施設
④ 中小企業施策に係る施設
⑤ 福利厚生施設及びこれに類するもの
⑥ 公害防止施設又は消防用施設等
⑦ 汚水処理施設等　　　　　　【地法701の34】

（5）面積課税標準
資 産 割……課税標準の算定期間の末日における事業所床面積
従業者割……課税標準の算定期間中に支払われた従業者給与総額　　　　　　【地法701の40】
（注1） 従業者は、役員を含み、障害者及び65歳（60歳を65歳とする改正について段階的な経過措置あり）以上の役員以外の者を除く（免税点も同じ）。
（注2） 課税標準の特例
① 協同組合等
② 都市施設で非課税とならないもの

③　床面積当たりの収益率が低い事業所等に係る施設

④　国の施策として奨励するものに係る施設

【地法701の41】

（6）税　　率

資　産　割……1平方メートルにつき　　600円

従業者割……従業者給与総額×100分の0.25

【地法701の42】

（7）免　税　点

資　産　割……事業所床面積　　1,000㎡以下

従業者割……従業者数　　100人以下　【地法701の43】

（8）徴収の方法

①　法人に係る事業所税

事業年度終了の日から2カ月以内にその事業年度分を申告納付。

②　個人に係る事業所税

翌年3月15日までに個人に係る課税期間分を申告納付。　　　　　　　　　　　【地法701の45～701の47】

5. 固定資産税

（1）課税団体

市町村（一定の限度額を超える償却資産についてはその超える部分は道府県が課税団体となる）

【地法342①、②、740】

（2）納税義務者

固定資産の所有者及びみなし所有者　　　【地法343】

（3）非　課　税

①　国・都道府県・市町村等の非課税法人

②　宗教法人、学校法人等が直接本来の用に供する資産等

【地法348】

（4）課税標準

賦課期日（1月1日）における固定資産の価格で固定資産課税台帳に登録されるもの　　　　　【地法349】

（5）縦覧制度

課税台帳は毎年4月1日から20日以上の期間・納税者の縦覧に供される（同一市町村内の他の土地・家屋の価格と比較可能）。　　　　　　　　　　　　　【地法415】

（6）閲覧制度

納税者（借地人・借家人を含む）の求めに応じ常に閲覧可能　　　　【地法382の2、415、416、地令52の14】

（7）課税標準の特例

①　住宅用地の課税標準の特例

一定の要件を満たす住宅用地（その住宅の床面積の10倍相当面積を限度）については評価額の3分の1（200㎡以下の部分の小規模住宅用地は6分の1）

②　その他、用途による課税標準の特例

【地法349の3、349の3の2】

（8）税　　率

100分の1.4　　　　　　　　　　　　　【地法350】

（9）免　税　点

①　土　　地……30万円未満

②　家　　屋……20万円未満

③　償却資産……150万円未満　　　　　【地法351】

（10）納　　期

原則4月、7月、12月及び2月中において市町村の条例で定める。　　　　　　　　　　　　　【地法362】

（11）経営力向上設備等を取得した場合の特例

中小企業者等で認定経営力向上計画に基づき取得した新品の機械及び装置（160万円以上）で一定の要件を満たした場合、3年間2分の1減額　　　【地法附則15㊹】

（12）特定所有者不明土地を利用した地域福利増進事業に係る課税標準の特例措置

所有者不明土地の利用の円滑化等に関する特別措置法に規定する地域福利増進事業を実施する者が当該事業の用に供する一定の土地及び償却資産に係る固定資産税及び都市計画税について、課税標準を最初の5年間価格の3分の2とする。　　　　　　　　　　　　　【地法附則15㊿】

索 引

【サ 行】

2024年度版 会計税務便覧

2024年9月25日　発行

編　者　　日本公認会計士協会東京会 ⓒ

発行者　　小泉　定裕

発行所　　株式会社 清文社

東京都文京区小石川1丁目3－25（小石川大国ビル）
〒112-0002　電話 03(4332)1375　FAX 03(4332)1376
大阪市北区天神橋2丁目北2－6（大和南森町ビル）
〒530-0041　電話 06(6135)4050　FAX 06(6135)4059
URL　https://www.skattsei.co.jp/

印刷：大村印刷㈱

ISBN978-4-433-73404-6